Management Industriel et Logistique

Concevoir et piloter la Supply Chain

Collection GESTION

SÉRIE : Production et Techniques quantitatives
appliquées à la gestion

dirigée par Vincent Giard, Professeur à l'Université Paris-Dauphine

Management Industriel et Logistique

Concevoir et piloter la Supply Chain

5e édition

Gérard BAGLIN, Olivier BRUEL,

Alain GARREAU, Michel GREIF,

Laoucine KERBACHE, Christian van DELFT

ECONOMICA

49, rue Héricart, 75015 Paris

Introduction

Cette nouvelle édition a été conçue pour apporter à un ouvrage copieux, dense et qui aborde des sujets complexes, un agrément et une facilité de lecture par un format commode et l'impression en deux couleurs.

Deux chapitres ont été particulièrement enrichis par rapport à la précédente édition : l'étude des réseaux de production, d'approvisionnement et de distribution, d'une part, le transport, maillon central du système industriel et logistique de toutes les entreprises manufacturières, d'autre part.

Le lecteur intéressé – étudiant, cadre d'entreprise ou dirigeant – trouvera exposés ici les problématiques fondamentales du management de la *supply chain* d'une entreprise, ainsi que les outils d'analyse et les méthodes de décision correspondantes.

Aujourd'hui, face aux réalités du monde des affaires, les idées sur le management industriel et logistique ont beaucoup évolué. Les industriels ont compris que la performance du système opérationnel ne reposait que très partiellement sur l'automatisation, l'informatisation ou les techniques d'optimisation et qu'elle dépendait surtout d'une bonne intégration des décisions à la stratégie d'ensemble de l'entreprise.

Sans avoir pour objectif de former des spécialistes, notre ambition est que chacun, quel que soit son rôle présent ou futur au sein de l'organisation, puisse intégrer cette composante majeure dans sa réflexion personnelle. Nous sommes en effet convaincus que, pour réaliser des bonnes performances en matière de délai, de flexibilité, de qualité et de productivité, la cohérence et la transversalité des actions, ainsi que l'implication des différents services sont plus importantes que la maîtrise par quelques spécialistes de technologies de pointe ou d'algorithmes sophistiqués.

Achats, production et logistique, facteurs clés de la stratégie de l'entreprise

Les années 1980 à 1995 ont vu le management industriel devenir un facteur clé dans la stratégie compétitive de la firme. Des entreprises de secteurs différents ont subi de considérables pertes de parts de marché du fait de leur incapacité à atteindre les performances de leurs meilleurs concurrents mondiaux (par exemple, l'automobile, l'électronique ou l'électroménager). D'autres, en revanche, sont parvenues à dominer les marchés mondiaux grâce aux excellentes performances de leur système industriel et logistique qui a pu délivrer des produits de meilleure qualité, à des coûts plus bas que ceux de leurs concurrents et tout en maintenant une grande capacité d'adaptation aux évolutions rapides de l'environnement technico-économique.

Dans la dernière décennie, la logistique est devenue un facteur de compétitivité essentiel. En effet, le mouvement d'externalisation des fabrications s'est poursuivi et les distributeurs ne veulent plus prendre le risque de stocker des produits qu'ils ne sont pas sûrs de vendre. Il faut donc transporter et livrer les produits juste au moment où le stade aval dans la chaîne logistique en a besoin.

Est ainsi apparu le concept de *Supply Chain Management* qui vise à coordonner les flux entre les divers acteurs (fournisseurs, producteurs, distributeurs) en vue d'une amélioration de la performance globale. Cette nouvelle façon de travailler n'a été rendue possible que grâce au formidable développement des technologies de l'information autour des progiciels intégrés et des outils internet.

Ouverture et intégration des fonctions de l'entreprise

À l'heure actuelle, les entreprises ne peuvent plus isoler les processus de décision des différentes fonctions. Toute organisation doit être analysée comme un *système global* dans lequel les divers domaines fonctionnels (par exemple, le marketing, la production, la finance) comme tous les acteurs de la chaîne logistique (fournisseurs, fabricants, détaillants) sont intimement liés. Bien comprendre les rapports entre ces diverses fonctions permet d'améliorer l'efficacité (l'atteinte des objectifs) et l'efficience (l'obtention des résultats au moindre coût) du système.

Au demeurant, les approches les plus récentes de la discipline nous ont facilité la tâche. Le Juste-à-temps, la maîtrise totale de la qualité ou la logistique intégrée exigent qu'on les aborde dans un esprit pluridisciplinaire. Nous en avons tenu compte dans la construction de l'ouvrage.

La structure et le contenu de l'ouvrage

Cette cinquième édition bénéficie des remarques et des commentaires faits par nos collègues et nos étudiants ainsi que par les cadres et dirigeants des entreprises dans lesquelles nous intervenons.

Le livre est divisé en cinq parties et trente chapitres :

– La partie I aborde les *concepts fondamentaux* du domaine (produits et ressources, notions de flux et de processus, et bases de la gestion de capacité).

– La partie II détaille les *décisions structurelles et tactiques* de la *supply chain* (politique d'investissement et stratégie industrielle, décisions tactiques et processus transversaux de la *supply chain*, choix de structure des réseaux industriels et logistiques, stratégies d'achat et *sourcing*).

– La partie III a trait à l'ensemble des systèmes de *planification multi-niveaux* ainsi qu'aux systèmes de *gestion des stocks* et des approvisionnements.

– La partie IV se focalise sur les problématiques de *gestion des opérations à court terme*, notamment les règles de pilotage des systèmes continus ou discontinus, les systèmes de traitement de commandes, d'entreposage et de transport, le management de la qualité et le progrès permanent, ainsi que les approches de simplification qualifiées de *Lean Production*.

– La partie V analyse systématiquement les *systèmes d'information et de management* de la *supply chain* (les progiciels de gestion intégrés de type ERP, les outils internet de toute nature, le management de projets transversaux, les choix de structures et d'organisation, et enfin la mesure et le pilotage des performances).

Ainsi conçu, l'ouvrage couvre la totalité des problématiques managériales, sur tous les horizons et à tous les niveaux de responsabilité.

Le site Internet de l'ouvrage

Pour faciliter l'apprentissage et la bonne compréhension des concepts, pour favoriser les échanges et mises à jour du domaine, les auteurs ont mis en place un site Internet dédié, qui complète ce livre.

Il est conçu pour offrir les prestations additionnelles suivantes :
- des questions de réflexion pour apprécier la compréhension des notions exposées dans le chapitre,
- des exercices ou des mini-cas,
- les corrigés des exercices accessibles aux professeurs,
- des questionnaires à choix multiples,
- des liens vers des sites relevant du domaine,
- etc.

Ce site est accessible à l'adresse :

http://mil.hec.fr

Chapitre 1

La fonction industrielle et logistique dans l'entreprise

1/1 Le domaine du management industriel et logistique

Le management industriel et logistique concerne un très vaste ensemble de domaines. Il recouvre en effet la conception des produits vendus par l'entreprise, la conception des processus de production qui permettent de fabriquer ces produits, la gestion des flux physiques et des stocks à tous niveaux, les technologies mises en œuvre dans les produits et dans les processus, la politique d'achat des matières premières, sous-ensembles et composants ainsi que de toutes les prestations et services, la politique de qualité, l'organisation du système de distribution ainsi que le management des ressources humaines mobilisées dans le domaine industriel et logistique.

L'expérience montre que les décisions qui doivent être prises par les responsables de la fonction industrielle et logistique sont de nature stratégique et organisationnelle, plus que technique, même si leur dimension technologique ne peut être ignorée.

Le concept de *supply chain*, quant à lui, se réfère à la gestion des flux physiques depuis les approvisionnements en matières premières jusqu'à la mise à disposition des produits finis aux clients sur le lieu d'achat ou de consommation. Il peut être étendu à la gestion des flux chez les fournisseurs et chez les clients. Il concerne aussi bien les entreprises industrielles que les entreprises de distribution, voire de service.

On distingue trois grandes étapes dans le processus logistique :
- les approvisionnements en matières premières et composants,
- la production des biens et le pilotage des flux internes ou inter-usines,
- la distribution physique des produits finis aux clients finaux.

La compétitivité de l'entreprise trouve sa source pour une grande partie à l'intérieur de ce processus logistique. C'est en effet à ce niveau opérationnel que se constituent et se déterminent :
- le coût de revient global des produits fabriqués,
- la qualité des produits livrés,

– la qualité de service au client, en particulier le délai de livraison et l'aptitude à traiter des commandes urgentes ou la fourniture de services complémentaires au(x) produit(s),
– une grande partie du besoin en fonds de roulement pour financer les stocks à tous les niveaux,
– la majorité des capitaux immobilisés dans les bâtiments, les machines, les moyens de transport et de manutention.

Les interactions avec les autres fonctions de l'entreprise sont donc étroites. Avec le *marketing* : définition des produits offerts (tous attributs du produit compris), niveau de prix (et donc coût de revient), délais de livraison et modes de distribution. Avec la *finance* : besoin en fonds de roulement (donc niveau des stocks) et politique d'investissement. Avec le *contrôle de gestion* : budgets, suivi des coûts de revient, *reporting* et tableaux de bord à tous les niveaux. Avec la *gestion des ressources humaines* : politique de recrutement, de mobilité interne et de formation du personnel (fig. 1-1).

Les décisions relevant du management industriel et logistique se situent ainsi à deux niveaux :

– Au niveau stratégique et tactique : il s'agit de définir et de mettre en place les moyens et ressources nécessaires à l'accomplissement de la fonction en relation avec les différentes étapes de la chaîne de valeur : investissements en matériel, niveau et qualification de la main-d'œuvre, structure du système de fabrication et de distribution (nombre, taille et localisation des usines et des dépôts), conception des produits et processus, principes de fonctionnement (organisation en ateliers spécialisés ou en ligne de fabrication, mise en œuvre du Juste-à-temps…), décisions d'intégration ou de sous-traitance et de partenariat.

– Au niveau opérationnel : il faut gérer les flux des matières premières, des produits semi-finis et des produits finis pour atteindre les objectifs de productivité et de service qui sont assignés à la fonction logistique ; les décisions prises à ce niveau sont des décisions de fonctionnement du système opérationnel.

1/2 Mise en perspective historique

Avant de les développer, il est utile de situer les concepts actuels concernant la logistique et le management industriel dans leur perspective historique.

Dès l'Antiquité, les problèmes de gestion de projet devaient se poser lorsqu'il s'agissait de construire des édifices de grande taille. Mais c'est au XIVe siècle que les premières idées de rationalisation de l'activité de production se concrétisèrent. Les chantiers navals vénitiens avaient déjà découvert la notion de standardisation et avaient mis en place des processus d'assemblage en ligne de navires.

Adam Smith, en 1776, démontrait les avantages de la division du travail, organisation qui s'est répandue au cours du XIXe siècle lors du développement de l'industrie.

Figure 1-1 – *Relations entre les fonctions de l'entreprise*

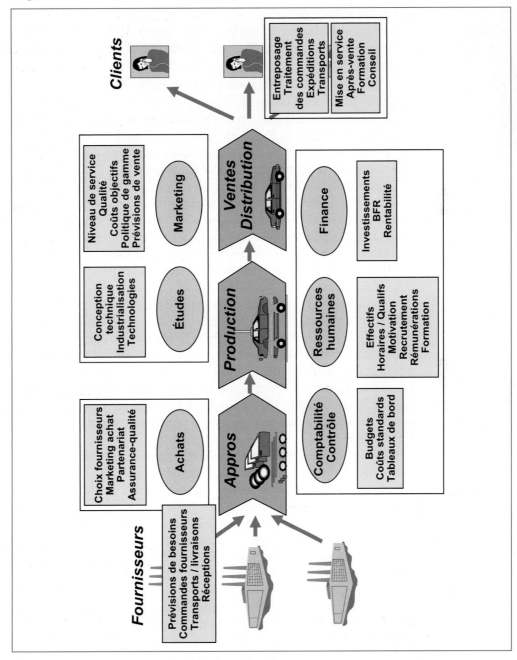

Les idées de rationalisation dans le travail se sont surtout développées au début du XXe siècle avec :
- Taylor : organisation scientifique du travail en 1911,
- Henry Ford : travail à la chaîne et standardisation en 1913,
- Harris et Wilson : quantité économique entre 1913 et 1924,
- Fayol : principes de direction et de gestion en 1916,
- Gantt : principes d'ordonnancement en 1917.

La *gestion scientifique*, par l'application de concepts mathématiques à des problèmes de gestion de l'activité, remonte aux années 1930 avec les premiers travaux sur le contrôle de qualité (W. Shewart) et 1950 avec la naissance de la *recherche opérationnelle* (programmation linéaire, méthode PERT, etc.).

L'apparition de l'informatique dans le domaine de la gestion de production se situe au milieu des années 1960 avec le premier progiciel conçu pour gérer une production complexe (*Class* d'IBM). Son usage s'est rapidement développé dès que les progrès technologiques permirent l'accès direct à de gros volumes d'informations ainsi que la consultation et la mise à jour des données en temps réel.

Elle a permis le développement du concept de *gestion intégrée de la production* et, plus généralement, de gestion intégrée de l'entreprise (1970). Les progiciels de *Gestion de production assistée par ordinateur (GPAO)* prennent en compte tous les aspects de la logistique, des achats à la livraison des produits.

Depuis le début des années 1980, le renouveau des concepts et méthodes s'est produit au Japon. Devant les succès remportés par les Japonais à l'exportation, les industriels occidentaux ont cherché à comprendre les méthodes qui étaient mises en œuvre dans ce pays. Le premier principe est le *Juste-à-temps* qui vise à réduire tout au long du système logistique les stocks et le temps de réponse, en faisant en sorte qu'à tous les stades de la chaîne logistique la production (ou la livraison) soit toujours égale à la demande.

Dans les années 1990, on assiste au renouveau d'un concept, vieux comme le monde industriel, celui de la productivité globale. Au fil des ans, les entreprises avaient eu tendance à « engraisser », c'est-à-dire à se doter de services fonctionnels nombreux au titre des économies d'échelle. Ces services coûtent cher et n'apportent pas une valeur directement perceptible par le client. La « production au plus juste » (*lean production* en anglais) vise à ne mettre en œuvre que les ressources strictement nécessaires en rationalisant toutes les activités directement productives ou non. Pour atteindre cet objectif, il faut parfois procéder à des remises en cause radicales des modes de fonctionnement traditionnels.

C'est ce que propose le *Business Process Reengineering (BPR)* qui part de l'analyse des processus transversaux de l'entreprise par rapport au client. Plutôt que de poursuivre des actions de productivité à l'intérieur d'une structure figée, le *BPR* se fonde sur l'idée que les gains potentiels les plus importants se situent aux interfaces entre les services ou les fonctions.

À la fin des années 1990 apparaît enfin le concept de *supply chain*. C'est la reconnaissance que les performances des différents acteurs d'une chaîne logistique sont interdépendantes. Par exemple, il ne sert à rien d'avoir d'excellentes performances en production si des fournisseurs non fiables obligent à conserver d'importants stocks de matières premières, ou si le système de distribution ne permet pas de livrer les produits dans des délais très courts. Au lieu de rechercher des optimums locaux (au sein de l'entreprise), on doit rechercher des optimums globaux (sur l'ensemble de la chaîne logistique, depuis les fournisseurs jusqu'au client final où qu'il se trouve au niveau international). Cela suppose un partage et une transparence totale de l'information, en particulier grâce aux systèmes d'information intégrés (*ERP*) et à Internet.

1/3   Les grandes évolutions organisationnelles

1/3.1   *Le taylorisme*

Le modèle qui a dominé les organisations industrielles pendant un siècle est le taylorisme. C'est grâce à ce modèle d'organisation du travail que l'on a connu les formidables progrès de productivité qui ont permis l'élévation du niveau de vie dans les pays industrialisés.

Taylor a inventé cette organisation au début du XXe siècle aux États-Unis pour permettre un accroissement rapide de la production industrielle. À l'époque, le facteur de production prédominant était la main-d'œuvre. Pour augmenter rapidement les capacités de production, il fallait incorporer rapidement du personnel non qualifié (les immigrants et les paysans) et donc confier à ces nouveaux embauchés des tâches simples qui ne demandaient qu'une formation rapide.

Le premier principe réside dans l'analyse du travail, le chronométrage, la recherche de bonnes méthodes de travail, l'élimination des gestes inutiles, la sélection des ouvriers, l'établissement des temps standard et le salaire au rendement, ce qui a donné naissance à l'**organisation scientifique du travail** (OST).

Le second principe énonce une double division du travail :
- une **division « horizontale »** qui conduit à diviser une tâche complexe en une succession de tâches simples : chaque ouvrier n'effectue qu'une petite partie du travail pour élaborer un produit ; celui-ci passe alors aux postes suivants pour subir la suite des opérations de transformation,
- une **division « verticale »** dans laquelle les tâches d'exécution et les tâches de gestion sont clairement séparées ; les opérateurs ne sont payés que pour exécuter et non pour gérer leur travail. De nouvelles fonctions ont donc été créées et confiées à des spécialistes : le contrôle de qualité, la maintenance des machines, les méthodes de travail, la planification de l'activité, etc. Les opérateurs sont donc dépossédés de tout contrôle sur leur travail.

Ce modèle est encore extrêmement utilisé car il présente de nombreux avantages pour l'entreprise :
- une formation facile (les tâches à exécuter sont simples),
- une productivité élevée (l'opérateur est affecté en permanence à un poste de travail),
- des salaires bas (du fait de la faible qualification requise).

Figure 1-2 – *Les principes du taylorisme*

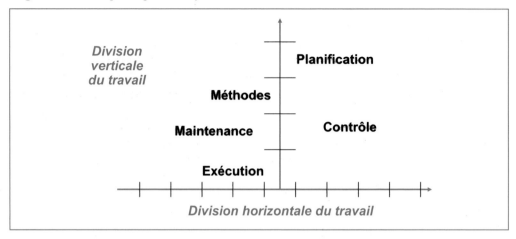

Pour les ouvriers, il présente aussi des avantages : il permet d'employer des personnes non qualifiées ; il ne demande pas de prise de responsabilité et ne crée pas une forte charge mentale.

Il n'est cependant pas sans inconvénients : dans une organisation taylorienne, il est difficile de motiver à la qualité car l'ouvrier ne voit jamais le résultat de son travail ; le travail est monotone ; il y a peu d'opportunités d'évolution possibles. Cela peut conduire à un climat social difficile.

Ce modèle a été combattu dans les années 1980 et certaines organisations ont fait évoluer leur organisation dans les deux directions :
– dans le sens horizontal, les tâches ont été **élargies** : un opérateur réalise plusieurs opérations successives au lieu d'une seule,
– dans le sens vertical, les tâches ont été **enrichies** : on a confié aux opérateurs chargés de l'exécution des tâches de contrôle de qualité (autocontrôle), de maintenance de premier niveau, de planification du travail, en particulier au sein d'équipes (semi-) autonomes.

1/3.2   Le fordisme

Pour faire face à une demande croissante, Henry Ford a inventé le principe de la **chaîne de montage** dans les années 1920. Auparavant, les produits en cours d'élaboration étaient fixes sur des postes de travail et transportés d'un poste à l'autre par lots. Dans la phase d'assemblage final, il fallait rassembler de nombreux composants, ce qui entraînait des coûts de logistique interne considérables.

Sur une chaîne d'assemblage, les produits se déplacent de façon continue ; les opérateurs avancent avec les produits sur lesquels ils travaillent ; les composants à assembler se trouvent répartis le long de la chaîne. Le rythme de travail est donc imposé par la machine.

Pour diminuer les coûts de production, Ford a également instauré le **principe de standardisation** : il proposait sa Ford T dans n'importe quelle couleur pourvu que ce soit du noir !

Ce modèle de production de masse a été en vigueur jusque dans les années 1970 et 1980 en Occident. Il a permis de faire face aux besoins de premier équipement des ménages de l'après-guerre. Mais, avec la première crise pétrolière, la consommation a baissé et il a fallu faire preuve d'imagination pour vendre : multiplication des modèles et des options et en même temps réduction des délais et des prix. Cette organisation rigide avait atteint ses limites.

1/3.3   *Le Juste-à-temps*

Le modèle de production de masse ne permettait pas de satisfaire les besoins de diversité croissants. Il était parfaitement adapté à la fabrication de gros volumes de produits standardisés, mais, lorsque l'on voulait produire une grande variété de produits, il en résultait des stocks considérables qui entraînaient des gaspillages. Après la Seconde Guerre Mondiale, le marché automobile japonais était étroit (en comparaison du marché américain) et beaucoup plus diversifié.

Le principe du Juste-à-temps a été inventé par Taiichi Ohno, ingénieur puis directeur industriel chez Toyota. L'idée en est simple : il **faut produire ce dont on a besoin juste au bon moment**, ni en avance car cela crée des stocks, ni en retard car cela mettrait en rupture le stade de fabrication suivant et le conduirait à constituer des stocks de sécurité. Le but est d'obtenir une production fluide à tous les stades. La modalité préconisée par Ohno est le système Kanban, ensemble d'étiquettes identifiant les conteneurs de pièces qui permettent une régulation automatique des flux dans et entre les ateliers.

Alors que l'on cherchait à optimiser le niveau des stocks, les Japonais ont décrété que le seul bon niveau de stock était le *stock zéro*.

Cet objectif paraissait impossible à atteindre dans les organisations industrielles classiques. En conséquence, ce sont tout un ensemble de techniques qui doivent être mises en œuvre pour permettre un travail sans stocks : *zéro délai* (respect absolu du plan de production, recherche de flexibilité, changement rapide de série), *zéro défaut* (mise en œuvre de la qualité totale), *zéro panne* (par de la maintenance préventive) et, enfin, *zéro papier* (allègement de toutes les procédures administratives qui se traduisent en particulier par la mise en œuvre de la méthode Kanban).

La première condition du Juste-à-temps est la *Qualité Totale*. Pour obtenir une qualité toujours parfaite, il ne suffit pas de mettre en place des procédures de contrôle sophistiquées, il faut éliminer toutes les causes de mauvaise qualité.

Une autre condition du Juste-à-temps est la totale disponibilité des équipements. Pour éviter que des machines ou des moyens de transport ne fonctionnent en dessous de leur capacité nominale, il faut mettre en œuvre une *maintenance productive totale*, de nature préventive et planifiée en priorité.

Enfin, il est nécessaire de recevoir à temps les marchandises commandées. Il convient donc de redéfinir les relations que l'on entretient avec ses fournisseurs, passant d'une relation parfois « conflictuelle » (ou de rapport de forces) à un *mode de coopération (ou partenariat)* dans lequel fournisseurs et entreprise cliente collaborent pour le succès de leur activité commune en partageant les risques.

Les entreprises ont toutes fait des efforts pour aller vers le Juste-à-temps avec des résultats contrastés. Il n'est d'ailleurs pas certain que l'objectif de zéro stock absolu soit le plus pertinent dans toutes les situations. La démarche de Juste-à-temps est cependant toujours bénéfique car elle impose de faire des progrès dans de nombreux secteurs, ce qui conduit à une réduction globale des coûts.

1/4   Les évolutions récentes

Depuis le début des années 1980, on assiste à de profondes modifications qui touchent tous les domaines de la logistique.

1/4.1   De profonds changements dans l'environnement

L'environnement économique dans lequel évolue toute entreprise a connu des changements majeurs qui imposent une redéfinition de la stratégie industrielle.

1/ Une offre globale de produits/services

En premier lieu, la concurrence se trouve accrue du fait de la mondialisation de l'offre de produits. Avec la libéralisation générale des échanges commerciaux (accords de l'Organisation Mondiale du Commerce), il n'existe plus de marchés réservés, la concurrence peut provenir de n'importe quel pays de la planète, aussi bien des pays développés (Europe, Amérique du Nord, Japon) que des pays en voie de développement et, en particulier, de l'Asie.

2/ La mondialisation des marchés

En deuxième lieu, les marchés se sont mondialisés. Une entreprise ne peut survivre en se cantonnant à son marché local et ce pour plusieurs raisons : les économies d'échelle sont une réalité dans de nombreux processus de production, les dépenses de recherche et de développement doivent être amorties sur des quantités toujours plus grandes, enfin il faut suivre ses clients qui se déplacent ou s'implantent à l'étranger.

2) Un marché de renouvellement et un accroissement de la variété

En troisième lieu, les marchés sont dans une large mesure devenus des marchés de renouvellement. Les volumes à fournir ne sont plus en augmentation constante comme cela a été le cas pendant les « trente glorieuses[1] » et les exigences des consommateurs se sont élevées.

Le nombre de produits qu'il faut proposer croît sans cesse, car la concurrence impose de satisfaire au mieux les besoins de chaque segment de clientèle et d'animer la vente par des promotions ou autres opérations spéciales. Sous la pression du marketing, le système de production et de distribution doit donc être capable de prendre en compte une variété de produits toujours plus grande, sans que les coûts de revient n'augmentent.

---

[1] Années d'après-guerre (1945-1975) qui ont connu une très forte demande du fait des besoins de reconstruction et de premier équipement des ménages.

3) Des cycles de vie produits en diminution

Enfin, la durée de vie commerciale de nombreux produits diminue. Pour répondre aux attaques des concurrents, pour suivre l'évolution technologique ou les besoins de la clientèle, il faut offrir sans cesse de nouveaux produits ou des produits sur mesure et faire des promotions. Les produits anciens doivent être remplacés régulièrement faute de quoi l'entreprise perdra des parts de marché au bénéfice de produits plus récents. Ce sera par ailleurs la possibilité d'introduire rapidement sur le marché de nouvelles technologies. On se trouve donc dans un milieu en perpétuelle mutation où il est difficile de mettre en place des procédures stables.

Du fait des évolutions rapides des technologies ou des modes, il faut que les nouveaux produits arrivent au bon moment sur le marché et non en retard par rapport aux offres de la concurrence sous peine de se trouver face à un marché déjà encombré. C'est la notion de *Time-to-Market*.

1/4.2   *De nouvelles technologies*

Parallèlement au développement de nouvelles formes de management, on a assisté à l'éclosion de nouvelles technologies plus flexibles qui modifient les modes de production et les règles de fonctionnement des systèmes logistiques.

Nous citerons en premier lieu la CAO (*Conception Assistée par Ordinateur*) qui permet de réduire les délais de conception et de modification des produits. On trouve ensuite les nouvelles technologies de production que l'on regroupe sous le terme de *productique* (en anglais, *CIM : Computer Integrated Manufacturing*). Ces technologies débutent avec les *machines à commande numérique*, passent par la FAO (*Fabrication Assistée par Ordinateur*) et les robots industriels, pour arriver à l'*atelier flexible* qui permet une automatisation complète des processus de production.

Les nouveaux moyens de transport comme les avions-cargos ou les porte-conteneurs ont engendré une réduction importante des coûts de transport et permettent de placer les ateliers de production à l'endroit du monde le plus favorable comme, par exemple, en Asie.

1/4.3   *L'explosion des technologies de l'information*

Dans les entreprises, le développement des grands progiciels intégrés *ERP* (*Enterprise Resource Planning*) tels SAP ou Oracle et les logiciels d'optimisation (*APS, Advanced Planning Systems*) permet la prise en compte immédiate de tout événement perturbateur dans l'ensemble du réseau logistique et propose la réponse la plus adaptée.

Les nouvelles technologies de l'information et de la communication fondées sur l'Internet accélèrent les transmissions entre des entités éloignées et autorisent la prise en compte des données dispersées en temps réel, ce qui permet de réduire les sécurités à tous les niveaux. On établit ainsi, grâce à Internet, des connexions directes – par exemple à travers les *places de marché* – entre les ordinateurs de fournisseurs et de clients situés à plusieurs milliers de kilomètres les uns des autres, permettant des transactions commerciales à distance par des moyens simples et à haut niveau de productivité.

Les clients entrent maintenant directement dans les processus à travers leur ordinateur personnel : ils peuvent saisir directement leurs commandes et suivre étape par étape la progression des livraisons.

1/4.4   *De nouvelles attentes sociales*

L'organisation traditionnelle du travail dans les usines a été conçue dans un contexte de pénurie de compétences. Les opérateurs de Taylor ne savaient, en général, ni lire ni écrire. Les conducteurs de machines automatiques ont aujourd'hui un brevet professionnel ou le baccalauréat technique. Rien d'étonnant à ce que, dans de telles conditions, l'organisation se décentralise et devienne plus souple, plus dynamique, plus performante. Les opérateurs, organisés en équipes (semi-) autonomes, contrôlent ce qu'ils produisent, entretiennent leur machine, gèrent leur production, participent à des groupes de travail et font des suggestions.

L'augmentation des coûts de main-d'œuvre dans les pays développés, européens en particulier (cf. loi sur les 35 heures et la RTT), oblige à faire preuve d'imagination dans l'organisation du travail pour rester compétitif face aux industries installées dans les pays à bas coûts salariaux.

1.4.5   *Mondialisation et délocalisations*

Les barrières douanières et réglementaires qui protégeaient les territoires de la concurrence extérieure sont en train de tomber. Tous les pays veulent adhérer à l'OMC (Organisation Mondiale du Commerce), ce qui conduit à une ouverture mondiale totale. Les concurrents de tous les pays peuvent donc pénétrer des marchés autrefois protégés. Des pans entiers de l'industrie des pays développés ont quasiment disparu. Les produits provenant des pays émergents entrent sans entrave et prennent la place des produits autrefois fabriqués localement.

Face à cette concurrence exacerbée, pour réduire leurs coûts de revient et dégager des marges bénéficiaires, les industriels ont réagi en achetant une part croissante du contenu de leurs produits et en délocalisant leurs fabrications dans les pays à faible coût de main-d'œuvre. Cela a été particulièrement vrai pour les activités où la part de main-d'œuvre est prépondérante.

À l'inverse, pour amortir des coûts de développement de plus en plus élevés, il faut élargir les marchés et donc aller vendre dans tous les pays du monde.

Les entreprises doivent maintenant raisonner en terme *global* et concevoir leur *supply chain* dans une perspective mondiale.

1/5   La performance de la *supply chain*

1/5.1   *La valeur ajoutée économique*

Les sociétés capitalistes sont tenues de rémunérer leurs actionnaires. Ceux-ci exigent des taux de retour sur les fonds investis souvent de l'ordre de 15 %. L'organisation doit donc générer des profits pour satisfaire cette contrainte et créer de la valeur.

La création de valeur apparaît lorsque le taux de retour sur investissement est supérieur au coût du capital employé.

La valeur ajoutée économique (EVA – *Economic Value Added* en anglais) est égale au profit net après impôts moins le coût du financement de l'activité (fig. 1-3). Pour accroître l'EVA, il faut donc augmenter le profit et diminuer le coût du financement.

Figure 1-3 – *La valeur ajoutée économique*

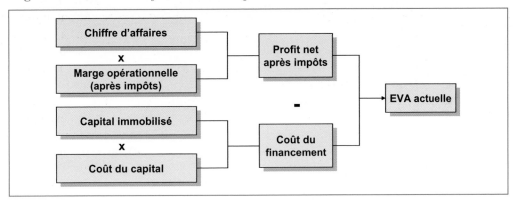

Le profit net après impôts est égal au chiffre d'affaires multiplié par la marge opérationnelle. L'entreprise doit donc tenter de développer son chiffre d'affaires par une bonne stratégie marketing ainsi que par une bonne qualité de service.

La marge opérationnelle dépend de la totalité des coûts engagés. Ceux-ci, quelle que soit leur nature (coûts directs, coûts indirects, frais généraux), doivent être abaissés autant que faire se peut. Toutes les origines de coûts inutiles doivent être systématiquement éliminées.

Le capital immobilisé doit, lui aussi, être réduit le plus possible. Il comprend, d'une part, les capitaux circulants, c'est-à-dire le besoin en fonds de roulement dont fait partie l'immobilisation en stock, et, d'autre part, les immobilisations corporelles (bâtiments, machines, moyens de transport…). Cela peut conduire à se séparer de moyens de production et à sous-traiter une partie de l'activité.

1/5.2   Les choix stratégiques

Longtemps les entreprises ont dû faire des choix de positionnement stratégique quant à leur activité dans le triangle Coût – Qualité – Délai/Réactivité (fig. 1-4).

Une stratégie de coût bas conduisait à produire des grandes séries sans trop se soucier de la qualité et avec une faible flexibilité.

Une stratégie de haute qualité entraînait une augmentation des coûts du fait des choix des composants et de la multiplication des contrôles.

Une stratégie de flexibilité qui permet d'offrir des produits très diversifiés dans des délais courts nécessite une capacité excédentaire, ce qui conduit à une augmentation des coûts.

La difficulté provient de ce que la recherche de la satisfaction du client doit se faire au moindre coût et, autant que possible, à un *coût meilleur que celui des concurrents*.

Comme les coûts engagés varient de façon antagoniste, cette recherche est particulièrement délicate : par exemple, il est possible de mieux servir le client en ayant davantage de machines ou en constituant un stock de produits finis dans les périodes creuses, entraînant un accroissement des coûts de production. Il est possible de réduire les coûts en faisant des séries plus longues, mais il faut alors financer des stocks supplémentaires.

Figure 1-4 – *Les choix stratégiques*

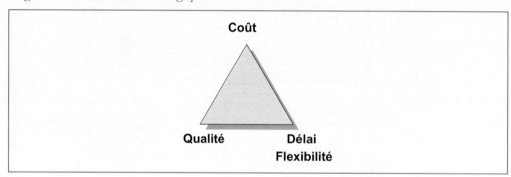

Aujourd'hui, il est difficile de privilégier un seul de ces facteurs de compétitivité au détriment des autres. Pour réussir, il faut que l'entreprise offre d'excellentes performances sur ces trois facteurs auxquels on doit ajouter la réactivité, c'est-à-dire la capacité d'adaptation rapide à des variations de l'environnement.

Les contraintes provenant d'un environnement en pleine évolution imposent des objectifs complémentaires et non antagonistes au système logistique :
– *un temps de réponse* plus court à tous les niveaux, aussi bien au niveau des délais de livraison aux clients qu'au niveau de la conception de nouveaux produits, pour être en première position sur des marchés en évolution rapide,
– *des coûts de revient plus bas*, du fait de la concurrence nouvelle d'industries installées dans des pays à faibles taux de salaire, ou offrant toute une série d'avantages fiscaux ou douaniers,
– *une qualité parfaite,* car la mauvaise qualité fait fuir le client et conduit irrémédiablement à l'échec commercial,
– *un meilleur service au client* : de plus en plus, le client ne fait plus l'acquisition d'un produit isolé, mais recherche un service (qui est partiellement rendu par le produit, mais qui comporte aussi l'adaptation à son propre besoin, l'assistance à la mise en œuvre, le dépannage, etc.),
– *le respect de l'environnement et des normes sociales* pour se conformer aux exigences du développement durable.

1/5.3   La chaîne de valeur

Quand on examine une *supply chain* (fig. 1-5), on reconnaît que les entreprises de la chaîne logistique sont liées entre elles et que la bonne performance dépend de la performance des autres. On ne peut réussir sur les marchés si l'on n'a pas de bons fournisseurs et de bons distributeurs.

Le coût de revient se constitue tout au long de la chaîne et non seulement chez l'opérateur final. Celui-ci ne maîtrise qu'une faible part de la valeur ajoutée dans l'élaboration du produit : il achète souvent de 50 à 90 % du coût de revient des produits livrés. Donc, dans le coût du produit livré au client, la majorité des coûts proviennent des entreprises fournisseurs (fig. 1-6). Leurs performances en termes de coût conditionnent le coût du produit final. C'est pourquoi *la recherche du meilleur coût tout au long de la chaîne est fondamentale.*

Figure 1-5 – *Un exemple de supply chain*

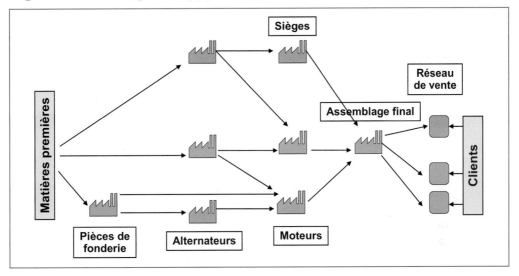

Figure 1-6 – *La chaîne de valeur*

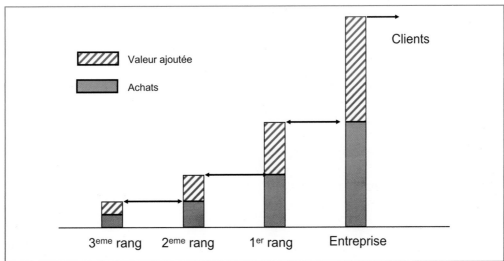

Le coût du produit transmis au stade aval comprend aussi bien les coûts directs que les coûts indirects : l'amélioration à rechercher concerne tous les types de coût. Chacun des intervenants dans la *supply chain* doit donc rechercher la minimisation de l'ensemble de ses coûts.

On peut faire les mêmes remarques à propos de la qualité et de la réactivité.

Le *Supply Chain Management* est donc la recherche d'une excellente performance globale dans une chaîne constituée d'entreprises indépendantes mais liées par un objectif commun : la satisfaction du client final.

Première partie

Concepts fondamentaux

Le but d'une entreprise est de satisfaire son client. C'est vrai pour une entreprise industrielle, comme pour une entreprise de services ou une administration. Que désire le client ? Essentiellement, un bon produit, livré à temps, à un prix raisonnable.

Pour atteindre cet objectif, l'entreprise se dote de ressources. La mise en œuvre de ces ressources constitue la fonction logistique de l'entreprise. Pourquoi ne dit-on pas tout simplement une usine ? Parce que la fonction logistique ne se limite pas aux entreprises industrielles. Un restaurant a une fonction logistique, comme un hôpital ou une société d'informatique. Peu importe le métier, le problème de la qualité, du délai et du coût est universel.

Cette satisfaction des besoins des clients passe par trois grandes étapes :

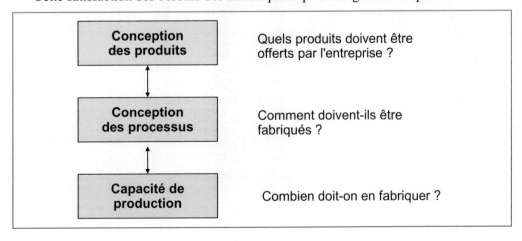

1/ La définition des produits offerts par l'entreprise

C'est le rôle de la fonction Marketing de définir la gamme des produits et leurs caractéristiques souhaitées. Ces souhaits sont transmis au Bureau d'Études qui réalise l'étude technique et spécifie les produits de façon détaillée. Nous reviendrons sur le processus de conception et de développement des produits dans le chapitre 27.

2/ La définition du processus de fabrication

Les produits étant spécifiés, il faut concevoir leur processus de production. Celui-ci va impliquer la mise en œuvre d'équipements et le travail du personnel. La bonne conception du processus de fabrication a une influence déterminante sur les coûts et la qualité des produits livrés aux clients.

3/ La définition du niveau de capacité

Selon les quantités de produits que le service commercial espère vendre, on doit choisir un niveau de capacité de production. Si la capacité est insuffisante, la demande ne pourra être satisfaite et les clients seront livrés en retard. Si la capacité est excédentaire, l'entreprise supportera des investissements inutiles. Une bonne adaptation de la capacité de production à la demande commerciale conditionne les délais de livraison et les coûts de revient.

Chapitre 2

Les produits et les ressources

La raison d'être d'une entreprise est de fabriquer et distribuer des produits à ses clients de manière, en général, à en obtenir un bénéfice. Pour gérer efficacement ces processus de fabrication et distribution, il est nécessaire de bien percevoir les éléments de nature industrielle et logistique qui caractérisent un produit.

À un niveau essentiellement descriptif, un produit fini livré passe par des étapes successives d'achat et d'approvisionnement, de production et de distribution. Ces processus sont décrits de manière quantitative par les *données techniques* : celles-ci décrivent et quantifient les matières qui composent le produit ainsi que les ressources et les opérations conduisant à sa réalisation et à sa distribution aux clients. Ensuite, de manière plus conceptuelle, il est possible de mettre en évidence les caractéristiques clés des produits et des ressources, comme la variété, la taille des séries de production ou l'organisation.

2/1 Processus d'achats, de fabrication et de distribution

D'un point de vue global, vendre un produit à un client requiert :
- d'acheter et approvisionner les matières premières et composants chez des fournisseurs,
- de réaliser les opérations de production (ou transformation des matières premières en produits finis) à l'aide de ressources, dans une ou plusieurs usines,
- d'assurer la distribution de ces produits finis aux clients, ce qui inclut le conditionnement, le transport et éventuellement l'entreposage.

2/1.1 Achats et approvisionnements

La fabrication d'un produit exige l'approvisionnement préalable des matières premières et composants nécessaires auprès de fournisseurs. Le bon fonctionnement de cette étape requiert une sélection préliminaire des fournisseurs à travers une analyse de leurs performances par rapport à un cahier des charges. L'approvisionnement proprement dit est réalisé une fois connues les quantités nécessaires et leurs dates de mise à disposition. Cet approvisionnement donne en général lieu à un bon de commande aux fournisseurs, à un suivi de cette commande (rappel en cas de retard, etc.), à une réception de la commande (y compris un contrôle de qualité si nécessaire) et à un transfert en magasin de stockage.

En termes des coûts de revient des produits, cette étape d'achat et d'approvisionnement est une étape très importante pour la plupart des entreprises. En effet, globalement, on peut considérer qu'au moins 50 % des coûts du compte de résultats sont constitués d'achats de produits ou de prestations. De plus, étant donné que l'environnement économique s'avère être de plus en plus fluctuant et imprévisible, les entreprises recherchent des fournisseurs qui peuvent s'adapter rapidement à des modifications des besoins d'approvisionnements et qui, en plus, garantissent la maîtrise parfaite de la qualité achetée.

2/1.2 *Fabrication*

L'étape de fabrication consiste à utiliser les ressources humaines et/ou matérielles de l'entreprise pour transformer les matières premières et composants achetés chez les fournisseurs en produits finis qui seront distribués aux clients. La fabrication est en général réalisée en plusieurs étapes, décrites par des *gammes opératoires*, entrecoupées de passage en stock. Cette phase de transformation fait directement intervenir les connaissances et savoir-faire techniques et technologiques de l'entreprise.

En termes de performances, l'étape de fabrication est non seulement génératrice de coûts (qui peuvent être considérables dans certains secteurs industriels), mais est également au cœur de *la qualité de réalisation* des produits. Cette qualité de réalisation est devenue un critère de différenciation stratégique : dans les années 1990, la quasi-totalité des téléviseurs vendus aux États-Unis étaient d'origine japonaise parce que les usines locales n'avaient pas la capacité de produire des téléviseurs sans défauts ! La maîtrise de la qualité de fabrication apparaît donc aujourd'hui comme une condition nécessaire à la conquête de parts de marchés.

2/1.3 *Distribution*

L'objectif final d'une *supply chain* est de délivrer le produit au client, au moment souhaité, à l'endroit souhaité, dans la quantité souhaitée, éventuellement sous un conditionnement spécifique ! La distribution est donc au cœur du concept de *qualité de service* au client (au sens, par exemple, du respect du délai de livraison convenu). Il devient dès lors clair qu'en complément des opérations de fabrication purement techniques, il convient d'accorder de l'importance aux opérations associées au processus de distribution du produit.

La première opération de ce processus consiste souvent à réaliser un conditionnement correspondant au pays où la commande sera expédiée (étiquettes spécifiques, notices et papiers d'emballages dans la langue du pays, etc.).

Ensuite, il convient de réaliser un emballage des produits afin de les protéger durant le transport. Cet emballage peut être sommaire pour des produits peu fragiles, ou au contraire très soigneusement conçu, dans le cas de produits qui peuvent être facilement endommagés. Par exemple, des téléviseurs seront individuellement protégés par des blocs de polystyrène et des emballages plastiques « à bulles », le tout étant placé dans une boîte en carton (parfois renforcé). Il faut noter que dans de nombreux cas le processus de distribution ne se fait pas par unité individuelle, mais par lots de distribution : par exemple, des tablettes de chocolat seront conditionnées par lots de quelques centaines d'unités.

Les commandes conditionnées sont alors transportées par air, mer et/ou terre, soit directement chez le client, soit dans un site d'entreposage intermédiaire avant livraison au client, éventuellement sous un conditionnement final spécifique.

On voit donc que ces opérations de distribution sont variées et complexes. De plus, au même titre que les opérations de fabrication, elles devront être optimisées parce que susceptibles d'induire des délais jugés trop longs par le client ou des coûts de distribution très importants : il suffit d'imaginer les coûts de distribution en France d'un poisson d'aquarium tropical, pêché spécialement dans un affluent de l'Amazone.

2/2   Produits, ressources et données techniques

Les informations quantitatives décrivant chacune des étapes d'achat, de fabrication et de distribution s'appellent les *données techniques*. Dans un souci de simplicité, ces données techniques quantifient séparément la constitution d'un produit :

– d'une part, en termes des matières et composants, à l'aide des *nomenclatures,*
– et d'autre part, en termes des opérations nécessaires pour passer des matières premières au produit fini livré, à l'aide des *gammes opératoires*.

2/2.1   *La composition d'un produit : les nomenclatures*

De manière générale, une *nomenclature* est une liste d'articles, qui typiquement sont des matières premières, des composants achetés ou des sous-ensembles fabriqués.

La nomenclature d'achat

Pour pouvoir fabriquer un produit, il est nécessaire de connaître les besoins en matières premières et composants à acheter à l'extérieur de l'entreprise. Cette information est donnée par la *nomenclature d'achat* (fig. 2-1).

Figure 2-1 – *La nomenclature d'achat*

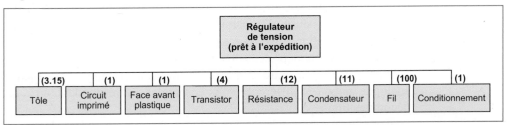

Le trait qui relie le produit fini à chacun de ses composants approvisionnés s'appelle un *lien*. Les chiffres entre parenthèses précisent les quantités nécessaires de chaque composant et matière première pour fabriquer le produit fini. C'est ce que l'on appelle le *coefficient d'utilisation* du composant.

La nomenclature de fabrication

La nomenclature d'achat constitue toutefois une information incomplète lorsqu'on s'intéresse aux flux de production dans leur ensemble. En effet, l'activité de fabrication d'un produit ne se résume pas, la plupart du temps, à un simple assemblage des différents composants et matières premières en une étape unique sur une seule machine. Un principe de base est précisément de décomposer le travail en un ensemble d'opérations élémentaires. Cette idée est assez évidente en raison de l'avantage de la spécialisation des ressources sur un métier ou, de manière plus détaillée, sur des tâches répétitives limitées. En conséquence, cette décomposition du produit en opérations distinctes oblige, en général, l'entreprise à organiser le travail en sous-groupes spécialisés. Comme dans le corps humain, la variété et la complexité des fonctions requises s'appuient sur l'existence de cellules différenciées, adaptées à leur fonction originale. La logistique prend sa vraie dimension en raison de cette décomposition. Si 1 000 artisans sculptent 1 000 statues (chacun réalisant la totalité de la fabrication), le problème logistique est simple. Si 1 000 ouvriers produisent ces mêmes statues de façon répétitive et suivant un processus de 40 opérations, le problème logistique devient plus complexe.

Cette complexité des produits et de l'organisation des ressources a rapidement incité les concepteurs à introduire les *nomenclatures de fabrication arborescentes*. Celles-ci sont obtenues en hiérarchisant les nomenclatures par la création de niveaux de regroupements intermédiaires de pièces, en suivant la logique de l'organisation des opérations[1]. Ainsi, ces niveaux correspondent à un stade de fabrication donné, avec une possibilité de stockage intermédiaire. On décompose ainsi le produit fini en sous-ensembles de niveau 1, puis ces sous-ensembles de niveau 1 en sous-ensembles de niveau 2, etc. La décomposition se répète jusqu'à ce que l'on ne puisse plus diviser les composants : on se situe alors au niveau de la pièce élémentaire ou de la matière première achetée à l'extérieur.

La figure 2-2 présente *une nomenclature de fabrication arborescente* pour le régulateur de tension décrit en 2-1. Elle fait apparaître les différents niveaux de décomposition. La nomenclature de fabrication arborescente fournit une représentation globale des étapes d'élaboration du produit. En observant la structure de cette nomenclature, il apparaît que le montage final se fait à partir du capot, de la face avant plastique, de la carte électronique et de l'alimentation. Le monteur manipulera directement ces sous-ensembles qui auront été fabriqués ou assemblés au préalable dans une autre étape de production et rangés en stock. Le principe est analogue pour les différents sous-ensembles correspondant aux autres niveaux de décomposition.

Tous les produits fabriqués par l'entreprise doivent être décrits ainsi. Un produit donné peut avoir plusieurs nomenclatures de fabrication distinctes s'il peut être fabriqué selon des processus différents, correspondant par exemple à plusieurs usines, situées dans des pays différents.

---

[1] Dans une logique alternative, qui est plus une logique de Bureau d'études, ces niveaux pourraient être conçus afin de correspondre à une *fonction* particulière au niveau du produit (comme par exemple le système de freinage d'une voiture). On parlera dans ce cas de *nomenclature d'étude*.

On remarque également que certains composés ont des liens multiples lorsqu'ils résultent de l'assemblage de plusieurs pièces ou sous-ensembles alors que d'autres ont un lien unique. Le dernier cas correspond à l'élaboration d'un produit à partir d'une matière première ou d'une pièce semi-finie, par exemple, de la tôle ou un brut de fonderie.

Figure 2-2 – *La nomenclature de fabrication arborescente*

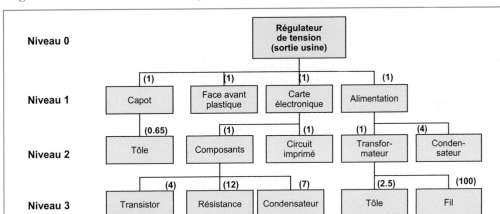

Pour une nomenclature arborescente, le nombre qui figure sur chaque lien se nomme *coefficient technique ou de montage*. Ce coefficient indique le nombre de composants identiques qui entrent dans le composé de niveau immédiatement supérieur. Ce nombre peut être un nombre entier (cas de l'assemblage de pièces) ou un nombre décimal (cas de mélange ou de consommation d'une matière première). Cette description est utilisée pour planifier les approvisionnements en matières et la fabrication du produit, ou bien encore dans l'évaluation du coût de revient.

Notons que l'on ne décrit pas plusieurs fois un sous-ensemble commun à plusieurs composés. La structure de chaque composé n'est décrite qu'une seule fois. La reconstitution de la nomenclature arborescente complète d'un produit est faite par analyse, niveau par niveau, des nomenclatures de ses composants. Ce principe est illustré par la figure 2-3, où les composés S1 et S2 sont définis de manière unique, alors qu'ils apparaissent comme composants dans PF1 et PF2.

La nomenclature de conditionnement

Dans un souci de clarté, nous introduisons *une nomenclature de conditionnement* afin de décrire les besoins en conditionnements et emballages pour un produit fini livré au client. Cette nomenclature reprend donc le produit fini à la sortie de l'usine et les différents composants de conditionnement à ajouter pour pouvoir distribuer la commande (fig. 2-4).

On peut noter que, dans certaines situations, le produit vendu au client est un kit (par exemple une brosse à dents et un tube de dentifrice conditionnés ensemble). Dans ce cas, la nomenclature de conditionnement reprendra plusieurs produits finis simultanément.

Figure 2-3 – *Description des nomenclatures par niveau*

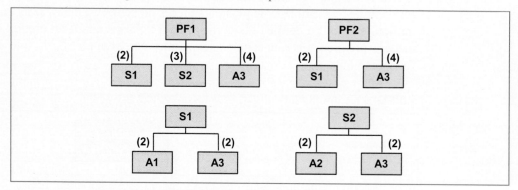

Figure 2-4 – *La nomenclature de conditionnement*

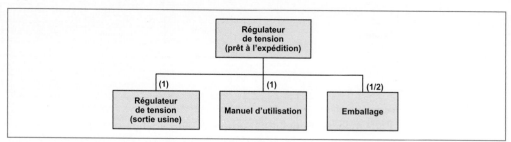

Dans cet exemple, les produits finis sont donc conditionnés avec le manuel d'utilisation et emballés par lots de 2 pièces avant d'être expédiés.

2/2.2   *La fabrication et la distribution d'un produit : les opérations*

Détermination des opérations techniques

Une fois que les besoins du produit en matières et composants ont été spécifiés, il reste à déterminer comment le produit fini va être élaboré en usine à partir de ces matières premières et conditionné pour l'expédition aux clients. Cette phase d'études et développements, réalisée par le *Bureau des Méthodes*, s'appelle l'*industrialisation* du produit. Les ingénieurs du Bureau des Méthodes choisissent les ressources à utiliser (machines, lignes d'assemblage, four, tunnel de peinture…) et précisent dans le détail chacune des opérations techniques à réaliser (découpe, assemblage, peinture, emballage…) et leur séquencement. Cette succession d'opérations à réaliser s'appelle la *gamme opératoire*[1]. La figure 2-5 présente une gamme détaillée, qui contient donc la description des opérations à effectuer ainsi que la liste des outillages nécessaires pour réaliser le travail.

---

[1] On parle aussi de *gamme de fabrication*, qui doit ici être prise au sens large et pourrait inclure les opérations de conditionnement et d'entrée ou sortie des stocks.

Figure 2-5 – *Exemple de gamme opératoire*

GAMME OPERATOIRE XY 543 - 01						
N° pièce			Désignation pièce			
30154 C			SCINTI 05/DIAPHR. B			
N°	Nom de			Temps alloués (en h)		
Op.	ressource	Outil	Opération	Préparation	Opération/ pièce	Transfert Transport
10	Tour auto D	OA004	Tourner Ø 38,5 mm	0,25	0,12	1
20	Fraisage E	OP002	Rainure latérale largeur 6 mm, profondeur 4 mm	0,50	0,05	2
30	Perçage	OPR56	Perçage, taraudage Ø 6, prof. 36 mm	0,10	0,16	2
40	Opération extérieure	-	Peinture époxy noire	30	0,00	10
50	Montage	-	Montage, contrôle Entrée en magasin	0,30	0,02	2
60	Emballage	-	Picking, emballage Chargement en camion	0,2	0,01	-
70	Camion	-	Transport et livraison	1	-	24

On remarque que les temps opératoires sont de trois ordres : les temps de préparation avant réalisation effective des opérations (réglage des machines, constitution des dossiers, etc.), les temps de réalisation des opérations proprement dites et, enfin, les temps de transfert et transport.

On note que la liste des matières et des composants à assembler, qui doivent être sortis du magasin, n'est pas reprise dans la gamme. Cette liste est définie uniquement par la nomenclature du produit à fabriquer.

Il y a bien sûr une liaison forte entre nomenclatures et gammes de fabrication. Pour illustrer ce lien, on montre à la figure 2-6 comment chaque gamme de fabrication permet de passer d'un niveau de la nomenclature au niveau supérieur.

La détermination des temps opératoires

Pour concevoir les gammes opératoires, il est indispensable d'évaluer les temps standard des opérations. Les deux méthodes les plus utilisées en organisation scientifique du travail pour évaluer le temps standard d'une opération sont le chronométrage et la méthode des temps prédéterminés.

1) Le chronométrage d'opérations

Cette méthode, qui ne convient que dans le cas où les opérations sont mises en œuvre, consiste simplement à chronométrer le temps de chacune des opérations. Cette approche directe doit tenir compte du fait que des aléas ou des perturbations peuvent faire varier les temps opératoires mesurés autour de leur valeur moyenne réelle. Il conviendra donc de mettre en œuvre une approche statistique, basée sur plusieurs mesures, pour garantir la robustesse des temps mesurés. À de grandes variations autour d'une valeur moyenne devra correspondre un nombre d'observations important : des tables d'échantillonnage fournissent le nombre de mesures nécessaires.

Figure 2-6 – *Nomenclatures et gammes de fabrication*

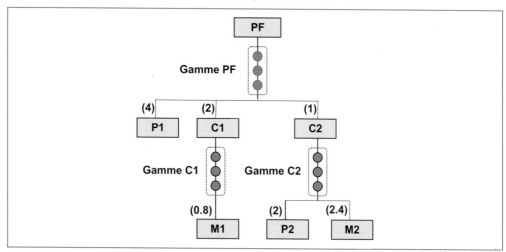

De plus, on peut noter qu'en général, si l'on constate une grande dispersion des temps chronométrés pour une opération déterminée, cela signifie souvent qu'il y a un problème pour son exécution : on cherche alors à le résoudre en changeant soit les méthodes, soit la conception du poste de travail.

2) La méthode des temps prédéterminés

Lorsqu'un nouveau produit est en phase d'étude, les opérations n'existent pas encore. Pour évaluer de manière prévisionnelle les temps opératoires correspondant à ce futur produit, on recourt à la méthode des temps prédéterminés. Le principe de cette méthode est de considérer chaque mouvement comme la répétition combinée de quelques gestes élémentaires. Si l'on identifie ceux-ci et que l'on évalue leur durée de façon standard, le temps d'une opération peut être obtenu en additionnant les temps correspondant aux gestes élémentaires qui la composent.

La méthode la plus utilisée est la méthode MTM[1], qui retient dix mouvements de base : Atteindre, Saisir, Mouvoir, Tourner, Mouvement de manivelle, Appliquer une pression, Positionner (et son contraire), Lâcher, auxquels s'ajoutent les mouvements visuels, les mouvements du corps et des membres supérieurs. La mesure par chronométrage de ces éléments de base a fourni des temps standard, universels, exprimés en 100 000e d'heure (cmh), regroupés dans des tables qui représentent le fondement même de la méthode (fig. 2-7).

L'utilisation est la suivante : il faut décomposer la tâche étudiée en opérations élémentaires, avec l'aide éventuelle d'une caméra synchrone, puis lire dans une table MTM les temps standard correspondants. Une simple addition permet d'obtenir la durée de référence de la tâche.

---

[1] *Motion Time Measurement.*

Figure 2-7 – *Exemple de table MTM*

Tourner - T -											
Avec effort		Angle de rotation en degrés									
kg	Symbole	30	45	60	75	90	105	120	135	150	165	180
de 0 à 1	S faible	2,8	3,5	4,1	4,8	5,4	6,1	7,4	8,1	8,7	9,4	10,0
> 1 à 5	M moyen	4,4	5,5	6,5	7,5	8,5	9,5	10,6	11,6	12,7	13,7	14,8
> 5 à 16	L grand	8,4	10,5	12,3	14,4	16,2	18,3	20,4	22,2	24,3	26,1	28,2

Saisir - G -		
Cas	cmh	Description des cas
GIA	2,0	Saisir un objet facile à prendre
GIB	3,5	Saisir un objet très petit ou plat sur une surface plane
G1		Saisir un objet à peu près cylindrique que des obstacles empêchent de saisir par dessous et sur un côté
G1C1	7,3	Diamètre > 12 mm
G1C2	8,7	6 mm > diamètre < 12 mm
G1C3	10,8	Diamètre < 6 mm
G2	5,6	Ressaisir. Modifier la préhension sans lâcher l'objet
G3	5,6	Passer un objet d'une main à l'autre
G4		Saisir un objet mêlé à d'autres de telle sorte qu'il y ait recherche et sélection (ou option)
G4A	7,3	Diamètre > 25 mm
G4B	9,1	6 mm > diamètre < 25 mm
G4C	12,9	Diamètre < 6 mm
G5	0	Saisir un objet par contact ou lorsque les doigts exercent un contrôle partiel de l'objet

Les temps obtenus au moyen de cette méthode dépendent étroitement de la conception du poste de travail, de la qualité de la décomposition de la tâche et de l'identification des gestes élémentaires (que l'on contrôle toutefois mieux que dans les méthodes de chronométrage). La précision est bonne si la tâche est simple et son mode opératoire stable ; elle diminue quand la complexité de la tâche augmente. L'avantage principal de la méthode MTM sur le chronométrage est donc qu'elle permet de faire une étude de temps pour un poste qui n'existe encore que sur le papier. De telles études de temps peuvent être exploitées pour l'établissement d'un coût de revient prévisionnel.

3) Concept d'allure et de taux d'activité

Les temps obtenus par ces méthodes dépendent étroitement de l'habileté et de la rapidité des opérateurs par rapport à une performance moyenne. Il faut donc pondérer les résultats par un *taux d'activité*, qui est un coefficient défini à partir d'une allure moyenne de référence. Ainsi, l'allure standard correspond au rythme d'un individu moyen (fig. 2-8), qui par définition a un taux d'activité de 100 %. Un opérateur plus rapide aura un taux d'activité supérieur à 100 %, alors qu'un débutant aura un taux nettement inférieur.

Figure 2-8 – *Détermination du temps normal*

	Temps observé	x	Taux d'activité	=	Temps normal
Ouvrier peu expérimenté	0,74 mn	x	80/100	=	0,592 mn
Ouvrier très expérimenté	0,50 mn	x	120/100	=	0,600 mn

En complément de l'effet du taux d'activité des opérateurs, il faut intégrer les effets de l'environnement de travail sur les temps effectifs. On affecte les temps normaux d'un coefficient K pour tenir compte des temps de repos, des besoins physiologiques et de la pénibilité du travail, de façon à aboutir au temps standard :

Temps standard = Temps normal x K

Le coefficient de majoration K tient également compte de l'effort, du repos nécessaire en fonction de la position et de la température ambiante :

K = KE x KP x KT

où KE est le coefficient d'effort, KP le coefficient de position et KT le coefficient de température. KE, KP et KT sont fournis par des tables. Par exemple, une position assise, nécessitant des efforts de prise ou de manipulation d'articles de 3 à 6 kg, se traduira par un coefficient de 1,1. Dans le cas de travaux pénibles, exigeant des temps de récupération importants, on peut trouver des coefficients dépassant 1,5.

Les courbes d'apprentissage

Lorsque des tâches identiques sont répétées, un phénomène important prend place : l'apprentissage. Le temps nécessaire pour réaliser une opération manuelle diminue en fonction du nombre de réalisations de la tâche. Ces gains sont d'autant plus considérables que la tâche en question est complexe et longue. La figure 2-9 montre l'évolution des temps opératoires pour un article produit sur une ligne de fabrication d'une entreprise textile en fonction du nombre de pièces réalisées.

En général, la réduction de temps à chaque nouvelle réalisation devient de plus en plus faible au fur et à mesure que le nombre total de répétitions augmente. Il a été constaté empiriquement qu'une bonne approximation du processus d'apprentissage consiste à supposer qu'à chaque doublement du nombre de réalisations le temps opératoire baisse d'un pourcentage constant, appelé « pourcentage d'apprentissage ». Ce phénomène apparaît aussi bien à un niveau organisationnel global qu'au niveau d'un poste particulier. Ainsi, on peut observer qu'à long terme un constructeur d'avion améliorera progressivement le processus de développement d'un nouvel appareil et qu'à court terme sur un poste particulier, pour une opération donnée, le temps nécessaire diminuera progressivement.

Figure 2-9 – *Courbe d'apprentissage*

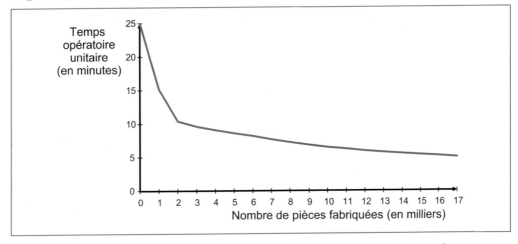

Le modèle suivant est traditionnellement proposé pour représenter un tel processus. Considérons la réalisation d'une pièce. Si T_n est le temps opératoire pour la $n^{ème}$ pièce et T_1 le temps mis pour la première, on a :

$$T_n = n^b T_1$$

La relation entre b et le pourcentage d'apprentissage, noté *pa*, est alors

$$b = \ln(pa) / \ln(2)$$

Exemple 2-1 : pour une courbe d'apprentissage à 70 %, b vaut $\ln(0,7) / \ln(2) = -0,51$. Avec $T_1 = 10$ minutes, le temps opératoire de la troisième unité est

$$T_3 = 10 / 3^{0,51} = 5,71 \text{ minutes}$$

Les temps pour la dixième et la centième pièce sont respectivement de 3,09 et 0,955 minutes.

Temps opératoire et cadence de production

Les gammes opératoires fournissent l'ensemble des informations sur les opérations à réaliser, et en particulier sur les temps opératoires sur chaque ressource. En relation directe avec ces temps, on peut définir le concept de *cadence* d'une ressource comme la quantité de pièces réalisées par unité de temps.

Exemple 2-2 : on considère l'opération 20 (figure 2-5) qui a lieu sur un poste de fraisage. Une fois ce poste réglé, la production prend place et le temps de fabrication d'une pièce est de trois minutes. La cadence de production horaire est donc de 20 pièces à l'heure. On note toutefois que pendant le temps de réglage, qui a une durée de ½ heure, la cadence du poste est nulle.

Calcul des temps de production alloués pour un lot de pièces

À partir d'une gamme de fabrication, il est simple de calculer les temps opératoires prévisionnels pour un lot de pièces, encore appelés *temps alloués*. On considère à titre d'exemple la fabrication d'un lot de 200 pièces, suivant la gamme proposée à la figure 2-10. Les temps standard correspondant à la fabrication de ce lot, sans tenir compte du phénomène d'apprentissage, sont présentés ci-dessous. On montrera au chapitre 3 que les temps de production, requis sur les différents équipements, correspondent au concept de *charge de travail* associée à la fabrication du lot.

Figure 2-10 – *Calcul des temps alloués pour un lot*

Ressource	Opération	Temps (heures)		
		Préparation	Opérations	Transport
Tour auto D	Tourner Ø 38.5 mm	0,25	0,12 * 200 = 24	1
			Temps total pour l'opération : 25,25 heures	
Fraisage E	Rainure latérale larg. 6 mm ;prof. 4 mm	0,50	0,05 * 200 = 10	2
			Temps total pour l'opération : 12,50 heures	
Perçage	Perçage, taraudage Ø 6 mm ; prof. 36 mm	0,10	0,16 * 200 = 32	2
			Temps total pour l'opération : 34,10 heures	
Opération extérieure	Peinture époxy noire	30	0,00	10
			Temps total pour l'opération extérieure : 40 heures	
Poste de montage	Montage, contrôle Entrée en magasin	0,30	0,02 * 200 = 4	2
			Temps total pour l'opération : 6,30 heures	
Poste d'emballage	Picking, emballage Chargement en camion	0,2	0,01 * 200 = 2	-
			Temps total pour l'opération : 2,20 heures	
Camion	Transport et livraison	1	-	24
			Temps total pour l'opération : 25 heures	

2/2.3. *La tenue des gammes et nomenclatures d'un produit*

Les gammes et nomenclatures sont fréquemment modifiées par le Bureau des Méthodes : pour des raisons techniques, économiques ou commerciales, un composant doit être remplacé par un autre, ou une opération modifiée.

Dans un premier temps, il est nécessaire au Bureau d'Études d'identifier les conséquences d'une telle modification d'un composant sur les produits composés (en particulier, pour vérifier que la modification d'un composant est bien compatible avec tous les usages de ce composant) et à mesurer l'impact d'un changement de prix du composant sur le coût du composé. La *nomenclature inverse* indique, pour une pièce ou un composant donné, ses « cas d'emploi » : on identifie, dans toutes les nomenclatures, les liens qui aboutissent au composant considéré (fig. 2-11).

Figure 2-11 – *Les cas d'emploi*

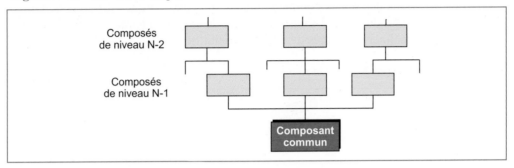

D'autre part, lorsqu'un composant est remplacé, on ne peut pas, en général, faire simplement la substitution au niveau de la nomenclature. Bien souvent, il est nécessaire de conserver pendant un temps la trace des deux liens, celui de l'ancien composant et celui du nouveau : on continue à fabriquer des séries de production avec l'ancien composant alors que l'on ne fait que des préséries avec le nouveau. Le service après-vente doit aussi connaître la composition exacte des produits fabriqués dans le passé. Pour décrire de telles substitutions, on enregistre, sur chaque lien, deux dates de validité ou deux numéros de série : date (ou numéro) à partir de laquelle le lien est actif, date (ou numéro) à partir de laquelle le lien n'est plus valable. Ainsi, en spécifiant une date ou un numéro de série, on peut reconstituer la nomenclature active à une date donnée. De même, le Bureau des Méthodes fait évoluer en permanence les procédures opératoires, ce qui nécessite une remise à jour des gammes utilisées.

2/3   Analyse typologique des produits et des ressources

La première caractéristique développée ici est le concept de variété d'un produit fini. Cette variété est une propriété importante qui a des implications fortes sur la chaîne logistique et ses performances. Ensuite, nous présenterons différents critères typologiques permettant de classer les produits et les ressources en quelques grandes familles ayant, au niveau industriel et logistique, des caractéristiques communes.

2/3.1   Le concept de variété

À l'époque d'Henry Ford, la chaîne fabriquait la Ford T en une seule version[1]. Puis, General Motors a contre-attaqué, avec succès à l'époque, en offrant un grand nombre de modèles différents. Aujourd'hui, une telle aptitude à offrir une large gamme de produits est devenue un argument clé pour conquérir de nouveaux marchés.

Mais qu'est-ce que la variété ? Pour en comprendre le sens et l'origine, considérons l'exemple d'une entreprise qui fabrique des crayons (fig. 2-12).

Le corps de ce crayon peut être rond ou hexagonal, la gomme de deux types différents, la mine peut présenter cinq duretés. De plus, un tel crayon peut être vendu sous cinq couleurs différentes et les inscriptions y sont portées sous trois couleurs

---

[1] « Tout un chacun aura une voiture de la couleur qu'il veut, à condition que ce soit du noir », avait coutume de dire Henry Ford !

potentielles. Le conditionnement, quant à lui, se fait par lots de trois tailles possibles, dans des boîtes commercialisées sous dix marques différentes. On constate donc que le produit fini (à savoir une boîte de crayons identiques), bien que très simple, peut se décliner selon près de 40 000 possibilités.

Figure 2-12 – *Un produit simple : le crayon*

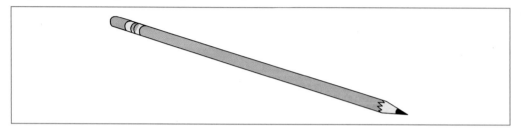

Dans le même ordre d'idées, un modèle automobile de base peut être décliné suivant plusieurs milliards de modèles selon le choix des différentes options traditionnellement proposées par les constructeurs (moteur, boîte de vitesse, couleur, toit ouvrant, niveau de finition, de sécurité, de confort….).

Cette déclinaison d'un produit fini selon un grand nombre de variantes constitue le concept de *variété* d'un produit industriel. La variété coûte cher à produire : en raison du grand nombre des références, le système devient en effet plus difficile à gérer, car plus complexe. En outre, plus la variété est grande, plus les séries sont courtes, plus il faut changer souvent le réglage des machines et plus le personnel employé doit être polyvalent. L'entreprise qui accroît la variété de ses produits sans s'être dotée d'un système logistique adéquat va donc rapidement voir sa productivité se dégrader, ses stocks absorber toutes ses ressources financières et ses clients insatisfaits la quitter. La logistique s'attachera donc à traiter le phénomène de *variété* sans que le client n'en souffre et sans que les coûts n'atteignent des niveaux prohibitifs.

Toutefois, une analyse plus approfondie fait apparaître que la variété d'un produit a deux origines potentielles, avec des implications très différentes au niveau des systèmes industriels et logistiques associés. En effet, la variété peut provenir :
– soit de changements au niveau des matières et composants utilisés dans la fabrication (sans changer les opérations elles-mêmes), comme c'est le cas pour des stylos feutres rouges ou verts,
– soit de la mise en œuvre d'opérations différentes lorsqu'on change de produit (ce qui induit un processus de réglage lourd, voire une véritable réorganisation des ressources), comme pour fabriquer des pièces mécaniques spécifiques.

Au niveau de la gestion des opérations, une variété de produits finis qui a pour unique origine la variété des matières premières et composants permet une organisation stable des opérations et des ressources. La difficulté principale dans cette situation se restreint à une gestion efficace des approvisionnements et des flux physiques dans cet environnement stable. En revanche, lorsque les opérations sont modifiées lors des changements de produits, il devient nécessaire de réorganiser au moins partiellement l'environnement industriel et logistique, ce qui est nettement plus complexe.

2/3.2   *Typologies des produits et des ressources*

Faire une typologie consiste à classer les éléments d'un ensemble suivant un critère défini de manière à constituer des familles ayant des caractéristiques communes. L'idée est de créer des familles de produits et d'organisations de ressources qui correspondent à des problématiques types.

Bien physique ou service

Une première distinction concerne la matérialité du produit : bien *physique* ou *service*. Lorsque nous achetons de la poudre à lessiver ou une brosse à dents, notre achat concerne un bien purement matériel. À l'inverse, lors d'une intervention d'un dépanneur de photocopieuse, le produit proposé est de nature immatérielle : il s'agit en l'occurrence d'une réparation. On parle dans ce cas de service. En fait, la distinction stricte entre bien physique et service doit être tempérée : il existe une évolution continue entre ces deux extrêmes. Par exemple, une voiture est vendue avec des garanties et un service après-vente, un logiciel est vendu en combinaison avec une assistance technique, un restaurant propose des nourritures qui ne sont pas immatérielles…

Produit standard ou produit spécifique

Une première distinction concerne le degré de standardisation du produit. Un *produit standard* est prédéterminé pour un grand nombre de clients non individualisés : par exemple, un paquet de lessive, une séance de cinéma, un trajet en avion de ligne. Un *produit spécifique* (ou sur mesure) est fait en fonction de ce que désire précisément tel ou tel client : une machine spéciale, un trajet en avion affrété, un costume sur mesure ou un satellite.

Entre ces deux extrêmes existe une catégorie intermédiaire : le produit comporte une base standard (ou des modules standard), mais il est personnalisé à la demande explicite ou implicite du client. Par exemple, lorsque l'on commande une voiture, on indique les options et les couleurs que l'on désire parmi un choix d'options et de couleurs standard. Autres exemples de produits personnalisés : un ordinateur dont la configuration exacte est préparée spécialement à la demande (choix de la taille de la mémoire, de la taille du disque, des caractéristiques de l'écran, etc.), les hors-d'œuvre dans certains restaurants qui offrent en libre-service les éléments standard avec lesquels chaque client se compose ensuite un plat personnalisé.

Produit simple ou produit complexe

Une seconde typologie consiste à classer les produits en produits dits *simples* et produits dits *complexes*. En effet, la fabrication de certains produits est aisée alors que traditionnellement dans d'autres cas la production et la distribution de pièces de bonne qualité posent de réelles difficultés.

Outre la complexité purement technologique, liée à la présence dans le processus industriel et logistique d'une opération de transformation dont l'aspect technique ne peut être correctement maîtrisé à l'heure actuelle, on rencontre deux autres sources de complexité.

La première réside dans le nombre de composants différents nécessaires à la fabrication du produit. Lorsque ce nombre est très élevé, la probabilité qu'une pièce soit manquante ou défectueuse est importante. Considérons un produit fini constitué de 200 types de composants différents. Si chaque composant est géré indépendamment, avec une probabilité de présence en stock lors de la fabrication égale à 99,9 % (ce qui est remarquable !), la probabilité de posséder, à un moment donné, tous les composants nécessaires n'est que de

$$(0,999)^{200} = 0,13$$

Le montage n'a donc qu'une chance sur huit de pouvoir se faire !

De manière analogue, lorsque la fabrication du produit nécessite un nombre élevé d'opérations, sachant que toute opération présente une probabilité non nulle d'être mal réalisée, la probabilité de mauvaise réalisation du produit fini est importante. Si on considère que la fabrication d'une voiture correspond à 10 000 opérations, et si on suppose que chaque opérateur ne se trompe qu'une fois toutes les 10 000 opérations, la probabilité de réaliser une voiture sans défauts est de

$$(0,9999)^{10\,000} = 0,37$$

Cela signifie que 63 % des véhicules devraient être retouchés. Ce chiffre correspond aux performances de certains constructeurs dans les années 60.

À l'inverse, on trouve de nombreux produits qui n'incorporent qu'un nombre réduit de composants et matières premières, via un petit nombre d'opérations techniques simples. La fabrication d'un tel produit est donc *a priori* simple. À titre d'exemples, on peut citer le tube de rouge à lèvres, fabriqué en une dizaine d'opérations élémentaires à partir de la masse de rouge à lèvres et du tube plastique et du bouchon, ou le pain de mie industriel dont la recette comprend une dizaine de matières premières et la fabrication une dizaine d'opérations simples.

Produit à durée de vie longue vs à durée de vie courte

Il est possible de classer les produits en fonction de leur durée de vie. Il peut s'agir de produits à durée de vie longue dont la fonctionnalité pure et simple est en général l'intérêt principal pour le client, comme les produits alimentaires de base, les détergents, etc.

Au contraire, il existe des produits dont la durée de vie est courte, soit par la nature même du produit (comme les sapins de Noël, les produits de mode…), soit parce que les évolutions technologiques sont très rapides, rendant obsolètes les produits qui ont quelques mois ou quelques années (comme ce qui concerne l'industrie de l'électronique : hi-fi, ordinateurs, téléphonie et dans une moindre mesure les voitures…).

Taille des séries

La question qui se pose ici concerne la taille des séries produites, une fois que le système industriel est configuré pour réaliser un produit donné. Cette typologie selon la taille des séries est le reflet opérationnel du concept de variété. À un extrême, on trouve, d'une part, les produits fabriqués en un très petit nombre d'exemplaires (voire un produit spécifique en un exemplaire unique comme la cuve d'un réacteur nucléaire pour une nouvelle centrale, un moteur de propulsion pour une version spécifique d'Ariane 5 ou un instrument de musique sur mesure pour un musicien virtuose). À l'autre extrême, il y a les produits fabriqués en des séries de production très longues, comme des lames de rasoirs, des bouteilles de lait ou des DVD à graver. Ces derniers sont des produits fabriqués quasiment en continu pendant des mois (ou des années) sur des ressources de production dédiées.

Globalement, plus les séries de production sont longues, plus les flux sont stables et donc plus simples à gérer. À l'inverse, des séries courtes, voire très courtes, exigent un environnement flexible capable de passer efficacement d'un produit à un autre. À nouveau, pour bien comprendre les conséquences de la taille des séries sur le système logistique, il convient d'identifier ce qui change d'un produit à un autre. Deux cas sont possibles (fig. 2-13). Soit le passage d'une série à une autre série correspond à un changement de matières et composants (mais les opérations et les flux, de manière générale, restent identiques). Ce serait le cas pour des rouges à lèvres ou du pain industriel. Soit le passage d'une série à une autre série correspond à un changement de gamme opératoire (avec ou sans changement des matières et composants). Cette situation est par exemple celle d'ateliers qui fabriquent des pièces métalliques de précision (lots de plumes de stylo de luxe, d'aiguilles de montre ou de sondes médicales spécifiques).

Il est donc possible de rencontrer des produits fabriqués en grande série au niveau des opérations, mais en petites ou moyennes séries au niveau des composants. Un exemple serait le cas des rouges à lèvres, qui sont fabriqués sur quelques lignes de production automatisées selon des opérations fixes, mais avec des milliers de couleurs/conditionnements différents. À l'opposé, on peut rencontrer des produits fabriqués en grande série au niveau des composants, mais en petite série au niveau des opérations. On peut penser à une entreprise de mécanique qui à partir de quelques matières premières standard fabrique toutes les pièces mécaniques qui constituent le train d'atterrissage d'un avion.

Figure 2-13 – *La variété par les matières vs la variété par les opérations*

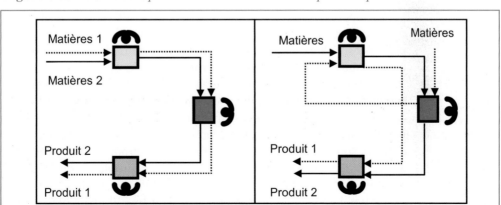

Typologie des nomenclatures

On peut distinguer plusieurs grandes structures de flux dans les usines en fonction de la diversité des matières premières utilisées, de la diversité des produits finis proposés et de la présence éventuelle de regroupements intermédiaires. En particulier, il est possible de comprendre, via la structure des nomenclatures, comment la variété augmente tout au long des étapes de la fabrication et l'usage qui est fait de sous-ensembles et modules.

Ces structures sont identifiées par les lettres I, V, T, A, Y, X. Schématiquement, si l'on représente les flux de matières à travers le système logistique, avec l'entrée des matières premières en bas, l'expédition des produits finis en haut et d'éventuels regroupements au centre, le profil des flux prend la forme d'une de ces 6 lettres (fig. 2-14).

Figure 2-14 – *Principales formes de nomenclatures*

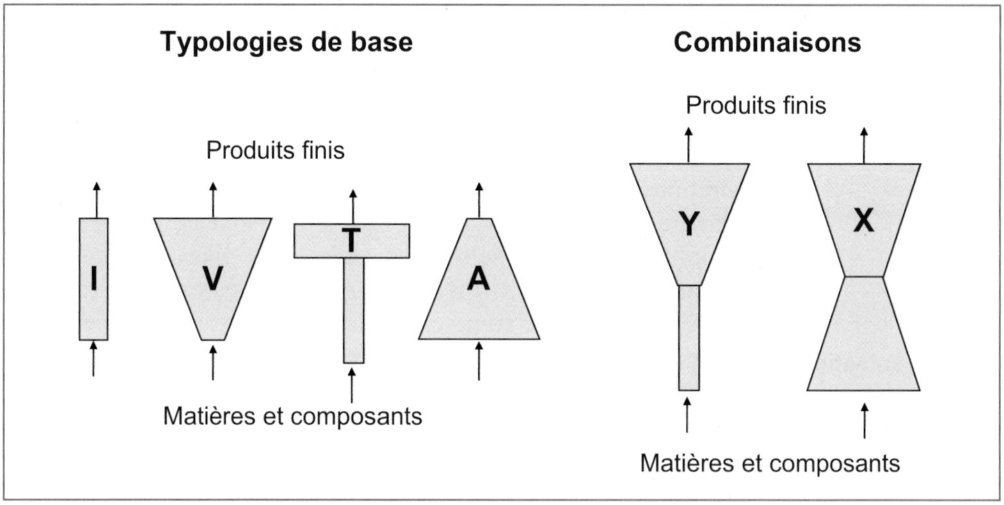

La typologie en I correspond aux entreprises qui utilisent un nombre réduit de matières premières et proposent une gamme de produits finis contenant peu de références, par exemple, dans les industries de base (sucre, huiles...). Les opérations ne sont ainsi pas associées à un accroissement de variété.

La typologie en V est associée à des industries de transformation dans lesquelles les opérations successives induisent un accroissement progressif de la variété. Dans ce cas, il y a plus de références différentes de produits finis que de types de matières premières. À titre d'exemples, on peut citer la métallurgie, où diverses qualités d'aciers sont transformées en des milliers de produits finis spécifiques, ou le secteur de la confection de vêtements, confronté au problème de la diversité de tailles et coloris.

La typologie en T correspond à des industries d'assemblage, qui en combinant un nombre réduit de composants produisent un nombre élevé de produits finis en un nombre réduit d'opérations. Le secteur de l'assemblage des biens électroménagers ou des ordinateurs en est un bon exemple. L'accroissement de variété ici est instantané.

La typologie en A regroupe des entreprises qui réalisent de l'assemblage de matières et composants, mais dont la gamme de produits finis est limitée. Il y a donc un plus grand nombre de références de matières et composants achetés que de références de produits finis comme dans le secteur de la hi-fi.

Les usines en Y et X peuvent être considérées comme des évolutions ou des combinaisons des typologies précédentes. De nombreuses entreprises cherchent en fait à concilier la production de masse avec la personnalisation des produits. Dans une usine en Y ou en X, l'assemblage final, qui est l'ultime étape de la production, regroupe différents sous-ensembles de manière à créer un produit fini personnalisé, correspondant aux besoins d'un client individuel ou d'un segment de marché spécifique. Cet assemblage final correspond donc bien à un processus en V (ou en T). Les sous-ensembles qui sont communs à plusieurs types de produits finis différents peuvent être fabriqués à partir des prévisions de ventes. Lorsque le processus de production des sous-ensembles est de type I, on dira que l'usine complète est de type Y, alors que si la production des sous-ensembles est en A, les flux de l'usine seront en X. L'exemple le plus connu de production en X est celui de la fabrication des automobiles, alors que les fabricants de mobilier de bureau ou de valises sont de type Y.

Organisation par technologie ou par produits

Quand on dispose d'un ensemble de ressources pour exécuter un ensemble d'opérations, il est possible de choisir deux options (fig. 2-15).

Figure 2-15 – *Organisation par technologies ou par produits*

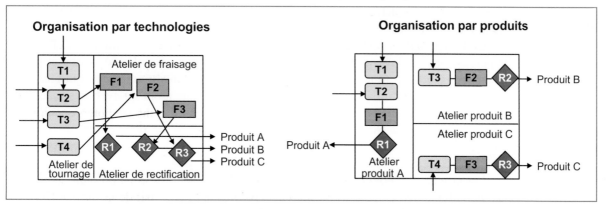

– Soit les ressources sont regroupées par technologie (les tours sont placés dans la section des tours, les presses dans la section des presses, etc.). On parle d'*ateliers technologiques* (ou de *sections homogènes*). Pour fabriquer un produit, il faut donc que celui-ci traverse plusieurs sections ou ateliers. Dans ce cas, les ressources et les opérations restent largement indépendantes les unes des autres. Une machine exécute à un moment donné une opération A puis, le lendemain, une opération B. Les produits circulent entre les machines d'une façon très libre, suivant les besoins et les disponibilités. Les flux sont donc discontinus, voire unitaires, au sens où chaque unité produite est spécifique.

– Soit les ressources sont regroupées selon l'enchaînement des opérations réalisant un produit donné (*sections produits*). On parle de *processus en ligne*. Un produit est alors fabriqué partiellement ou totalement dans un même atelier. Dans ce second cas, les ressources (machines, personnes) sont organisées en système structuré.

L'ensemble est affecté de façon stable à un produit (ou en tout cas à des produits qui se ressemblent). Les produits circulent suivant un trajet prédéterminé par la disposition du système de machines comme dans le cas de la chaîne de production. Dans cette configuration, les flux peuvent donc être connectés, ou même continus (comme dans la production chimique).

Le choix de la première option correspond à une volonté de centralisation et d'homogénéité technologique. Le choix de la seconde option met l'accent sur la cohérence du processus et du flux et une responsabilisation plus large des équipes. Par exemple, dans une administration, une secrétaire peut être affectée à chaque département, ou l'ensemble des secrétaires peut être organisé en un pool centralisé. Dans un grand magasin, il peut y avoir une caisse par rayon ou bien un ensemble de caisses centralisées (comme dans les grandes surfaces).

Pourquoi choisit-on une option plutôt que l'autre ? Chacune présente certains avantages. L'équilibre penche en faveur de l'option *sections machines* pour les fabrications très diversifiées où l'on vend des heures-machine (sous-traitance, produits sur mesure). L'équilibre penche en faveur de l'option *sections produits* pour les fabrications standard où l'on vend des produits. Par exemple, une usine qui fabrique 2 000 voitures de grand luxe par an ne construira probablement pas une chaîne de montage. En revanche, celle qui en produit 300 000 organisera ses ressources en chaîne (ou *en ligne*).

Cette typologie selon l'organisation des ressources est très importante car elle a des répercussions sur la structure de coût du produit, sur son délai de production et sur sa personnalisation en fonction de la demande du client. Ainsi, l'entreprise qui constitue une chaîne se limite dans le choix des produits vendus alors qu'avec des machines indépendantes, elle conserverait la possibilité de réaliser des produits spécifiques (mais à un coût plus élevé).

Autres critères

Les critères typologiques présentés ne sont pas exhaustifs. Il est possible de définir de nombreux autres critères de classement. Chacun peut présenter de l'intérêt en fonction du problème à résoudre, par exemple : produits de mode ou produits peu évolutifs, produits à forte valeur ajoutée ou à faible valeur ajoutée.

2/4   Évaluation du coût d'un produit

On appelle coût d'un produit la valeur monétaire des ressources utilisées pour réaliser ce produit. Le coût est donc la représentation monétaire de la consommation. La connaissance des coûts est une donnée de base pour optimiser les performances d'une *supply chain*. En particulier, les parts relatives de coûts à imputer respectivement aux achats, à la production et à la distribution constituent des indicateurs clairs de l'importance stratégique relative de chacune de ces étapes.

2/4.1   Coûts fixes et coûts variables

Afin de bien comprendre les analyses de coûts dans un environnement *supply chain*, il convient tout d'abord de bien différencier les concepts de coût fixe et de coût variable (fig. 2-16).

Figure 2-16 – *Coûts fixes et coûts variables*

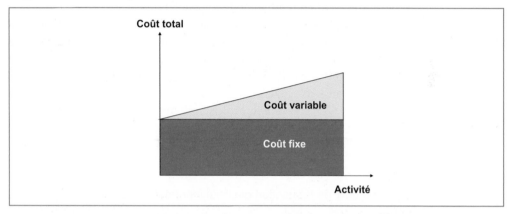

Un coût variable est un coût dont le montant varie en proportion directe de l'activité, soit ici du nombre d'unités approvisionnées, produites ou distribuées, alors que le coût fixe est indépendant de ces quantités (au moins dans une certaine plage).

Lors de l'approvisionnement, les coûts fixes sont typiquement associés aux frais administratifs, à une partie du coût du transport et du coût de contrôle de la commande lors de la réception, alors que les coûts variables correspondent à la facture des matières achetées et à une part variable des coûts de transport et de réception et entreposage. Au niveau de la fabrication d'un lot de produits, les coûts de préparation et de réglage d'une machine sont globalement des coûts fixes par rapport à la quantité lancée. En revanche, les coûts des matières premières et les coûts de la gamme opératoire (coût de la machine et de la main-d'œuvre directe) sont des coûts variables, proportionnels au nombre d'unités produites.

2/4.2   L'implosion des coûts d'un produit

Les nomenclatures et les gammes permettent également le calcul des coûts standard des produits : connaissant les prix des matières premières et des pièces achetées ainsi que les coûts standard de fabrication et de distribution, on peut déterminer le coût direct d'un produit à tous les stades de son élaboration.

Les coûts de fabrication sont déterminés à partir des gammes de fabrication ou de montage. Le coût de fabrication d'un produit est égal à la somme des coûts des opérations de la gamme. Le coût d'une opération est égal au temps requis pour réaliser l'opération multiplié par le taux horaire de la section (ou de la machine) qui réalise l'opération. Nous ne discuterons pas de la façon dont sont déterminés les taux horaires : le lecteur trouvera des précisions dans les ouvrages de comptabilité analytique.

La procédure de calcul est la suivante : on part du plus bas niveau de la nomenclature. Pour déterminer le coût d'un composé, on fait la somme des coûts des composants qui entrent dans sa composition (ce qui donne le coût matière du composé) et on ajoute son coût de fabrication. Le coût d'un composant est obtenu en multipliant son coût unitaire par le coefficient technique. Cette procédure est appelée *implosion des coûts,* car on part des coûts élémentaires que l'on agrège progressivement en remontant de niveau en niveau.

Exemple 2-3 : calculons le coût de revient du produit PF dont la nomenclature apparaît sur la figure 2-6 à partir des coûts présentés dans le tableau ci-dessous.

Coût variable des produits achetés :	M1	12,5 €/unité
	M2	10 €/unité
	P1	15 €/unité
	P2	42 €/unité
Coût fixe de fabrication et conditionnement :	C1	200 €
	C2	300 €
	PF	100 €
Coût variable de fabrication et conditionnement :	C1	75 €/unité
	C2	110 €/unité
	PF	222 €/unité

On suppose de plus que C1, C2 et PF sont fabriqués et distribués par lots de 100 unités. Les coûts fixes seront donc à répartir sur ces lots de 100 pièces. Le coût matière d'un article C1 est égal 0,8 x 12,5 soit 10 €. Son coût de fabrication variable étant de 75 €, sa part de coût de fabrication fixe étant de 200 €/100 soit 2 €, le coût unitaire total du produit C1 est de 87 €.

Le coût matière d'un article C2 est égal à la somme des coûts de P2 et de M2, soit (2 x 42) + (2,4 x 10) = 108 €. Son coût variable de fabrication et de conditionnement étant de 110 €, sa part de coût de fabrication fixe étant de 300 €/100 soit 3 €, le coût unitaire total d'un produit C2 est de 221 €.

On peut alors procéder au calcul du coût du produit fini PF. Son coût matière est égal au coût de ses composants P1, C1 et C2 soit (4 x 15) + (2 x 87) + (1 x 221) = 455 €. Son coût variable de fabrication et de conditionnement étant de 222 €, sa part de coût de fabrication fixe étant de 100 €/100 soit 1 €, le coût unitaire total d'un produit PF est de 678 €.

2/5   Les spécificités des activités de service

Bien que, d'un point de vue logistique, les activités de service soient souvent très proches de celles de fabrication et de distribution des produits, elles en diffèrent par plusieurs aspects. Nous nous contenterons, pour le moment, d'identifier les principales différences entre un produit matériel et un service ; leurs conséquences seront discutées dans les chapitres appropriés.

– Un service, pour une part plus ou moins grande, est *intangible* : il n'a pas toujours des caractéristiques physiques mesurables.

– N'étant pas un bien physique, *le service n'est pas stockable*. La production et la consommation sont simultanées. Par exemple, on ne peut stocker les places inoccupées dans un avion pour les offrir ultérieurement. Il en résulte des difficultés pour ajuster la charge et la capacité de production.

– Le service est généralement produit – au moins dans sa phase finale – là où il est consommé. Il ne peut être déplacé. Il est donc difficile de bénéficier d'économies d'échelle en constituant des grandes unités de production.

– La part de main-d'œuvre est souvent importante. Il y a souvent un contact direct entre une partie du personnel et le consommateur. Le personnel en contact a un rôle commercial prépondérant : il est à la fois producteur et vendeur. La prise de responsabilité est élevée, la gestion des ressources humaines est délicate, et ce, d'autant plus que le personnel est souvent dispersé.

– Le client participe souvent à la production du service. Cela permet d'augmenter la productivité (*self-service*), mais augmente le risque de mauvaise qualité.

– Les critères de qualité sont en partie subjectifs. L'appréciation que le consommateur porte sur un service ne dépend pas seulement de caractéristiques objectives du service, mais aussi d'opinions personnelles (ambiance, contexte).

– Enfin, il n'est pas possible de démontrer les qualités du service avant de le produire ; le client doit faire confiance au producteur de service. Celui-ci doit le rassurer, par exemple en lui offrant un service standardisé. Il n'est, en effet, pas possible de tester la qualité du service avant de le mettre sur le marché et les possibilités de retouches sont souvent limitées. Il faut donc faire de la bonne qualité du premier coup.

L'ensemble de ces spécificités fait que la logistique des services est au moins aussi complexe que celle à mettre en œuvre dans la production de biens tangibles.

Chapitre 3

Flux et processus

Comme expliqué au chapitre 2, une entreprise a pour fonctionnalité première d'acheter, de fabriquer, de distribuer et de vendre des produits à ses clients, afin d'en obtenir un bénéfice. Ces processus d'approvisionnement, de production et de distribution de biens tangibles entraînent l'existence de flux d'informations, de flux de matières[1] entre les différentes ressources utilisées et, en général, de stocks. Pour un système logistique typique, l'écoulement des flux de matières, depuis les fournisseurs des matières premières jusqu'à la livraison des produits finis, en passant par les différentes opérations de fabrication, est un processus complexe. Pour prendre une comparaison, ces flux ont bien peu en commun avec l'écoulement d'un fleuve tranquille : on se trouverait plutôt en présence d'un cours d'eau rencontrant de nombreux barrages, écluses et cascades tumultueuses ! Et pourtant, le respect des attentes des clients exige un pilotage efficace de tels flux, ce qui requiert une bonne compréhension des mécanismes sous-jacents et des principales variables d'action. Ce chapitre présente donc les concepts théoriques associés.

3/1 Flux, processus et délais

3/1.1 Les processus

Il est souvent fait référence au terme de « processus » dans les descriptions et les analyses des systèmes logistiques et industriels. Globalement, ces termes sont utilisés pour signifier tout ou partie d'une organisation qui transforme des inputs en outputs, ayant une valeur supérieure aux inputs initiaux. De manière précise, *un processus est un ensemble de tâches, reliées par des flux de matières et des flux d'informations, qui transforment des inputs en outputs*.

Inputs et outputs. Les inputs d'un processus peuvent être classés en différentes catégories : la main-d'œuvre, les matières, l'énergie et le capital. Les outputs considérés ici seront en général des biens physiques. Pour analyser les performances d'un processus, il est donc nécessaire de connaître les quantités nécessaires de ces inputs pour réaliser l'objectif d'output. Ces quantités sont souvent mesurées en unités spécifiques, mais également en termes de coûts. Toutefois, l'évaluation du coût de revient d'une unité d'output est en général difficile, car de nombreuses hypothèses

---

[1] On parle également de *flux physiques*.

différentes peuvent être considérées. Par exemple, il est difficile d'évaluer exactement quelle part de la ressource en capital est consommée pour réaliser une unité d'output donnée. Il existe donc pour ce faire des règles comptables de référence. La valorisation de ces biens peut également être une tâche délicate, car cette valeur peut procéder d'un mécanisme de marché de type offre et demande.

Exemple 3-1 : on considère le processus d'approvisionnement en minerai de fer pour un haut-fourneau situé en Alsace. La matière première est le minerai de fer extrait dans une mine d'Afrique du Sud. Cette matière est transportée à l'aide des ressources qui constituent les autres inputs (main-d'œuvre, énergie, camions, bateaux, grues de chargement). Dans ce cas, le processus de transformation est un processus de transport et l'output est le minerai de fer disponible en Alsace au pied du haut-fourneau.

Exemple 3-2 : une usine d'assemblage d'automobiles constitue une autre illustration. À partir de matières premières (acier, câbles…) et composants et sous-ensembles (ordinateur de bord, pare-brise…), l'usine produit des voitures à l'aide de ses ressources qui constituent les inputs (main-d'œuvre, énergie, capital…). Dans ce cas, le processus de transformation est un processus d'assemblage et l'output est une automobile.

Flux internes et flux externes. Comme nous l'avons décrit dans l'introduction de cette partie, les flux matières peuvent être regroupés en flux internes, qui représentent les flux de matières subissant les transformations au sein de l'entreprise et en flux externes, associés à l'approvisionnement des matières premières et composants nécessaires (y compris d'éventuelles opérations de sous-traitance) et à la livraison des produits finis aux clients.

D'un point de vue historique, le management industriel s'est d'abord situé au niveau des flux internes dans une perspective technique visant à améliorer la productivité des usines. Les noms de Frederick Taylor et d'Henry Ford, concepteurs respectivement de l'organisation du travail et de l'organisation des flux, sont associés à ces débuts historiques. L'amélioration de la productivité apparaissait à ce moment comme le résultat d'un cheminement analogue à celui qui permet d'améliorer l'efficacité d'une machine. Aujourd'hui, ces idées ont évolué. En particulier, il est apparu que les performances globales de l'entreprise dépendent également fortement d'une intégration efficace de l'ensemble des flux internes et externes, avec un accent mis sur la rapidité et la fluidité des transports, ainsi que sur le partage de l'information. Il s'agit du concept de *supply chain*.

Indicateurs et mesures de performances. Au niveau des flux, les trois indicateurs de mesure des performances suivants s'imposent :

- tout d'abord, la quantité de produits réalisés, autrement dit le flux,
- ensuite, la quantité (ou la valeur) des stocks de matières premières, composants et produits finis, nécessaires pour faire fonctionner le système,
- enfin, les mesures de temps et délais dans le système : par exemple le délai entre la passation de la commande, l'organisation du transport et de la livraison et la réception chez le client ou le délai de circulation d'une pièce entre son entrée en magasin et sa sortie pour utilisation, ou encore le délai total entre l'arrivée d'une pièce en-cours dans un atelier et sa sortie vers l'opération suivante.

3/1.2.   Le diagramme des flux

La première démarche permettant d'avoir une vision claire des flux dans une *supply chain* est la représentation graphique du *diagramme des flux*. Ce diagramme reprend schématiquement tous les éléments importants constitutifs du système industriel et logistique, à savoir :
- les fournisseurs,
- les ressources de natures industrielles et logistiques,
- les stocks entre les opérations et dans les magasins,
- les flux physiques entre les ressources,
- les flux d'informations, qui permettent le pilotage des flux physiques.

Comme illustré par l'exemple suivant, un tel diagramme des flux fournit une vision globale du fonctionnement du système logistique.

Exemple 3-3 : on présente à la figure 3-1 un diagramme de flux simple, dont la description est la suivante. La commande du client arrive par courrier et est traitée par le bureau des commandes (a), puis transmise au magasin des produits finis pour livraison. Ensuite, les produits finis sont sortis du magasin pour aller vers la zone d'emballage et d'expédition (6). Ils sont alors transportés par camion vers les clients (qui sont des fournisseurs régionaux). Le bureau du magasin de produits finis surveille le stock. Quand ce stock de produits finis descend en dessous d'un niveau minimum, le bureau prévient le service Planning et lancement (b). Celui-ci prépare un dossier de fabrication, planifie un ordre et le transmet au bureau du magasin des matières premières et composants.

Ce diagramme des flux met en évidence la complémentarité entre flux d'information et flux matières. On voit bien que les flux physiques et les flux d'information associés constituent des boucles. En l'occurrence, dans la figure 3-1, les flux de livraison aux clients sont déclenchés par les flux d'informations relatifs aux commandes de ces clients. Les flux physiques de réapprovisionnement des magasins sont pilotés par les flux d'informations émis par les bureaux responsables. On peut de plus noter le rôle de découplage joué par les deux magasins : grâce à la présence de ces magasins, ce système industriel et logistique peut être décomposé en trois sous-systèmes :
- la boucle d'approvisionnement du magasin des matières premières et composants,
- la boucle de réapprovisionnement du magasin des produits finis,
- la boucle de livraison des commandes à partir du magasin des produits finis[1].

3/1.3   Les délais

Lorsqu'on considère les flux dans une *supply chain*, l'aspect temporel est important pour deux raisons principales. Tout d'abord en termes de qualité de service aux clients, le délai entre la passation de commande et la réception du produit est un critère de différenciation important.

---

[1] Cette boucle est connue sous le vocable *From order to cash* lorsque l'on y inclut les aspects de facturation et de comptabilité.

Figure 3-1 – *Exemple de diagramme des flux*

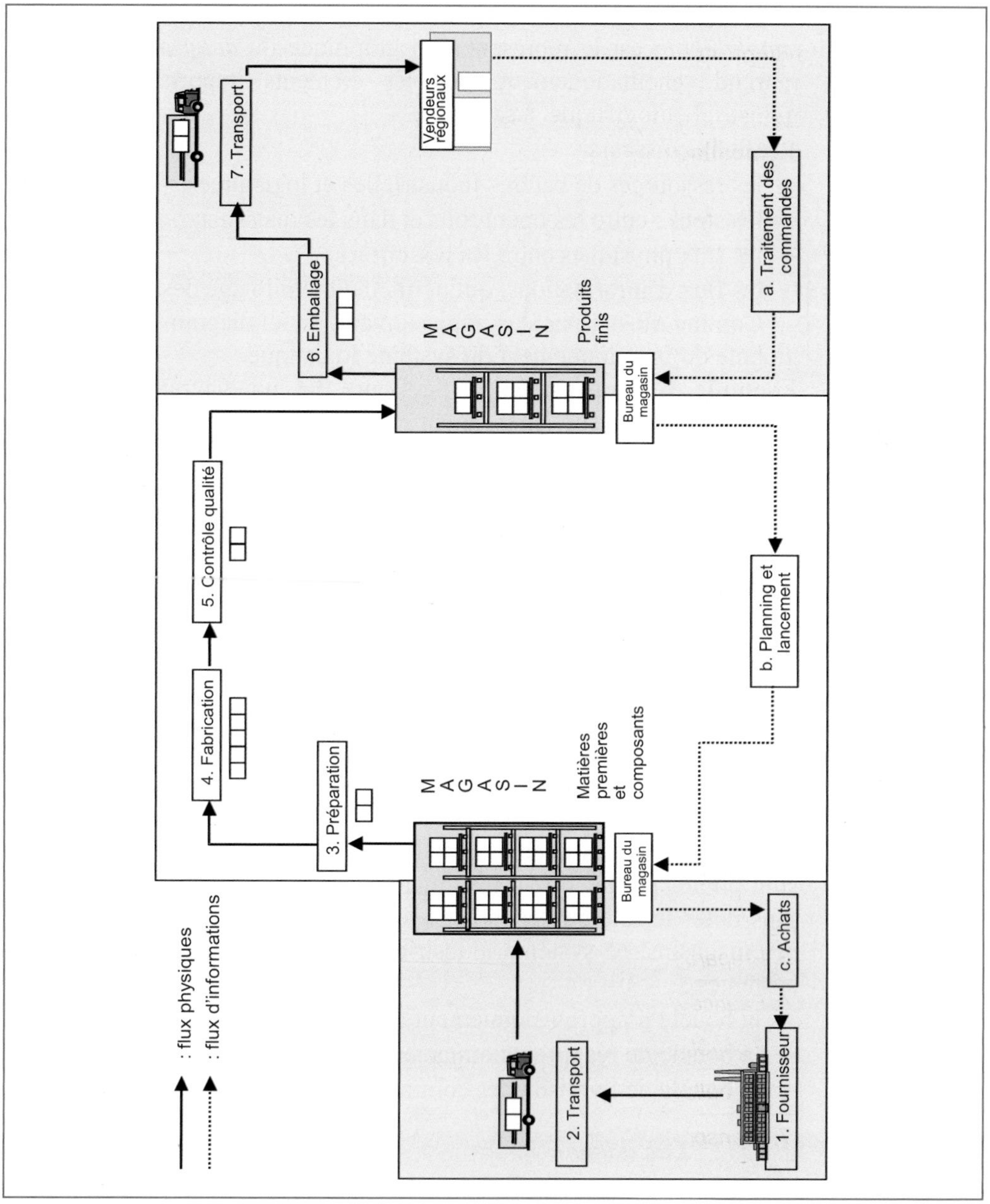

Typiquement, plus ce délai est court et plus les clients seront satisfaits : il suffit de voir les sites Internet de nombreuses entreprises qui promettent des délais de livraison toujours moindres. De surcroît, on remarque que plus le temps de séjour d'un produit dans l'entreprise est élevé, plus les charges financières associées sont lourdes.

Trois types de délais peuvent être analysés : le délai d'obtention d'une commande ou d'un ordre, le délai de circulation du flux physique et le délai d'attente.

Le délai d'obtention d'une commande ou d'un ordre

Le temps qui s'écoule entre l'émission d'un ordre (ou d'une commande) et la réception physique du produit demandé s'appelle le *délai d'obtention*[1].

Exemple 3-3 (suite) : pour l'exemple 3-2, le délai d'obtention d'une commande pour un client est égal à la somme du délai de traitement de la commande (a), du délai d'emballage (6) et du délai de transport (7).

Figure 3-2 – *Le délai d'obtention d'une commande (exemple 3-3)*

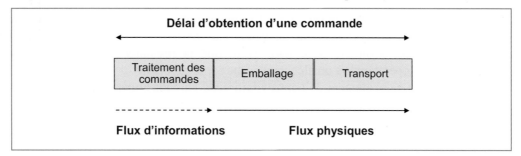

Le délai d'obtention d'une demande de réapprovisionnement du magasin des matières premières vaut la somme du délai d'achat (c), du délai de réaction du fournisseur (1) et du délai de transport (2). On remarque que le délai d'obtention se divise en un délai sur les flux d'informations et un délai sur les flux physiques.

Considérons les valeurs numériques suivantes :

	Délai total	Temps opératoire	Délai d'attente
Flux physiques			
1. Fournisseur	20 jours	2 jours	18 jours
2. Transport	5 jours	1 jour	4 jours
3. Préparation	3 jours	1 jour	2 jours
4. Fabrication	10 jours	1 jour	9 jours
5. Contrôle qualité	5 jours	1 jour	4 jours
6. Emballage	2 jours	1 jour	1 jour
7. Transport	2 jours	1 jour	1 jour
Flux d'informations			
a. Traitement des commandes	5 jours	1 jour	4 jours
b. Planning et lancement	5 jours	1 jour	4 jours
c. Achat	5 jours	1 jour	4 jours

---

[1] Traditionnellement, on parle aussi de *délai de livraison* (même si cela prête quelque peu à confusion).

Le délai d'obtention d'une commande est alors égal à 5 + 2 + 2 = 9 jours.

Le délai d'écoulement

Le temps que met le flux pour s'écouler entre deux points du système logistique s'appelle le *délai d'écoulement*[1] entre ces points.

Exemple 3-3 (suite) : le délai d'écoulement du flux physique depuis l'entrée en préparation (3) et la sortie du contrôle qualité (5) est de 3 + 10 + 5 = 18 jours.

Le délai d'attente

Le temps de séjour total d'un produit à un poste lorsqu'une opération est réalisée est souvent supérieur au temps gamme de l'opération. En effet, un temps d'attente peut avoir été nécessaire avant que la ressource ne soit disponible pour réaliser l'opération, ou un aléa a pu perturber le processus.

Globalement, le temps additionnel au temps opératoire théorique s'appelle le *délai d'attente* ou *temps d'attente*. Dans de nombreux cas, ces temps d'attente peuvent être importants et même très supérieurs aux temps opératoires. En effet, il suffit de penser au temps nécessaire pour traverser une grande ville à l'heure des embouteillages ! De telles situations peuvent également se présenter dans un système logistique.

On peut alors introduire le concept de *ratio de fluidité*[2], défini comme le rapport entre le temps opératoire correspondant à la fabrication d'un produit et le cycle de fabrication de ce produit :

$$\text{ratio de fluidité} = \frac{\text{temps opératoire}}{\text{délai d'écoulement}}$$

Ce ratio donne donc le pourcentage du délai d'écoulement pendant lequel le produit est transformé et peut être interprété comme une mesure de l'efficacité du système logistique.

Exemple 3-3 (suite) : par exemple, le ratio de fluidité du flux physique depuis l'entrée en préparation et la sortie du contrôle qualité est de

$$\frac{1+1+1}{3+10+5} = \frac{3}{18} \approx 16,7\,\%$$

Dans une ligne cadencée (de type chaîne de montage), les temps d'attente sont plus réduits. Le ratio de fluidité sera dans ce cas proche de 1. Au contraire, dans un atelier fabriquant des petites séries par lots groupés, les temps d'attente sont proportionnellement très élevés (chaque pièce fabriquée attend l'achèvement de l'ensemble du lot auquel elle appartient avant d'aller sur la machine suivante). Le ratio de fluidité sera alors très faible.

Exemple 3-4 : considérons le cas d'un processus de production fonctionnant par lot de 100 pièces (fig. 3-3). Le temps opératoire est d'une minute par pièce.

---

[1] On parle également de cycle, temps de cycle ou temps d'écoulement.

[2] On peut aussi considérer l'inverse de ce ratio, qui est plus parlant lorsque le temps opératoire est très faible par rapport au délai d'écoulement.

Figure 3-3 – *Ratio de fluidité*

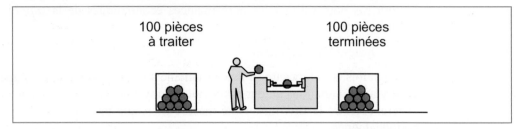

Les temps d'attente moyens peuvent être estimés comme suit. La première pièce n'attend pas dans le conteneur « Pièces à traiter » mais elle attend dans le conteneur « Pièces terminées » que les 99 autres soient terminées, c'est-à-dire 99 minutes. La dernière pièce du conteneur « Pièces à traiter » aura attendu 99 minutes avant d'être introduite dans le processus de production, puis une fois traitée, elle passe le conteneur « Pièces terminées », qui est alors immédiatement expédié. Les temps d'attente moyens s'élèvent donc à 99 minutes pour ces deux pièces. Un raisonnement rapide montre qu'il en est de même pour les autres pièces.

Le ratio de fluidité est donc égal à $\dfrac{1}{1 + 99} = 0{,}01$.

Dès que la production est faite en grande série (automobiles, téléviseurs, etc.), la seule organisation efficace est la production en ligne. Le flux circule vite : il faut de 30 heures à 40 heures pour réaliser le montage d'une automobile. En production de petite série, la circulation est généralement lente : il faut parfois un mois pour fabriquer des circuits électroniques spéciaux alors qu'ils passent seulement une heure sur les postes opératoires !

Ainsi, le cycle de production apparaît dans une large mesure comme une conséquence de l'organisation des ressources. Si les ressources sont organisées suivant le processus, avec le minimum d'interfaces entre sous-systèmes, le flux circule vite. Si les ressources sont groupées par technologie, avec des interfaces entre ateliers, le flux circule lentement et le délai s'allonge.

3/1.4 Les flux

Flux moyen

Pour une entreprise, la quantité de produits fabriqués et vendus chaque année correspond aux flux physiques réalisés (ou produits) par an. De manière plus rigoureuse, *le flux physique mesuré à un endroit du système correspond à la quantité de produits qui passent à cet endroit à chaque unité de temps.* Par exemple, si on se positionne à la sortie d'une ligne de fabrication de yaourts, le flux est en moyenne de l'ordre de 14 400 unités à l'heure, soit un flux moyen de 4 unités par seconde. Un grand constructeur d'avions réalisait à une époque un flux moyen de production sur son site d'assemblage égal à un avion par semaine. Une nouvelle usine d'automobile qui doit être bientôt ouverte en Chine est prévue pour un flux moyen de production de 750 000 voitures par an.

Le flux moyen réalisé apparaît donc comme un des indicateurs les plus importants, en tout cas pour estimer les performances économiques de la *supply chain* (chiffre d'affaires, etc.).

Flux moyen vs flux instantané

Toutefois, si on mesure le flux instantané sur une ressource, on s'aperçoit très vite qu'il y a des variations autour de la valeur moyenne. Il convient donc de bien faire la différence entre le flux instantané mesuré à chaque instant et le flux moyen sur une période donnée.

Exemple 3-5 : on considère le transport par camion d'une commande de 20 palettes de 500 yaourts depuis l'entrepôt réfrigéré vers un grand distributeur. Le temps de chargement des palettes dans le camion est de 40 minutes, le temps de transport vers le distributeur est de 3 heures et le déchargement dure 20 minutes. Le flux moyen est donc de 10 000 yaourts en 4 heures, soit 2 500 yaourts/heure, alors que le flux instantané est plus complexe, puisqu'il est tantôt nul, tantôt strictement positif.

Exemple 3-6 : on considère un réacteur chimique de 100 litres pour lequel le temps de nettoyage à chaque production est de 4 heures et le temps de réaction chimique est de 6 heures. Pour ce réacteur le flux moyen de production est de 100 litres toutes les 10 heures, soit 10 litres/heure. Mais le flux instantané mesuré à la sortie du réacteur est nul la plupart du temps et est positif uniquement au moment où les 100 litres fabriqués sont extraits du réacteur, à la fin de la réaction chimique.

En termes de la compréhension du fonctionnement d'une *supply chain*, et donc en termes d'optimisation des performances d'un tel système, le flux moyen apparaît plus comme la synthèse d'un grand nombre d'interactions complexes que comme une variable d'action sur laquelle on peut jouer directement. En effet, on s'imagine parfois que les flux correspondent au modèle logistique suivant (fig. 3-4).

Figure 3-4 – *Le modèle logistique idéal*

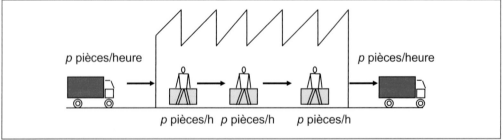

Dans cette situation, idéale du point de vue des flux matières, tous les flux sont identiques en permanence. Les flux entrants (encore appelés flux amont) de chacun des postes de travail sont identiques aux flux sortants (appelés flux avals). Les flux externes sont également parfaitement synchronisés avec les flux internes. Le flux global au travers du système logistique complet est de *p* pièces par heure. Le fonctionnement d'un tel processus est très simple à comprendre : le temps de séjour d'une pièce à un poste est égal au temps opératoire à ce poste et les seuls produits présents physiquement dans le système sont les produits en cours de transport ou de fabrication sur les différentes ressources. Il n'y a donc aucun phénomène d'attente.

Ce serait trop simple ! La réalité d'un processus logistique s'écarte notablement de cet exemple. En effet, il est en général impossible de synchroniser les flux instantanés de toutes les ressources.

Gérer la complexité des flux

Les flux dans un processus logistique constituent un processus très complexe, soit suite à la structure des flux (il suffit de penser aux flux d'assemblage d'un avion qui comporte des centaines de milliers de composants), soit suite aux fluctuations temporelles (pannes, retards, réglage).

Complexité de la structure

Fréquemment, la structure des flux physiques est élaborée et fait ressortir des opérations d'assemblage de plusieurs composants. De telles opérations d'assemblage requièrent la présence simultanée de plusieurs produits. L'ajustement du débit devient alors plus complexe puisqu'il y a une contrainte supplémentaire entre les différents flux entrants (fig. 3-5).

Complexité liée aux fluctuations

De nombreux phénomènes provoquent des désynchronisations entre flux amont et flux aval de certaines ressources et, éventuellement, entre flux internes et flux externes. Une telle désynchronisation rend alors les caractéristiques de l'écoulement des flux plus difficiles à percevoir intuitivement ou à modéliser.

Figure 3-5 – *Complexité des flux*

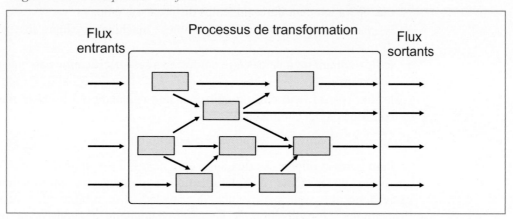

À l'intérieur d'un système logistique, plusieurs raisons peuvent expliquer les variations des flux physiques autour de leur moyenne.

Par nature, les transports induisent de nombreuses fluctuations : étape de chargement, transport par grandes quantités pour baisser les coûts associés, étapes de déchargement constituent autant de discontinuités dans le flux physique.

Au niveau de la production, lorsque le Bureau des méthodes met au point les gammes de fabrication des produits à l'aide des ressources de l'entreprise, on s'aperçoit tout de suite qu'il est difficile d'assurer un flux instantané identique d'une opération à une autre. Typiquement des ressources de natures différentes auront des temps opératoires différents sur les produits : on imagine bien qu'il n'y a aucune raison pour qu'une opération de peinture ait *a priori* techniquement la même durée qu'une opération d'emballage ou de découpe ! Les cadences de production instantanées sont potentiellement différentes (même s'il sera possible de s'organiser pour que le flux *moyen* soit similaire pour toutes les ressources, ne fut-ce qu'en arrêtant régulièrement les ressources trop rapides).

Dans certaines situations, comme sur une chaîne de fabrication ou de montage, on recherche précisément un flux des produits quasi continu. Dans ce cas, la régularité de circulation entre les postes repose sur l'égalité des cadences de chaque opération. Pour atteindre cela, le Bureau des Méthodes développe des gammes opératoires qui respectent cet équilibre. Toutefois, cet équilibre étant difficile à atteindre, cela limite la technique de la ligne cadencée aux productions de très grande série.

De plus, il serait irréaliste de parler de logistique, même au niveau d'une cellule élémentaire, sans évoquer l'existence possible des dysfonctionnements. Ces différents aléas perturbent la régularité d'écoulement des flux et diminuent donc l'efficacité du système logistique. Tous les éléments évoqués sont susceptibles d'être affectés par des aléas :

– une panne, un accident, une grève ou un phénomène météorologique peut avoir perturbé un transport de matières,
– une opération peut se révéler défectueuse, c'est-à-dire que le produit fini n'est pas conforme à ses spécifications,
– une opération peut durer un temps différent du temps prévu,
– les ressources peuvent être indisponibles : machine en panne, absentéisme, manque de place,
– le flux entrant peut ne pas être conforme à ses spécifications ou indisponible (retard de livraison),
– le flux sortant peut être produit pour une demande qui n'existe plus (le client ne confirme pas sa commande).

Système de planification et systèmes d'information

Pour gérer et piloter des flux aussi complexes, il est en général nécessaire de mettre en place un système de planification exploitant les informations disponibles (prévisions de ventes, niveaux de stocks, disponibilité des ressources, etc.). Programmer la production et les approvisionnements consiste à piloter un flux physique grâce à un flux d'informations. Les divers systèmes de planification sont décrits aux chapitres 10 et suivants.

3/2 Flux et stocks

3/2.1 La notion de stock

Nous avons employé à plusieurs reprises dans ce chapitre le mot « stock », sans en donner une définition générale. Il nous a paru conforme à la philosophie de cet ouvrage d'introduire en premier lieu le flux physique afin de présenter le stock comme un des éléments d'organisation du système de flux.

D'une façon générale, *le stock est défini comme l'accumulation d'une différence de flux*. L'image la plus courante est celle d'un réservoir, dont le niveau traduit la différence accumulée entre un flux entrant et un flux sortant (fig. 3-6).

Figure 3-6 – *Le stock est un réservoir*

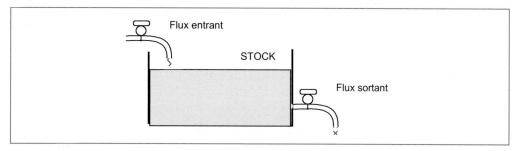

On peut constater sur le diagramme de flux de la figure 3-1 que de tels stocks sont répartis entre les stocks rangés en magasins et les stocks directement présents dans le flux, entre les différentes opérations et dans les transports.

Stocks et différences de flux

On peut comprendre intuitivement pourquoi les fluctuations de flux engendrent des stocks. Considérons un flux de produit avant transformation dans un atelier. Ce produit est soit acheté, s'il s'agit d'une matière première, soit issu d'une opération précédente, s'il s'agit d'un produit en cours de fabrication. Ce flux présente un certain débit moyen. Si l'on observe, non plus le flux moyen, mais le flux instantané, celui-ci présente des variations autour de sa moyenne. Ce sont précisément ces variations, dont les origines sont présentées plus loin, qui engendrent des stocks.

En effet, il faut, pour que l'opération ne s'interrompe pas sur un poste, que le flux amont se présente avec un débit instantané au moins égal au débit de l'opération elle-même. De plus, si le flux amont excède le débit de l'opération, il y aura accumulation de pièces et formation d'une file d'attente, comme présenté à la figure 3-7.

Soulignons cependant que, même si le flux amont a un débit moyen inférieur au débit moyen théorique du poste, il peut y avoir encombrement temporaire en raison du profil du flux entrant et des variations du flux instantané autour de la moyenne. C'est le cas par exemple pour les encombrements à l'entrée des grandes villes entre 7 h et 9 h du matin alors que, dans la journée, ces bouchons disparaissent. Ce phénomène de congestion bien connu est présent dans tout système logistique dont les ressources sont limitées : guichet SNCF, central téléphonique, restaurant à la mode, etc.

Figure 3-7 – *La différence de débit crée un stock*

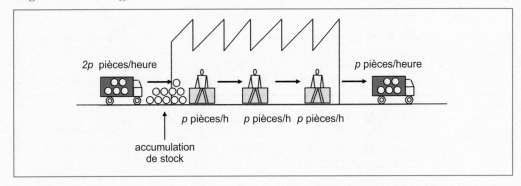

Dans le cas où le flux amont se présente avec un débit instantané inférieur au débit de l'opération elle-même, l'opération ne pourra pas se réaliser de façon continue : on observe alors des arrêts répétés aux postes de travail et du sous-emploi des personnes (fig. 3-8).

Figure 3-8 – *Le poste aval est partiellement inoccupé*

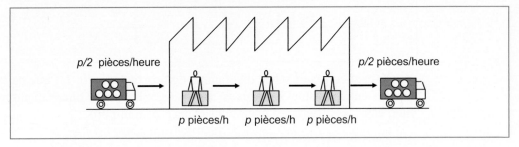

Les impacts des désynchronisations de flux internes sont rapidement perceptibles (arrêt régulier du poste ou files d'attente croissantes en amont de certains postes de travail).

Considérons comme second exemple le flux de produits finis, qui est défini en fonction de la demande commerciale. L'entreprise cherche à équilibrer le flux de la demande des clients avec le flux de produits finis : tout déséquilibre durable aboutit soit à une insatisfaction de la clientèle, soit à une surproduction :

Flux aval > demande = surproduction

Flux aval < demande = retards de livraison

La demande commerciale est caractérisée par un volume et un profil. Le volume correspond au flux de consommation des clients. Le profil dépend de certains facteurs : à moyen terme, de la saisonnalité, à court terme, de la plus ou moins grande concentration des commandes dans le temps.

Par exemple, si 300 étudiants désirent manger en même temps au restaurant universitaire, l'intendance estimera que la demande a un profil impossible à satisfaire. Les clients risquent d'être mécontents, d'aller ailleurs, ou de modifier le profil du flux de leur demande (en venant plus tôt ou plus tard).

Stocks et unités de mesure

Le niveau d'un stock est souvent mesuré par une *durée d'écoulement*, temps nécessaire à l'épuisement du stock en cas d'arrêt total du flux entrant.

On emploie également une autre mesure : *la rotation du stock,* égale au rapport entre une durée de référence (par exemple l'année) et la durée d'écoulement. La rotation correspond au nombre de remplissages successifs du réservoir pendant la durée de référence.

Exemple 3-7 : un produit dont le stock moyen est de 1 000 unités et qui se vend à raison de 5 000 unités par an a une rotation de 5. Un tel calcul n'est possible que pour un produit donné.

Lorsque l'on veut calculer la rotation moyenne des stocks d'une entreprise, on doit passer par une mesure commune, à savoir leur valorisation globale même si cela masque les différences entre les produits.

Exemple 3-8 : une entreprise dont la valeur du stock moyen est de 10 millions d'euros et dont la valeur annuelle de consommation (valeur du flux sortant) des produits est de 100 millions d'euros a une rotation des stocks de 10.

3/2.2   *Analyse quantitative de base*

On perçoit intuitivement que les notions de stocks, délais d'écoulement et flux sont reliées. Prenons l'exemple présenté en figure 3-9.

Figure 3-9 – *Stock moyen, flux moyen et temps d'écoulement moyen*

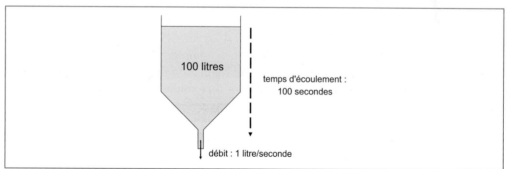

On comprend bien que le temps nécessaire pour vider une bouteille de 100 litres sera de 100 secondes si le flux est d'un litre par seconde.

Si on applique ce raisonnement dans le cadre d'une *supply chain*, on obtient la règle suivante. Soit deux points sur un diagramme de flux, A et B, on trouve :

$$\text{délai d'écoulement moyen entre A et B} = \frac{\text{stock moyen entre A et B}}{\text{flux moyen entre A et B}}$$

Considérons par exemple une situation où le délai d'écoulement entre l'entrée des matières en stock et la livraison des produits finis aux clients est de 3 mois en moyenne. Si l'entreprise vend en moyenne 100 000 produits finis par mois, il y a approximativement l'équivalent de 300 000 produits (en pièces détachées et semi-finis) dans l'usine.

3/2.3   *Les fonctions des stocks*

Le stock coûte cher : frais financiers, espace de stockage, vieillissement. Dans ces conditions, pourquoi les entreprises conservent-elles du stock ? D'un point de vue plus managérial, les fonctions des stocks, c'est-à-dire les raisons qui font que l'on en détient, sont nombreuses. Au cours des prochains chapitres, nous aurons l'occasion de les approfondir. Mais, dès à présent, une première présentation s'impose, sous forme d'une classification générale en quatre grandes fonctions.

Fonction de service

La fonction de service du stock (ou fonction commerciale) a pour objectif d'assurer au client une livraison immédiate. Cette fonction est présente dans les magasins de détail ainsi que dans les usines qui livrent des articles standard à un réseau de distribution.

Quand le délai de livraison est inférieur au délai d'approvisionnement ou de production du produit, il est nécessaire d'anticiper sur la commande du client. Le stock matérialise une anticipation en avenir incertain. Ainsi, quand un magasin de détail stocke de la marchandise, c'est parce qu'il doit passer sa commande de réapprovisionnement plusieurs jours à l'avance alors que le « consommateur inconnu » souhaite disposer de sa marchandise sans délai.

Si le client accepte de passer sa commande à l'avance, en attendant que le commerçant soit lui-même livré, le stock n'a plus de raison d'être (sauf pour d'autres raisons, sur lesquelles nous reviendrons, comme le fait d'acheter des grandes quantités pour payer moins cher la marchandise).

Fonction de régulation

Alors que la vocation du stock commercial est de faire face à une incertitude sur la demande future, la fonction de régulation du stock d'anticipation sert à *compenser un déséquilibre prévisible* entre les flux souhaités pendant une période donnée et les flux réalisables pendant cette période avec les ressources disponibles.

Ce rôle est analogue à celui d'un barrage d'irrigation. L'eau est produite en hiver, mais le besoin est surtout ressenti en été. Le stock d'eau permet de corriger ce décalage temporel.

En entreprise, la fonction de régulation est mise en œuvre pour la vente de produits saisonniers. Un fabricant d'articles de sports d'hiver, de jouets ou de crème à bronzer constitue des stocks pour absorber les pointes de charge.

La régulation peut également être nécessaire en cas d'insuffisance de ressources à un moment donné. Par exemple, avant les vacances du mois d'août de son personnel, une usine stocke des marchandises pour servir d'éventuels clients.

Fonctions de circulation

En présentant dans la section 2.1 le modèle logistique général, nous avons exprimé l'idée que le système productif était parcouru par un flux. L'emploi du mot *flux* implique une idée de continuité, comme pour une rivière ou une circulation routière. Or, s'il est vrai que cette continuité existe à l'échelle macroscopique de l'ensemble de l'usine, elle disparaît quand on considère l'échelle de la cellule logistique élémentaire (l'atelier ou la machine).

En effet, il est souvent nécessaire de donner à chaque cellule, ou groupe de cellules, une certaine autonomie de programmation par rapport aux autres. Ainsi, d'une façon très générale, le stock permet d'assurer une circulation continue du flux dans un système logistique tout en autorisant un certain *découplage* entre ses différentes parties. L'avantage est de permettre à chaque sous-système d'optimiser séparément ses performances, compte tenu des contraintes qui lui sont propres.

Découplage quantitatif : c'est le cas de l'épicier qui reçoit une palette complète de 400 bouteilles d'eau alors qu'il ne vend que 40 bouteilles par jour, ou encore du grossiste qui achète 20 tonnes en une seule fois, soit l'équivalent de ses ventes mensuelles, pour bénéficier d'une remise. On emploie à ce propos l'expression « stock pour la taille du lot », ou « stock de groupage ». Que ce soit pour des raisons techniques ou de rentabilité, la réalisation de certaines opérations se fait par lots de pièces et non par pièces élémentaires. Par exemple, les transports des produits entre les fournisseurs et l'entreprise, entre les cellules logistiques au sein de l'entreprise ou vers les clients, coûtent moins cher s'ils se font par grandes quantités.

Il est donc courant de regrouper un grand nombre de pièces pour effectuer le transfert et donc d'interrompre l'écoulement pièce à pièce du flux. La livraison de matières premières par camions ou trains entiers, qui couvre les besoins de l'entreprise pour plusieurs semaines, voire plusieurs mois, constitue un tel exemple de variation de flux. On observe le même phénomène pour des opérations techniques dont les coûts de réglage préalable sont élevés. Dans ce cas, il y a une tendance naturelle à amortir les coûts de réglage sur un lot de production important.

Découplage qualitatif : prenons le cas d'une presse qui fabrique des portières d'automobiles. Pour amortir les temps de changement d'outillage, la presse travaille en une seule fois des séries de 1 500 portières d'un même type. Même si le flux des portières traitées par la presse alimente *en moyenne* le flux des véhicules, à un instant donné les deux flux ne sont pas synchronisés. À un moment donné, la presse ne produit pas les références nécessaires au montage. Le stock reflète l'écart instantané entre les références produites et les références demandées. Le partage d'un équipement unique entre différents flux de produits provoque des interruptions régulières des flux et est la seconde cause importante de fluctuations.

Nous allons analyser un cas simple de partage de ressource entre plusieurs flux : la découpe et le formage des quatre portières d'une voiture qui ont lieu sur une même presse au rythme de 150 portières/heure. Les quatre portières sont ensuite habillées et montées sur le véhicule au rythme de 30 véhicules/heure.

Le planning de travail de la presse est donné sur la figure 3-10.

Au total, en 50 heures, 1 500 portières de chaque type ont été fabriquées, soit 30 par heure. Le débit moyen de la presse est donc équilibré avec la ligne de garniture et de montage (30/h). Mais il y a un stock qui se constitue entre la presse et les lignes. Ce stock varie suivant le profil représenté en figure 3-11.

Le niveau maximum est atteint à la fin de la série, soit au bout de 10 heures de production. Il n'est que de 1 200, car sur les 1 500 produits fabriqués, 300 ont déjà été consommés.

Figure 3-10 – *Planning de travail de la presse*

Durée	Opération	Production
10 heures	A: Portière AV gauche	1 500 pièces
2 heures 30	R: Arrêt pour changement d'outil	-
10 heures	B: Portière AV droite	1 500 pièces
2 heures 30	R: Arrêt	-
10 heures	C: Portière AR gauche	1 500 pièces
2 heures 30	R: Arrêt	-
10 heures	D: Portière AR droite	1 500 pièces
2 heures 30	R: Arrêt	-

Figure 3-11 – *Évolution des stocks de portières*

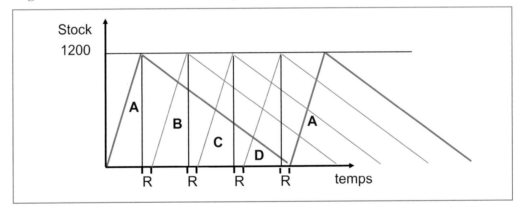

Le terme « flux », pour désigner la circulation des pièces depuis la tôle jusqu'au montage final, prend un sens nouveau qui est celui de flux moyen. En fait, le flux des pièces A s'interrompt périodiquement, pour laisser circuler le flux des pièces B, C et D. On constate le même phénomène quand deux files de voitures se croisent à un carrefour. Il n'y a qu'une seule ressource (le carrefour) et deux flux circulant suivant des profils discontinus et complémentaires.

Découplage temporel : quand un atelier d'usinage livre à l'atelier de montage des pièces 10 jours plus tôt que nécessaire, les pièces restent en stock pendant 10 jours. Ce stock est soit le résultat d'une politique de programmation de l'atelier de montage (volonté de se protéger contre un éventuel retard de l'usinage), soit la conséquence d'une décision de l'atelier d'usinage qui produit d'avance afin d'utiliser une ressource momentanément disponible (on retrouve dans ce cas une fonction de régulation des ressources à court terme).

La volonté de découplage dans le temps apparaît également dans le cas d'un stock constitué entre les postes successifs d'une chaîne de montage. Les pièces qui sont en attente entre deux postes permettent à l'un des postes de continuer à produire, pendant une durée limitée, quand le poste voisin est arrêté.

Fonctions technologiques

Les fonctions technologiques du stock sont nécessaires à la mise en œuvre des opérations de transformation elles-mêmes.

On trouve dans cette catégorie les pièces en cours sur une machine (souvent une pièce à la fois) ou celles qui sont placées dans un équipement travaillant par lot (un four qui traite 10 000 pièces à la fois). C'est également le cas de pièces en cours de transport. Les pièces en cours de séchage ou de vieillissement (le vin ou les parfums par exemple) procèdent également d'une fonction technologique.

Pour être complets, n'oublions pas les stocks de spéculation. Par association d'idées, nous les classons dans les fonctions technologiques dans la mesure où l'objectif du stock ainsi constitué est l'application d'une technologie financière.

3/2.4   Et le zéro stock ?

Puisque nous venons de souligner les avantages du stock, il semble légitime de s'interroger sur le sens d'une théorie qui vise à les supprimer. Apparue au Japon dans les années 1970, mise en application d'abord chez Toyota, la philosophie du *zéro stock* est également connue sous le terme *Juste-à-temps*.

Si le Juste-à-temps marque une rupture avec la démarche traditionnelle de gestion des stocks, ce n'est pas que cette théorie conteste l'existence des fonctions évoquées ci-dessus. La rupture est dans la façon d'aborder les problèmes de stock et, plus précisément dans la volonté de remettre en cause l'organisation logistique dans son ensemble pour réduire et même éliminer les causes des stocks. Les gains potentiels sont alors d'au moins deux natures. Tout d'abord, les stocks prennent de la place et engendrent des frais financiers. Mais en plus, la présence de stock peut accroître les délais d'écoulement, ce qui crée une inertie dans les décisions de gestion de la *supply chain* : pour un délai de trois mois, il faut décider trois mois à l'avance ce que l'on pense vendre à un moment donné.

En gestion traditionnelle des stocks, on cherche à baisser le niveau des stocks dans un contexte technologique et organisationnel donné. En gestion Juste-à-temps, on cherche à modifier ce contexte lui-même. Ainsi, dans le cas des portières cité au paragraphe 2.3, l'approche traditionnelle consiste à calculer la taille des lots de production en tenant compte des deux heures trente minutes nécessaires au changement d'outil. L'approche Juste-à-temps vise à construire un dispositif permettant de réduire cette durée de changement à quelques minutes, de façon à supprimer presque totalement le stock correspondant. Retenons pour le moment l'originalité de cette approche qui se propose de bâtir un système logistique qui serait capable de fonctionner sans stock. Objectif idéal, certes, mais vers lequel il est possible de tendre sans cesse. Les principes du Juste-à-temps sont développés dans le chapitre 23.

3/3   Typologie de gestion des flux

Un client qui passe une commande s'attend, en général, à être servi dans un certain délai de livraison. Toute la question consiste à sélectionner un mode de gestion de flux qui soit à la fois performant au sein de l'entreprise et qui permette des délais de livraison en phase avec les souhaits des clients.

Cette question n'est pas évidente : en effet, les besoins du client ne sont connus que sur un horizon limité qui dépend de la situation commerciale. Un fabricant de réacteurs nucléaires connaît les besoins de ses clients plusieurs années avant le début des travaux. Un constructeur automobile dispose de commandes fermes trois semaines à l'avance. Un magasin de vente au détail ne connaît pas les besoins de ses clients à l'avance.

En pratique, la caractéristique fondamentale est précisément le rapport existant entre cet horizon et le délai nécessaire pour fournir le produit concerné. Nous avons montré que ce délai est la somme d'un délai d'approvisionnement auprès des fournisseurs de matières et d'une durée d'écoulement du flux[1].

Le schéma ci-dessous (fig. 3-12) présente l'organisation la plus générale : on note l'existence de deux zones distinctes séparées par une ligne de démarcation symbolique. Dans la zone aval, le processus logistique est couvert par des informations commerciales certaines. Dans la zone amont, le processus logistique est piloté par anticipation, c'est-à-dire sur informations prévisionnelles *avant* réception des commandes. Dans le premier cas, l'information privilégiée est la commande du client. Dans le second cas, il est nécessaire de substituer à la commande ferme du client une information prévisionnelle (cf. chap. 9). On décrit ci-dessous les trois grands modes de gestion des flux : à la commande, sur stock et sur anticipation partielle.

Figure 3-12 – *Gestion des flux : structure générale*

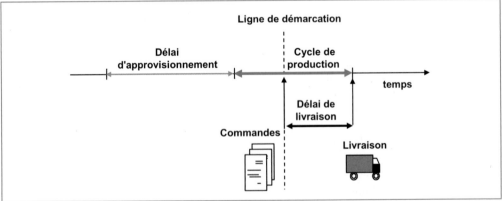

3/3.1   Gestion des flux à la commande

Dans ce cas, le fabricant attend de recevoir les commandes des clients pour commencer à approvisionner et à produire (fig. 3-13). Il n'y a donc aucune prise de

---

[1] Encore appelée *cycle*.

risque à ce niveau : tout ce qui est approvisionné et fabriqué est vendu. On parle alors d'*approvisionnement et de production à la commande[1]*.

Figure 3-13 – *Approvisionnement et fabrication à la commande*

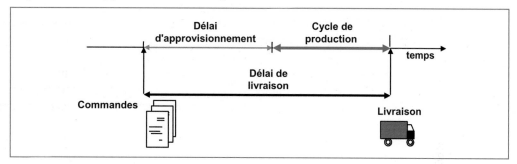

Ce mode de gestion est typique des entreprises qui réalisent des produits spécifiques, souvent complexes, sur cahiers des charges de leurs clients, comme des machines-outils spécifiques, des prototypes pour le secteur aéronautique ou spatial, des circuits électroniques spéciaux... On parle dans ce cas de *production à l'affaire* ou sur *projet*. L'inconvénient majeur de ce mode de gestion est de conduire à un délai de livraison assez long puisqu'il est au moins égal au délai de production et d'approvisionnement.

3/3.2   *Gestion des flux par anticipation*

En gestion des flux par anticipation, le fabricant produit *avant* d'avoir reçu la commande du client, en faisant le pari que cette commande arrivera (fig. 3-14). On dit qu'il y a eu *production par anticipation*, ou *production sur stock[2]*, puisque l'idée de base est la constitution d'un stock de produits finis à partir duquel seront servis les clients. L'avantage d'une telle approche est que, si le produit fini est disponible en stock, le délai de livraison peut alors être très réduit, voire nul dans certains cas. Toutefois, cette approche présente des risques, car l'entreprise doit maintenir en stock des produits sans être certaine de les vendre.

On retrouve, par exemple, cette manière de procéder chez les fabricants de produits de grande distribution. Cela est cohérent : seul un produit ou un sous-ensemble dont les ventes sont stables et régulières peut être efficacement fabriqué d'avance. En effet, l'ensemble de la production et des approvisionnements est piloté par une estimation prévisionnelle des commandes futures. Il importe que ces prévisions ne s'écartent pas trop de la réalité observée. Les méthodes de prévision et de gestion des stocks seront exposées dans les chapitres 9, 13 et 14.

Toutefois, on comprend que de telles prévisions sont plus précises pour des produits vendus en grande quantité pendant des périodes longues plutôt que sur des produits dont les ventes sont très instables.

---

[1] *Make-to-order* en anglais.

[2] *Make-to-stock* en anglais.

Il faut noter qu'une usine qui réalise des produits standard peut délibérément choisir de ne les faire qu'à la commande. Par exemple, quand un client achète un salon en cuir dans un magasin de meubles, il doit patienter six semaines avant d'être livré ; bien que standard, le produit fini n'est pas tenu en stock.

Figure 3-14 – *Production sur stock*

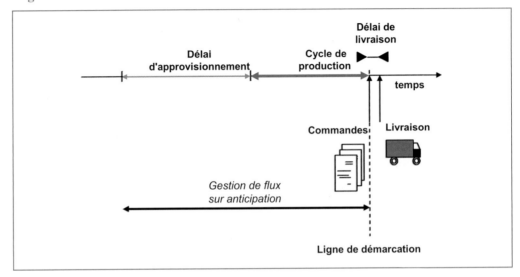

3/3.3   *Gestion des flux par anticipation partielle*

De nombreuses entreprises sont cependant confrontées au dilemme suivant : livrer rapidement les commandes de leurs clients, alors que les délais d'approvisionnement et de production sont longs et que les prévisions de ventes des produits finis ne sont pas fiables sur un horizon suffisant. Dans une telle situation, un mode de gestion de flux à la commande ne peut être utilisé, car les clients ne sont pas prêts à attendre tout le délai d'approvisionnement et de fabrication. D'autre part, un mode de gestion par anticipation est trop coûteux en termes de stocks car la précision des prévisions de ventes est médiocre.

La solution dans un tel cas consiste à combiner les deux approches précédentes de manière à concilier au mieux les attentes des clients et les informations commerciales disponibles : une partie des flux est gérée en anticipation, alors que le flux restant est piloté à la commande. Est donc réalisée en anticipation la part des approvisionnements et des opérations qui peut être prévue de manière fiable sur un horizon suffisant, alors que toute la partie restante est faite à la réception de la commande. Le délai de livraison est donc au moins égal au délai de production sur la partie non anticipée. On parle dans ce cas d'*anticipation partielle* (fig. 3-15).

Figure 3-15 – *Gestion des flux par anticipation partielle*

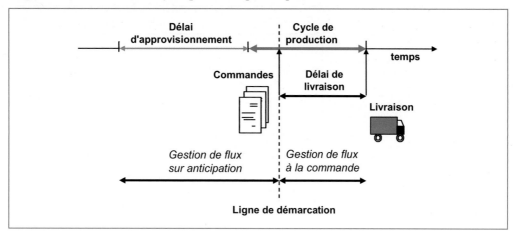

Par exemple, certains restaurants *fast-food* ont opté pour cette solution : les steaks hachés sont cuits d'avance, alors que l'assemblage du hamburger est réalisé à la commande du client, pendant que ce dernier paie à la caisse. Ce système permet une livraison des commandes avec un délai très court. Contrairement au restaurant traditionnel, s'il y a une attente au *fast-food*, c'est plus à cause d'un encombrement au comptoir qu'à cause d'un manque de produits. Le coût à payer en est que si la consommation d'un steak haché cuit n'a pas eu lieu avant quelques minutes, il est jeté.

La situation qui se prête bien à une telle approche est celle des entreprises fabriquant un produit dont la variété apparaît en fin de processus de production. Une imprimerie de journaux quotidiens ou hebdomadaires en est un exemple extrême : les matières premières sont toutes identiques pour les différents produits (et peuvent donc faire l'objet de procédures d'approvisionnement simples), alors que la personnalisation intervient lors de l'impression.

Un autre cas classique d'anticipation partielle est celui des entreprises qui ont des produits à options. Le produit comporte une base standard (ou des modules standard), mais il est personnalisé à la demande explicite ou implicite du client. Le délai de livraison au client est égal au temps d'assemblage et le risque pour l'entreprise est limité car, fréquemment, les composants et sous-ensembles peuvent être utilisés dans de nombreux produits finis. On parle dans ce cas d'*assemblage à la commande*[1]. Par exemple, lorsque l'on commande une voiture, on indique les options et les couleurs que l'on désire parmi un choix d'options et de couleurs standard.

3/3.4   Synthèse

On peut résumer les modes principaux de pilotage des flux décrits ci-dessus selon le point de pénétration des commandes dans le processus d'approvisionnement et de fabrication (fig. 3-16).

---

[1] Assembly-to-order, en anglais.

Figure 3-16 – *Point de pénétration des commandes*

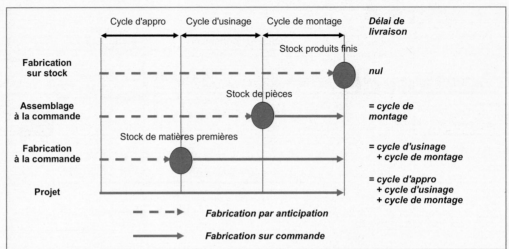

Cette figure met bien en évidence les différents niveaux de pénétration des commandes dans la gestion des flux selon les approches :

- en *fabrication sur stock*, l'ensemble des flux d'approvisionnement et de fabrication sont gérés de manière prévisionnelle : rien n'est réalisé à la commande (si ce n'est la livraison finale),
- en *assemblage à la commande*, les pièces et sous-ensembles sont approvisionnés et fabriqués d'avance, mais l'assemblage final est réalisé après réception de la commande du client,
- en *fabrication à la commande*, les approvisionnements sont réalisés de manière prévisionnelle, mais l'ensemble de l'activité de fabrication ne démarre qu'à la réception de la commande,
- enfin, en *gestion à l'affaire* ou *par projet*, l'ensemble du processus d'approvisionnement et de fabrication ne démarre qu'après réception de la commande ferme.

Chapitre 4

Gestion de la capacité

Le chapitre précédent a montré qu'un système logistique se caractérise par des flux d'information pilotant des flux de matières entre les ressources, engendrant en général des stocks. Les ressources constituent l'ensemble des moyens nécessaires pour réaliser la transformation des matières premières et composants en produits finis livrés aux clients. Suivant le type d'entreprise, ces ressources comprennent de la main-d'œuvre, des équipements, des outillages, des véhicules de transport, des bâtiments, etc.

Les décisions concernant les ressources sont importantes. En effet, les quantités de ressources disponibles conditionnent la quantité maximale de flux qu'il est possible de traiter : c'est ce qu'on appelle la capacité de ces ressources. Il faut donc vérifier si cette capacité correspond bien aux objectifs de ventes en termes de flux. Il s'agit là du concept d'équilibre entre charge de travail associée au flux et capacité des ressources. La recherche de cet équilibre est importante à la fois pour la rentabilité de l'entreprise (un excès de ressources est générateur de coûts inutiles) et pour sa capacité à répondre à la demande du marché (une insuffisance de ressources peut empêcher de livrer les clients dans les délais convenus).

4/1 Capacité d'une ressource

4/1.1 Concept et définition

La *capacité* d'une ressource est *une mesure de son aptitude à traiter un flux*. Une bonne image d'une capacité est fournie par le débit d'une route : 3 000 véhicules à l'heure, dans le cas d'une autoroute, par exemple. On retrouve une notion équivalente dans tout système logistique : 100 000 yaourts par jour pour un producteur, 600 clients à l'heure pour un restaurant *fast-food*, 120 dossiers par jour pour une agence de prêts immobiliers, etc.

Les unités de mesure de la capacité

Traditionnellement, deux unités de mesure sont utilisées pour caractériser la capacité : le flux lui-même et la durée de disponibilité de la ressource par période calendaire.

Intuitivement, mesurer la capacité d'une ressource directement en terme du *flux* qu'elle peut réaliser semble la voie la plus directe. Effectivement, dans les situations simples cette approche est utilisable, à condition de définir avec précision le flux considéré. En particulier, il sera parfois nécessaire d'additionner les débits de produits différents.

Exemple 4.1 : la chaîne d'assemblage de la Laguna a une capacité de 450 véhicules/jour. Dans ce cas, l'unité de capacité choisie est le véhicule/jour, tous modèles confondus. Il s'agit d'une mesure agrégée car ce flux journalier de 30 véhicules par heure pendant 15 heures est constitué d'une combinaison de plusieurs flux différents : les Laguna France qui sortent à 35/heure, les Laguna Export à 30/heure, les Laguna V6 à 5/heure, etc.

Le concept de capacité est facile à appréhender dans le cas d'une opération simple. Pour un système logistique complexe, la capacité est plus difficile à évaluer. Dans de nombreux cas en effet la ressource traite au cours d'une même période plusieurs types de produits différents, selon des gammes opératoires différentes, avec des écarts de temps importants. Par exemple, un guichet de poste a une capacité moyenne de 50 clients à l'heure ; mais si, pendant une période donnée, les clients ont à faire des opérations plus compliquées que la moyenne, la capacité chute à 40 clients à l'heure. Il est alors difficile d'exprimer la capacité directement en termes des flux produits parce qu'ils ne sont pas suffisamment homogènes. Dans ce cas, l'unité choisie sera simplement *la durée de disponibilité de la ressource par période calendaire*.

Exemple 4.2 : dans un atelier de mécanique de précision, produisant des centaines de pièces différentes selon des gammes spécifiques, l'unité de mesure retenue sera simplement la durée de disponibilité de la ressource par période, par exemple 32 heures par semaine.

Le degré d'agrégation de la mesure de capacité

Lorsqu'on considère une entreprise possédant un nombre important de cellules logistiques et fabriquant une gamme étendue de produits, on est souvent amené à considérer, selon les objectifs poursuivis, différentes durées de disponibilité de la ressource par période calendaire et différents degrés d'agrégation. Typiquement, on peut considérer une évaluation de :

– la capacité de production annuelle tous produits confondus,
– la capacité de production mensuelle d'un atelier pour la famille de produits qui y est fabriquée,
– la capacité de production hebdomadaire d'un poste, en prenant comme unité de mesure le temps d'ouverture du poste, c'est-à-dire le temps pendant lequel on a décidé de le faire fonctionner.

Exemple 4.3 : si on applique cette évaluation à une usine de fabrication de produits chocolatés, on obtiendrait les mesures de capacité suivantes : le nombre de tonnes de produits fabriqués par an, le nombre de tonnes de tablettes de chocolat fabriquées chaque mois sur la ligne correspondante et le nombre hebdomadaire d'heures de disponibilité du poste d'emballage des tablettes.

On voit donc qu'il est possible de considérer plusieurs mesures de la capacité de production d'un système complexe. On verra dans les chapitres suivants que ces différentes mesures de capacité, allant de mesures très globales à des mesures plus détaillées, trouvent une place précise dans l'analyse et la planification d'une *supply chain*.

4/1.2   *Pertes de capacité et TRG*

La capacité *effective* (ou capacité *pratique*) d'une ressource peut être inférieure à la capacité théorique, ou nominale, pour de nombreuses raisons : la machine doit être arrêtée pour un entretien préventif, pour réparer une panne mineure ou majeure, l'opérateur est absent ou une partie des pièces produites est défectueuse. La mesure de l'efficience est faite par le *Taux de Rendement Global* ou TRG. Le TRG d'une ressource[1] mesure le rapport entre le temps réellement utilisé par cette ressource pour réaliser des produits (de bonne qualité) et le temps disponible (autrement dit la capacité de production nominale). La figure 4-1 explicite la définition précédente en mettant en évidence l'origine des différentes pertes de temps.

À titre indicatif, il est fréquent d'observer, tous secteurs confondus, des TRG inférieurs à 50 %, en tout cas pour des entreprises qui n'ont pas cherché à mettre en place des plans d'amélioration spécifiques.

Les pannes constituent bien entendu une première source de perte de capacité. Ensuite, dans le cas, très fréquent, où une même ressource traite plusieurs flux de produits, il existe souvent une perte de temps au passage de l'un à l'autre. Par exemple, si la ressource est une machine, il faut l'arrêter, changer l'outillage, modifier le réglage, préparer une autre matière. Cette perte de capacité incite les entreprises à organiser le flux sous forme d'une suite de lots homogènes plus importants, encore dénommés *campagnes de production*.

Figure 4-1 – *Détermination du Taux de Rendement Global*

	Rebuts Retouches	Ecarts de performance	Arrêts machine identifiés	
Temps utile	Pertes au Démarrage Défauts qualité	Micro-arrêts Ralentissements	Temps de changement de série	Pannes Attentes de composants
Temps de disponibilité				

Exemple 4.4 : supposons qu'une machine nécessite 10 minutes de réglage entre le produit A et le produit B et que chaque produit soit réalisé en une minute. Le tableau suivant (fig. 4-2) évalue les TRG en fonction des tailles de lots utilisées.

Si les productions sont faites par séries de 10 unités, il faut 40 minutes pour faire 10 A et 10 B, pour un temps de réglage de 20 minutes. Cela induit un TRG de 50 %. Si, au contraire, les productions sont faites par séries de 100, il faut 220 minutes pour faire 100 A et 100 B, pour un temps de réglage toujours égal à 20 minutes. Le TRG correspondant vaut donc 91 %. Ce calcul explique pourquoi les entreprises ont tendance à grouper les produits en lots. Naturellement, cet avantage se paie : on verra que plus les lots sont importants, plus les stocks sont élevés.

---

[1]   Le TRG peut se calculer aussi bien pour une machine que pour un opérateur.

Figure 4-2 – *TRG et taille des lots de production*

Taille de lot	Temps de production de A	Réglage A ➜ B	Temps de production de B	Réglage B ➜ A	TRG
10	10	10	10	10	20/40 = 50 %
100	100	10	100	10	200/220 = 91%

Les écarts de performance lorsque la ressource est en fonctionnement constituent une troisième source de perte de capacité. Ces écarts correspondent à des micro-arrêts (d'une durée de quelques secondes) ou à des fluctuations des temps opératoires par rapport aux temps gammes de référence.

Enfin les problèmes de qualité induisent également des pertes de capacité. Que ce soient les premières pièces d'une nouvelle série de production qui soient systématiquement de mauvaise qualité à cause de difficultés de réglage ou que, suite à une maîtrise insuffisante de la technologie, un certain pourcentage des pièces produites doivent être rebutées ou retouchées, toute période utilisée par la ressource à fabriquer des pièces de mauvaise qualité est perdue (au moins en partie). La maîtrise de la qualité est donc une condition si l'on veut éviter de telles pertes de capacité.

4/1.3   Flexibilité et polyvalence

Une des caractéristiques essentielles d'une ressource est sa flexibilité. Ce concept évoque la possibilité d'accroître ou de réduire la capacité. L'avantage d'une telle flexibilité est de permettre un meilleur ajustement à la demande commerciale. Par exemple, un hôtel peut embaucher du personnel saisonnier, une usine faire des heures supplémentaires, etc. Nous verrons plus loin différents moyens pour ajuster la charge de travail et la capacité des ressources.

Le concept de polyvalence se présente sous la forme d'une question d'une autre nature : combien d'opérations différentes une ressource est-elle susceptible d'effectuer ? En effet, on peut, pour faire la même opération, avoir le choix entre une machine spécialisée et très performante et une machine universelle capable de réaliser également d'autres opérations mais souvent moins rapide que la machine spécialisée. D'une façon générale, l'entreprise qui investit dans des machines très spécialisées recherche des coûts très compétitifs. En revanche, elle rencontre des difficultés pour s'adapter aux évolutions du marché. Il en est de même pour une banque. Si les employés sont très polyvalents, ses coûts sont plus élevés que si elle fait appel à du personnel très spécialisé. Mais la clientèle bénéficie d'un meilleur service (meilleure qualité de la relation commerciale, diminution des files d'attente aux guichets…).

4/1.4   Capacités conjointes

Dans de nombreux cas, la réalisation d'une opération nécessite simultanément plusieurs ressources. Par exemple, la disponibilité de la machine n'implique pas automatiquement celle de la main-d'œuvre, ni celle de l'outillage et inversement. Cette condition a pour effet de réduire la capacité disponible de la ressource momentanément excédentaire. On rencontre souvent ces contraintes multiples dans le secteur des services. Un restaurant, par exemple, peut être limité par le nombre de places assises ou par le nombre de serveurs. S'il accroît le nombre de places assises sans augmenter le nombre de serveurs, il augmente peu son chiffre d'affaires. Mais s'il augmente le nombre de serveurs en conservant le même nombre de places assises, il n'utilise pas totalement la « capacité » des serveurs.

4/2   La capacité d'un réseau de ressources

On a défini la capacité d'une ressource d'un système logistique comme une mesure de son aptitude à traiter un flux. Une telle définition s'applique assez aisément pour une ressource unique. Mais qu'en est-il d'un réseau logistique complexe ?

D'un point de vue global, la définition reste identique : *la capacité d'un réseau logistique mesure son aptitude à traiter des flux*, qui en général seront complexes (comme des flux multi-produits avec des gammes opératoires différentes selon les produits, etc.). L'évaluation de la capacité d'un réseau général est donc plus délicate à réaliser que dans le cas mono-ressource[1]. Il semble impossible de résumer en un chiffre unique la capacité d'un système général. En effet, chaque ressource possède sa capacité propre et la capacité résultante pour être une fonction très complexe (ou, selon les cas, très simple) de ces valeurs. Toutefois, deux grands principes s'appliquent aux réseaux de ressources :
– tout d'abord le rôle joué par les stocks présents entre les ressources,
– ensuite, l'idée générale que la capacité du réseau complet est, dans une certaine mesure, limitée par les ressources ayant les capacités les plus faibles.

4/2.1   *Ressources, stocks et processus*

Lorsque des ressources multiples sont mises en œuvre, elles peuvent ou non être découplées les unes des autres par des stocks intermédiaires. Deux ressources séparées par un stock de pièces sont indépendantes, au sens où l'activité de l'une ne conditionne pas directement l'activité de l'autre (fig. 4-3). Ces deux ressources constituent, dans une certaine mesure, deux processus de production distincts.

Figure 4-3 – *Le stock rend les ressources indépendantes*

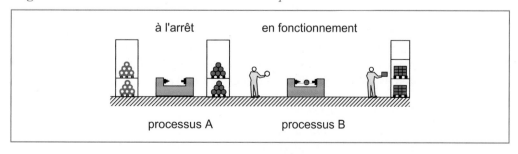

---

[1] La théorie des contraintes, développée par E. Goldratt sous le nom d'OPT (*Optimized Production Technology*), a été une des premières approches conceptuelles visant à développer la compréhension des flux dans des réseaux de ressources. Voir paragraphe 4/3.6.

Si, au contraire, des ressources sont organisées sans stocks intermédiaires, avec des flux directement connectés, comme sur une chaîne d'assemblage, l'activité d'une ressource conditionne directement l'activité des autres (fig. 4-4). En termes de flux, ces différentes ressources constituent un seul processus de production.

Figure 4-4 – *L'absence de stock rend les ressources dépendantes*

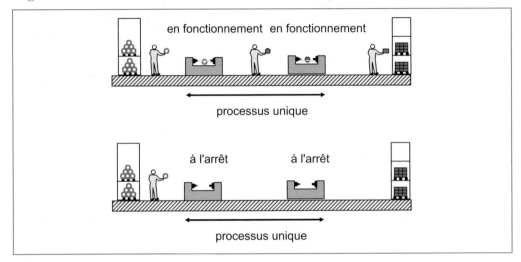

4/2.2   Analyse de réseaux

Le concept de capacité d'un processus a été décrit plus haut. Qu'en est-il de la capacité d'un réseau de processus de production ?

De manière complètement générale, il est impossible de caractériser aisément la capacité d'un réseau de ressources traitant simultanément plusieurs flux distincts. Toutefois, il est possible, à l'aide d'exemples simples, de donner quelques éclairages intuitifs.

Un cas simple : les processus en parallèle

Le premier principe est présenté à la figure 4-5 : les capacités en parallèle s'additionnent.

Exemple 4.5 : si une usine dispose de deux centres d'usinage identiques, pouvant travailler chacun 111 heures par mois, elle atteint une capacité de 2 x 111 = 222 heures/mois. De même, une usine de 200 ouvriers travaillant 39 heures/semaine dispose d'une capacité théorique de 7 800 heures de main-d'œuvre par semaine.

Réseaux, goulets et non-goulets

D'une manière générale, lorsque plusieurs processus sont mis en œuvre pour réaliser un flux de production, le flux réalisable est limité par la capacité de l'un des processus : c'est la capacité la plus faible qui détermine celle de l'ensemble (comme dans un système hydraulique). Il s'agit là du second principe : on dit qu'il y a une ressource contraignante ou ressource *goulet* par rapport au flux à réaliser.

Figure 4-5 – *Les capacités en parallèle s'additionnent*

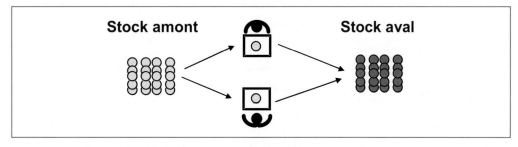

Pour un flux objectif, les processus du réseau peuvent donc être séparés en deux familles : les processus non-goulets et les processus goulets. Nous allons examiner les relations entre ces deux types de ressources. Afin de les illustrer, on considère un réseau à deux processus.

Notons G le processus goulet par rapport à la demande du marché. Pour ce processus, la demande correspond à une charge de travail de 200 heures par mois. De plus, supposons que cette demande corresponde exactement à la capacité disponible de ce processus (soit 200 heures/mois).

Soit NG le processus non-goulet pour lequel la demande du marché induit une charge de travail de 150 heures par mois. On suppose que NG a une capacité de 200 heures. Nous pouvons maintenant examiner les trois relations différentes entre les ressources goulets et non-goulets qui composent la structure fondamentale de tout système de production.

Les processus en série

Première relation (fig. 4-6) : G alimente NG. Dans cette situation, nous pouvons utiliser la ressource G à 100 % mais la ressource NG seulement à 75 % de son temps. G ne produit pas assez pour permettre à NG de travailler tout le temps.

Deuxième relation (fig. 4-7) : le produit passe de NG vers G. G est à nouveau utilisé à 100 % de son temps et s'il y a suffisamment de matières premières, NG peut être activée à 100 %. Mais, puisque notre but est à la fois d'augmenter le volume des ventes, de réduire les stocks et les coûts d'exploitation, nous arrivons à la conclusion suivante : nous devons utiliser NG à 75 % de son temps. Activer NG à plus de 75 % reviendrait à constituer des en-cours inutiles devant G.

Donc, cette action a pour conséquence d'augmenter des en-cours et les coûts d'exploitation sans pour cela augmenter le volume des ventes. Le niveau d'utilisation d'une ressource non-goulet n'est donc pas déterminé par son propre potentiel, mais par d'autres contraintes du système. En particulier, cela montre que l'utilisation optimale d'une ressource ne correspond pas nécessairement à la saturation de sa capacité.

Figure 4-6 – *L'utilisation de NG est limitée par G*

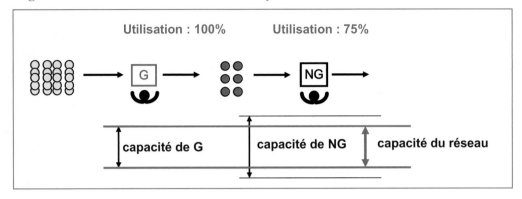

Figure 4-7 – *L'utilisation de NG est limitée par G*

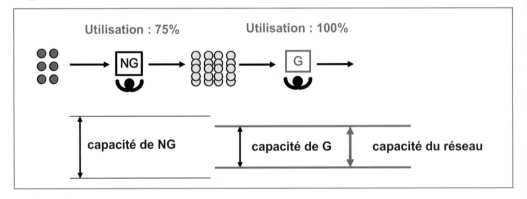

Les processus d'assemblage

Troisième relation (fig. 4-8) : *G* et *NG* produisent des pièces qui doivent être assemblées et ne s'alimentent plus l'un l'autre. À nouveau, on peut utiliser la ressource *G* à 100 %. Toutefois, si l'on active la ressource *NG* au-delà de 75 %, on va fabriquer des composants qui attendront devant le poste d'assemblage. Là encore, *NG* ne devrait pas être utilisée à plus de 75 % de son temps.

Nous pouvons concevoir beaucoup d'autres relations entre les ressources goulets et non-goulets. Mais la réponse est la même que dans les cas précédents. Ainsi, nous pouvons conclure que nous aurons la même réponse pour toute combinaison de ces trois cas qui peuvent être utilisés pour décrire tous les types de réseaux.

4/3   Analyse de l'équilibre entre charges et capacités

L'obtention d'un équilibre entre charges et capacités constitue une problématique importante : cet équilibre conditionne à la fois le respect des délais commerciaux et le coût des produits.

Figure 4-8 – *La ressource G limite toutes les ressources NG*

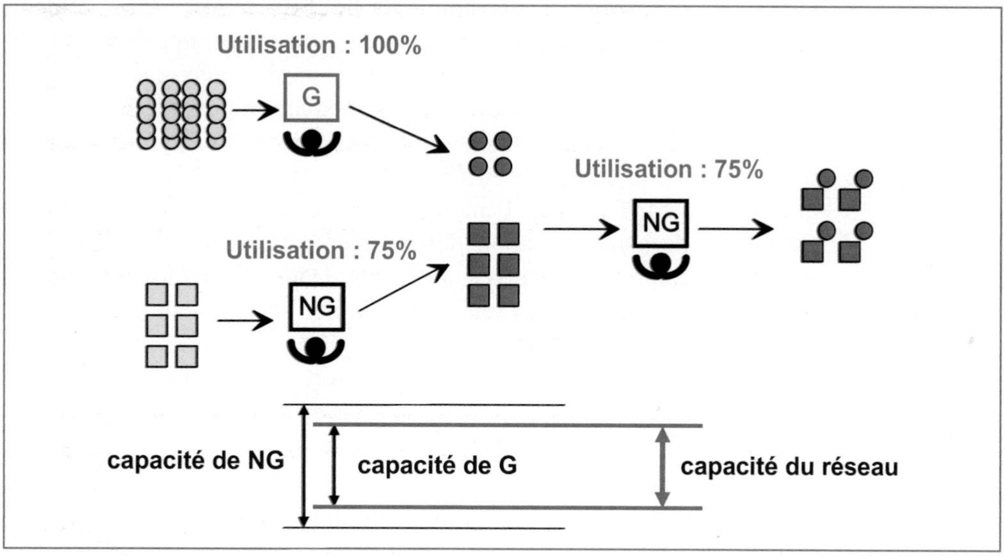

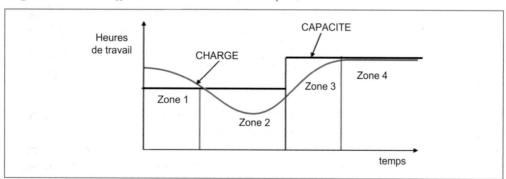

4/3.1   *Équilibre et déséquilibres*

La figure 4-9 résume différentes situations de déséquilibre entre la charge et la capacité au niveau d'une ressource de l'entreprise, sur un horizon donné. Ces situations concernent bien entendu chacune des ressources de la *supply chain*.

En zone 1, la charge est supérieure à la capacité. Dans ce cas, l'entreprise ne peut pas faire face à l'ensemble des commandes de ses clients. Certaines commandes vont donc subir des délais de livraison importants et des retards, phénomènes hautement dommageables en situation de concurrence.

Figure 4-9 – *Les différentes situations de déséquilibre*

D'une manière générale, lorsqu'une ressource présente, sur un certain horizon, une capacité inférieure à la charge de travail correspondant au flux objectif, cette ressource est dite constituer un *goulet d'étranglement* pour le flux pendant cet horizon. Cette ressource limite donc le flux réalisable à une valeur inférieure au flux objectif. Dans une telle situation, toute modification de la capacité de la ressource aura une conséquence directe (et sensible) sur le flux réalisé. Globalement, une heure de capacité supplémentaire permettra une heure de flux supplémentaire. Au contraire une heure d'arrêt en plus conduira à une perte supplémentaire d'une heure de flux, c'est la raison pour laquelle, afin d'éviter toute interaction potentielle, une ressource goulet est en général découplée des autres ressources par des stocks intermédiaires.

En zone 2, la charge est inférieure à la capacité et toutes les commandes peuvent être traitées sans retards. L'inconvénient de cette situation est l'apparition de sous-activité et de sous-utilisation des équipements, ce qui entraîne des surcoûts et une mauvaise rentabilité des investissements. Dans ce cas, les ressources ne sont pas des goulets et on peut noter qu'une heure gagnée sur une telle ressource ne se traduira pas par un flux supplémentaire.

En zone 3, on illustre une modification de la capacité, par exemple grâce à un investissement permettant d'absorber un accroissement prévisible de la charge.

En zone 4, un équilibre parfait est réalisé entre charges et capacités.

Ces principes très généraux doivent cependant être détaillés suivant l'horizon, l'unité de capacité et le degré d'agrégation considérés lors du calcul de la charge et de la capacité. En effet, les conséquences d'une sous-charge annuelle pour toute une entreprise sont sans commune mesure avec l'impact d'une sous-charge d'une journée sur un poste de travail donné. De plus, on peut souligner que la recherche d'un équilibre parfait entre charge et capacité est difficile, pour plusieurs raisons.

– La capacité présente une certaine rigidité et certaines modifications de la capacité nécessitent un délai parfois assez long et induisent des coûts substantiels : on n'embauche pas 50 personnes du jour au lendemain et, une fois embauchées, on ne les licencie pas sans délai et sans coût. En outre, compte tenu des combinaisons de ressources, il suffit que l'une d'entre-elles soit indisponible pour rendre les autres inutilisables.

– La capacité est en partie aléatoire : on n'est jamais certain de disposer effectivement des ressources (absentéisme, pannes, problèmes de qualité).

– La charge est en partie aléatoire : à plusieurs mois d'horizon, les prévisions de ventes sont en général entachées d'une erreur importante.

On comprend aisément qu'une gestion efficace des capacités des ressources au cours du temps nécessite un système de planification détaillé (cf. chap. 10, 11 et 12).

4/3.2   Les moyens d'action sur la capacité

Dans une organisation de production, les solutions pour ajuster la capacité sont nombreuses, voici les plus courantes :

– *Modification des horaires de travail*, se traduisant soit par des heures supplémentaires, soit par des heures de fermeture. Depuis plusieurs années, les entreprises pratiquent aussi la modulation des horaires sur l'année. À condition de respecter certaines règles légales d'amplitude et de cumul, il devient possible de saisonnaliser la capacité dans de bonnes conditions économiques.

– *Négociation des périodes de congés* avec le personnel, tenant compte des variations des ventes durant l'année.

– *Variations du niveau de main-d'œuvre par embauche*. De plus en plus, étant donné la rigidité d'une embauche traditionnelle et le risque associé, beaucoup de firmes recourent à des contrats à durée déterminée.

– *Appel à du personnel intérimaire* pour faire face à des pointes précises (encore faut-il disposer des bonnes qualifications, pour ne pas avoir à supporter des périodes d'apprentissage trop longues).

– *Investissements en machines et équipements supplémentaires*.

– *Appel à la sous-traitance* de façon à satisfaire une partie de la charge par un potentiel de production externe. Toutefois cette solution comporte des risques qui seront détaillés au chapitre 8.

– *Développement de la polyvalence de la main-d'œuvre et de la flexibilité des machines*. Cette qualité permet de réaffecter avec souplesse les moyens de production suivant la structure du carnet de commandes à un moment déterminé. D'une façon générale, la flexibilité de la capacité dépend beaucoup de la polyvalence des ressources. Par exemple, une usine qui fabrique 20 000 chemises et 10 000 anoraks par mois peut-elle fabriquer 25 000 chemises et 5 000 anoraks ? Oui, à condition que le personnel soit polyvalent et les machines qui fabriquent des anoraks soient facilement reconverties pour faire des chemises.

– *Développement d'une politique de maintenance préventive* permettant de planifier les interventions d'entretien à des périodes creuses, tout en évitant les pannes intempestives génératrices de temps d'arrêts beaucoup plus longs.

– *Diminution de la non-qualité* : les articles non conformes consomment une partie du potentiel nominal sans que les ventes augmentent pour autant.

En résumé, il existe de nombreuses façons de faire varier une capacité de production. Le choix dépend en grande partie de la nature de la variation de la charge. Par exemple, si l'on s'attend à une pointe temporaire, plutôt que d'embaucher, on choisira de faire des heures supplémentaires. Mais si la pointe est permanente, il devient moins coûteux d'embaucher.

Le chapitre 5 développe de manière plus détaillée les politiques d'investissements en moyens de production industrielle.

4/3.3   Les moyens d'action sur la charge

Agir sur la charge, cela consiste à avancer ou à retarder des heures de travail. Les principales actions sont les suivantes :

– *Fabrication anticipée des produits*. L'idée consiste à exploiter des périodes de faibles demandes pour créer un stock de produits, qui sera utilisé pour compenser la production en période de demande excessive. Un cas bien connu est celui des entreprises saisonnières. Prenons l'exemple d'une usine de skis dont la charge est trois fois plus élevée pendant la période octobre-novembre-décembre que pendant le restant de l'année. Dans ce type d'entreprise, il est difficile de régler le problème en agissant seulement sur la capacité. Il faut simultanément agir sur la charge, c'est-à-dire produire d'avance. La constitution d'un stock saisonnier de produits finis est en la conséquence (fig. 4-10).

Figure 4-10 – *La constitution d'un stock d'anticipation*

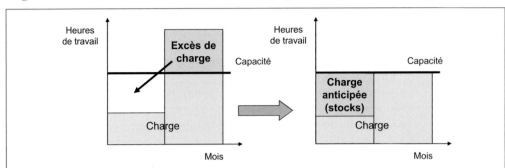

– *Fabrication retardée des produits.* Cette solution n'est évidemment pas très satisfaisante en termes de service au client. Toutefois, dans la mesure où elle est parfois inévitable, il vaut mieux l'annoncer dès la prise de commande (confirmation de commande) plutôt que d'occulter le problème et de se heurter ensuite à des clients surpris à juste titre (fig. 4-11).

Figure 4-11 – *Retard de livraison*

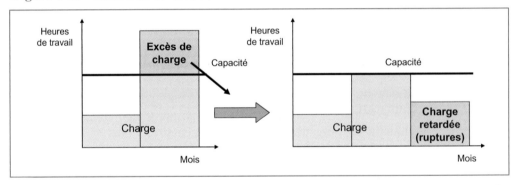

Par exemple, des délais de livraison allongés sont inévitables au moment du lancement d'un nouveau produit (automobile, par exemple), à cause de l'engouement possible du public. Comme l'entreprise ne peut pas produire des quantités importantes d'avance, l'excès de la demande des premiers mois sur la capacité des chaînes provoque un allongement des délais.

Les leviers d'action sur la charge de travail peuvent également être de nature plus externe ou stratégique, c'est-à-dire correspondant à des modifications induites sur les marchés à satisfaire. Par exemple, on peut imaginer de modifier la *structure concurrentielle* sur le marché en jouant sur les prix ou les volumes produits. On se concentre ici sur les leviers internes.

4/3.4   *Calcul et réalisation de l'équilibre*

Il convient tout d'abord de préciser ce qu'on entend par équilibre entre charges et capacités. La méthodologie généralement suivie consiste à assurer tout d'abord pour les différentes ressources un équilibre entre *la charge moyenne*[1] et *la capacité moyenne*. Ensuite, si nécessaire, une certaine marge sera empiriquement ajoutée afin de faire face aux différentes fluctuations potentielles de la charge et de capacité par rapport à leurs moyennes respectives.

Exemple 4.6 : on considère une usine de fabrication de produits cosmétiques et l'entrepôt de distribution associé qui s'occupe du stockage des produits finis et de leur expédition par camions chez les clients. Le schéma général des flux est le suivant (fig. 4-12).

Figure 4-12 – *Schéma global*

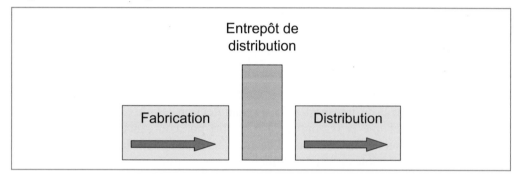

L'objectif de flux à réaliser est de 120 000 unités par jour. La marge bénéficiaire réalisée par unité vendue est de 5 €. Typiquement, les fluctuations de charge sont de l'ordre de plus ou moins 5 % pour la fabrication et de plus ou moins 10 % pour la distribution et le transport.

Fabrication : la fabrication des produits se fait, à partir des matières premières et composants, sur des postes de montage semi-automatiques gérés par un opérateur. La cadence est de 7 pièces par minute. À l'heure actuelle, 35 postes sont disponibles, mais il est possible de mettre en place au maximum 40 postes de montage. Compte tenu des arrêts divers, on peut considérer qu'un poste travaille 7 heures 30 par jour.

Distribution : en moyenne, l'entreprise reçoit 50 commandes par jour, pour un total de 640 palettes à expédier au cours de la journée. Une fois la commande reçue, les manutentionnaires prélèvent les produits finis nécessaires, réalisent le *picking* et le conditionnent en palettes pour le transport et les chargent dans les camions. En moyenne, un manutentionnaire est capable de traiter l'équivalent de 10 palettes par heure. Compte tenu des arrêts divers, on peut considérer qu'un manutentionnaire travaille 7 heures 30 par jour. À l'heure actuelle, il y a 12 manutentionnaires. Une flotte de 10 camions réalise le transport des produits finis vers les clients. En moyenne, un camion transporte 16 palettes à la fois. Les temps de chargement et déchargement sont de 15 minutes et la durée moyenne du trajet aller-retour est de 1 heure 30. Pour un conducteur, les horaires de travail sont de 8 heures par jour.

---

[1] C'est-à-dire la charge correspondant aux flux moyens.

Étape 1 : Calcul des ratios charges/capacités moyens et identification des ressources goulets

La première étape consiste à évaluer les capacités des différentes ressources, les charges de travail associées correspondant au flux objectif et les ratios charges/capacités associés (cf. tableau ci-dessous).

Exemple 4.6 (suite) : *Calcul des capacités et des charges*

Ressource	Cadence horaire[1]	Nombre de ressources	Horaires par jour	Capacité[2]	Charge[3]	Ratio
Fabrication	420	35	7,5	262,5	285,71	1,09
Manutention	10	12	7,5	90	64,00	0,71
Transport	8	10	8	80	80,00	1,00

Il apparaît que l'atelier de fabrication constitue une ressource goulet, alors qu'au niveau du transport et de la manutention les flux peuvent être traités. Il faut encore noter que la ressource de transport possède exactement la capacité nécessaire pour traiter le flux moyen : à la moindre fluctuation de ce flux, cette ressource est donc susceptible de se comporter également comme un goulet.

Étape 2 : Mise en œuvre des variables d'actions pour réaliser l'équilibrage en moyenne

Globalement, l'idée de base est de réaliser, pour chaque ressource, un équilibre parfait entre charges moyennes et capacités. Deux problèmes doivent être considérés dans cette démarche :
- tout d'abord la résolution des phénomènes de goulet correspondant aux ressources dont la capacité est insuffisante par rapport au flux objectif, ce qui induit des pertes de flux et donc de ventes,
- et ensuite le cas de ressources dont la capacité effective excède la capacité exactement nécessaire, engendrant des coûts inutiles.

Exemple 4.6 (suite) : les variables d'action sont les suivantes :

La fabrication – une ressource goulet : la fabrication limite le flux réalisable à 120 000/1,09 ≈ 110 090 unités, soit une perte de 9 910 unités chaque jour par rapport à l'objectif. Cela correspond à une perte de marge journalière d'environ 50 000 euros ! Autrement dit, toute heure de fabrication supplémentaire sur un poste permettrait un gain de 420 x 5 = 2 100 €. Une solution simple ici consisterait à accroître le nombre de postes de fabrication. Si on passe à 38 postes de fabrication, l'équilibre est réalisé. Une approche alternative consisterait à réduire les temps d'arrêt des postes (qui s'élèvent à 30 minutes par jour) pour récupérer de la capacité sur les différents postes

---

[1] Les cadences horaires de chaque ressource sont mesurées en pièces/heure pour la fabrication et en palettes à l'heure pour la manutention et les transports.

[2] La capacité est mesurée en heures disponibles par jour.

[3] La charge de travail est mesurée en heures nécessaires pour traiter le flux avec une ressource.

existants. On peut noter que globalement chaque minute d'arrêt évitée sur un poste de fabrication induit une marge supplémentaire de 35 €.

La manutention – une capacité en excès : la manutention présente un excès de capacité de l'ordre de 30 % par rapport à la charge. On peut donc imaginer de réduire le nombre d'opérateurs à ce poste : 9 opérateurs constitueraient en effet un effectif suffisant. Le tableau suivant résume les actions présentées ci-dessus.

Ressource	Cadence horaire	Nombre de ressources	Horaires par jour	Capacité	Charge	Ratio
Fabrication	420	38	7,5	285	285,71	1,00
Manutention	10	9	7,5	67,5	64,00	0,95
Transport	8	10	8	80	80,00	1,00

Étape 3 : Protections contre les fluctuations du flux

L'étape précédente a consisté à ajuster la capacité disponible à la charge de travail correspondant au flux moyen. En réalité, le flux réel ne sera jamais égal, à chaque instant, à ce flux moyen, de même que la capacité instantanée s'écarte de la capacité moyenne. De nombreux mécanismes induisent de telles fluctuations : pannes, aléas, variations des ventes, variations des temps opératoires…

Pour compenser ces phénomènes, deux approches sont possibles :

– soit on conserve une réserve de capacité par rapport au flux moyen,
– soit on positionne des stocks en amont et en aval de la ressource, afin de lisser les fluctuations.

Le choix entre ces deux méthodes dépend essentiellement des coûts de mise en œuvre et de l'impact global sur le système général. Il convient tout d'abord de signaler que la détermination de la réserve de capacité ou le niveau de stock à mettre en place est globalement empirique au sens où il n'existe pas de formule simple pour fixer cette valeur. Cela conduit donc les praticiens à utiliser une approche par « essais et erreurs ». Les arbitrages entre ces deux approches sont les suivants :

– Lorsque les ressources sont très coûteuses (ce qui est généralement le cas des ressources goulets), la mise en œuvre de capacité excédentaire peut s'avérer impossible en termes de rentabilité et on préférera lisser les fluctuations à l'aide de stocks. Cette approche induira toutefois une dégradation inévitable des délais d'écoulement, du ratio de fluidité et des coûts liés aux stocks.
– À l'inverse, pour des ressources dont le coût est plus faible, il sera préférable d'éviter la mise en œuvre de stocks de lissage du flux et de compenser les fluctuations de flux par une capacité excédentaire.

Exemple 4.6 (suite) : on pourrait donc envisager cette solution pour la ressource de transport en laissant s'accumuler en amont un stock de commandes préparées afin que le transport puisse fonctionner en permanence à flux maximal. On pourrait de plus imaginer d'accroître la capacité de la fabrication à 40 postes et de la manutention à 10 opérateurs afin de pouvoir traiter instantanément les fluctuations de charge.

4/3.5   Différents horizons d'équilibrage

Même si le principe élémentaire est bien identifié (il s'agit de faire en sorte que pour chaque ressource le rapport charge/capacité soit proche de 1), on peut scinder les approches utilisées suivant le degré de finesse de la détermination de l'équilibre.

Équilibre global

L'approche utilisée pour réaliser un équilibre global du système logistique, en général sur un horizon de plusieurs mois, consiste à établir des plans directeurs de production. La conception de tels plans est décrite au chapitre 10 et constitue la pierre angulaire de la planification de l'activité de production. Ces plans directeurs se concentrent exclusivement sur les ressources goulets.

Équilibre au niveau des processus

Une fois que les équilibrages des ressources goulets ont été réalisés de manière prévisionnelle par les plans directeurs, la validation au niveau de l'ensemble des processus se fait au cours des procédures de calcul des besoins (chapitre 12), sur un horizon de quelques semaines, et d'ordonnancement (chap. 19), sur un horizon de quelques jours.

4/3.6   Les concepts d'OPT

La généralisation de la notion de ressource goulet se retrouve dans les concepts d'OPT (*Optimized Production Technology*). Conçue et développée par E. Goldratt dans les années 1980[1], cette méthode se présente comme une nouvelle vision de la planification visant à utiliser au mieux les capacités de production ; elle a fait l'objet de plusieurs applications, en particulier aux États-Unis, dans le domaine de l'automobile.

La première étape de la méthode consiste à définir un graphe complet du processus de transformation qui représente les relations entre les produits fabriqués et les ressources nécessaires. Par ressources on entend ici aussi bien les matières premières que la main-d'œuvre, les machines, les outillages, les engins de manutention, etc. (fig. 4-13).

Dans une seconde étape, l'utilisateur différencie deux types de ressources : les ressources goulets ou critiques qui limitent la production et les ressources non-goulets qui présentent une surcapacité.

Le principe d'OPT consiste à ordonnancer en priorité les flux (et non les capacités) uniquement sur les ressources critiques. Cette planification réalisée, on effectue alors l'ordonnancement des ressources non critiques, sachant que l'existence de capacités excédentaires pour ces dernières évitera qu'un glissement dans la réalisation n'affecte l'ensemble du programme. Nous développerons ces notions dans la section 19/4.

---

[1] Pour des développements complets sur ces concepts, on se reportera à l'ouvrage de Goldratt E. et Cox J. , *Le but : un processus de progrès permanent*, AFNOR, 2002.

Figure 4-13 – *Le réseau OPT*

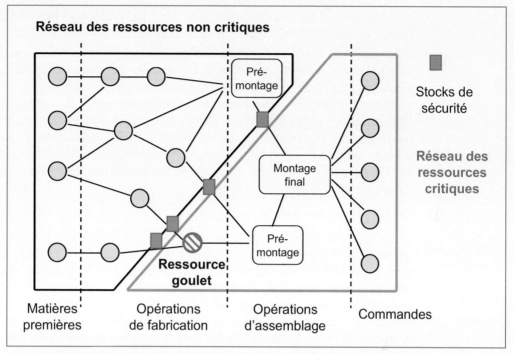

La philosophie de la méthode OPT peut se résumer par l'application de six règles :

1- Il faut équilibrer les flux et non les capacités. En effet, si un lot présente un certain retard, dû par exemple aux variations de temps opératoire autour de la valeur moyenne, celui-ci se propage tout au long de la chaîne de fabrication, même si chaque poste respecte la cadence prévue. Il ne sert à rien d'égaliser les capacités des différentes ressources, le retard demeure.

2- Le niveau d'utilisation d'un non-goulet n'est pas déterminé par son propre potentiel mais par d'autres contraintes du système.

3- L'utilisation optimale d'une ressource ne correspond pas nécessairement à la saturation de sa capacité.

4- Une heure gagnée sur une ressource goulet se traduit par une capacité supplémentaire d'une heure pour tout le système de production. Inversement, une heure perdue sur un goulet est une heure perdue pour la capacité globale du système.

5- Une heure économisée sur une ressource non critique n'apporte rien sur le plan logistique.

6- Les ressources goulets déterminent le débit de sortie et les niveaux de stock. Il s'avère donc totalement inutile de lancer en production une quantité supérieure à la capacité de celles-ci, car on crée ainsi des en-cours supplémentaires.

4/4   Fluctuations et files d'attente

L'impact de fluctuations aléatoires dans les problématiques d'équilibrage entre charge et capacité a été étudié par la théorie des files d'attente. Développée depuis le début du XXe siècle, cette théorie cherche à caractériser les indicateurs fondamentaux (stocks, délais, temps d'attente) pour des réseaux de ressources ayant à traiter des flux aléatoires (au moins partiellement). Historiquement, cette théorie a considéré des problèmes pratiques rencontrés principalement dans le domaine des services (traitement des arrivées dans un service hospitalier d'urgences, nombre de caisses à ouvrir dans un supermarché, caractéristiques et équipements dans une station de sports d'hiver, nombre et organisation des guichets d'un bureau de poste, etc.). Même si ces modèles peuvent s'appliquer à l'étude du traitement des flux par des ressources, cette théorie sera plutôt illustrée ici avec des exemples reliés aux activités de service.

Problématique générale

La question fondamentale repose toujours sur l'arbitrage suivant : d'un côté, un objectif de service exprimé par un temps d'attente toléré par le client et le coût induit pour le producteur ; de l'autre, le risque de créer, lors de l'attente, une insatisfaction ou pire, la perte de la clientèle. Ce risque peut être traduit par un coût d'attente.

Ainsi, si nous prenons le cas d'un garage automobile dans son activité de réparation, le problème se situe au niveau des fonctions de prise de rendez-vous et de réception. S'il y a prise de rendez-vous préalable, on peut orienter les arrivées de clients en réception et lisser ainsi la charge correspondante. S'il y a arrivées spontanées de certains clients (cas des services Minute ou de type Midas) caractérisées par certain profil d'arrivée sur la journée, des moyens relatifs au potentiel de traitement en réception (plages horaires d'ouverture, nombre de réceptionnaires, moyens matériels de saisie) doivent être mis en place pour garantir un temps d'attente minimum. Si des segments socioprofessionnels différents coexistent dans la clientèle, associant un coût différencié à l'attente, il est parfois opportun de mettre en place des réceptions différenciées personnalisées.

Caractéristiques opérationnelles des systèmes de file d'attente

Très peu de systèmes opérationnels sont utilisés à 100 % de leur capacité. Les praticiens savent que le temps d'attente s'allonge lorsque le taux d'utilisation augmente, dans le cas général (et réaliste) où les arrivées ne se font pas régulièrement et où le temps de traitement n'est jamais constant. De plus, le temps d'attente ne varie pas linéairement avec le coefficient d'utilisation, mais suit plutôt une loi d'allure exponentielle (fig. 4-14). La théorie des files d'attente permet de prévoir la longueur de la file d'attente selon le taux d'utilisation du système considéré. Avec ces données, le gestionnaire peut effectuer les arbitrages pour obtenir un bon compromis entre la satisfaction du client et la productivité du système.

Figure 4-14 – *Évolution du temps d'attente selon l'utilisation*

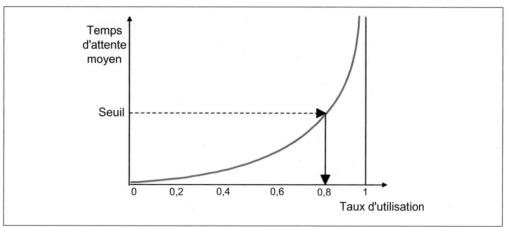

Les critères de décision découlent des caractéristiques du système : particularités du mode d'arrivée des clients (loi statistique), type de file d'attente (ressource unique ou au contraire multiple), règle(s) de priorité régissant l'ordre dans lequel on traite les flux de clients ou de pièces, et particularités du service concerné (contraintes physiques d'espace ou d'implantation, contraintes légales, etc.).

Mode d'arrivée

Concernant le mode d'arrivée, il faut considérer :
– la capacité de maîtrise du gestionnaire (exemple d'une fonction prise de rendez-vous permettant d'étaler la courbe des arrivées en réception dans un garage),
– la taille des lots (de clients ou de pièces suivants les cas) arrivant simultanément,
– le type de distribution statistique suivie (loi de Poisson, etc.),
– le degré de patience des clients (dans tout système de file d'attente, il y a toujours un pourcentage d'abandon selon le temps d'attente : cas d'un téléski, d'un cinéma, etc.).

Règles de priorité

Les règles de priorité en file d'attente pour le traitement des clients peuvent être multiples. Le lecteur en trouvera une liste complète au chapitre 19 traitant des problèmes d'ordonnancement d'atelier. Dans le domaine des services, les règles seront en général plus limitées : premier arrivé-premier servi ou tri des clients avant traitement selon la nature des opérations, selon des degrés d'urgence ou selon une segmentation de type socioprofessionnel par exemple.

Capacité du système

La capacité est déterminée par le nombre de points de service et le temps opératoire de traitement. Cette capacité peut être modifiée par l'éventail des moyens déjà abordés au paragraphe 3.2. L'ajustement doit être fait quand le taux d'utilisation du service atteint un certain seuil (fig. 4-14) correspondant au plus long temps d'attente tolérable.

Un système peut très bien être provisoirement surchargé, même s'il réussit en moyenne à répondre à la demande. Hormis la loi d'arrivée, les fluctuations proviennent aussi des variations dans le temps de traitement. Or cette variable est en partie contrôlable par le gestionnaire à l'aide de certaines mesures techniques ou d'organisation (dans le cas du garage, une aide informatique peut accélérer la phase réception, avec rédaction automatique des ordres de réparation, par exemple).

Les modèles de files d'attente

Les modèles stochastiques utilisent des distributions de probabilité pour décrire la variabilité des fréquences d'arrivée et de départ. En théorie, on fait toujours appel à des modèles stochastiques qui comportent les conditions suivantes :
- la règle de priorité du traitement est l'ordre d'arrivée (premier arrivé-premier servi),
- la file d'attente peut s'allonger indéfiniment,
- les temps d'arrivée et de traitement sont variables selon des lois identifiées,
- le nombre de postes de service est constant.

La majorité des modèles supposent que la fréquence des arrivées suit une loi de Poisson, alors que la durée du traitement suit une loi exponentielle négative. Néanmoins, avant d'utiliser de tels modèles, il faut s'assurer du réalisme de ces hypothèses mathématiques (par un test du $\chi 2$ par exemple).

L'approche théorique du problème ne doit pas masquer le fait qu'au niveau pratique la gestion des files d'attente ne se limite pas à ces seules considérations théoriques. Il reste des fluctuations et situations particulières qui n'ont pas été prévues et qu'il faut gérer avec bon sens et réalisme.

Quelques axes de réflexion et d'action

– Nécessité de *prendre en charge le client en situation d'attente* pour minorer le désagrément (exemple des systèmes vidéo informatifs et publicitaires aux guichets de compagnies aériennes, bars et salles d'attente disposant des services annexes appropriés).

– *Implication du client* partielle ou totale dans les opérations de traitement (exemple des formulaires remplis par les automobilistes lors des changements d'immatriculations en préfectures ou mairies d'arrondissements).

– Faire *respecter l'ordre de la file* pour éviter des insatisfactions (sur l'exemple des agences commerciales des Télécom, cela peut amener à faire remplir aux clients en première phase de réception un formulaire succinct précisant l'objet de la visite, mais permettant ensuite de les appeler dans un ordre bien maîtrisé).

– *Informer* le client sur la durée de l'attente et son évolution.

– Montrer que l'ensemble de la situation est *sous contrôle* et que ce contrôle a pour but d'accroître la satisfaction finale du client.

4/5 Actions spécifiques dans les activités de service

La recherche de l'équilibre charge/capacité concerne les services aussi bien que les usines. Les services sont soumis à une difficulté supplémentaire : il n'est pas possible de stocker le produit fini. Autrement dit, si l'on prévoit une pointe de charge, on ne peut pas anticiper sur la demande. Si l'ajustement charge/capacité n'est pas bon, il se produit soit une file d'attente, soit une inactivité. On peut agir sur les deux facteurs du rapport : soit sur la demande (la charge), soit sur la capacité.

Actions sur la demande

Les principales actions que l'on peut exercer sur la demande sont les suivantes :
- segmenter la demande (réserver à certaines heures l'accès au service à certaines catégories de clientèle),
- mettre en place une tarification incitative pour les périodes de faible demande (tarification de type bleu, blanc, rouge, pour les voyages SNCF),
- effectuer une promotion particulière pour les périodes creuses,
- instaurer un système de réservation ou de prise de rendez-vous.

Actions sur la capacité

Les principaux moyens d'action spécifiques sur la capacité sont :
- rendre la capacité flexible (problématique analogue à celle des usines) en employant du personnel temporaire, en augmentant la polyvalence du personnel, en adaptant le tableau de service ou en partageant les capacités de production avec d'autres opérateurs,
- augmenter la participation du client dans la réalisation du service,
- automatiser certaines opérations (le paiement par exemple).

Deuxième partie

Décisions structurelles et tactiques

Nous avons évoqué l'idée de complexité dans le chapitre 4 à propos de l'interdépendance des décisions logistiques dans le cas de ressources partagées. Plus généralement, la complexité d'un système logistique est accrue par différents facteurs : variété des produits fabriqués, inertie des décisions de capacité ou de flux, incertitude sur la demande commerciale, existence d'aléas de production (pannes de machine, manque de personnel, problèmes de qualité, etc.).

Comment gère-t-on un système complexe ? Nous aurons l'occasion de le découvrir dans les prochains chapitres. Mais il faut dès à présent introduire un principe fondamental : celui de la *hiérarchisation des décisions*.

Hiérarchiser les décisions consiste à concevoir un modèle en plusieurs plans, chaque plan étant le lieu d'un ensemble de décisions d'échelle et d'horizon spécifiques.

Dans cette seconde partie, nous étudierons les décisions qui vont définir la structure du système industriel et logistique et qui engagent l'entreprise sur le long terme.

Nous aborderons tout d'abord dans le chapitre 5 les grandes décisions de nature stratégique et tactique et leurs conséquences dans le domaine de la *supply chain* : le choix du niveau d'intégration (que fabrique-t-on et qu'achète-t-on ?), le choix du réseau global d'approvisionnement dans le contexte de la mondialisation, la taille et le degré de polyvalence des unités de production et, enfin les grands choix en termes de technologie.

Le chapitre 6 étudie de façon approfondie la notion de *supply chain ;* il présentera les niveaux d'évolution dans la mise en œuvre de ce concept ; il analysera ses principaux processus. Il démontrera enfin la nécessité d'adapter la *supply chain* aux caractéristiques des produits et des marchés.

Le chapitre 7 étudiera les structures des réseaux de production (les usines), de distribution (les entrepôts) et d'approvisionnement.

Le chapitre 8 s'attachera à la fonction amont de la *supply chain* : la fonction Achats dans sa dimension stratégique. Les entreprises achetant souvent pour des montants qui représentent de 50 % à 80 % de leurs coûts de revient, les fournisseurs doivent être soigneusement sélectionnés ; ils font partie intégrante de la chaîne logistique et l'entreprise peut/doit établir avec eux des relations de partenariat qui engagent sur le long terme.

Chapitre 5

Politique industrielle et décisions stratégiques

La stratégie industrielle peut être définie comme l'*ensemble des décisions qui structurent et organisent le système industriel et logistique de façon à atteindre les objectifs qui découlent de la stratégie générale et marketing de l'entreprise*. La stratégie industrielle s'exprime dans des domaines concernant les moyen et long termes, et elle doit constituer un ensemble cohérent.

5/1   Stratégie de l'entreprise : les choix fondamentaux

Rappelons les étapes essentielles d'une démarche stratégique pour l'entreprise, comme l'illustre la figure 5-1.

La première étape consiste à déterminer des segments stratégiques où l'entreprise décide d'être présente. Un segment stratégique se définit comme un ensemble homogène d'activités (offre de produits ou de services) s'adressant à un même marché, utilisant les mêmes types de technologies. Par exemple, une entreprise qui fabrique des joints pour l'automobile vend, d'une part, des grandes quantités sur un petit nombre de références aux quelques constructeurs européens et, d'autre part, des centaines de références comme pièces de rechange pour des milliers de clients : cela constitue deux segments stratégiques bien distincts car les facteurs clés de succès sur ces deux segments sont très différents.

La deuxième étape concerne le choix proprement dit d'une stratégie générale sur chacun de ces segments à partir de l'analyse des facteurs clés de succès et des forces et faiblesses de l'entreprise en menant une analyse *SWOT*[1].

On distingue plusieurs approches stratégiques de base si l'on considère les deux caractéristiques suivantes :
- l'étendue de la cible visée (types de clientèles, territoires géographiques, par exemple),
- les modalités de réponse de l'entreprise à la demande.

---

[1] L'acronyme signifie : analyse des Forces / Faiblesses / Opportunités / Menaces. En anglais les lettres ont la signification suivante : *S = Strenghts, W = Weaknesses, O = Opportunities* et *T = Threats*.

Figure 5-1 – *Le processus stratégique général*

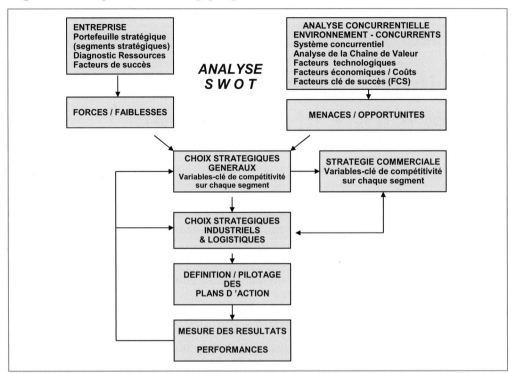

Si l'on croise ces deux critères, on définit de façon schématique les deux stratégies fondamentales telles qu'elles apparaissent sur la figure 5-2 qualifiée d'« échiquier stratégique » par McKinsey.

Figure 5-2 – *L'échiquier stratégique de McKinsey*

Domination globale par les coûts	Différenciation – par les produits – par le service
Cible : le secteur tout entier	
Concentration sur un segment particulier	

On y distingue deux grandes stratégies de base : l'une vise à obtenir des coûts de revient très bas pour pouvoir offrir des prix de vente très attractifs, l'autre consiste à l'inverse à chercher à se différencier de ses concurrents par des produits très spécifiques, adaptés à des niches de clientèle, et à les accompagner de services de qualité différenciants.

Cette première dichotomie peut être complétée par une seconde : la cible de l'entreprise. Elle peut vouloir s'adresser de façon indifférenciée à l'ensemble de son marché potentiel, ou bien chercher à concentrer ses efforts sur un segment particulier.

Naturellement, les deux stratégies de base auront des conséquences au niveau industriel et logistique.

5/1.1   La stratégie de coût / volume

Une telle stratégie vise à l'obtention des coûts complets les plus bas possibles. Elle est fondée essentiellement sur une recherche de volume maximum pour bénéficier d'économies d'échelle.

Sur le plan industriel et logistique, cette stratégie implique :
– un produit unique ou, le plus souvent, une gamme de produits très restreinte,
– une longue durée de vie du produit, donc un haut niveau de standardisation,
– des unités de production de grande taille (pour bénéficier d'économies d'échelle),
– souvent, une intégration verticale poussée,
– le plus souvent, un processus de production très automatisé,
– une fonction Méthodes très développée pour rechercher sans cesse des gains de productivité,
– une main-d'œuvre spécialisée,
– si les coûts de main-d'œuvre, de matière ou d'énergie sont importants, une délocalisation pour bénéficier de coûts plus faibles,
– une concentration des études et des achats.

Globalement, une telle stratégie impose de se focaliser sur le processus d'approvisionnement et de production plutôt que sur les produits.

Dans le secteur de l'habillement, on trouve des exemples d'une telle stratégie sur le marché du *jean*, de la chemise, des *T-shirts* ou des chaussures de sport.

5/1.2   La stratégie de différenciation

Une stratégie de différenciation consiste à mettre à la disposition du client un produit ou un service dont le caractère spécifique est reconnu et qu'il accepte de payer en conséquence car il lui donne une valeur importante. La différenciation peut porter sur le produit (spécificités fonctionnelles, niveau de qualité), sur les services associés, sur le délai de livraison, sur la souplesse dans la distribution, sur la flexibilité, etc.

Les voies de différenciation sont donc, en termes généraux, la spécialisation et l'adaptation (sur un type de produit, de service, de clientèle particulière, ou sur une zone géographique) de la prestation considérée comme normale sur le marché. On parle ainsi des *facteurs clés de succès*.

Cela se traduit le plus souvent par l'offre d'une large gamme de produits, souvent innovants et par un renouvellement fréquent des produits pour maintenir un avantage compétitif.

Sur le plan industriel, cette stratégie implique généralement :
– une grande souplesse au niveau des études et du développement des produits,
– une fonction Études très développée,
– une collaboration étroite avec les fournisseurs,
– des unités de production dédiées ou « focalisées » prenant en charge la réalisation d'une famille de produits homogènes,
– une main-d'œuvre polyvalente,
– des équipements flexibles,
– un système de planification très souple.

Globalement, une telle stratégie impose de se focaliser sur les produits plutôt que sur le processus de production.

On trouve des exemples d'une telle stratégie dans les secteurs des vêtements et des chaussures de luxe, dans la parfumerie et dans l'électronique haut de gamme.

5/2   Objectifs de performances de la *supply chain* : décisions stratégiques et tactiques

Il ressort du paragraphe précédent que le système industriel et *supply chain* doit être entièrement connecté (cohérent avec) à la stratégie générale et commerciale suivie. Ses critères de performances stratégiques doivent donc être totalement déduits de ce qui constitue la « valeur de l'offre » de l'entreprise aux yeux du client.

5/2.1   *Critères de performances du système industriel et supply chain*

Les trois objectifs traditionnels restent la trilogie Coût, Délai (cycles) et Qualité. À ces objectifs classiques s'ajoutent aujourd'hui dans la plupart des secteurs économiques des notions liées à l'accélération des événements sur tous les marchés et aux évolutions récentes des attentes des clients (fig. 5-3) :

Figure 5-3 – *Facteurs concurrentiels et critères de performances supply chain*

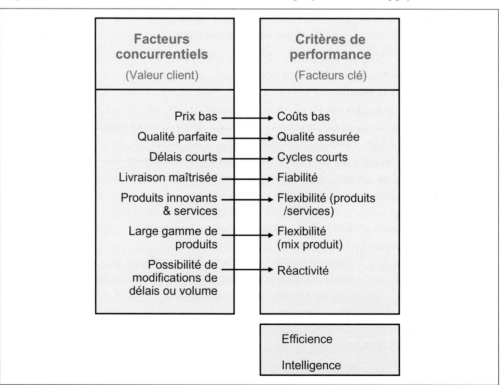

- la maîtrise du processus de commande et des livraisons (indépendamment du délai) qui impose à l'entreprise une obligation de résultat en matière de fiabilité,
- la capacité à innover selon des cycles toujours plus courts de mise sur le marché du (des) produit(s) et à proposer toujours plus de services associés, ce qui impose une première forme de flexibilité en matière de conception et de développement,
- la capacité d'offrir une gamme de produits large ou de proposer des variantes, options et adaptations pour s'adapter à des demandes toujours plus différenciées, ce qui est une autre forme de flexibilité,
- la capacité à suivre rapidement des modifications de toutes natures dans les demandes des clients ou des évolutions de marché imprévues, ce qui amène les entreprises à être réactives et caractérise leur capacité d'adaptation aux évolutions.

Enfin, du point de vue interne, et cela rejoint une préoccupation économique (la capacité à atteindre des coûts bas tout en maintenant les marges), les entreprises doivent être efficientes, c'est-à-dire tenter de supprimer tous les dysfonctionnements et les divers coûts associés. L'intelligence qualifie quant à elle sa capacité à mettre en place tous les systèmes d'information nécessaires au pilotage et à la mesure de performance.

Le chapitre 6 montrera que ces critères génériques sont déclinés selon les typologies d'entreprises et les logiques sectorielles différentes qui existent. Il est néanmoins très clair que toutes les entreprises doivent prendre position sur les trois missions suivantes et leur mix adéquat :

- différenciation désirée au travers des attributs des produits et services proposés,
- amélioration de compétitivité par des actions menées sur les coûts directs, les coûts liés aux divers processus transversaux, ainsi que les coûts de dysfonctionnements[1],
- flexibilité et réactivité, deux notions fondamentales pour faire face aux évolutions de l'environnement économique et concurrentiel.

Prendre position sur ces questions, c'est aussi définir des objectifs opérationnels d'amélioration explicites et quantifiés sur les différents critères de performances. Le chapitre 28 reprend ces notions de façon détaillée.

Il est clair que ces critères et objectifs devront être exprimés selon un mix différent selon les divers segments stratégiques produits. Le chapitre suivant reviendra sur ces questions.

5/2.2 *Critères de performances et cycle de vie des produits*

L'autre dimension à intégrer concerne la façon dont ces critères doivent évoluer selon les phases du cycle de vie des produits et les attentes différentes des clients.

En effet, l'entreprise n'est pas figée (stabilisée) dans une configuration donnée de sa gamme de produits et de sa situation concurrentielle. Il est nécessaire d'avoir une

---

[1] Cet objectif nécessite d'être en permanence focalisé sur l'analyse des « *cost drivers* » de la *supply chain*. Si l'on observe la décomposition du coût direct total d'un produit ou d'une prestation, les « *cost drivers* » sont les éléments de ce coût qui en représentent la part dominante. Ainsi tout dérapage sur l'un d'entre eux se traduira par une augmentation importante du coût total. *A contrario*, une recherche d'économie devra en priorité être orientée sur ces éléments étant donné leur rôle majeur sur le résultat global.

vision dynamique et déclinée selon les produits : les facteurs clés de succès changeront, ce qui imposera de faire évoluer la stratégie *supply chain* selon des priorités qui ne resteront jamais longtemps les mêmes, et cela à un moment différent selon les produits qui ne seront pas tous en phase identique sur leurs courbes de vie respectives. Le tableau de la figure 5-4 illustre ce point en présentant un schéma général de référence.

Figure 5-4 – *Critères de succès selon le cycle de vie*

	Introduction	Croissance	Maturité	Déclin
	Phase de démarrage (produit innovant)	Gain en parts de marché (produit leader)	Position dominante et technologie mature (fiabilisation)	Produit abouti concurrencé par des solutions nouvelles
Volume	Croissance lente	Croissance forte	Ventes stables	Déclin rapide
Clients	Innovateurs	Leaders sur solutions fiables	Cœur de marché (suiveurs)	Consommateurs pour après vente
Concurrents	Peu	Nombre croissant	Stabilité	Peu
Caractéristiques Attributs produit	Solution innovante Adaptations Changements	Solution dominante optimisée en coût	Solution standard dominante	Évolution possible en *commodité*
Facteurs de succès majeurs	Innovation - Flexibilité (conception)	Optimisation coût/flexibilité Réactivité Qualité	Prix bas Fiabilité Qualité Disponibilité	Prix bas - Disponibilité

On observe qu'on suit en général une évolution où l'entreprise passe d'une phase essentiellement caractérisée par l'innovation et l'adaptation aux attentes technologiques différenciées des clients, pour ensuite axer ses priorités sur la minimisation du coût de la solution technique dominante retenue et sa disponibilité, et enfin exploiter en termes de *cash-flow* un produit stable dont le rapport coût d'utilisation / avantages est optimal.

La fin de vie peut diverger selon les situations :

– dans certains cas, le produit n'étant pas concurrencé par de nouvelles solutions, il devient une commodité standard réputée disponible et banalisée sur le marché,

– en d'autres situations, il est remplacé par une nouvelle technologie sans conteste plus intéressante. Toutefois, certains clients continuent d'avoir besoin de ce produit pour pouvoir alimenter leurs propres clients en pièces de rechange dans le cadre d'obligations après-vente (par exemple, cas des composants électroniques d'anciennes générations toujours nécessaires comme éléments de systèmes complexes que les clients finaux ont qualifiés au départ, et qu'ils ne veulent pas remettre en cause – comme dans les secteurs de l'électronique professionnelle ou de défense, ou l'aéronautique). Dans ce cas, le produit perdurera sur des petits volumes, mais la priorité se portera sur la disponibilité de façon dominante vu les risques de pénurie.

La conclusion principale reste que les dirigeants devront regrouper leurs produits en segments ou groupes homogènes d'un point de vue commercial, et faire en sorte que toute la *supply chain* en amont soit organisée sur des bases différenciées.

5/2.3   *Principales décisions stratégiques et tactiques*

La conception de la *supply chain* s'appuie sur un ensemble de décisions de nature stratégique ou tactique, qui contribuent par leur mise en œuvre à définir le système global. Par la suite, il sera nécessaire de se doter des systèmes opérationnels pour le pilotage des flux.

Comme le montre le tableau de la figure 5-5, les différentes décisions se répartissent en plusieurs groupes, analysés en séquence ci-dessous.

Décisions de conception du système industriel et logistique

Ces décisions portent sur la conception et la structure du système industriel et logistique. Elles concernent toutes le moyen terme, voire un horizon plus long. Les montants en jeu sont considérables et toutes ces décisions ont une inertie importante étant donné les périodes d'amortissement. Elles sont toutes abordées dans la suite de ce chapitre, sauf la politique de *sourcing* traitée dans le chapitre 8.

Décisions stratégiques sur les produits, processus et technologies

Ces décisions ne sont pas directement partie intégrante du domaine du management de la *supply chain*. Toutefois, elles sont très connexes et tout aussi structurantes et, selon les choix effectués, faciliteront ou non l'organisation et le pilotage économique de la *supply chain* (en particulier les choix de conception des produits et les processus industriels associés). Le chapitre 6 approfondira ces questions. Quant aux choix technologiques, comme nous le verrons plus loin, ils peuvent grandement concourir à offrir une plus grande flexibilité dans des conditions économiques et de productivité élevées.

Décisions tactiques

Les décisions tactiques ne sont pas de nature purement structurelle, mais elles contribuent ensemble à structurer les flux de l'entreprise et à la doter des systèmes d'information et de pilotage. C'est à ce niveau que sont conçus tous les processus transversaux.

Ce point est fondamental car le concept de *supply chain* constitue une approche intégrée de l'entreprise (contrairement à l'organisation classique par grandes fonctions indépendantes). Pour simplifier, on peut dire que ce sont ces divers processus qui orientent véritablement l'ensemble de l'entreprise vers la satisfaction totale du client final. Ces décisions seront analysées dans le chapitre 6.

Décisions sur les ressources et l'organisation

Une fois décidée la structure du système global, ses divers paramètres d'organisation des flux et tous les processus de gestion, il faut doter l'entreprise des moyens et ressources nécessaires pour réaliser ses missions. L'organisation est ainsi toujours complémentaire de la stratégie et des processus : la *supply chain* ne pourra parvenir aux performances escomptées que si l'on ne fait pas évoluer parallèlement les ressources.

Figure 5-5 – *Décisions stratégiques et tactiques de la supply chain*

Nature des décisions	Questions principales
Structure du système SC	
Intégration verticale ou externalisation	Quelle est la chaîne de valeur et quelles sont les compétences principales nécessaires et existantes ? Faut-il être largement intégré ou faire plutôt appel à des solutions d'externalisation ?
Choix du réseau global	Comment organiser et implanter le réseau des unités industrielles et logistiques au niveau international ?
Niveaux de capacité	Quelle taille et quelle capacité de production donner aux usines et entrepôts ?
Focalisation des usines	Faut-il des usines spécialisées ou polyvalentes ?
Politique d'investissement	Comment gérer les évolutions de capacité ? Faut-il investir, désinvestir ou délocaliser ?
Politique de *sourcing*	Quelles stratégies en matière de *sourcing* et de choix de fournisseurs ? Quel(s) processus et pratiques d'achat mettre en place ?
Produits / processus	
Conception / développement des produits	Quelle conception des produits (variété, structure des produits) ? Quel processus transversal de conception ?
Choix technologiques	Quelles technologies de production utiliser ? Comment réaliser le meilleur compromis productivité / flexibilité ? Quel niveau d'automatisation choisir ?
Choix de processus industriels	Quels types d'organisation des processus industriels choisir ? Comment piloter les flux ainsi créés ?
Décisions tactiques	
Politique de stockage	Comment positionner les stocks pilotant le système global ?
Pilotage des flux	De façon corollaire, doit-on concevoir un pilotage des flux à la commande ou par anticipation ? Quel système de planification hiérarchisée adopter ?
Système d'information	Quelle doit être l'architecture des systèmes d'information ? Faut-il qu'ils soient intégrés ou autonomes ? Comment ?
Processus transversaux	Quels sont les divers processus à mettre en place ? Comment doivent y contribuer les entités fonctionnelles ?
Ressources / Organisation	
Ressources humaines	Quelles compétences spécifiques sont nécessaires ? Comment acquérir et développer ces compétences ?
Politique de qualité	Quels systèmes de management et pratiques Qualité mettre en place ? Quel dispositif de certification et d'assurance-qualité développer ?
Organisation *Supply Chain*	Faut-il une direction dédiée et comment la positionner ? Quels doivent être ses modes de relation avec les directions fonctionnelles et opérationnelles ?
Gestion des connaissances et stratégie de changement	Comment capitaliser les connaissances et savoir-faire et ainsi permettre une conduite du changement ?
Mesure de performances	Quelles performances mesurer ? Quel système de mesure adopter et comment piloter les évolutions ?

Par ressources, on entend l'organisation à mettre en place en commençant par les nouveaux organigrammes et une nouvelle répartition des responsabilités. Il s'agit aussi de nouvelles compétences, de nouvelles qualifications et de nouveaux métiers. On entend aussi que des mécanismes d'apprentissage et d'amélioration continue soient prévus qui passent en particulier par la gestion des connaissances et la conduite du changement.

Ces différents sujets seront traités en détail en chapitre 29.

Enfin il faudra concevoir le système de mesure de performances adapté, d'une part pour démontrer (rendre visible) le niveau de performance atteint à destination de la direction générale et, d'autre part pour permettre le management opérationnel de la *supply chain* par ses dirigeants. Cette question fait l'objet de développements complets en chapitre 30.

Analysons maintenant les grandes décisions liées au système industriel et *supply chain*.

5/3   Choix du niveau d'intégration verticale et externalisation

On appelle niveau d'intégration verticale la part de la valeur ajoutée qui est créée dans l'entreprise par rapport au coût direct total des produits. Au début de l'industrie automobile par exemple, Ford avait donné à son entreprise une intégration verticale maximale puisqu'il possédait des mines de charbon et de fer, fabriquait son acier, tous les éléments des voitures, procédait à l'assemblage et distribuait lui-même ses véhicules.

Aujourd'hui, dans cette industrie comme dans beaucoup d'autres, on a assisté à une réduction de l'intégration verticale. Sur plus d'une trentaine de fonctions que représente une voiture de gamme moyenne chez un généraliste, le constructeur en externalise au moins les trois-quarts représentant 75 % du coût direct et ce, pour plusieurs raisons :
- les économies d'échelle dans l'industrie font qu'il n'est pas rentable de faire fonctionner des usines de composants et sous-ensembles de petite taille dimensionnées en fonction de besoins propres (donc limités),
- les coûts de recherche et de développement sont de plus en plus lourds et une seule entreprise ne peut disperser ses efforts sur un grand nombre de domaines différents sans réelle synergie,
- de plus, les équipementiers ont développé un savoir-faire et une capacité d'innovation bien supérieure,
- enfin, la complexité de la gestion devient telle qu'elle engendre des rigidités et des coûts élevés.

C'est pourquoi on assiste à un retour de l'entreprise vers son métier de base (« cœur de métier ») : dans l'automobile, le métier d'un constructeur est plutôt de concevoir des voitures, de procéder à l'assemblage final et à la vente. Souvent il conservera la fabrication d'organes essentiels comme les moteurs. Toutes les autres fabrications ne font pas partie de son métier principal et peuvent être acquises à l'extérieur de l'entreprise. Le choix du niveau d'intégration verticale dépend ainsi de plusieurs facteurs que nous allons examiner.

5/3.1   *Le concept de métier et de chaîne de valeur*

Qu'entend-on par métier ? Le métier est la maîtrise d'un certain nombre de facteurs qui constituent le savoir-faire distinctif de l'entreprise :

- la maîtrise d'une technologie de base, matérialisée entre autres par les choix d'équipements,
- la maîtrise des procédés de fabrication, qui permet d'atteindre et d'assurer le niveau de qualité désiré,
- la maîtrise de modes opératoires complexes, qui repose pour beaucoup sur des « tours de main » et une expérience accumulée,
- la maîtrise des systèmes opérationnels complexes de la *supply chain*, comme la planification, la gestion des délais et de la qualité,
- la connaissance approfondie des structures et pratiques du réseau de distribution et de la clientèle.

Pour cette raison, certaines sociétés préfèrent acquérir une société, ou s'allier avec une entreprise qui se trouve déjà dans le métier correspondant au marché convoité.

Dans la mesure où le métier constitue la compétence distinctive de toute entreprise, celle qui cherche à se diversifier risque de ne pouvoir être compétitive à court terme car elle doit acquérir de nouvelles connaissances, ce qui peut prendre un temps assez long.

La chaîne de valeur

Ce choix repose sur l'analyse de la chaîne de valeur, concept largement développé par son créateur, Michael Porter[1] (fig. 5-6).

Figure 5-6 – *La chaîne de valeur*

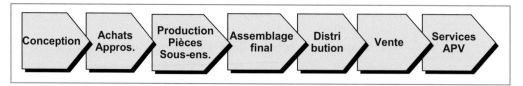

Toutes les étapes de la chaîne de valeur caractérisant une industrie doit amener la société à se poser la question de ses compétences distinctives qui peuvent être de plusieurs types :

- compétences techniques et de savoir-faire,
- compétence économique (en lien avec le niveau des coûts atteints),
- compétences de gestion (liées aux systèmes de pilotage).

En face de celles-ci, conjointement à l'analyse des savoir-faire des concurrents mais aussi et surtout des fournisseurs potentiels, l'entreprise pourra choisir de se concentrer sur une partie seulement de cette chaîne et d'externaliser les autres en les confiant à des fournisseurs partenaires. Dans cette hypothèse, la décision

---

[1] Porter M., *L'Avantage concurrentiel des nations*, InterÉditions, 1993. Un autre ouvrage fondamental peut être lu avec intérêt : Professeurs du département Stratégie du Groupe HEC, *STRATEGOR : Politique générale de l'entreprise*, Dunod, 2000.

d'externaliser est structurelle : il s'agit bien d'abandonner définitivement des fonctions complètes du produit pour les confier à des fournisseurs à la fois plus innovants, plus compétents techniquement et sans doute plus économiques. Ainsi les ressources internes seront redéployées différemment.

A contrario, il peut être intéressant de s'intégrer en amont ou en aval si l'on s'aperçoit que les marges à ces stades sont importantes ou si le fait de ne pas les maîtriser engendre des risques trop importants pour l'entreprise. Par exemple, si du fait de l'équilibre du marché, les marges les plus importantes sont dégagées au niveau de la distribution, l'entreprise peut avoir intérêt à mettre en place et à contrôler son propre réseau de distribution. De même, si certains fournisseurs de composants sont en position de force et imposent des prix élevés, elle peut mettre en place des moyens de production pour réaliser ses propres composants.

5/3.2   *Externalisation et co-développement*

L'externalisation (ou *outsourcing*) caractérise le fait de confier à une autre entreprise une activité industrielle et opérationnelle (ou même une fonction support) en la soumettant à une obligation de résultats (transfert total de responsabilité). Ce n'est jamais une démarche tactique ou de court terme, mais un transfert total d'activité(s). En général, le retour en arrière est peu envisageable ou à un coût très élevé (l'entreprise abandonnant ce faisant moyens humains, techniques et matériels).

Il ne faut surtout pas confondre externalisation et sous-traitance : même si la sous-traitance est structurelle (cf. chap. 8), le donneur d'ordres garde une responsabilité sur le résultat, le sous-traitant étant seulement en position d'exécutant. L'entreprise auprès de qui on externalise est un fournisseur à part entière.

Deux dimensions prédominent : renforcement de la spécialisation avec utilisation optimale des ressources, et valorisation des savoir-faire respectifs par spécialisation poussée à l'extrême des différents acteurs. La figure 5-7 illustre succinctement le processus de décision.

À l'évidence, une telle démarche crée des risques, notamment liés à l'innovation, à la maîtrise de la qualité et au respect des délais de livraison.

Protection de l'innovation technologique

Alors que l'on peut protéger des produits par des brevets, la protection industrielle d'un processus de fabrication ou d'un savoir-faire particulier est difficile. Dans ces conditions, l'externalisation, qui se traduit presque nécessairement par un transfert technologique, peut présenter des inconvénients.

Il importe, dans ce cas, d'examiner les moyens (contractuels ou autres) permettant d'éviter que les concurrents ne puissent avoir accès au savoir-faire développé dans le cadre de collaborations extérieures de ce type. Pour beaucoup, cet aspect milite en faveur du maintien de l'intégration des fabrications de haute technologie.

Autre aspect : pendant la phase de développement chez les fournisseurs, les risques de non respect de la confidentialité sont toujours réels. En conséquence, il y a lieu de protéger l'entreprise par des règles de confidentialité contractuelles strictes (*NDA* = *Non Divulgation Agreement*).

Figure 5-7 – *Critères de décision en matière d'externalisation*

Critères d'externalisation	Critères d'intégration

– Concentration sur « métier principal » (core business)
– Accès à un savoir-faire externe
– Réactivité / flexibilité
– Minimisation de risques :
  • fluctuations de charge
  • marché fluctuant / incertain
  • risques techniques
  • risques d'investissement
– Critères économiques :
  • coûts plus faibles
  • variabilisation des coûts
  • « report » de l'effort de trésorerie
– Création d'une situation de concurrence interne (pression sur les « prix de cession »)
	– Protection d'un « savoir- faire » stratégique
	– Protection de la confidentialité et de l'innovation
	– Minimisation des risques :
	  • sécurité de l'approvisionnement
	  • disponibilité
	
	– Critères économiques :
	  • économies d'échelle (production)

Maîtrise de la qualité produite

Le risque de dégradation de la qualité reste réel même si l'on peut trouver une parade par la mise en place aux achats d'un système d'assurance-qualité[1]. Il faut savoir en effet qu'un processus d'assurance-qualité est long à mettre en place (les industriels évoquent une période de deux ou trois ans). Il faut que les contrôles en cours de processus et le système d'assurance-qualité chez le fournisseur soient fiabilisés selon des plans de progrès à moyen terme. Une telle politique de partenariat s'accompagne alors généralement d'une diminution du nombre des prestataires et d'un allongement des périodes de collaboration.

Délai et sécurité des approvisionnements

Le transport peut introduire des délais supplémentaires. Cet argument disparaît dans la mesure où l'on parvient à mettre en place des systèmes de relations en flux tendus avec les partenaires-fournisseurs. De telles relations impliquent toujours une organisation soignée du système d'information, alliant exactitude et vitesse de transmission.

La sécurité de l'approvisionnement extérieur passe, quant à elle, par la confiance du donneur d'ordres envers son partenaire qui doit lui-aussi s'assurer de la sécurité de ses propres approvisionnements. Il est possible que le donneur d'ordres soit associé

---

[1] L'assurance-qualité consiste à transférer au fournisseur la responsabilité des contrôles des produits livrés. Il s'engage à effectuer toutes les vérifications avant expédition rendant ainsi inutile les contrôles à la réception des marchandises.

aux négociations avec certains fournisseurs des fournisseurs directs. Ainsi les services Achats doivent se préoccuper de gérer toute une filière économique et non plus simplement leurs fournisseurs directs.

5/4   Conception d'une *supply chain* internationale

Cette problématique concerne à l'évidence les sociétés de taille moyenne ou importante ayant une activité internationale, au moins sur le plan commercial. Dans ce cas, les questions fondamentales qu'elles ont à résoudre s'expriment ainsi :
– Faut-il concevoir des unités spécialisées ou polyvalentes multi produits ?
– Selon quels critères faut-il implanter ces usines (proximité des marchés, proximité des zones géographiques productrices de matières premières, pays à bas coût main-d'œuvre, etc.) ?
– Ces unités industrielles doivent-elles être possédées en propre, ou doit-on faire appel à des collaborations ?
– Comment décider en complément du système d'entreposage et de distribution international ?

Focalisons-nous sur le second point tout à fait central. En complément la problématique des réseaux de distribution sera étudiée au chapitre 7.

Les trois critères principaux qui vont orienter les choix sont les suivants :
– un premier objectif vise à atteindre un coût total mondial qui soit minimisé (en particulier, les coûts de production dépendront des structures de coûts directs des pays où l'on implante les unités industrielles, et le second poste de coût étant naturellement le coût logistique),
– le deuxième objectif est de chercher à rester en proximité des marchés clients : ainsi l'entreprise peut être plus flexible, raccourcir les délais, voire envisager des adaptations « locales » aux produits ou des services spécifiques ; elle peut ainsi de la même façon mieux contrer les rapports de concurrence locaux,
– enfin, dans la mesure où la problématique de la localisation est abordée de façon conjointe avec une externalisation éventuelle, le troisième objectif peut être de bénéficier d'un savoir-faire « régional » préexistant chez des fournisseurs locaux.

L'analyse montre que les entreprises s'organisent selon quatre types d'organisation comme l'illustre la figure 5-8[1].

5/4.1   Analyse comparée des stratégies internationales

Stratégie internationale sur base domestique

Première solution en termes de « maturité », cette stratégie est simple : toutes les activités industrielles (conception, développement, production) sont menées dans le

---

[1] Ces développements sont inspirés des travaux de Hitt M. & Ireland R. D. & Hoskisson R.E., *Strategic Management, Competitiveness and Globalization*, Southwestern College Publishing, 5th ed., 2003, repris dans Heizer H. & Render B., *Operations Management*, Pearson – Prentice Hall, 7th ed., 2004.

pays d'origine. Il n'est pas impossible que les achats puissent s'effectuer au plan international mais rien d'autre.

La couverture des marchés régionaux du monde s'opère par l'intermédiaire de représentations commerciales, ou d'importateurs indépendants.

Lorsqu'une fabrication locale est envisagée, c'est souvent réservé à de rares marchés locaux, et sous forme d'une cession de licences à des industriels locaux. Il n'y a donc aucune adaptation du produit.

L'avantage économique de cette stratégie est faible. Toutefois, elle ne peut permettre une position concurrentielle dominante dans les pays et ne vise pas vraiment la croissance (seulement un chiffres d'affaires marginal).

Au plan de la *supply chain*, en revanche, cette solution reste simple, puisqu'on parle exclusivement d'exportations sur base industrielle nationale pour le reste.

Figure 5-8 – *Quatre stratégies internationales dominantes*

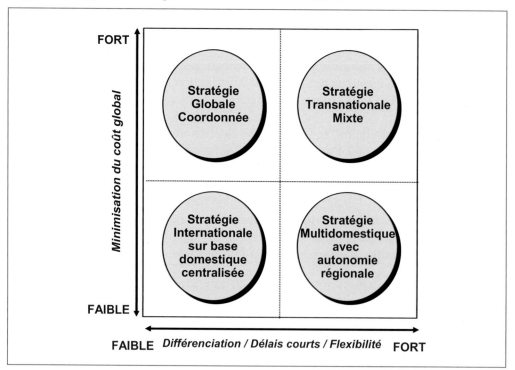

Stratégie multi domestique

Totalement opposée, cette approche consiste à donner une grande autonomie à des entités nationales situées dans les divers pays où la société décide d'être présente sur les marchés. Chacune dispose de toutes les fonctions de la *supply chain*. Ces entités peuvent d'ailleurs être des *business units* totalement indépendantes juridiquement et économiquement. On verra plus loin que les modalités d'implantation dans les pays étrangers peuvent revêtir différentes formes.

La flexibilité et l'adaptation aux spécificités locales sont absolument privilégiées. Toutefois, les réductions de coût restent limitées. Les synergies sont faibles. Une fonction est alors mise éventuellement en commun : les Achats, avec des répartitions de responsabilités entre filiales au plan mondial et des flux d'approvisionnement croisés possibles.

Stratégie globale coordonnée

Dans ce cas, le pilotage des opérations internationales est fortement centralisé. Toutefois, le réseau mondial va être organisé et mis en œuvre selon les avantages économiques et de savoir-faire des principales régions où l'entreprise est implantée.

Par ailleurs, on va profiter notamment de l'existence de niveaux dans l'élaboration des produits (notamment fabrication des composants et sous-ensembles, puis assemblage final).

Ainsi, les unités en charge de composants vont être implantées (et spécialisées) dans les pays les plus intéressants du point de vue de la disponibilité des matières premières, de l'existence de fournisseurs locaux compétents, et de la minimisation des coûts de production.

Quant aux unités d'assemblage, elles sont éventuellement implantées dans les zones de consommation près du client final pour gagner en réactivité et flexibilité mais le principe de base reste le rapatriement des constituants sur le marché domestique dominant.

L'existence d'un centre de pilotage central permet les démarches de standardisation des produits et composants et facilite la circulation des connaissances et compétences dans toutes les unités du groupe. En amont, une fonction profite grandement de cette approche : les Achats qui opèrent naturellement au niveau mondial, en particulier en matière de *sourcing* en s'appuyant notamment sur toutes les implantations physiques dans les différentes régions.

Stratégie transnationale mixte

Cette forme de stratégie constitue un aboutissement de la précédente. Les *business units* sont organisées sur une base d'indépendance totale, en particulier elles maîtrisent totalement la conception de leurs produits avec l'objectif d'une totale focalisation sur leurs marchés locaux respectifs.

En matière de production, la phase d'assemblage sera toujours implantée sur les marchés régionaux « près du client final » et du réseau de distribution. En revanche, les synergies seront très organisées au niveau des achats et des entités de production intermédiaires. Les achats seront « globaux », les usines intermédiaires seront spécialisées pour atteindre une performance économique élevée et alimenteront les divers marchés selon des mouvements croisés gérés par une logistique mondiale très performante.

Le groupe aura enfin pour mission le rapatriement du *cash-flow* dans le ou les pays les plus favorables du point de vue fiscal.

5/4.2 Formes de structures des entités « locales »

Dans une démarche d'implantation à l'étranger, les dirigeants de la *supply chain* ont communément le choix suivant (fig. 5-9).

Ces dispositifs se répartissent en deux catégories principales.

Les deux premières solutions consistent à s'appuyer sur des compétences industrielles externes en collaboration avec des industriels locaux. La sous-traitance de spécialité consiste à rechercher un savoir-faire technique local démontré. On profite d'une capacité d'innovation et d'une connaissance du marché local, et de ses attentes et besoins. Toutefois, ce faisant, la société donneuse d'ordres ne peut avoir une vraie démarche de différenciation et elle ne maîtrise pas le développement des ses produits. La sous-traitance de capacité permet (théoriquement) la maîtrise du développement des produits mais elle se heurte à un vrai problème de maîtrise du standard de qualité. Dans les deux cas, une structure locale de « *back-up* » va très souvent être nécessaire pour piloter ces deux solutions (suivi de production, audits qualité) induisant un coût fixe important.

Figure 5-9 – *Modalités industrielles du déploiement international*

	AVANTAGES	INCONVENIENTS
Sous-traitance de savoir-faire	• Dispositif « Clef en main » • Professionnels innovateurs • Optimisation des flux	• Pas de différenciation industrielle (idem concurrents) • Maîtrise du standard qualité
Sous-traitance de capacité	• Déploiement rapide (dépend du pays) • Flexibilité plus facile • Expertise processus	• Pas d'innovation produit • Maîtrise du standard qualité • Gestion des flux amont et aval
Co-traitance (JV)	• Partage des risques et des compétences… • Proximité clients	• Temps de déploiement • Coût du déploiement • Rigidité de la solution
Délocalisation industrielle	• Dépend de la formule (intégration, JV, Ss/T) • Actions sur les coûts • Proximité des marchés	• Coûteux en ressources (monitoring) • Pas d'apport d'expertise externe

Les deux autres solutions impliquent une décision d'investissement et un apport de capitaux. Elles constituent donc des décisions qui imposent la durée et seront toujours moins flexibles.

Certains pays imposent d'ailleurs pratiquement des formules de co-traitance (par *joint ventures*) comme la Chine. Dans d'autres cas, l'entreprise délocalise ses propres unités de fabrication ou investit marginalement sans fermeture d'unités sur son territoire domestique.

Dans tous les cas, pour décider des pays d'implantation, hormis le cas d'usines d'assemblage qu'on voudra proches des marchés clients, il faudra disposer d'une méthodologie de décision s'appuyant essentiellement sur une analyse de risques pays et fournisseurs. Ce point est proche des décisions en matière d'achats internationaux : elle sera analysée en détail au chapitre 8.

5/5   Taille des entités industrielles et de stockage

Longtemps les entreprises ont pensé que les stratégies industrielles pouvaient être menées sans inconvénient dans de grandes unités polyvalentes par application du principe d'économies d'échelle.

5/5.1   Le concept d'économie d'échelle

Ce concept trouve son origine dans les structures de coûts industriels et dans la nature des divers coûts de production (directs ou indirects, fixes ou variables). Le principe de base est le suivant : plus on produit en quantité, plus il est facile d'amortir les coûts fixes de production et plus le coût de revient complet va baisser mécaniquement. De plus, le prix des équipements n'est pas proportionnel à leur capacité : un modèle de machine qui produit deux fois plus qu'un autre ne coûte pas deux fois plus cher.

Prenons l'exemple suivant pour illustrer le propos. Il s'agit d'une entreprise « de process » fabriquant des objets en différents plastiques injectés. Les données de la figure 5-10 ont été maquillées, simplifiées et modifiées, mais elles gardent toute la pertinence de l'exemple original. Les données sont fournies sur une base hebdomadaire et résument en le simplifiant le compte de résultat.

Dans l'hypothèse 1, nous avons l'usine de type 1 avec sa structure de coûts originale. On a fait ressortir les coûts totalement variables, les coûts semi-fixes dont certains varient par paliers en fonction du niveau de production, et enfin les coûts fixes quel que soit le volume produit.

L'hypothèse 2 représente la même usine avec un passage de 3 en 4 équipes. L'hypothèse 3 représente la structure de coût dans le cas d'une unité industrielle totalement reconçue pour un niveau de production double de celui de l'usine actuelle. On observe aisément que le coût de revient total unitaire évolue de 19 euros actuellement pour baisser progressivement et atteindre 13 euros en cas de doublement de la production dans la nouvelle unité. Incidemment le résultat varie dans des proportions intéressantes.

En généralisant cet exemple simple, on observe toujours que plus une usine augmente en taille (en capacité de production installée et en production effective), plus les coûts de revient unitaire baissent de façon significative, sous l'effet d'un amortissement des coûts fixes et semi-fixes sur des volumes plus importants.

Ce phénomène est indépendant du phénomène d'apprentissage que l'on observe souvent par ailleurs et qui n'est pas lié à la taille des unités mais aux quantités cumulées produites ayant un effet sur la baisse du coût direct par amélioration de la productivité globale.

Figure 5-10 – *Économie d'échelle et coût unitaire*

	Hypothèse 1	Hypothèse 2	Hypothèse 3
Ventes (quantités)	175 000	230 000	350 000
Chiffre d'affaires	**3 500 000**	**4 600 000**	**7 000 000**
Matières premières	690 000	906 900	1 380 000
Composants	70 000	92 000	140 000
Emballages	103 000	135 100	206 000
Total coûts variables	**863 000**	**1 134 000**	**1 726 000**
Énergies	690 000	920 000	1 035 000
Pièces de rechange	102 000	122 400	170 000
Main-d'œuvre directe	590 000	708 000	1003 000
Total coûts semi-fixes	**1 382 000**	**1 750 400**	**1 173 000**
Encadrement / Structures	245 000	245 000	245 000
Services support	173 000	173 000	173 000
Coûts commerciaux	100 000	100 000	150 000
Frais financiers	276 000	276 000	414 000
Amortissements	345 000	345 000	600 000
Total coûts fixes	**1 139 000**	**1 139 000**	**1 582 000**
Coût total	**3 384 000**	**4 023 400**	**4 481 000**
Coût de revient unitaire	**19**	**17**	**13**
Résultat avant impôt	**116 000**	**576 600**	**2 519 000**

5/5.2   *Conséquences sur la taille des unités*

Toutefois, ce raisonnement peut aboutir à des résultats opérationnels mitigés, même si l'avantage économique semble évident sur le papier. En effet, on fait implicitement l'hypothèse que le niveau d'activité et de productivité moyen ne sera pas altéré par la fabrication simultanée de produits de natures différentes dans des unités industrielles polyvalentes. Or, l'expérience démontre qu'en procédant ainsi l'entreprise réalise souvent une performance globale *moyenne* dans la mesure où elle peut ne pas être totalement en phase avec les attentes clients différenciées sur chacun des couples produits/marchés qu'elle vise.

La pratique tend plutôt à limiter la taille des unités, ou à trouver des solutions « mixtes », en arbitrant par rapport aux arguments exposés ci-dessous :

– sauf à être spécialisée sur un produit, ou une famille de produits très proches du point de vue de la technologie mise en œuvre et des attentes clients, une unité de grande taille peut difficilement être focalisée sur l'atteinte d'objectifs de performances variés : ainsi la minimisation du coût total sera souvent antinomique avec un standard de qualité et de services éventuellement différencié,

– du point de vue du management, gérer de grandes unités pose rapidement un problème de pilotage et de motivation des équipes de très grandes tailles. On peut néanmoins imaginer des petites équipes semi-autonomes dédiées avec leur propre management d'équipes, fonctionnant « en parallèle » et de façon indépendante les unes des autres dans une entité de grande taille, et où, en revanche, les fonctions support (Méthodes, Qualité, Maintenance technique) peuvent être partagées comme autant de « centres de ressources » mis en commun,

– toujours du point de vue technique enfin, dans tel secteur particulier, il y a souvent une taille « optimale » qui est liée à la technologie en vigueur dans le monde professionnel liée aux équipements de production concernés, et qui impose une capacité minimale de production : on ne peut alors produire moins sous peine de risquer de fonctionner en sous-capacité et de voir ainsi s'envoler les coûts directs,

– enfin, d'un point de vue purement lié à l'expérience, les unités de grandes tailles justifient souvent (servent d'alibi pour) le développement des structures fixes, sous le prétexte que ces coûts vont être amortis sur de gros volumes. Ce n'est donc pas en général un contexte favorable à des plans de réduction des coûts fixes ou de frais de structure.

5/6   Spécialisation ou polyvalence des entités industrielles

5/6.1   La focalisation des unités de production

On l'a dit, la gamme des produits d'une entreprise est pratiquement toujours constituée de familles d'articles répondant aux exigences de segments stratégiques différents dont les caractéristiques marketing (qualité, service, différenciation) ne sont pas les mêmes, les marchés ou segments de clientèles auxquels ils s'adressent ayant *a priori* des attentes différentes. Une même unité de production ne peut généralement pas (ou difficilement) satisfaire différents niveaux de qualité. De plus, une fois organisée, elle sera soit très productive, soit flexible, mais atteindra difficilement les deux objectifs simultanément. C'est pourquoi on préconise actuellement une *focalisation* des unités, c'est-à-dire l'organisation d'une *spécialisation* adaptée aux spécificités d'un marché ou d'une technologie.

Cette approche peut parfois aller de pair avec une réduction de la taille des unités industrielles, en allant vers des unités de tailles plus humaines. La solution passe aussi par des « usines dans l'usine » (cf. section 5), c'est-à-dire des ateliers identifiés et indépendants les uns par rapport aux autres sur un même site, ce qui permet aussi une meilleure identification des groupes qui y travaillent. Trois critères de spécialisation sont privilégiés par les responsables industriels selon les priorités stratégiques. Ces cas sont répertoriés et déclinés dans leurs grandes lignes sur la figure 5-11.

5/6.2   Spécialisation selon les couples produits/marchés

Cette approche se focalise sur la capacité d'une unité à être totalement en phase avec l'ensemble des facteurs clés de succès de chaque segment stratégique comme la qualité ou le temps de réponse aux demandes des clients.

Par exemple, produire différents niveaux de qualité pour deux types de marchés, avec le même équipement et le même personnel, est très difficile.

Concevoir un système industriel et logistique unique pour des produits *standardisés* et susceptible, de plus, d'effectuer toute *personnalisation ou adaptation* selon les besoins spécifiques des clients est une gageure. Même si une structuration intelligente des produits (comme une conception modulaire des produits – voir plus loin) simplifie le problème posé au moins à certains stades du processus de production, le choix le plus fréquent des industriels consiste à opter pour des ateliers dédiés aux différentes familles de produits. Cependant, les nouvelles technologies de production donnent une plus grande flexibilité tout en offrant des productivités relativement élevées.

Figure 5-11 – *Spécialisation des unités de production*

AVANTAGES	INCONVENIENTS
Critère : les volumes produits	
Économies d'échelle Permet la focalisation sur l'efficience (coût) ou la flexibilité Possible adaptation des produits aux différents stades de leur cycle	Duplication des processus, des services fonctionnels et des stocks
Critère : les couples produits/marchés	
Réactif aux priorités des marchés (Facteurs clés de succès) Facilite l'introduction des nouveaux produits Spécialisation par segment Meilleure connaissance et maîtrise des coûts	Duplication des ressources ou unités industrielles Transferts de produits difficiles Insensibilité aux changements de marchés Difficulté de saturation des unités Moindre concentration sur la technologie
Critère : la technologie	
Développe l'expertise technologique Meilleure utilisation (saturation) des équipements Encourage la standardisation des produits	Freine les changements radicaux de produits ou de processus Longs délais de réponse à des modifications de marchés Longs cycles de production Coûts de coordination

5/6.3   *Spécialisation selon la technologie*

Le troisième critère de différenciation est la technologie. Le plus souvent, on se situe dans des contextes *high-tech* où l'enjeu industriel majeur est la maîtrise d'une technologie et ce, d'autant plus qu'elle évolue rapidement et constitue le facteur clé de succès. Par exemple, dans la fabrication d'un téléviseur, on distingue deux grandes phases : l'une concerne le tube qui suppose de couler du verre et l'autre qui consiste à assembler des composants électroniques ; l'entreprise a tout intérêt à avoir des usines distinctes pour ces deux types de fabrications qui impliquent des technologies complètement différentes. La figure 5-12 illustre les organigrammes types respectifs entre une organisation par produits et une organisation par technologies.

5/7   Planification de la capacité et des investissements

Les décisions de capacité débordent largement le simple aspect des décisions d'investissement puisqu'elles concernent le choix de la politique d'adaptation d'une capacité existante, les choix de localisation ainsi que les décisions d'intégration ou d'externalisation. Notre propos dans ce qui suit est simplement d'évoquer certains aspects devant être pris en compte dans de telles décisions.

Figure 5-12 – *Organisation par produits ou par technologies*

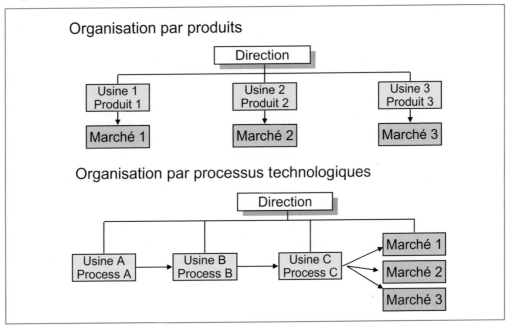

En particulier, nous n'aborderons pas l'ensemble des méthodes d'analyse financière de la rentabilité des investissements : le lecteur pourra se reporter à la bibliographie citée pour approfondissement.

Les décisions en matière de capacité de production sont prépondérantes dans une stratégie industrielle, car elles engagent l'entreprise en modifiant la structure et la nature de l'outil industriel.

Les principales décisions sont les suivantes (en revenant sur certaines analysées précédemment) :
– Quelle capacité faut-il mettre en place face à une augmentation, une diminution ou un changement de composition de la demande ? À quel moment faut-il effectuer l'ajustement ? Ce point peut avoir de graves conséquences car les décisions de capacités modifient l'équilibre du secteur (cas des grandes entreprises), ont ainsi une incidence sur les prix, et donc bouleversent l'équilibre concurrentiel.

- Faut-il s'intégrer verticalement ou acheter les matières premières et composants à des fournisseurs ? Selon les décisions prises, le montant des investissements sera très différent mais également le degré de liberté dont disposera l'entreprise.
- Comment intégrer la sous-traitance structurelle dans la capacité de production ? Faut-il se délocaliser dans les pays offrant un avantage de coût direct ?
- Quel type de capacité faut-il mettre en place (nature des technologies et des processus, degré de spécialisation ou de polyvalence des unités) ?
- Quelle localisation géographique faut-il donner aux nouvelles installations (structure du réseau logistique production-distribution) ?
- Comment gérer la mise en place des investissements décidés et, en particulier, opérer la transition avec les installations actuelles ?

5/7.1   Politique de gestion de la capacité

Une politique de gestion de la capacité comporte plusieurs caractéristiques :
- Elle est liée à la stratégie générale et, en particulier, à la politique produits et aux choix de spécialisation de l'outil de production.
- Elle peut modifier la structure concurrentielle sur le marché. En effet, les parts de marché et surtout les prix risquent d'être changés par la modification induite sur l'offre : le décideur a pu prendre sa décision sur la base de *cash-flows* prévisionnels alors que sa décision-même modifie les équilibres du marché et rend peut-être caduques les hypothèses sur lesquelles il a fondé une étude de rentabilité.
- Le choix de la capacité comporte un risque lié à l'évolution de la demande (modification en nature et quantité ainsi qu'en termes de saisonnalité).
- Elle peut engendrer des réactions des concurrents ainsi que de tous les partenaires du marché et, en particulier, au niveau des capacités induites des différentes sources d'approvisionnement.

Politique d'augmentation de capacité

L'augmentation de la capacité de production s'effectue de façon discontinue par acquisition d'incréments de potentiel productif[1].

Ces décisions nécessitent de déterminer la taille des incréments de capacité à mettre en place. D'un côté, les raisonnements s'appuyant sur des économies d'échelle militent en faveur d'entités importantes. Toutefois, ce raisonnement trouve ses limites économiques. La figure 5-13 montre l'évolution du coût marginal de production.

À partir d'un certain niveau de production avec un équipement d'une certaine technologie, on observe très souvent que le coût marginal de production augmente de nouveau : on est alors au seuil pour adopter la technologie nouvelle qui elle-même ne permettra un abaissement important des coûts que si le volume augmente pour atteindre sa « plage optimale » de fonctionnement.

Il convient donc de repérer les seuils à ne pas dépasser, sauf à changer de technologie et d'organisation de production au-delà d'un certain volume.

---

[1] Le mot « incrément » est employé ici, comme le fait Jean-Claude Tarondeau dans son ouvrage *Stratégie Industrielle*, Vuibert Gestion, 1993, section 3, ouvrage dont nous recommandons la lecture.

D'un autre côté, certains arguments – complémentaires des précédents déjà vus – militent en faveur de petites unités, donc d'accroissements limités de capacités :

- le risque associé à l'erreur de prévision (à telle enseigne que les dirigeants industriels préfèrent souvent une solution de sous-traitance jusqu'à ce que le marché soit stabilisé. Cette façon de procéder permet incidemment de roder éventuellement une nouvelle technologie ou un nouveau processus),
- les difficultés à gérer de grandes unités et, en particulier, l'augmentation des risques sociaux,
- l'impact négatif de grandes unités centralisées sur les coûts de distribution.

Figure 5-13 – *Évolution du coût marginal de production selon les technologies*

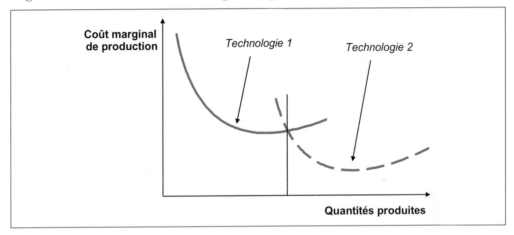

Choix de la planification des augmentations de capacité

Il y a trois façons de procéder face à une augmentation prévisible de la charge, toutes déduites d'un raisonnement économique : la comparaison entre le coût lié au manque de capacité et le coût de la capacité excédentaire non employée.

Une première politique consiste à rechercher en permanence la saturation de l'outil de production en se maintenant en situation de sous-capacité systématique comme l'illustre la figure 5-14. Cette stratégie paraît donc intéressante sur le plan des coûts puisqu'elle permet d'amortir au mieux la structure des coûts fixes de l'unité. C'est cette stratégie qui sera suivie lorsque les coûts fixes sont importants par rapport aux coûts variables de production. Toutefois, elle risque de se traduire par une insatisfaction relative des clients et une perte de *cash-flow* : pour éviter ce risque, cette stratégie impose la mise en place d'une solution de sous-traitance de capacité si elle existe.

Une deuxième politique consiste, à l'inverse, à maintenir en permanence une surcapacité organisée de production. Toutefois, cette surcapacité peut être modulée en mettant en place une surcapacité des machines, mais en étalant dans le temps l'accroissement de la capacité main-d'œuvre. La surcapacité machines ainsi constituée donne de la flexibilité et la préoccupation principale des dirigeants devient alors la gestion précise des effectifs. Cette stratégie n'est possible que lorsque les coûts fixes sont relativement faibles par rapport aux coûts variables de production.

Figure 5-14 – *Politiques d'accroissement de la capacité*

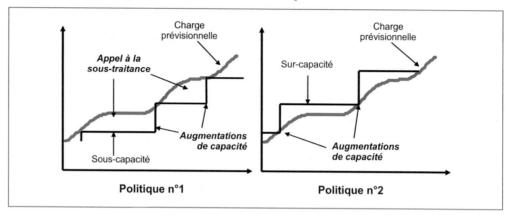

Une troisième solution, intermédiaire entre les deux premières, consiste à tenter d'envelopper la tendance croissante de la demande prévisionnelle.

Notons enfin que nous avons jusqu'alors surtout parlé d'augmentations de capacité. Dans le respect des règles légales (étant donné les conséquences sociales), les entreprises cherchent aujourd'hui à se doter d'une flexibilité qui peut se traduire par des redéploiements industriels, des désinvestissements voire des délocalisations.

5/7.2   *Les décisions d'investissement*

Les décisions de capacité évoquées ci-dessus correspondent à des ouvertures (ou fermetures) d'unités complètes. Mais la notion d'investissement couvre une autre gamme de décisions : acquisition de machines et d'équipements, construction de locaux industriels, mais également études ou formations destinées à accompagner des réalisations matérielles.

Toutes ces décisions ont en commun l'importance des sommes en jeu, le fait qu'elles engagent l'entreprise sur des horizons longs et, enfin, qu'elles intègrent toutes un haut degré d'incertitude (avec toujours une grande inertie ou un coût élevé pour revenir en arrière en cas d'erreur dans la décision).

Classification des investissements industriels

Dans un plan industriel à long terme, on trouve, en général, les différentes classes d'investissements suivantes,
- les projets d'*Études et de Développement*, visant à créer de nouveaux produits, à mettre au point de nouvelles technologies ou de nouveaux processus,
- les investissements dits *de capacité*, qui ont comme objectif principal d'augmenter le potentiel de production,
- les investissements de *remplacement*, liés à la politique de maintenance, visant au renouvellement des équipements,

– les investissements de *productivité* dont l'objectif est l'amélioration de la performance globale de l'outil industriel,

– les investissements de *flexibilité* souvent associés à la mise en œuvre d'un plan Juste-à-temps impliquant des développements de nouveaux outillages ou systèmes de changements d'outils.

Dans la réalité, tout projet important associe simultanément des éléments matériels et immatériels (étude et dépenses spécifiques à la mise en œuvre de l'investissement comme la formation). La figure 5-15 illustre le contexte général d'une décision d'investissement de nature industrielle.

Figure 5-15 *– Facteurs de décision d'investissement*

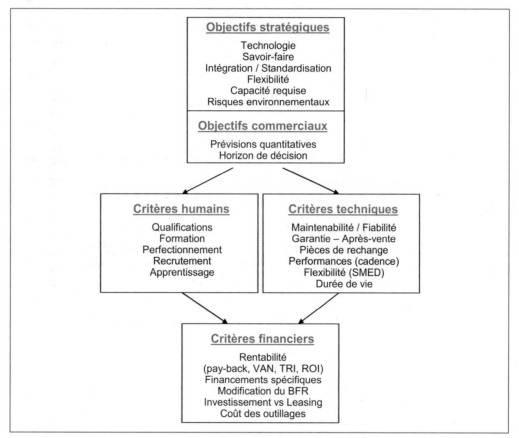

Critères de décision et de sélection d'un investissement

La théorie classique suppose que le choix d'investissement résulte d'une décision rationnelle où seuls les aspects financiers entrent en ligne de compte, ce qui permet de la ramener à des calculs de rentabilité selon des critères bien établis (période de remboursement – *pay-back*, valeur actuelle nette, taux de rentabilité interne). La réalité est souvent différente.

D'une part, les hypothèses de base sont toujours entachées d'incertitude (données de cycle et de temps opératoires approximatives, erreurs de prévisions de ventes, etc.). D'autre part, et de plus en plus, les décideurs doivent intégrer des facteurs qualitatifs non directement chiffrables qui parfois priment sur les éléments quantifiés. Citons l'exemple de ce dirigeant décidant d'investir dans un nouvel ERP parce que, dit-il, « *c'est la seule solution nous permettant d'acquérir la flexibilité dans un environnement en perpétuel changement et avec un grand nombre de données industrielles et logistiques à gérer en temps réel. À la limite, nous devons nous équiper coûte que coûte.* »

Aussi la pratique actuelle tend-elle à raisonner selon une démarche multicritère qui consiste à définir le profil de l'investissement. On identifiera tous les critères intervenant dans la décision et on essaiera de noter la performance du projet vis-à-vis de tous ces éléments. Cette démarche permet d'effectuer des comparaisons entre divers projets. Elle a aussi (surtout) l'intérêt de rendre objectif le choix, et présente un avantage « pédagogique » : celui de s'interdire de décider si sur chaque critère une analyse détaillée et motivée n'a pas été faite par le groupe de décideurs.

À titre d'exemple, voici différents critères qui peuvent s'appliquer lors de l'achat d'un équipement de production :
- conformité à la stratégie industrielle,
- cohérence avec les activités et équipements existants (en pensant particulièrement à la standardisation éventuelle en matière de maintenance et de pièces de rechange),
- rentabilité attendue sur la base des critères financiers classiques (voir bibliographie spécialisée), enrichie par une analyse de scénarios permettant d'identifier par simulation les paramètres de la décision ayant la plus forte sensibilité sur la rentabilité du projet,
- évaluation des risques divers (natures et degrés d'importance), en particulier les risques en matière de respect de l'environnement selon les normes ISO 12004,
- accès à des sources de financement spécifiques (associé aux modalités d'acquisition liées à la structure du bilan – investissement ou leasing),
- fiabilité et maintenabilité des équipements (incluant les questions de maintenance, de « kits » de pièces de rechange, et éventuellement de documentation technique déclinée dans les langues propres aux pays d'implantation des équipements),
- flexibilité, en relation avec les objectifs de tension des flux (Juste-à-temps) et les nécessités de changements rapides de fabrications,
- versatilité, c'est-à-dire possibilité de réutilisation dans d'autres applications,
- besoins de formation et de perfectionnement induits.

Dans tous les cas, la décision reste entachée d'incertitude, même si l'approche préconisée élargit et enrichit la prise de décision. Aussi il est important de toujours analyser *a posteriori* (au terme de l'horizon pris comme hypothèse) les résultats, de façon à permettre un apprentissage progressif des décideurs en versant ce « retour d'expérience » dans la base de connaissances. Ce contrôle *ex-post* est malheureusement fait de façon exceptionnelle.

5/8   Choix technologiques de production

À chaque décision d'investissement, les responsables industriels se trouvent face à des offres technologiques variées parmi lesquelles il faut choisir. Sans vouloir faire une analyse détaillée de toutes les technologies, on peut faire ressortir certains choix généraux.

5/8.1   Le choix productivité / flexibilité

Nous avons vu que les qualités requises des équipements de production sont fondamentalement différentes selon la stratégie de base choisie – stratégie de coût ou stratégie de différenciation.

Dans le premier cas, l'entreprise recherche des équipements très *productifs* permettant d'obtenir des coûts de revient très bas. Pour diminuer les coûts, les équipements doivent être parfaitement adaptés à la fabrication d'un produit donné. De ce fait, ils sont généralement dédiés, c'est-à-dire qu'ils ne peuvent être utilisés pour fabriquer des produits variés ni être adaptés à la fabrication de nouveaux produits.

Dans le second cas, les équipements doivent être très souples ou polyvalents pour être à même de fabriquer une vaste gamme de produits et s'adapter facilement aux produits futurs de l'entreprise. C'est ce que l'on nomme *flexibilité technique*. N'étant pas conçus pour la fabrication d'un produit donné, les équipements sont en revanche souvent moins performants en termes de productivité.

Devant l'état de concurrence mondiale généralisée, les entreprises recherchent de plus en plus de flexibilité tout en maintenant des coûts de revient suffisamment bas. Les technologies flexibles de fabrication (par exemple, robots, machines-outils à commande numérique[1] (MOCN), etc.) permettent, dans une certaine mesure, de réaliser un bon compromis entre ces deux objectifs.

5/8.2   Les technologies flexibles

Les technologies flexibles de production permettent de passer très rapidement d'une fabrication à une autre, ce qui autorise des séries courtes et donc une réactivité plus grande de la *supply chain*. Ces technologies ont pu être mises en œuvre grâce aux progrès de la mécanique, de l'électronique et par l'introduction de l'informatique dans la conduite des systèmes de fabrication.

Si l'on met de côté les processus continus intégrés (raffinage, embouteillage par exemple) où l'automatisation n'est pas un choix, mais s'identifie totalement à *la* technologie de base, les besoins en automatisation ne sont pas les mêmes selon les entreprises ou les divers ateliers autonomes d'une même usine.

Prenons le cas d'un constructeur automobile et intéressons-nous à deux secteurs de sa fabrication : l'emboutissage et le montage (soudure) des caisses.

L'emboutissage traditionnel mettait en œuvre de grosses presses. Par nature, ces machines sont polyvalentes (capacitaires) et adaptables aux produits par utilisation d'outillages (matrices) dont les temps de changements d'outils étaient longs (quelques

---

[1] Une machine-outil à commande numérique est une machine dont les déplacements des outils sont commandés par un ordinateur dans lequel on a mémorisé un programme d'usinage.

heures). Ce système était donc peu productif mais par nature très flexible. L'amélioration a donc consisté à maintenir sa flexibilité mais à augmenter sa productivité par la méthode SMED (changements rapides d'outils – cf. chap. 20), mais aussi par mise en place de systèmes de manutention inter-presses automatiques. Dans le même ordre d'idées, l'adoption des machines-outils à commande numérique dans les ateliers de mécanique traditionnels vise également cet objectif.

Dans le cas de la tôlerie, les machines traditionnelles étaient très automatisées (lignes-tranfert), mais conçues pour un modèle de véhicule. Les lignes n'étaient donc pas du tout polyvalentes et, de plus, devaient être totalement refaites lors du lancement d'un nouveau modèle. En revanche, leur productivité était élevée. Dans ce cas, l'axe de travail a consisté à rechercher une solution aussi productive qu'avant, mais très flexible (adaptable) : les robots industriels furent une réponse adaptée à cette préoccupation.

Il n'y a donc pas de principe général à l'automatisation. Néanmoins, voici un certain nombre de règles généralement admises :

- on doit privilégier les machines à commande numérique par rapport aux machines classiques guidées par un opérateur (sous réserve de leur rentabilité),
- les machines doivent disposer de tous les outillages nécessaires (magasin d'outillage automatique par exemple) et de tous les composants nécessaires (par exemple, toutes les couleurs de peinture ou matières nécessaires),
- on enregistre à l'avance, par l'intermédiaire d'un calculateur, les actions qui doivent être réalisées par la machine sur chaque pièce (gamme d'usinage de MOCN, trajectoires de robots),
- la machine dispose de moyens de reconnaissance des pièces (capteurs) qui se présentent (ou que l'opérateur lui indique),
- le programme de travail est chargé automatiquement dans la machine,
- le montage de l'outillage adéquat est réalisé automatiquement et le programme de travail se déroule sur la pièce.

Dans les cas où les flux sont importants, il faut prévoir des manutentions automatisées (automates, robots de manutention, chariots filoguidés) et des systèmes de chargements / déchargements automatiques des pièces sur les machines. La généralisation de ces principes, associée au pilotage en temps réel de la programmation, aboutit au concept d'*atelier flexible*.

La figure 5-16 présente les grandes familles de matériels selon la longueur des séries et le degré d'intervention de l'opérateur.

5/8.3   *Conséquences sur la structure des coûts de production*

Le type d'investissement industriel n'est pas sans conséquences sur la structure des coûts de production que l'on peut approximer par un ensemble de coûts fixes et de coûts variables. Les coûts fixes sont constitués par les amortissements et les salaires du personnel d'encadrement. Les coûts variables comprennent, bien sûr, les coûts des matières, mais aussi les coûts du personnel direct de fabrication. La rencontre de la droite de revenu (chiffre d'affaires) et de la courbe de coût total donne la position du point mort qui est le niveau d'activité où les revenus équilibrent l'ensemble des coûts.

Figure 5-16 – *Classes d'automatisation*

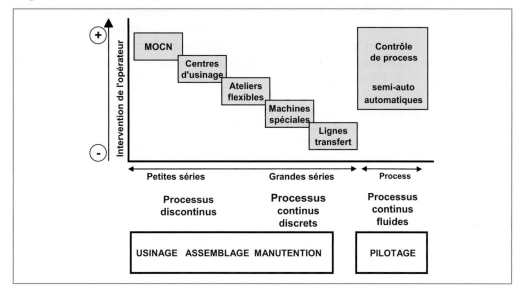

Dans une industrie peu automatisée, les coûts fixes sont faibles et les coûts variables élevés. À l'inverse, lorsque l'on investit dans des procédés automatisés, les amortissements deviennent élevés pendant que les coûts variables diminuent (fig. 5-17).

Prenons l'exemple d'une société de confection fabriquant des chemises dans le Grand-Ouest français. Les volumes annuels vendus peuvent varier largement, selon qu'il s'agit d'articles haut de gamme en petite série ou de modèles standard en grande série destinés à la Grande distribution (GMS). Pour chaque article de la nouvelle collection, il y a toujours le choix entre plusieurs organisations industrielles, et il est nécessaire d'arbitrer ce choix systématiquement.

Si l'on prend l'exemple d'une chemise donnée, voilà comment s'exprime le problème :

– Processus traditionnel : fabrication à Cholet (système « artisanal », main-d'œuvre qualifiée, équipements polyvalents et peu coûteux). Les coûts fixes s'élèvent à 20 000 € alors que le coût direct variable unitaire est de 12 €.

– Processus traditionnel délocalisé : fabrication chez un sous-traitant tunisien (coût variable plus faible soit 8 €, mais des coûts fixes plus élevés dus aux coûts logistiques du fait de l'éloignement et aux coûts d'assurance qualité, soit 40 000 €).

– Processus automatisé : fabrication en France, mais sur une ligne de montage grandement automatisée par mise en place d'automates et utilisation d'un système de manutentions piloté par ordinateur (coût fixes : 100 000 € et coût unitaire direct : 5 €).

Si l'on compare ces trois solutions en les reportant sur un graphique selon une analyse des points morts (limites de rentabilités équivalentes), on observe alors que le choix va essentiellement dépendre de la prévision de ventes :

– pour des petits volumes inférieurs à 5 000 unités, la solution « manuelle » française est adaptée, encore plus que la même solution d'organisation en Tunisie, car elle contrebalance largement les coûts fixes de la délocalisation,

– en revanche, au-delà de 20 000 unités dans la saison, à moins de déplacer la fabrication vers des pays lointains comme la Chine, l'automatisation de la solution « domestique » redevient économiquement rentable.

Figure 5-17 – *Structures de coûts de production*

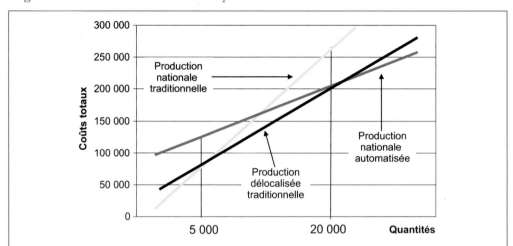

Cela n'est pas sans conséquence sur les risques que l'entreprise va devoir supporter et accepter. En effet, si le niveau d'activité diminue à cause d'une prévision optimiste, dans la première situation le risque est faible car on peut abaisser les charges variables. Dans la troisième situation, le risque est élevé car le désinvestissement est rarement possible et on peut se trouver rapidement au dessous du point mort. Donc, investir dans des équipements très productifs mais coûteux suppose que l'on soit certains de saturer l'utilisation de sa capacité de production. De ce point de vue alors, la solution délocalisée s'avère peu risquée, mais avec un coût de mise en œuvre assez élevé.

Chapitre 6

Management de la *supply chain* et décisions tactiques

Pourquoi décide-t-on de produire une marchandise dans une quantité donnée ? À quel moment faut-il approvisionner de la matière première ? Faut-il conserver un stock de produits finis ? Ruptures de stock, retards de livraison, changements de fabrication incessants qui perturbent la productivité, démontrent que ces décisions ont un impact important sur l'efficacité d'un système logistique.

La pratique actuelle des entreprises en matière de gestion des flux oblige à écarter l'idée d'une solution unique : il n'existe pas une seule méthode pour décider d'acheter de la matière ou de fabriquer des produits finis. En fonction de la nature de son marché, de la structure de ses produits, de l'organisation de ses machines, de son degré d'informatisation, l'entreprise peut faire tel ou tel choix.

Le chapitre précédent a illustré les décisions structurantes (stratégiques) relatives au système industriel et logistique global. L'objectif de ce chapitre est de présenter d'une manière unifiée les différentes solutions pratiquées par les entreprises au niveau de l'organisation et de la gestion de ces flux opérationnels et de souligner les circonstances qui guident le responsable dans son choix.

Ces décisions tactiques ne sont pas de nature structurelle, concernant les investissements et les équipements, mais elles contribuent néanmoins ensemble à structurer les flux de l'entreprise et à la doter des systèmes d'information et de pilotage. C'est à ce niveau que doivent être conçus tous les processus transversaux.

Apparu dans les années 1990, le concept de *supply chain* se présente comme la dernière innovation majeure dans le domaine du management.

Afin de préciser ce nouveau mode de management, après un bref historique, nous rappellerons d'abord les grands principes qui sous-tendent la notion de *supply chain*. Ensuite nous préciserons ses composants, ainsi que les processus transversaux permettant à cette chaîne de fonctionner.

6/1   De la logistique à la *supply chain*

Voyons l'origine de la Logistique puis son évolution jusqu'au concept de *Supply Chain Management*. Bien que définie de manière générale dans certains dictionnaires (« relatif à l'art du raisonnement et du calcul »), la logistique trouve son origine dans les armées. Elle se présente successivement comme une « partie de l'art militaire qui groupe les activités cohérentes permettant aux armées en campagne de vivre, se déplacer et combattre dans les meilleures conditions d'efficacité » pour devenir le domaine « concerné par tous les problèmes relatifs au ravitaillement de toutes natures, à leur acheminement (ainsi qu'aux communications) ainsi qu'à leur distribution par l'intermédiaire de bases de transit et d'opérations ». Les opérations militaires nécessitent une logistique de plus en plus performante comme l'ont montré le débarquement de juin 1944, puis plus récemment la guerre du Golfe.

La logistique industrielle

La logistique industrielle n'a véritablement fait son apparition comme discipline du management qu'en 1977 avec les travaux de James L. Heskett, professeur à Harvard, qui lui donne sa première définition civile, tournée vers les entreprises : « *Ensemble des activités qui maîtrisent les flux de produits, la coordination des ressources et des débouchés, en réalisant un niveau de service donné, au moindre coût* ».

Elle a ensuite évolué pour inclure la circulation des informations et préciser l'origine et la destination des mouvements, devenant ainsi « *la gestion des flux de produits et d'informations depuis l'achat des matières et composants jusqu'à l'utilisation du produit fini par le client, visant à satisfaire la demande finale sous contraintes de délai, qualité et coût* »[1]. Selon les auteurs, elle regroupe la planification, la gestion des opérations et la mesure de la performance de tout ou partie des fonctions suivantes : Achats, Approvisionnements, Production et Distribution.

La supply chain « étendue »

L'intégration transversale s'est poursuivie en intégrant encore plus l'amont et l'aval de l'entreprise pour couvrir « *l'ensemble des flux physiques (des produits), d'informations et financiers depuis les clients des clients jusqu'aux fournisseurs des fournisseurs* », formant ainsi la chaîne logistique globale ou *supply chain*. Elle recouvre un champ d'activités très large allant de la conception (en partie), à l'achat (également en partie), à l'approvisionnement, à la production, et à la distribution jusqu'au soutien logistique après-vente et au recyclage éventuel des produits.

Une caractéristique importante de cette chaîne logistique réside dans la part qui est souvent sous-traitée ou externalisée (plus de 50 %). La vague de l'externalisation a déferlé sur toutes les fonctions de l'entreprise. Elle repose sur le principe qu'il existe sur le marché des sociétés spécialisées dans un métier, donc plus performantes dans leur domaine que l'entreprise. Initié avec le nettoyage, le gardiennage, la restauration, l'imprimerie, le processus s'est étendu au transport, à l'entreposage, à la préparation de commandes, à l'ensemble de la distribution physique, mais aussi à l'informatique (*Infogérance*), à la gestion et à l'entretien des équipements et installations (*Facilities Management*) et à certaines autres applications (comptabilité, réception et traitement des commandes…).

---

[1] La définition du CNL (Council of Logistics Management) diffère légèrement : *Logistics is that part of the supply chain process that plans, implements and controls the efficient, effective flow and storage of goods, services and related information from the point of origin to the point of consumption in order to meet customers' requirements.*

Figure 6-1 – *Périmètre couvert par la supply chain*

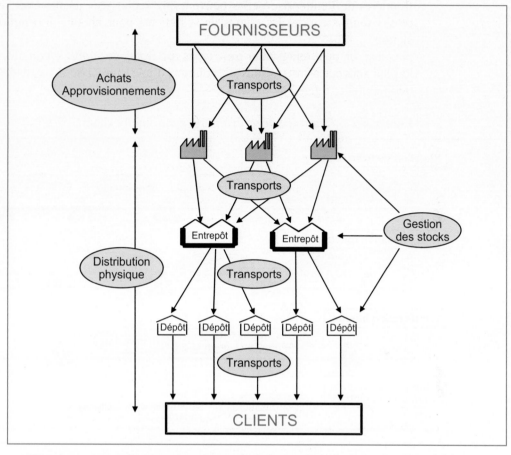

Certaines entreprises sous-traitent ainsi la totalité de leur distribution physique, considérant que leur métier « de base » ne consiste pas à investir dans des entrepôts, des engins de manutention ou encore des véhicules, mais plutôt dans leur outil de production.

En tout état de cause, la gestion de la *supply chain* est complexe et est connue sous le vocable de *Supply Chain Management*.

6/2 Trois niveaux d'évolution de la *supply chain*

Le concept de base de *supply chain* repose sur une vision opérationnelle globale et non plus partielle de l'entreprise, afin d'obtenir une optimisation de l'ensemble de la chaîne.

Initialement, le stock a permis à chaque boucle de la chaîne de fonctionner indépendamment. L'apparition du Juste-à-temps et la réduction des stocks qui en a découlé ont rendu les différents maillons dépendants les uns des autres. Le développement des systèmes d'information intégrés a permis une connaissance plus fine des mouvements et des besoins et une véritable gestion de l'ensemble de la chaîne. Les limites amont et aval du processus de planification ne s'arrêtent pas aux frontières de l'entreprise : elles peuvent être repoussées jusque chez les fournisseurs de ses fournisseurs et les clients de ses clients pour aboutir à la notion d'entreprise élargie.

Ainsi, on peut représenter trois types différents de *supply chain*, qui correspondent le plus souvent à trois stades d'évolution d'une entreprise à partir de l'organisation traditionnelle (fig. 6-2).

Figure 6-2 – *Trois niveaux d'évolution de la* supply chain

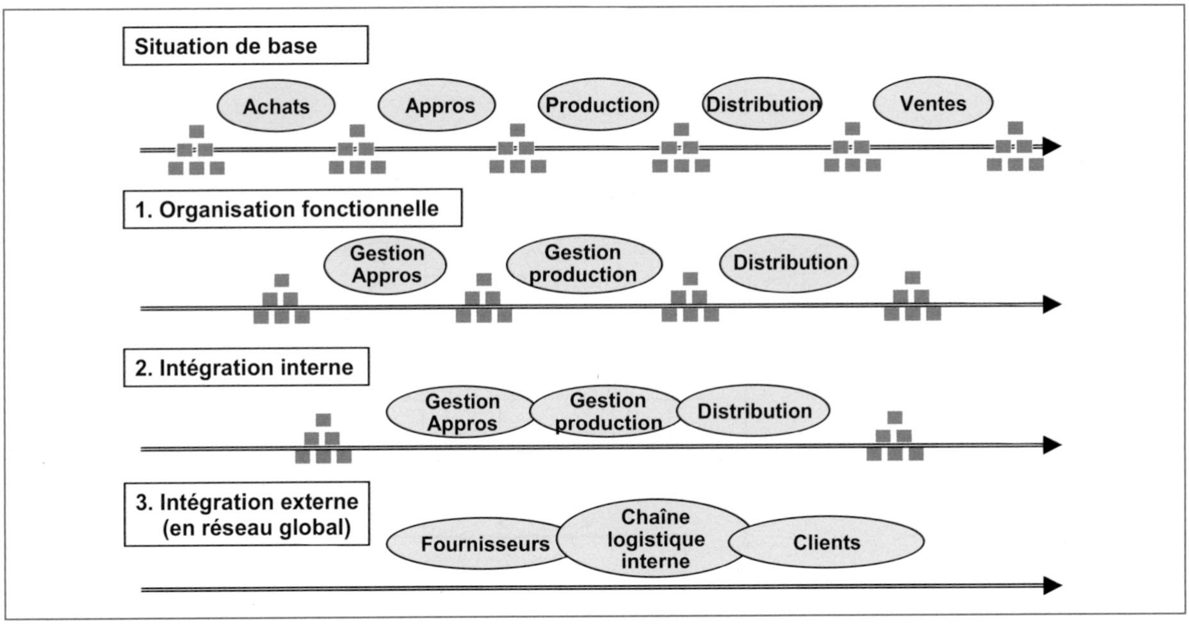

6/2.1   *Organisation à dominante fonctionnelle*

Qualifié de type I, ce mode d'organisation privilégie dans l'organigramme les principales fonctions « verticales » (achats/approvisionnements, fabrication, distribution physique) et revient à une organisation « en silos ». Il n'y a pas ou peu de transversalité : seules sont mises en place des relations « clients / fournisseurs » internes pour gérer les interfaces entre les fonctions.

La principale préoccupation des sociétés au niveau I est le coût d'obtention et le niveau de qualité. Ainsi le but premier est de produire un produit fiable, reproductible, conforme aux spécifications et au coût le plus faible possible.

Afin d'atteindre ces objectifs, chaque fonction de l'entreprise se focalise sur sa contribution à la qualité et au coût du produit. Les différentes entités, notamment marketing/ventes et fabrication, travaillent de manière isolée et peu coordonnée. La Direction Industrielle s'efforce de mettre en œuvre des processus de production qui garantissent un pourcentage élevé de produits conformes aux exigences. La Direction des Achats achète les composants en considérant à la fois le prix et le niveau de qualité du produit acheté. La Distribution recherche des transporteurs garantissant une livraison sans dommage.

Les processus (cf. section 3.2 pour la définition d'un processus) sont orientés avant tout vers l'exécution. Chaque fonction cherche à mettre en place des procédures opérationnelles (procédures standard) qui garantissent une exécution la plus fiable possible. Le but ultime est d'obtenir les coûts, les délais de livraison et les cadences de production prévus.

Les efforts d'optimisation de la *supply chain* se focalisent à ce stade sur la productivité et l'excellence technologique. Ces actions de progrès sont conduites par des équipes dédiées dont le pilotage est placé sous l'autorité de personnels que l'on trouve dans les couches intermédiaires de l'encadrement. Leurs actions de progrès se concentrent sur la recherche d'opportunités « locales » de réduction de coût et sur le ré-engineering des processus les plus coûteux.

Les entreprises centrées sur une organisation fonctionnelle sont fréquemment inefficaces et inefficientes lorsqu'il s'agit de coordonner les opérations effectuées par les différentes fonctions. Cela est principalement dû au fait que le besoin du client final n'est pas la priorité de chacune des fonctions et renforce ainsi le cloisonnement de l'organisation en silos verticaux.

6/2.2 *Organisation interne d'une* supply chain *intégrée*

À ce niveau II, les entreprises commencent à construire une organisation « orientée client ». La focalisation à ce stade est le service au client, et non plus les optimisations fonctionnelles « locales ». Une culture prenant en compte les relations avec les clients et les fournisseurs internes se développe au sein de l'entreprise. L'ensemble des acteurs de l'entreprise commencent donc nécessairement à entrer dans une relation de collaboration.

La qualité des produits, la reproductibilité des processus de production et les coûts étant déjà des résultats souvent acquis partiellement, l'accent est mis sur le respect des engagements afin de satisfaire la demande du client final pour rester compétitif.

À ce niveau de maturité, l'organisation de l'entreprise est construite autour d'une meilleure intégration des métiers de planification et d'exécution.

Dans la pratique, les entreprises à ce stade sont toujours organisées autour des fonctions clés classiques, bien qu'il y ait des consolidations effectuées dans certains domaines, tels que le rapprochement des fonctions logistiques et distribution au sein d'une Direction de la logistique, l'intégration de la fabrication et des achats au sein d'une Direction des opérations. Néanmoins, elles mettent en place des équipes pluridisciplinaires constituées de personnels provenant de secteurs différents pour planifier et mettre en œuvre des initiatives visant à améliorer la communication entre départements, avec comme ultime objectif de mieux satisfaire la demande client.

Au niveau II, le pilotage de l'ensemble se déplace généralement vers un responsable de la *supply chain* désigné par la Direction générale qui pilotera l'ensemble des plans d'actions et des démarches de progrès visant une amélioration de la performance de la *supply chain*. On assiste alors à la mise en place de processus transversaux majeurs qui impliquent le personnel, les technologies et l'information.

Ces processus traversent l'ensemble des fonctions de l'entreprise dans le but d'apporter de la valeur à un produit ou service acheté par un client.

6/2.3   *Organisation d'une* supply chain *« étendue »*

Au stade III, les entreprises commencent à identifier des potentialités d'améliorations au travers d'approches coopératives, non seulement avec l'ensemble des fonctions de l'entreprise, mais aussi avec les acteurs externes à l'entreprise. Les fournisseurs jouent progressivement un rôle important et de plus en plus large dans les activités de l'entreprise, généralement sous le contrôle de la fonction Achats, ainsi que les clients eux-mêmes.

Certaines de ces entreprises étendent leur collaboration à des partenaires extérieurs à leur réseau. Elles voient la collaboration comme une manière de ne pas limiter l'utilisation des actifs de la chaîne logistique aux seuls clients et fournisseurs existant pour y inclure d'autres entités. Celles-ci peuvent appartenir au même secteur d'activité ou peuvent être des partenaires d'une alliance. Par exemple, on rencontre aujourd'hui des initiatives logistiques surtout dans les domaines du transport, de l'entreposage : groupage de lignes de transport entre entreprises, consolidation d'expéditions dispersées pour remplir les camions, collaboration dans l'entreposage, ou collaboration dans le transport international de conteneurs.

L'approche processus peut dès lors être étendue au-delà du simple interfaçage de l'entreprise avec ses fournisseurs ou clients pour que l'échange d'informations devienne un vrai partage et permette un management collaboratif de la *supply chain*. C'est à partir de là que commence le domaine de la *supply chain étendue,* dernier niveau de ce « modèle de maturité ».

Le management « étendu » met l'accent sur l'idée que l'entreprise est intégrée dans un réseau et que, pour améliorer ses performances, il est nécessaire qu'elle s'intéresse aux incertitudes et aux contraintes de la chaîne globale qui part des fournisseurs de ses fournisseurs, les plus en amont, pour se terminer en aval aux clients finaux.

L'objectif des entreprises est alors de repenser le réseau tout entier pour établir des groupes de sociétés étroitement reliées entre elles et focalisées sur un segment de marché ou un secteur industriel. Ces constellations mettent en commun leurs ressources pour établir un avantage concurrentiel construit ensemble.

À ce stade, les entreprises ont compris que la recherche de partenaires est la clé du succès pour développer un avantage compétitif. Bien que le management de la *supply chain* interne ait apporté de nombreux bénéfices, les entreprises partout dans le monde considèrent maintenant que le véritable bénéfice résultera d'un management global de la *supply chain* – du fournisseur jusqu'au client final.

6/3   Les principaux processus de la *supply chain*

Le type I ignore la notion de transversalité puisque l'organisation est fonctionnelle sans aucune intégration. En revanche, dans les types II et III ci-dessus, hormis les questions de choix stratégiques et d'organisation, l'efficacité et l'efficience de la *supply chain* reposent sur la conception et la mise en œuvre de processus transversaux.

6/3.1   Un référentiel reconnu : le modèle SCOR

En 1996 fut créé le *Supply Chain Council* (SCC) ; il compte aujourd'hui environ 800 membres. Le but du SCC est de structurer un référentiel de processus logistiques types et de proposer les critères de performance, les indicateurs et les meilleures pratiques à mettre en place. Au plan géographique, l'Amérique du Nord représente les deux tiers des membres, mais le SCC est un organisme indépendant, à but non lucratif, regroupant des entreprises de tous les continents opérant dans tous les secteurs de l'industrie, du commerce et des services.

Comme le montre la figure 6-3 (présentant le modèle original), le modèle SCOR part du principe que toute *supply chain* peut être subdivisée en cinq types de processus différents : Planification (Plan), Achat / Approvisionnement (*Source*), Fabrication (*Make*), Livraison (*Deliver*) et Gestion des retours amont et aval (*Return*).

Figure 6-3 – *Le modèle SCOR*

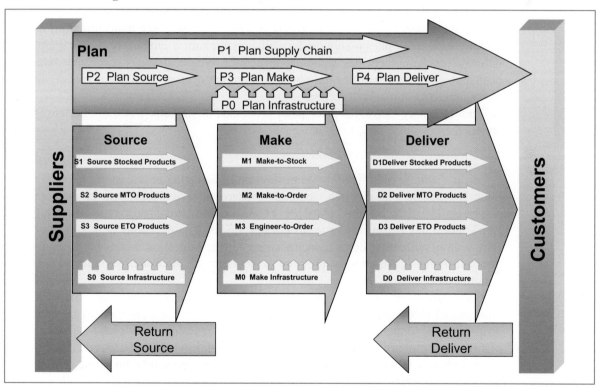

Ces macro-processus de planification, d'approvisionnement, de fabrication et de distribution sont spécialisés par type de produits selon le mode de gestion *a priori* choisi :

– produits gérés sur stock à tous les niveaux (*Make-to-Stock*),
– produits standard, mais approvisionnés et fabriqués à la commande du client (*Make-to-Order*),

– produits spécifiques, dont la conception et le développement se font à la commande, ainsi qu'approvisionnement et fabrication (*Engineer-to-Order*).

Les critères de choix entre les modes de gestion des produits vus ci-dessus seront détaillés plus loin dans ce chapitre (section 4).

6/3.2   *Présentation des processus du modèle SCOR*

Le cadre et le contenu du modèle SCOR correspondent au niveau I du modèle. Ce premier niveau définit le périmètre concerné en retenant les cinq grands processus de base cités plus haut (planification, approvisionnements, production, distribution et retours) ainsi que la structure du système global. On appelle processus un *ensemble de tâches relativement standardisées et organisées en séquence, de telle façon qu'elles concourent ensemble à l'atteinte d'un résultat.*

Ainsi défini, un processus est reproductible et donc qualifiable. S'il ne garantit pas le résultat final, il garantit que au moins l'ensemble des moyens et ressources sont mis en œuvre de façon cohérente et organisée par rapport à l'objectif recherché.

En conséquence, un processus (de la *supply chain* ou d'une autre fonction) doit se traduire en interne par un support formalisé explicitant *a minima* plusieurs éléments : nature et enchaînement des tâches, planification type et grandes phases, responsable principal, intervenants à chaque phase, « livrables » et décision(s) en fin de chaque phase, objectifs et résultats recherchés.

Pour la *supply chain*, les principaux processus de niveaux 1 et 2 du modèle SCOR sont présentés sur le tableau de la figure 6-4.

Le processus Planification (Plan)

Ici, il s'agit de planification, de gestion de la demande et des approvisionnements. Sous le vocable planification, le modèle regroupe l'agrégation de la demande, la détermination des besoins matières et des composants, des capacités globales, l'affectation des ressources et le niveau des stocks. Les décisions de « faire ou faire-faire », la planification de la capacité à long terme, la gestion des montées en charge, des lancements de nouveaux produits et des fins de vie constituent les principales activités de ce niveau du modèle SCOR.

Cette approche intègre, en particulier, l'élaboration du plan industriel et commercial (PIC) qui fera l'objet du chapitre 10. Le PIC a pour objectif la recherche d'un équilibre entre charge et capacité pour les ressources critiques, à partir d'une planification globale au niveau des familles de produits.

Par ailleurs, la prévision des ventes à différents horizons joue un rôle essentiel dans ce processus. Selon la nature de ses activités et selon les modes de gestion des flux choisis, l'entreprise a des besoins différents de prévisions, mais aussi des sources d'information différentes. Si on reprend le mode de gestion de flux le plus général, à savoir par anticipation partielle (cf. chap. 3), une approche saine consiste à réaliser sur anticipation l'ensemble des opérations pour lesquelles une prévision fiable est disponible, et à traiter à la commande la partie du flux restante. Il y a donc lieu de développer en parallèle la fonction prévision et la gestion des flux.

Figure 6-4 – *Principaux processus dans le modèle SCOR*

Processus principal Niveau 1	Processus détaillés Niveau 2
Planification de la SC	Prévision des ventes multi-horizons
	Planification globale à moyen terme (PIC)
	Planification à court terme et calcul de besoins (PDP/MRP)
	Planification de la R&D et du développement des produits nouveaux
	Planification de la fin de vie des produits
Achats / Approvisionnements	*Sourcing* et homologation des nouveaux fournisseurs
	Procédure d'appels d'offres et de cotation / sélection des offres
	Suivi des performances fournisseurs et actions correctives
	Appels de livraisons, suivi des livraisons et procédures de réception
	Modes et procédures de réapprovisionnement sur stock
	Traitement des demandes d'achat jusqu'à la vérification de facture
Production / fabrication	Planification à très court terme / ordonnancement (traitements différenciés des commandes de stock et commandes clients fermes)
	Lancement et suivi des fabrications
	Gestion et maintenance des équipements
Livraisons / Distribution	Traitement et préparation des commandes clients
	Gestion des stocks de produits finis
	Choix et gestion des transporteurs (cas de solutions externalisées)
	Planification multi-niveaux du réseau de distribution
Retours / après-vente	Gestion des réclamations et retours clients
	Gestion des défectueux et suivi des fournisseurs

Le processus Achats / Approvisionnements (Source)

Ce processus correspond à l'approvisionnement : planification et suivi des commandes, réceptions, contrôles et mises à disposition des matières et composants nécessaires à la fabrication. Il inclut également des procédures qui sont spécifiquement constitutives de la fonction Achats : *sourcing* des fournisseurs, homologation des fournisseurs ainsi que le suivi de leurs performances en termes de délai et qualité. Ce processus est développé dans le chapitre 8.

Le processus Fabrication (Make)

La fabrication (ou production) englobe la fabrication, le contrôle et les activités de conditionnement, ainsi que la gestion des sites de production et des équipements (aménagement, entretien, qualité, capacité court terme, ordonnancement). Comme dans les deux processus précédents, celui-ci est distingué par types d'organisation (fig. 6-5) : fabrication sur stock (*Make-to-stock*), assemblage à la commande (*Assemble-to-order*), fabrication à la commande (*Make-to-order*) et conception et fabrication à la commande (*Engineer-to-order*).

*1. Fabrication sur stock (*Make-To-Stock*)*

La *fabrication sur stock* signifie que l'on pilote toute la fabrication sur base prévisionnelle (planification sur prévision des ventes) qui conduit à la mise en stock de produits finis. Elle permet d'offrir aux clients un délai de livraison très court, mais elle présente des risques car l'entreprise doit maintenir en stock des produits sans être certaine de les vendre. Étant donné la variabilité probable de la demande, le niveau de stock de produits finis nécessaires pour assurer une livraison immédiate peut être élevé ainsi que le coût d'obsolescence (produits invendables car la demande a disparu). Les ordres de recomplètement du stock sont déterminés par les méthodes de gestion des stocks (que nous verrons au chapitre 13), utilisant éventuellement un modèle de prévision de la demande.

Figure 6-5 – *Modes de pilotage de la production*

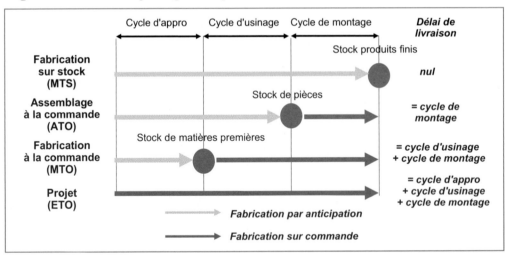

*2. Assemblage à la commande (*Assemble-To-Order*)*

L'*assemblage à la commande* distingue deux phases de fabrication : la fabrication des composants et sous-ensembles – lancés en production sur prévision ou en référence au niveau de leur stock – et l'assemblage final, qui ne commence que lorsqu'une commande ferme a été enregistrée. Le délai de livraison au client est égal au temps d'assemblage. Le risque pour l'entreprise est limité car, fréquemment, les composants et sous-ensembles peuvent être utilisés dans de nombreux produits finis, ce qui limite le risque d'obsolescence.

3. Fabrication à la commande (Make-to-Order)

La *fabrication à la commande* se caractérise par une fabrication qui ne commence qu'à partir du moment où l'entreprise a reçu une commande ferme. Elle conserve néanmoins des stocks de matières premières. Le délai de livraison est égal à la somme du cycle de fabrication et cycle de conditionnement. Les risques pour l'entreprise sont limités.

4. Conception et fabrication à la commande (Engineering-to-order)

La conception et fabrication à la commande se caractérise par des commandes de produits spécifiques, souvent en petites quantités. Dans la typologie de processus de production évoquée dans le chapitre 3, ce cas s'apparente au cas de *la production unitaire* ou *par projet* (voir figure 6-5).

Naturellement, une entreprise peut travailler simultanément selon plusieurs modes de fabrication et de pilotage des flux :
– les produits standard sont maintenus en stock,
– des variantes de ces produits sont assemblées à la commande,
– des produits spécifiques ne seront fabriqués qu'à la commande.

Nous développerons ce point en section 4.

La planification de l'activité de production se fait généralement à travers le PIC (cf. chap. 10) qui a pour objectif la recherche d'un équilibre entre charge et capacité pour les ressources critiques à partir d'une planification globale au niveau des familles. Le programme directeur de production (PDP) définit une planification de la production au niveau des références souvent à la semaine. L'objectif du PDP (chapitre 11) est triple :
– estimer de façon plus précise les besoins en capacité de ressources clés (main-d'œuvre, équipements, volumes de stockage, fonds de roulement ou capacité d'approvisionnements) et ajuster de façon plus précise l'équilibre charge-capacité,
– s'assurer que les engagements vis-à-vis du service commercial pourront être tenus,
– servir de point d'entrée pour les calculs de besoins en composants achetés ou produits.

Évidemment, lorsqu'un déséquilibre est détecté sur le PDP, le délai de réaction est faible, compte tenu de l'horizon du plan et seules des mesures à court terme peuvent être envisagées pour réaliser un équilibre (heures supplémentaires, retards de livraison, etc.).

Le processus Livraison (Deliver)

Le processus de distribution se compose de la gestion des commandes, des entrepôts et des manutentions, des transports ainsi que des stocks de produits finis. Dans la gestion des commandes, il y a notamment le traitement des commandes, la cotation, la sélection des transporteurs, etc. Dans la gestion de l'entreposage, citons les activités du *picking*, contrôle, emballage, étiquetage, expédition.

La planification du processus de livraison est réalisée par la méthode *Distribution Requiments Planning* (DRP). La DRP (chapitre 11) fait la liaison entre la distribution physique et la planification de production. Proche de son marché par l'intermédiaire de ses dépôts, elle assure un rôle de coordination, comparable à celui du MRP (chapitre 12) pour la production, mais situé en amont. La logique DRP amène à recueillir des informations en provenance de la demande locale propre à chaque zone desservie par chaque entrepôt et à les faire remonter au niveau de l'entrepôt central puis des usines.

Gestion des retours (Return)

Intégration de processus associés à tout type de retours de livraison de marchandises dans le cadre des activités après-vente, la « *reverse logistics* » ou rétro logistique est un domaine en pleine mutation avec, notamment, le développement durable et les contraintes gouvernementales imposées aux entreprises dans la prise en charge et la gestion des retours. La *reverse logistics* inclut des activités telles que le reconditionnement et la réutilisation des composants, des emballages, des produits, etc. Elle traite également des services après-vente (défauts de fonctionnement, pannes durant ou après la période de garantie), des rappels de produits par les constructeurs dus à des défauts (électroménager, automobile, etc.) ou dus à des effets secondaires indésirables (médicaments, etc.). Raccourcir les cycles de ce processus de retour est aussi critique que les problématiques traditionnelles de la *supply chain*.

6/4   La « focalisation » de la *supply chain* : adéquation avec le portefeuille des produits

Déjà en 1974, Wickham Skinner écrivait à ce sujet un article resté justement célèbre à propos des systèmes de production *stricto sensu*[1]. Cette analyse a été extrapolée plus récemment au domaine de la chaîne logistique globale[2].

Ainsi avant d'examiner de façon systématique les différentes mesures de pilotage de la *supply chain*, il convient de définir clairement les objectifs stratégiques qu'on cherche à atteindre : ils orienteront les choix logistiques ultérieurement.

6/4.1   *Typologie pertinente des produits*

Toute stratégie logistique ne doit servir qu'à satisfaire des objectifs de stratégie générale, en particulier ceux en relation avec les choix marketing – notamment en matière de positionnement – faits sur la gamme des produits proposés aux différents segments de marchés.

D'une façon générale, et en simplifiant, toute entreprise est susceptible de constituer une gamme de produits qu'on peut décomposer schématiquement en deux grandes familles :
- des produits relativement standardisés, caractérisés par une faible variété et des volumes importants, dont les technologies sont stabilisées et visant une durée de vie longue sur le marché,
- des produits plus innovants et/ou à durée de vie courte et limitée dans le temps, intégrant souvent une part importante d'adaptations aux demandes du client

---

[1] Skinner W., « The Focused Factory », *Harvard Business Review*, May-June 1974.
[2] Fischer M. L., « What is the right Supply Chain for your product? », *Harvard Business Review*, March-April, 1997.

(variantes, fabrication à la commande), de plus intégrant parfois des technologies évolutives.

Prenons un exemple simple : si l'on analyse la gamme de produits d'une grande entreprise de confection, il y a plusieurs façons de segmenter son portefeuille de produits : selon la nature des vêtements (dessus, dessous-lingerie, homewear, sportswear, etc.), selon la population visée (hommes, femmes, enfants, premier âge), selon la saison (été, hiver), selon le taux d'exportation, etc. Toutefois, en relation avec l'approche s*upply chain*, une seule est vraiment pertinente :

– d'une part les articles permanents : classiques et « basiques » sont des produits de faible variété et de forte vente, pour lesquels les clients mettent l'accent sur le prix (hormis la qualité) quel que soit le réseau de distribution concerné,

– d'autre part les *articles innovants* (dits de « mode » ou « tendance »)*,* où la créativité du style est importante, dont la période de vente est courte (de quelques semaines à 2 mois) et souvent déconnectée de la notion de saison, à faible volume pour chaque produit dans chacun des tissus proposés, et pour lesquels la prévision est extrêmement délicate (puisque la météo mauvaise peut influencer la demande à la baisse de façon inopinée et qu'à l'opposé un journal de mode peut créer un engouement brusque à satisfaire dans un délai très rapide). Il est clair qu'une telle entreprise devra *a priori* concevoir deux systèmes logistiques parallèles « dédiés » (focalisés) très différents l'un de l'autre.

Le tableau de la figure 6-6 illustre de façon comparée et détaillée ces deux familles de produits.

Figure 6-6 – *Analyse duale des produits vendus*

	Produits standardisés	Produits innovants
Demande	Prévisible et plutôt stable dans le temps	Demande imprévisible - Nombreux facteurs exogènes
Valeur attendue par le client	Prix bas - Coût d'acquisition minimum	Délais courts - Flexibilité - Services
Fiabilité des prévisions	Élevée (erreur <10 %)	Forte (de 30 % à 100 %)
Degré de standardisation	Élevée - produits à gros volume de vente	Différenciation importante Besoins ponctuels/ *sur mesure* Produits de mode
Variété	Faible (quelques variantes)	Élevée (produits personnalisés, options possibles)
Durée de vie	Longue (années)	Courte (plusieurs mois)
Risques de gestion des invendus	Faible	Fort
Cycle d'approvisionnement	Long (mois)	Courts (jours / semaines)
Besoins planifiables par le client	OUI	NON

6/4.2 *Une* supply chain *« focalisée »*

Pour les produits standardisés à durée de vie longue, la priorité sera donnée à une chaîne logistique visant un niveau élevé de *productivité*, donc une *maîtrise du coût global* avec la recherche de diminution des incertitudes liées notamment à la prévision. Pour les produits innovants et à durée de vie courte, la logique veut qu'on privilégie la *flexibilité* et le taux de service au client. La figure 6-7 présente les axes de solutions respectifs pertinents selon les objectifs fixés.

Produits standardisés « stables »

La prévision fiable au niveau du client final permet une planification prévisionnelle des besoins jusqu'au niveau des fournisseurs de tissus (à délai long d'approvisionnement imposant une planification 6 mois en avance et selon un plan glissant).

La production sera organisée selon deux principes complémentaires : soit des délocalisations industrielles vers des pays à faible coût de main-d'œuvre en conservant des modes opératoires traditionnels, soit des fabrications restant en France mais intégrant un degré d'automatisation élevé. Tous les stocks à tous les niveaux (tissus, produits finis usine, ou dans le réseau de distribution) seront maintenus à un niveau minimal par la planification globale. Les cycles de fabrication et distribution seront relativement longs (quelques semaines), mais le risque d'invendus sera très faible.

Figure 6-7 – *Principes directeurs du système*

	Système à minimisation du coût	Système flexible
Principe prioritaire	Satisfaire une demande prévisible au coût le plus bas	Répondre très rapidement à une demande imprévisible sans stockage
Objectif industriel	Viser le meilleur taux d'utilisation des équipements Maximiser le Taux de Rendement Global	Maintenir un potentiel de sécurité Priorité aux solutions flexibles
Politique de stock multi-niveaux	Minimisation des stocks - Planification coordonnée des flux multiniveaux	Stocks de sécurité stratégiques uniquement (stades peu différenciés du produit)
Planification prévisionnelle	Forte (multiniveaux) sur base prévisionnelle de la demande finale	Faible (priorité aux solutions juste-à-temps)
Objectif de cycle global	Minimisation du cycle (sous contrainte de coût)	Investissements de réduction du cycle global
Amont de la chaîne (fournisseurs)	Priorité coût / qualité Monosource possible	Priorité flexibilité - Multisource à analyser
Structure du système de distribution	Possibilité de multiniveaux	Circuit court impératif
Conception des produits	Priorité coût / performance - Standardisation	Rechercher (si possible) une conception modulaire - Différenciation retardée du produit

Produits innovants

Dans ce cas, priorité absolue sera donnée à la flexibilité (cycles très courts par séries de petite taille). Les fabrications pourront être maintenues en local (ou en Europe) avec absence de stocks à tous niveaux (seuls éventuellement des stocks de tissus même spécifiques auront été constitués à cause des délais techniques trop élevés existant au niveau des entreprises textiles).

On privilégiera un suivi au jour le jour de la demande au niveau des magasins pour engager des recomplètements en petites séries de réassort selon les besoins. Pas de stocks chez les grossistes, mais de simples plates-formes d'éclatement, ou bien la préparation et la livraison de commandes directes à partir du magasin Usine. Le surcoût industriel et logistique d'un tel dispositif comparé à la solution précédente peut être de 20 à 30 %, mais le client est prêt à le payer, dans la mesure où il n'a pas à attendre un délai supérieur à quelques jours ouvrables. Dans ces conditions, malgré l'impossibilité de prévoir, le risque d'invendus en stock de « fin de saison » est minime, voire nul.

6/4.3   *Conséquences sur la* supply chain

Il est clair qu'une entreprise disposant en catalogue des deux types de produits *simultanément* peut rarement mettre en place deux organisations – industrielles et logistiques – totalement indépendantes en parallèle, ne serait-ce qu'en raison des investissements cumulés nécessaires. Il est donc impératif de rechercher sous quelles conditions le compromis productivité / flexibilité devient possible avec une seule organisation.

Trois axes à privilégier

La réflexion académique et la pratique professionnelle démontrent que trois domaines vont devoir être approfondis simultanément :

– tout d'abord, une démarche R&D aboutissant à une conception modulaire de l'ensemble des produits, avec l'objectif prioritaire de standardisation pour une majorité des fonctions ou composants (ainsi tout produit fini sera l'addition de modules standard – en plus grand nombre – et de constituants spécifiques),

– ensuite, une nouvelle conception conjointe du produit et des processus de production selon les principes de différenciation retardée des produits (consistant à reporter le plus en aval possible du système industriel leur différenciation, ce qui favorisera en effet la productivité globale tout en minimisant les risques de prévision),

– enfin, une action orientée sur les principes de pilotage des flux « push-pull » dans la *supply chain*. Celle-ci ne sera vraiment possible que si les deux points précédents ont été mis en œuvre avec succès. Développons ce dernier point plus spécifiquement logistique.

Une *supply chain* – dont fait partie d'ailleurs le client – est généralement constituée de nombreuses boucles (cf. chap. 3). Pour simplifier à l'extrême, comme le montre la figure 6-8, il y a toujours trois boucles principales et l'on peut positionner la limite de différenciation du produit au niveau industriel (par exemple juste en amont du stade d'assemblage final).

Classiquement, livrer les clients avec un délai très court suppose la constitution de stocks de produits finis dans la majorité (voire toutes) des références commerciales qui doivent alors être approvisionnées et fabriquées sur prévision (stratégie « *push* »). Cela se traduit souvent par des surstocks ou de ruptures de stocks liés aux erreurs de prévisions, donc à des coûts de non-qualité associés au mauvais taux de service, tout en imposant un besoin en fonds de roulement élevé.

En revanche, si l'on parvient à organiser la partie « aval » du processus de façon *très réactive* (montage final et distribution par exemple), il sera possible de « remonter » les stocks à un niveau de produits semi-finis pour exécuter montage final et distribution *à la commande* client (sous réserve que le délai technique soit compatible avec le délai accepté par les clients). On parle alors de stratégie « *pull* ».

Figure 6-8 – *Pilotage des flux : organisation «Push/Pull »*

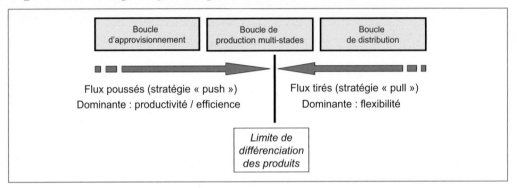

La partie « amont » du processus devra toujours être planifiée et gérée sur prévision, mais la standardisation et la différenciation retardée permettront de limiter fortement les conséquences des erreurs de prévision et donc d'abaisser les coûts associés : coûts directs d'achat et de fabrication, ainsi que coûts de surplus et coûts financiers liés au besoin en fonds de roulement plus faible.

La *supply chain* globale peut ainsi atteindre un bon compromis d'ensemble : la partie amont est en adéquation avec une *supply chain efficiente* alors que la partie aval est en adéquation avec une *supply chain flexible et réactive*.

Quels leviers d'efficience et de flexibilité ?

La figure 6-9 résume ainsi les leviers de performance à actionner dans le processus de décision pour l'élaboration d'une *supply chain* en fonction de la stratégie d'entreprise.

Supply chain *efficiente*

La prévision fiable au niveau du client final permet une planification prévisionnelle des besoins jusqu'au niveau des fournisseurs. Les stocks à tous les niveaux (matières premières, produits finis usine, ou dans le réseau de distribution) seront maintenus à un niveau minimal par la planification globale. Le réseau de distribution est plutôt centralisé et le transport est rationalisé à travers l'ensemble de la chaîne. Un ERP et, éventuellement, un APS (*Advanced Planning System*) sont nécessaires (cf. chap. 15).

Figure 6-9 – *Leviers de performance de la* supply chain

Leviers	Supply chain efficiente	Supply chain réactive
Stocks multi-niveaux	Coût de détention	Disponibilité
Transport / Distribution	Consolidation	Vitesse
Usines et entrepôts	Consolidation / Dédiés	Proximité / Flexibilité
Systèmes d'information	ERP / APS	ERP / temps réel

Supply chain *flexible*

Dans ce cas, priorité absolue est donnée à la flexibilité et à la proximité. Les productions pourront être maintenues en local avec disponibilité de stocks à travers de simples plates-formes d'éclatement, ou bien préparation et livraison des commandes directement à partir du magasin Usine. On privilégiera un suivi au jour le jour de la demande au niveau des magasins pour engager des recomplètements en petites séries selon les besoins. Un ERP et des capacités de traitement en temps réel sont nécessaires.

Revenant sur la segmentation produits présentée plus haut, il est alors très clair que la différenciation des systèmes doit porter en priorité sur l'aval (circuit court réactif ou non), mais que l'amont peut alors permettre une productivité et un taux de rendement global excellents, puisque partagé par tous les produits. La décision stratégique associée pour la direction générale est de savoir si l'on répercute dans la politique de prix les différences éventuelles de coûts directs des deux circuits respectifs (et donc si le client accepte de payer la flexibilité du circuit court).

Des entreprises comme Wal-Mart, Dell, Coca-Cola, Hewlett-Packard, et bien d'autres, ont bien compris l'avantage concurrentiel que peut offrir une *supply chain* adaptée. Ces décisions sont fondamentales : sinon la meilleure des stratégies produits ne sera pas concrétisée par des résultats opérationnels visibles et pérennes.

Comme nous l'avons vu tout au long de ce chapitre, les entreprises ne considèrent plus séparément chacun des éléments de leurs flux, aussi bien physiques qu'informationnels (approvisionnement, flux de production, flux inter-usines et distribution physique) et commencent à avoir une vision globale de l'ensemble du système depuis les clients jusqu'aux fournisseurs.

Se pose alors une question qui trouve actuellement autant de réponses que d'entreprises concernées : qui doit avoir la responsabilité de cet ensemble ? Est-ce le directeur industriel, le directeur logistique, ou doit-on créer une nouvelle fonction ? Quelle que soit la solution retenue, la globalisation de la gestion des flux se traduira, dans les faits (ou sera ressentie comme telle) par une perte de pouvoir des responsables des différentes fonctions concernées.

De toutes manières, l'approche n'est plus technique et devient véritablement managériale. Ces questions importantes seront développées en chapitre 29 de l'ouvrage. Le chapitre 30 traitera en détail d'un autre point fondamental : celui de la mesure et du pilotage des performances de l'ensemble.

Chapitre 7

Les réseaux de production, de distribution et d'approvisionnement

Le chapitre 5 a abordé certaines problématiques stratégiques des systèmes industriels, notamment les stratégies alternatives de déploiement international. Nous présenterons dans ce chapitre la question de *la structure* des réseaux. La recherche de l'excellence, en termes de coûts et de délais, a conduit les entreprises à remettre en cause la structure de leurs réseaux d'approvisionnement, de production et de distribution. L'objectif est d'assurer au moindre coût le niveau de service requis pour satisfaire les clients et même conquérir de nouvelles parts de marché. Ce niveau de service s'avère être de plus en plus élevé : les délais exigés par les clients sont de plus en plus courts et la flexibilité nécessaire toujours plus forte. En termes de coûts, la part importante que représentent dans le chiffre d'affaires l'approvisionnement des usines, la fabrication et la distribution physique explique l'importance de cette problématique pour toute entreprise.

7/1   La problématique des réseaux

On peut citer de nombreux exemples concrets illustrant les différents choix possibles de réseau. Considérons tout d'abord le cas d'une société qui fabrique et commercialise des articles de confection destinés à être vendus à bas prix dans des réseaux de type hypermarchés et supermarchés et/ou sociétés de vente à distance. Étant donné la nature du produit nécessitant une quantité de main-d'œuvre substantielle, la fabrication doit être réalisée dans un pays à bas coût de main-d'œuvre, éventuellement très distant des marchés. Pour limiter les coûts de transport, ces commandes sont approvisionnées en livraison directe, en une seule fois, typiquement en conteneurs par voie maritime et acheminées ensuite par camions, le tout induisant en général des délais considérables.

Prenons comme deuxième exemple le cas de nombreuses sociétés pharmaceutiques qui garantissent un délai de livraison de quelques heures aux pharmacies, avec des frais de transport limités. Cela est rendu possible par la présence d'entrepôts situés à proximité géographique des pharmacies. Ce type de réseau logistique comprend en général plusieurs entrepôts par pays.

Enfin, un fabricant d'ordinateurs bien connu assemble ses produits à la commande, en respectant les options demandées par les clients. Cette entreprise possède un réseau de plusieurs usines réparties sur les marchés à couvrir à l'échelle mondiale, ce qui permet de livrer les produits en quelques jours, via transport par avion et livraison finale par la route en formule express, et ce, à des coûts raisonnables.

De nombreuses entreprises se sont ainsi progressivement constitué des réseaux plus ou moins complexes d'usines, d'entrepôts et de centres de distribution afin de couvrir leurs marchés nationaux, européens, voire mondiaux. Il faut toutefois noter que si de tels réseaux peuvent avoir été spécifiquement conçus et optimisés, dans de nombreux cas ils résultent, au moins pour partie, de l'historique des fusions ou acquisitions de l'entreprise.

La question posée. Concrètement, la question qui se pose est la remise en cause éventuelle de la solution de base (fig. 7-1) : une usine unique, polyvalente, qui fabriquerait l'ensemble des produits, et, un entrepôt unique à partir duquel serait réalisée toute la distribution physique des produits finis vers l'ensemble des marchés et des clients, via différents modes de transport.

Figure 7-1 – *Le réseau de base*

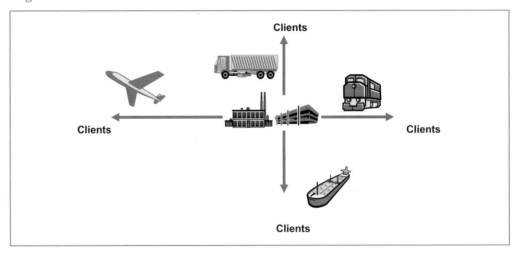

Très clairement, d'autres schémas potentiels viennent en effet à l'esprit : des usines de petite taille, éventuellement spécialisées par familles de produits, livrant uniquement les clients situés dans une zone géographique proche (fig. 7-2), des entrepôts nombreux, répartis (intelligemment) au sein des marchés à desservir (fig. 7-3), etc.

La complexité de cette problématique. Pour une entreprise donnée, la recherche du réseau qui optimisera ses performances industrielle et logistique est une question difficile.

Tout d'abord en termes de taille d'usine, la course à la réduction des coûts de fabrication amène habituellement à construire des usines de taille importante afin de bénéficier d'économies d'échelle. Toutefois, la spécialisation d'une usine, autrement dit la concentration de l'ensemble de l'activité de production sur une même famille de produits, permet une forte simplification des flux de matières et d'informations, entraînant également une baisse des coûts de production et de gestion des flux.

Figure 7-2 – *Réseau d'usines proches des marchés*

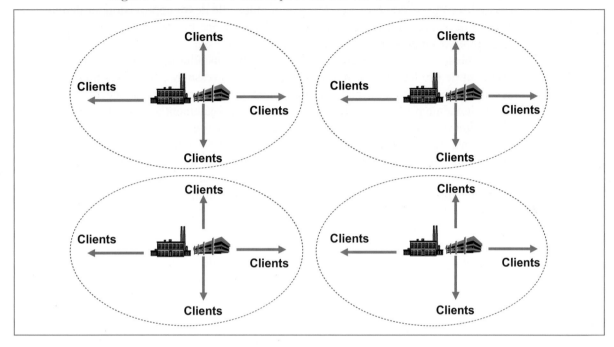

Figure 7-3 – *Réseau d'entrepôts proches des marchés*

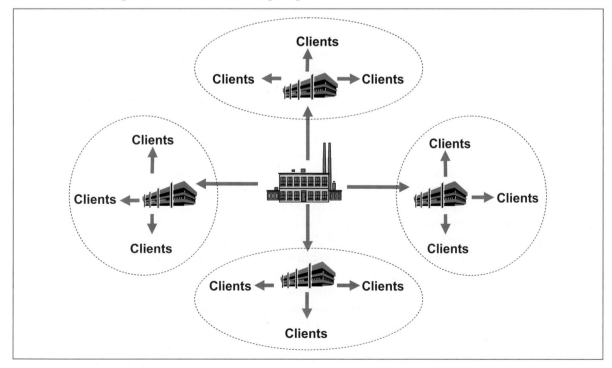

Simultanément, au niveau de la distribution des produits finis, plus une usine est spécialisée et possède une grande capacité, plus elle devra approvisionner depuis cette source de production unique un marché large (voire même mondial pour beaucoup d'entreprises) induisant des coûts de distribution élevés.

De plus, les entreprises cherchent également à installer leurs usines dans des pays à bas coût de production (qu'il s'agisse du coût des ressources matières ou de la main-d'œuvre), pour peu que cet environnement garantisse le niveau de qualité requis. Selon le même principe, les entreprises cherchent également à implanter leurs usines à proximité des marchés clients et/ou des fournisseurs, afin de limiter les coûts logistiques et délais d'approvisionnement et de distribution.

En outre, une autre caractéristique importante est la flexibilité. Celle-ci peut être quantitative, autrement dit correspondre à la possibilité d'accroître ou de réduire la capacité afin de s'adapter aux fluctuations de la demande sur des horizons courts. Selon les pays, les lois du travail permettent ou non la mise en œuvre de cette flexibilité, ce qui peut constituer un critère significatif de localisation d'une usine. La flexibilité peut également être associée à la polyvalence des ressources, autrement dit à l'aptitude à modifier les proportions relatives des flux des différents produits fabriqués, même si le flux global reste constant. Dans cette optique, plus l'entreprise est de grande taille et, en général, plus elle disposera de ressources permettant de fabriquer de nombreux produits différents. On peut donc espérer pour une telle entreprise l'existence d'un certain degré de polyvalence (qui serait exclue dans le cas d'une entreprise ciblée sur un produit unique).

On peut se demander si tous ces objectifs, communs à l'ensemble de l'industrie, sont vraiment compatibles. En effet, comme décrit plus haut, la concentration de l'ensemble de l'activité de production dans une même usine permet en général une réduction des coûts par effet d'échelle. Toutefois, au niveau de la distribution des produits finis, plus une usine possède une grande capacité de production, plus le marché qu'elle doit approvisionner depuis cette source de production unique est vaste (voire mondial pour certaines entreprises). Cela induit des coûts de distribution élevés puisque les distances géographiques à couvrir à partir de l'unique centre de production sont grandes.

Il n'est pas nécessaire de continuer ce raisonnement pour s'apercevoir que les objectifs énoncés précédemment sont en partie antinomiques, comme le montre le schéma ci-dessous (fig. 7-4). Apparaît alors la nécessité, d'une part, de faire des compromis et, d'autre part, de retenir des stratégies de conception du réseau industriel et logistique différentes selon la nature des produits et des marchés.

Une illustration simple. Soit une société qui fabrique deux produits alimentaires A et B dans deux usines U1 et U2. Les marchés de chacun des produits s'élèvent à 50 000 tonnes. Deux organisations du réseau d'usines sont possibles (fig. 7-5) :

– soit chaque usine fabrique tous les produits de la gamme (soit A et B) et livre la partie du marché qui est la plus proche via son entrepôt,
– soit chaque usine se spécialise dans un seul produit (A ou B) et livre l'ensemble des deux marchés régionaux.

Figure 7-4 – *Multiplicité et antagonisme potentiel des objectifs*

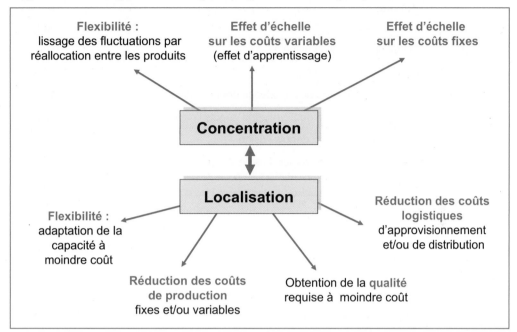

Figure 7-5 – *Schémas des types d'affectation produits / usines*

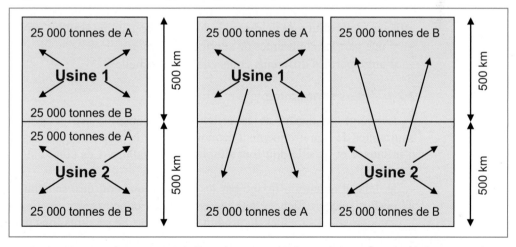

Lorsqu'une usine se spécialise dans un seul produit, pour un volume total de 50 000 tonnes, le coût de production est estimé à 150 € par tonne. En revanche, lorsque chaque usine fabrique simultanément les deux produits (pour des volumes respectifs de 25 000 tonnes), le coût de revient estimé est de 180 € par tonne.

Le coût du transport routier, sous-traité à des transporteurs indépendants, s'élève à environ 5 centimes d'euros par tonne et par kilomètre.

Les coûts correspondant aux deux modèles retenus sont donnés dans le tableau suivant :

	Solution 1	Solution 2
Coût de production usine 1	9 000 k€	7 500 k€
Coût de production usine 2	9 000 k€	7 500 k€
Distance moyenne des livraisons depuis l'usine 1	125 km	500 km
Distance moyenne des livraisons depuis l'usine 2	125 km	500 km
Coût de distribution depuis l'usine 1	312,5 k€	1 250 k€
Coût de distribution depuis l'usine 2	312,5 k€	1 250 k€
Total	**18 625 k€**	**17 500 k€**

On peut poursuivre l'analyse de cet exemple en notant que l'économie d'échelle au niveau des coûts de production lorsqu'on passe à des usines spécialisées est de 3 000 k€ au total. Cette approche sera donc plus efficace tant que les surcoûts de distribution seront inférieurs à ce montant. Cela explique pourquoi l'approche de centralisation conjointe à la spécialisation des usines est bien adaptée aux produits dont les coûts de transport sont bas. À l'inverse, lorsque les coûts de distribution sont trop élevés, il devient nécessaire de privilégier des réseaux à plusieurs usines.

7/2   Les réseaux : contraintes, coûts et effets d'échelle

Les éléments fondamentaux[1] induisant une sélection optimale, ou au moins efficace, de la structure du réseau industriel et logistique sont les suivants :
– d'une part les contraintes de service à respecter,
– d'autre part les différents coûts et effets d'échelle[2].

7/2.1   Les contraintes

Le point de départ de la réflexion est constitué par la prise en compte des contraintes de l'environnement économique sur la plupart desquelles l'entreprise a peu d'influence et qu'elle doit tout simplement satisfaire. Ces contraintes sont, *a minima*, les suivantes :
– le délai d'obtention (exigé par les clients), qui doit être satisfait, compte tenu des performances affichées par les entreprises concurrentes ou tout simplement des caractéristiques mêmes du produit (dans le cas de produits frais par exemple),

---

[1] Cette structuration a pour objectif de permettre une prise de recul globale par rapport à la problématique des réseaux, et pas d'analyser l'ensemble des cas de figure. On pourrait en effet ajouter plusieurs éléments d'autres natures qui sont également importants (comme les risques politiques et socio-économiques, les réglementations et barrières douanières). Toutefois, la prise en compte simultanée de tous ces facteurs potentiels empêcherait la compréhension des mécanismes fondamentaux, qui sont de nature purement logistique et industrielle.

[2] Les concepts de coûts et d'effets d'échelle ont été présentés et décrits au chapitre 5. Ils sont repris et mis en œuvre ici par rapport à la problématique du choix des réseaux.

– le mode de gestion des flux associé au produit (produit spécifique par nature et qui doit donc être fabriqué à la commande ou produit standard qui peut être stocké sur anticipation des commandes).

Ces contraintes conditionnent de fait fortement l'ensemble de la réflexion et la structure de la solution.

7/2.2 *Les coûts, effets d'échelle et arbitrages associés*

Dans un second temps, il convient d'optimiser les arbitrages à réaliser, dans le cadre de ces contraintes imposées. Pour structurer la réflexion, on propose de se concentrer sur les trois arbitrages fondamentaux qui sont à réaliser entre :
– l'effet d'échelle associé à la concentration de l'activité, qui permet de baisser les coûts de fabrication lorsque les volumes produits par une même usine sont plus importants,
– la proximité géographique des clients, qui permet d'organiser à moindre coût la distribution des commandes (dans le délai imposé) lorsque les distances à parcourir sont plus faibles,
– l'effet d'échelle, qui permet de baisser les coûts des stocks et de l'entreposage lorsque les volumes traités par un même entrepôt sont plus importants.

Concentration, effet d'échelle et coûts de fabrication

La course à la productivité amène habituellement à construire des usines de taille importante afin de bénéficier d'économies d'échelle : en effet, les coûts de structure et des fonctions de support ne sont pas proportionnels aux quantités fabriquées. On observe, en première approximation, que le coût unitaire de fabrication est plus faible pour une usine à forte capacité produisant des grandes quantités que pour une usine à faible capacité produisant une quantité moindre. L'augmentation des tailles des séries générant une baisse du nombre des changements de séries ainsi qu'une diminution des pertes et des arrêts permet d'obtenir un coût de production unitaire plus faible. De plus, dans la mesure où les ressources présentent de la polyvalence, il va être moins coûteux de faire face aux fluctuations des ventes des différents produits en réaffectant les ressources en fonction des besoins. Si on souhaite produire annuellement une quantité donnée, il sera donc moins coûteux de dimensionner une seule usine conformément à cet objectif plutôt que fonctionner avec deux usines conçues sur une base de la moitié de la quantité globale (fig. 7-6).

On fait l'hypothèse, afin de structurer la réflexion et de bien mettre en évidence les arbitrages fondamentaux, que les usines bénéficient d'un tel effet d'échelle. Il faut insister sur le fait que ce qui va conditionner la structure du réseau industriel n'est pas tant l'ordre de grandeur du coût de fabrication que l'ordre de grandeur de l'effet d'échelle sur ce coût. En effet, une situation dans laquelle les coûts de fabrication sont peu influencés par la taille de l'usine parce que les investissements matériels sont très faibles est fondamentalement différente d'un cas où il serait nécessaire de regrouper l'ensemble de la fabrication pour des marchés très étendus afin d'amortir des coûts fixes extrêmement importants, comme dans une usine de fabrication d'aluminium ou un site pétrochimique.

Figure 7-6 – *Effet d'échelle et coûts de fabrication*

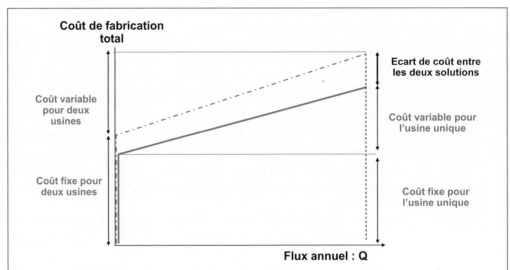

Par conséquent, l'effet d'échelle associé à la concentration de l'activité conduit donc naturellement à considérer comme solution optimale d'avoir une usine unique, dimensionnée pour couvrir l'ensemble des demandes[1].

Proximité géographique, concentration et coûts logistiques

Globalement, pour un mode de transport donné (air, mer, rail, route), plus longues sont les distances à parcourir pour livrer les clients dans un délai fixé, plus élevé sera le coût de transport. On suppose de plus que les accroissements de coûts en fonction de la distance sont plus que simplement proportionnels. En effet, pour des distances plus longues, il sera sans doute nécessaire de recourir à des moyens de transport très coûteux (comme l'avion par exemple) ou de recourir à plusieurs moyens de transport successifs avec des coûts de chargements et déchargements associés (fig. 7-7).

Ce coût dépend aussi des propriétés physiques du produit à transporter comme le poids, le volume, la fragilité ou les conditions de température nécessaires. De plus, il faut noter qu'il existe également un effet de volume sur ces coûts de transport, comme par exemple des réductions pour des grosses quantités, ce qui induit une recherche de massification des transports (cf. section 7.3).

En conclusion, quand un produit est dit « cher à transporter », ce coût élevé peut être associé ou bien aux caractéristiques mêmes du produit, ou bien au volume global transporté, ou bien aux deux à la fois…

---

[1] Pour être complet, il faut toutefois signaler que cet effet d'échelle possède une limite, connue en théorie de la microéconomie comme la loi des rendements décroissants. Ce principe stipule qu'à partir d'une certaine taille, les gains associés à un accroissement supplémentaire deviennent marginaux.

Figure 7-7 – *Proximité géographique et coûts de transport*

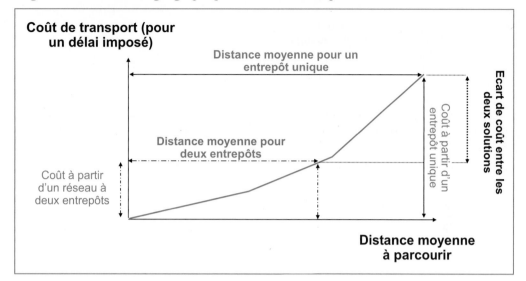

Concentration, effet d'échelle et coûts d'entreposage

De manière simplifiée[1], les coûts d'entreposage comprennent :
– les coûts relatifs à l'entrepôt lui-même et à sa gestion,
– les coûts induits par la possession de produits dans ces entrepôts, qui correspond à une immobilisation de capital qui peut être très coûteuse.

Au niveau des coûts d'entreposage et des coûts liés à la gestion de l'information, on retrouve une logique d'effet d'échelle et de coûts fixes et variables. En effet, la mise en œuvre d'un entrepôt pour stocker les produits induit des frais de structure et d'encadrement fixes, qui sont à amortir sur un flux plus ou moins important. D'autres coûts sont globalement proportionnels aux flux traités dans l'entrepôt, comme les coûts de manutention et de préparation des commandes.

En ce qui concerne les montants de stocks présents en moyenne dans les entrepôts, on peut résumer la situation[2] en notant que les contraintes de qualité de service induisent globalement une réduction des coûts variables de possession des stocks lorsque les flux transitant par l'entrepôt sont plus importants.

En synthèse, si on souhaite gérer un flux donné de produits dans un réseau d'entrepôts, il sera donc moins coûteux de dimensionner un seul entrepôt conformément à cet objectif, plutôt que fonctionner avec deux entrepôts conçus sur une base de la moitié de la quantité globale (fig. 7-8).

---

[1] Les coûts de stockage et d'entreposage sont étudiés plus en détail aux chapitres 13 et 16.
[2] Une analyse complète est proposée au chapitre 13.

Figure 7-8 – *Effet d'échelle et coût de stockage et d'entreposage*

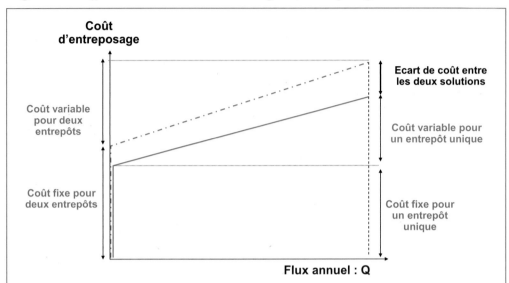

7/3 Analyse typologique des réseaux

Cette section propose une typologie des réseaux fondée sur les arbitrages de base.

7/3.1 Gestion des flux à la commande

Lorsqu'une entreprise produit à la commande, le réseau industriel et logistique se simplifie quelque peu puisqu'il n'y a pas lieu de considérer de réseau d'entrepôts pour les produits finis. En même temps, il faut bien noter que les délais liés aux activités de fabrication et de transport sont perçus par le client puisqu'il n'y a pas possibilité de fabrication anticipée avec stockage des produits livrés. Pour un client donné, une usine située à une grande distance et un mode de transport lent, impliquera automatiquement un long délai d'obtention de toute commande. Cela signifie que si le délai d'obtention exigé est faible, c'est l'ensemble de l'activité de fabrication et de transport qui va devoir tenir dans ce délai. On voit donc que dans une telle situation, le critère de délai à respecter peut conditionner complètement le choix non seulement des modes transport, mais aussi du réseau industriel lui-même.

Les critères de coûts à comparer pour évaluer des réseaux correspondant à un nombre variable d'usines, en supposant que ces solutions satisfont les contraintes de délai imposées par le marché, sont donc :
- le coût de transport moyen, qui tient compte de la distance moyenne entre chaque usine et les clients à livrer,
- l'effet d'échelle sur les coûts de fabrication.

On peut donc imaginer deux situations « types », comme représenté sur la figure 7-9, suivant que, pour les produits considérés, les coûts de transport sont faibles ou élevés par rapport aux effets d'échelle sur les coûts de fabrication.

Figure 7-9 – *Réseaux pour les entreprises produisant à la commande*

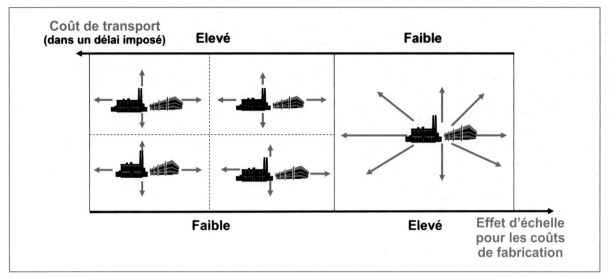

Dans le premier cas, les coûts de transport moyens sont critiques, alors que les effets d'échelle sur les coûts de fabrication sont négligeables. Les entreprises correspondantes doivent donc décentraliser la production de leurs produits sur plusieurs sites, proches des clients à livrer. On peut citer comme premier exemple certains sous-traitants de fabricants d'automobiles, travaillant à la commande comme les fabricants de sièges. En effet, les flux entre sous-traitants et fabricants étant organisés en Juste-A-Temps[1], les délais exigés sont très courts et les coûts de transport deviendraient énormes si ces sous-traitants étaient situés loin des usines d'assemblage. L'entreprise Dell constitue un autre exemple bien connu. L'idée de départ de son fondateur, Michael Dell, était de fait très simple : les ordinateurs sont assemblés après avoir reçu et validé la commande, suivant les spécifications convenues avec chaque client. Ils sont ensuite expédiés directement au client final, avec les options souhaitées, dans un délai contractuel de quelques jours. Une autre catégorie de produits entre également dans ce paradigme : il s'agit de certains produits frais périssables, qui ne peuvent pas être conservés en entrepôt, mais doivent être transportés sans retard vers les clients.

Dans la seconde situation, le coût de transport moyen est au contraire négligeable par rapport aux effets d'échelle sur les coûts de fabrication. On peut citer comme exemple les fabricants d'avions de ligne, comme Airbus ou Boeing, ou de navires. Dans ce secteur économique, le coût de distribution du produit au client final est totalement négligeable par rapport aux coûts de production et aux effets d'échelle associés. On peut donc constater que ces entreprises n'ont pas hésité à centraliser la production de leurs produits phares sur un seul site.

---

[1] Voir chapitre 23.

7/3.2   *Gestion des flux sur anticipation (ou sur stocks)*

Lorsqu'une entreprise a un mode de gestion des flux par anticipation (encore dénommé « sur stocks »), le réseau industriel et logistique est plus général puisqu'un réseau d'entrepôts de stockage des produits finis peut être mis en œuvre en complément du réseau purement industriel. Ce réseau d'entreposage présente de plus l'avantage potentiel majeur de découpler le client et l'activité de fabrication et de transport du produit depuis l'usine. En effet, le délai vu par le client est uniquement le délai de transport depuis l'entrepôt[1]. Ce délai reste cependant important parce qu'il conditionne les niveaux de stock nécessaires dans les entrepôts[2].

Le délai est l'élément critique

Lorsque le délai exigé est très court, il devient impossible de livrer efficacement les clients à partir d'un site éloigné. Cette situation est courante pour les entreprises constituant une *supply chain* organisée en Juste-A-Temps[3]. Il est nécessaire d'avoir une usine et/ou au moins un entrepôt situé à une distance raisonnable des clients pour que les coûts de transport soient maîtrisés. On voit donc que dans une telle situation, le critère de délai à respecter conditionne complètement la structure du mode de transport, mais aussi du réseau industriel.

Toutefois, une usine située à une grande distance du client n'implique plus automatiquement un long délai d'obtention de sa commande pour le client. Celui-ci pourrait en effet être livré rapidement à partir d'un entrepôt proche.

Les éléments à prendre en compte sont donc d'une part le coût de transport du produit fini (dans un délai raisonnable) vers un éventuel entrepôt et d'autre part l'effet d'échelle sur les coûts de fabrication. On peut donc imaginer deux situations extrêmes, comme représenté sur la figure 7-10, suivant les valeurs relatives de ces indicateurs.

Dans le premier cas, les coûts de transport du produit fini vers les entrepôts demeurent élevés, même dans un délai raisonnable, alors que les effets d'échelle sur les coûts de fabrication sont moindres. Dans ce cas, il sera préférable de fabriquer les produits à proximité de la zone des clients et de les stocker dans un entrepôt à proximité. Les distances à parcourir pour livrer les produits finis sont donc réduites. Par exemple, les entreprises fabriquant des produits volumineux de valeur réduite (boitiers plastiques pour appareils tv-hifi, bouteilles...) sont dans cette configuration.

Dans le second cas de figure, ce sont les effets d'échelle sur les coûts de fabrication qui sont critiques. Il sera alors préférable de fabriquer les produits dans une usine unique et de transporter ensuite ces produits finis dans différents entrepôts situés à proximité de la zone des clients. Par exemple, sont dans ce cas les fabricants de composants électroniques qui maintiennent des stocks avancés à proximité des fabricants d'ordinateurs. Certains types de produits pharmaceutiques nécessitant des processus de fabrication lourds sont également dans cette configuration.

---

[1] En faisant l'hypothèse que les entrepôts sont efficacement gérés et que les produits commandés sont bien présents en stock, sans apparition de phénomènes de ruptures.

[2] Voir chapitre 14.

[3] Voir chapitre 23.

Figure 7-10 – *Anticipation et délai critique : les réseaux*

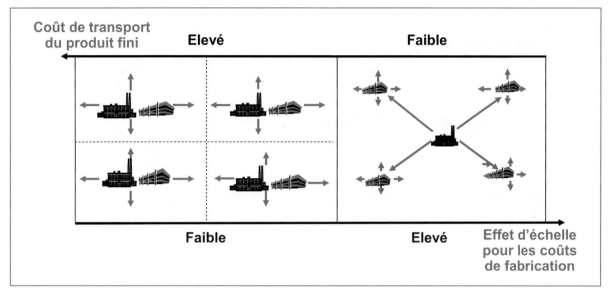

Le délai n'est pas l'élément critique

Lorsque les produits s'y prêtent et que le délai exigé est suffisamment long pour pouvoir envisager des modes de transport à coûts raisonnables même sur des distances longues, plusieurs types de réseaux peuvent être efficaces. Cette situation est en fait la plus riche au niveau des configurations de réseaux envisageables et il va être nécessaire de prendre en compte les trois indicateurs de coûts simultanément :
– l'effet d'échelle sur les coûts de fabrication,
– les coûts de transport des produits finis, vers les entrepôts éventuels et vers les clients,
– l'effet d'échelle sur les coûts des stocks et d'entreposage.

Les coûts de transport sont faibles. Lorsque les coûts de transport des produits finis sont négligeables par rapport aux effets d'échelles sur les coûts de fabrication et d'entreposage, la solution naturelle consiste tout simplement à revenir à la solution de base présentée à la figure 7-1 : une usine unique, polyvalente, qui fabriquerait l'ensemble des produits à partir de prévisions des ventes, et, un entrepôt unique à partir duquel serait réalisée toute la distribution physique des produits finis vers l'ensemble des marchés et des clients. On peut citer le cas de fabricants de produits de beauté (rouges à lèvres, mascaras, etc.), de parfums, de cognac et de nombreux produits de luxe qui sont organisés ainsi.

Les coûts de transport sont importants. Si au contraire les coûts de transport des produits finis sont critiques par rapport aux effets d'échelle sur la fabrication et l'entreposage, il est nécessaire de configurer le réseau en tenant compte de cet aspect. On note que dans ce cas les coûts de transport sont directement induits par les caractéristiques du produit lui-même (poids, volume, etc.) et non par le délai requis. Deux options sont alors encore possibles, comme représenté sur la figure 7-11 :

Figure 7-11 – *Anticipation et coût de transport critique : les réseaux*

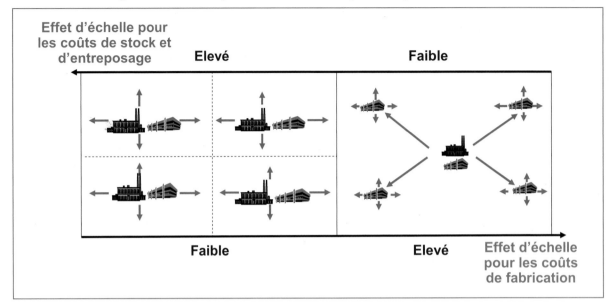

– soit, on réduit d'office les distances à parcourir en localisant plusieurs usines à proximité des marchés les plus importants,

– soit, si les effets d'échelle sur les coûts de fabrication sont critiques, la fabrication doit rester centralisée. Il ne reste ensuite qu'à optimiser le transport en recourant autant que possible à la massification de ces transports sur des distances aussi longues que possible et en retardant, et en limitant au maximum, les transports par petites quantités. Cette massification permet de profiter de l'effet « volume » des transports : en effet en règle général plus on peut transporter simultanément des grandes quantités, moins le transport coûte cher. Dans une telle situation, il est en effet possible d'utiliser des camions pleins ou des wagons, bateaux ou avions entiers.

Les entreprises fabriquant des produits volumineux de valeur réduite (comme les palettes en bois, les tuiles ou les briques) sont dans la première configuration. La fabrication et la distribution de verres et vaisselle de prestige est un exemple de la seconde catégorie.

7/4   Réseaux de distribution et massification des transports

On a donné à la section précédente une typologie des réseaux. On propose maintenant d'analyser plus en détail la structure de la partie purement logistique des réseaux de distribution. En résumé, on peut distinguer trois types de structure de base, caractérisés par des performances spécifiques (fig. 7-12).

Figure 7-12 – *Réseaux de distribution à zéro et un étage*

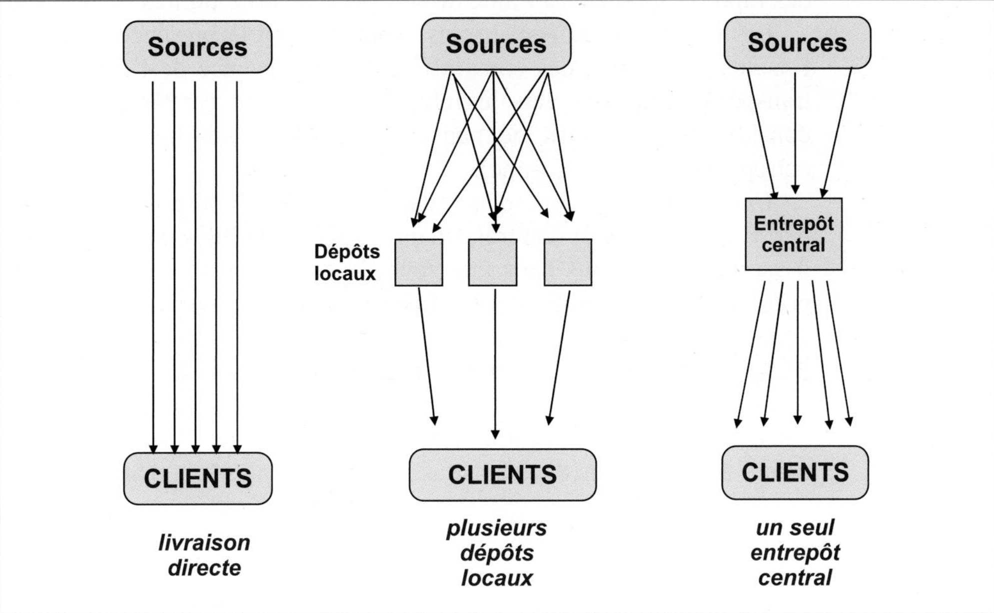

La livraison directe

La livraison s'effectue sans rupture de charge[1] à partir des usines jusqu'aux clients. Les avantages de cette formule sont donc l'absence d'entrepôt de stockage (autre que celui de l'usine) et le fait que la distribution est réalisée en une étape unique. L'inconvénient majeur est que le client doit être suffisamment important pour que le transport entre l'usine et celui-ci se fasse en quantité suffisante pour être peu coûteux. Le plus souvent cette option est utilisée pour des lots suffisants pour remplir un camion ou un wagon complet à destination d'un même client. On note qu'*a priori* un transport ne peut regrouper que les familles de produits fabriquées par une seule usine. Par exemple, la livraison de moteurs aux fabricants d'automobiles se fait par wagons entiers.

Les systèmes à un niveau d'entreposage

Ces systèmes se rencontrent sous la forme de deux variantes.

Un entrepôt central pour le marché desservi : cet entrepôt reçoit les flux de production des différentes usines, gère un stock, prépare les commandes et réalise (ou fait réaliser) les transports vers les clients finaux. Les avantages de cette formule sont nombreux. Tout d'abord, la proximité de l'entrepôt central par rapport au marché final, puisque bien entendu l'entrepôt sera situé proche des clients. Ensuite, la possibilité de globaliser les transports entre usines et entrepôt central, puisque les livraisons à l'entrepôt pourront regrouper l'ensemble des produits fabriqués par

---

[1] On appelle *rupture de charge* les opérations de déchargement, stockage et rechargement (après un éventuel reconditionnement).

chaque usine. Enfin, la garantie d'une bonne qualité de service aux clients au niveau des ruptures de stocks à l'aide de stocks de sécurité limités (voir la sous-section 3.2).

Les inconvénients sont triples. Tout d'abord la présence d'une rupture de charge. Ensuite, l'ensemble des coûts afférents à l'existence de l'entrepôt central. Enfin, les transports terminaux vers les clients qui doivent parfois se faire sur des distances considérables (il suffit de penser à certaines entreprises qui disposent d'un seul entrepôt pour toute l'Europe).

Un réseau de dépôts locaux : dans ce cas, les livraisons aux clients ne se font plus à partir d'un entrepôt central, mais à partir de plusieurs entrepôts régionaux qui desservent les clients dans une zone de proximité donnée. Par rapport à la situation précédente, cette solution permet une livraison plus rapide des clients, puisqu'ils sont situés plus près. Toutefois, dans cette solution, la massification[1] des transports d'approvisionnement des dépôts régionaux est moindre et les niveaux de stocks de sécurité à conserver dans l'ensemble des entrepôts sont plus élevés. Précisons que, dans ce cas, se pose éventuellement le problème de l'affectation des productions des usines aux différents dépôts. Nous le traiterons plus loin dans ce chapitre.

Les systèmes à deux étages

Dans cette hypothèse, on introduit un niveau supplémentaire de deux façons.

Un entrepôt central et un réseau de dépôts régionaux : les usines approvisionnent l'entrepôt central qui fournit les dépôts locaux qui conservent des stocks et qui livrent les clients (fig. 7-13).

Figure 7-13 – *Réseau de distribution à 2 niveaux d'entreposage*

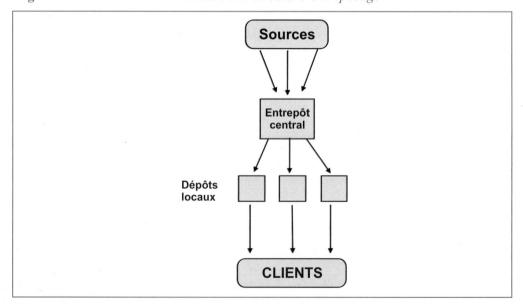

---

[1] *Massifier* consiste à constituer les lots de marchandises à transporter de grande taille pour effectuer le transport par camion complet.

L'avantage de cette solution par rapport au cas à un seul étage est la massification des transports d'approvisionnement des dépôts régionaux plus élevée puisqu'il est possible de grouper depuis l'entrepôt central l'ensemble des références produites par l'ensemble des usines. L'inconvénient majeur étant malgré tout l'accroissement substantiel des coûts de stock.

Un entrepôt central et un réseau de plates-formes de distribution ou d'éclatement : une plate-forme est une entité physique intermédiaire dans le processus de distribution, permettant le déchargement de commandes, éventuellement leur reconditionnement et puis leur rechargement dans d'autres moyens de transport plus légers pour la distribution finale. Une plate-forme *n'a pas* pour vocation de constituer un stock, *ce n'est pas un entrepôt,* mais simplement un lieu destiné à faciliter les transferts entre moyens de transport (fig. 7-14).

Figure 7-14 – *Réseau de distribution à un niveau d'entreposage et plates-formes d'éclatement*

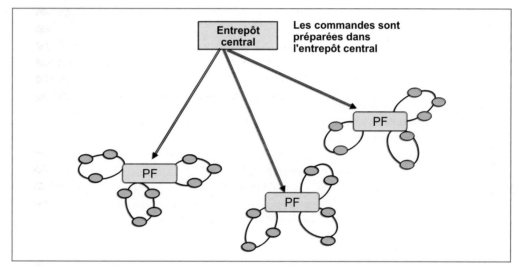

Une plate-forme est un *lieu de concentration*, permettant de recevoir des produits de plusieurs entités fournisseurs (internes ou externes) pour ensuite reconstituer et livrer des commandes complètes à des clients différents ou des unités industrielles différentes.

Le principe même de ces opérations correspond à un processus de travail appelé *cross-docking* et développé au chapitre 15. Pour illustrer le principe on a, comme présenté à la figure 7-15 suivante, le schéma séquentiel suivant :
– à partir des commandes provenant des sites clients, sur une période de référence, préparation et livraison à la plate-forme des produits commandés sur base des quantités cumulées par produit,
– déchargement et reconstitution sur place des commandes de toutes les entités clientes,
– sans attendre, livraison terminale des commandes clients selon une logique de tournées optimisées.

Figure 7-15 – *Plate-forme et cross-docking*

```
┌─────────────┐   ┌─────────────┐   ┌─────────────┐
│ Fournisseur │   │ Fournisseur │   │ Fournisseur │
│      1      │   │      2      │   │      3      │
└─────────────┘   └─────────────┘   └─────────────┘
          ╲              │              ╱
           ╲             │             ╱
        ┌──────────────────────────────┐
        │        Plate-forme           │
        │       Cross-docking          │
        └──────────────────────────────┘
           ╱             │             ╲
          ╱              │              ╲
┌─────────────┐   ┌─────────────┐   ┌─────────────┐
│   Client 1  │   │   Client 2  │   │   Client 3  │
└─────────────┘   └─────────────┘   └─────────────┘
```

On notera qu'une plate-forme peut ainsi, soit être exclusive pour une société, soit permettre à une entreprise cliente le regroupement des livraisons provenant de divers fournisseurs (de façon à optimiser l'utilisation des moyens de transports et à ne pas multiplier le nombre des livraisons compliquant ainsi l'organisation des activités de réception).

On peut généraliser le réseau précédent à celui de la figure 7-16 qui présente une situation plus générale : une première plate-forme est utilisée pour regrouper les flux de plusieurs fournisseurs différents en vue d'un transport massifié vers une seconde plate-forme utilisée elle pour séparer les flux en vue d'une livraison aux clients finaux, via un transport non-massifié de courte distance.

Figure 7–16 – *Plateformes, cross-docking et massification*

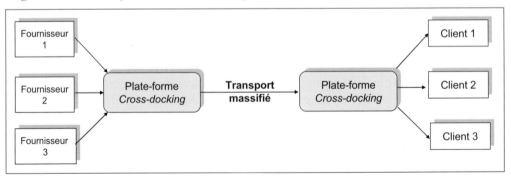

La notion de « hub »

La notion de *hub* a été développée à l'origine par les grands opérateurs de messagerie internationale (FedEx, DHL, UPS, TNT, etc.) qui doivent transporter des petits colis depuis n'importe quel point du globe jusqu'à n'importe quel point du globe dans un délai très court. Comme il est impensable de faire des livraisons directes de chaque point vers chaque point car les coûts de transports seraient prohibitifs pour des très petites quantités, ils ont créé des grandes plateformes de concentration et d'éclatement ; par exemple, FedEx dispose d'un *hub* par grande zone géographique : une pour l'Amérique du Nord à Memphis, une pour l'Europe à Roissy et une aux Philippines pour l'Asie. Tous les colis expédiés depuis une zone géographique sont transportés sur le *hub*. On procède à un tri par destination. Les colis sont ensuite transportés vers les clients. Dans les cas des transports interzones, les colis passent d'un *hub* à l'autre. L'avantage de cette structure est une réduction du nombre de routes à gérer ce qui permet d'obtenir un meilleur taux de remplissage des moyens de transports tout en maintenant une fréquence élevée des livraisons. Cependant, cette organisation n'est pas exempte d'inconvénients : les colis parcourent de plus longues distances qu'en cas de livraisons directes et les manutentions sont complexes et coûteuses. La figure 7-17 démontre, sur un exemple simple, que le passage par un *hub* permet de réduire considérablement le nombre de routes à desservir.

Figure 7–17 – *Exemple de « hub » pour 5 fournisseurs et 5 clients*

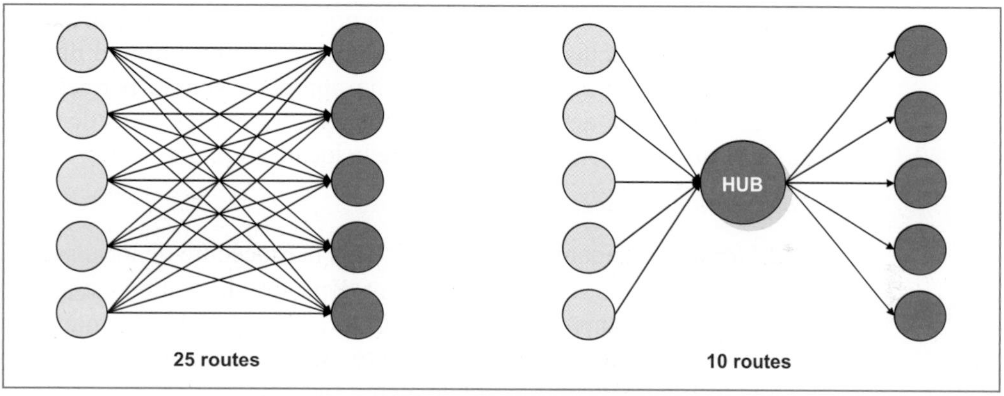

25 routes   10 routes

7/5   Localisation des éléments d'un réseau

Dans un premier temps, il faut sélectionner conformément à l'analyse typologique décrite précédemment à un niveau stratégique, la meilleure structure globale du réseau en fonction des caractéristiques de coûts et de marché. Ensuite, il reste à chiffrer le nombre d'usines et d'entrepôts à mettre en œuvre ainsi qu'à les localiser physiquement par rapport aux clients et marchés à desservir. Les informations suivantes doivent être disponibles pour pouvoir mener à bien cette réflexion :
– localisation des fournisseurs et des marchés,
– localisation des sites potentiels (pour les usines et/ou les entrepôts),
– prévision des demandes pour les différents marchés,
– coûts de fabrication (fixes et variables) pour les différents sites,
– coûts de transport entre les sites et/ou les marchés.
On propose d'illustrer la démarche à suivre pour concevoir un réseau par le cas, assez général, où suite à l'analyse typologique l'entreprise a conclu qu'il était optimal

de déployer un petit nombre d'usines et un nombre nettement plus important d'entrepôts de stockage des produits finis[1].

7/5.1 Nombre d'usines et choix de leur localisation

Principes généraux de structuration industrielle

Le nombre d'usines est déterminé à un niveau stratégique. Intuitivement, à partir d'un certain niveau de capacité de production d'un site, il n'est plus intéressant de « grandir en taille », les problèmes de gestion l'emportent sur l'économie en coûts de fabrication. D'où la politique suivante suivie historiquement par de nombreuses entreprises internationales : dans un premier temps, après une analyse du potentiel des marchés et selon un critère de rentabilité cible, l'entreprise définit une taille de site *a priori* efficace (par exemple 100 000 tonnes par an, 1 000 véhicules par jour...). Clairement, cette définition est globale et approximative.

Dans un second temps, il s'agit de bâtir un réseau (ou d'adapter un réseau existant) pour couvrir les différents marchés. De nombreux éléments entrent en compte, comme présentés en conclusion de cette section. Toutefois, afin d'illustrer les arbitrages économiques de base, on propose une approche simple permettant de localiser les usines en fonction des coûts fondamentaux que sont les coûts de transport et les coûts de fabrication, dépendant tout deux de la localisation des usines.

Localisation d'usines

L'arbitrage fondamental à réaliser dans la procédure de localisation se fait entre :
– les coûts de fabrication qui peuvent dépendre du lieu où est implantée l'usine. Par exemple, certains fabricants de PC font fabriquer leurs produits en Chine afin de limiter les coûts de main-d'œuvre. Comme autre exemple, on pourrait citer l'industrie textile qui a suivi le même chemin.
– les coûts de transport des produits fabriqués vers les clients finaux.

Exemple : pour illustrer la démarche, considérons le cas d'une entreprise fabriquant un produit destiné à être distribué dans un certain nombre de pays d'Asie, d'Europe et aux États-Unis. La structure globale de réseau retenue, au vu des structures de coûts, serait constituée d'une seule usine avec un entrepôt de stockage des produits finis et d'un ensemble de centres de distribution (globalement un par pays). L'usine aura donc la capacité suffisante pour satisfaire les différents marchés. *A priori* trois sites sont envisageables pour l'usine : un site en Asie, un autre en Europe et enfin un dernier aux États-Unis. Les coûts associés à ces trois sites sont repris ci-dessous et correspondent :
– au coût fixe annuel associé à la mise en œuvre de l'usine,
– au coût de production unitaire (soit le coût variable unitaire),
– aux coûts de transport unitaires moyens vers les trois grandes régions vers lesquelles les produits seront expédiés, en respectant les contraintes éventuelles de délai de transport.

---

[1] En réalité la méthodologie à mettre en œuvre est fonction du type de réseau concerné. Dans un souci de concision, l'approche et les arbitrages à réaliser seront illustrés sur ce cas particulier.

En complément, on dispose d'une estimation des volumes annuels à envoyer vers les trois grandes régions (fig. 7-18).

Figure 7–18 – *Données de l'exemple*

Site de fabrication	Coûts de production et de transport unitaire			Coût fixe annuel
	vers l'Asie	vers l'Europe	vers les USA	
Asie	60€	90€	115€	1000000€
Europe	120€	95€	105€	2000000€
USA	130€	100€	85€	1500000€
Demande annuelle	16 000	14 000	20 000	

Les coûts globaux annuels par site sont donc les suivants (fig. 7-19) :

Figure 7–19 – *Solution de l'exemple*

Site de fabrication	Coûts annuels de production et de transport			Coût fixe annuel	Coût total annuel
	vers l'Asie	vers l'Europe	vers les USA		
Asie	960 000€	1 260 000€	2 300 000€	1 000 000€	5 520 000€
Europe	1 920 000€	1 330 000€	2 100 000€	2 000 000€	7 350 000€
USA	2 080 000€	1 400 000€	1 700 000€	1 500 000€	6 680 000€

La solution optimale de ce problème consiste donc à sélectionner le site de fabrication situé en Asie.

Une formulation mathématique générale

On formule ici le problème décrit à la section précédente comme un programme mathématique, qui peut être résolu par exemple via Excel.

Données ou paramètres :
- nombre de sites possibles pour implanter les usines : n
- nombre de régions différentes : m
- demande annuelle pour la région i : D_i
- capacité potentielle du site i : K_i

Les différents coûts sont les suivants :
- coût fixe annuel du site i : Cf_i
- coût unitaire de production et de transport d'une unité fabriquée sur le site i et expédiée dans la région j : C_{ij}

Variables de décision :
– ouverture (ou non) d'une usine sur le site de fabrication i : y_i[1]
– quantité expédiée du site de fabrication i vers la région j : x_{ij}

Description de la fonction objectif : en fonction des coûts et variables introduits plus haut, cette fonction est de la forme :

$$\text{Minimiser} \sum_{i=1}^{n} \sum_{j=1}^{m} C_{ij}\, x_{ij} + \sum_{i=1}^{n} Cf_i\, y_i$$

Contraintes :
Contrainte de capacité :

$$\sum_{j=1}^{m} x_{ij} \leq K_i\, y_i \quad (\text{pour } i = 1, \dots, n)$$

Contrainte sur les flux à assurer :

$$\sum_{i=1}^{n} x_{ij} = D_j \quad (\text{pour } j = 1, \dots, m)$$

Synthèse : la matrice d'internationalisation

En Europe occidentale, certaines entreprises raisonnent en termes de marché global et appliquent le principe précédent, spécialisant leurs unités par familles de produits, c'est-à-dire généralement par technologies, le coût de transport supplémentaire ne compensant pas l'intérêt évident des économies d'échelle.

Si l'on fait référence à la *matrice d'internationalisation* présentée au chapitre 5, section 4, les choix de structures des réseaux industriels et de distribution sont en général étroitement liés à la stratégie industrielle internationale. En fait, les préoccupations seront duales :
– chercher à minimiser le coût global de la *supply chain* en fonction du degré d'internationalisation recherché,
– mettre en place simultanément le dispositif qui permet la meilleure réactivité vis-à-vis des marchés clients ciblés géographiquement (avec une flexibilité élevée).

La figure 7-20 suivante illustre les caractéristiques dominantes des structures de réseaux observées selon les quatre types de stratégie de déploiement international. Sur cette figure, le terme « régional » fait référence à des zones géographiques au plan mondial (« local » étant plutôt réservé à des marchés nationaux spécifiques).

Sur cette figure, pour le type d'approche en haut à droite, le terme « *glocalisée* » signifie que l'entreprise recherche simultanément une centralisation mondiale pour certaines fonctions majeures, toute en maintenant un dispositif local pour l'aval de la *supply chain* ou certaines filiales nationales.

---

[1] Avec la convention $y_i=1$ en cas d'ouverture et $y_i=0$ dans le cas contraire.

Figure 7-20 – *Les structures de réseaux industriels mondiaux*

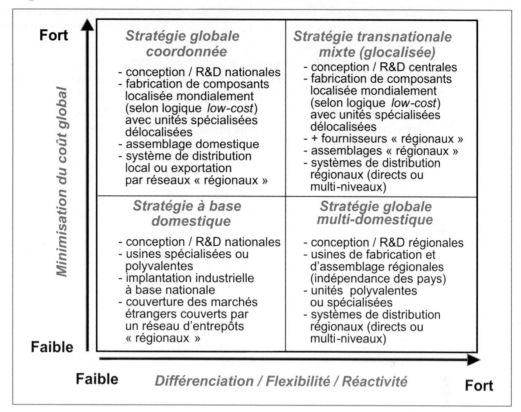

7/5.2   *Nombre d'entrepôts et choix de leur localisation*

Principes généraux de structuration logistique et d'entreposage

La résolution du problème passe par la formalisation de toutes les fonctions de coûts concernées et par la connaissance de leur évolution en fonction du nombre d'entrepôts (encore appelés dépôts). Avant de déterminer la localisation des différents composants du réseau, répertorions les coûts respectifs et leurs évolutions en fonction du nombre d'entrepôts afin de vérifier l'existence réelle d'une solution optimale (fig. 7-21).

Transport dépôts-clients : si l'on augmente le nombre de dépôts, chaque client devient de plus en plus proche d'un dépôt et la distance de livraison diminue ainsi que le coût de transport.

Transport usines-dépôts : le coût d'approvisionnement des dépôts à partir des usines reste à peu près stable lorsque le nombre des centres augmente, jusqu'au moment où ce nombre ne permet plus de bénéficier des conditions tarifaires de transport en wagons ou camions complets. À partir de cet instant, les coûts unitaires augmentent rapidement au fur et à mesure que le flux à livrer diminue.

Frais financiers sur stock : les frais financiers varient proportionnellement à la valeur en stock. Pour une *qualité de service au client donnée*, lorsque le nombre d'entrepôts augmente, la quantité stockée au total augmente également. D'une part, parce que la présence de coûts fixes (de production ou de transport) impose aux logisticiens d'approvisionner les entrepôts avec des quantités qui peuvent être supérieures à leurs besoins immédiats. D'autre part, car on conçoit aisément que plus les marchés sont larges et plus les fluctuations aléatoires se compensent les unes les autres, permettant des stocks de sécurité limités. Et donc, *a contrario* plus les entrepôts desservent des régions limitées, plus leur nombre augmente et plus les stocks de sécurité vont devenir importants.

Figure 7-21 – *Les divers coûts logistiques en jeu*

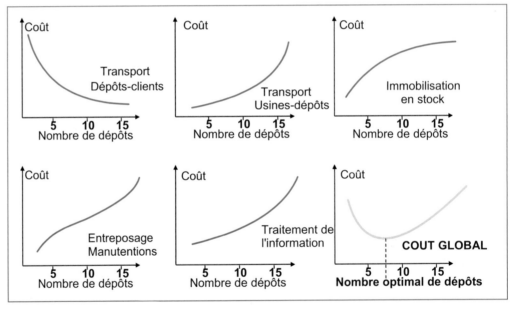

Dans la mesure où les stocks permettent une modélisation aisée de ces mécanismes, nous démontrons ce phénomène ci-dessous[1].

Stock cyclique. On reprend ici les notations utilisées en gestion des stocks : soit D la demande annuelle globale, Ct le coût de passation de la commande au fournisseur, Cp le coût annuel de possession d'une unité de l'article (frais financiers et coût d'entreposage)[2]. Dans un système à un seul dépôt, la quantité économique de réapprovisionnement s'établit comme suit :

$$Q_1 = \sqrt{\frac{2DCt}{Cp}}$$

---

[1] Les raisonnements analytiques développés ici s'appuient sur des modèles de stocks détaillés au chapitre 13. Le lecteur est invité à s'y reporter avant de reprendre sa lecture.

[2] On admettra, pour simplifier le raisonnement, que le coût de passation des commandes ainsi que le coût de possession sont identiques pour chaque dépôt, quelle que soit la taille du réseau.

Dans un système à n dépôts, la demande propre à chacun d'entre eux est égale à D/n. La quantité économique de réapprovisionnement de chaque dépôt s'établit comme :

$$Q_n = \sqrt{\frac{2 \frac{D}{n} Ct}{Cp}}$$

et le stock cyclique moyen vaut donc $Q_n/2$. Le stock cyclique moyen total dans le réseau de n entrepôts vaut donc :

$$n \frac{Q_n}{2} = \frac{n}{2} \sqrt{\frac{2 \frac{D}{n} Ct}{Cp}} = \sqrt{n} \frac{Q_1}{2}$$

Le stock cyclique global d'un réseau à n dépôts est donc égal au stock cyclique d'un réseau à un seul dépôt multiplié par $\sqrt{n}$, la racine carrée du nombre de dépôts. Ainsi un réseau à quatre dépôts présentera un stock cyclique deux fois plus important qu'un entrepôt central unique.

Stock de sécurité. On analyse maintenant le niveau global des stocks de sécurité selon le nombre de dépôts. Les demandes pendant l'intervalle de protection[1] de chaque dépôt sont supposées aléatoires et indépendantes. Dans un système à un seul dépôt, on note σ_1 l'écart type de cette demande. On peut montrer[2] que le niveau de stock de sécurité à conserver dans chaque dépôt pour atteindre une qualité de service donnée est proportionnel à cet écart type. On a donc :

Stock de sécurité pour un dépôt unique $= k\,\sigma_1$,

où k est le facteur de proportionnalité correspondant au niveau de service objectif. Pour un système à n dépôts, le stock de sécurité global sera :

$$n\,k\,\sigma_n$$

Or, on peut montrer que très souvent il existe une relation entre la dispersion globale de la demande (mesurée par σ_1) et la dispersion des demandes régionales dans le cas de n dépôts (mesurée par σ_n). Cette relation est la suivante :

$$\sigma_n = \sigma_1 / \sqrt{n}$$

On peut donc en déduire que, pour un système à n dépôts, le stock de sécurité global sera donc :

$$n\,k\,\sigma_n = \sqrt{n}\,k\,\sigma_1$$

Le stock de sécurité dans un réseau à n dépôts est donc égal au stock de sécurité pour un entrepôt unique multiplié par $\sqrt{n}$, soit la racine carrée du nombre de dépôts. Par exemple, passer de quatre dépôts à un seul divise les stocks de sécurité par un facteur 2. Les compensations jouent pleinement, une pointe de demande pour une région pouvant correspondre à un creux dans une autre.

Entreposage : les coûts d'entreposage et de manutention suivent une double évolution. D'abord ils augmentent avec le nombre de dépôts du fait de l'accroissement du stock

---

[1] Ces concepts sont définis en détails au chapitre 14.

[2] Voir chapitre 14.

précédemment décrit. Ensuite ils subissent une « *déséconomie* » *d'échelle* : plus le nombre de dépôts augmente, plus le tonnage traité par chacun d'entre eux diminue. De ce fait, le niveau d'activité absorbe de plus en plus difficilement certains frais de structures et les systèmes mis en place sont de moins en moins performants.

Traitement de l'information : le raisonnement utilisé pour le stockage s'applique de la même façon au traitement de l'information et fournit des conclusions identiques : le coût correspondant augmente donc avec le nombre de dépôts.

Coût global : le coût total de la distribution physique se présente donc comme le cumul de cinq fonctions élémentaires de coût dont l'une diminue avec le nombre des dépôts (les livraisons) et les quatre autres augmentent avec celui-ci : la courbe totale résultante passe par un minimum que l'on s'efforce d'atteindre.

Recherche d'un réseau optimal

La recherche d'un réseau optimal, à la fois en termes du nombre de dépôts et de leur localisation, peut se modéliser sous la forme d'un programme mathématique. La fonction économique à minimiser se compose des cinq types de coûts précédemment définis. Les contraintes concernent la satisfaction de la demande et la conservation des flux dans les dépôts.

Cependant, certaines de ces fonctions ne sont pas linéaires et, par ailleurs, la constitution d'un réseau ne constitue pas un *continuum* (un dépôt est ouvert ou fermé). Pour toutes ces raisons il faut avoir recours à une méthode de programmation mathématique en nombres entiers, qui peut être très lourde à mettre en œuvre. C'est la raison pour laquelle les praticiens préfèrent souvent utiliser des heuristiques, c'est-à-dire des méthodes approximatives, simples à calculer.

Parmi celles-ci, la méthode de la *soustraction progressive* est très utilisée. Elle se présente comme suit :

- On retient un certain nombre (n) de villes candidates.
- On suppose que la distribution s'effectue au début avec un dépôt dans chacune de ces villes. Le réseau se compose donc de n dépôts (dont on calcule le coût total de distribution à l'aide des fonctions de coûts précédentes).
- On décide ensuite de fermer un dépôt parmi les n villes retenues *a priori*. On ferme successivement chacun d'entre eux et on calcule le coût correspondant. La ville choisie sera celle dont la fermeture conduit à l'économie la plus importante par rapport à la solution précédente. Par la suite, on ne reviendra plus sur ce choix : ce dépôt sera définitivement fermé. On obtient ainsi un réseau à $n-1$ dépôts.
- On envisage maintenant de réduire ce réseau à $n-2$ dépôts. On choisit alors parmi les $n-1$ dépôts le deuxième dépôt qui sera également définitivement fermé, selon une procédure identique à celle retenue lors de la phase précédente.
- On applique alors le même processus pour un réseau à $n-3$, $n-4$, $n-5$ dépôts, etc., en fermant à chaque fois un dépôt supplémentaire jusqu'à ce qu'il ne soit plus possible d'obtenir une économie par rapport à la solution précédente : l'optimum est alors atteint selon cette méthode.

Le principal avantage de cette méthode se situe au niveau du nombre de solutions à étudier, bien inférieur à celui analysé dans un programme linéaire, mais on n'est pas certain d'avoir trouvé l'optimum absolu. De plus, cette méthode s'applique bien avec des contraintes supplémentaires au départ, à savoir l'obligation de disposer d'un ou de deux dépôts dans certaines villes pour des raisons commerciales, ce qui diminue encore fortement le champ des solutions possibles.

L'intérêt majeur de cette heuristique réside dans la présentation des résultats : le décideur voit, en effet, l'évolution du coût global de la distribution en fonction des implantations réelles, par exemple une implantation en région parisienne, ou des implantations dans deux régions (région parisienne + Lyon), ou trois, etc.

Les différentes applications réalisées dans des entreprises selon cette méthode fournissent le plus souvent des résultats conformes à la courbe ci-dessous (fig. 7-22).

Figure 7-22 – *Évolution du coût total selon le nombre de dépôts*

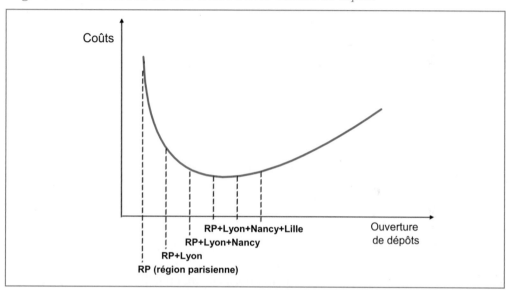

Généralisation au cas des réseaux à deux étages

La détermination de réseaux à deux étages (entrepôt central plus dépôts locaux) se traite de la même manière que précédemment en intégrant des fonctions de coûts supplémentaires de transport et de stockage liées à l'existence du premier niveau de distribution.

Une illustration simple : la localisation d'un entrepôt unique

Si l'entreprise a retenu la solution d'un entrepôt central de distribution, elle doit rechercher la localisation lui permettant de minimiser l'ensemble de ses coûts. Dans l'étude ci-dessous, on suppose que le niveau de service aux clients doit rester identique quel que soit l'emplacement du site de stockage.

Formalisation initiale du coût de transport

Sur un plan national, la localisation d'un entrepôt central par rapport aux clients à livrer dépend principalement des coûts de transport. Compte tenu de la part élevée des coûts de livraison terminale dans le coût total, nous nous limiterons à ceux-ci dans la recherche de la localisation optimale[1].

Dans le cas élémentaire[2], le coût de transport unitaire CT(d) en fonction de la distance parcourue s'exprime sous la forme suivante :

$$CT(d) = A + B\,d$$

où A est le coût fixe, B est le coût de transport par distance unitaire et d est la distance entre l'entrepôt et le client à livrer. Cette distance d dépendant bien entendu de la localisation géographique choisie pour l'entrepôt.

Livraison aux clients. Le coût global de livraison périodique aux n clients à partir de l'entrepôt s'écrit alors :

$$\sum_{i=1}^{n} CT_i(d_i)\,Q_i$$

avec i l'indice du client et Q_i la quantité livrée au client i (pour la période considérée). On peut reformuler ce coût de livraison périodique global comme suit :

$$\sum_{i=1}^{n} CT_i(d_i)Q_i = \sum_{i=1}^{n}\left(A+Bd_i\right)Q_i = A\sum_{i=1}^{n} Q_i + B\sum_{i=1}^{n} d_i\,Q_i$$

Approvisionnement de l'entrepôt. Si l'on considère qu'au niveau du transport amont l'entrepôt est approvisionné à partir d'un point unique (par exemple une zone portuaire si les produits sont importés depuis un réseau complexe ou d'une usine s'ils sont fabriqués dans une seule usine), le coût global de transport amont pour approvisionner l'entrepôt s'écrit alors :

$$\left(A_a + B_a d_a\right)\sum_{i=1}^{n} Q_i$$

où A_a est le coût fixe de livraison en amont de l'entrepôt, B_a est le coût de transport par distance unitaire et d_a est la distance entre le fournisseur amont et l'entrepôt. Cette distance d_a dépendant bien entendu de la localisation géographique choisie pour l'entrepôt.

Coût global. On peut donc formuler le coût global périodique comme suit :

$$\left(A + A_a\right)\sum_{i=1}^{n} Q_i + B\sum_{i=1}^{n} d_i\,Q_i + B_a d_a\sum_{i=1}^{n} Q_i$$

La minimisation de ce coût global par rapport à la localisation de l'entrepôt est équivalente à la minimisation de l'expression :

[1] En effet, les livraisons de l'entrepôt central aux clients correspondent souvent à des lots de taille bien inférieure à celle du véhicule, donc à un coût élevé à la tonne. En revanche, les approvisionnements en provenance des usines s'effectuent par grandes quantités (camions ou wagons complets) donc à un coût plus faible par tonne. Les transports d'approvisionnement seront pris en compte par la suite pour affiner le résultat.

[2] En pratique, les paramètres A et B ne sont pas constants quelles que soient les quantités transportées, mais restent constants par tranche de poids ou de volume transporté. La modélisation correspondante devient proche de celle proposée pour les rabais dans le chapitre 13.

$$B \sum_{i=1}^{n} d_i \, Q_i + B_a d_a \sum_{i=1}^{n} Q_i$$

puisque le terme $\Sigma_i \, Q_i$ représente la quantité totale livrée à chaque période, qui est fixe. D'un point de vue mathématique, malgré son apparente simplicité, la résolution de ce problème d'optimisation est complexe : il n'existe pas de formule simple permettant d'identifier la localisation optimale. Il est donc nécessaire d'utiliser des formules approchées ou des méthodes générales, comme la programmation non-linéaire.

Approche par le barycentre

Une première méthode approchée est connue sous le nom de méthode du barycentre. Cette méthode vient de la constatation que si on prend comme critère de coût à optimiser l'expression :

$$\sum_{i=1}^{n} d_i^2 \, Q_i + \frac{B_a}{B} d_a^2 \sum_{i=1}^{n} Q_i$$

il est possible de calculer assez simplement la localisation optimale. En effet, si la localisation de chaque client à livrer est repérée, sur une carte géographique, avec ses coordonnées *x, y,* les coordonnées X et Y de l'entrepôt minimisant ce nouveau critère de coût sont obtenues d'après les formules simples suivantes[1] :

$$X = \frac{\sum_{i=1}^{n} x_1 Q_i + (B_a/B) x_a \sum_{i=1}^{n} Q_i}{(1 + B_a/B) \sum_{i=1}^{n} Q_i} \quad Y = \frac{\sum_{i=1}^{n} y_i Q_i + (B_a/B) y_a \sum_{i=1}^{n} Q_i}{(1 + B_a/B) \sum_{i=1}^{n} Q_i} .$$

Cette solution s'appelle par définition le *barycentre* du réseau logistique. On peut noter que cette méthode, simple d'utilisation, présente cependant deux inconvénients.

Tout d'abord, la fonction de coût optimisée ne correspond pas à la fonction de coût réelle. Ensuite, les distances utilisées dans cette approche conduisant aux formules ci-dessous sont des distances à vol d'oiseau et ne tiennent pas compte des réseaux routiers effectifs. Il en résulte naturellement des distorsions, dans le cas de régions montagneuses ou côtières. Ces distorsions peuvent cependant être compensées, par exemple en introduisant des coefficients multiplicateurs variables selon les zones géographiques.

Exemple (suite) : L'entreprise considérée souhaitant implanter un entrepôt par pays doit choisir une localisation pour la France, sachant que cet entrepôt sera approvisionné via Bordeaux. On retient que le coût de transport est deux fois plus élevé pour les livraisons terminales vers les clients que pour l'approvisionnement de l'entrepôt depuis Bordeaux. Les prévisions d'activité précisent les demandes

---

[1] Ces formules sont obtenues en minimisant la fonction de coût par rapport à X et à Y par annulation des dérivées partielles.

périodiques estimées, Q_i, pour les différents clients, avec leurs coordonnées géographiques relevées sur une carte de France (fig. 7-23).

L'application de la méthode du barycentre aux points précédents conduit à une implantation aux coordonnées (17,9 ; 17,6), correspondant à une localisation située au sud de Blois.

Figure 7-23 – *Données pour la localisation d'un entrepôt en France*

Villes	Demandes	x_i	y_i	$Q_i x_i$	$Q_i y_i$
Meaux	1025	20,0	24,3	20500	24908
Lille	391	20,5	30,9	8016	12082
Nancy	233	28,3	24,0	6594	5592
Lyon	515	25,5	13,0	13133	6695
Toulouse	85	16,7	4,8	1420	408
Rennes	77	8,9	21,7	685	1671
Caen	60	12,2	25,5	732	1530
Tours	52	14,7	18,8	764	978
Angoulème	34	13,3	12,4	452	422
Limoges	35	16,2	13,1	567	459
Moulins	36	21,5	15,8	774	569
Besançon	46	28,2	18,6	1297	856
Total	**2589**			**54934**	**56170**
Centre de Bordeaux		**11,3**	**9,4**		
Barycentre		**17,9**	**17,6**		

Critères de décision complémentaires

Si les méthodes qui viennent d'être décrites apportent une aide au décideur, elles doivent cependant être utilisées avec précaution. En effet, le principe du calcul ainsi que le recours à des distances *à vol d'oiseau* (même avec des coefficients correcteurs) à la place des distances réelles peuvent aboutir à des localisations irréalistes.

Le résultat obtenu doit donc être considéré comme une première approximation de la zone géographique d'implantation. Ensuite l'entreprise doit chercher dans cette région les terrains (ou zones industrielles disponibles) et choisir en fonction de critères plus précis, parmi lesquels on retient généralement :
– le prix du terrain,
– la fiscalité (primes ou aides régionales, taxe professionnelle),
– le marché du travail (autres industries, niveau des salaires),
– les communications (proximité des grands axes, état du réseau local, difficultés de circulation en temps normal, l'hiver),
– les structures d'accueil (habitation, éducation),
– les caractéristiques du terrain.

7/5.3 *Les réseaux européens*

La création d'un espace européen ne s'est pas toujours traduite par une uniformisation des goûts et des habitudes entraînant l'apparition de produits européens, identiques pour l'ensemble des 400 millions de consommateurs. On a vu

apparaître différentes approches industrielles, ayant des conséquences directes sur les réseaux de distribution :
- la production, dans les pays à bas coût, de produits destinés au marché européen (électronique grand public, micro-ordinateur…),
- la production en Europe pour le marché européen (voitures),
- la production dans chaque pays pour le marché national (produits alimentaires).

Bien que les structures logistiques varient naturellement selon ces situations, on a vu apparaître certaines tendances fortes comme :
- la réduction du nombre de niveaux des réseaux de distribution,
- le passage par des plates-formes,
- et l'externalisation croissante de la logistique de distribution.

Production nationale

Dans le cas de production majoritairement nationale, on trouve le plus souvent un (voire deux) entrepôt(s) de distribution. Leur localisation se situe généralement dans les zones de forte concentration de consommation. Par exemple, un grand producteur de produits de gamme « épicerie » dispose de deux entrepôts : le premier, en région parisienne, recevant les produits des usines situées dans le nord et l'est de la France et le second, près de Lyon, approvisionné depuis les autres usines.

Production hors Europe

Dans le cas de distribution de produits en provenance d'Asie ou des États-Unis, les entreprises s'orientent vers une structure centrale caractérisée par un entrepôt en Europe (par exemple Anvers, compte tenu des fréquences d'arrivées de navires) ou deux (un pour l'Europe du Nord et un pour le sud). À partir de ce (ou de ces deux) site(s), la distribution s'effectue via des plates-formes d'éclatement généralement sous-traitées. L'élargissement de la communauté ne fera que conforter voire déplacer ces localisations vers l'est (Belgique, Pays-Bas, Allemagne).

La création d'un entrepôt unique en Europe a été la solution retenue par de nombreux grands groupes : depuis un grand producteur de chaussures de sport, jusqu'à des fabricants de produits cosmétiques ou un leader des imprimantes. Pour des produits devant être livrés dans des délais très courts (comme les pièces détachées automobiles), les entreprises développent un réseau à deux niveaux : un entrepôt central approvisionné directement par les usines et stockant l'ensemble des références, et ensuite des entrepôts nationaux, conservant les produits de consommation courante.

7/6 Les réseaux d'approvisionnement

Les structures de réseaux d'approvisionnement sont tout à fait symétriques de celles des réseaux de distribution.

L'approvisionnement des usines de composants ou d'assemblage s'effectue selon quatre modalités différentes : la livraison directe, la livraison sur plateforme, la tournée de ramassage et le *magasin avancé fournisseur* (fig. 7-24).

Figure 7-24 – *Évolution du coût total selon le nombre de dépôts*

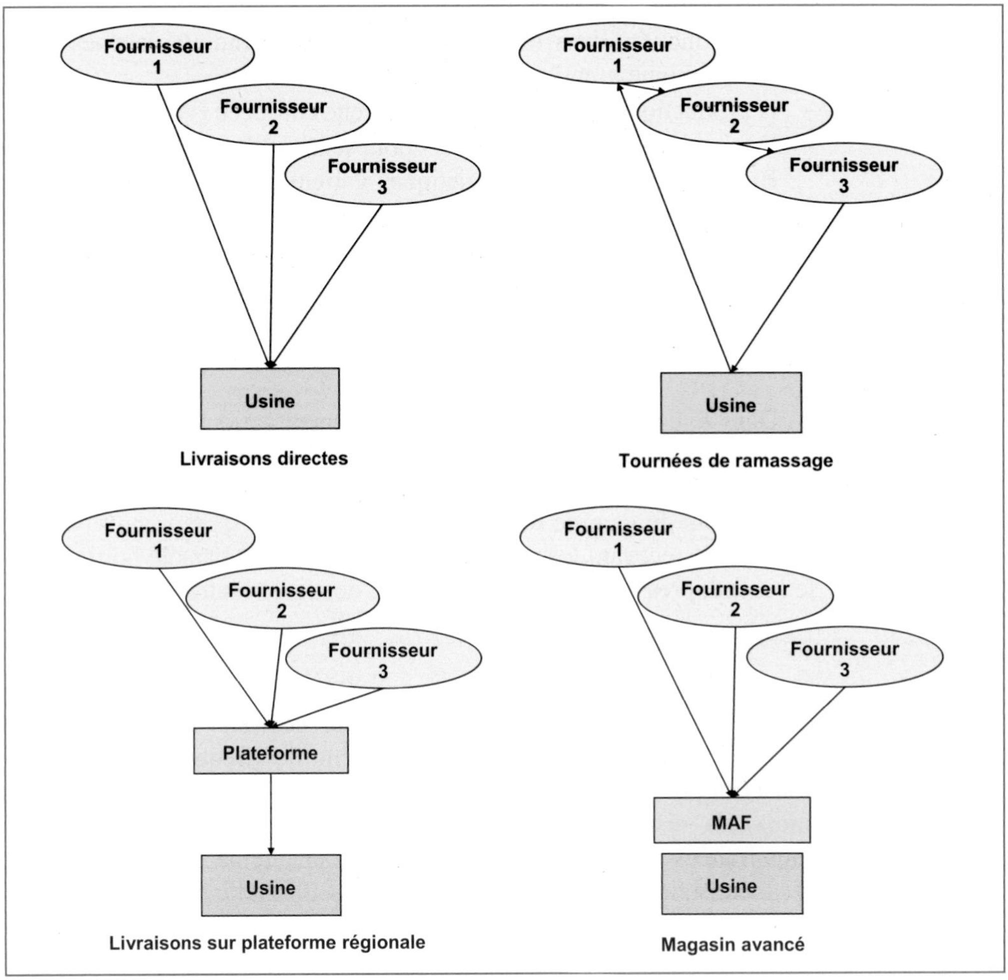

La livraison directe

Lorsque la quantité à expédier est importante et correspond à une unité de transport (un camion complet, un wagon, un conteneur), l'envoi direct s'impose naturellement, permettant ainsi d'obtenir un coût minimum. Si les volumes ou les tonnages sont faibles, on aura recours à des transports de messagerie.

Les tournées de ramassage

Le principe de la tournée de ramassage vise à massifier les flux, lorsque les quantités expédiées par chaque usine individuellement ne sont pas suffisantes pour assurer un taux de remplissage efficace du moyen de transport utilisé. Au lieu d'organiser des transports séparés pour chaque usine, on organise des tournées de ramassage auprès des différentes usines afin d'améliorer le remplissage des véhicules.

Ce principe s'applique aussi bien pour approvisionner une usine qu'un entrepôt. Si les points de ramassage sont éloignés, on peut envisager de passer par une plate-forme de regroupement à partir de laquelle un seul camion (complet) ira approvisionner l'usine du client.

La livraison sur plateforme

Les fournisseurs livrent leurs produits à fréquence élevée (souvent quotidiennement) sur des plateformes régionales ; ce sont des transports à relativement courte distance au moyen de camions qui ne sont pas complètement remplis. Les marchandises de tous les fournisseurs de la région sont transférées (*cross-docking*) dans des camions gros porteurs qui se chargent du transport à longue distance jusqu'à l'usine.

Les magasins avancés

Les magasins avancés (MAF) ont fait leur apparition dans le secteur automobile afin de pouvoir approvisionner les chaînes de montage en flux tendus. En effet, dans ce secteur industriel, le fonctionnement en Juste-à-temps nécessitant des livraisons très fréquentes de petites quantités, les constructeurs ont demandé à leurs fournisseurs de s'installer à proximité de leurs usines d'assemblage. Cette solution ne s'avérant pas toujours possible, les fournisseurs ont mis en place des entrepôts de proximité, situés à quelques kilomètres des usines, disposant d'un petit stock à partir duquel il est possible de livrer à de très grandes fréquences.

Assez souvent, on ne parle plus d'entrepôt de proximité, puisque c'est l'usine elle-même du fournisseur qui se trouve pratiquement mitoyenne de celle de son client.

Chapitre 8

Sourcing et stratégie fournisseurs

Pour beaucoup d'entreprises, l'amélioration de la compétitivité se joue dans le domaine des achats. Cette fonction en pleine mutation est en effet devenue stratégique dans la plupart des secteurs industriels ou de services.

Ce chapitre vise donc à situer la place de la fonction Achats dans la stratégie de l'entreprise et la *supply chain*, à définir ses principales missions et variables d'action. Nous nous attacherons d'abord à expliquer les démarches de marketing-achat, puis à analyser en détail les approches de *sourcing* et de sélection des fournisseurs. L'étude des différents modes de relations entre l'entreprise et ses fournisseurs compléteront ce chapitre[1].

8/1   Définition et contribution stratégique des Achats dans la stratégie de l'entreprise

Devant l'âpreté de la concurrence, comme on l'a vu au chapitre 5, les entreprises se recentrent sur leur métier et externalisent toutes les activités qui ne constituent pas leur savoir-faire distinctif. Cela a eu pour conséquence d'élargir le périmètre de la fonction Achats. Concernée aussi bien par les produits que par les services, elle évolue de plus en plus vers l'achat de prestations industrielles et intellectuelles : l'achat de sous-traitance ou les relations de partenariat avec les fournisseurs deviennent la principale préoccupation des grands groupes industriels de l'automobile, de l'aéronautique, de l'électronique mais aussi de la confection. À titre d'exemple, dans une automobile sont achetés (liste très partielle) : les sièges, les garnitures intérieures, le système de freinage, les phares, les amortisseurs et suspensions, l'équipement électrique du moteur, le système d'injection, les vitres, les essuie-glaces, les ceintures de sécurité, les pneus, l'autoradio…, représentant plus de 70 % de sa valeur.

L'observation des coûts de revient de la plupart des produits fait apparaître que les biens, prestations et services achetés ou sous-traités représentent souvent un pourcentage des coûts largement supérieur à 50 % du compte de résultat de toute entreprise. De ce fait, toute action permettant de gagner 5 % sur le montant des achats est presque toujours plus rentable que d'autres actions, comme l'amélioration de la productivité en fabrication ou des investissements commerciaux.

---

[1] Pour une étude détaillée de la fonction Achats, on consultera l'ouvrage d' Olivier Bruel, *Management des Achats*, Economica, 2007.

Cette proportion croissante de la part d'achat dans les coûts de revient s'explique par la volonté des entreprises de se recentrer sur leur métier de base pour deux raisons majeures. D'une part, il est coûteux de se maintenir au meilleur niveau technologique sur des métiers différents du fait du poids des investissements en recherche et développement et en équipements de production. D'autre part, le phénomène d'économie d'échelle conduit nécessairement à abandonner des fabrications dont les volumes sont trop faibles pour obtenir des coûts de revient compétitifs.

Dans la plupart des secteurs, le nombre et la complexité des technologies mises en œuvre augmentent. Pour poursuivre sur l'exemple automobile, l'électronique intervient dans un nombre croissant de fonctions (contrôle du moteur, du freinage, de la climatisation, de la tenue de route, systèmes de navigation et d'assistance, etc.). Dans la majorité des cas, les entreprises ne peuvent pas les intégrer toutes et sont donc amenées à les rechercher chez les fournisseurs, mais aussi à les associer au développement des nouveaux produits. C'est le cas des constructeurs qui ne développent ni ne fabriquent, les équipements électroniques qu'ils incluent dans leurs véhicules. Ainsi la fonction Achats doit maintenant être associée au processus de conception et de développement des nouveaux produits, et se préoccuper de gérer le portefeuille des technologies que l'entreprise ne peut maîtriser par elle-même.

Cette évolution implique une fonction entièrement dédiée, dotée d'un professionnalisme de haut niveau, ainsi qu'une nouvelle définition des compétences nécessaires pour exercer pleinement ce métier avec efficacité.

8/1.1   Définition générale

Pour commencer, un éclaircissement indispensable : il ne faut pas confondre Achats et Approvisionnements, et il est important de bien situer les Achats dans la *supply chain*.

Pour une entreprise, la *fonction Achats est responsable d'acquérir les produits, les services et les prestations demandés par les clients internes, dans les meilleures conditions économiques, de qualité et de service, tout en maîtrisant les divers risques encourus à court et moyen termes*. Pour simplifier, le domaine de responsabilité s'arrête à la signature des contrats d'achats (ou des « simples » commandes) et au suivi de leur mise en œuvre.

En revanche, la *fonction Approvisionnements est responsable de l'exécution physique des contrats, et du pilotage des flux physiques à court terme* (appels de livraison, aspects logistiques et connexion avec la planification des besoins, gestion du transport et des interfaces avec les prestataires logistiques éventuels, suivi des livraisons et règlement des litiges éventuels en relation avec les Achats, etc.).

Ainsi définis, les Achats ont une mission générique stratégique avec un objectif « d'attaque » des marchés fournisseurs pour assurer au mieux la satisfaction totale des besoins de l'entreprise : on parle de *démarche « pro-active »*. Les Achats sont donc sur les marchés amont la fonction symétrique du Marketing Vente sur les marchés aval de l'entreprise. Ils sont ainsi partie intégrante de la *supply chain* dans sa dimension stratégique, mais ne sont pas concernés par le pilotage des flux et la planification des besoins à court terme qui relèvent des Approvisionnements.

8/1.2   *Les missions et objectifs opérationnels de la fonction Achats*

Ainsi définies, les missions opérationnelles des Achats sont les suivantes :
- rechercher et acquérir les biens, services et prestations, intégrés dans les produits fabriqués et vendus par l'entreprise, ou nécessaires à son fonctionnement selon une définition explicite des besoins au travers de cahiers des charges clairement définis,
- viser un niveau de qualité objectif dans des conditions d'assurance-qualité clairement définies et mises en place chez les fournisseurs,
- s'assurer des conditions de flexibilité importantes par mise en place de solutions assurant des délais courts,
- et enfin, garantir des conditions de services associées que peuvent attendre les clients internes des Achats (services utilisateurs).

Outre ces missions opérationnelles, les Achats doivent aussi développer et mettre en place les actions stratégiques suivantes :
- assurer la maîtrise des divers risques que court l'entreprise en amont (notamment, la couverture de la sécurité des approvisionnements, la garantie de fiabilité des sources d'approvisionnement, la protection de la propriété intellectuelle et industrielle des développements menés avec les fournisseurs, le respect des règles et principes de développement durable, et la confidentialité des informations partagées),
- concevoir et piloter la politique fournisseurs (largement développée plus loin),
- enfin, contribuer à l'innovation de l'entreprise, notamment par leur connaissance des innovations existantes ou en cours de développement chez les fournisseurs, voire par la mise en place d'une veille technologique systématique.

On a dit que la fonction Achats n'inclut pas directement les aspects logistiques liés à la gestion opérationnelle des flux et des stocks et à la mise à disposition des produits aux utilisateurs, décisions du domaine de la fonction Approvisionnement. Cependant, elle doit veiller à intégrer les organisations et décisions logistiques dans les contrats signés avec les fournisseurs. De plus, les problèmes et litiges rencontrés dans les livraisons, si les solutions ne sont pas prévues et anticipées dans les contrats, devront aussi être réglés par les Achats, qui pourront aussi être amenés à moyen terme à revoir leur choix de fournisseurs en conséquence.

Par ailleurs, on notera que les Achats s'exercent sur deux horizons principaux : à long et moyen termes, pour la définition d'une stratégie d'achat et, à court terme, pour l'optimisation de la gestion opérationnelle.

En conclusion, cette fonction contribue à la stratégie générale de plusieurs façons :
- elle concourt à l'amélioration de la compétitivité,
- elle contribue largement à la « création de valeur »,
- elle contribue au « business » de l'entreprise, à savoir permet un enrichissement des offres commerciales au profit du client final.

Ces missions doivent être différenciées selon les types de produits achetés, les enjeux économiques et stratégiques et les caractéristiques des marchés fournisseurs : on n'achètera pas de la même façon, par exemple, des pièces de fonderie de faible valeur où les fournisseurs potentiels sont nombreux, et des équipements d'avionique *high-tech* très coûteux qui ne peuvent être fournis que par deux ou trois entreprises dans le monde.

8/1.3   Le portefeuille d'achat

Le champ d'action de la fonction est extrêmement vaste. On appelle « portefeuille achat » *l'ensemble des biens, services et prestations achetés par l'entreprise et classés selon une logique de segmentation*. Si l'on observe la structure type du portefeuille Achats d'une entreprise industrielle, on peut établir une première segmentation en fonction de la *nature* des produits achetés :

– achats dits de production ou directs, qui sont souvent très variés : matières premières, composants, sous-ensembles complets, produits industriels consommables, prestations de sous-traitance industrielle (du simple travail à façon tel le traitement thermique à la fourniture d'un organe ou d'une fonction complexe),

– achats de produits de négoce, produits finis que l'entreprise approvisionne pour compléter son offre (par exemple, un fabricant de téléviseurs achète des lecteurs de DVD qu'il revend sous sa propre marque),

– achats de sous-traitance de fabrication (qu'il s'agisse d'un besoin ponctuel ou de la fabrication d'un sous-ensemble complet sur toute la durée de vie d'un produit),

– achats de transports et services logistiques, pour approvisionner les matières premières si le fournisseur ne livre pas franco rendu et pour livrer les produits finis aux clients,

– achats d'énergies et de fluides divers,

– achats de prestations techniques ou intellectuelles (travaux de maintenance, pièces détachées, prestations logistiques, programmation informatique, etc.),

– achats d'investissements (bâtiments, matériels, équipements de production, matériels de laboratoire ou informatiques, par exemple),

– achats de frais généraux (locations, transports et déplacements des collaborateurs, prestations diverses comme le nettoyage ou la surveillance, fournitures de bureau, divers consommables, formation, études de marchés, etc.).

Cette typologie est souvent à la base de la répartition des tâches par métiers dans un service Achats : comme une connaissance des technologies est indispensable, on trouve des acheteurs spécialisés selon la nature des produits achetés. Par exemple, dans une entreprise qui fabrique des parfums, un acheteur achète les bases alcooliques et les extraits parfumés, un autre achète les flacons de verre et un troisième achète les emballages et conditionnements primaires et gère les relations avec les imprimeurs.

Même si le service Achats lui-même ne s'occupe pas nécessairement de l'ensemble des biens et services achetés – car certains segments peuvent être confiés et délégués aux utilisateurs (par exemple, matériels et logiciels informatiques) –, il peut et doit jouer un rôle important en tant que *pôle d'expertise* interne à l'entreprise et est ainsi amené à collaborer couramment avec toutes les autres fonctions de l'entreprise.

On définit le *taux de couverture (ou taux d'emprise) des Achats* par le rapport entre le chiffre d'affaires placé directement sous la responsabilité de la direction Achats et le chiffre d'affaires total acheté.

8/2   Stratégies Achat : une démarche de marketing-achat

Du fait de la diversité des produits ou services achetés et des marchés fournisseurs, la stratégie d'achat d'une entreprise n'est pas unique, mais multiple. Elle suppose la définition préalable d'objectifs de politique achats généraux (objectifs de coût, de délais et de qualité, objectifs en matière de structure du panel[1] fournisseurs) qui devront être globalement recherchés. Ensuite, la définition d'une stratégie d'achat précise (pour chacun des segments du portefeuille achats) résulte d'une démarche de « marketing à l'envers » (*reverse marketing*), qui s'organise en étapes successives d'analyse, de diagnostic, et de définition de plans d'action opérationnels, selon une démarche de marketing traditionnelle[2].

Les éléments constitutifs d'une stratégie d'achat, correspondant aux différentes étapes de cette démarche sont les suivants (fig. 8-1) :

Figure 8-1 – *Processus séquentiel du marketing Achats*

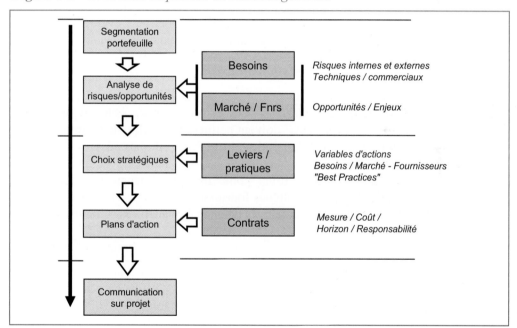

– détermination d'une segmentation préalable du portefeuille achat au-delà de la segmentation par nature, selon une approche multicritère destinée à faire ressortir des segments d'achats homogènes,

---

[1] On appelle « panel fournisseurs » (globalement ou pour un segment d'achat) *la liste des fournisseurs homologués (présélectionnés), seuls susceptibles ensuite d'être sollicités lors d'appels d'offres*. Le panel n'est donc pas la liste des fournisseurs potentiels du marché, ni le fichier historique des fournisseurs de l'entreprise.

[2] Un auteur a largement développé ces notions de marketing-achat. Nous renvoyons vers son ouvrage de référence : Perrotin R., *Le Marketing Achats. Stratégies et Tactiques*, Les Éditions d'Organisation, 3ᵉ éd., 1999. En particulier, les analyses de risques sont particulièrement développées et illustrées.

- sur chaque segment, identification des enjeux économiques et des risques divers, puis définition d'une stratégie d'achat spécifique par sélection de leviers d'action prioritaires et spécifiques,
- ensuite, pour chaque segment d'achat, définition de plans d'action opérationnels, constituant l'équivalent d'un « marketing-mix » ; les plans d'action communs aux différents segments d'achat constituent ainsi un plan marketing achat d'ensemble qui doit être suivi par la mise en place de systèmes de mesure de performance, ou tableaux de bord, individuels ou collectifs.

Pour suivre efficacement une telle démarche, deux types d'actions doivent être mis en œuvre parallèlement :

- la constitution de systèmes d'information internes et externes (informations techniques sur les besoins de l'entreprise, informations sur les marchés fournisseurs : données sur les prix, les technologies, les fournisseurs potentiels…),
- l'identification des métiers et compétences nécessaires au service Achats, ainsi que les choix d'organisation interne du service. À cet égard, on retiendra qu'il n'est pas le seul concerné : les services d'Études et de Développement, la direction Qualité et la Production sont toujours parties prenantes dans une telle démarche.

8/2.1   *La segmentation stratégique*

La définition d'une stratégie d'achat impose donc préalablement une analyse typologique des biens, services et prestations achetés selon plusieurs critères. Des analyses de type ABC[1] doivent permettre, en effet, de définir des classes de références pour lesquelles on choisit des objectifs spécifiques adaptés. Cela permet d'orienter les actions et les efforts déployés par les acheteurs selon l'importance relative des différentes familles d'un point de vue financier et stratégique, et selon les caractéristiques des marchés fournisseurs. Si l'on se réfère à la figure 8-2, les produits, services et prestations achetés peuvent être analysés selon trois dimensions.

Segmentation selon l'enjeu économique (chiffre d'affaires achat)

Le premier objectif est de classer les articles selon leur importance économique (montants achetés) de façon à faire porter l'effort en priorité sur les segments où les économies potentielles sont les plus importantes.

Segmentation selon les marchés fournisseurs

Ensuite selon les spécificités des marchés fournisseurs de façon à adapter les systèmes de gestion aux divers risques encourus. Ceux-ci concernent, soit la structure concurrentielle du marché (monopole, oligopole ou concurrence réelle), soit les caractéristiques des technologies utilisées par les fournisseurs (durée de vie prévisionnelle, stabilité ou non de celles-ci, variété des compétences techniques existant sur le marché ou chez chacun des fournisseurs ciblés, etc.).

---

[1] Traitée de façon détaillée au chapitre 9, une analyse ABC (ou de Pareto) consiste à *classer dans un ordre décroissant d'importance l'ensemble des références d'une population.* Le texte en illustre les principales applications utilisées aux achats.

Ainsi, l'approvisionnement de pièces standard sur un marché où coexistent de nombreux fournisseurs potentiels peut donner lieu à un processus de sélection classique avec mise en concurrence. En revanche, une pièce mécanique spécifique et coûteuse, faite en sous-traitance et nécessitant un niveau de qualité élevé, doit impliquer un processus de sélection particulier.

Figure 8-2 – *Segmentation stratégique des achats*

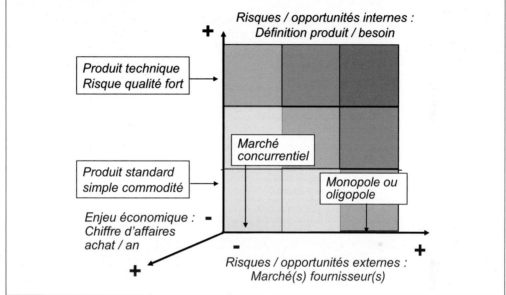

Segmentation selon les caractéristiques des produits / services achetés

Enfin selon l'importance stratégique du bien ou service acheté du fait de sa technicité, des exigences liées au standard de qualité recherché, des risques potentiels qu'il fait courir à l'entreprise et du caractère récurrent ou non de l'achat.

Ainsi, un composant peut être essentiel au fonctionnement ou à l'image du produit final sans qu'il y ait possibilité de substitution avec un autre. L'entreprise peut chercher à se libérer de cette contrainte par une re-conception de son produit. Si une telle solution est impossible, les implications sur l'achat sont évidentes en termes de sécurité, de maîtrise de la qualité et de co-traitance technique avec les fournisseurs.

Les risques sont de toutes natures : risques techniques (technologie utilisée, difficultés de conception, spécificité du produit, difficulté de maintenir un haut niveau de qualité), risques logistiques, et risques liés à la maîtrise du savoir-faire ou à la propriété de l'innovation.

8/2.2 Définition de la stratégie par segment

La segmentation étant faite, une stratégie d'achat *consiste à définir un ensemble de variables d'actions pour atteindre les objectifs de la politique générale d'achat.* Ces moyens d'actions constituent autant de *leviers* sur lesquels l'acheteur peut jouer. On peut distinguer ceux qui sont relatifs au besoin à satisfaire et/ou au produit acheté, de ceux qui concernent toutes les actions possibles sur le marché amont pris globalement, ou sur les fournisseurs potentiels (fig. 8-3).

Figure 8-3 – *Tableau des principaux leviers d'achats*

Leviers Marché / Fournisseurs	ACHAT – AMONT (Phase conception)	ACHAT - AVAL (Phase production)
	Veille technologique	Passage par la distribution (si nécessaire)
	Sourcing international (orienté vers les aspects commerciaux et techniques)	Montage de partenariat(s) opérationnels
	Partenariat(s) de conception (co-développement)	Mise en concurrence systématique
	Mise en concurrence (suivi d'homologation)	Réduction du panel fournisseurs Élimination des fournisseurs défaillants
	Constitution d'un panel fournisseurs	Sélection de nouveaux fournisseurs
	Analyse des risques marchés /segment	Analyse / Contrôle et suivi des coûts fournisseurs
	Choix "*Make-or-Buy*" (faire ou faire-faire)	Centrales d'achat / GIE Externalisation des Achats
	Alliances / Associations	
Leviers Produits / Besoins	**ACHAT - AMONT (Phase conception)**	**ACHAT - AVAL (Phase production)**
	Standardisation / Normalisation	Globalisation des besoins
	Analyse de la Valeur	Prévision et planification des besoins
	Conception à Coût Objectif (avec service R&D)	Fiabilisation de certains cahiers des charges
	Collaboration du service Achats systématique aux projets	
	Analyse des risques par famille technique / segment	
Organisation des ressources	**ACHAT - AMONT (Phase conception)**	**ACHAT - AVAL (Phase production)**
	Achat décentralisé	Marchés / contrats cadres
	Achat centralisé / coordonné	*e-sourcing* *e-procurement*
	Système d'information sur fournisseurs potentiels	Système d'information sur fournisseurs actuels
	Système d'information marché	
	Profils acheteurs différenciés	
	Plan de communication (interne / externe)	Plan de communication (interne / externe)
	Mesure des performances *Reporting*	Mesure des performances *Reporting*

Leviers associés aux besoins

Les leviers relatifs aux besoins ou aux produits concernent les points suivants :
– mise en place d'un processus de définition des cahiers des charges, défini en commun avec les services de conception et de développement, ou plus généralement les « clients internes » (cas des achats dits « hors production » ou indirects),
– développement d'un système de normalisation interne agissant comme un filtre pour les nouvelles filières technologiques,
– standardisation des besoins pour éviter la multiplication des références achetées spécifiques à l'entreprise,
– tout type d'action d'analyse de la valeur ou de conception à coût objectif (ces approches seront détaillées dans le chapitre 27).

Du point de vue quantitatif, il faut un système fiable de prévision, de globalisation et de planification des besoins à satisfaire. Globaliser les besoins pour un produit du point de vue de l'entreprise, c'est mutualiser les quantités achetées de façon autonome par différentes unités, de ce fait additionner les montants d'achats, et chercher de plus, lorsque c'est pertinent, à mêler chez un même fournisseur des produits à forte marge et des produits à marge plus faible.

Du point de vue des fournisseurs, c'est leur offrir la possibilité d'amortir leurs coûts fixes et/ou de développement, de bénéficier d'une courbe d'apprentissage, et d'une augmentation de leur part de marché chez un client.

Cette globalisation doit être complétée par une planification des besoins, permettant aux fournisseurs de garantir et de lisser leur charge de travail dans le temps et ainsi de mieux utiliser leur potentiel de production.

Enfin, notons qu'une globalisation quantitative des besoins doit si possible être accompagnée d'une diminution du nombre de fournisseurs actifs ayant un effet induit cumulatif du précédent.

Pour mener à bien ces actions, il est judicieux d'associer les acheteurs aux processus de conception et de développement des produits : on parle à ce titre d'*achat amont* – au sens de l'intervention des acheteurs en amont des processus de conception et de développement des produits. Du fait de sa connaissance du marché fournisseur qui lui permet de détecter l'émergence de nouvelles matières ou de nouveaux procédés de fabrication, le service Achats peut aussi être à l'origine d'innovations techniques ou de décisions de sous-traitance.

En particulier, sur des marchés où les technologies évoluent rapidement, l'acheteur doit en permanence rechercher les futurs standards de l'industrie. L'acheteur participe ainsi activement au développement des nouveaux produits en veillant, le plus en amont possible dans le processus, à la constitution d'un portefeuille d'achats qui soit « optimisé » par conception et qui minimise les risques de disponibilité dans le futur.

Leviers associés aux marchés et fournisseurs actifs

Les leviers relatifs aux marchés amont et aux fournisseurs sont nombreux : études de marchés industriels du point de vue commercial et/ou technologique, *sourcing*, mise en concurrence par appels d'offres ou tout autre procédure de consultation, analyse et contrôle des coûts des produits achetés, mise en place de relations de collaboration au travers d'une des formules possibles de partenariats développées plus loin.

Mettre en concurrence, c'est consulter plusieurs fournisseurs du marché sur les mêmes bases (soit un même cahier des charges) potentiellement capables de fournir le produit ou la prestation recherché(e), d'un point de vue technique (qualité) et économique (coût d'acquisition). Dans une telle démarche, l'organisation et les capacités de progrès du fournisseur restent une « boîte noire » pour l'entreprise.

C'est le type de relation que le partenariat cherche à bouleverser totalement, puisque alors les deux protagonistes cherchent à définir ensemble des actions d'amélioration, fondées sur une collaboration visant un partage des risques et des gains. Dans tout partenariat, il y a donc une notion de progrès partagé.

Par analyse et contrôle des coûts utilisés comme levier d'achat, on entend la capacité pour l'acheteur à décomposer (reconstituer) la structure de coût de production d'un produit ou service acheté en ses principales composantes. L'objectif est de rechercher un fournisseur ayant la plus grande efficacité globale, voire de collaborer avec lui afin d'agir sur la diminution de tel ou tel poste de coût, ce qui aura un effet positif sur ses prix. Dans son esprit, cette approche ne vise pas à connaître la marge des fournisseurs pour la limiter de façon dictatoriale, mais à la préserver tout en diminuant le coût global d'acquisition. Elle est particulièrement réservée au cas d'achats sur cahier des charges spécifique, comme les opérations de sous-traitance industrielle.

En complément, la fonction Achats constitue souvent un canal d'information efficace sur les concurrents par fournisseurs interposés. Ainsi, si l'on apprend qu'un concurrent fait tel choix de matières, cela peut signifier qu'il a choisi un procédé de fabrication plutôt qu'un autre.

Il importe aussi de détecter d'éventuels changements de structure d'un marché : par exemple, un « marché d'offre » surcapacitaire peut devenir un « marché de demande » ou vice-versa. Ces basculements qui modifient les états concurrentiels peuvent avoir des conséquences en matière de coût ou de pénurie. Ainsi les acheteurs doivent être entraînés à l'analyse stratégique des marchés et des fournisseurs actuels ou potentiels.

Enfin, dans le cas où les achats sont essentiellement nationaux ou européens, il est utile de veiller à la mise en place d'une démarche d'internationalisation visant à tirer profit de l'offre au niveau mondial.

Deux grandes stratégies d'achat alternatives

Hormis les achats non stratégiques et/ou de faible montant où l'on va jouer en priorité l'amélioration de la productivité des processus, voire externaliser la fonction Achats en partie auprès de prestataires spécialisés, deux grandes stratégies d'achat vont dominer selon les familles d'achats.

Pour les achats sans risques majeurs, où de plus la société a une position concurrentielle à l'achat dominante, on cherche à renforcer cette position dominante, par utilisation conjointe des leviers suivants :
- concentration des volumes d'achat pour augmenter le pouvoir de négociation, avec réduction du nombre de fournisseurs, standardisation et consolidation des besoins,

– renégociation puissante des prix, des contrats et des accords, sur la base d'appels d'offres détaillés et de l'analyse détaillée des structures de coûts fournisseurs,
– actions sur éléments du besoin en fonds de roulement, soit les autres coûts que le strict prix dans le coût total d'acquisition,
– développement de la base fournisseurs à un échelon plus large, par consultation internationale et déploiement vers des pays à bas coûts.

Pour les achats à risques techniques, ou marché à nombre de fournisseurs très limité, on va chercher à privilégier la différenciation avec les leviers prioritaires suivants :

– structuration à long terme des relations avec le fournisseur et mise en œuvre du co-développement,
– re-engineering commun avec les fournisseurs des processus avec l'objectif d'amélioration mutuelle des coûts et de la rentabilité,
– standardisation, substitution ou re-design des produits ou services,
– application des principes de Conception à coût objectif (CCO), de l'analyse fonctionnelle et de l'analyse de la valeur.

8/2.3   Processus-type d'un acte d'achat

Dans la vie de l'entreprise, les démarches vues précédemment s'organisent autour d'un processus achat de base en séquence, comme le montre la figure 8-4.

Figure 8-4 – *Processus d'achat de base*

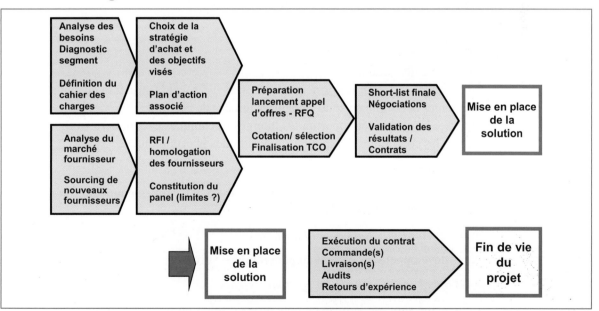

Légende :   RFI = Request for Information (demande d'informations)
RFQ = Request for Quotation (appels d'offres fermes)
TCO = Total Cost of Ownership (coût total d'acquisition visé)

Cette séquence présente de façon chronologique les grandes étapes qui doivent être parcourues pour tout achat (notamment lors du renouvellement d'un contrat) :

- en amont, on observe deux processus parallèles : une analyse des besoins aboutissant à une stratégie achat cible et une analyse du marché aboutissant à la constitution d'un panel fournisseurs,
- ensuite (à échéance programmée pour satisfaire un besoin particulier ou par exemple renouveler un contrat arrivant à échéance) préparation et lancement d'un appel d'offres, suivi de la cotation des offres et de la sélection d'un ou plusieurs fournisseurs si l'on souhaite une négociation finale (notion de *short-list*),
- négociation, élaboration et signature du contrat,
- mise en œuvre de la solution avec éventuellement pour un besoin spécifique toutes les étapes de développement et de présérie chez le fournisseur,
- phase de post-achat, incluant livraisons et tous les « retours d'expérience » du terrain, avec règlement des litiges éventuels.

Revenons sur certaines de ces phases (sachant que l'analyse du marché fournisseur et la constitution du panel fournisseurs font l'objet d'un paragraphe séparé).

Analyse des besoins

Cette phase est importante, car un bon achat commence par une définition claire des besoins. Concrètement, il y a lieu de collecter et d'analyser les points suivants :

- comprendre la structure de l'activité (spécificité des besoins),
- estimer le montant total des achats et ses composantes,
- collecter les données précises sur :
  - les volumes
  - les spécifications et contraintes techniques
  - les prix d'achat
  - la variété des besoins
- comprendre et définir les principaux « *cost drivers* » et la structure de coûts,
- segmenter la famille en sous-catégories (en cas de besoin),
- analyser les risques et opportunités internes (techniques et commerciaux),
- définir les contraintes d'exploitation, juridiques et économiques.

Choix de la stratégie achats

Il s'agit là de tirer les conclusions de l'analyse des risques pour faire un choix de stratégie d'achat tel que vu ci-dessus.

Sourcing et constitution du panel fournisseurs

Nous développerons ce point au paragraphe 3 suivant.

Appel d'offres et sélection du ou des fournisseurs

Cette étape suppose la mise en concurrence selon un processus professionnel, avec un système d'évaluation et de cotation des offres tel que défini au paragraphe 5.

Négociation et contrat

Là seulement interviennent les compétences de négociation de l'acheteur, alors que nombre de managers résument encore l'achat à cette seule modalité d'action (en oubliant toute la démarche de marketing qui est beaucoup plus puissante et efficace) !

Mise en œuvre de la solution

Cette étape ne pose pas de problème pour un achat standard. En revanche, pour un achat sur base spécifique, l'opération doit être menée en plusieurs phases de mises en œuvre :
– mise en place de la solution (avec des démarches de type Assurance Qualité Fournisseurs, AMDEC, Assurance Qualité Produit, qui seront détaillées plus loin),
– processus multi-étapes de qualification : outillages, prototypes, préséries, avant-série, etc.,
– suivi de performances fournisseurs systématique (délai, qualité *a minima*),
– audits qualité divers,
– en cas d'alerte, plans de redressement à court terme et possibles mesures de « sortie » en cours de contrat si aucun redressement n'apparaît,
– dans le pire des cas, mesure de « sortie définitive » du panel fournisseurs.

8/3   *Sourcing* et constitution du panel fournisseurs

La démarche de *sourcing* est absolument essentielle car elle va conduire à définir les fournisseurs avec lesquels l'entreprise souhaite travailler, évidemment différemment selon les segments du portefeuille achats. Les étapes de cette démarche doivent être suivies de façon stricte.

8/3.1   Analyse du marché fournisseurs

La première consiste à faire l'étude du marché fournisseur, comme le font tous les *marketeurs* B-to-B (*Business-to-Business*, soit le marketing relatif aux marchés interentreprises). Ce point n'est pas traité en détail, mais il permet d'alimenter la réflexion sur l'analyse précise des risques externes.

À l'occasion de cette démarche, l'acheteur cherche à identifier de nouveaux fournisseurs potentiels avec lesquels l'entreprise ne travaille pas encore pour diverses raisons, dont souvent une forme de confort et de résistance au changement, parfois une certaine incompétence marketing.

La panoplie des outils est large, mais nous pouvons citer dans l'ordre :
– une veille technologique et commerciale systématique s'appuyant sur les annuaires de « base » et les banques de données, la lecture de la presse professionnelle nationale et internationale, et les visites de salons professionnels,
– des démarches de *benchmarking* interentreprises non concurrentes, mais se trouvant avoir en commun les mêmes segments d'achats avec des critères de qualité et techniques *a priori* de même nature,

- l'appel à des prestataires de services à valeur ajoutée qui sont des « *sourceurs* » professionnels et disposent de la connaissance de nombreux pays et de nombreux secteurs,
- enfin, des outils Internet dédiés au *sourcing*, depuis les simples moteurs de recherche jusqu'à des sites disposant d'outils de e-*sourcing*, en passant par des annuaires électroniques sectoriels accessibles en ligne[1].

8/3.2   *Évaluation et homologation des fournisseurs*

L'étape suivante consiste à recueillir sur les fournisseurs potentiels identifiés une série d'informations nécessaires en les interrogeant, soit par des moyens traditionnels, soit là encore par des applications Internet appelées e-RFI (*Request for Information*).

Ensuite, les fournisseurs sont évalués sur une série de critères de façon à aboutir à leur homologation. Dans ce cas, ils entrent dans le panel fournisseurs, et à cette seule condition seront ultérieurement susceptibles d'être sollicités lors de futurs appels d'offres.

Ainsi l'homologation est un passage obligé pour pouvoir ensuite concourir, et cette démarche peut très bien (doit) être menée en parallèle avec les appels d'offres. Il arrive que, dans certaines entreprises, des acheteurs dits « gestionnaires de panel » soient entièrement dédiés à cette activité.

Les critères d'homologation peuvent être très larges : ils dépendent de chaque segment et de ses particularités. Toutefois, ne sont retenus que des critères qui permettent de juger un fournisseur en tant qu'entreprise, donc sans lien avec un produit particulier (là nous serions au niveau d'un appel d'offres spécifique).

Voici une liste de critères d'agrément pouvant servir de référence à une telle analyse :

Compétence et organisation Qualité

- existence d'un système d'assurance-qualité opérationnel
- certification existante (ISO)
- statistiques passées en matière de qualité « livrée »
- existence d'un plan d'action qualité en-cours

Compétence démontrée en R&D (Recherche et développement)

- capacité d'innovation démontrée par le nombre de brevets déposés, ou les économies de conception générées sur des développements antérieurs
- outils qualité spécifiques R&D en fonctionnement
- moyens d'essais et de prototypage
- aptitude à réduire les cycles de développement

Compétence industrielle

- capabilité du parc-machines et technologie(s) de fabrication
- niveau de qualification moyen de la main-d'œuvre

---

[1] Voir chapitre 25 détaillant les outils Internet au service de la *supply chain*.

- aptitude à développer ses propres outillages

Flexibilité / organisation logistique

- organisation des flux physiques dans l'entreprise
- aptitude démontrée aux livraisons en Juste-à-temps
- respect des délais (démontré sur base historique)
- cycles de fabrication moyens
- système de planification en place

Réactivité / services

- intervention rapide (réactivité aux incidents qualité)
- possibilités réelles de faire face à des fluctuations de charge
- capacité à proposer des services additionnels (conditionnements adaptés, connexion logistique particulière avec les différentes unités de production du client)
- capacité à prendre en charge l'interface logistique ou à piloter les stocks

Compétitivité

- productivité réelle
- capacité à fournir une décomposition des coûts
- existence d'un plan d'amélioration de la productivité en cours

Respect des obligations en matière de développement durable

- respect effectif des obligations sociétales de l'entreprise
- respect effectif des obligations sociales et éthiques
- pratique effective en matière de protection de l'environnement liée au processus de production et d'obligations d'éco-conception des produits

Pérennité / compétence de management

- solidité financière démontrée par des indicateurs de rentabilité et suivi du taux d'endettement
- appartenance à un groupe, position et notoriété sur le marché
- répartition du portefeuille clients et gestion du risque commercial
- existence d'un *business plan* prouvant la maîtrise du développement
- qualité du management (dirigeants et structure)

8/3.3   Pilotage du panel fournisseurs

Un panel fournisseurs ne doit absolument pas être figé : régulièrement de nouveaux fournisseurs y entrent. Certains vont donc être en période de test avant confirmation.

D'un autre côté, un système de suivi des fournisseurs est mis en place et va alimenter un suivi d'indicateurs – *a minima* qualité / délai / services / respect des obligations administratives – mis à jour régulièrement ou en temps réel (soit à chaque livraison).

Donc, dans le pire des cas, les fournisseurs les moins bons peuvent sortir du panel.

En conditions normales, comme l'illustre la figure 8-5, les fournisseurs y restent, mais se répartiront selon différentes catégories que l'acheteur va piloter.

L'acheteur va ainsi devoir mener plusieurs actions simultanées :

– globalement, viser la diminution du nombre total des fournisseurs, pour ne pas disperser les achats sur trop de sources, et ainsi risquer d'être un client trop petit chez chacun d'entre eux,

– à l'intérieur du panel d'ensemble, création de sous-catégories de fournisseurs (ainsi le cœur de panel peut être subdivisé lui-même en sous-catégories, dont en particulier les fournisseurs « A » traditionnellement ciblés pour les achats risqués ou nécessitant une démarche de co-développement),

– par le suivi de tous les fournisseurs, gérer sans risque l'élimination des plus mauvais si les plans de redressement ne donnent pas de résultats,

– suivre particulièrement les nouveaux fournisseurs en test,

– enfin définir avec chaque fournisseur un plan de progrès permettant de faire vivre un processus d'amélioration continue. Ce faisant, on illustre que l'achat n'est pas qu'un rapport de force : l'entreprise a aussi intérêt à avoir des fournisseurs efficaces et rentables, et elle peut tout à fait y contribuer par ce travail conjoint de progrès partagé.

Figure 8-5 – *Pilotage du panel des fournisseurs*

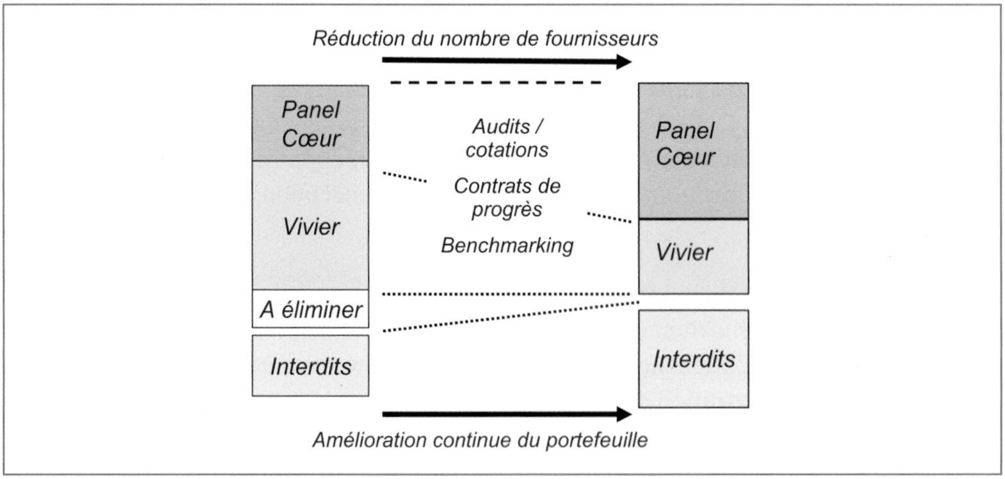

8/4 Sourcing international et *Low Cost Countries*

Malgré le déploiement de toutes les approches modernes d'achats, dans beaucoup d'entreprises on observe que les performances tendent asymptotiquement vers des coûts d'acquisition qui restent stables.

Dans ces conditions, l'acheteur, qui est toujours soumis à la pression de la direction générale pour rechercher sans cesse des diminutions de coût, doit envisager de redéployer une partie de son portefeuille achats vers des fournisseurs situés dans des régions ou pays à coûts structurellement plus bas : les *Low Cost countries (LCC)*[1].

8/4.1   Analyse des enjeux et risques spécifiques

Comme le montre la figure 8-6, les axes de réflexion d'une telle démarche sont nombreux :
– tout d'abord, il convient de repérer les familles d'achats dont la structure des coûts les prédisposent à l'internationalisation compte tenu des *cost drivers*,
– on s'assure ensuite que les niveaux de qualité attendus et la technologie rendent possible leur déploiement international, au moins partiel, vers des zones d'expertise existant effectivement et de façon reconnue,
– on doit se livrer alors à une analyse de risques systématique des pays ou régions du monde visés (appelée facteurs de risques) et qui vont constituer le premier niveau de cotation,
– en complément, on va se livrer, dans chaque pays retenu, à une analyse de risques marché et fournisseurs proche de celle vue auparavant en vue de les homologuer,
– enfin, il conviendra de reconstituer le coût total d'acquisition, sans oublier l'ensemble de coûts fixes de gestion et de pilotage de la solution (par exemple liés à une structure fixe locale nécessitée par les audits qualités périodiques).

Figure 8-6 – *Problématique de l'achat international*

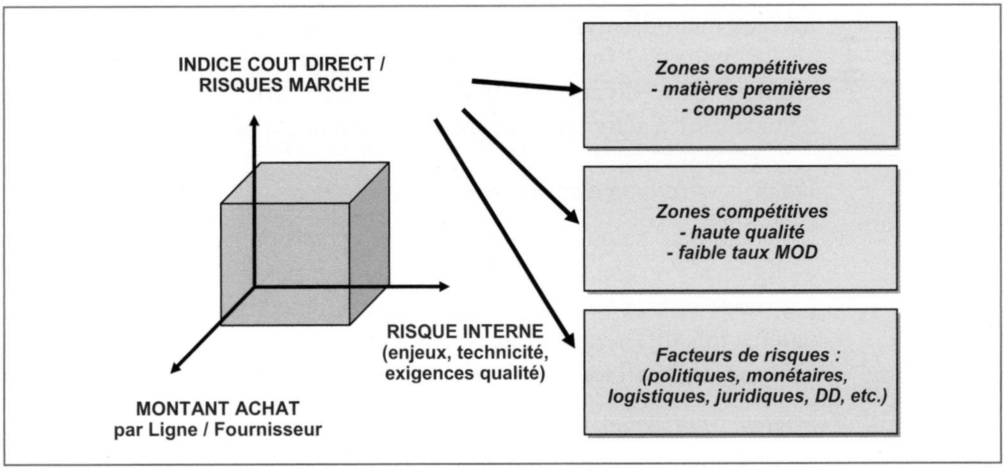

8/4.2   Avantages recherchés

Le premier avantage peut concerner les matières premières et composants (surtout si ceux-ci représentent une part importante du coût de revient direct). Le

---

[1] Ce paragraphe qui aborde les principaux points de la méthodologie d'internationalisation des achats, et en particulier les analyses de risques spécifiques, peut être repris pour argumenter une décision de délocalisation industrielle (comme abordé au chapitre 5). Sur ces questions, le lecteur est invité à lire l'ouvrage suivant : Horvat C., *Les Achats Industriels à l'étranger*, Les Éditions d'Organisation, 2001.

redéploiement vers des fournisseurs implantés dans les LCC peut être motivé par la possibilité d'accéder à des zones compétitives en la matière, productrices elles-mêmes à des niveaux de coûts (hors droits de douane) et de qualité intéressants. Parfois, c'est le moyen d'éviter de souffrir de certains quotas à l'exportation imposés par les pays producteurs.

Toutefois, le plus souvent, le redéploiement résulte de la recherche de bas coûts main-d'œuvre. Comme le montre la figure 8-7, les disparités de salaires sont très importantes selon les pays.

De ce point de vue, quelques régions du monde en nombre limité méritent aujourd'hui d'être ciblées de façon prioritaire par l'acheteur d'Europe occidentale pour une démarche d'internationalisation des achats (en pensant aux secteurs industriels tels que le textile, l'électronique, les télécommunications, la mécanique de précision, les pièces plastiques injectées ou extrudées par exemple) :

- les PECO (Pays d'Europe centrale et orientale) qui ont l'avantage de la proximité logistique, de l'absence de risque de change pour la plupart, de la stabilité politique et économique, et du bon niveau de maîtrise technique et qualité de production,
- certains pays d'Europe du Sud (Espagne, Portugal) et les pays du Maghreb hors Algérie,
- enfin, de façon différenciée selon les domaines et savoir-faire, l'Inde et la Chine.

Ces différences ne dureront pas de façon définitive selon l'évolution des politiques sociales et économiques dans ces divers pays. Toutefois, les évolutions prévisibles laissent penser à des horizons assez longs (aujourd'hui on peut dire, par exemple, que les taux main-d'œuvre chinois resteront assez stables pendant au moins 10 ans).

La figure 8-7 fournit une comparaison des niveaux de salaires mensuels pour des ouvriers dans diverses régions du monde. On comprend rapidement l'intérêt de délocaliser les activités à fort contenu en main-d'œuvre.

8/4.3   Analyse des risques pays

Toutefois, selon les technologies et produits recherchés, les choix de pays « éligibles » restent vastes. Il ne faut surtout pas « se lancer » dans une telle démarche par mode et sans une analyse des risques objectivement menée[1]. Ces risques sont de natures très différentes et ils devront être cotés formellement. Nous laissons le lecteur analyser en détail les points principaux présentés ci-dessous :

Facteurs politiques, macro-économiques et monétaires

- Stabilité du régime politique
- Taux des IDE (Investissements Directs Étrangers)
- Statistiques des importations / exportations
- Taux d'inflation actuel et prévisible
- Taux de chômage réel et évolution prévue

---

[1] Pour collecter ces données, il existe des organismes privés qui mettent à jour régulièrement de telles informations sur de nombreux pays, et les rendent accessibles par Internet, comme par exemple www.worldmarketsanalysis.com. Par ailleurs, les ambassades et conseillers économiques du Commerce Extérieur disposent de dossiers accessibles très bien faits et mis à jour.

– Obligations légales en matière de respect des obligations environnementales

Facteurs liés à l'environnement logistique

– Structure et état des infrastructures logistiques nationales
– Procédures douanières et administratives
– Fiabilité des opérateurs économiques
– Existence de quotas à l'importation et à l'exportation

Figure 8-7 – *Analyse comparée des salaires dans différents pays*

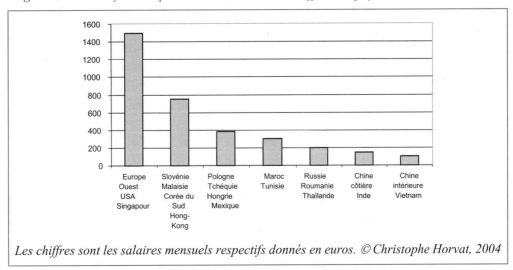

Les chiffres sont les salaires mensuels respectifs donnés en euros. © Christophe Horvat, 2004

Facteurs économiques matières et main-d'œuvre

– Disponibilité et niveau de qualité et de coût d'achat des matières premières
– Taux horaire main-d'œuvre moyen et taux de charges sociales (actuel et prévisionnel)
– Niveau de qualification et politique de formation en vigueur
– Horaire de travail / absentéisme / productivité moyenne
– Législation sociale et évolutions
– Niveau de respect des règles sociales et éthiques internationales

Facteurs industriels et technologiques

– Coût des énergies disponibles
– Disponibilité des machines et équipements nécessaires
– Niveau technologique des équipements industriels disponibles
– Offre de maintenance locale
– Existence de fournisseurs d'outillages locaux
– Respect des obligations environnementales par les industriels

Facteurs financiers

– Appartenance éventuelle à une zone monétaire

- Types de conditions de règlement pratiquées
- Nature des Incoterms pratiqués dans le pays

Facteurs juridiques, culturels et sociaux

- Droit de la propriété industrielle et de protection de l'innovation
- Type et pratiques de management local
- Critères et habitudes de négociation
- Langue(s) usuelle(s) pratiquée(s)

L'ensemble de ces points devront être collectés et analysés. Même si des bases de données et notes de diagnostic pays existent, il sera toujours nécessaire de visiter les pays ciblés, et de se livrer (ou de faire faire) des audits réguliers et sans concession.

En conclusion, compte tenu de tous les coûts liés aux phases d'analyse, d'audits divers et de mise en place d'une solution d'achat internationale, il n'est pas raisonnable de se lancer si l'on n'est pas certain *a priori* d'obtenir une baisse de coût d'au moins 25 à 30 % par rapport au coût d'acquisition de départ.

Cela étant, l'expérience permet d'observer des économies de l'ordre de 35 % dans les PECO et au moins égales à 50 % dans une solution chinoise directe ou au travers de « couples » Taiwan / Chine.

8/5   Appels d'offres et sélection des fournisseurs

Le système de sélection des fournisseurs doit s'inscrire dans le cadre de la stratégie d'achat. Ainsi, celle-ci doit tout d'abord préciser, par familles ou types d'articles approvisionnés, s'il est préférable de traiter avec un fournisseur unique ou, au contraire, de diversifier les sources d'approvisionnement.

La première solution peut être imposée par une exclusivité de fait du fournisseur, seul à garantir le niveau de qualité recherché ou dont le produit est protégé par un brevet. Elle peut être poursuivie volontairement pour profiter de la puissance d'achat de l'entreprise et ainsi permettre l'obtention d'un prix bas. On parle, à ce titre, de *globalisation des achats*.

La seconde solution (*diversification des sources*) vise à la fois une sécurité d'approvisionnement pour les références n'ayant pas de substitut et une plus grande souplesse quand il faut s'adapter à des besoins qui fluctuent en quantité sans qu'on ait la possibilité d'en prévoir l'évolution suffisamment à l'avance.

On choisit alors, en général, une source d'approvisionnement principale pour la plus grosse partie du volume d'achat avec laquelle on négociera des prix serrés et une source secondaire pour assurer la souplesse et la sécurité. Mais il faut, pour être crédible, réserver à la seconde source une charge prévisionnelle minimale de façon à ce qu'elle assure effectivement la sécurité recherchée.

8/5.1   Le processus de sélection

Une fois les choix politiques explicités, et compte tenu d'un cahier des charges déterminé pour un produit ou un service, il convient de ne lancer l'appel d'offres que vers les fournisseurs homologués en panel.

Pour coter professionnellement ceux qui répondent, il faut définir le système d'évaluation et de sélection des offres. Ce système doit être formellement organisé en phases successives (fig. 8-8).

Tout d'abord, il faut définir explicitement une liste de critères de sélection avec le poids relatif qu'il convient de leur donner dans tel achat particulier[1].

Ensuite, il faut mettre sur pied un système de cotation des offres des fournisseurs et de suivi des performances des fournisseurs. Le projet implique la constitution d'une base de données, à partir d'informations internes et externes.

Enfin, l'acheteur procède au choix définitif. La sélection s'opère généralement en deux temps :

– Une première étape de présélection est menée sur la base du respect de certains critères ayant un caractère éliminatoire (compétence technique, homologation exigée, prix *a priori* inférieur à un niveau de référence, etc.). Un certain nombre de ces critères sont les mêmes que ceux utilisés dans la phase de *sourcing* et d'homologation.

Figure 8-8 – *Processus de sélection des fournisseurs*

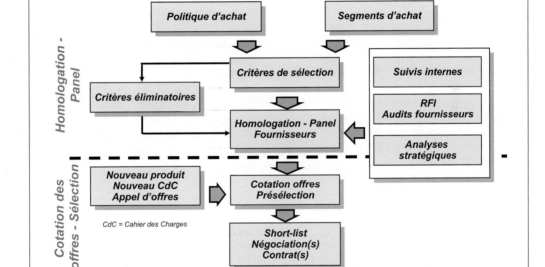

– Une seconde étape consiste à opérer une cotation des fournisseurs restant en lice selon une échelle à définir sur chacun des critères. On en retiendra un seul si l'appel d'offres l'a spécifié. Mais le plus souvent on procédera à la sélection d'une *short-list* – deux ou trois offres au maximum – en vue d'une phase finale de négociation (mesure obligatoire si l'on veut mettre en place une multi-source d'approvisionnement).

---

[1] On pourra consulter l'ouvrage *The Analytic Hierarchy Process*, de Saaty T. qui présente la méthode AHP pour la détermination des pondérations.

Ce travail est le plus souvent du ressort d'une équipe plurifonctionnelle, les Achats disposant rarement de l'ensemble des informations et compétences. Seront réunis et impliqués conjointement dans la cotation : les clients internes utilisateurs et les prescripteurs divers dont Qualité et R&D.

Cette évaluation peut s'appuyer sur l'utilisation d'une analyse multicritère formelle présentant l'intérêt de l'objectivité et permettant au-delà de communiquer clairement sur la décision prise (en interne, mais aussi vis-à-vis de fournisseurs non retenus en motivant les raisons, pour qu'ils soient plus compétitifs lors de prochaines échéances).

La procédure de cotation suppose que l'entreprise ait recueilli des informations précises sur les fournisseurs. Certaines sont d'origine interne (par exemple, saisies par le système de production ou de gestion de la qualité). D'autres doivent être obtenues par la réponse à l'appel d'offres qui doit comporter d'autres éléments que la simple traduction du cahier des charges technique. D'autres enfin ne peuvent être recueillies qu'à l'extérieur de l'entreprise (organismes financiers ou professionnels, visites et audits d'usines, participation à des salons, audits qualité et logistique, relations avec des confrères, séries d'essais, mise en œuvre d'études de marchés, etc.).

Ce type de démarche rend particulièrement difficile l'évaluation de fournisseurs potentiels avec lesquels l'entreprise n'a jamais travaillé. Pour le cas de l'approvisionnement de matières, composants ou fournitures, toute nouvelle collaboration ne peut commencer qu'après la définition de modalités impliquant une assurance-qualité et des séries d'essais de taille industrielle.

8/5.2   *Principaux critères de sélection*

Le plus important au départ est de déterminer la liste détaillée des critères déterminants de façon à rendre objective la décision. Cette liste doit traduire la politique d'achat. Il est proposé ci-dessous une liste des critères les plus généralement utilisés (dont certains sont logiquement la reprise de ceux utilisés dans la phase d'homologation vue précédemment) :

Compétence technique et de recherche
- connaissance par le fournisseur de l'industrie concernée
- effectifs et compétence des équipes de recherche
- aptitude à donner des informations techniques et à proposer des formations (pour les achats techniques comme les biens d'équipements)

Compétence de fabrication
- disponibilité d'une capacité suffisante (avec possibilité d'évolution et de flexibilité)
- niveau technique des équipements / politique de maintenance
- en cas de sous-traitance de spécialité, disponibilité ou non des outillages nécessaires en propre
- qualification(s) et motivation de la main-d'œuvre (qualité du climat social)
- efficacité du système de planification

Qualité Produit et Processus
- produit (ou matière) proposé homologué par les services techniques

- respect du cahier des charges de l'entreprise
- système de gestion qualité satisfaisant (qualification liée au concept d'assurance-qualité)
- niveau de qualité attendu respecté (taux de rebut ou de rejet)
- service après-vente et garantie de dépannage satisfaisants (achat de biens d'équipement)

Délai /Flexibilité
- longueur du délai proposé conforme au besoin
- respect des délais annoncés
- système logistique du fournisseur lui permettant de produire et/ou de livrer en Juste-à-temps

Coût global d'acquisition / conditions économiques
- prix compétitif (selon des références à définir)
- conditions de règlement
- conditions de prise en charge du transport (priorité possible à la proximité géographique)
- qualité des relations administratives
- autres coûts impliqués par l'achat (constitution de stocks, incidence financière de l'en-cours lié aux cycles d'approvisionnement, incidence des conditions de livraisons, etc.)

Conditions de livraison et service
- livraison des quantités commandées en totalité
- exécution des livraisons dans l'ordre (favorisant ainsi le suivi des réceptions)
- qualité, transparence et anticipation de l'information
- capacité à stocker en cas de besoin
- qualité du conditionnement (offre de conditionnements spécifiques)
- suivi sans erreur des instructions de routage (aptitude à livrer en un ou plusieurs sites prédéfinis)

Faculté d'adaptation
- réaction rapide en cas de difficulté (envoi de techniciens par exemple)
- acceptation de modifications à court terme dans les livraisons
- capacité à adapter les plans de fabrication

Sécurité/pérennité
- santé financière (*cash-flow*, taux d'endettement, etc.)
- notoriété (appartenance à un groupe par exemple)
- qualité du management

8/5.3 Exemple détaillé d'analyse multicritère

Pour expliciter concrètement la procédure de choix d'un fournisseur, voici l'exemple simple (tiré d'un cas réel) d'une entreprise de restauration collective installée à Vélizy-Villacoublay. Elle sert environ 20 000 repas par mois. Son

responsable essaie de varier les menus, tout en les « standardisant » pour tirer profit d'achats qui peuvent se faire par marchés sur des produits bien définis :
- menus standardisés revenant selon un cycle mensuel régulier,
- fiches-recettes normalisées sur les consommations matières et les modes opératoires en cuisine,
- enregistrement aux caisses des consommations par plat permettant la prévision quantitative.

La société s'efforce de sélectionner ses fournisseurs de façon rigoureuse, en ayant toujours deux fournisseurs pour un produit : un fournisseur principal, qui peut se situer assez loin du restaurant, dans une région de production par exemple ; un fournisseur secondaire qui doit être plus souple, si possible moins éloigné du restaurant. Il peut être un peu plus cher mais, dans ce cas, il permet d'avoir une possibilité de dépannage en cas d'imprévus ou de « coups de feu ».

Le choix des fournisseurs dépend des produits : prise en compte du prix et des conditions de règlement, respect et suivi de la qualité, respect des délais et des conditions de service.

Prenons l'exemple de l'approvisionnement en jambon découenné. Il s'agit d'une épaule désossée, découennée et dégraissée, qu'on appelle « épaule 3D ». Jusqu'à présent, la société achetait soit de l'épaule en boîte, soit de l'épaule sous emballage plastique thermo rétractable (cryovac). Sous cryovac, il y a des risques de perte. Si l'enveloppe est trouée au moment de l'ensachage ou, ensuite dans les manipulations, le jambon peut s'avarier et ne plus être propre à la consommation. Dans le passé, l'expérience a prouvé que la perte pouvait varier entre 1 et 3 % des quantités achetées. Mais l'objectif est, bien sûr, de ne pas avoir de perte du tout. En boîte, le problème de qualité ne se pose pas. En revanche, comme le jambon est vendu au poids brut, la société paye la boîte au prix du jambon. La boîte standard atteint environ 600 grammes pour un poids total brut de 5,5 kg environ. Quelle que soit la présentation, on stocke ce jambon, comme tous les produits de charcuterie, en chambre froide. Le restaurant dispose d'une chambre froide de 8 m³. Le coût de détention en stock[1] est de 12 % par an (8 % de frais financiers, et 4 % de coût strict de gestion du stock). Le restaurant consomme 70 kg par mois, ce qui représente environ 25 % de la consommation totale en produits de charcuterie. À titre indicatif, la portion de jambon représente environ 80 grammes.

Le directeur a réuni les réponses à l'appel d'offres lancé récemment à ce sujet. Quatre fournisseurs ont répondu dont les deux actuels. Dans ces conditions, quel peut être le meilleur choix de fournisseurs ?

Aujourd'hui, compte tenu de la répartition entre les deux fournisseurs actuels Meyer et Torna, le coût unitaire d'approvisionnement est de 4,76 € le kilo, comme le montre le tableau de la figure 8-9.

En référence aux données des quatre propositions fournisseurs présentées ci-dessous, et selon les critères (simplifiés) de pondération choisis en accord avec la politique d'achat annoncée, on peut coter les fournisseurs sur la base du tableau multicritères (fig. 8-10).

---
[1] Ce concept est détaillé dans le chapitre 13.

SA MEYER

- Société anonyme importante existant depuis 1948.
- Fournisseur principal depuis 2 ans pour la charcuterie.
- Fournit des épaules 3D en boîte uniquement.
- **Localisation** : Le Blanc-Mesnil, 93150 (25 km).
- **Conditions de livraison** : livre en seule fois, tous les 10 du mois, 45 kg d'épaule / mois, selon un marché passé annuellement.
- **Prix** : 4,43 € HT par kg (prix rendu sur lieu de vente).
- **Paiement** : dans les 10 jours avec 1 % d'escompte.
- **Qualité** : aucun problème constaté (boîte déformée ou éventrée).
- **Conditions diverses** : un certain manque de souplesse dû au système de livraison et aux conditions de marché. N'admet pas, en particulier, de petites livraisons de dépannage.
- **Délais de livraison** : sur le passé, on a pu constater que les délais étaient toujours respectés.

Ets TORNA

- Entreprise en nom personnel de petite taille. Fournisseur de la société depuis 3 ans et demi pour une partie de ses besoins.
- Fournit en moyenne 25 kg d'épaule / mois à ce jour.
- **Localisation :** Chaville (à 5 km du restaurant).
- **Conditions de livraison** : peut livrer dans l'heure qui suit, sur simple appel téléphonique, des quantités très faibles. N'impose pas la passation d'un marché annuel ferme.
- **Prix** :4,4 € HT par kg (prix rendu à Vélizy).
- **Paiement** : comptant à réception de facture.
- **Qualité :** fournit des épaules 3D sous cryovac. Dans le passé, on a constaté une moyenne de 2 % de déchets du fait de déchirures.
- **Délais de livraison** : à la demande toujours respectés.

ABATTOIRS MELUSINS (AM)

- Coopérative importante créée en 1984 dans le Poitou.
- Fournisseur dont le restaurant n'avait jusqu'alors pas entendu parler, mais qui s'avère connu de nombreux confrères en restauration collective.
- **Proposition** : épaule 3D sous cryovac, livrée en une seule fois chaque mois, avec un minimum de volume de 50 kg / mois, sous réserve de passer un marché annuel ferme.
- **Localisation** : Lusignan (Vienne). Pas de dépôt à Paris.
- **Prix :** 4,27 € HT par kg départ, le port serait facturé pour environ 3,5 % du prix hors taxes, et ce fournisseur s'engage à livrer le premier lundi ouvré de chaque mois.
- **Paiement :** 60 jours nets date de la livraison.
- **Qualité :** l'échantillon reçu paraît tout à fait acceptable. La société a pu obtenir des informations complémentaires d'autres clients tout à fait concordantes sur le plan de la qualité rigoureuse.

SARL Le GUELLEC (LG)

Société Anonyme créée en 1965, et implantée à Plouvenec (Côtes du Nord). Ancien fournisseur remplacé il y a 2 ans par la S.A. Meyer et Fils. Avait été éliminé, après 3 ans de collaboration, en raison d'un laisser-aller progressif sur la qualité (pâté avec féculent, jambon avec gélatine en particulier). Depuis 2 ans, le dirigeant est revenu tous les trimestres faire de nouvelles propositions qui, jusqu'à présent, n'ont pas été retenues.
- **Localisation :** un dépôt à Orly (15 km de Vélizy) et un représentant à Paris, très efficace et effectuant des tournées régulières.
- **Nouvelle proposition :** Le Guellec a fait les propositions suivantes :
- produit pilote : épaule 3D (en boîte),

- prix 4,3 € HT par kg (prix rendu à Vélizy),
- livraison dans les 24 à 48 heures après commande,
- paiement : 30 jours fin de mois à réception de la facture.
- **Autres produits charcutiers possibles** : prix alignés sur la concurrence, mêmes conditions de paiement et de livraison que pour le jambon.
- **Contraintes de livraison** : pas de minimum de facturation.
- **Qualité** : la société a obtenu par un confrère la confirmation du redressement très net sur le plan qualité de cette société depuis un an.

Figure 8-9 – *Répartition actuelle*

	Meyer	Torna	Coût total
Poids (kg)	45	25	70
CA Achats/mois	223,65	110	333,65
Coût stockage/mois	1,12	0,55	1,67
Incidence Règlement	-2,24	0	-2,24
Coût global mensuel	222,53	110,55	333,08
Coût unitaire /kg	4,95	4,42	4,76

Figure 8-10 – *Analyse multi-critères (échelle de 1= « mauvais » à 5= « excellent »)*

Fournisseurs		Meyer		Torna		A.M.		L.G.	
Critères	Poids	Note	N.P.	Note	N.P.	Note	N.P.	Note	N.P.
Qualité	35	5	175	1	35	4	140	3	105
Délai/Flexibilité	20	2	40	5	100	2	40	4	80
Respect délais	10	5	50	4	40	5	50	3	30
Prix net rendu / kg	25	2	50	3	75	4	100	2	50
Conditions de règlement	5	4	20	2	10	5	25	4	20
Solidité entreprise	5	4	20	2	10	4	20	3	15
Total	100		355		270		375		300
Classement			**2**		**4**		**1**		**3**

Il apparaît clairement que les Abattoirs Mélusins (AM) sont plutôt mieux situés que Meyer comme fournisseur principal, alors que la SARL Le Guellec serait le fournisseur flexible préférable à Torna. Dans ces conditions, on pourrait s'orienter sur un choix de double source pour l'année suivante, par exemple selon une répartition des volumes : 60 kg / mois passés aux Abattoirs Mélusins (avec signature d'un marché annuel) et 10 kg / mois réservés pour Le Guellec qui prendront la forme de petites commandes échelonnées. Dans ces conditions, le coût moyen global sera égal à 4,41 € (fig. 8-11) ce qui représentera une économie de 7 % environ sur le coût actuel d'acquisition.

Figure 8-11 – *Résultat de la sélection de fournisseurs*

	Abat. Mél.	Le Guellec	Coût total
Répartition (kg)	60	10	70
CA Achats/mois	265,2	48,3	313,5
Coût stockage/mois	1,33	0,24	1,57
Incidence Règlement	-5,3	-0,72	-6,02
Coût global mensuel	261,23	47,82	309,05
Coût unitaire /kg	4,35	4,78	4,41

8/6   Différentes formes de relations entreprise-fournisseurs

On peut identifier trois formes principales de collaborations entre l'entreprise et ses fournisseurs au-delà du modèle traditionnel de « rapport de forces » caricatural :
– un mode de type traditionnel mais planifié,
– une forme de collaboration visant l'*optimisation opérationnelle*,
– et, enfin, un statut de *collaboration au niveau de la conception* des produits.

8/6.1   Le mode traditionnel planifié ou conventionnel

Ce type de politique fournisseurs est souvent recherché lorsque les Achats visent un objectif de profit par une maîtrise des coûts complets d'acquisition. Dans ce modèle de développement, on adopte une stratégie d'achat qui s'oriente selon les grandes lignes suivantes :
– un marketing-achat généralisé (justifiant éventuellement des spécialistes pour les segments d'achats réputés critiques) et une internationalisation des achats,
– une politique fournisseurs qui favorise toujours la mise en concurrence, mais qui s'appuie sur des systèmes formels d'évaluation, d'homologation et de certification.
Cette politique se caractérise par des engagements à moyen terme (sous forme de contrats de type marchés ou commandes ouvertes[1]), en contrepartie d'une planification prévisionnelle des besoins transmise par le donneur d'ordres. Cet objectif impose alors une prévision fiable et globalisée des besoins.

8/6.2   L'optimisation opérationnelle

Ce second mode de collaboration se présente comme un stade d'évolution par rapport au précédent. C'est la première forme de collaboration à avoir reçu le qualificatif de partenariat. Sur un plan stratégique, il correspond à une situation de marché et d'environnement ainsi caractérisée :
– Le client formule auprès du fournisseur des exigences qui vont au-delà du prix d'achat et que l'on peut résumer en un objectif de qualité totale et de coût global

---

[1] Une commande ouverte est une commande négociée pour une durée généralement d'un an qui précise les prix, les conditions de livraison et les cadences prévisionnelles. L'approvisionnement se fait au moyen d'*appels de livraison* émis directement par les utilisateurs et/ou la gestion de production.

d'approvisionnement (un haut niveau de qualité des produits, un niveau de service élevé, des délais plus courts et maîtrisés et une diminution progressive de l'ensemble des dysfonctionnements opérationnels).
- De son côté, l'entreprise recherche une amélioration progressive de sa performance interne, en faisant porter ses efforts sur les processus qui permettent d'atteindre les objectifs fixés autant que sur les résultats eux-mêmes (démarche de type Qualité Totale).

Dans ce contexte, les stratégies d'achats évoluent dans les directions suivantes :
- Développement d'une démarche d'assurance-qualité. Celle-ci peut être originale au sens où elle se détermine par un accord particulier entre le donneur d'ordres et le fournisseur. Elle peut aussi faire référence à des normes nationales ou internationales (de type ISO), auxquelles les procédures d'audit du donneur d'ordres se réfèrent.
- Mise en place de systèmes de pilotage des flux physiques entre l'entreprise et ses fournisseurs, en appliquant les principes de flux tendus dans une démarche Juste-à-temps avec utilisation d'un système de télétransmission des informations opérationnelles par EDI (Échange de données informatisé).

Le fonctionnement optimal sur le plan logistique entre l'entreprise et ses fournisseurs suppose une mise au point parfaite des modes de transports, des types de conditionnement (conteneurisation), et du système de pilotage des flux (depuis des planifications de besoins à court terme jusqu'à des modes d'appel par l'aval en quasi-synchronisation).
- En contrepartie de ces approches coûteuses en investissements de développement, diminution du nombre des fournisseurs, et démarche d'amélioration s'exprimant sur le long terme (soit plans de progrès permanents).

Ce modèle correspond effectivement à un mode de collaboration orienté exclusivement vers le fonctionnement opérationnel. Il se caractérise par la durée (horizon pluriannuel) et l'imbrication partielle des systèmes logistiques et qualité avec un faible nombre de partenaires, préservant néanmoins leur indépendance. Dans ce second mode de collaboration, le donneur d'ordres conserve toute la responsabilité de conception de son produit.

8/6.3   *La collaboration de conception*

Dans ce dernier cas, les entreprises recherchent les mêmes objectifs opérationnels que ci-dessus (coût global, qualité, service, délai, flexibilité), mais de nouveaux impératifs commerciaux ou techniques apparaissent pour la plupart des donneurs d'ordres, comme :
- des besoins clients nécessitant de plus en plus une personnalisation (*customization*) des produits par variantes, voire des produits totalement spécifiques,
- la nécessité d'adaptations rapides aux changements de tous types, ne serait-ce qu'en termes de capacité de réponse aux compétiteurs,
- une aptitude à innover, concevoir et développer dans les meilleurs délais (application du concept « *time-to-market* »),

– pour certaines entreprises situées sur des marchés de haute technologie comme l'informatique, l'électronique professionnelle, l'automobile, l'aéronautique ou la défense, nécessité de mettre en œuvre des technologies à risque ou en évolution permanente.

Dans cette situation, le fournisseur se voit confier une contribution directe dans la conception et l'évolution des produits. Il choisit ses méthodes de travail. Il exécute ses fabrications sous sa pleine et entière responsabilité. Le lien de subordination précédemment évoqué est moins marqué et les deux partenaires sont, en fait, sur un plan d'égalité et d'obligations réciproques. Ce type de co-traitance se distingue peu de la relation entre un client et un fournisseur travaillant à la commande.

Face à ce besoin, il est difficile d'opérer avec succès sans adopter une politique fournisseurs orientée autour des éléments suivants :

– établissement de relations à long terme avec un nombre très limité de fournisseurs partenaires, et ce pour des segments d'achat stratégiques et/ou à risques,

– fonctionnement conjoint sur un plan d'égalité et de respect mutuel (même si les tailles peuvent différer dans certaines limites), avec mise en place d'un système d'information transparent entre les entreprises constituant un réseau.

Sur un plan juridique, on peut distinguer deux niveaux de relations :

– Le niveau opérationnel, dit de moyen terme, est piloté selon des contrats d'application, se référant soit à des horizons de temps limités, soit à des produits sur leur durée de vie (cas de partenariats d'application pour chaque nouveau véhicule dans le secteur automobile entre équipementiers et constructeurs).

– À long terme, les principes de collaboration peuvent être matérialisés dans un accord-cadre prévoyant les obligations réciproques et règles gérant la propriété industrielle, la confidentialité, etc.

Ce dernier mode de relation se caractérise essentiellement par une nouvelle dimension : une co-traitance technique, c'est-à-dire une vraie collaboration visant les produits et les processus par la recherche et le développement conjoints.

Vis-à-vis des marchés amont, les acheteurs doivent alors devenir des spécialistes internationaux du marketing stratégique et technologique. Sur un plan interne, comme dans le modèle précédent, ils évoluent plus vers une fonction de coordinateurs d'une équipe pluridisciplinaire intervenant auprès des divers partenaires et prescripteurs internes (qualiticiens, logisticiens, concepteurs, producteurs, commerciaux, etc.).

8/6.4   *Le partenariat*

Selon les praticiens, le partenariat peut être défini comme un mode de coopération durable entre un client et son fournisseur, dépassant le cadre des rapports commerciaux habituels, ayant pour objectif l'amélioration de la prestation au client final conjointement à l'augmentation de la compétitivité des deux entreprises partenaires.

Comparé au type conventionnel de relation entre client et fournisseur, le partenariat apparaît comme une modalité de coopération, plutôt que comme un traditionnel rapport de forces, entre entreprises non concurrentes situées le long d'une filière industrielle. Il constitue souvent, pour l'entreprise cliente, une alternative à l'*intégration verticale* et à toutes les formes de prise de contrôle rigide des fournisseurs (participation au capital, acquisition, investissement).

Ainsi défini, il doit s'organiser sur un mode d'égalité et de complémentarité entre deux sociétés qui gardent leur autonomie mais ont un intérêt stratégique à collaborer. Il peut aller jusqu'à la création d'alliances (*joint-ventures*) impliquant des investissements faits chez le fournisseur par le donneur d'ordres. On peut alors parler de *co-traitance* ou de sous-traitance globale.

S'exerçant sur les moyen ou long termes, le partenariat ne suppose pas nécessairement de structure juridique commune nouvelle : il s'appuie sur un maintien strict des entreprises sur leurs savoir-faire propres, et favorise une plus grande spécialisation de chacun des partenaires.

Il permet de disposer d'une expertise complémentaire, sans avoir à investir financièrement, donc en minimisant les risques, mais en créant des obligations de réciprocité. Les deux formes de collaboration décrites ci-dessus constituent deux modalités de partenariat.

Comme on le voit sur le tableau de la figure 8-12, la caractéristique centrale du partenariat est la notion de *plan de progrès* partagé, associé à un *système de mesure des performances* objectif.

En effet, les relations impliquent un partage des gains et les résultats doivent pouvoir être suivis régulièrement et avec objectivité.

Du point de vue des engagements réciproques, certains pensent qu'un contrat n'est pas obligatoire dans la mesure où la vraie condition de succès est la volonté profonde des deux parties. Néanmoins, dans un contrat-cadre, on veille à ce que certains points soient clairement prévus et mis sous contrôle (au-delà des points spécifiques relatifs au produit ou service sur lequel porte la collaboration) :

– définition claire de la *propriété intellectuelle* résultant des innovations et développements menés en communs (dépôt de brevets communs, licences, etc.),

– dans la mesure où le partage d'informations est étendu, règles de confidentialité, voire de non-concurrence pendant et « en sortie » du partenariat,

– définition des objectifs de progrès du fournisseur et du donneur d'ordres échelonnés dans le temps (coût global, délais, etc.) avec modalités d'actions correctives,

– modalités organisationnelles (participation aux groupes-projets, responsables respectifs, fréquences de réunions, etc.).

Ainsi pour une entreprise, l'ensemble de ses fournisseurs en panel, comme nous l'avons vu, se répartissent progressivement en plusieurs catégories :

– le *panel « cœur »* des fournisseurs (sous forme de partenariats),

– les fournisseurs avec lesquels sont maintenues des relations de type traditionnel en mode planifié,

– les fournisseurs en mode d'achat ponctuel (achats *spot* non récurrents).

Figure 8-12 – *Éléments constitutifs des divers modes de collaboration*

NIVEAUX DE RELATION	Domaine Logistique	Domaine Qualité	Domaine Conception Produits	Mesure de performances
Approche traditionnelle	Délais spécifiques	Fourniture sur spécifications	Spécifications par clients (CdCD)	Prix / Condit. paiement
	Stocks de sécurité	Contrôles de réception	Agrément sur présérie (make-to-order)	Qualité des Réceptions
				Respect des délais promis
Partenariat opérationnel (Association)	Maîtrise des niveaux de stocks	Assurance-qualité de production Livraisons directes	Spécifications par le client	Coût total Approvt
	Approvt en JAT (flux tendus, appel par l'aval, transports)	Certification produit Homologation fournisseur	Intégration du savoir-faire fournisseur (production)	Audits Qualité Audits logistiques Audits techniques
	Programmes d'amélioration	Programmes d'amélioration	Agrément du processus (ISO, APQP)	Prise en compte de services additionnels
Partenariat de conception	Intégration des processus logistiques client-fournisseurs	Responsabilité partenaire (fonctions) Client précisant CdCF	Fournisseur impliqué dans la conception (ISO, AQP)	Toutes évaluations globales (coût total, qualité, services, management)
	Approche « conjointe » (intégrée) des processus (infos, planification)	Approche transparente Co-définition des standards de Qualité	Participation aux groupes-projet	Audits stratégiques de cohérence permanents
		Plan d'amélioration progressive	Intégration à la planification / Réactivité	

Troisième partie

Planification et pilotage des flux

Lors de la définition et de l'analyse des flux, traitées dans la première partie, nous avons présenté un système allant des fournisseurs jusqu'aux usines, puis de celles-ci aux clients finaux. Ensuite, dans la deuxième partie, nous avons développé les grandes décisions structurant le système logistique.

Pour que l'analyse du système global soit complète, il reste à analyser en profondeur les méthodes et systèmes de gestion et de pilotage des flux et des stocks tout au long de la chaîne logistique. Cette approche s'organise en six chapitres comme suit.

La plupart des décisions concernant la gestion des flux se prennent à partir de prévisions de besoins ; il est donc naturel que nous commencions par détailler les méthodes de prévisions à court et moyen termes dans le chapitre 9.

Le chapitre 10 s'intéresse aux décisions à moyen terme (de 6 à 18 mois) concernant l'ajustement des capacités de production aux charges prévisionnelles, en particulier lorsque la demande est saisonnière. Le résultat de ce processus de planification globale s'appelle le *plan directeur* ou *plan industriel et commercial*. Il sert de base à l'élaboration des budgets annuels de l'entreprise.

Le chapitre 11 détaille la planification à plus court terme, lorsque l'entreprise a reçu des commandes des clients pour établir le *plan directeur de production* (PDP).

Le chapitre 12 montre comment planifier de façon détaillée les flux de production et d'approvisionnement dans une usine grâce à la méthode MRP. Ce processus de planification des flux aboutit à la création d'ordres de fabrication et d'ordres d'achat.

Les chapitres 13 et 14 traitent de la *gestion des stocks et des approvisionnements* dans le cas de demandes indépendantes. Reposant sur la recherche d'un optimum entre des fonctions variant différemment selon la quantité et la durée (coût administratif de commande, possession du stock, obsolescence, transport), toutes ces méthodes permettent de déterminer la politique optimale de réapprovisionnement ainsi que le meilleur moment pour passer la commande. S'y ajoutent les choix en matière de taux de service aux clients, et la problématique de détermination des stocks de sécurité, destinés à protéger l'entreprise contre les aléas de toute nature pouvant venir perturber leur fonctionnement (erreur sur prévisions, retard de livraison, etc.), tout en assurant la satisfaction des clients.

Enfin, le chapitre 15 aborde le problème de la coordination des décisions et de collaboration entre les différents acteurs de la *supply chain* pour parvenir à une optimisation globale et pas seulement locale.

Chapitre 9

La prévision de la demande

Globalement l'environnement d'une *supply chain* est en continuelle évolution. Il suffit de penser à des phénomènes tels que les changements d'habitude de consommation, les évolutions des réglementations, l'introduction de nouveaux produits, etc. On comprend aisément l'intérêt, voire le besoin, d'anticiper de telles évolutions de marché et de prendre des décisions à l'avance en vue d'optimiser les performances de la *supply chain*. Il est donc nécessaire de disposer d'une *fonction de prévision*.

Le besoin de prévision peut apparaître à tous les niveaux de la *supply chain* et sur des horizons variés. Une première illustration pourrait être la sélection stratégique d'un fournisseur de matières premières et d'un prestataire logistique associés à la fabrication et à la distribution d'un produit fini sur un horizon de plusieurs années. Il est nécessaire de connaître, sur cet horizon, les flux prévisionnels, tout d'abord pour s'assurer que les fournisseurs potentiels ont une capacité adéquate, mais également pour négocier les prix. Un second exemple très classique concerne la gestion des flux. Pour de nombreux produits, en particulier de grande consommation, les clients souhaitent être livrés rapidement. Cela exige de réaliser les approvisionnements, et même tout ou partie de la production, avant que les clients n'aient passé leurs commandes. Le besoin d'information à l'avance est donc impérieux pour toute la partie de gestion des flux qui n'est pas gérée à la commande. Selon les types de produits, leur durée de vie et les exigences de délai des clients, l'horizon d'information à l'avance nécessaire dans cette situation passe de quelques heures pour des produits ultra frais comme les yaourts à quelques mois pour des produits plus complexes comme les voitures.

Il est important de réaliser que le recours à l'anticipation induit un phénomène de risque. Il n'existe aucune boule de cristal infaillible ! En effet, suite aux différents aléas et incertitudes susceptibles de perturber les évolutions des demandes, une prévision s'avère toujours être fausse. Et si elle est exacte, c'est uniquement par hasard. Par exemple, il y a quelques années, le site web de vente en ligne d'un fabricant de jeux vidéo a été débordé lors du lancement d'un nouveau produit : les demandes effectives étaient plus de dix fois supérieures aux prévisions !

En résumé, même en exploitant un processus de prévision optimisé, l'information à l'avance comporte de fait deux éléments : les prévisions (moyennes) pour les périodes à venir, mais également l'écart typique entre ces prévisions et la réalité telle qu'elle se présentera. De telles erreurs de prévision ne peuvent que dégrader les performances d'une *supply chain* en induisant des stocks excessifs ou insuffisants (comme dans le cas des climatiseurs suivant l'existence ou non d'une canicule en été) ou une mauvaise estimation de la capacité nécessaire (comme dans certains exemples récents d'usines françaises d'automobiles surdimensionnées ou sous-dimensionnées par rapport aux marchés effectifs). Il convient donc dans un premier temps d'améliorer autant que faire se peut le processus de prévision afin de réduire cette erreur. Ensuite, dans la prise de décision il faudra intégrer la prévision et, comme information complémentaire, une mesure de l'erreur de prévision résiduelle. Par exemple, pour un contrat d'approvisionnement de composants électroniques chez un fournisseur, sont négociés non seulement les prix d'achats unitaires pour un volume prévisionnel donné, mais également un surcoût unitaire dans le cas où la commande effective s'écarterait de ce volume. Un autre exemple, extrême celui-là, consiste à refuser de prendre les décisions à l'avance lorsque l'erreur de prévision est jugée trop importante et à s'organiser autrement, par exemple avec des délais de livraison plus longs.

9/1   Description du processus global de prévision

L'objectif fondamental d'un processus de prévision est de répondre aux besoins d'information à l'avance : il s'agit de fournir, au bon moment, des prévisions quantitatives qui se rapprocheront le plus possible des demandes futures et de chiffrer au mieux l'écart potentiel.

En entreprise, cette démarche peut s'avérer assez complexe car, contrairement à certaines idées reçues, la mise en œuvre de la prévision ne se résume pas à un algorithme mathématique unique, facile à optimiser. L'expérience pratique a en effet montré que l'efficacité de la fonction de prévision dépend souvent pour plus de 80 % de la qualité de l'organisation de cette fonction et pour moins de 20 % du choix des modèles mathématiques utilisés.

Le processus de prévision constitue une démarche globale comprenant six étapes et requiert de manière ponctuelle ou permanente la participation d'un nombre élevé de personnes, relevant de plusieurs fonctions de l'entreprise (fig. 9-1).

9/1.1   Identification des besoins de prévision

Dans un premier temps, en fonction des problématiques considérées, il faut commencer par comprendre le besoin d'information et par identifier la structure globale des prévisions à réaliser. Il est ainsi nécessaire d'identifier les éléments suivants :
– l'horizon de prévision requis,
– la période élémentaire de la prévision,
– le degré de détail ou d'agrégation de la prévision.

Horizon de prévision requis

Le *supply chain manager* doit disposer simultanément de prévisions portant sur différents horizons, correspondant à des types de décision spécifiques. En résumé, trois horizons de prévision et de planification coexistent.

Les prévisions à long terme (de quelques mois à quelques années) servent à réaliser l'ajustement de la capacité à la demande future (voir chapitre 10). Elles sont typiquement associées à des décisions d'investissement (ou de désinvestissement) en ressources de production, de transport et de stockage, de sélection de fournisseurs ou à la base de décisions stratégiques industrielles (diversification ou lancement de produits nouveaux).

Figure 9-1 – *Le processus global de prévision*

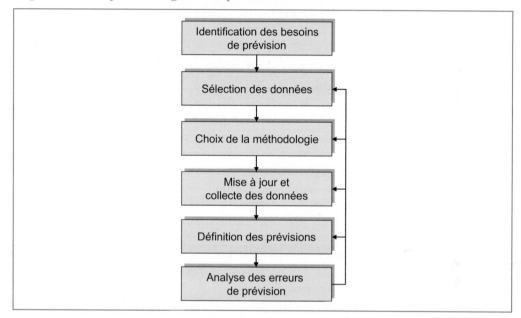

Les prévisions à moyen terme (de quelques semaines à quelques mois) sont nécessaires pour définir un programme d'approvisionnement, de production et de distribution (voir chap. 7). À cet horizon, les facteurs structurels majeurs déterminant la capacité logistique ou industrielle sont, en général, peu flexibles, mais il est possible de recourir à des ajustements intermédiaires (flexibilité des horaires, heures supplémentaires, sous-traitance, travail intérimaire…).

Les prévisions à court terme (de quelques heures à quelques semaines) commandent plutôt l'activité opérationnelle : approvisionnement des matières, préparation des commandes, ordonnancement des ressources logistiques et industrielles…). Elles peuvent conduire à des ajustements mineurs.

Il est important de réaliser que, toutes choses égales par ailleurs, plus l'horizon de prévision augmente et plus l'erreur de prévision augmente également. Intuitivement, ce mécanisme correspond au fait que plus l'horizon est élevé et plus il y aura un grand nombre d'aléas potentiels susceptibles d'accroître l'écart entre la prévision réalisée en début d'horizon et la demande effective en fin d'horizon.

Période élémentaire de la prévision

Une deuxième caractéristique à identifier est la période élémentaire de la prévision. Selon les situations, il y a besoin d'une prévision par heure (comme pour la fréquentation d'un service), par semaine (pour concevoir un programme de production pour des produits électroménagers) ou par mois ou trimestre (pour planifier des ajustements de ressources majeurs).

Il existe une certaine relation entre l'horizon de prévision et la période élémentaire. En général, sur des horizons courts, on a besoin de prévisions pour des périodes élémentaires courtes et inversement.

Degré d'agrégation de la prévision

On appelle ainsi le degré de détail ou de finesse de la prévision. Par exemple, pour un fabricant d'articles textiles, une prévision très fine (ou désagrégée) portera sur le nombre d'articles, dans chacun des tissus, chacun des coloris en collection et chaque taille élémentaire. Une prévision plus agrégée s'exprime simplement en nombre total d'articles confondus. Autre exemple, pour une usine de chocolat, les prévisions agrégées concerneraient le nombre de tonnes à produire par période alors qu'une prévision désagrégée étudierait les demandes de chaque type de tablette.

Le choix du degré d'agrégation dépend de l'utilisation de ces prévisions : en fonction des décisions à prendre, a-t-on besoin d'une prévision par familles d'articles (par exemple pour planifier l'utilisation d'une ressource goulet) ou au contraire par article élémentaire (pour paramétrer le processus de gestion de stock de cet article).

On peut noter que souvent les décisions nécessitant des horizons de prévision élevés sont plutôt des décisions de nature stratégique qui requièrent des prévisions agrégées par familles de produits. À l'inverse, les prévisions à court terme sont souvent réalisées pour des produits élémentaires.

De plus, l'agrégation de demandes est susceptible de conduire à une réduction de l'erreur de prévision agrégée, par un phénomène de compensation des aléas, sous la condition que les demandes aient des évolutions comparables.

9/1.2 Identification des données à exploiter

Une fois le besoin de prévision défini, il est nécessaire d'identifier les données et informations permettant la mise en place d'une prévision de qualité.

Les statistiques des demandes du passé, encore appelées *demandes historiques*, constituent le point de départ évident. On notera à ce propos qu'il faut collecter les demandes historiques et non les ventes réalisées. En effet, les ventes effectives peuvent s'écarter notablement des demandes initiales en cas de rupture de stock et de perte de clients. Ces données historiques doivent être collectées sur un horizon suffisant, en général de 3 ou 4 ans, de manière à permettre la mise en œuvre des méthodes quantitatives reliant ces données du passé aux estimations de demandes futures. En complément des demandes historiques, il convient d'identifier des informations ou données historiques d'une autre nature qui pourraient être exploitées avec profit lors de la réalisation de la prévision. En effet, de nombreux facteurs sont susceptibles de jouer un rôle sur les demandes futures d'un produit : un changement de réglementation, un événement politique, le climat météorologique, des campagnes de publicité, etc.

9/1.3   Choix de la méthodologie de prévision

Connaissant les données sur lesquelles s'appuyer pour estimer les demandes futures, il reste à choisir la manière de calculer les prévisions à partir de ces données, autrement dit la méthodologie de prévision.

Les méthodes de prévision

Les méthodes de prévision peuvent être regroupées en deux familles principales, respectivement appelées approches *qualitatives* et approches *quantitatives*.

Les approches qualitatives[1], encore dites subjectives, sont fondamentalement basées sur des avis intuitifs d'experts qui synthétisent de manière informelle un ensemble complexe et varié d'informations pour en déduire une opinion, qui sera retenue comme prévision.

De telles approches sont bien connues par exemple des spécialistes du marketing qui cherchent à prédire la demande de façon déductive par analyse future de ses éléments déterminants, ou de façon expérimentale, à partir d'études de marchés, de marchés-tests, de panels, etc.

Ces méthodes subjectives présentent toutefois quelques inconvénients non-négligeables. En effet, tout d'abord, dans un environnement de type *supply chain* les demandes à prévoir sont en général très nombreuses (typiquement plusieurs centaines de données chaque mois) et la charge de travail induite pour évaluer toutes ces prévisions, même « à l'intuition », est énorme. De plus, l'inconsistance de l'approche subjective, liée aux nombreux facteurs irrationnels susceptibles de perturber le prévisionniste en constitue une limite. On pourrait en effet craindre que les prévisions changent selon que le prévisionniste soit de bonne ou de mauvaise humeur, ou que le ciel soit bleu ou gris ! Enfin, il est très difficile de chiffrer intuitivement pour une prévision son degré de non-connaissance et donc d'estimer l'erreur de prévision potentielle. En conséquence, l'apprentissage est délicat : lorsque la prévision est bonne, le prévisionniste intuitif aura tendance à s'en attribuer les mérites, alors que quand elle est mauvaise, cela sera dû à un mécanisme de marché imprévisible…

Toutefois, cette méthode subjective peut être structurée afin d'en améliorer la robustesse. Une approche connue est la méthode Delphi. Elle consiste à demander à un groupe d'experts, par voie de questionnaires successifs, d'indiquer leurs opinions sur des questions posées. Les questionnaires sont remplis isolément pour éviter, lors de réunions en commun, l'influence sur les experts d'un de leurs collègues ayant une plus forte personnalité. Les premières réponses, anonymes, sont adressées à d'autres experts avec des indications statistiques (médiane, premier et dernier quartile). Connaissant l'opinion des autres experts, il leur est demandé de faire une nouvelle prévision et de la justifier, en particulier si celle-ci s'écarte de l'opinion moyenne.

---

[1] Ces méthodes sont peu développées ici. Le lecteur intéressé pourra consulter les ouvrages cités dans la bibliographie.

On arrive ainsi par itération, soit à un consensus général sur un éventail resserré de prévisions, soit à une opinion presque générale avec quelques divergences fortement argumentées, ou enfin à la séparation des experts en deux groupes d'opinions divergentes.

Les méthodes de prévision dites quantitatives consistent à développer des modèles mathématiques explicites, calculant les prévisions à partir des données historiques. Ces méthodes possèdent comme avantage le fait qu'elles peuvent être mises en œuvre automatiquement sur ordinateur. De plus, puisque ces méthodes sont explicites, il est plus facile de les analyser et de les améliorer. Lorsque ces modèles mathématiques évaluent les demandes futures directement à partir des demandes historiques, on parle de *méthodes d'extrapolation statistique* de la demande passée. Dans ce cas, l'approche consiste à identifier les dynamiques d'évolution des demandes historiques (comme une croissance ou une décroissance) et à extrapoler ces dynamiques dans le futur (sous l'hypothèse que les marchés conserveront leur « logique » du passé). Une autre stratégie consiste à établir, sur la base de données passées, une relation entre les demandes à prévoir et une ou plusieurs autres variables explicatives. On parle dans ce cas de *méthode causale* ou *de régression statistique*. Les variables explicatives peuvent être soit internes à l'entreprise, soit liées à l'économie et à la concurrence. Par exemple, il est connu que la consommation d'eau minérale dépend de la température ambiante : la connaissance de la température quotidienne (voire même de prévisions pour les températures des jours à venir) permet au producteur d'affiner les prévisions de consommation. Les méthodes de calcul des besoins (cf. chap. 12) suivent également une logique associative.

Choix et combinaison des méthodes

Il n'est bien sûr pas question de choisir de manière *a priori* exclusive entre une approche subjective ou une approche quantitative, une méthode d'extrapolation ou une méthode associative. Bien au contraire, l'efficacité consiste à comprendre comment combiner efficacement toutes ces approches et comment intégrer des données historiques quantitatives avec des opinions subjectives. Les techniques de prévisions décrites jusqu'ici ne sont donc pas exclusives les unes par rapport aux autres. On peut observer que les professionnels de la prévision en entreprise se basent sur deux principes pour sélectionner et/ou combiner les méthodes : l'existence d'informations de natures différentes qu'il y a intérêt à exploiter en parallèle, et la présence de segments de marchés différenciés.

Nature distincte des données historiques

En général, les demandes historiques constituent un premier type de données, à partir desquelles un modèle d'extrapolation statistique pourra être assez facilement établi, surtout à l'aide de logiciels spécialisés (voir section 3). Il est donc naturel que les modèles d'extrapolation soient systématiquement mis en œuvre et constituent la base de la prévision. Ce premier modèle pourra alors être ensuite enrichi pour prendre en compte d'autres données historiques ou avis subjectifs concernant des mécanismes susceptibles d'avoir une incidence sur les ventes futures, comme par exemple l'introduction de nouveaux produits de l'entreprise ou concurrents, des changements de prix, des promotions commerciales, etc. Ces corrections aux prévisions par extrapolation sont soit estimées « au feeling » dans une logique subjective par avis d'experts (typiquement appartenant aux fonctions Marketing et Ventes), soit calculées via des modèles quantitatifs de régression (cf. section 5).

Existence de segments de marché différenciés

Dans de nombreux cas, les demandes s'avèrent de fait être segmentées en marchés spécifiques, ayant des comportements différents. Dans ce cas, il est souvent profitable de réaliser des prévisions partielles par segment. Pour chaque segment, il convient d'identifier la méthode (ou une combinaison de méthodes) la plus appropriée, c'est-à-dire celle qui induit, une fois bien paramétrée, une erreur de prévision moindre. Ensuite, la prévision globale est obtenue en agrégeant les prévisions des différents segments.

Exemple 9.1 : prenons le cas de cette société fabriquant des outillages à main et petits matériels électriques. La demande au niveau des produits finis paraissait difficile à prévoir. Elle s'est révélée être la composition de trois segments de marché différents :
– celle des petits clients distributeurs et grossistes achetant toute l'année de petites quantités sans anticiper leurs commandes,
– celle des gros clients (grands magasins, hypermarchés, sociétés de vente à distance) commandant selon une périodicité mensuelle avec une anticipation suffisante,
– celle enfin des filiales étrangères prenant des décisions de réapprovisionnement en quantités importantes, sans périodicité fixe.

La solution consista à prévoir la première demande par extrapolation classique. Les deuxième et troisième demandes purent être directement servies sur la base de programmes prévisionnels fournis directement par les clients.

9/1.4   Mise à jour et collecte des données

L'objectif est de disposer aussi rapidement que possible, voire même en temps réel, de l'ensemble des données quantitatives permettant de calculer les prévisions.

Cependant, dans de nombreux cas, la mise à jour des données demeure un processus long et fastidieux. Cela a comme conséquence que lorsque les données sont disponibles, elles sont déjà quelque peu dépassées suite aux évolutions de marchés intervenues depuis le début de la mise à jour. Par exemple, pour une grande entreprise de production de produits chimiques de base, la collecte et la consolidation des ventes de leurs produits sur les différents segments de marchés est un processus tellement lourd qu'il ne peut être réalisé qu'une fois par mois !

À l'heure actuelle, la vitesse de circulation de l'information au sein de la *supply chain* est reconnue comme un facteur-clé de performance. Dans cet esprit, de nombreux grands groupes internationaux mettent en place des systèmes d'information et de consolidation exploitant Internet. Cette tendance constitue l'un des éléments de ce qui est appelé la *prévision collaborative*, l'idée étant de permettre une décentralisation efficace de la collecte en temps réel des données à intégrer dans le processus de prévision. Les rapports et estimations périodiques des responsables de marchés, qui devaient être consolidés et intégrés manuellement dans la base de données, sont remplacés par des feuilles de calcul (Excel par exemple) remplies par chaque responsable et automatiquement intégrées dans le système d'information.

On observe même des cas de collaboration particulièrement efficace où le fabricant a un accès informatique direct aux sorties de caisses des distributeurs de son produit.

9/1.5   *Définition des prévisions*

Qui prévoit ?

La première idée qui vient à l'esprit est de rendre responsable l'homme de terrain (vendeur, producteur, distributeur…) des prévisions pour les données qui le concernent. Cette approche semble idéale : le prévisionniste dispose de la meilleure information possible et est personnellement concerné par la qualité de ses prévisions. Toutefois, l'expérience montre que de telles prévisions sont biaisées, notamment parce qu'elles interfèrent avec les objectifs commerciaux et/ou les modes de rémunération.

L'autre option consiste à confier la prévision à des spécialistes, experts en méthodes statistiques, déconnectés du terrain afin d'éviter tout biais potentiel. Malheureusement, cette approche s'avère généralement inefficace, parce qu'elle conduit à une séparation entre les prévisionnistes « spécialistes » et les utilisateurs des prévisions, pour qui les méthodes utilisées sont obscures. À la moindre erreur de prévision, ce manque de compréhension provoque, chez les utilisateurs, de la défiance face à la cellule de prévision.

Une solution efficace doit intégrer les points forts des deux schémas décrits ci-dessus. Le processus de prévision doit, en même temps, utiliser des modèles formalisés bien adaptés et, en même temps, associer les utilisateurs autant dans la phase de recueil et de traitement des informations que dans la phase d'exploitation des prévisions elles-mêmes. Les logiciels d'aide à la réalisation de prévision disponibles aujourd'hui sont conçus dans cet esprit.

À ce niveau, une approche efficace d'évaluation des prévisions correspondrait au schéma suivant (fig. 9-2).

L'idée est de disposer d'un comité de prévision qui intègre des représentants des fonctions qui disposent d'informations critiques (typiquement les fonctions Marketing et Ventes) et le responsable de la prévision statistique.

Calcul des prévisions : hiérarchisation et traitement par exception

L'un des problèmes posés aux entreprises dans la mise en place d'un système de prévision est le nombre de demandes à prévoir, qui est typiquement de plusieurs centaines (ou même plusieurs milliers dans certains cas). Pour gagner un maximum de temps dans la phase de calcul des prévisions, le recours à des modèles mathématiques calculés par ordinateur permet d'alléger fortement la charge de travail. C'est le rôle des prévisions statistiques, qui constituent la base de la prévision. Toutefois, ces prévisions doivent encore être validées, ou même révisées, si nécessaire, par le comité de prévision.

Figure 9-2 – *Le comité de prévision*

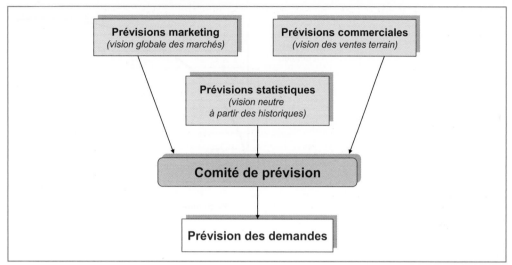

Afin d'allouer efficacement l'activité du comité de prévisions, on évalue la criticité des demandes via une analyse de type ABC (connue également sous le nom de loi de Pareto) des produits achetés, fabriqués ou vendus selon un critère qui est le plus souvent le chiffre d'affaires réalisé. Ce classement consiste à trier par valeurs décroissantes les références pour se consacrer à une sous-famille principale au détriment de celles dont l'importance relative est moindre. En cumulant les chiffres d'affaires réalisés, on constate le plus souvent que 20 % environ des articles font 80 % du chiffre d'affaires : ce sont les articles de la classe A. Les 30 % suivants se partagent environ 15 % du CA : ce sont les articles de classe B. Enfin, les derniers 50 %, dits de classe C, font les 5 % restant du CA. L'effort de prévision peut alors se concentrer sur les articles A pour traiter 80 % du problème de prévision, en consacrant moins d'efforts aux articles B et C.

Il est commode de représenter l'analyse ABC par une courbe (fig. 9-3). L'analyse ABC a beaucoup d'autres applications, notamment en gestion des stocks : nous aurons l'occasion d'y revenir dans le chapitre 14.

Dans un premier temps, le comité de prévision entérine ainsi rapidement la majorité des prévisions de faible criticité, qui en général peuvent être réalisées efficacement par une approche purement statistique. En revanche, le comité consacre son temps à l'amélioration des prévisions relatives aux produits ou composants représentant la plus grande part de l'activité ou du chiffre d'affaires de l'entreprise.

Différence entre prévision et objectif

Prévisions et objectif à réaliser sont deux notions très différentes qui ont tendance à être confondues.

L'objectif à réaliser correspond à la capacité volontaire d'une entreprise de formuler une stratégie (en général basée sur diverses informations prévisionnelles) et de la mettre en œuvre, en général pour modifier au moins en partie le marché.

Figure 9-3 – *Analyse ABC ou loi de Pareto*

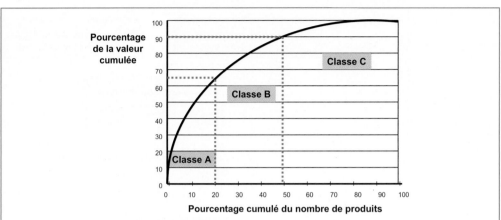

Alors que la prévision consiste uniquement à évaluer les caractéristiques du marché à venir, en exploitant au mieux l'ensemble des informations disponibles. Bien entendu, si les stratèges ont correctement développé la stratégie et si les informations importantes sont disponibles, objectifs et prévisions seront proches. Toutefois différents mécanismes peuvent engendrer des écarts. En effet, prévisions et détermination d'objectifs sont en général évaluées dans des processus différents, à des moments différents, en ayant recours à des informations différenciées.

De plus, en entreprise, l'analyse *a posteriori* des écarts entre objectif quantitatif et réalisation est un processus délicat. En effet, un écart négatif peut être dû soit à une prévision anormalement haute, soit à une diminution de la part du marché (liée au dynamisme de l'organisation commerciale, la qualité du produit, les délais, etc.) qui pourrait remettre en cause les performances de certains services de l'entreprise. De ce fait, pour éviter une telle remise en cause, chacun a tendance à faire en sorte que la différenciation objectif/prévision soit la moins nette possible, afin que l'écart éventuel ne soit pas clairement imputable. Bien entendu, ce schéma n'est pas générateur d'une bonne gestion.

9/1.6 Collecte et analyse des erreurs de prévisions

La dernière étape est celle de la mesure des erreurs de prévision résiduelles et donc de l'analyse de la qualité du processus. Une telle information statistique, rigoureusement établie, constitue la vraie mesure de performance de l'ensemble du processus de prévision. À partir de celle-ci, il est possible, sur une base claire et mesurée, d'agréer ou au contraire de remettre en cause tout ou partie du processus et d'évaluer les impacts d'éventuels changements. La mesure de l'erreur de prévision typique est de plus une information quantitative-clé pour paramétrer les stocks de sécurité (cf. chap. 14).

9/1.7   *Prévisions et besoins de planification*

En général en *supply chain management*, trois horizons de prévision et de planification coexistent. Les approches de prévision correspondantes sont résumées à la figure 9-4.

Figure 9-4 – *Prévisions et besoins de planification*

Nature de la décision	Horizon de la prévision	Caractéristique de la prévision	Techniques de prévision
Construction d'une usine Conception et lancement d'un nouveau produit Diversification	**Long terme** Trois ans ou plus	Prévisions par grandes familles de produits La demande dépend : – des évolutions économique, sociale, politique, technologique – de la concurrence	Méthodes qualitatives Méthodes causales (les variables sont liées aux indicateurs économiques, à la concurrence...)
Planification de la capacité Plan directeur de production	**Moyen terme** De six mois à deux ans, nécessairement supérieur au cycle de fabrication	Prévisions par familles de produits Analyse de différents programmes de fabrication possibles	Méthode d'extrapolation : analyse de tendance et d'indices saisonniers mensuels Méthodes causales (les variables sont liées aux politiques de prix, aux événements exceptionnels...)
Lancement Approvisionnement du stock de produits finis Approvisionnement en matières premières et composants	**Court terme** Égal au délai total d'obtention du produit (cycle de fabrication et d'approvisionnement)	Prévision article par article Effort de simplification dans la collecte et l'exploitation des données car l'utilisation en est fréquente	Méthode d'extrapolation : analyse de tendance et d'indices saisonniers hebdo ou journalier Méthodes causales (les variables sont liées aux actions commerciales, à la présence d'événements exceptionnels, aux facteurs météorologiques...)

Pour bien fonctionner, l'ensemble du processus de prévision doit être formalisé et expliqué. En effet, une approche clairement définie et comprise de tous peut faire l'objet de discussions auprès des différents acteurs ou utilisateurs des prévisions, mais aussi d'une validation statistique rigoureuse. Ce couplage entre remise en cause claire de la procédure et validation statistique constitue une voie royale pour éviter les biais de prévision. La prévision se fait ainsi dans un climat de clarté et de confiance, plus favorable à la communication, en particulier lorsque plusieurs fonctions de l'entreprise sont parties prenantes du processus.

9/2   Concepts fondamentaux : séries chronologiques et modèles

Série chronologique et notations

Par définition, une *série chronologique* (ou *historique*) est composée d'une suite de valeurs ordonnées dans le temps à périodicité constante. Soit T, le nombre de données de l'historique. Les données d'une série chronologique, considérées ici égales à des demandes, sont notées D_t alors que la valeur d'un modèle de prévision pour la période t est notée P_t.

Pour t = 1, 2, ..., T, les valeurs P_t s'interprètent comme des simulations des données réelles, alors que pour t ≥ T+1, on parle plutôt de prévisions.

Exemple 9.2 : la figure 9-5 présente l'historique[1] des ventes mensuelles d'un logiciel, dénommé MIL2000. L'horizon est de quatre années (soit T = 48).

Fluctuations et décomposition d'une série chronologique

Lorsqu'une procédure de prévision est mise en place sur des données, une analyse graphique des données constitue une première étape importante. En complément, les indicateurs statistiques de base sont :
– la moyenne arithmétique des données de l'historique, notée μ_D,
– l'écart type, noté σ_D, qui constitue une mesure de la dispersion des données autour de cette moyenne.

Figure 9-5 – *Représentation graphique d'un historique mensuel*

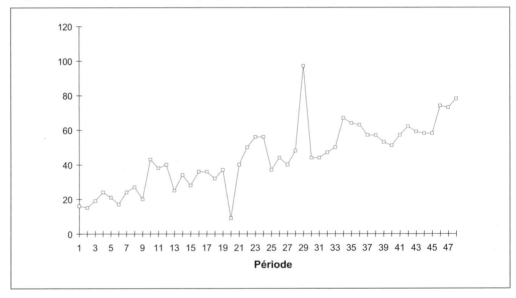

---

[1] Les données numériques sont reprises en annexe en fin de chapitre.

Ces indicateurs se calculent ainsi :

$$\mu_D = \frac{\sum_{t=1}^{T} D_t}{T} \text{ et } \sigma_D = \sqrt{\frac{\sum_{t=1}^{T} (D_t - \mu_D)^2}{T-1}}$$

Lorsque la dispersion σ_D est faible, les données sont pratiquement constantes et la prévision sera simple. En revanche si la dispersion est forte (au moins 20 % de la valeur moyenne μ_D) alors les données présentent des fluctuations notables et la prévision sera plus difficile à calculer. Pour expliquer les fluctuations des données historiques autour de la valeur moyenne, différents facteurs peuvent apparaître et se combiner : la tendance, la saisonnalité et les variations ponctuelles (explicables ou non).

Tendance

La *tendance* est une évolution s'effectuant dans un sens déterminé qui se maintient pendant plusieurs périodes. On la modélise souvent par une droite.

Exemple 9.3 : la figure 9-6 représente une tendance pour l'historique des ventes mensuelles de MIL2000.

Figure 9-6 – *Historique et droite de tendance*

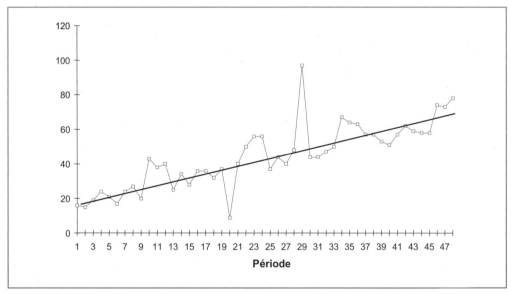

Saisonnalité

On désigne ainsi des fluctuations de la demande qui se répètent à intervalles réguliers dans le temps. Ces fluctuations sont reliées à un ou plusieurs facteurs environnementaux (comme les effets du calendrier, les vacances, les facteurs météorologiques...). Les ventes d'équipements sportifs, de bricolage ou la consommation d'eau (ou de bière !) sont des exemples classiques de données présentant des fluctuations saisonnières.

Exemple 9.4 : on a mis en valeur à la figure 9-7 les fluctuations saisonnières de fin d'année (octobre, novembre, décembre) dans le cas de l'historique des ventes mensuelles de MIL2000.

Variations ponctuelles

Dans la pratique, les historiques présentent souvent des variations qui n'ont aucune régularité particulière. Ces variations sont dues à des circonstances exceptionnelles. Lorsque ces variations peuvent être expliquées, on parle de *variations irrégulières* (comme des conditions climatiques exceptionnelles, une grève ou une évolution d'un produit). Ces phénomènes doivent alors être identifiés et exploités en vue de l'analyse des données historiques et des prévisions futures.

Exemple 9.5 : dans le cas de l'historique des ventes mensuelles de MIL2000, les ventes importantes du mois 29 s'expliquent par une campagne de publicité exceptionnelle, alors que les ventes faibles du mois 20 s'expliquent par une fermeture temporaire de l'entreprise, pour raison d'entretien et réaménagement des locaux.

Si ces variations ponctuelles ne peuvent pas être expliquées, on parle de *variations aléatoires* ou *bruit*. Ces variations sont l'objet d'une analyse précise, car elles correspondent à la qualité du modèle de prévision.

Figure 9-7 – *Historique et saisonnalité*

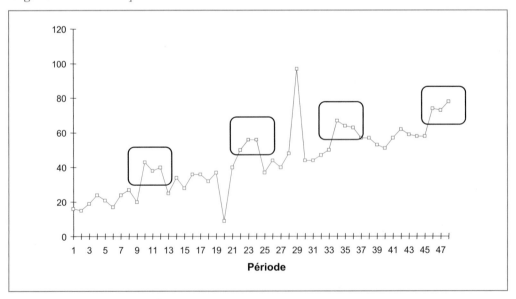

Optimisation d'un modèle de prévision et mesure d'erreur

Dans la plupart des cas, plusieurs modèles de prévision sont potentiellement envisageables. Il est donc important de pouvoir identifier les modèles les plus pertinents. La procédure est assez simple. Comme décrit en détail aux sections suivantes, les modèles de prévisions sont conditionnés par un certain nombre de paramètres fixés par le prévisionniste. Le prévisionniste optimise ces paramètres en simulant une prévision à l'aide du modèle sur les données historiques et en choisissant les paramètres qui minimisent le critère d'erreur retenu (concrètement représentatif de l'erreur de prévision moyenne). Typiquement une telle optimisation par simulation sur l'historique doit être faite sur ordinateur, via un tableur ou un logiciel spécialisé.

Les mesures de la qualité d'un modèle de prévision les plus utilisées sont les suivantes : *l'écart ponctuel, l'écart algébrique moyen, l'écart absolu moyen* et *l'écart quadratique moyen*. À ces indicateurs de base s'ajoute une mesure plus élaborée, *le critère d'information bayésien*, qui pénalise la complexité du modèle utilisé. Ces indicateurs sont définis comme suit.

Écart ponctuel

Il s'agit tout simplement de l'erreur de prévision, définie par

$$e_t = D_t - P_t$$

Écart algébrique moyen

Noté *ealm*, il s'agit de la moyenne arithmétique des erreurs de prévision sur l'historique,

$$ealm = \frac{\sum_{t=1}^{T} (D_t - P_t)}{T}$$

Si le système de prévision est bien adapté, les erreurs de prévision doivent se compenser au cours du temps. Un écart algébrique moyen très différent de 0 indique qu'un biais apparaît et que le modèle de prévision peut être amélioré.

Écart absolu moyen

Noté *eabm*, cet écart est défini comme la moyenne arithmétique des valeurs absolues des erreurs de prévision,

$$eabm = \frac{\sum_{t=1}^{T} |D_t - P_t|}{T}$$

Ce critère est souvent utilisé comme une mesure de l'erreur de prévision moyenne du modèle.

Écart quadratique moyen et écart type résiduel

L'écart quadratique moyen est évalué comme la moyenne arithmétique des carrés des erreurs de prévision sur l'historique,

$$eqm = \frac{\sum_{t=1}^{T} (D_t - P_t)^2}{T}$$

Ce critère est une mesure de performance très utilisée pour construire les modèles de prévision. On exploite également l'écart type de l'erreur de prévision,

$$\sigma_e = \sqrt{\frac{\sum_{t=1}^{T}(D_t - P_t)^2}{T}}$$

Critère d'information bayésien

Pour des raisons de robustesse et de facilité de mise en œuvre, il est nécessaire de pénaliser la complexité d'un modèle, et en particulier, le nombre de paramètres de ce modèle. À cet effet, a été développé le critère d'information bayésien défini par

$$cib = \sigma_e \, T^{\,p/2T} = \sqrt{\frac{\sum_{t=1}^{T}(D_t - P_t)^2}{T}} \, T^{\,p/2T}$$

avec p, le nombre de paramètres du modèle de prévision.

Détection et correction des valeurs anormales

Avant de construire un modèle de prévision pour un historique, il faut faire la différence entre les données correspondant au processus « normal » et les données associées à des phénomènes hors du commun, qui ne se répèteront pas dans le futur. Les données considérées comme anormales doivent être identifiées et corrigées, pour éviter qu'elles ne dégradent la qualité du processus de prévision.

Une approche simple consiste à réaliser cette détection après avoir développé un premier modèle de prévision, à partir des données brutes, en analysant les écarts entre ce modèle et l'historique. Si à la période t, on observe

$$|e_t| > 3\,\sigma_e$$

cette période peut être considérée comme atypique. Une fois les données anormales identifiées, celles-ci sont analysées et corrigées, soit directement par l'utilisateur, soit en automatique par des moyennes de quelques données environnantes[1]. Le modèle final peut alors être développé à partir de ces données corrigées.

Exemple 9.6 : dans le cas de l'historique des ventes mensuelles de MIL2000, les ventes des mois 20 et 29 ont été identifiées comme anormales et analysées. Ces données ont été corrigées par les responsables et, compte tenu des phénomènes de saisonnalité perçus intuitivement, les valeurs retenues sont les suivantes[2]: 32 unités en période 20 et 42 unités en période 29.

9/3   Les méthodes d'extrapolation statistiques : articles à durée de vie longue

On considère dans un premier temps le cas des articles dont la durée de vie est longue (typiquement plusieurs années). Nous verrons dans la section suivante le cas des articles à durée de vie courte. Les méthodes d'extrapolation peuvent alors être

---

[1]   Ces dernières techniques sont proposées dans les logiciels de prévision actuels.

[2]   Ces données corrigées sont reprises en annexe en fin de chapitre.

regroupées en fonction de la structure des historiques à modéliser : historiques stationnaires, historiques avec tendance et historiques avec saisonnalité.

9/3.1   *Méthodes pour les historiques stationnaires*

Quand l'historique ne présente ni tendance, ni saisonnalité, l'objectif des méthodes d'extrapolation est de filtrer les fluctuations aléatoires et d'identifier le niveau moyen. Ces méthodes exploitent simplement l'idée que les moyennes de données réalisent des compensations entre variations aléatoires positives et négatives.

La moyenne arithmétique

Cet outil statistique de base consiste à calculer la moyenne arithmétique de l'ensemble des données de l'historique. Le modèle de prévision est alors donné par

$$P_t = \frac{\sum_{k=1}^{T} D_k}{T}$$

Exemple 9.7 : l'application du modèle de moyenne arithmétique aux données de cet exemple (reprises en annexe) est présentée ci-dessous.

Figure 9-8 – *Moyenne arithmétique et critères d'erreur*

Nombre de paramètres	Modèle $P_t =$	ealm	eabm	eqm	σ_e	cib
1	141,938	0,000	28,815	1078,017	32,833	34,184

Cette méthode dite *moyenne à long terme* présente comme inconvénient d'accorder le même poids aux données les plus anciennes et aux données les plus récentes alors qu'il est raisonnable de penser que les dernières données sont les plus significatives.

En particulier, dans de nombreuses situations, les historiques présentent des paliers ou des niveaux successifs. Il s'agira donc pour les méthodes d'extrapolation de prendre en compte ces phénomènes évolutifs.

Les moyennes mobiles

Afin d'avoir une approche dynamique, on souhaite que les données ne rentrent pas dans la prévision avec la même importance : le modèle de moyennes mobiles consiste à calculer une moyenne arithmétique sur un nombre limité de données et ensuite à l'affecter à une certaine période. Soit M, le nombre de données retenues dans la moyenne mobile, le modèle de simulation de l'historique est donné par[1] :

$$P_t = \frac{\sum_{k=1}^{M} D_{t-k}}{M} \quad (t = M+1, ..., T)$$

---

[1] Les valeurs ne sont définies que pour $t \geq M+1$. Il est possible de définir des moyennes mobiles pondérées, dans lesquelles les différentes données ont des poids différents.

Les prévisions pour les périodes futures (c'est-à-dire pour t = T+1, ...) sont directement obtenues par

$$P_t = \frac{\displaystyle\sum_{k=1}^{M} D_{T-k}}{M}$$

Le paramètre à optimiser ici est M, le nombre de données dans la moyenne mobile. Plus M est élevé, et plus les moyennes élimineront les fluctuations présentes dans l'historique. Toute la question pour l'optimisation de M est alors de savoir si ces fluctuations sont de nature aléatoire (et doivent être éliminées via une valeur élevée de M) ou au contraire de nature déterministe (et doivent être conservées via une valeur faible de M). En général, la méthode d'optimisation utilisée pour choisir M consiste à calculer le critère d'erreur de prévision en simulant le modèle sur l'historique pour toutes les valeurs possibles de M inférieures à T et à choisir la valeur de M qui minimise ce critère.

Exemple 9.8 : on considère un historique stationnaire par paliers (voir données en annexe), pour lequel trois modèles de moyennes mobiles sont testés sur 3, 7 et 21 périodes (cf. fig. 9-9).

Figure 9-10 – *Historique et modèles de moyennes mobiles*

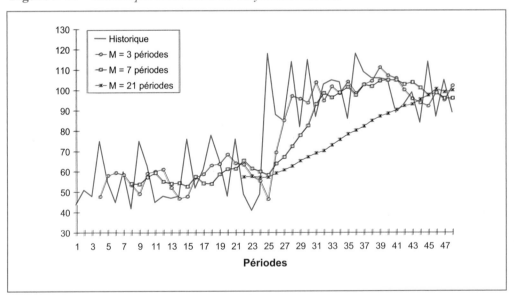

En appliquant ces modèles de moyennes mobiles, on trouve le tableau de la figure 9-10. Dans ce cas, au vu des différents critères d'erreur, le meilleur des trois modèles correspond à la moyenne mobile sur 3 périodes.

Figure 9-9 – *Critères d'erreur pour les moyennes mobiles*

Nombre de paramètres	Valeur du paramètre	ealm	eabm	eqm	σ_e	cib
1	M = 3	2,030	12,607	294,820	17,170	17,877
1	M = 7	3,944	13,693	312,574	17,680	18,407
1	M = 21	18,090	23,066	851,709	29,184	30,385

Le lissage exponentiel simple (ou lissage de Brown)

Dans le lissage exponentiel simple, on réalise une suite de moyennes pondérées, en affectant à chaque donnée un poids qui décroît exponentiellement avec l'âge de celle-ci. Ce lissage est défini, pour t = 2, ..., T, via l'équation récurrente,

$$a_t = \alpha D_t + (1 - \alpha) a_{t-1}$$

La récurrence peut être initialisée en fixant $a_1 = D_1$. Le modèle de simulation/prévision, pour t = 2, ..., T, T+1, ..., est défini par

$$P_t = a_{t-1} .$$

Par simple bon sens, le paramètre α, dénommé constante de lissage, doit satisfaire la contrainte

$$0 \leq \alpha \leq 1$$

L'interprétation en est la suivante. Plus α est proche de 1, plus le modèle tient compte de la donnée la plus récente et réagit rapidement à des changements. Au contraire, si α est proche de 0, le modèle accorde du poids à de nombreuses données du passé et est donc moins sensible aux dernières variations aléatoires. L'objectif est de sélectionner une constante de lissage qui équilibre les avantages d'un filtrage du bruit aléatoire avec ceux de la prise en compte de changements réels. Un test sur les données historiques avec différentes valeurs de α permet de choisir la valeur qui minimise les critères d'écart.

On remarque que ce modèle tient compte effectivement de toutes les données passées (sauf si $\alpha = 0$ ou 1) en leur accordant une pondération dont on peut choisir la dégressivité.

En effet, si l'on considère l'expression

$$P_{t+1} = \alpha D_t + (1 - \alpha) P_t$$

en remplaçant P_t par sa valeur dans l'équation, on obtient

$$P_{t+1} = \alpha D_t + \alpha (1 - \alpha) D_{t-1} + \alpha (1 - \alpha)^2 P_{t-1}$$

En faisant de même pour P_{t-1}, P_{t-2}, P_{t-3}, etc., on trouve

$$P_{t+1} = \alpha D_t + \alpha (1 - \alpha) D_{t-1} + \alpha (1 - \alpha)^2 D_{t-2} + \dots + \alpha (1 - \alpha)^n D_{t-n}$$

Les multiplicateurs de données décroissent exponentiellement avec l'ancienneté *n* des données. Par ailleurs, la somme des coefficients $\alpha(1-\alpha)^n$ tend vers 1. Il y a bien assimilation à une moyenne mobile pondérée avec une décroissance exponentielle des coefficients. Toutes les données, même les plus anciennes, sont prises en compte.

La figure 9-11 montre les pondérations relatives affectées aux demandes passées pour deux valeurs de α.

Figure 9-11 – *Pondérations relatives des demandes passées*

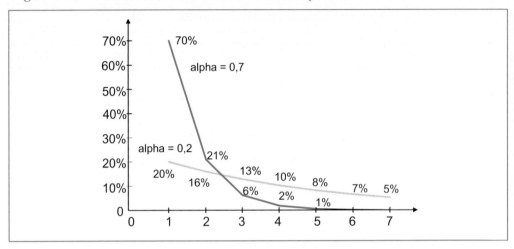

Le choix de α doit être optimisé en exploitant une simulation sur l'historique. Comme dans la méthode de la moyenne mobile pondérée, une forte valeur de α donne un poids plus grand aux données récentes et le système réagit plus rapidement à des changements de la demande. Cependant, il est plus sensible aux dernières variations aléatoires. La bonne détermination de α dépend donc des importances respectives que présentent pour l'entreprise le lissage des variations aléatoires et la sensibilité aux dernières demandes. Un test sur les données passées avec plusieurs valeurs de α permet de choisir la valeur qui aurait le mieux rendu compte de la demande.

Exemple 9.9 : dans le cas de l'historique stationnaire par paliers de l'exemple 9.7, trois valeurs du paramètre de lissage sont testées (en prenant $a_1 = 44$) comme le montre la figure 9-12.

On voit au tableau 9-13 que dans cet exemple pour les trois valeurs de α choisies à titre d'illustration, le meilleur compromis entre lissage des aléas et adaptation aux évolutions non aléatoires correspond à $α = 0,5$.

9/3.2 *Méthodes pour les historiques avec tendance*

La tendance dans un historique est liée aux effets à long terme de certains facteurs sous-jacents. Deux techniques de modélisation de tendance sont reprises ici : la droite de tendance évaluée par ajustement et la méthode de lissage, dite « de Holt ».

Droite de tendance évaluée par ajustement

Cette méthode consiste à construire un modèle de prévision dépendant du temps, de la forme

$$P_t = a + b \, t$$

Figure 9-12 – *Historique et modèles de lissage exponentiel simple*

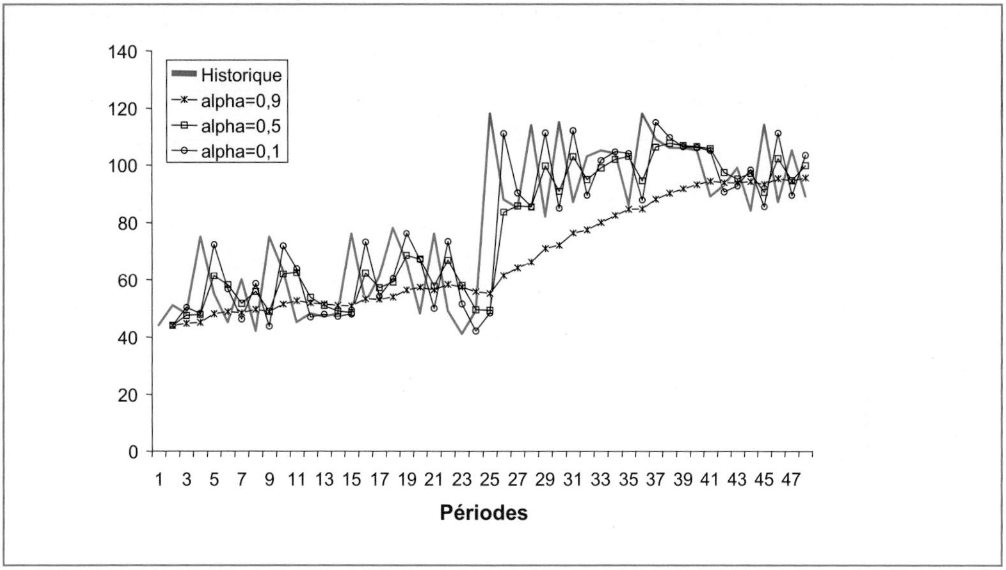

Figure 9-13 – *Critères d'erreur*

Nombre de paramètres	Valeur des paramètres	ealm	eabm	eqm	σ_e	cib
1	$\alpha = 0,1$	10,826	15,257	395,377	19,884	20,698
1	$\alpha = 0,5$	2,145	12,532	298,449	17,276	17,987
1	$\alpha = 0,9$	1,098	15,700	405,177	20,129	20,957

Traditionnellement, les paramètres a et b sont choisis de manière à minimiser le critère eqm, c'est-à-dire

$$\frac{\sum_{t=1}^{T}(D_t - P_t)^2}{T}$$

On peut montrer que les solutions de ce problème d'optimisation sont explicitement données par les relations suivantes

$$b = \frac{T\sum_{t=1}^{T}tx_t - \sum_{t=1}^{T}t \sum_{t=1}^{T}x_t}{T\sum_{t=1}^{T}t^2 - (\sum_{t=1}^{T}t)^2} \ , \ a = \frac{\sum_{t=1}^{T}x_t - b\sum_{t=1}^{T}t}{T}$$

Exemple 9.10 : si on applique ces formules aux données présentées à la figure 9-14, on trouve a = –22,051 et b = 12,446. Les critères d'erreur sont repris au tableau 9-15.

Figure 9-14 – *Modèles de tendance*

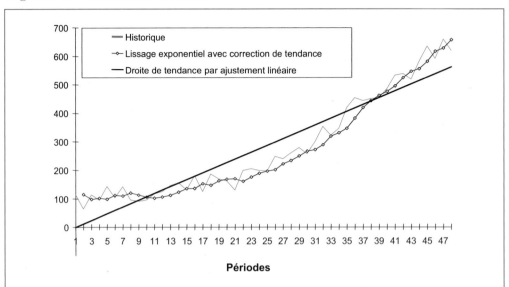

Figure 9-15 – *Modèles de tendance et critères d'erreur*

Type de modèle	Nombre de paramètres	Modèle et paramètres	ealm	eabm	eqm	σ_e	cib
Droite de tendance	2	a = −22,051 b = 12,446	−0,001	51,448	3542,194	59,516	64,515
Lissage de Holt	2	α = 0,3 β = 0,1	13,025	25,396	937,316	30,616	33,187

Le modèle de lissage de Holt

Lorsque les données historiques présentent une tendance (ou des évolutions de tendance), il est possible de modéliser ce phénomène dans une approche par lissage. Le modèle de prévision possède alors la forme suivante : les prévisions pour les périodes futures[1] (c'est-à-dire pour t = T+1, ...) sont obtenues par

$$P_t = a_T + (t - T)\, b_T$$

où a_T s'interprète comme la prévision estimée par le lissage pour la période T et b_T comme la tendance obtenue par la lissage. Pour t = 2, ..., T, les équations récurrentes qui définissent ce modèle dit « lissage de Holt » sont les suivantes,

$$a_t = \alpha\, D_t + (1 - \alpha)\,(a_{t-1} + b_{t-1})$$

$$b_t = \beta\,(a_t - a_{t-1}) + (1 - \beta)\, b_{t-1}$$

---

[1] Le modèle de simulation sur l'historique est de la forme $P_{t+1} = a_t + b_t$, pour t = 2, ..., T−1.

où $0 < \alpha, \beta < 1$. On démarre souvent ces récurrences en fixant $a_1 = x_1$ et $b_1 = 0$[1]. L'interprétation de ces équations est simple : la première équation ajoute la correction de tendance b_{t-1} par rapport au lissage exponentiel simple et la deuxième équation remet à jour l'estimation de la tendance.

Exemple 9.11 : cet historique, repris en annexe, présente un cas avec évolution progressive de la tendance. On peut y comparer les performances d'une droite de tendance et du lissage de Holt (initialisé avec $a_1 = 63$, $b_1 = 0$).

L'application de ces modèles correspond aux résultats du tableau 9-15. La méthode de Holt est plus efficace pour l'exemple considéré ici[2].

9/3.3 Méthodes pour les historiques avec saisonnalité

Les variations saisonnières sont des accroissements et des baisses des valeurs des données, qui interviennent suivant une périodicité, appelée *cycle saisonnier*. Soit S, le nombre de périodes dans un cycle saisonnier. On associe alors un *coefficient de saisonnalité CS* à chaque variation saisonnière d'une période.

Soit une période t, le schéma de saisonnalité considéré ici[3] est donné par

$$D_t = D_{cvs,t} + CS_t$$

où CS_t est par définition le coefficient saisonnier associé à la période t et $D_{cvs,t}$ est la *donnée corrigée des variations saisonnières*.

Pratiquement, il peut être difficile d'évaluer immédiatement la valeur de S. En général, il est donc nécessaire de tester différentes hypothèses et de conserver le meilleur modèle[4].

Deux approches de prévision sont possibles. La première méthode consiste à calculer les coefficients saisonniers à partir de l'historique, via une méthode spécifique de filtrage par moyennes mobiles, et à appliquer ensuite les méthodes précédentes aux données corrigées des variations saisonnières. Une autre approche est la méthode dite « de Winters », qui intègre directement ces deux étapes via une séquence de trois équations de lissage.

Évaluation des coefficients saisonniers par moyennes mobiles centrées

L'effet saisonnier est supposé stable dans le temps, ce qui est traduit par les équations

$$CS_{t+S} = CS_t$$

Il y a donc au total S valeurs de coefficients saisonniers à estimer. Ce calcul se réalise par des moyennes mobiles centrées sur un horizon égal à un cycle saisonnier S.

---

[1] On peut aussi initialiser a_1 et b_1 via une droite de tendance estimée graphiquement sur quelques données.

[2] On remarquera que le modèle de Holt est biaisé puisque elam = 13,025, ce qui est fortement positif. Cela montre que le modèle de lissage est légèrement en retard par rapport à l'évolution de tendance, ce qui est lié à la structure même du modèle.

[3] D'autres schémas de saisonnalité sont envisageables. Ils sont décrits dans les références de ce chapitre.

[4] Le principe de fond consiste à éviter d'introduire plus de coefficients de saisonnalité que nécessaire, ce qui dégraderait la robustesse du modèle.

De telles moyennes, par définition même, ont la propriété d'éliminer approximativement les variations saisonnières par compensation entre périodes successives.

Formellement, si S est impair (soit S = 2m+1), l'estimation du coefficient saisonnier pour la période t, notée ECS_t, est donnée par

$$ECS_t = D_t - \frac{\sum_{i=t-m}^{t+m} D_i}{S}$$

Si, au contraire, S est pair (soit S = 2m), on a

$$ECS_t = D_t - \frac{D_{t-m} + 2\sum_{i=t-m+1}^{t+m-1} D_i + D_{t+m}}{2S}$$

Ces estimations ne peuvent être évaluées que pour t = m+1, ..., T-m. Elles restent toutefois entachées d'erreurs, suite aux variations aléatoires présentes dans tout historique. Pour limiter ces écarts, on peut faire une moyenne des estimations obtenues pour des périodes à variation saisonnière identique. Formellement, soit T = k S (avec k entier), les estimations moyennes des S coefficients saisonniers (indicés par n = 1, ..., S) sont données par

$$EMCS_n = \frac{\sum_{i=0}^{k-1} ECS_{m+n+iS}}{k}$$

Enfin, il est nécessaire de faire des corrections afin que ces coefficients respectent les contraintes de normalisation suivantes[1] :

$$\Sigma_{n=1, .., S}\, CS_{t+n} = 0 \text{ (pour tout t entier)}$$

Ces corrections se font en répartissant sur les S coefficients saisonniers l'écart de normalisation constaté. Si on note $EMCS_{nor,n}$ les estimateurs normalisés, les coefficients saisonniers pour le modèle seront alors définis par

$$CS_n = CS_{n+S} = ... = EMCS_{nor,n} \qquad (n = 1, 2, ..., S)$$

Exemple 9.12 : soit l'historique présenté à la figure 9-16 (voir données en annexe). Le modèle possède un cycle saisonnier de 12 périodes (S = 12). L'application de cette approche donne le tableau 9-17.

Il suffit alors d'appliquer aux données corrigées des variations saisonnières les modèles vus précédemment. En l'occurrence, une droite de tendance a été évaluée pour les données corrigées des variations saisonnières, qui a pour équation

$$P_{cvs,t} = 19,099 + 0,9892\, t$$

Les critères d'erreur sont repris au tableau 9-17.

---

[1] Cette hypothèse, qui n'induit aucune perte de généralité, impose simplement que les coefficients saisonniers se compensent les uns les autres sur un horizon égal à un cycle saisonnier.

Figure 9-16 – *Modèles de saisonnalité : méthode des moyennes*

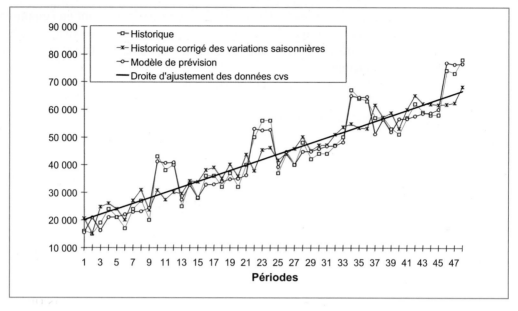

Figure 9-17 – *Paramètres de l'exemple numérique*

ECSj											
j=1	j=2	j=3	j=4	j=5	j=6	j=7	j=8	j=9	j=10	j=11	j=12
–	–	–	–	–	–	–1,708	0,125	–8,042	14,083	7,958	8,708
j=13	j=14	j=15	j=16	j=17	j=18	j=19	j=20	j=21	j=22	j=23	j=24
–7,458	0,792	–6,250	0,625	–0,417	–5,833	–2,000	–7,917	–0,833	8,167	13,417	12,667
j=25	j=26	j=27	j=28	j=29	j=30	j=31	j=32	j=33	j=34	j=35	j=36
–7,125	–1,042	–6,083	0,792	–6,250	–4,875	–6,000	–4,375	–2,458	13,875	10,125	7,750
j=37	j=38	j=39	j=40	j=41	j=42	j=43	j=44	j=45	j=46	j=47	j=48
0,375	–0,708	–5,500	–8,125	–2,792	1,208	–	–	–	–	–	–
$EMCS_j$											
j=1	j=2	j=3	j=4	j=5	j=6	j=7	j=8	j=9	j=10	j=11	j=12
–4,736	–0,319	–5,944	–2,236	–3,153	–3,167	–3,236	–4,056	–3,778	12,042	10,500	9,708
$EMCS_{nor,j}$											
j=1	j=2	j=3	j=4	j=5	j=6	j=7	j=8	j=9	j=10	j=11	j=12
–4,601	–0,184	–5,809	–2,101	–3,017	–3,031	–3,101	–3,920	–3,642	12,177	10,635	9,844

Modèle de Winters

Ce modèle est une extension du lissage simple, prenant en compte les phénomènes saisonniers ainsi que la tendance. On note que ce modèle permet de traiter les situations où les coefficients saisonniers et/ou la tendance évoluent (lentement) au cours du temps.

Si on considère une saisonnalité avec un cycle saisonnier de S périodes, pour t=S+1, S+2, ..., T, la logique de l'approche est la suivante.

Les prévisions sont obtenues par la relation[1]:

$$P_{T+kS+j} = a_T + b_T (kS+j) + CS_{T-S+j}$$

Les paramètres ont la signification intuitive suivante : a_T est la meilleure prévision pour la période T (hors phénomène saisonnier), b_T est la meilleure tendance évaluée à partir des données et les coefficients CS_{T-S+j} sont les meilleurs estimateurs des coefficients saisonniers. Ces paramètres sont calculés comme suit :

1. On désaisonnalise la nouvelle donnée avec le coefficient saisonnier associé le plus récent et on effectue un lissage exponentiel simple de cette demande désaisonnalisée suivant

$$a_t = \alpha (D_t - CS_{t-S}) + (1 - \alpha) (a_{t-1} + b_{t-1})$$

2. Ensuite, on effectue un lissage de la tendance via les données désaisonnalisées,

$$b_t = \beta (a_t - a_{t-1}) + (1 - \beta) b_{t-1}$$

3. Enfin, on réalise un lissage du coefficient saisonnier relatif à la période courante,

$$CS_t = \gamma (D_t - a_t) + (1 - \gamma) CS_{t-S} .$$

Traditionnellement, on choisit comme valeurs initiales $a_{S+1} = D_{S+1}$, $b_{S+1} = 0$ et $CS_1 = CS_2 = ... = CS_S = 0$. Une initialisation alternative serait la suivante :

$$CS_t = D_t - \frac{\sum_{i=1}^{S} D_i}{S} \quad \text{(pour } t = 1, ..., S)$$

$$a_{S+1} = D_{S+1} - CS_1, \quad b_{S+1} = \frac{(D_{S+1} - D_1) + (D_{S+2} - D_2) + (D_{S+3} - D_3)}{3S}$$

La sélection des paramètres de lissage α, β, γ, sous la contrainte $0 < \alpha, \beta, \gamma < 1$, doit alors se faire afin d'optimiser les critères d'erreur.

Exemple 9.13 : le modèle de Winters est appliqué à l'historique des ventes mensuelles de MIL2000 (fig. 9-18). Globalement, on peut constater que cette méthode modélise à la fois tendance et saisonnalité. Dans le cas présent, en exploitant la procédure d'initialisation décrite ci-dessus et en testant par essais successifs quelques valeurs des paramètres α, β, γ, on trouve les résultats numériques indiqués au tableau 9-19.

---

[1] Intuitivement, les indices utilisés dans cette équation signifient qu'il faut utiliser pour une prévision pour une date donnée, le dernier coefficient de saisonnalité évalué, relatif à cette date.

Figure 9-18 – *Modèles de saisonnalité : modèle de Winters*

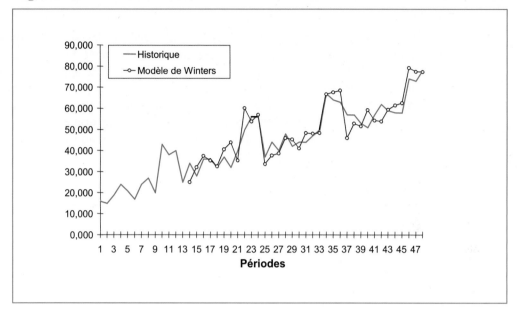

Figure 9-19 – *Modèles de saisonnalité et critères d'erreur*

Nombre de paramètres	Modèles et paramètres	ealm	eabm	eqm	σ_e	cib
14	voir tableau 9–17	–0,001	2,302	7,717	2,778	4,885
3	α=0.2, β=0.1, γ=0.5	–0,322	3,876	24,723	4,972	5,612

Dans cet exemple, le modèle évaluant les coefficients saisonniers par moyennes mobiles se comporte mieux que le modèle de Winters (avec les paramètres et les initialisations choisies ici).

9/3.4.   *Conclusions sur ces modèles d'extrapolation*

Ces méthodes ont pour objectif d'identifier des structures particulières au sein des données historiques. La simplicité de mise en œuvre de l'approche constitue un avantage certain. Cependant, dans les situations où la structure de l'historique peut se modifier rapidement en fonction de mécanismes extérieurs à la variable à prévoir, ce type de modèle est inadapté. Il est alors nécessaire d'utiliser des méthodes dites associatives, qui s'avèrent plus lourdes au niveau de la collecte et du traitement des données ; elles sont présentées en section 5.

Quoiqu'il en soit, des signaux d'alerte doivent, dans tous les cas, être intégrés au modèle afin de signaler des écarts de prévision anormaux. Cela signale au responsable qu'il faut faire une nouvelle analyse de la structure de la demande et garantit que le logisticien reste conscient des évolutions en cours.

9/4 Les méthodes d'extrapolation statistique : articles à durée de vie courte

Les méthodes de prévision basées sur l'analyse des séries chronologiques sont puissantes quand il s'agit d'articles fonctionnels, dont le processus de demande présente de la stabilité au cours du temps. Toutefois, cette approche n'est plus adaptée lorsqu'on est confronté à un problème de prévision de consommation pour un article à durée de vie très courte. Ces produits présentent tout d'abord une variabilité extrême, et ensuite on ne dispose en général même pas d'un historique de vente sur une année entière, puisque leur durée de vie est souvent plus courte que cela. La figure 9-20 donne un historique pour un article de ce type.

Figure 9-20 – *Ventes hebdomadaires d'un article textile de type mode*

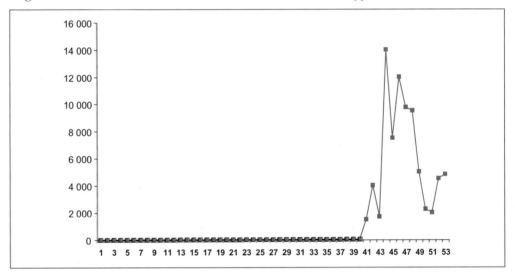

9/4.1 Précision, durée de vie et gestion des flux

La gestion de produits de ce type, encore dénommés produits innovants, s'apparente quelque peu aux paris financiers qu'il est possible de tenter en bourse. Comme en bourse, les prévisions de demande précises sont impossibles à réaliser à l'avance. Un producteur doit donc décider de sa production et de ses engagements de stocks un peu dans le même esprit qu'un gestionnaire de portefeuille planifie ses acquisitions sur les marchés boursiers. L'optimisation des quantités à produire nécessite en particulier une estimation réaliste de la marge d'erreur de prévision pour les différents articles à gérer. Des exemples de ce type sont les articles de mode, le marché de l'électronique, les ordinateurs personnels, les jouets, les CD et les livres. Ces produits présentent tous des durées de vie courte et des demandes difficiles à anticiper. Dans une telle situation, la solution ne pourra venir que d'une combinaison efficace entre une gestion des flux avec anticipation partielle et un processus de prévision à court terme (qui sera le seul possible).

9/4.2   *Prévision subjective a priori vs extrapolation a mi-posteriori*

L'approche de base dans ce cas est une prévision globale *a priori* : on demande à une équipe d'experts commerciaux de prévoir globalement les ventes pour chaque article (sur l'ensemble de sa durée de vie), et ce suffisamment longtemps à l'avance pour pouvoir planifier et organiser toute la production (longtemps avant la mise en vente du produit sur le marché). Plusieurs études ont montré que cette approche est souvent imprécise. Toutefois, des études sur le terrain ont révélé que pour ce type de produit les erreurs de prévisions réalisées par des avis d'expert sont situées entre 50 % et 100 % des valeurs réellement constatées !

Une approche complémentaire consiste à observer les ventes réalisées lors des premières semaines de mise du produit sur le marché et à tenter d'en déduire les ventes à venir, par extrapolation de ces observations. Des modèles simples ou complexes peuvent alors être mis en œuvre[1]. Une méthode très pragmatique et efficace consiste à identifier pour chaque type de produit, par observation du passé, le pourcentage de ventes typiquement réalisées sur l'horizon d'observation. Prenons comme illustration de cette méthodologie le cas d'une entreprise de vente à distance de vêtements et autres articles textiles, correspondant à des produits de mode. Les profils de ventes moyens sont représentés en figure 9-21. Dans cette entreprise, les prévisions de vente pour la saison sont réalisées de manière subjective par l'équipe commerciale. L'erreur de prévision moyenne est de 55 %, ce qui est l'ordre de grandeur constaté pour l'ensemble des prévisions réalisées dans ce cas.

Figure 9-21 – *Extrapolation des premières ventes d'une saison*

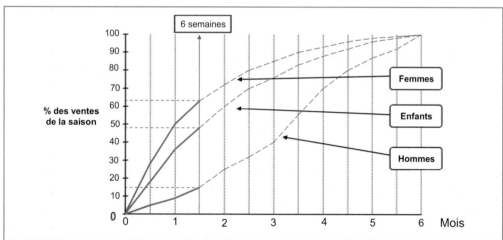

Afin d'améliorer ces prévisions, une étude a été mise en place qui a établi qu'en moyenne pour la famille d'articles considérés, les commandes reçues deux semaines après publication du catalogue correspondaient approximativement à 11 % des ventes globales. Donc, si pour un article 11 unités sont vendues pendant les deux premières semaines, on peut s'attendre à en vendre 100 au total.

---

[1] Ces modèles peuvent être trouvés dans les références citées.

Un modèle d'extrapolation a alors été mis en œuvre pour exploiter ce phénomène. On a pu constater que l'utilisation de cette approche a réduit fortement l'erreur de prévision (qui passe dans cet exemple de 55 % à 25 %). Il s'agit là d'une constatation générale consolidée par de nombreux cas d'étude : les prévisions initiales obtenues par estimation subjective sont très imprécises, alors que des prévisions développées à partir d'une interprétation intelligente d'un nombre réduit de données correspondant aux ventes initiales sont d'une qualité sans commune mesure.

9/4.3   *Modèles et formules de calcul*

Formellement, soit une famille de *n* articles à durée de vie de T périodes, soit $D_{i,t}$ la demande à la période t pour l'article i de la famille. Par hypothèse, on suppose que tous les articles de la famille ont une courbe de pénétration de marché analogue. On fixe un horizon d'observation des premières périodes de demandes, qui seront utilisées pour réaliser l'extrapolation des ventes globales.

Soit T_{obs}, le nombre de périodes de cet horizon. À partir des historiques disponibles pour chaque article de la famille, on évalue d'abord $Pc_i(T_{obs})$, le rapport entre les demandes cumulées sur l'horizon T_{obs} et le total des demandes sur le cycle de vie T de ces produits. Cette quantité peut également s'interpréter comme la part des ventes réalisées sur l'horizon T_{obs} et se calcule comme

$$Pc_i(T_{obs}) = \frac{\sum_{t=1}^{Tobs} D_{i,t}}{\sum_{t=1}^{T} D_{i,t}}$$

Par souci de robustesse, on retiendra un estimateur moyen pour tout article de la famille, défini comme

$$Pc(T_{obs}) = 1/n \sum_{i=1}^{n} Pc_i(T_{obs})$$

Le modèle de prévision des demandes pour tout le cycle de vie d'un article i est donc formellement

$$\sum_{t=1}^{T} P_{i,t} = \frac{\sum_{t=1}^{Tobs} D_{i,t}}{Pc(T_{obs})}$$

Exemple 9.14 : ce modèle d'extrapolation spécifique est appliqué aux historiques des demandes hebdomadaires de 5 articles constituant une famille, dans le cas cité ci-dessus d'une entreprise de ventes par correspondance de vêtements et autres articles textiles pour femmes. La durée de vie des articles est de 13 semaines.

On considère un horizon d'observation de 2 semaines. En appliquant la procédure décrite ci-dessus aux données du tableau 9-22 ci-dessous, on trouve :

$$Pc(T_{obs}) = 1/5\ (0{,}07 + 0{,}067 + 0{,}052 + 0{,}06 + 0.057 = 0{,}061$$

Figure 9-22 – *Exemple numérique : historique des demandes*

Période	Article n°1	Article n°2	Article n°3	Article n°4	Article n°5
1	1 500	1 700	1 700	1 900	1 600
2	4 000	3 500	2 800	2 800	2 400
3	1700	2 000	3 000	2 000	2 800
4	14 000	10 000	12 400	12 400	8 400
5	7 500	8 300	11 100	12 900	10 600
6	12 000	12 400	14 500	8 000	11 600
7	9 750	10 900	9 000	8 200	5 100
8	9 500	9 800	11 000	8 200	6 300
9	5 000	4 800	6 200	6 500	6 300
10	2 250	2 200	1 200	1 400	2 100
11	2 000	2 900	2 600	2 600	2 000
12	4 500	6 200	6 300	8 500	7 700
13	4 800	3 100	4 100	3 500	3 100
$Pc_i(T_{obs}=2)$	0,070	0,067	0,052	0,060	0,057

Si on observe donc dans le futur que les demandes pour l'article de cette famille s'élèvent à 3 750 pour les deux premières semaines, on en déduira une prévision de vente pour toute la saison égale à 3 750/0,061= 61 475 unités.

9/5   La régression

Cette approche de la prévision consiste à identifier les liens existant entre l'historique de la variable à prévoir et des historiques d'autres variables, internes ou externes à l'entreprise. Par exemple, on peut ainsi chercher à expliquer les ventes d'eau minérale par la température ambiante ou la fréquentation d'un service en fonction du calendrier, des congés et des fêtes.

9/5.1   Modèles et formules de calcul

Les modèles associatifs sont basés sur la recherche d'une relation linéaire entre la variable à prévoir et d'autres variables, appelées variables explicatives. Soit, pour t = 1, ..., T,

$$D_t$$

l'historique de la variable à prévoir et

$$z_{1,t}, z_{2,t}, ..., z_{n,t}$$

les historiques des n variables explicatives. Formellement, on suppose un modèle de prévision de la forme suivante,

$$P_t = a_0 + a_1\, z_{1,t} + a_2\, z_{2,t} + \dots + a_n\, z_{n,t}$$

où a_0, a_1, a_2, ..., a_n sont les coefficients à estimer. Classiquement, on calcule ces coefficients comme ceux qui minimisent le critère d'écart

$$\text{eqm} = \sum_{t=1}^{T} \left(D_t - a_0 - a_1\, z_{1,t} - a_2\, z_{2,t} - \dots - a_n\, z_{n,t} \right)^2$$

Modèle à une seule variable explicative

Lorsqu'il n'y a qu'une seule variable explicative, le modèle a la forme

$$P_t = a_0 + a_1\, z_{1,t}$$

et les coefficients ont l'expression simple suivante,

$$a_1 = \frac{T\,\sum_{t=1}^{T} z_{1,t} D_t - \sum_{t=1}^{T} z_{1,t} \sum_{t=1}^{T} D_t}{T\,\sum_{t=1}^{T} z_{1,t}^{\,2} - (\sum_{t=1}^{T} z_{1,t})^2} \;,\; a_0 = \frac{\sum_{t=1}^{T} D_t - a_1 \sum_{t=1}^{T} z_{1,t}}{T}$$

On peut introduire le concept de *coefficient de corrélation* entre la variable explicative et la variable à prévoir, défini comme suit :

$$\rho = \frac{\sum_{t=1}^{T} z_{1,t} (D_t - \frac{1}{T}\sum_{t=1}^{T} D_t)}{\sqrt{\sum_{t=1}^{T} (z_{1,t} - \frac{1}{T}\sum_{t=1}^{T} z_{1,t})^2 \; \sum_{t=1}^{T} (D_t - \frac{1}{T}\sum_{t=1}^{T} D_t)^2}}$$

Ce coefficient mesure l'intensité d'une liaison linéaire entre la variable à prévoir et la forme linéaire retenue pour la régression. Par définition, on peut montrer que ce coefficient a une valeur comprise entre -1 et $+1$. Une valeur de ρ positive indique que les deux séries tendent à croître et à décroître en même temps, alors qu'une valeur négative de ρ signifie que lorsqu'une série croît l'autre décroît et inversement. Plus ρ est proche de -1 ou $+1$, plus cela indique une relation proche d'une relation linéaire entre les historiques alors que des valeurs de ρ proches de 0 indiquent l'absence de relation linéaire, ce qui signifie une relation non linéaire ou aucune relation.

Exemple 9.15 : on reprend l'historique de la figure 9-3. On se propose d'expliquer cet historique de ventes mensuelles (noté D_t), par l'historique du nombre de plaquettes de présentations téléchargées via Internet (noté $z_{1,t}$). Les données sont reprises en annexe. La figure 9-23 illustre la représentation graphique en nuages de points, qui est habituelle pour ce type d'analyse. La solution numérique est donnée en figure 9-24. Le modèle associé est alors analysé en figure 9-25. De plus, le coefficient de corrélation vaut $\rho = 0{,}782$.

Modèles à plusieurs variables explicatives

Dans ce cas, les paramètres qui minimisent le critère d'erreur *eqm* sont solutions d'un système général d'équations linéaires et le recours à un logiciel spécifique est nécessaire. Toutefois, il est possible de procéder de manière approximative en

introduisant les variables explicatives une à une et en estimant les paramètres entre
historique de la nouvelle variable explicative et historique des écarts résiduels.

Figure 9-23 – *Analyse causale : courbe en nuage de points*

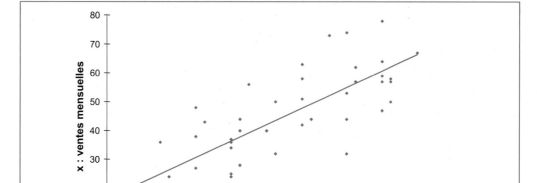

Figure 9-24 – *Solutions numériques de l'exemple 9.14*

T	$\Sigma_{t=1,...,T} z_{1,t}$	$\Sigma_{t=1,...,T} D_t$	$\Sigma_{t=1,...,T} z_{1,t} D_t$	$\Sigma_{t=1,...,T} z_{1,t}^2$
48	1 393	2 093	66 148	44 209

Figure 9-25 – *Régression linéaire simple et critères d'erreur*

Nombre de paramètres	Équation du modèle	ealm	eabm	eqm	σ_e	cib
2	$P_t = 2,1217 + 1,4294 z_{1,t}$	0,000	8,056	102,21	10,11	10,959

Exemple 9.16 : on reprend ici l'historique des ventes mensuelles de MIL2000 et on
cherche à l'expliquer à partir de plusieurs historiques : l'historique du nombre de
plaquettes concernant MIL2000, téléchargées par Internet (noté $z_{1,t}$), l'historique du
nombre de manifestations exceptionnelles (congrès, salons d'exposition,
conférences…) auxquelles l'entreprise a participé (noté $z_{2,t}$), l'historique des
démonstrations du logiciel MIL2000 à des clients potentiels (noté $z_{3,t}$) et l'historique
des démonstrations commerciales de l'ensemble de la gamme des produits vendus
(noté $z_{4,t}$). La solution du modèle de régression à 4 variables explicatives introduites
successivement dans le modèle est la suivante,

$$P_t = -8,4603 + 1.4294 z_{1,} - 0,0458 z_{2,t} + 0,2401 z_{3,t} + 0,2642 z_{4,t}$$

et on en déduit les critères suivants :

Figure 9-26 – *Régression linéaire multiple et critères d'erreur*

Nombre de paramètres	ealm	eabm	eqm	σ_e	cib
5	0,000	7,347	86,845	9,319	11,401

Figure 9-27 – *Modèle de régression linéaire multiple*

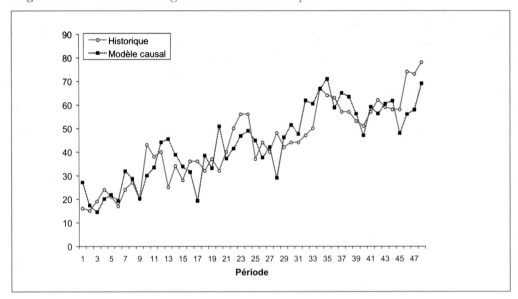

9/5.2 Validation statistique des modèles

Les modèles de régression peuvent faire l'objet de validations statistiques spécifiques, ce qui est un atout certain au niveau de la mise en œuvre.

Les coefficients de détermination et de corrélation.

Le coefficient de détermination mesure le pourcentage de la variabilité de l'historique de la variable à prévoir qui est expliqué à partir des variables explicatives. Cette information agrégée permet une perception intuitive immédiate de l'apport des variables explicatives en vue de faire de la prévision. Formellement, soit l'historique x_t, on définit la variabilité totale par l'expression

$$\sum_{t=1}^{T}\left(D_t - \frac{1}{T}\sum_{t=1}^{T}D_t\right)^2$$

La variabilité totale expliquée par le modèle de régression est définie comme

$$\sum_{t=1}^{T}(a_0 + a_1\,z_{1,t} + a_2\,z_{2,t} + ... + a_n\,z_{n,t} - \frac{1}{T}\sum_{t=1}^{T}D_t)^2$$

Le *coefficient de détermination*, noté R^2, est donc défini par

$$R^2 = \frac{\sum_{t=1}^{T}(a_0 + a_1 z_{1,t} + a_2 z_{2,t} + \ldots + a_n z_{n,t} - \frac{1}{T}\sum_{t=1}^{T}D_t)^2}{\sum_{t=1}^{T}(D_t - \frac{1}{T}\sum_{t=1}^{T}D_t)^2}$$

Exemple 9.17 : pour les données relatives aux exemples 9.15 et 9.16, on trouve les résultats présentés au tableau 9-28.

Figure 9-28 – *Coefficients de détermination*

Cas	Nombre de variables explicatives	Nombre de paramètres	R^2
Exemple 9.14	1	2	0,620
Exemple 9.15	4	5	0,732

Pour ces données, le modèle linéaire à 4 variables explicatives exhibe de meilleures performances comme modèle de prévision que le modèle à une seule variable.

Sélection des variables explicatives

Dans l'approche associative, le choix des variables explicatives à intégrer au modèle est la principale difficulté pratique. En effet, une bonne variable explicative doit en même temps être fortement corrélée à la variable à expliquer et la moins corrélée possible aux autres variables explicatives déjà introduites dans le modèle de prévision. Suivant ce principe de base, il existe de nombreuses procédures automatiques ou manuelles pour sélectionner les meilleurs régresseurs possibles parmi un portefeuille de candidats potentiels (voir les références bibliographiques). Une méthode fréquemment proposée par les progiciels de prévision est fondée sur les ratios de Student, mais sa complexité théorique la place hors du cadre de cet ouvrage.

Exemple 9.18 : on reprend l'historique des ventes mensuelles de MIL2000. Une heuristique de sélection des variables explicatives consiste à classer ces variables selon leurs coefficients de corrélation avec les écarts de prévision résiduels successifs et à les intégrer ainsi progressivement dans le modèle.

On voit au tableau 9-29 que suivant cette règle de sélection des variables explicatives, on introduirait successivement dans le modèle $z_{1,t}$, $z_{2,t}$, $z_{3,t}$ et enfin $z_{4,t}$. Toutefois, le critère σ_{bi} montre que l'introduction de la variable explicative $z_{4,t}$ dégrade quelque peu la qualité du modèle de prévision. Le modèle finalement sélectionné selon cette procédure est donc un modèle de régression à 3 variables explicatives, soit

$$y_t = -9,89 + 1,43 z_{1,t} + 0,26 z_{2,t} + 0,24 z_{3,t}$$

Figure 9-29 – *Coefficients de corrélation entre historiques de données et d'écarts et historiques des régresseurs*

Modèles	Régresseurs				Critère
	$z_{1,t}$	$z_{2,t}$	$z_{3,t}$	$z_{4,t}$	σ_{bi}
x_t	0,78	0,28	0,76	0,62	-
$x_t - 2,12 - 1,43\ z_{1,t}$		0,39	0,35	0,14	10,96
$x_t - 0,12 - 1,43\ z_{1,t} - 0,26\ z_{2,t}$			0,33	0,17	10,52
$x_t + 9,89 - 1,43\ z_{1,t} - 0,26\ z_{2,t}$ $- 0,24\ z_{3,t}$				0,10	10,35
$x_t + 8,47 + 1,43\ z_{1,t} + 0,26\ z_{2,t}$ $- 0,24\ z_{3,t} + 0,05\ z_{4,t}$					10,76

9/6 Les modèles économétriques

Nous mentionnerons enfin d'autres approches de la prévision qui reposent sur une généralisation des méthodes d'extrapolation et de régression qui consiste à introduire des décalages temporels au niveau des variables explicatives. Ces modèles sont connus sous le nom de Box et Jenkins. L'objet de cet ouvrage n'est pas d'approfondir ce point : la bibliographie spécialisée offre cette possibilité.

9/7   Données en annexes

Exemples 6.1, 6.2, 6.3, 6.4	Exemples 6.5, 6.12, 6.13	Exemple 6.6	Exemples 6.8, 6.9	Exemples 6.10, 6.11	z_t, $z_{1,t}$	$z_{2,t}$	$z_{3,t}$	$z_{4,t}$
16	16	193	44	119	20	0	33	20
15	15	174	51	61	16	0	16	20
19	19	93	48	71	12	0	29	25
24	24	170	75	82	17	0	20	12
21	21	135	55	109	21	0	4	16
17	17	122	45	137	16	0	25	25
24	24	155	60	104	24	0	29	20
27	27	108	42	123	20	0	41	28
20	20	130	75	121	16	0	28	20
43	43	172	63	153	21	0	36	4
38	38	178	45	93	20	28	28	17
40	40	133	48	104	25	41	29	21
25	25	148	47	147	24	46	36	25
34	34	87	48	150	24	0	59	25
28	28	190	76	132	25	0	33	29
36	36	124	52	168	24	0	29	28
36	36	110	61	128	16	0	25	25
32	32	102	78	134	29	0	29	32
37	37	186	66	195	24	0	40	50
9	32	160	48	139	37	0	33	33
40	40	94	76	170	25	0	46	24
50	50	157	49	175	29	0	40	25
56	56	172	41	143	26	34	41	16
56	56	92	49	193	26	34	54	36
37	37	110	118	176	24	34	49	38
44	44	161	88	240	25	0	50	36
40	40	164	85	232	28	0	50	33
48	48	105	114	291	20	0	45	41
97	42	140	82	266	32	0	46	46
44	44	157	115	324	37	0	37	41
44	44	128	87	317	33	0	45	41
47	47	109	103	329	41	0	57	42
50	50	124	105	373	42	0	44	36
67	67	195	104	353	45	0	53	38
64	64	84	86	422	41	33	56	29
63	63	130	118	452	32	45	48	40
57	57	96	109	463	38	29	57	46
57	57	118	106	443	42	0	57	40
53	53	148	106	486	37	0	59	52
51	51	170	105	531	32	0	50	49
57	57	99	89	547	41	0	46	44
62	62	161	93	546	38	0	53	49
59	59	187	99	541	41	0	53	52
58	58	150	84	587	42	0	52	50
58	58	165	114	631	32	0	52	40
74	74	152	87	609	37	0	57	45
73	73	176	105	607	35	27	48	50
78	78	199	89	661	41	29	54	37

Chapitre 10

Le Plan Industriel et Commercial

10/1   Introduction à la planification hiérarchisée

L'objectif général de la planification d'une *supply chain* est d'assurer que les ressources nécessaires ont été mises en œuvre au bon moment, de sorte que les produits finis sont expédiés dans de bonnes conditions aux clients finaux. La planification complète est tellement complexe, induit un tel nombre de décisions, qu'il est nécessaire de la décomposer en différents niveaux de planifications, qui correspondent à des types de décisions.

Tout d'abord, lors de la constitution du budget annuel, il est nécessaire de disposer d'informations prévisionnelles concernant les investissements matériels à réaliser, la répartition des charges de travail entre les usines, les variations d'effectifs nécessaires, les niveaux de stocks de matières premières et de produits finis à financer, etc. Bref, il faut avoir sous la main une estimation des niveaux d'activité pour la période budgétaire. La fonction principale du *Plan Industriel et Commercial (PIC)* est précisément de définir ces niveaux d'activité. Le plan industriel et commercial constitue donc l'articulation entre la stratégie de l'entreprise et la gestion des flux dans la *supply chain*.

Le délai nécessaire à l'application des décisions induites par le PIC (comme par exemple de modification de capacité) est en général assez long : de quelques semaines à quelques mois. L'entreprise ne possède pas, sauf exception, un carnet de commandes fermes sur un horizon correspondant : l'information de départ de la planification est donc, au moins en partie, constituée de prévisions de ventes (cf. chap. 9).

Le degré de finesse de la planification mérite toutefois d'être analysé. Pour des décisions majeures, à long terme, l'entreprise ne cherche pas à connaître d'avance les ventes de chacune des références produites. Une prévision par famille, c'est-à-dire à un niveau d'agrégation assez élevé, est largement suffisante. Si les produits et les ressources de l'entreprise sont homogènes, une prévision en heures ou en euros permet déjà de faire une première approche globale.

Exemple : pour évaluer l'activité globale d'une usine qui assemble des téléviseurs et pour chiffrer approximativement sur un horizon d'une année les besoins en ressources correspondants, il n'est pas nécessaire de savoir avec précision si l'on va vendre un téléviseur revêtu d'un placage de simili-bois ou d'un capot en plastique.

Le plan global est donc souvent réalisé au niveau de *familles* de produits. Ces familles sont constituées en fonction de la ressource à planifier : par exemple, si on cherche à prévoir la charge de travail sur une ressource critique, la famille regroupera toutes les références dont la production utilise cette ressource. En revanche, si on doit anticiper les besoins en un composant critique, la famille reprendra tous les articles dont la nomenclature contient ce composant.

Ensuite, à plus court terme, typiquement sur un horizon de quelques semaines, la programmation de production est l'activité qui consiste à définir un plan de production détaillé, c'est-à-dire exprimé au niveau des références en termes d'objectifs de flux à atteindre. Le plan détaillé, encore dénommé *programme directeur de production (PDP)*, précise, pour chaque article fabriqué, les quantités à produire, période par période. Il constitue donc l'articulation entre le PIC et la gestion des flux matières. Le PDP est un contrat entre la fonction commerciale et la fonction de production, qui définit les produits à livrer, en quantité et en date. L'horizon de ce plan est par nature au minimum égal au cycle d'approvisionnement et de production.

Ce plan détaillé doit être cohérent avec les plans globaux, exprimés au niveau de familles de produits. Par exemple, si l'activité mensuelle retenue au niveau du PIC est de 10 000 unités, il faudra que le cumul de toutes les références du PDP corresponde à la même quantité.

Ensuite, en prenant comme base les programmes de production, la gestion des flux d'approvisionnement et de fabrication des pièces, sous-ensembles et produits finis est réalisée via la procédure du calcul des besoins et/ou les méthodes de gestion des stocks.

Enfin, l'ensemble des opérations correspondant aux ordres de fabrication et d'achat générés par la gestion des flux doivent être planifiées, ce qui est le rôle des fonctions d'ordonnancement et d'approvisionnement. L'ensemble de la procédure de planification directrice est représenté à la figure 10-1.

Figure 10-1 – *Planification hiérarchisée*

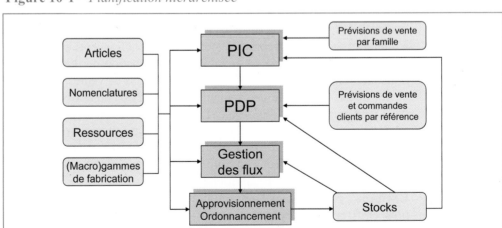

10/2 Généralités sur le plan industriel et commercial

10/2.1 Un rôle d'anticipation

Considérons le cas d'une entreprise dont les marchés présentent une stabilité forte au cours du temps : les produits ne subissent pas d'évolutions technologiques, la concurrence est inexistante et les quantités vendues par période sont presque constantes. Une fois qu'une telle entreprise s'est dotée de ressources adaptées et que les charges de travail ont été réparties entre les différentes ressources éventuelles, la gestion des flux se résume à approvisionner les matières nécessaires et à lancer les fabrications et les livraisons, et ce de manière très régulière et répétitive puisque rien n'évolue dans l'environnement du système logistique. Dans ce cas, le cadre de fonctionnement de la gestion des flux et des opérations est donc stable dans le temps.

Dans le monde industriel d'aujourd'hui, la plupart des entreprises sont confrontées à un environnement moins confortable : les charges de travail fluctuent dans le temps et sont donc irrégulières. On rencontre de telles fluctuations lorsque les ventes des produits présentent une saisonnalité importante au cours de l'année (cf. chap. 9). Ces mécanismes saisonniers peuvent être liés au climat et à la température, aux événements exceptionnels de l'année (fêtes, manifestation sportive…), à des fonctionnements particuliers comme les fins de budget dans les entreprises et les administrations. On peut citer comme exemples les secteurs des parfums et des produits de beauté, du matériel de sport ou de jardinage, le mobilier d'extérieur, les jouets, les luminaires, les téléviseurs et les lecteurs de DVD.

Les caractéristiques du marché font donc que, dans de nombreuses situations, les quantités de produits souhaitées au cours du temps par les clients, varient, parfois fortement. Pour les différentes ressources de ces entreprises, les charges de travail associées fluctueront donc elles aussi. Or à court terme un système logistique ne présente pas une flexibilité sans bornes, loin s'en faut : le nombre de machines est figé, la formation de personnel qualifié prend du temps et les contrats d'achat négociés avec les fournisseurs peuvent comporter des limites sur les quantités fournies par période. On voit alors apparaître le problème suivant : comment faire face à des ventes fluctuantes avec un système logistique qui présente une flexibilité limitée, c'est-à-dire des possibilités restreintes d'évolution à court terme ? Deux grandes situations se présentent.

Tout d'abord, dans de nombreux cas, ces fluctuations sont largement prévisibles et l'incertitude sur les ventes futures est réduite. Dans cette situation, la difficulté consistera à s'adapter efficacement aux fluctuations en exploitant l'information prévisionnelle. La figure 10-2 présente les ventes trimestrielles d'un type de scie, pour une entreprise d'outillage. On voit clairement apparaître une saisonnalité (en dents de scie !), très bien prévue.

Dans d'autres cas, sans doute plus complexes à planifier, en plus des mécanismes saisonniers potentiels, les volumes de ventes à chaque période présentent une incertitude forte et des possibilités de fluctuations rapides difficiles à prévoir. Dans ces situations apparaît un phénomène de risque puisque l'information prévisionnelle est moins fiable. Il s'agira alors de mettre en œuvre de la flexibilité, c'est-à-dire des moyens permettant de faire face rapidement, ou même parfois instantanément, à de telles fluctuations.

Figure 10-2 – *Exemple de courbe de vente d'une scie*

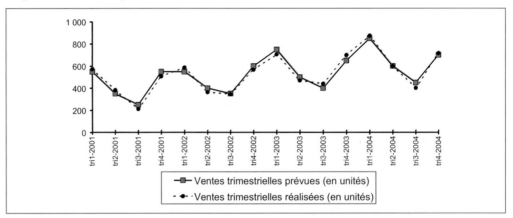

On en connaît de nombreux exemples : les boissons, les crèmes glacées ou les ventilateurs dont les ventes dépendent fortement de la température courante, certains parfums qui réalisent une percée inespérée sur un marché ou un modèle d'automobile qui, au contraire, ne concrétise pas les espoirs mis en lui. Cette situation se présente également dans le secteur pharmaceutique où la consommation de certains médicaments dépend de l'apparition ou non d'une épidémie. La figure 10-3 présente un exemple de produit (un médicament en l'occurrence) dont les volumes de vente ont subi une évolution tout à fait inespérée.

Figure 10-3 – *Exemple de courbe de vente d'un médicament*

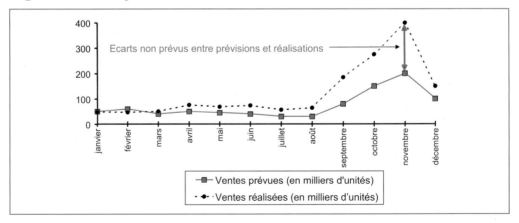

Un des rôles du PIC est précisément d'anticiper les possibilités d'évolutions des ventes (et donc des charges de travail) de manière à disposer d'un délai suffisant pour pouvoir doter le système logistique et industriel de moyens lui permettant de s'adapter à son marché.

Les questions traditionnellement abordées dans ces plans sont les suivantes : étude des rapports entre charge et capacité pour les ressources critiques, évaluation des quantités de matières nécessaires et négociation avec les fournisseurs et identification de plans d'actions afin de réaliser un bon équilibrage charge/capacité pour les ressources en surcharge (ou en sous-charge).

Les moyens d'action que l'on peut mettre en œuvre ont été présentés au chapitre 4 : en résumé, ce sont les acquisitions de ressources supplémentaires, le lissage de charge (par création de stock d'anticipation, par abandon ou développement de certains marchés, mise au point de ventes promotionnelles) et le recours à la sous-traitance.

10/2.2   *Un rôle de répartition*

Indépendamment de la fonction d'anticipation, le PIC réalise également une répartition des flux et des charges entre les ressources critiques, si elles sont multiples. Considérons le cas d'une entreprise qui possède plusieurs usines de fabrication et plusieurs entrepôts et réseaux de distribution. Une question-clé, en général à résoudre une fois par an, consiste à

1. répartir la fabrication des flux de produits entre les différentes usines. À ce niveau différents choix sont possibles : une usine peut prendre en charge la totalité de la fabrication d'un produit donné ou au contraire la fabrication d'un produit est répartie entre plusieurs centres de production,

2. affecter les usines aux entrepôts de distribution, autrement dit décider par quelle(s) usines(s) un entrepôt donné sera approvisionné. À nouveau, on peut imaginer des situations où l'ensemble des flux transitant par un entrepôt proviennent d'une seule usine et des cas où ces flux sont répartis entre plusieurs centres de production.

Dans une logique similaire, si un stock d'anticipation est mis en œuvre, il est nécessaire de répartir ce stock entre les différentes références de produits.

L'aspect stratégique de même que les horizons temps associés rangent ces décisions au niveau du PIC.

10/2.3   *Un espace de négociation*

Au niveau organisationnel, le PIC assure une coordination efficace des logiques des différentes fonctions. Traditionnellement, les objectifs assignés aux différentes fonctions de l'entreprise sont associés à la culture de chacune de celles-ci : un département commercial aura pour mission de réaliser un maximum de ventes, la production aura à minimiser le coût de revient industriel, la logistique baissera les coûts de transport et d'entreposage, alors que les services financiers chercheront à optimiser l'utilisation des fonds disponibles. Ces objectifs risquent de conduire chaque fonction à des actions divergentes. Par exemple, il est bien connu que la fonction commerciale souhaite des produits très personnalisés, avec des délais de livraison courts, alors que la fonction de production préfère produire des grandes séries d'articles standardisés en disposant de délais longs pour optimiser la planification.

De fait, un plan directeur constitue l'expression d'un compromis entre les responsables des différentes fonctions. Tout d'abord, ce plan doit être conforme aux objectifs généraux de l'entreprise (comme l'évolution souhaitée du chiffre d'affaires). Ensuite, il définit les besoins en fonds de roulement pour financer les stocks prévisionnels et les investissements en équipement correspondant. Il sert de référence pour la gestion des ressources humaines.

Enfin, il fixe les quantités globales de matières et composants dont il faudra assurer l'approvisionnement. Une erreur à ce niveau peut pénaliser l'ensemble du processus de planification à court et moyen terme. On comprend donc qu'un tel plan doit être validé par un comité composé de la Direction générale et des responsables des différentes fonctions. C'est en effet au moment de l'établissement du PIC que la Direction générale de l'entreprise joue son rôle d'arbitre et choisit les orientations stratégiques.

L'élaboration du plan directeur doit donc constituer un espace de négociation entre les fonctions de l'entreprise, sous l'arbitrage de la Direction générale. À titre d'illustration, les questions posées sont par exemple :
– Doit-on constituer des stocks d'anticipation pour faire face aux forts pics de demandes ?
– Quelles sont les usines qui approvisionneront un entrepôt donné ?
– Comment affecter une famille de produits entre différents centres de fabrication ?
– Doit-on recourir à des embauches et/ou des licenciements pour faire face aux fluctuations de charge de travail ?
– Fait-on appel à du personnel intérimaire ou recourt-on au temps partiel et aux heures supplémentaires ?
– Confie-t-on une partie des fluctuations de charges à des sous-traitants ?
– Modifie-t-on les demandes par des politiques de changement de prix au cours du temps ?
– Développe-t-on de nouveaux produits afin de compenser l'amplitude des fluctuations saisonnières ?

10/2.4   *PIC, critères de performance et gestion du risque*

Globalement, l'objectif du PIC est d'assurer que la gestion des flux mette en œuvre les variables d'action les plus efficaces afin d'obtenir la qualité de service définie pour les clients. Les indicateurs de performances sont similaires aux indicateurs utilisés traditionnellement en gestion des flux (voir chapitres 12, 13 et 14), à savoir les coûts des ressources et des stocks et la qualité de service (nombre de ruptures de stocks).

Toutefois, on a signalé que les fluctuations saisonnières peuvent être très prévisibles ou au contraire peu prévisibles. Dans ce dernier cas, cela revient à dire qu'il y a une incertitude considérable sur les volumes de ventes futures : il apparaît dès lors un phénomène de risque, lié à cette nature aléatoire, qui peut être majeur dans le cas du PIC, suite aux montants d'investissement qui peuvent être immobilisés. La question devient alors de concevoir un PIC, non seulement pour diminuer les coûts *en moyenne*, mais également pour limiter la *variabilité* de ces coûts autour de leur moyenne, ou en tout cas garantir que les coûts finaux ne dépasseront pas une limite maximale.

Concrètement, cela se traduira de la manière suivante. En général, plus les variables d'action sont planifiées longtemps à l'avance et plus il est possible de les mettre en œuvre à moindre coût. À l'inverse, si des modifications de ressources doivent être mises en œuvre à délai très court[1], les coûts seront plus importants. On perçoit globalement la manière dont les plans devront être constitués :

- Si les fluctuations sont prévisibles longtemps à l'avance, il ne sera pas nécessaires de recourir à des ressources flexibles, les variables d'actions seront planifiées à l'avance à moindre coût (mais sans rechercher une possibilité de s'adapter au dernier moment à une évolution imprévue) et sans risque, puisque le futur est prévisible avec précision.
- Si les fluctuations ne sont pas prévisibles avec un délai substantiel, il faudra mettre en place des ressources présentant suffisamment de flexibilité pour absorber avec un délai réduit les fluctuations.

Une fois de tels plans établis pour les différentes familles de produits, la direction de l'entreprise dispose d'une véritable planification de l'activité industrielle et logistique sur un horizon d'une ou de plusieurs années.

10/2.5   *Révision du PIC*

De même que l'on a l'habitude de dire qu'une prévision est par essence toujours fausse, il est difficile d'imaginer un plan qui ne s'écarte pas progressivement de la réalité. Le plan directeur doit être régulièrement remis à jour. On parle dans ce cas d'un *plan glissant,* car la fréquence de révision est nettement inférieure à l'horizon couvert. Par exemple, en janvier, on prévoit de produire certaines quantités en avril ; celles-ci seront modifiées en février si on constate que les ventes de janvier ont dépassé nettement les prévisions qui avaient été faites pour janvier. On imagine facilement que de tels changements peuvent provoquer des perturbations sensibles dans la gestion des flux, surtout si les ordres d'approvisionnement des matières premières nécessaires à la production d'avril ont été passés en janvier.

Ce type de difficulté, qui sera abordé dans le chapitre suivant consacré au calcul des besoins, incite à agir dans deux directions :

- définir un horizon de stabilité du plan directeur en fixant une durée à l'intérieur de laquelle des changements quantitatifs importants sont exclus lors d'une révision,
- chercher dans le même temps à accroître la flexibilité et la réactivité du système logistique de façon à réduire, autant que faire se peut, l'étendue de l'horizon figé.

10/3. PIC : Données quantitatives de base

Cette section présente de manière détaillée les données quantitatives nécessaires à la constitution d'un PIC ainsi que les calculs de performance correspondant. Les exemples repris ici correspondent au cas d'un site de production unique.

---

[1] On parle dans ce cas de flexibilité de la ressource.

10/3.1   Présentation générale

Horizon et périodicité. L'horizon du PIC doit être supérieur à l'horizon des fluctuations saisonnières (soit en général une année) et au délai de mise en œuvre des modulations de capacité (à ce niveau de planification, de quelques semaines à quelques mois). Au niveau du maillage temporel, un tel plan est en général traduit par un échéancier dont la grille temporelle évolue en fonction de l'horizon : par mois, puis par trimestre, enfin par semestre, voire parfois par an (fig. 10-4).

Données et variables d'action. Les informations reprises dans ce plan sont les prévisions agrégées, la production agrégée et les stocks agrégés correspondants[1].

Figure 10-4 – *Exemple de PIC pour une famille*

	2004			2005			2006	
	Cumul	Jan.	Fév.	...	Déc.	1er Trim.	2ème Trim.	2ème Sem.
Prévisions	12 000	1 000	1 750	...	1 250	4 500	4 000	6 500
Production	13 000	1 250	1 750	...	1 250	3 750	4 000	6 500
Stock	1 000	1 250	1 250	...	1 000	250	250	250

10/3.2   Les indicateurs de performances à optimiser

Les indicateurs de performance à optimiser en sélectionnant efficacement les variables d'action du PIC sont de plusieurs natures :
- les coûts sont bien entendu un des critères de base. Ces coûts englobent traditionnellement coûts de production et coûts des stocks, qui tout deux sont fortement liés aux stratégies de PIC mises en œuvre,
- le chiffre d'affaires réalisé,
- les risques, induits par exemple par la constitution d'un stock important que l'entreprise n'est pas certaine de vendre,
- le service aux clients, qui se mesure ici par le nombre de ruptures de stocks.

10/3.3   Calcul des charges

Le plan industriel et commercial sert de base à la planification des ressources, et par voie de conséquence aux décisions d'investissement et à l'établissement des plans financiers (besoins en fonds de roulement, crédits de campagne). Traditionnellement, au niveau de la logistique, le rôle du PIC est de permettre une évaluation prévisionnelle des charges de travail des différentes ressources, tant à l'intérieur de l'entreprise qu'au niveau des fournisseurs, qui ont besoin de prévisions de commandes sur lesquelles fonder leurs propres prévisions d'activité.

Le calcul des charges se fait à l'aide de macrogammes (fig. 10-5), qui indiquent les temps opératoires globaux pour les ressources critiques, par famille de produit. La

---

[1] On peut ajouter une mesure de risque à ces données de base.

macrogamme contient des temps opératoires moyens pour les articles de la famille, sans prise en compte précise des temps de réglage des machines ou de caractéristiques spécifiques à un produit de la famille. Les ressources critiques sont celles qui risquent de poser des problèmes : on pense par exemple à une machine goulet dont la capacité peut être insuffisante, aux ressources financières qui doivent être en phase avec la trésorerie prévisionnelle et, globalement, à la main-d'œuvre directe.

Figure 10-5 – *Exemple de macrogamme*

Famille de produits	Emballeuses thermiques
Ressources	Temps alloués/unité produite
Poste de tournage	*14 heures*
Main-d'œuvre directe	*207 heures*

Il est utile d'interpréter le calcul des charges associé au PIC comme une approche approximative (*rough cut* selon le terme anglo-saxon) pour planifier l'utilisation des ressources à moyen terme, en se concentrant uniquement sur les informations essentielles. On analyse donc les charges globales sur les ressources critiques (les goulets). À ce niveau de planification, on se concentre uniquement sur les déséquilibres significatifs au niveau des ressources-clés.

Exemple : pour l'exemple présenté à la figure 10-6, il est clair que pour certains mois la charge de travail prévisionnelle de la ressource considérée est supérieure à la capacité. Il est donc nécessaire d'adapter les charges et/ou les capacités pour assurer un équilibrage correct. Le choix des actions à mettre en place et la définition de la planification globale associée constituent le prolongement indispensable du tableau 10-5.

Figure 10-6 – *Charge et capacité d'un atelier*

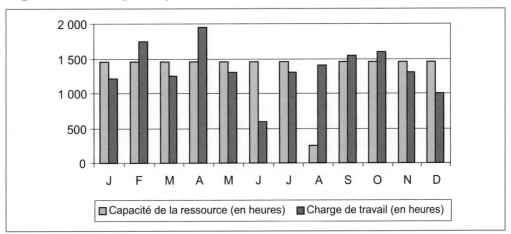

10/4   PIC et stratégies face aux fluctuations

Globalement, et quelle que soit l'origine des fluctuations de demandes, il existe trois stratégies de base lors de la mise en œuvre d'un PIC pour y faire face :
- *Stratégie de niveau*, qui recourt essentiellement à la mise en place de stocks d'anticipation,
- *Stratégie de poursuite*, qui met surtout en œuvre un levier de flexibilité des ressources,
- *Management de la demande*, qui vise à influencer le cadre du problème en modifiant le profil des demandes.

10/4.1   Définition de stratégies

Stratégie de niveau

De nombreuses entreprises ne peuvent pas envisager de modifier de manière substantielle leur activité d'un mois par rapport à un autre. En effet, dans divers secteurs industriels et logistiques les ressources sont tellement coûteuses à mettre en œuvre que la norme est le fonctionnement sans arrêt : 24 heures sur 24, 365 jours par an. Dans d'autres cas, les ressources humaines sont très qualifiées, avec une formation à la fois très longue et très chère, ce qui rend difficiles et coûteuses des stratégies de modulation des effectifs au cours de l'année.

Toutes ces entreprises ont alors plutôt tendance à adopter une *stratégie de niveau*. Cette stratégie consiste à maintenir une activité de production stable toute l'année. Cette approche permet d'obtenir une utilisation élevée et régulière des ressources, tout en évitant des coûts liés à des changements du niveau d'activité. Cette stratégie conduit soit à des délais de livraison des commandes fluctuant suivant les niveaux des demandes, soit à la mise en œuvre de stocks, dits *stocks d'anticipation*, pour absorber les écarts entre ventes mensuelles et productions mensuelles.

Une condition nécessaire est que de tels stocks puissent être mis en œuvre sur des périodes longues (quelques mois) sans coûts et/ou risques excessifs. Cette approche est donc particulièrement bien adaptée aux produits présentant une variété réduite, des prévisions fiables et des écarts saisonniers raisonnables, produits qui de plus ne sont pas caractérisés par un phénomène d'obsolescence important. Dans ce cas, une stratégie de niveau pourra être mise en œuvre avec des coûts de stocks d'anticipation limités et des risques faibles.

À titre d'illustration, on retrouve cette stratégie de niveau dans des secteurs très capitalistiques comme la fabrication de ciment, les industries chimique et pétrochimique, l'industrie automobile, l'industrie sidérurgique, la fabrication du verre, la fabrication du chocolat. On la retrouve également dans des secteurs qui exigent une grande qualification du personnel, ce qui exclut toute fluctuation importante de l'activité, comme les instruments de musiques haut de gamme, l'ébénisterie haut de gamme, l'horlogerie.

Exemple : une entreprise de fabrication de batteries pour voitures produit un nombre limité de variantes (moins de 10). La période de formation des opérateurs est longue et certains équipements très coûteux. La stratégie consiste à organiser la fabrication en 3 équipes de 8 heures, 7 jours par semaine.

Figure 10-7 – *Exemple de stratégie de niveau[1]*

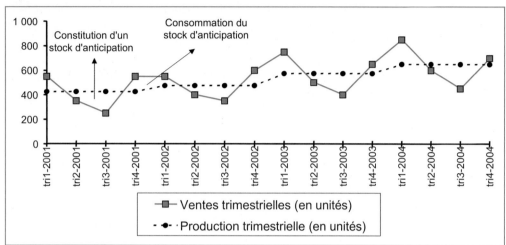

Stratégie de poursuite

Dans de nombreux cas, la mise en œuvre de stocks d'anticipation importants n'est pas envisageable suite aux coûts et/ou aux risques induits. Par exemple, considérons un produit dont les ventes sont fortement dépendantes de la météo, comme le matériel de ski dont les ventes dépendent de l'enneigement. Si les ventes s'avèrent être fortement inférieures aux prévisions (moyennes), l'entreprise risque, au minimum, d'être engluée dans des monceaux de stocks. Au pire, elle risque le dépôt de bilan si elle ne peut plus financer ces stocks immobilisés. De plus, de nombreuses entreprises proposent une grande variété de produits finis ou des produits qui présentent un effet de mode assez marqué, ce qui accroît d'autant plus les risques financiers liés à la possession de stocks importants de tels produits. En effet, ces stocks risquent de devenir invendables du jour au lendemain !

De nombreuses entreprises adoptent donc une *stratégie de poursuite* afin de limiter au maximum les immobilisations en stocks. Cette stratégie consiste à se donner les moyens d'adapter, période par période, la capacité des ressources aux consommations de ressources[2] correspondant à la demande. Concrètement, l'activité mensuelle suit les ventes mensuelles (ou en tout cas les prévisions correspondantes). Les charges de travail (ou, de manière plus générale, les consommations) sur les différentes ressources en sont déduites et les capacités sont adaptées en conséquence.

---

[1] Dans cet exemple, on suppose qu'un stock initial suffisant est disponible. De plus, le PIC est supposé remis à jour tous les ans en début d'année.

[2] Si les ressources sont des ressources de production, les consommations de ressources correspondent à des charges de travail.

Il faut noter que cette stratégie peut être mise en œuvre dans des conditions très différentes avec des coûts très différents :

– Soit les fluctuations saisonnières sont très prévisibles, longtemps à l'avance, auquel cas les modulations de capacité pourront être planifiées (et seront possibles même si le délai de mise en œuvre des modulations de la capacité est long). On peut donc espérer maîtriser efficacement les coûts de mise en œuvre de cette stratégie.

– Soit les fluctuations sont peu prévisibles, et dans ce cas les modulations de capacité ne pourront pas être planifiées longtemps à l'avance et exigeront que le délai de mise en œuvre des modulations de capacité soit court. Dans ce cas, les coûts de modulation des capacités risquent d'être élevés.

Figure 10-8 – *Exemple de stratégie de poursuite*

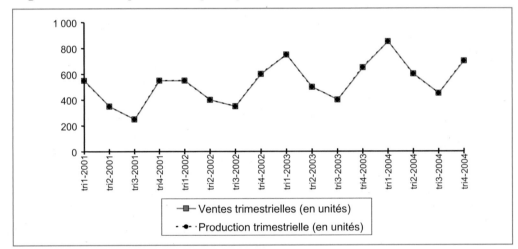

Pour être réalisable en pratique, cette approche exige que les ressources (critiques) de l'entreprise présentent des coûts de flexibilité pas trop élevés. C'est assez souvent le cas pour les ressources humaines. Dans ce cas, les actions d'adaptation seront :

– *Négociation des périodes de congés* avec le personnel afin de positionner ces périodes d'arrêt pendant les périodes de faibles demandes. Cela permet d'éviter que le personnel soit absent lors des périodes de fortes demandes.

– *Modification des horaires de travail* : l'idée est de réaliser une modulation des horaires sur l'année, ou en tout cas sur plusieurs mois. Des horaires de travail réduits sont proposés pendant les périodes de faibles ventes, alors que des horaires accrus sont mis en œuvre lors des périodes à ventes fortes. À condition de respecter certaines règles légales d'amplitude et de cumul, il devient possible de saisonnaliser la capacité dans de bonnes conditions économiques. Une telle approche permet d'éviter un recours aux heures supplémentaires, qui constituent un levier d'action toujours possible, mais coûteux.

– *Variations du niveau de main-d'œuvre par embauche.* De plus en plus, étant donné la rigidité d'une embauche traditionnelle et le risque associé, beaucoup de firmes recourent à des contrats à durée déterminée. Cette approche n'est possible que si la période et les coûts de formation sont limités.

– *Appel à du personnel intérimaire* pour faire face à des pointes précises (encore faut-il disposer des bonnes qualifications, pour ne pas avoir à supporter des périodes d'apprentissage trop longues).

– *Appel à la sous-traitance* de façon à satisfaire une partie de la charge par un potentiel de production externe. Toutefois cette solution comporte des risques que nous avons vus au chapitre 8.

En ce qui concerne les ressources matérielles (machines, postes de travail, etc.), la modulation de la capacité est plus difficile. En général, il sera nécessaire d'acquérir une capacité suffisante pour faire face aux pics saisonniers, ce qui conduit à être en surcapacité pendant une partie considérable de l'année. Dans ce cas, les ressources matérielles sont fixes. On peut toutefois, dans certaines situations, envisager de recourir à la location de ressources matérielles (comme des ressources de transport ou de manutention) ou de faire appel à la sous-traitance.

À titre d'illustration, on retrouve cette stratégie de poursuite dans divers secteurs agroalimentaires (bière, glaces, légumes en conserve, produits frais), l'industrie textile haut de gamme à la commande, la maroquinerie haut de gamme à la commande, le gros électroménager, certaines catégories de jouets, les bateaux de plaisance, certaines huiles pour moteur, les peintures à usage non industriel…

Exemple : un fabricant de bijoux propose une grande variété de modèles à un réseau de petits distributeurs. Les pièces standard sont des boucles d'oreilles, des anneaux, des bagues, des pendentifs, des bracelets, des broches, etc., réalisés dans de très nombreux alliages différents et extrêmement coûteux au niveau des matières utilisées (or, argent, diamants…). La livraison des produits finis se fait à la commande et aucun stock saisonnier de produits finis n'est constitué. Les demandes les plus fortes ont lieu durant le mois de décembre (qui est environ 8 fois plus important que les autres mois de l'année). Mis à part pour le personnel qualifié (joailliers, concepteurs, apprentis), les temps de formation sont d'une journée. En moyenne, la moitié du personnel est temporaire, recruté du jour au lendemain suivant les besoins.

Pour les opérations nécessitant du personnel qualifié, l'entreprise recourt à son propre personnel en jouant (dans une mesure limitée) la flexibilité : les périodes de congé sont positionnées pendant des creux de ventes et le personnel peut réaliser des heures supplémentaires planifiées, à domicile durant le week-end. Lors de pics exceptionnels, cette entreprise confie une partie de son activité de fabrication à des sous-traitants locaux ayant une qualification suffisante.

Stratégie de management de la demande

L'idée de base de cette approche, qui *a priori* apparaît comme idéale, consiste à éliminer les fluctuations de demande en agissant directement sur celle-ci, ce qui permettrait d'avoir une charge de travail stable, sans devoir recourir à la mise en œuvre de stocks d'anticipation ou de flexibilité des ressources.

Les deux leviers typiques pour jouer ainsi sur les demandes sont les suivants.

– Soit on met en œuvre une politique de prix adaptée, qui tend à lisser les fluctuations en favorisant les ventes en périodes traditionnellement basses (par des promotions par exemple) et en défavorisant les ventes en périodes fortes.

Exemple : un fabricant de graines pour l'agriculture (à grande échelle) offre des remises considérables pour tout achat ayant lieu avant la saison des semis, ce qui permet de limiter les stocks d'anticipation nécessaires.

– Soit on constitue un portefeuille de produits pour lequel les fluctuations de charge au total sont faibles. Pour un produit donné, il peut ainsi être envisagé de le distribuer sur des marchés différents, ayant des fluctuations saisonnières qui ont tendance à se compenser. Dans une logique similaire, on peut également envisager de développer des produits différents, mais recourant au même savoir-faire technique, ayant des fluctuations de charge qui se compensent au cours du temps.

Exemple : un fabricant de ski, qui jusque-là limitait ses ventes en Europe, a décidé de distribuer ses produits à un niveau mondial. Ce producteur peut ainsi vendre ses produits en Europe entre septembre et mars, et dans l'hémisphère sud entre avril et août…

Exemple : un fabricant de barbecues (vendus au printemps et en été) a développé comme marché complémentaire des produits de chauffage (vendus en automne et en hiver). L'activité passe donc d'un produit à un autre lors des saisons correspondantes, et un stock limité suffit pour faire face aux fluctuations résiduelles.

Toutefois, l'expérience montre que cette approche est souvent longue, voire difficile à mettre en œuvre, en tout cas en vue d'atteindre un lissage complet des fluctuations.

Figure 10-9 – *Exemple de stratégie de management de la demande*

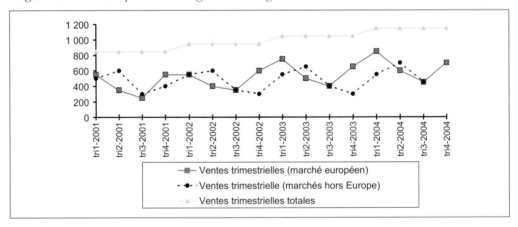

Combinaison de stratégies

Chaque stratégie permet de faire face aux fluctuations de ventes de manière différente. Toute approche managériale en quête d'excellence consistera bien entendu à exploiter simultanément les points forts de chaque approche afin de minimiser les coûts et risques globaux de mise en œuvre du PIC.

D'une part, les coûts induits par chaque approche sont différents, mais d'autre part pour une même approche les coûts de lissage des charges peuvent être croissants. Par exemple, on peut concevoir qu'il doit être possible de faire fluctuer l'activité (dans une stratégie de poursuite) de quelques pour cent à des coûts raisonnables, mais on imagine aisément que ces coûts vont croître fortement si on recherche des fluctuations d'activité de plusieurs dizaines de pour cent. De plus, dans de très nombreux cas, les ressources de l'entreprise ne permettent tout simplement pas de faire face aux ventes des mois les plus forts.

De la même manière, on conçoit que des stocks d'anticipation puissent être constitués à ces coûts faibles pour des produits faciles à stocker et peu périssables, alors que dans d'autres cas il va s'avérer très coûteux ou risqué de stocker les produits. **Exemple** : un fabricant de produits et crèmes pharmaceutiques est confronté à des ventes traditionnellement fortes en novembre et en décembre. Toutefois, les volumes de ventes dépendent fortement du climat et de l'apparition ou non de virus et épidémies. Environ 80 % des commandes sont passées avec un délai de 3 mois d'avance. De plus, les flux de production sont d'abord génériques lors de la fabrication des produits, puis une phase de packaging a lieu, qui consiste à vendre sous différentes marques les mêmes principes actifs. La stratégie est la suivante. Tout d'abord les ressources critiques sont dimensionnées et mises en œuvre selon une stratégie de niveau basée sur les commandes à trois mois. Il y a donc éventuellement un stock d'anticipation réalisé pour ces commandes fermes. Ensuite, une stratégie de niveau est également réalisée à partir des prévisions concernant les 20 % de ventes restantes, mais uniquement pour la partie du flux en amont du packaging. Les stocks d'anticipation réalisés concernent donc des matières génériques que l'entreprise est certaine de vendre tôt ou tard (sous un packaging ou sous un autre). Enfin, la planification du packaging des ventes à délai court est réalisée dans une logique de stratégie de poursuite, avec modulation d'horaire et éventuellement recours à du personnel intérimaire.

Un exemple de chiffrage quantitatif des différentes stratégies

Pour établir le PIC et comparer les performances de différentes stratégies, on emploie généralement des techniques de simulation informatisée. Il existe des programmes spéciaux, mais parfois un simple tableur fait l'affaire. La simulation permet d'établir plusieurs hypothèses, optimistes ou pessimistes, et d'imaginer par avance, dans chaque cas, les scénarios à suivre. Les difficultés sont bien l'obtention de prévisions fiables et la définition d'une politique de production à long terme, c'est-à-dire la détermination des niveaux globaux de production par mois et le choix des ressources utilisées pour les réaliser.

Pour illustrer la problématique de détermination du plan directeur, envisageons l'exemple suivant : une entreprise dispose, pour un atelier, des prévisions de ventes pour l'année 2005. Ces prévisions peuvent être assimilées aux ventes qui seront réellement enregistrées et permettent de calculer la charge prévisionnelle mensuelle[1].

Si l'on fait l'hypothèse que les ventes du mois seront produites dans le mois, on peut calculer la charge de travail mensuelle. Pour déterminer la capacité, on calcule le nombre de jours ouvrables du mois à l'aide du calendrier puis les horaires mensuels par ouvrier (fig. 10-10).

---

[1] Si des prévisions fiables ne sont pas disponibles sur un horizon suffisant, il sera nécessaire de planifier la flexibilité à mettre en place pour faire face aux fluctuations dans un délai court.

Figure 10-10 – *Charges et capacités*

Mois	Charge par mois (milliers d'heures)	Nombre de jours ouvrables	Horaire mensuel par ouvrier (heures)
Janvier	200	22	176
Février	233	20	160
Mars	300	21	168
Avril	239	20	160
Mai	333	21	168
Juin	200	20	160
Juillet	233	22	176
Août	222	10	80
Septembre	400	20	160
Octobre	355	23	184
Novembre	445	22	176
Décembre	289	20	160
Totaux	3 449	241	1 938

On va considérer deux cas de figures : une stratégie de poursuite et une stratégie de niveau. Les résultats numériques associés sont résumés dans le tableau final 10-14.

Stratégie de poursuite

Dans ce cas, les leviers qui peuvent être mis en œuvre sont les variations d'effectifs (CDD et intérimaires) et les variations de niveau d'activité (heures supplémentaires, négociations des périodes de congés, horaires flexibles).

Première possibilité : variation des effectifs. Les effectifs mensuels nécessaires pour satisfaire, en horaire normal, les ventes du mois de référence s'obtiennent alors en divisant la charge mensuelle de travail par l'horaire normal d'un ouvrier (fig. 10-14, colonne 3). On remarque les variations de besoins en main-d'œuvre selon les périodes : de 1 136 en janvier à 2 775 en août (fig. 10-11). La moyenne est de 1 789. Une option consisterait à conserver un effectif constant toute l'année de 1 136 personnes et à embaucher temporairement des intérimaires selon les fluctuations de la demande.

Deuxième possibilité : variation du niveau d'activité. Si l'on maintient un effectif constant de 1 789 ouvriers sur l'année, ceux-ci seront productifs seulement une fraction de leur temps (fig. 10-14, colonne 4) et devraient faire des heures supplémentaires à certaines périodes de l'année (fig. 10-12).

Stratégie de niveau

Dans ce cas, on choisit de maintenir un effectif constant de 1 789 ouvriers travaillant à temps plein. Comme les charges induites par les ventes mensuelles fluctuent, certains mois une partie de la production devra être stockée alors que, dans d'autres mois, la demande sera satisfaite par la production du mois et par prélèvement sur une partie du stock précédemment constitué (fig. 10-14, colonne 5). Concrètement, la constitution de stock a ici pour objectif le stockage d'une charge de travail réalisée à l'avance (fig. 10-13).

Figure 10-11 – *Histogramme des effectifs*

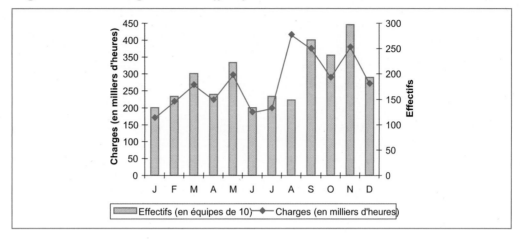

Figure 10-12 – *Variations du niveau d'activité*

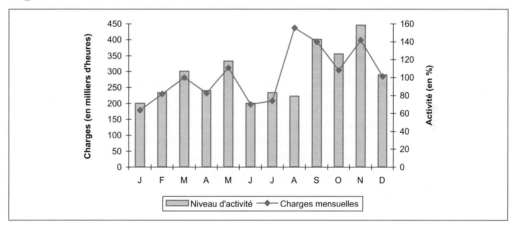

Figure 10-13 – *Constitution de stocks d'anticipation*

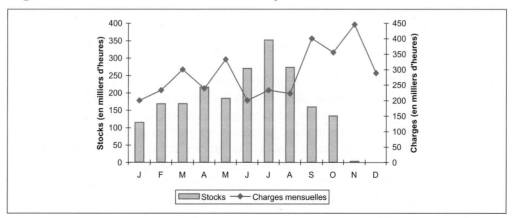

Figure 10-14 – *Exemple : PIC et politiques d'ajustement*

1 Mois	2 Charge (heures)	3 Effectifs nécessaires	4 % d'activité à M.O. constante	5 Stock (heures)
Janvier	200 000	1 136	63,4	114 900
Février	233 000	1 456	81,3	168 100
Mars	300 000	1 785	99,7	168 700
Avril	239 000	1 493	82,4	215 900
Mai	333 000	1 982	110,7	183 500
Juin	200 000	1 250	69,8	269 700
Juillet	233 000	1 323	73,9	351 500
Août	222 000	2 775	155,1	272 600
Septembre	400 000	2 500	139,7	158 800
Octobre	355 000	1 929	107,8	133 000
Novembre	445 000	2 528	141,3	2 800
Décembre	289 000	1 806	100,9	0

10/4.2   *PIC, robustesse et gestion du risque*

On a signalé que les fluctuations saisonnières peuvent être très prévisibles ou peu prévisibles. Dans ce dernier cas, cela revient à dire qu'il y a une incertitude considérable sur les volumes de ventes futures. Il apparaît dès lors un phénomène de risque lié à cette nature aléatoire : les performances effectives présenteront des fluctuations par rapport aux prévisions. La question devient alors de concevoir un PIC et de recourir à une stratégie, non seulement pour diminuer les coûts *en moyenne*, mais également pour limiter la *variabilité* de ces coûts autour de leur moyenne.

Les différentes stratégies et leur impact sur le risque

Cet élément de risque est important parce que les différentes stratégies ne se comportent pas de la même manière face au risque. Intuitivement, les stratégies de poursuite et de management de la demande, qui cherchent à mettre en phase les ressources et les demandes, sont moins sensibles au risque. En effet, elles tendent à s'adapter aux fluctuations, et donc ces stratégies ont également le potentiel de s'adapter aux aléas dans une certaine mesure, moyennant, il faut le signaler, un coût d'adaptation qui peut, suivant les situations, être faible ou élevé. En revanche, la stratégie de niveau, mettant en œuvre un stock d'anticipation, est potentiellement moins flexible et donc généralement plus sensible au risque. En effet, que peut faire une entreprise qui a constitué un stock d'anticipation considérable si les ventes ne sont pas au rendez-vous, et si en plus il s'agit de produits à durée de vie relativement courte ?

Dans les situations où le risque est important (articles périssables, demandes peu prévisibles…), les entreprises ont donc une tendance naturelle à mettre en œuvre des stratégies de poursuite ou de management de la demande, non pas afin de baisser les coûts, mais plutôt pour limiter les risques encourus.

Évolution du risque au cours de l'élaboration des produits

Il convient toutefois de noter que, d'une part, tous les produits finis d'une entreprise ne présentent pas *a priori* les mêmes risques (en termes de fluctuations aléatoires des ventes, durée de vie aléatoire des produits…). Il est donc concevable d'adopter une stratégie de stockage d'anticipation pour des produits qu'on est sûr de vendre sur l'horizon prévu et en même temps d'adopter une stratégie de poursuite pour des produits induisant plus de risques.

D'autre part, il arrive fréquemment que les incertitudes concernant les flux augmentent au cours de l'élaboration des produits. Par exemple, on peut imaginer des situations dans lesquelles les volumes globaux de ventes (tous produits confondus) sont très prévisibles, alors que les ventes de chaque référence individuelle sont très peu précises. On conçoit qu'il est possible de réaliser une politique de stockage d'anticipation pour la partie du flux pour laquelle on dispose de prévisions fiables. Par contre, pour la partie des flux en aval, pour laquelle les prévisions sont plus difficiles, on utilisera plutôt une stratégie de poursuite.

10/4.3   Stratégies et modes de gestion des flux

Il existe un lien étroit entre le mode de gestion de flux – à la commande ou sur anticipation – et les potentialités et les leviers d'un plan directeur. On explicite ci-dessous les actions typiquement mises en œuvre dans les plans, selon que l'entreprise est en gestion à la commande ou sur anticipation.

Pilotage à la commande

Considérons les entreprises qui travaillent à la commande, comme les entreprises d'ingénierie ou du bâtiment, les secteurs aéronautique et spatial (satellite), les biens d'équipements (machines-outils, emballeuses, générateurs électriques de centrales thermiques, machines de grands navires…).

Deux des caractéristiques des entreprises fonctionnant à la commande sont :
- la difficulté d'estimation des charges prévisionnelles, sur un horizon supérieur à celui du carnet de commandes,
- la difficulté de réaliser un stockage d'anticipation : que stocker quand on travaille sur spécifications des clients ?

En dehors des commandes fermes, la seule approche possible consiste à estimer des pourcentages d'obtention des contrats en cours de négociation. Le PIC est alors calculé à partir d'une estimation moyenne des charges de travail à moyen ou long terme. Toutefois, la difficulté d'estimation réaliste des probabilités de succès et la dispersion possible autour de la moyenne rendent en général cette méthode quelque peu délicate. Sur l'horizon du PIC, les informations sont souvent floues et le plan global ne peut dès lors qu'anticiper des déséquilibres majeurs.

Dans ce cas, les équilibres entre charge et capacité sont obtenus essentiellement en privilégiant :
- la gestion de la demande, qui consiste à tenter de modifier la charge de travail pour la rendre compatible avec la capacité disponible,
- le développement de la polyvalence, de manière à pouvoir adapter rapidement la capacité de main-d'œuvre directe aux modifications du carnet de commandes,
- le recours aux contrats à durée déterminée et aux intérimaires,
- la modulation instantanée des horaires (heures supplémentaires ou le déplacement d'heures au cours du temps).

Exemple : une entreprise de chaudronnerie a pour activité principale la fabrication de tôles spécifiques pour assembler des tours et réacteurs de raffineries de pétrole. Cette activité se décompose en deux métiers spécifiques : la préparation des tôles (découpe, pliage et soudure) et les opérations de perçage. Selon les commandes, les volumes de charges de travail relatifs à ces deux métiers peuvent être différents. Un moyen efficace pour éviter des périodes de sous-charge d'un des deux métiers pendant que l'autre est en surcharge consiste à former les opérateurs aux deux métiers à la fois, ce qui permet une affectation rapide de la capacité de main-d'œuvre en fonction des besoins.

Pilotage sur anticipation

Pour qu'une entreprise puisse fonctionner sur stocks, il est nécessaire :
- soit de pouvoir réaliser des prévisions fiables, de manière à constituer des stocks appropriés,
- soit de disposer d'une fonction commerciale et de stratégies spécifiques capables de modifier les demandes des consommateurs de manière à écouler des invendus (exemple des ventes promotionnelles dans le secteur des ordinateurs).

Comme les actions qui permettent des modifications de la capacité ou de la charge au cours du temps coûtent en général cher, les entreprises ont tendance à rechercher un lissage de la charge par constitution de stocks d'anticipation. Ce levier particulier d'équilibrage constitue bien souvent un des éléments de base du PIC.

Ces stocks d'anticipation peuvent être constitués de produits finis (cas des aspirateurs, des parfums, de certains aliments congelés…). En plus des actions traditionnelles, le PIC, en fixant les productions mensuelles, définit alors implicitement les montants globaux de stocks d'anticipation à réaliser.

Pilotage sur anticipation partielle

Dans cette situation, les deux approches précédentes sont combinées : la planification requiert deux plans globaux et deux plans détaillés.

En cas d'anticipation partielle, les stockages d'anticipation et les lissages de charge sont réalisés au niveau de produits en cours et de composants (fig. 10-15).

On peut citer comme exemple celui de la fabrication de matériels agricoles telles les charrues. Ce type de produit fini peut se décliner selon plusieurs milliers de variantes, en fonction du lieu d'utilisation de l'outil et de la nature des sols. De plus, comme les ventes sont très saisonnières, la procédure de planification a lieu en deux temps :

– prévisions à moyen terme (plusieurs mois) pour les composants et planification de stockage d'anticipation de ceux-ci,

– montage des charrues à la commande, c'est-à-dire planification en fonction du carnet de commandes.

Figure 10-15 – *Production avec anticipation partielle*

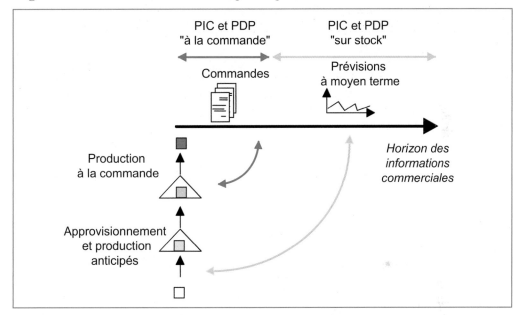

On se trouve donc en présence d'un système de planification à plusieurs plans directeurs. Cette solution combine la production à la commande et la production sur stocks. Un tel système est très intéressant, car il permet de présenter de manière très générale la façon dont les plans directeurs de production peuvent être mis en place. Dans un tel schéma, le plan directeur à court terme peut être révisé avec une grande souplesse, à condition d'avoir constitué, au niveau qui précède le montage, un stock suffisant de composants.

10/5   PIC et répartition

10/5.1   Le choix des articles à stocker

Lorsque l'on crée un stock d'anticipation, on peut le constituer avec différents produits ou sous-ensembles fabriqués. Ce choix peut influer sur le coût global de l'ajustement.

Exemple : une société d'assemblage de téléviseurs propose deux familles de produits : les modèles bas de gamme (BG) et les modèles haut de gamme (HG), dont certaines caractéristiques sont données dans le tableau ci-dessous (fig. 10-16).

Figure 10-16 – *Caractéristiques des deux familles de produits*

Bas de gamme	Main-d'œuvre (heures)	Matières (euros)	Haut de gamme	Main-d'œuvre (heures)	Matières (euros)
Sous-ensemble châssis	1,5	32	Sous-ensemble châssis	5	100
Sous-ensemble habillage	0,5	28	Sous-ensemble habillage	1,5	76
Total	2	60	Total	6,5	176

Les prévisions de ventes, les charges de travail, les effectifs et les horaires de travail sont repris au tableau 10-17.

Figure 10-17 – *Calcul des charges et des horaires*

Mois	Prévisions de vente BG	Prévisions de vente HG	Charge de travail (heures)	Horaire mensuel/ ouvrier	Effectifs
Janvier	2 590	790	10 315	176	114
Février	2 880	1 170	13 365	160	114
Mars	2 520	770	10 045	168	114
Avril	1 550	720	7 780	160	114
Mai	2 030	670	8 415	168	114
Juin	2 270	690	9 025	160	114
Juillet	1 530	1 580	13 330	176	114
Août	1 530	920	9 040	80	114
Septembre	3 870	3 060	27 630	160	114
Octobre	4 100	3 330	29 845	184	114
Novembre	5 310	4 100	37 270	176	114
Décembre	5 800	4 720	42 280	160	114

La stratégie retenue pour le PIC consiste à gérer les flux par anticipation (partielle ou non) et à maintenir l'effectif constant. L'évolution correspondante des stocks, exprimés en heures de main-d'œuvre, est représentée en figure 10-18.

Le problème posé consiste alors à choisir sous quelle forme stocker les heures de charges réalisées à l'avance :
– sous forme de produits finis (haut de gamme ou bas de gamme),
– sous forme de sous-ensembles (haut de gamme ou bas de gamme).

La figure 10-19 propose une comparaison des montants de stocks suivant ces quatre options.

Figure 10-18 – *Évolution du stock*

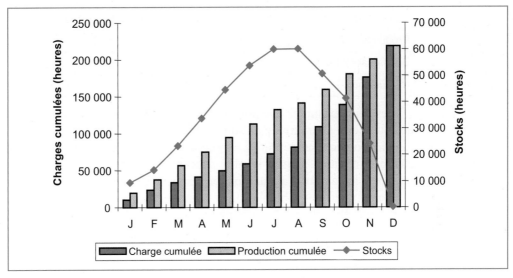

Figure 10-19 – *Montant des stocks*

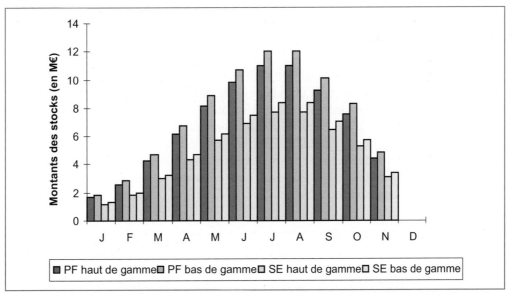

Dans la mesure où l'objectif des stocks d'anticipation est le stockage de charges de travail sous la forme de produits, un critère de sélection du produit à stocker est le ratio entre la valeur des matières consommées et le nombre d'heures de charges contenues dans ce produit. Dans l'exemple, les ratios sont les suivants (fig. 10-20).

En termes de coûts de stockage, la meilleure solution consiste donc à réaliser le stockage d'anticipation sur les sous-ensembles haut de gamme.

Figure 10-20 – *Ratios coût matière par heure de main-d'œuvre*

Sous-ensemble châssis BG	32 / 1,5 = 121,3
Produit fini BG	60 / 2 = 30,0
Sous-ensemble châssis HG	100 / 5 = 20,0
Produit fini HG	176 / 6,5 = 27,1

Les deux exemples que nous venons de traiter posent le problème du PIC, illustrent des solutions alternatives et suggèrent qu'un choix définitif soit effectué selon une fonction objectif à définir. La production étant, en général, considérée comme un centre de coût, il s'agira le plus souvent de choisir le programme prévisionnel qui minimise le coût total annuel tout en respectant l'échéancement des livraisons.

Pour traiter ce problème, on fait habituellement appel à la simulation (le tableur peut alors être un outil particulièrement utile). La résolution à l'aide de méthodes d'optimisation comme la programmation linéaire est parfois utilisée. Cette approche est donc brièvement présentée à la section suivante.

Il est toutefois nécessaire de rappeler que, bien souvent, les prévisions sont incertaines. Les différents plans obtenus devront être appréciés selon les risques induits en fonction de l'expérience des dirigeants.

10/5.2   *Affectation usines-dépôts*

Le problème de l'affectation usines-dépôts se pose lorsque plusieurs usines peuvent approvisionner un même dépôt ou lorsque plusieurs dépôts peuvent livrer un même client. La difficulté consiste alors à définir les flux pris en charge par chaque usine vers chaque dépôt, afin de minimiser les coûts de transport.

Exemple : une société de fabrication et de commercialisation de produits alimentaires possède trois unités de production situées respectivement dans les banlieues de Lyon, Strasbourg et Lille. La distribution physique s'effectue par l'intermédiaire de quatre dépôts localisés à Saint-Brieuc, Poitiers, Melun et Toulouse. Le tableau ci-dessous fournit (en euros par tonne) les tarifs des transporteurs routiers de chaque usine vers chaque dépôt :

Dépôt	St-Brieuc	Poitiers	Melun	Toulouse
Lyon	39	19	21	24
Strasbourg	42	36	22	46
Lille	30	25	10	42

Connaissant les capacités de production de chaque usine et les demandes de chaque dépôt, on se propose de rechercher les affectations usines-dépôts permettant d'aboutir à un coût de transport minimum[1].

---

[1]   Dans cet exemple on suppose que les demandes sont constantes dans le temps, et donc que l'affectation sera elle aussi permanente.

Capacité de production (en milliers de tonnes) :
Lyon 9
Strasbourg 17
Lille 9
Demande des dépôts (en milliers de tonnes) :
Saint-Brieuc 10
Poitiers 14
Melun 7
Toulouse 4
La solution numérique de cet exemple sera donnée plus loin.

10/6 Optimisation des PIC par la programmation linéaire

On propose une formulation type inclut la plupart des aspects courants de cette problématique de conception PIC à coûts minima. Cette formulation n'est pas exhaustive et le modèle doit être adapté pour prendre en compte certains phénomènes spécifiques particuliers[1]. Cette formulation reprend les aspects suivants :
– données ou paramètres du problème,
– choix des variables de décision,
– définition des contraintes sur ces variables de décision.

10/6.1 Un exemple de planification industrielle

Données ou paramètres : ils constituent les caractéristiques quantitatives du problème, disponibles au décideur et définissant le cadre d'action de ce dernier. Dans le cadre de la conception de plans de production, ces paramètres sont les suivants :
– nombre de périodes considérées (encore appelé horizon de planification) : T,
– demande à la période t : D_t
– nombre de jours de production à la période t : n_t
– nombre d'unités produites par jour et par personne : p
– stock minimum exigé en début de période t : $SMIN_t$
– coût d'embauche d'une personne : CE
– coût de licenciement d'une personne : CL
– coût de possession d'une unité pendant une période : CS
– coût de production d'une unité (horaire normal) : CHN
– coût de production d'une unité (heures suppl.) : CHS
– coût de sous-traitance d'une unité : CST
Choix des variables : en vue de permettre une formulation claire et facile à interpréter du problème, il est souvent nécessaire de considérer deux types de variables :
– les variables de description de l'état du système,
– les variables de décision proprement dites.

---

[1] Graves S., Rinnoy K. A., Zipkin P., *Logistics of production and inventory*, North-Holland, 1993.

Les variables de *décision* constituent les leviers de commande du gestionnaire face au problème de planification. Ces dernières sont notamment l'embauche, le licenciement, le recours aux heures supplémentaires, l'utilisation de la sous-traitance, la constitution de stocks de produits. Les variables de *description* de l'état du système de production (niveau des effectifs ou des stocks) rendent compte de l'impact des décisions prises. En général, ces variables sont introduites dans le modèle pour des raisons de clarté des notations. Il est souvent très lourd d'exprimer l'impact économique des décisions directement en fonction des variables correspondantes. Une procédure en deux étapes est généralement plus simple. On commence par exprimer l'effet des décisions sur l'évolution de l'état du système considéré et ensuite, on en déduit la fonction critère associée. On énumère ci-dessous les variables les plus souvent utilisées en modélisation de plan directeur de production.

Les variables de décision sont les suivantes :
— embauche au début de la période t : E_t
— licenciement au début de la période t : L_t
— unités en heures supplémentaires à la période t : HS_t
— unités sous-traitées à la période t : ST_t

Les variables auxiliaires sont alors :
— effectif au début de la période t : EF_t
— stock au début de la période t : S
— unités produites durant les horaires normaux à la période t : P_t

Description de la fonction objectif : définie à partir des coûts et des variables introduits plus haut, cette fonction est de la forme :

$$\sum_{t=1}^{T} (CS\, S_t + CHN\, P_t + CST\, ST_t + CHS\, HS_t + CL\, L_t + CE\, E_t)$$

Contraintes : on décrit dans la suite les contraintes qui relient les variables considérées dans le modèle.

Définition de variables auxiliaires

Quantité fabriquée en horaire normal au mois t :

$$P_t = n_t\, p\, EF_t$$

Expression de la conservation de flux

Effectif au mois t :

$$EF_t = EF_{t-1} + E_t - L_t$$

Stock au mois t :

$$S_t = S_{t-1} + P_t + HS_t + ST_t - D_t$$

Expression de la contrainte de stock minimum

$$SMIN_t \le S_t$$

Contraintes de capacité. Il existe souvent des contraintes sur les nombres d'unités produites en heures supplémentaires, sur les effectifs et les variations d'effectif, etc.

Heures supplémentaires au mois t,

$$HS_t \leq k \ P_t$$

Effectifs au mois t,

$$EFMIN \leq EF_t \leq EFMAX$$

Embauches et licenciements au mois t,

$$0 \leq E_t \leq EMAX, \ 0 \leq L_t \leq LMAX$$

Contraintes de non-négativité

$$0 \leq L_t, E_t, EF_t, S_t,...$$

Un tel programme linéaire peut alors être résolu soit grâce à un logiciel spécialisé, soit à l'aide du solveur d'Excel. Nous en donnons un exemple :

Données ou paramètres :
- nombre de périodes considérées : T = 12
- demande à la période t : D_t (fig. 10-21)
- nombre de jours de production à la période t : n_t
- nombre d'unités produites par jour et par personne : p = 150
- stock minimum exigé en début de période t : $SMIN_t$
- effectif initial : 32 personnes
- stock initial : 40 000 unités

Figure 10-21 – *Données de l'exemple*

Mois	Demandes	Stock minimum	Journées de production
1	70 000	15 000	22
2	50 000	10 000	18
3	100 000	30 000	22
4	150 000	40 000	21
5	200 000	35 000	22
6	50 000	10 000	21
7	50 000	10 000	12
8	50 000	10 000	22
9	90 000	30 000	21
10	90 000	30 000	21
11	100 000	30 000	20
12	200 000	40 000	18

Les différents coûts sont les suivants :
- coût d'embauche d'une personne : CE = 2 000
- coût de licenciement d'une personne : CL = 5 000
- coût de possession d'une unité par période : CS = 10

Variables de décision :
- embauche au début de la période t : E_t
- licenciement au début de la période t : L_t

Variables auxiliaires :
- effectif au début de la période t : EF_t
- stock en fin de la période t : S_t
- unités produites durant les horaires normaux à la période t : P_t

La solution de ce programme linéaire a été calculée à l'aide d'un logiciel et est proposée dans le tableau de la figure 10-22.

Description de la fonction objectif : en fonction des coûts et variables introduits plus haut, cette fonction est de la forme :

$$\text{MIN} \sum_{t=1}^{T} (CS\, S_t + CHN\, P_t + CST\, ST_t + CHS\, HS_t + CL\, L_t + CE\, E_t)$$

Contraintes (indicées par t = 1,...,12) :
Définition de variables auxiliaires
- quantité fabriquée en horaire normal au mois t : $PT_t = n_t\, p\, EF_t$

Conservation de flux
- effectif : $EF_t = EF_{t-1} + E_t - L_t$
- stocks : $S_t = S_{t-1} + P_t - D_t$
- stocks minimum : $SMIN_t \leq S_t$

Non-négativité : $0 \leq L_t, E_t, EF_t, S_t, ...$

10/6.2 Affectation d'usines à des dépôts

On formule ici le problème décrit à la section précédente.
Données ou paramètres :
- demande au dépôt i : D_i
- capacité de production à l'usine i : P_i

Les différents coûts sont les suivants :
- coût unitaire de transport de l'usine i au dépôt j : C_{ij}

Variables de décision :
- le tonnage expédié de l'usine i au dépôt j : T_{ij}

Description de la fonction objectif : en fonction des coûts et variables introduits plus haut, cette fonction est de la forme :

$$\text{Minimiser} \sum_{i=1}^{3} \sum_{j=1}^{4} C_{ij}\, T_{ij}$$

Contraintes :

Contrainte de capacité de production des usines (pour i = 1 à 3)

$$\sum_{j=1}^{4} T_{ij} \leq P_i$$

Contrainte sur les flux à assurer :

$$\sum_{i=1}^{3} T_{ij} = D_i$$

Figure 10-22 – *Optimisation du plan de production*

Période	Personnes embauchées	Personnes licenciées	Effectifs	Stocks
1	0	17	15	19 500
2	0	0	15	10 000
3	21,36	0	36,36	30 000
4	18,67	0	55,04	53 372
5	0	0	55,04	35 000
6	0	39,89	15,15	32 727
7	0	0	15,15	10 000
8	6,07	0	21,21	30 000
9	7,36	0	28,57	30 000
10	0	0	28,57	30 000
11	4,76	0	33,33	30 000
12	44,44	0	77,77	40 000

La solution optimale de ce problème est la suivante :
- Lyon envoie 5 000 tonnes à Poitiers et 4 000 tonnes à Toulouse,
- Strasbourg expédie 8 000 tonnes à Saint-Brieuc et 9 000 tonnes à Poitiers,
- Lille approvisionne Saint-Brieuc (2 000 tonnes) et Melun (7 000 tonnes).

Le coût total de transport de cette solution s'élève à 982 k€.

Chapitre 11

Les programmes directeurs de production (PDP) et de distribution (DRP)

11/1 PDP et DRP au sein de la planification hiérarchisée

L'objectif de la planification d'une *supply chain* est d'assurer que les ressources nécessaires ont été mises en œuvre au bon moment, de sorte que les produits finis soient expédiés dans de bonnes conditions aux clients finaux. Le chapitre 10 a montré comment l'ensemble de ce processus de planification est décomposé en différents niveaux, qui correspondent à des types et des horizons de décisions spécifiques.

Tout d'abord, la planification globale de la capacité des ressources critiques sur un horizon annuel est réalisée dans le PIC (cf. chap. 10). En particulier cette planification induit la détermination simultanée des niveaux d'activité globaux, par grande famille de produits. Le PIC permet d'anticiper les fluctuations et aléas potentiels, de prendre une position face aux risques majeurs et de répartir les stocks d'anticipation entre les différentes familles de produits.

Le second niveau de planification assure la gestion des flux de matières : il s'agit de garantir la progression correcte de l'ensemble des flux dans la *supply chain* afin de satisfaire « en quantité et en heure » les demandes des clients. Ce niveau de planification requiert tout d'abord une définition précise des quantités de chaque référence de produit fini[1] à mettre à la disposition des clients à l'endroit requis. Si l'on passe par un réseau de distribution, on devra planifier les transports depuis les usines : une méthode possible est la planification de la distribution (ou *DRP – Distribution Requirements Planning*). Pour planifier la fabrication, il faut fixer des programmes directeurs de production (PDP ou MPS – *Master Production Schedule*). Le PDP définit, typiquement sur un horizon de quelques semaines, un *plan de production détaillé*, c'est-à-dire exprimé au niveau de références et non plus de familles, qui précise les quantités à produire période par période. Il constitue donc l'articulation entre le PIC et la gestion des flux matières en approvisionnement et en fabrication,

---

[1] ou de pièces et composants, dans le cas de pièces détachées.

dans la mesure où les objectifs de production spécifiés dans les PDP respectent les décisions globales prises au niveau agrégé dans le PIC.

Ensuite, en prenant comme objectifs à atteindre les livraisons de produits spécifiées dans les programmes de production, le calcul des flux d'approvisionnement et de fabrication des pièces, sous-ensembles et produits finis est réalisé via la procédure du calcul des besoins (cf. chapitre 12) et/ou via les méthodes traditionnelles de gestion des stocks (cf. chapitre 13).

Figure 11-1 – *Le PDP au sein de la planification*

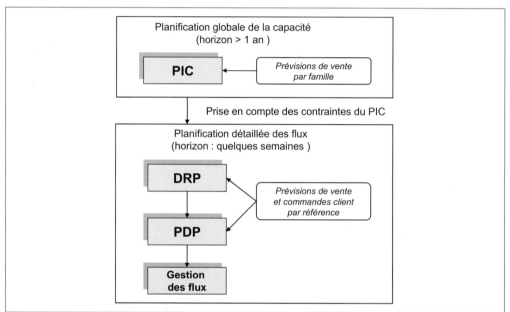

Une question importante concerne les articles pour lesquels un PDP doit être développé. Conceptuellement, les PDP étant utilisés à la fois pour des analyses charges/capacités prévisionnelles et à la fois comme point de départ de la gestion des flux de composants, le choix des articles pour lesquels un PDP est développé, qui sont dénommés *articles directeurs*, dépend de la typologie de flux (cf. chap. 2). Lorsque le nombre de produits finis est réduit, il est naturel de réaliser les PDP directement au niveau de ces produits finis. Lorsqu'au contraire le nombre de produits finis est très élevé, on préférera réaliser les PDP au niveau des sous-ensembles et composants critiques, pour piloter l'ensemble des flux amont.

L'objectif du plan détaillé est triple :

– servir de point d'entrée pour l'ensemble de la gestion des flux d'approvisionnement en matières et composants ainsi que des flux de fabrication,

– s'assurer que les engagements vis-à-vis du service commercial pourront être tenus,

– estimer de façon plus précise les besoins en capacité de ressources clés (main-d'œuvre, équipements, volumes de stockage, fonds de roulement ou capacité d'approvisionnements) et valider au niveau des flux détaillés les équilibres charges-capacités établis dans le PIC.

En résumé, les différentes informations contenues dans un PDP sont présentées ci-dessous (fig. 11-2).

Figure 11-2 – *Synthèse : les échéanciers dans un PDP*

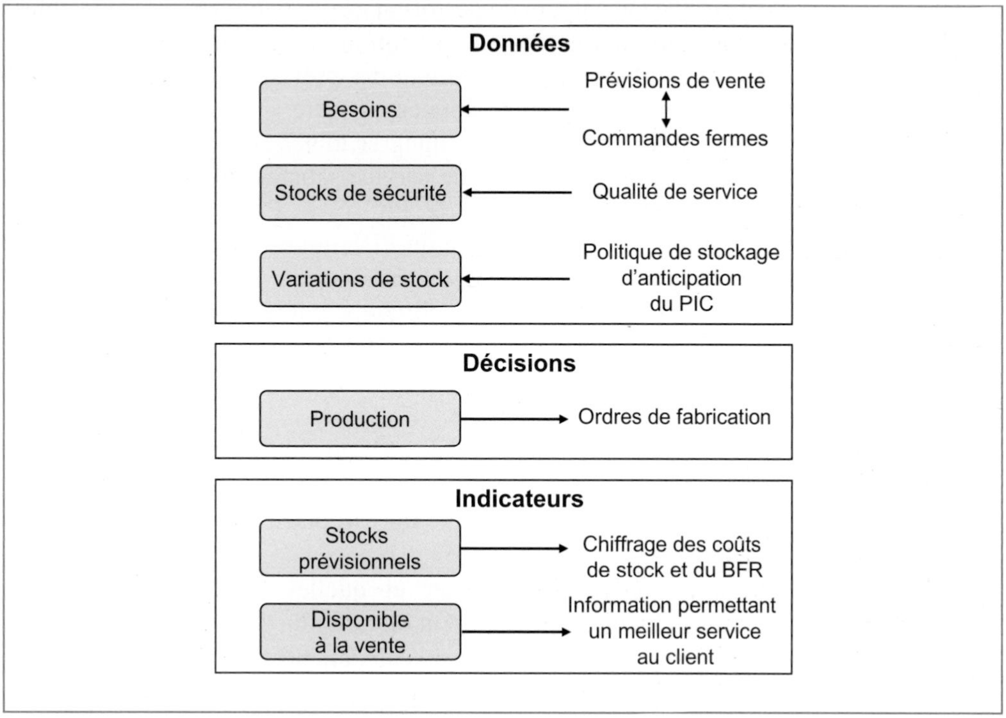

11/2 Le PDP : un contrat entre production et commercial

Au niveau organisationnel, le PDP assure une coordination efficace des logiques des fonctions commerciale et logistique et industrielle : le PDP peut être interprété comme un contrat entre ces fonctions qui définit les produits à livrer, en quantité et en date. Un processus de négociation inévitable va devoir prendre place, en particulier sur les délais d'obtention des différentes commandes et sur les possibilités de modification des plans prévisionnels. Les arbitrages sont classiques et bien connus. La fonction industrielle et logistique, afin de réduire les coûts, recherche des plans stables, figés sur un horizon suffisant pour pouvoir optimiser la gestion des flux (tant au niveau de l'utilisation de la capacité qu'au niveau du regroupement de lots d'approvisionnement, de production ou de transport).

À l'inverse, la fonction commerciale, tout en exigeant à juste titre que les délais de fabrication promis soient tenus, peut rechercher des conditions de travail plus dynamiques permettant d'accepter instantanément de nouvelles commandes ou d'introduire en temps réel des modifications sur des commandes en cours pour accroître la satisfaction des clients. De fait, les PDP fixent les règles à suivre et les principaux indicateurs de performance au niveau de la gestion des flux.

Dans le monde industriel d'aujourd'hui, la plupart des entreprises sont confrontées à des charges de travail irrégulières. En complément de fluctuations majeures (saisonnières) traitées dans le PIC, il demeure de nombreuses fluctuations, en général de moindre amplitude, mais qui doivent malgré tout être prises en compte, car leur impact sur les indicateurs de performances peuvent être considérables. On peut penser à des commandes urgentes non planifiées, des commandes supprimées, des prévisions de vente à court terme qui s'écartent des prévisions à long terme du PIC, des aléas en production ou sur les approvisionnements, etc.

Un des rôles des PDP est d'intégrer toutes ces fluctuations « opérationnelles » de manière à assurer une qualité de service satisfaisante au client interne ou externe. La différence fondamentale entre le PIC et le PDP, qui tous deux considèrent cette problématique, est que l'horizon du PDP qui est de quelques semaines ne permet plus que des modulations limitées des ressources. Les moyens d'action que l'on peut mettre en œuvre sur de tels horizons ont été présentés au chapitre 3. À titre d'illustration, les questions abordées dans les PDP sont par exemple :

- Sur quel horizon doit-on disposer de prévisions fiables au niveau des produits finis ?
- Sur quel horizon accepter des commandes urgentes ou des modifications de commandes ?
- Quels stocks de sécurité mettre en place pour garantir la qualité de service objectif ?
- Quels regroupements réaliser et quelles tailles de lot utiliser, à la fois en approvisionnement, transport et distribution ?
- Quels délais peuvent être promis aux clients ?
- À court terme, soit sur un horizon de quelques semaines, les rapports charges/capacités sur les ressources sont-ils satisfaisants ? Et sinon, comment améliorer ces rapports, compte tenu du délai relativement court ?

11/3   La DRP

La DRP (*Distribution Requirements Planning*) fait la liaison entre la distribution physique et la planification de production. Proche de son marché par l'intermédiaire de ses dépôts, elle assure un rôle de coordination. La logique DRP amène à recueillir des informations en provenance de la demande locale propre à chaque zone desservie par chaque entrepôt et à les faire remonter au niveau de l'entrepôt central puis des usines (fig. 13-3).

Pour illustrer ce mécanisme, simple en soi, on considère l'exemple suivant.

Exemple : un entrepôt régional distribue plusieurs centaines de produits dans un rayon de 250 kilomètres. Il a établi ses prévisions de livraisons pour chacun d'entre eux pour les six périodes à venir.

La première ligne du tableau ci-dessous fournit ces données pour une référence ; la deuxième présente le stock disponible et la troisième, les réceptions. La dernière prévoit les commandes à l'entrepôt central, sachant que celui-ci ne livre ce produit que par quantités multiples de 50 (une palette) avec un minimum de 100 (fig. 11-4). À partir de ces calculs, l'entrepôt peut gérer ses transports et ses stocks, déterminer ses besoins en véhicules et déterminer ses réapprovisionnements. Il peut plus facilement modifier certaines évolutions de sa demande locale et ainsi la répercuter au niveau de l'entrepôt central.

Figure 11-3 – *Les flux dans la DRP*

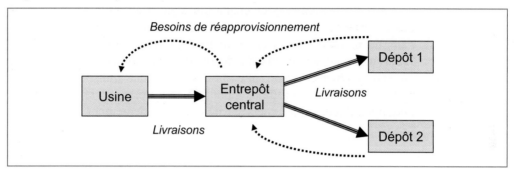

Figure 11-4 – *Détermination des commandes prévisionnelles*

Périodes		1	2	3	4	5	6
Besoins		100	120	90	110	120	100
Disponible	320	220	100	160	200	230	100
Réceptions				150	150	150	
Commandes		150	150	150			

Ce processus va s'appliquer à tous les dépôts du réseau et la consolidation va s'effectuer de la manière suivante, dans le cas de deux entrepôts (fig. 11-5).

Figure 11-5 – *Consolidation des besoins pour un article*

Périodes		1	2	3	4	5	6
Entrepôt 1							
Besoins		100	120	90	110	120	100
Disponible	320	220	100	160	200	230	100
Réceptions				150	150	150	
Commandes		150	150	150			
Entrepôt 2							
Besoins		25	15	20	25	20	30
Disponible	60	45	30	110	85	65	25
Réceptions				100			
Commandes		100			100	100	
Entrepôt central							
Besoins		250	150	150	100	100	
Disponible	400	150	400	350	250	150	
Réceptions de livraisons		400		400			
Commandes à l'usine		400		400			

Période par période, on cumule les besoins de chaque entrepôt. Par exemple la demande pour la période 1 s'élève à 250 (150 pour l'entrepôt 1 et 100 pour l'entrepôt 2). La consolidation obtenue correspond à la demande des différents entrepôts et définit ainsi les commandes à passer à l'usine pour la constitution de son PDP, compte tenu du stock disponible, du niveau de service souhaité, des délais de livraisons et des minimums de livraison.

En procédant ainsi pour chaque produit et chaque site, on assure la transmission des commandes permettant de couvrir les demandes locales. On trouve maintenant dans de nombreux progiciels un module DRP permettant d'appliquer ce principe. Précisons que plus le réseau de distribution comporte d'étages et d'entrepôts (ou dépôts) à chaque étage, plus la DRP devient indispensable. L'optimisation des regroupements de produits pour le transport ou la fabrication, ainsi que la détermination des stocks de sécurité optimaux demeurent toutefois des problématiques très complexes.

11/4 Structure et fonctions du PDP

Cette section présente de manière détaillée et pour un site de production unique les données quantitatives nécessaires à la constitution d'un PDP ainsi que les calculs de performance et d'indicateurs correspondants.

11/4.1 Présentation générale

Le PDP relatif à un article directeur dont le délai d'obtention d'un lot de production est d'une semaine, se présente de manière suivante (fig.11-16).

Horizon et périodicité. L'horizon sur lequel les besoins sont spécifiés à l'avance dans un PDP doit être supérieur au délai de fabrication (et d'approvisionnement si les matières premières et composants ne sont pas stockés) afin de pouvoir livrer le produit dans le délai convenu. L'horizon nécessaire pour un système donné s'appelle le *délai de réaction*. De plus, cet horizon doit permettre une visibilité suffisante pour profiter d'opportunités spécifiques comme des achats groupés ou des lots de fabrication économiques.

Figure 11-6 – *Exemple de PDP pour un article directeur*

		Horizon ferme				Horizon prévisionnel		
	sem. 0	sem. 1	sem. 2	sem. 3	sem. 4	sem. 5	sem. 6	sem. 7
Besoins	-	10	20	30	40	45	75	50
Stock prévisionnel fin de semaine	30	50	70	90	110	80	50	30
Production à recevoir en début de semaine	-	30	40	50	60	15	45	30
Production à lancer en début de semaine	30	40	50	60	15	45	30	-

Exemple : dans l'exemple suivant (fig. 11-7), la nomenclature de produit A et les délais d'obtention associés montrent que le délai d'obtention global est de 26 (unités de temps), l'horizon du PDP doit donc être supérieur à cette valeur pour assurer une planification efficace des flux de ce produit.

Figure 11-7 – *L'horizon du PDP : le délai de réaction*

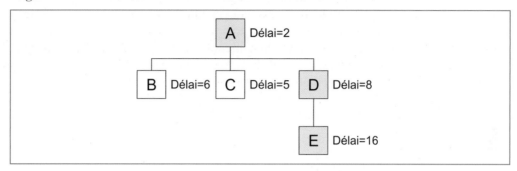

Exemple : pour une usine de fabrication de yaourts, chaque produit fini est fabriqué chaque jour. Si les besoins sont spécifiés un jour à l'avance, il est possible d'organiser la fabrication en conséquence. À l'inverse, le délai global d'assemblage d'un Airbus est de plusieurs mois. Il faut donc que les commandes soient passées plusieurs mois à l'avance et intégrées dans les PDP plusieurs mois à l'avance pour pouvoir être honorées.

En général, l'horizon de planification est décomposé en deux blocs : la zone *ferme* et la zone *prévisionnelle*. Dans l'horizon ferme, les ordres de fabrication sont fermes, c'est-à-dire qu'ils ne devront plus être remis en cause (sauf circonstances exceptionnelles). À l'inverse, les ordres placés dans la zone prévisionnelle sont incertains et susceptibles de modification. La zone ferme correspond en général au cycle de production et a pour mission d'éviter une remise en cause permanente des ordres de fabrication, même à court terme, qui empêche toute planification des activités.

Le *maillage temporel* d'un PDP dépend du type de produit et des délais associés. La maille temporelle peut ainsi être le jour (comme pour les produits dérivés du lait), la semaine (comme pour l'électroménager, l'épicerie ou la hi-fi) ou le mois (comme dans certains secteurs industriels lourds telle la chimie).

Données, variables d'action et indicateurs. Pour chaque article directeur, le PDP est tout d'abord constitué de quatre échéanciers :

– *Les besoins à chaque période.* Ces besoins correspondent d'une part aux *commandes fermes,* déjà acceptées par l'entreprise et aux commandes potentielles, autrement dit aux prévisions. D'autre part, ces besoins correspondent également à la mise en œuvre concrète de la politique de stockage/déstockage d'anticipation décidée au niveau du PIC (cf. chap. 10). Cette politique se traduit dans les programmes de production par des variations de stock (positives ou négatives) qui conduisent à une période donnée à fabriquer plus que les ventes de la période (lorsqu'on veut se constituer un stock d'anticipation) ou moins que les ventes périodiques lorsqu'on veut déstocker.

– *Les stocks prévisionnels par période*, qui se déduisent des besoins et des réceptions planifiées.
– *Les quantités de produits finis à réceptionner* à chaque période, calculées afin de couvrir les besoins. Toutefois, lors de la détermination de ces ordres de fabrication, deux aspects doivent être considérés. D'une part, il faut tenir compte des coûts induits, et notamment des économies potentielles en cas de regroupement de plusieurs ordres en un seul, comme dans les situations où les coûts fixes (de réglage par exemple) sont très importants. Le lecteur est renvoyé aux chapitres 12 et 13 qui abordent explicitement la modélisation de ces mécanismes.
– *Les quantités de produits à lancer en fabrication* en tenant compte de différents délais pour respecter les réceptions planifiées.

11/4.2   *Les besoins dans un PDP*

Les besoins repris dans un PDP ont plusieurs origines (fig. 11-8) :
– les commandes des clients déjà reçues qui se trouvent dans le carnet de commandes,
– les prévisions de vente, qui estiment les commandes que l'on s'attend à recevoir,
– les besoins internes constitués par les variations de stock issues des décisions de stockage d'anticipation prises au niveau du PIC.

Figure 11-8 – *Les besoins dans le PDP*

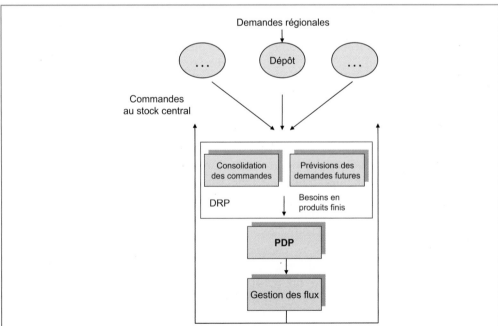

Si la livraison des produits passe par des centres de distribution, les besoins au niveau de l'usine sont constitués par les expéditions planifiées dans la DRP en vue de réapprovisionner les entrepôts.

L'imputation des commandes aux prévisions

Des prévisions de ventes, référence par référence, sont en général dans les estimations des besoins futurs[1]. Lorsqu'une commande ferme d'un client arrive, la question est alors d'identifier si celle-ci a bien été prise en compte dans les prévisions ou s'il s'agit d'une commande exceptionnelle non prévue.

Dans le second cas, il sera nécessaire de rajouter cette commande aux besoins, on dira que la commande n'est *pas imputée* aux prévisions. À l'inverse, s'il s'agit d'une commande habituelle, il ne faudra pas la rajouter aux prévisions réalisées, on dit qu'elle est *imputée* aux prévisions. Dans ce cas, la prévision *nette* correspondra aux prévisions résiduelles, compte tenu des commandes imputables déjà reçues (fig. 11-9).

On peut remarquer qu'en fonction du type de produit, les courbes commandes imputées et prévisions nettes ont des profils différents (fig. 11-10). En effet, plus on tend vers une typologie de fabrication à la commande et moins le programme de prévision sera basé sur des prévisions non confirmées.

Figure 11-9 – *Imputation des commandes aux prévisions*

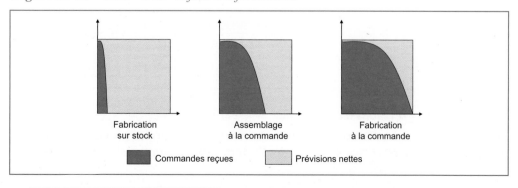

Figure 11-10 – *DRP - PDP et flux d'informations*

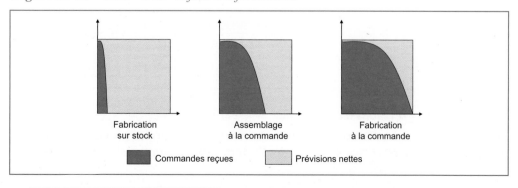

---

[1] Ces prévisions peuvent être réalisées au niveau de chaque dépôt régional et/ou à un niveau consolidé à l'entrepôt central ou à l'usine.

Les prévisions de vente dans le PDP

Deux approches sont possibles pour déterminer les prévisions de ventes retenues dans un PDP.

Décomposition des prévisions agrégées du PIC[1]

Dans cette approche, les prévisions agrégées par familles (plus ou moins à long terme) du PIC sont décomposées en prévisions par article (de la famille). On parle de double éclatement des prévisions agrégées par famille du PIC, parce que ces données sont éclatées simultanément :

– au niveau temporel (passage de prévisions mensuelles vers des prévisions par semaine[2]),
– au niveau des familles de produits (passage de prévisions par famille de produits vers des prévisions par références individuelles).

Les pourcentages de répartition des données agrégées entre les semaines et les produits doivent être calculés pour garantir la meilleure prévision possible.

L'avantage de cette approche est qu'elle garantit la cohérence entre les prévisions des PDP des différents articles et les prévisions globales retenues dans le PIC. L'inconvénient de cette approche est que les informations commerciales à plus court terme ne sont pas prises en compte, sauf si les pourcentages de répartition utilisés sont remis à jour pour intégrer ces informations.

Figure 11-11 – *Prévisions du PDP par double éclatement des prévisions agrégées du PIC*

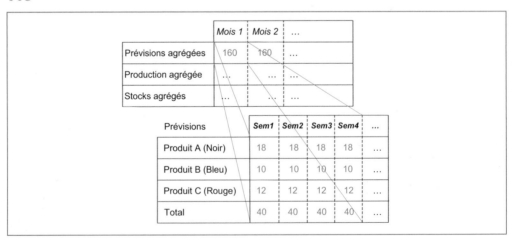

	Mois 1	Mois 2	...
Prévisions agrégées	160	160	...
Production agrégée	...	...	...
Stocks agrégés	...	...	...

Prévisions	Sem1	Sem2	Sem3	Sem4	...
Produit A (Noir)	18	18	18	18	...
Produit B (Bleu)	10	10	10	10	...
Produit C (Rouge)	12	12	12	12	...
Total	40	40	40	40	...

Prévisions à court terme[3]

L'idée consiste tout simplement à réaliser des prévisions directement au niveau de la référence à partir de l'information commerciale disponible (cf. chap. 9). Cette

---

[1] On parle dans ce cas d'approche *Top-Down*.
[2] Il s'agit là du cas le plus typique.
[3] On associe à cette procédure le concept *Bottom-Up*.

approche permet par nature de prendre en compte l'ensemble des informations disponibles à court terme. L'inconvénient en est qu'il faudra vérifier et réaliser *a posteriori* la cohérence entre ces prévisions et les prévisions agrégées retenues dans le PIC pour fixer l'ensemble de la stratégie de production. En particulier, il sera nécessaire de vérifier que l'agrégation des prévisions individuelles correspond bien (au moins approximativement) aux prévisions globales.

11/4.3 Décomposition des stocks d'anticipation dans le PDP

On a vu au chapitre 10 que de nombreuses entreprises adoptent une *stratégie de niveau* dans leur PIC, stratégie qui souvent conduit à la mise en œuvre de *stocks d'anticipation*, pour absorber les écarts entre ventes mensuelles et productions mensuelles. Toutefois, au niveau du PIC ces stocks sont spécifiés à un niveau agrégé, plus précisément au niveau de la famille de produits. Une fois qu'on considère la gestion de flux en tant que telle, il devient nécessaire de définir avec précision quelles références seront stockées pour constituer ces stocks de lissage de charge. Une manière simple de procéder consiste à décomposer les variations de stock d'anticipation du PIC (autrement dit les accroissements ou diminutions mensuels de ces stocks). Les variations de stock agrégé par familles sont décomposées en variations de stock par article (de la famille). On parle à nouveau de double éclatement des variations de stock agrégées, parce que ces données sont éclatées simultanément

- au niveau temporel (passage de variations mensuelles vers des variations par semaine),
- au niveau des familles de produits (passage de variations par famille de produits vers des variations par références individuelles).

Les pourcentages de répartition des données agrégés entre les semaines et les produits doivent être calculés pour optimiser la politique de stockage d'anticipation dans les PDP (fig. 11-12). On remarque dans ce graphique que c'est la *variation* de stock du PIC (soit 80 – 20 = 60 unités) qui est décomposée.

Figure 11-12 – *Variations de stocks d'anticipation dans un PDP par double éclatement des variations agrégées du PIC*

	Mois 1	*Mois 2*	...
Prévisions agrégées	...	...	...
Production agrégée	...	...	...
Stocks agrégés	20	60	...

Variations de stocks	...	***Sem 5***	***Sem 6***	***Sem 7***	***Sem 8***
Produit A (Noir)		0	0	0	0
Produit B (Bleu)	...	10	10	10	10
Produit C (Rouge)	...	5	5	5	5
Total	...	15	15	15	15

11/4.4   *PDP, erreurs de prévision et stocks de sécurité*

Par nature, les prévisions de ventes utilisées dans le PDP sont entachées d'une certaine erreur (cf. chap. 9). Il est donc nécessaire, afin de se protéger contre les risques de ruptures de stocks, de se constituer un stock de protection, appelé stock de sécurité. La logique de calcul de ce type de stock est explicitée, dans un cadre un peu différent, au chapitre 14. On propose ici les raisonnements complémentaires, spécifiques à la structure multi-périodique du PDP.

Solutions empiriques

En entreprise, les praticiens recourent fréquemment à des méthodes de calcul simples à utiliser, pour fixer les stocks de sécurité et les politiques de lotissement associées. Très souvent, le stock de sécurité est simplement défini comme étant égal soit à une quantité fixe, soit aux ventes prévisionnelles ou moyennes sur un horizon donné. Cet horizon est fixé de manière empirique, par essais et erreurs jusqu'à convergence vers des valeurs qui permettent une qualité de service jugée satisfaisante. L'exemple suivant illustre comment le PDP est calculé à partir de contraintes de stock minimal à chaque période.

Exemple : on considère que la fabrication se fait par lots de 1 000 unités et que le stock minimal exigé est égal à un mois de vente ; plus précisément, le stock minimal à la fin d'une période est égal au volume des ventes de la période qui suit (fig. 11-13).

Modélisation et optimisation théorique

On prend les notations standard suivantes pour les différentes données du PDP :
- la demande moyenne pendant la période t : μ_{Dt}
- l'écart type de l'erreur de prévision pour la demande en période t : σ_{Dt}
- le lot de production à réceptionner au début de la période t : P_t
- le stock en fin de la période t : S_t

Figure 11-13 – *Exemple : PDP, stocks de sécurité et lots de production*

	sem. 0	sem. 1	sem. 2	sem. 3	sem. 4
Besoins	-	400	400	400	400
Stock minimal		400	400	400	-
Production à recevoir en début de semaine	-	0	0	1 000	0
Stock prévisionnel fin de semaine	1 500	1 100	700	1 300	900

Les politiques de détermination des lots de production à réceptionner sont de plusieurs types. Pour simplifier les notations, on a supposé que le stock initial est nul. La généralisation est immédiate. Des exemples de politiques courantes sont les suivantes :
- règle 1 : lot égal à la demande de la période, soit $P_1 = \mu_{D1}$, $P_2 = \mu_{D2}$ …

- règle 2 : lot égal à la demande sur un horizon de N périodes successives (avec lots intermédiaires nuls), soit $P_1 = \mu_{D1} + \mu_{D2} + \dots + \mu_{DN}$, $P_2 = P_3 \dots = P_N = 0$, $P_{N+1} = \mu_{DN+1} + \mu_{DN+2} + \dots + \mu_{D2N}$, etc.
- règle 3 : lot incluant une contrainte de lot minimum *Lmin*, soit en adaptant les deux exemples précédents :

$$P_t = \text{Maximum}(\mu_{D1}; Lmin)$$

et

$$P_{1+kN} = \text{Maximum}(\mu_{DkN+1} + \mu_{DkN+2} + \dots + \mu_{D(k+1)N}; Lmin)$$

Exemple : on considère ci-dessous un exemple d'application de ces trois règles, avec comme paramètre N = 2, pour la règle 2 et *Lmin* = 150, pour la règle 3.

	sem. 0	sem. 1	sem. 2	sem. 3	sem. 4	sem. 5	sem. 6	sem. 7
Demande moyenne $\mu_{D,t}$	100	10	120	30	40	45	55	50
Règle 1 : $P_t =$	100	10	120	30	40	45	55	50
Règle 2 : $P_t =$	110	0	150	0	85	0	105	0
Règle 3 : $P_t =$	150	0	150	0	0	150	0	0

Prise en compte des erreurs de prévisions

Au moment où on réalise le PDP, il est nécessaire de tenir compte des erreurs de prévision. On planifie les lots de production successifs afin de conserver un stock de sécurité, période après période. Dans la mesure où les demandes sont susceptibles d'évoluer au cours du temps, les lots de production et les stocks de sécurité feront de même et chaque lancement en production sera spécifique, tenant compte du niveau de stock effectif et de la prévision des demandes futures.

Premier exemple : T = 1

À titre d'illustration, on considère tout d'abord la politique la plus simple : un lancement en production à chaque période pour un PDP qui a un horizon ferme d'une seule période (T = 1).

Dans ce cas, le stock en fin de période t est donné par la relation

$$S_t = S_{t-1} + P_t - D_t$$

Sans perte de généralité, considérons à titre d'illustration la première période. La détermination du lot (et donc du stock de sécurité) est réalisée selon les approches de taux de service présentées au chapitre 14. Si on note *prp* l'objectif de probabilité de rupture par période, il s'agit alors de trouver le lot de production P_1 tel que

$$\text{Prob}(S_1 < 0) = prp$$

soit encore :

$$\text{Prob}(S_0 + P_1 - D_1 < 0) = prp$$

où S_0 est le niveau de stock initial, supposé connu, et D_1 la demande de la première période, modélisée par variable aléatoire supposée gaussienne, de moyenne μ_{D1} et d'écart type σ_{D1}[1]. Par définition, le stock de sécurité aura pour valeur :

$$S_0 + P_1 - \mu_{D1}$$

Les autres lots, et stocks de sécurité, se déterminent de la même manière, période après période, en observant à chaque fois le stock de début de période effectivement disponible.

Remarque : une remarque importante s'impose en ce qui concerne l'erreur de prévision : si le délai d'obtention des lots de production est de L périodes, il est nécessaire de planifier la production dans le PDP L périodes à l'avance. L'écart type de l'erreur de prévision σ_{Dt} correspond donc à une prévision réalisée à la date $t - L$ pour la date t. Ce décalage temporel conditionne complètement les modèles de prévision et l'amplitude de l'erreur correspondante (cf. chap. 9).

Données numériques : on considère ci-dessous un exemple où les demandes périodiques successives ont des lois de probabilité Gaussienne, de moyenne et écart type spécifiés dans le tableau suivant :

	sem. 0	sem. 1	sem. 2	sem. 3	sem. 4	sem. 5	sem. 6	sem. 7
Demande moyenne $\mu_{D,t}$	100	10	120	30	40	45	55	50
Écart type $\sigma_{D,t}$	20	2	24	6	10	12	15	15

On suppose que le stock initial est égal à 10 unités et on se fixe un taux de rupture par période égal à 0,01. La table de répartition de la loi normale indique qu'il faut se trouver approximativement à 2,33 écarts types de la moyenne pour obtenir ce taux de rupture. À titre d'illustration, pour la semaine 1, il faudra donc prendre :

$$P_1 = -10 + 100 + 20 * 2,33 \sim 147 \text{ unités}$$

Les autres lots de production devront être évalués successivement, après observation des demandes effectives.

Deuxième exemple : T = N

Très souvent T, l'horizon ferme du PDP, est de plusieurs périodes (4 semaines par exemple si on planifie une fois par mois). La procédure se généralise alors comme suit. Le premier lot de production est obtenu de la même manière que dans l'exemple 1, soit déterminé par la condition :

$$\text{Prob}(S_0 + P_1 - D_1 < 0) = prp$$

le stock de sécurité de la première période ayant pour valeur :

$$S_0 + P_1 - \mu_{D1}$$

Une fois P_1 déterminé, le second lot est déterminé par la condition :

$$\text{Prob}(S_0 + P_1 - D_1 + P_2 - D_2 < 0) = prp$$

---

[1] Cet écart type peut être interprété comme l'erreur de prévision.

avec D_1+D_2 une variable aléatoire Gaussienne de moyenne $\mu_{D1}+\mu_{D2}$ et d'écart type[1] $\sqrt{\sigma_{D1}^2 + \sigma_{D2}^2}$. Le stock de sécurité de cette seconde période a pour valeur

$$S_0 + P_1 - \mu_{D1} + P_2 - \mu_{D2}$$

Les autres lots de production se déduisent de manière identique.

Si le délai d'obtention des lots est de T périodes, il est nécessaire de planifier le PDP, sur tout l'horizon ferme, T périodes à l'avance. La prévision de la première demande dans le PDP se fera ainsi T périodes à l'avance, celle de la deuxième demande T+1 périodes à l'avance, etc. On voit donc que plus l'horizon ferme du PDP est élevé et plus les erreurs de prévision vont croître sur les demandes successives.

Données numériques : on considère ci-dessous un exemple avec T = 4 et les mêmes données que pour le cas précédent. Les données numériques (moyennes et écarts types) pour les demandes périodiques cumulées sont reprises dans le tableau ci-dessous :

Demande cumulée	sem. 0	sem. 1	sem. 2	sem. 3
Moyenne	100	110	230	260
Écart type	20	20,1	31,3	31,87

On suppose que le stock initial est égal à 10 unités et on se fixe un taux de rupture par période égal à 0,01. La table de répartition de la loi normale (cf. chap. 14), indique qu'il faut se trouver approximativement à 2,33 écarts types de la moyenne pour obtenir ce taux de rupture.

À titre d'illustration, pour la semaine 1, il faudra donc prendre :

$P_1 = -10 + 100 + 20 * 2,33 \sim 137$ unités

$P_1 + P_2 = -10 + 110 + 20,1 * 2,33 \sim 147$ unités

$P_1 + P_2 + P_3 = -10 + 230 + 31,3 * 2,33 \sim 293$ unités

$P_1 + P_2 + P_3 + P_4 = -10 + 260 + 31,87 * 2,33 \sim 324$ unités

On en déduit donc $P_1 = 137$ unités, $P_2 = 10$ unités, $P_3 = 146$ unités et $P_4 = 31$ unités.

La généralisation de ces deux exemples aux autres politiques de détermination des lots de production sort du cadre de cet ouvrage[2].

11/4.5 Détermination des ordres de fabrication et calcul des charges

Nécessité d'un calcul des charges pour le PDP

Il est nécessaire de vérifier que les charges correspondant aux ordres de fabrication des PDP sont compatibles avec les capacités des ressources disponibles. Un équilibrage global, par familles et typiquement mensuel, entre charges et capacités critiques a été réalisé au niveau du PIC. Toutefois, lors de la constitution des PDP, il

---

[1] On fait ici une hypothèse d'indépendance entre les demandes successives. Une méthode alternative possible est décrite en 12/4.4.

[2] Le lecteur peut se référer à l'article de Silver E., « Inventory Control Under A Probabilistic Time-Varying Demand Pattern », *AIIE Transactions*, 1978, pp. 371-379.

va être nécessaire de vérifier à nouveau ces équilibres entre charges et capacité. En effet, même si les PDP ont été construits en cohérence avec le PIC au sens où le cumul des PDP redonne bien le PIC initial, de nouvelles problématiques sont introduites au niveau des PDP :

- passage à une maille temporelle plus fine,
- passage à des programmes par références, chaque référence ayant éventuellement une gamme opératoire spécifique,
- phénomène de lotissement pour éviter trop de perte de capacité ou de coûts liés aux temps de réglage,
- mise en œuvre de besoins spécifiés en termes des références, avec des prévisions qui ont pu intégrer des données différentes (en plus fiable) que celles du PIC et des variations de stock qui peuvent être concentrées uniquement sur certaines références.

Le bilan en est que même si on peut espérer que le PIC garantit un équilibre globalement efficace entre charges et capacités, il demeure malgré tout nécessaire de vérifier les rapports entre charges et capacités correspondant aux PDP. On peut s'attendre à ce que les déséquilibres, si déséquilibres il y a, soient d'une ampleur limitée, puisque le PIC a été développé en amont.

Calcul approximatif des charges induites par le PDP

Cependant, les charges exactes induites par les PDP ne sont pas connues exactement : il faudrait pour cela disposer de l'ensemble des ordres de fabrication pour les sous-ensembles, les pièces et composants fabriqués. Or ces ordres ne sont pas encore connus puisqu'ils seront calculés à partir des PDP par le calcul des besoins (cf. chap. 12) et les techniques classiques de gestion des stocks (cf. chap. 13). Vu la lourdeur de mise en œuvre de ces approches, il est utile pour le planificateur de commencer par réaliser une analyse approximative des charges induites par le PDP afin de détecter rapidement tout déséquilibre substantiel.

Dans un esprit similaire au PIC, le calcul des charges se fait à l'aide de macrogammes (fig. 11-14), qui indiquent les temps opératoires globaux pour les ressources, pour chaque référence reprise dans un PDP. En ce sens, cette analyse est plus précise que celle du PIC qui était réalisée au niveau de familles de produits. La macrogamme considérée dans le PDP contient des temps opératoires moyens pour l'article considéré, avec une prise en compte des temps de réglage des machines par rapport à une taille de lot standard (spécifiée dans chaque gamme). Ces macrogammes sont évaluées en tenant compte des nomenclatures des différentes références.

Figure 11-14 – *Exemple de macrogamme pour des références*

Référence	Temps alloués/unité produite
PF	5 heures
SE1	10 heures
SE2	10 heures

Exemple : on considère un produit fini PF qui est fabriqué à partir de deux sous-ensembles SE1 et SE2. Les délais d'obtention moyens sont respectivement d'une semaine pour un lot de PF ou de SE1 et de 2 semaines pour un lot de SE2. Les charges de travail induites sur la ressource considérée sont données à la figure 11-15.

Figure 11-15 – *Cumul des charges par période*

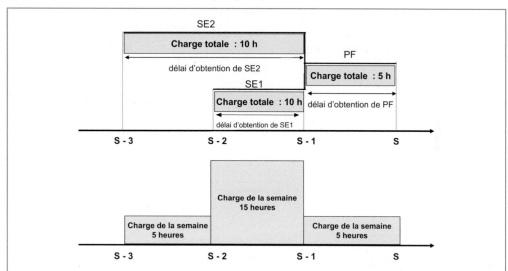

Si, en cumulant les charges induites par l'ensemble des PDP sur l'ensemble des ressources, une surcharge est constatée à une période donnée sur une ressource donnée, il sera nécessaire d'adapter les charges et/ou les capacités pour assurer un équilibrage correct. Le choix des actions à mettre en place en fonction des délais disponibles et des coûts correspondants (cf. chap. 3) constitue le prolongement indispensable de tout PDP.

11/5 PDP et disponible à la vente (DAV[1])

Le PDP informe le service commercial des quantités *disponibles à la vente*, autrement dit les quantités disponibles instantanément pour répondre à une nouvelle demande sans remettre en cause l'ensemble des commandes fermes acceptées. Cette information est critique pour un service commercial soucieux d'assurer une gestion de la demande optimisant la qualité de service au client. Les exemples suivants illustrent comment le DAV est calculé à partir du PDP.

Exemple : on considère le PDP suivant (fig.11-16).

Pour évaluer le disponible à la vente, on procède comme suit. En semaine 1, le stock prévisionnel en période 1 est 20 unités, qui ne sont pas nécessaires pour couvrir des commandes futures, puisque des lots de fabrication sont à réceptionner. Le DAV en semaine 1 est donc égal au stock. En semaine 2, sur les 90 unités disponibles en

---

[1] En anglais, *Available-To-Promise* (ATP).

stock, 10 sont à conserver pour servir la commande ferme de la semaine 3. Le DAV est donc de 90 – 10 = 80 unités. Les mêmes raisonnements s'appliquent aux semaines suivantes.

Figure 11-16 – *DAV : exemple 1*

	sem. 0	sem. 1	sem. 2	sem. 3	sem. 4	sem. 5
		Horizon ferme				
Commandes fermes	-	80	30	10	0	30
Production à recevoir en début de semaine	-	0	100	0	100	0
Stock prévisionnel fin de semaine	100	20	90	80	180	150
Disponible à la vente	-	20	80	80	150	150

Exemple : on considère le PDP suivant (fig.11-17).

Figure 11-17 – *DAV : exemple 2*

	sem. 0	sem. 1	sem. 2	sem. 3	sem. 4	sem. 5	sem. 6
		Horizon ferme					
Commandes fermes	-	20	2	0	35	0	10
Production à recevoir en début de semaine	-	0	0	30	0	0	30
Stock prévisionnel fin de semaine	30	10	8	38	3	3	23
Disponible à la vente	-	3	3	3	3	3	23

Pour évaluer le disponible à la vente, on procède comme suit. En semaine 1, le stock prévisionnel en période 1 est 10 unités, mais sur ces 10 unités, 2 unités doivent être conservées pour servir la commande ferme de la semaine 2 et 5 unités doivent être conservées en complément pour servir la demande de 35 en période 4 (qui ne sera que partiellement satisfaite avec le lot de production de 30 unités réceptionné en semaine 4). Le DAV en semaine 1 vaut donc 10 – 2 – 5 = 3 unités. En période 6, le stock prévisionnel de 23 unités est disponible pour servir des commandes imprévues, puisque aucune commande ferme n'a été acceptée au-delà de cette période 6.

11/6   PDP et gestion du risque : planification des produits à courte durée de vie

Nous avons jusqu'à présent décrit le programme de production (et par extrapolation d'approvisionnement pour les articles achetés ou sous-traités) pour des produits dont la durée de vie commerciale n'est pas limitée dans le temps. Or il existe de nombreuses situations où cette hypothèse ne s'applique pas. C'est le cas par exemple :

- des journaux, quotidiens ou hebdomadaires,
- d'une promotion commerciale sur des articles spécialement conçus (ou spécialement conditionnés),
- des jouets de Noël,
- des articles de confection mode ou fantaisie (vendus par « collections »).

Dans cette situation, l'aspect aléatoire de la demande pendant la durée de vie du produit modifie considérablement la nature des arbitrages à réaliser dans les plans de production. En effet, dans une telle situation, le responsable a le choix entre les deux risques suivants : trop commander/produire et se trouver avec des surplus invendables, ou vendables à perte, ou bien ne pas assez commander/produire et dans ce cas perdre des ventes (et donc de la marge) en mécontentant la clientèle. La meilleure décision sera celle qui équilibre ces deux risques. On propose dans cette section des modèles qui permettent d'intégrer ce mécanisme dans la détermination des plans.

11/6.1   La commande monopériode

Une situation extrême est celle d'articles à vie courte pour lesquels l'ensemble de la demande pour l'article doit être couverte par une commande ou un lot de production unique. Cet exemple est traditionnellement dénommé *le cas du marchand de journaux*. Une des formulations du problème consiste à calculer le seuil à partir duquel la commande d'une unité supplémentaire entraîne des espérances égales de gain marginal et de perte marginale associées. Nous aurons ainsi, selon le principe marginaliste de l'équilibre (largement employé par les économistes), découvert la solution optimale.

On considère les notations suivantes : C, le coût d'achat/de production de l'article, V, le prix de vente normal de l'article, Vs, le prix de vente de l'article en surplus et R, le coût de rupture unitaire. Soit *prc**, la probabilité de rupture correspondant à la commande optimale. La théorie nous apprend qu'à l'optimum les espérances de gain et de perte sont égales, c'est-à-dire que l'on a :

$$prc^* (V - C) + prc^* R = (1 - prc^*) (C - Vs)$$

$$prc^* = \frac{C - Vs}{V - Vs + R}$$

Connaissant la distribution de probabilité de la demande, il est alors possible de calculer la taille de lot qui correspond à la probabilité de rupture *prc**.

Exemple : on considère alors les valeurs suivantes, espérance de demande, μ_{Dip} = 3 200, écart type de demande, σ_{Dip} = 260, V = 38 €, C = 25 €, Vs = 19 € et R = 3,5 €.

On trouve :

$$prc^* = \frac{25 - 19}{38 - 19 + 3,5} = \frac{6}{21,5} = 0,28$$

La probabilité que la demande soit égale ou inférieure à Q est $(1 - prc^*)$ = 0,72 ce qui correspond dans la table de la loi normale à k = 0,58. La quantité à commander Q = μ_{Dip} + k σ_{Dip} est donc :

$$Q = 3\ 200 + 0,58 \times 260 = 3\ 348 \text{ unités}$$

Autre gestion du risque : la différenciation retardée

Assez souvent, la nomenclature de ces produits comporte un stade intermédiaire d'élaboration du produit (par exemple des matières ou sous-ensembles à cycles d'obtention longs, mais à coûts directs unitaires relativement modérés par rapport à celui du produit fini). Par exemple, les tissus dans la nomenclature des articles de confection. En revanche les cycles d'assemblage final des produits sont courts et, en tout cas, largement inférieurs à la durée de vie commerciale du produit sur le marché : on peut donc différer le montage final et procéder par réassortiments.

Dans de telles conditions, le raisonnement d'un lancement unique fait ci-dessus va s'appliquer au niveau des sous-ensembles (on va ainsi commander les tissus en une seule fois en prenant tous les risques de soldes de fin de saison ou de manquants). En revanche, on fabriquera les produits finis par lots successifs, en suivant de près l'évolution des ventes au fur et à mesure que la saison de ventes se déroule et que l'erreur de prévision diminue.

En cas de surplus de tissus en fin de saison, ils pourront éventuellement être utilisés par fabrication de produits finis *spécifiques* sur base de patronages conçus spécifiquement dans le cadre d'opérations promotionnelles, générant ainsi un cash-flow additionnel. Au pire, ces tissus seront écoulés dans un réseau parallèle de soldeurs, minimisant les coûts de surplus.

11/6.2   Extension du lot économique

Indépendamment de cette situation à commande unique, encore appelée *monopériode*, on rencontre beaucoup de cas dans lesquels plusieurs lots peuvent être fabriqués ou commandés avant apparition de l'obsolescence. On se trouve dans une situation voisine de celle présentée dans le chapitre 13. Il est possible alors d'utiliser une extension de la formule du lot économique afin de prendre en compte les risques associés à la possession d'un stock trop important. Pour développer cette extension, on fait l'hypothèse que la durée de vie d'un article est une variable aléatoire distribuée exponentiellement, de moyenne T.

On peut montrer que, sous les hypothèses traditionnelles du modèle du lot économique exposé dans le chapitre 13, la taille optimale des commandes devient :

$$Q^* = \sqrt{\frac{2DL}{CH + C/T}}$$

Le coût de détention CH est donc accru du risque de perte par obsolescence de toute unité stockée, évalué à C/T, où C est la valeur de l'article.

Chapitre 12

Le calcul des besoins et des charges

La procédure d'établissement du plan directeur de production décrite dans le chapitre précédent a pour but de fixer le plan de production globalement réalisable, compte tenu de la demande prévisionnelle et de la capacité. À l'issue de cette procédure, l'entreprise dispose donc de programmes qu'il faut mettre en application pour préparer des ordres de fabrication et d'approvisionnement précis.

Comme nous allons le voir, le calcul des besoins nets impose des calculs relativement lourds. C'est pourquoi cette méthode de gestion des flux de production n'a pu être mise en œuvre que lorsque l'on a pu disposer d'ordinateurs. Les premières applications de calcul des besoins nets furent développées aux États-Unis, dans les années 1960, par Orlicky qui travaillait alors pour la compagnie IBM. La méthode est connue sous le nom de MRP (*Material Requirements Planning*). Tous les ERP (cf. chap. 24) comportent un module MRP. Jusqu'à ce que les entreprises disposent d'ordinateurs et des logiciels correspondants, toute la gestion de la production était fondée sur des systèmes de gestion des stocks des composants de type *point de commande* (cf. chap. 13). Il en résultait des stocks très élevés ce qui, par ailleurs, n'empêchait pas toujours les ruptures, surtout lorsque le nombre de composants dans le produit fini était très élevé (cf. chap. 2).

L'objectif du calcul des besoins nets est de déterminer précisément ce qu'il faut acheter et ce qu'il faut fabriquer. Ce calcul des besoins est donc basé sur le plan directeur détaillé (ou *PDP*) établi sur un horizon de l'ordre de quelques semaines ou quelques mois, et sur des références de produits parfaitement spécifiées. À cet horizon, on dispose normalement de commandes fermes ou de prévisions précises en termes de références et de quantités à fournir pour satisfaire le marché.

La procédure se déroule en deux phases successives :

On calcule d'abord les besoins en composants, c'est-à-dire les quantités à approvisionner ou à fabriquer pour chaque période (c'est ce que l'on appelle MRP I ou calcul des besoins nets).

On évalue ensuite les charges induites par les fabrications planifiées ; celles-ci sont comparées aux capacités disponibles (lorsque ces fonctions ont été introduites, la méthode a pris le nom de MRP II). En cas de surcharge sur une ressource pendant une période, le planificateur doit prendre des décisions d'ajustement par modification des capacités ou par actions sur les charges. Cela peut conduire à une remise en cause du PDP.

12/1   Le principe du calcul des besoins nets

Le calcul des besoins nets part de la constatation que les besoins aux niveaux inférieurs de la nomenclature peuvent se déduire exactement des besoins des niveaux supérieurs. Par exemple, si l'on veut fabriquer 100 vélos, on aura besoin *exactement* de 200 pneus. Les besoins en composants sont donc précisément déterminés par la demande finale des produits fabriqués. Leur demande est appelée *demande dépendante* car elle dépend mathématiquement du programme de production du PDP.

Le principe du calcul des besoins nets peut se décrire comme une succession d'opérations d'éclatement des besoins issus des programmes de production à travers les nomenclatures, de regroupements éventuels des besoins concernant les mêmes pièces, puis de décalages dans le temps pour tenir compte des délais d'approvisionnement ou de fabrication. Pour une meilleure compréhension, nous allons décomposer la procédure en plusieurs phases.

1) Le calcul des quantités

Nous prendrons comme exemple une fabrication à trois niveaux : les produits finis se composent de sous-ensembles, eux-mêmes fabriqués à partir de pièces élémentaires qui sont usinées dans des matières premières achetées (fig. 12-1).

1- On part de la demande en produits finis (commandes fermes et/ou prévisions de ventes). Elle constitue les besoins bruts au niveau 0.

2- On soustrait les stocks (et les en-cours) de produits finis éventuellement disponibles. Cela donne les besoins nets en produits finis qui donnent lieu à des ordres de montage pour l'usine.

3- On décompose ces besoins nets en produits finis par l'intermédiaire de leur nomenclature pour déterminer les quantités nécessaires de sous-ensembles pour pouvoir procéder au montage. Les besoins bruts en sous-ensembles (niveau 1) sont égaux aux quantités lancées du composé, multipliées par le coefficient de montage qui figure dans la nomenclature sur le lien entre le composé et le composant.

4- On soustrait les stocks (et les en-cours) de sous-ensembles pour obtenir les besoins nets de niveau 1 qui donnent lieu à *des ordres de fabrication* de sous-ensembles.

5- On décompose les ordres de fabrication de sous-ensembles par l'intermédiaire de leurs nomenclatures pour déterminer les quantités de pièces élémentaires nécessaires à la fabrication des sous-ensembles (besoins bruts de niveau 2).

6- On soustrait les stocks (et les en-cours) de pièces élémentaires pour obtenir les besoins nets de niveau 2. Ils donnent lieu à des ordres d'usinage de pièces élémentaires.

7- On décompose les ordres d'usinage des pièces élémentaires par l'intermédiaire de leur nomenclature pour déterminer les quantités de matières premières pour pouvoir procéder à l'usinage des pièces (besoins bruts de niveau 3).

8- On soustrait les stocks (et les en-cours de commande) de matières premières des besoins bruts pour obtenir les besoins nets de niveau 3. Ces besoins nets correspondent aux commandes de matières premières qu'il faut passer auprès des fournisseurs. Ces commandes sont exprimées par des ordres d'achat.

Figure 12-1 – *Détermination des ordres de fabrication et d'achat*

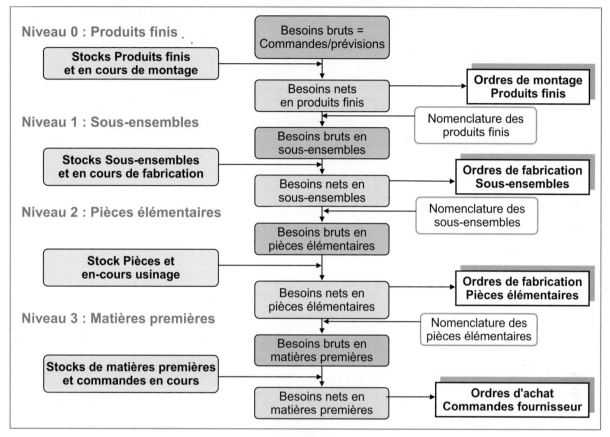

On voit donc que cette procédure, qui soustrait à chaque niveau les stocks éventuellement disponibles, a pour effet de les résorber. Appliquée strictement, elle conduit à supprimer tout stock entre les différents niveaux de la nomenclature. Nous verrons plus loin que la constitution de certains stocks peut cependant s'avérer soit nécessaire, soit inévitable suite à certaines contraintes du système logistique.

2) La détermination de l'échéancier des ordres

Telle que nous l'avons décrite, cette procédure ne prend pas en compte le temps nécessaire pour élaborer les produits à chaque niveau. Il convient maintenant d'introduire un décalage entre la date à laquelle on veut disposer des produits élaborés et la date à laquelle on doit lancer la fabrication et donc à laquelle on a besoin des composants (fig. 12-2). Ce décalage est au moins égal au délai de réalisation de l'ordre de fabrication correspondant (ou au délai de livraison de la commande du fournisseur dans le cas des produits achetés).

Figure 12-2 – *Détermination de la date de lancement*

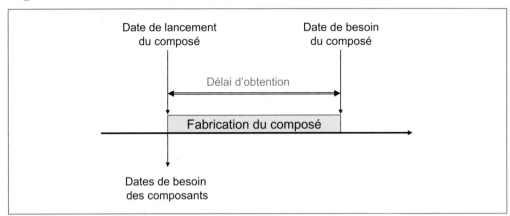

La procédure de calcul des besoins nets entre un niveau et le niveau inférieur est donc la suivante (fig. 12-3) :

Figure 12-3 – *Procédure de calcul des besoins nets*

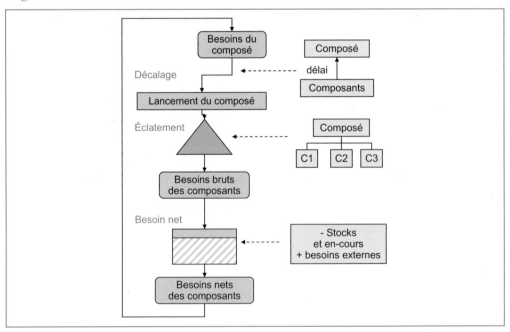

1- on avance le besoin du composé du cycle de fabrication de l'ordre, pour le placer à la date de lancement,

2- on éclate le besoin du composé pour obtenir les besoins bruts de chaque composant par l'intermédiaire de la nomenclature du composé,

3- pour chaque composant, on soustrait des besoins bruts précédemment déterminés les stocks et les en-cours éventuels pour obtenir les besoins nets. On ajoute éventuellement des besoins externes (besoins en pièces de rechange par exemple),

4- les besoins nets de chaque composant deviennent les besoins du niveau inférieur ; on recommence la procédure au point 1 jusqu'à ce que l'on ait atteint le plus bas niveau de la nomenclature qui ne comporte que des articles achetés (il n'y a plus d'éclatement possible).

Ajoutons que, dans le cas d'un composant commun à plusieurs composés, on doit faire la somme des besoins bruts qui apparaissent à une même date ou dans une même période avant de calculer les besoins nets. Nous examinerons plus loin l'effet de ces règles de groupage.

En partant de l'échéancier des besoins en produits finis, on applique la procédure que nous venons de décrire pour chacune des périodes. On obtient ainsi un échéancier des besoins à tous les niveaux qui se traduit dans des ordres de fabrication (lancements à réaliser) et dans des ordres d'achat (commandes à passer aux fournisseurs).

Nous allons reprendre l'exemple du produit fini PF dont la nomenclature est décrite sur la figure 2-6. Les cycles de fabrication et les délais d'approvisionnement des composants qui entrent dans sa nomenclature sont :

Cycle de fabrication PF .... 2 semaines
Cycle de fabrication C1 .... 2 semaines
Cycle de fabrication C2 .... 3 semaines
Délai d'approvisionnement P1 et P2 ..... 3 semaines
Délai d'approvisionnement M1 et M2.. 2 semaines

À partir de ces données, nous pouvons tracer le diagramme de la fabrication d'un produit PF qui doit être livré en semaine S (fig. 12-4).

Figure 12-4 – *Décalages des ordres*

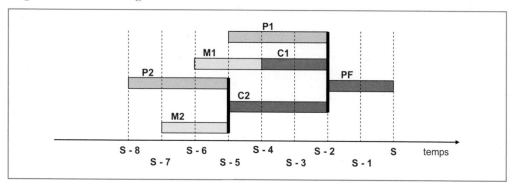

Pour livrer les produits PF en semaine S, il faut les lancer 2 semaines plus tôt. Les composants P1, C1 et C2 doivent donc être disponibles en semaine S–2. P1 ayant un délai d'approvisionnement de 3 semaines, il faut le commander au plus tard en semaine S–5. C1 a un cycle de fabrication de 2 semaines, il faut donc le lancer en S–4 alors que C2 qui a un cycle de fabrication de 3 semaines doit être lancé en S–5. M1 et M2 qui ont un délai d'approvisionnement de 2 semaines doivent être commandés respectivement en semaines S–6 et S–7. P2 doit être commandé en semaine S–8.

Pour livrer sans retard un produit fini en semaine S, il faut avoir pris des décisions d'approvisionnement en semaine S–8. Il faut donc avoir des commandes fermes ou des prévisions de vente précises à un horizon d'au moins 8 semaines. Comme nous l'avons vu dans le chapitre 3, si l'on ne connaît pas la demande à cet horizon, il faudra anticiper sur les commandes, ce qui conduira à la constitution de stocks de produits (semi-finis ou finis).

3) Exemple de calcul des besoins nets

Pour procéder au calcul de l'échéancier des ordres, il faut tenir compte des stocks et des en-cours qui existent dans le système de production au moment où l'on démarre la procédure. Supposons que les quantités disponibles soient celles qui figurent dans la colonne *Stock.* Nous pouvons alors appliquer la procédure décrite ci-dessus. Les calculs apparaissent dans le tableau de la figure 12-5.

La procédure de calcul des besoins nets a ainsi défini les quantités à lancer pour les produits fabriqués et les quantités à commander pour les produits achetés, ce qui constitue les plans de production et d'approvisionnement des articles. Tous les stocks ont été absorbés.

12/2   La mise en œuvre de la MRP

La simplicité du principe MRP cache les difficultés de sa mise en œuvre en vraie grandeur dans une usine. Imaginons le cas d'une entreprise fabriquant des centaines de produits finis différents et dont chaque nomenclature se définirait sur dix niveaux, avec certains composants communs à plusieurs d'entre eux.

L'application de la MRP se traduit alors par une masse considérable de calculs qui engendrent des milliers d'ordres de fabrication et d'achat qu'il faut contrôler et dont il faut suivre la réalisation.

D'autre part, la fiabilité des ordres dépend fortement de celle des données utilisées (prévisions de vente, capacités des postes de charges ou machines, nomenclatures, gammes de fabrication) qui doivent être tenues à jour avec le plus grand soin.

12/2.1   *Quels articles doivent être gérés par la méthode MRP ?*

Une entreprise industrielle gère souvent des milliers d'articles. Certains ont peu de valeur et donc conserver des stocks surabondants sur ces références n'est pas trop pénalisant. C'est par exemple le cas des consommables, des emballages et des petites fournitures. Une usine qui fait du montage aura des dizaines ou des centaines de références de visserie qui entrent dans la composition de ses produits finis et de ses sous-ensembles. Faut-il générer des besoins sur de telles références ?

Si ces produits sont communs à de nombreux produits finis, leur consommation sera probablement assez régulière : il n'est alors pas utile de leur appliquer la procédure MRP. Celle-ci risque d'engendrer de nombreux ordres qui devront être validés par les gestionnaires de production. Il est sans doute préférable de gérer de tels composants sur stock. On utilisera pour ces références les méthodes décrites dans le chapitre 13. Lorsque le niveau du stock constaté passe en dessous d'un seul prédéfini, on passe une commande de recomplètement. Cette méthode conduit à une gestion simplifiée même si elle entraîne un niveau de stock plus important.

Figure 12-5 – *Tableau de calcul des besoins*

Semaines	Stock	1	2	3	4	5	6	7	8	9	10
Besoins bruts PF					50	10	40	20	30	50	60
Stocks PF	20	20	20	20							
Besoins nets PF					30	10	40	20	30	50	60
Lancements PF			30	10	40	20	30	50	60		
Besoins bruts P1			120	40	160	80	120	200	240		
Stocks P1	200	200	80	40							
Besoins nets P1					120	80	120	200	240		
Commandes P1		120	80	120	200	240					
Besoins bruts C1			60	20	80	40	60	100	120		
Stocks C1	70	70	10								
Besoins nets C1				10	80	40	60	100	120		
Lancements C1		10	80	40	60	100	120				
Besoins bruts M1		8	64	32	48	80	96				
Stocks M1	100	92	28								
Besoins nets M1				4	48	80	96				
Commandes M1		4	48	80	96						
Besoins bruts C2			30	10	40	20	30	50	60		
Stocks C2	50	50	20	10							
Besoins nets C2					30	20	30	50	60		
Lancements C2		30	20	30	50	60					
Besoins bruts P2		60	40	60	100	120					
Stocks P2	220	160	120	60							
Besoins nets P2					40	120					
Commandes P2		40	120								
Besoins bruts M2		72	48	72	120	144					
Stocks M2	150	78	30								
Besoins nets M2				42	120	144					
Commandes M2		42	120	144							

Pour les composants qui ont une faible « commonalité », c'est-à-dire dont la consommation est propre à un seul ou un très petit nombre de produits finis, la méthode MRP s'impose.

Donc, dans un système de gestion de production, on distinguera deux modes de gestion des articles : les articles gérés sur stock et les articles gérés sur calcul des besoins nets.

12/2.2 La prise en compte des aléas

Dans une production gérée par la méthode MRP, il n'y a, en principe, aucun stock. De ce fait, tout incident tel que prévision sous-estimée, rebuts ou retards en fabrication, risque d'entraîner une non-disponibilité d'un (ou plusieurs) composant(s) à la date de besoin et de ce fait, peut empêcher le montage du composé au niveau supérieur de la nomenclature. Le manque d'une pièce valant quelques centimes peut interdire l'assemblage, et donc la livraison, d'un produit fini valant plusieurs milliers d'euros. Aussi, les gestionnaires de production vont-ils se protéger contre ces aléas en plaçant des sécurités par les stocks et /ou par les délais dans le système de gestion.

Aléa sur les prévisions

Les imprécisions des prévisions et les variations de la demande peuvent inciter à maintenir des stocks de sécurité. Au lieu de viser l'épuisement total du stock disponible, on soustrait du stock physique un stock de sécurité, ce qui entraîne un besoin complémentaire. De cette façon, on a la possibilité d'augmenter à court terme les quantités lancées et ainsi d'éviter les ruptures.

Aléa sur les quantités bonnes

Les coefficients qui figurent sur les liens des nomenclatures sont des coefficients techniques. Mais, lors de la fabrication des pièces ou des produits, on constate souvent des consommations réelles supérieures aux consommations théoriques ; les écarts peuvent être dus à des pièces défectueuses et rebutées, à des composants de qualité incertaine ou à un processus de fabrication mal maîtrisé.

Pour éviter d'obtenir, en fin de fabrication, des quantités inférieures à celles qui ont été déterminées par le calcul des besoins, on doit tenir compte de cette surconsommation éventuelle en augmentant les quantités lancées. Par exemple, si pour tricoter un pull-over, on a besoin de 1,3 kg de laine à +/- 5 %, pour fabriquer 1 000 pull-overs, on commandera un poids de laine de 1 300 x 1,05 soit 1 365 kg afin d'éviter le risque de rupture. En moyenne, il restera un stock de 65 kg. On déduira ce stock résiduel lors du prochain calcul des besoins.

12/2.3 La fixation des délais d'obtention

La solution la plus simple consiste à définir un décalage fixe entre la date de besoin du composé et celles de ses composants ; celui-ci correspond à un temps « normal » pour fabriquer un lot de pièces, par exemple, une semaine.

Une solution plus élaborée consiste à calculer pour chaque lot son temps technique. La durée nécessaire à la transformation d'un lot dépend de facteurs propres aux opérations de la gamme (temps de réglage de la machine, temps unitaire d'usinage ou de montage et taille de la série), mais également de nombreux éléments extérieurs au lot fabriqué : si une machine tombe en panne, les lots qu'elle doit traiter prendront naturellement du retard, si un composant acheté n'est pas livré à temps, le lancement devra être retardé, etc.

La durée réelle est aussi très liée à la charge de travail de l'atelier pendant la période où le lot doit être fabriqué ainsi qu'aux priorités de passage des autres lots. La charge sur un moyen de production engendre des temps d'attente imprévisibles du fait de la création de files d'attente devant les postes de travail.

Comme ces temps d'attente varient dans le temps, le planificateur doit inclure dans le délai d'obtention qu'il choisit pour chaque article une marge de sécurité pour éviter tout risque de retard dans la mise à disposition des produits qui engendrerait une rupture au niveau supérieur de la nomenclature. La marge peut être définie comme la différence entre le délai retenu et la somme des temps opératoires correspondants. Les délais d'obtention pris en compte sont donc majorés par rapport aux temps techniques, de telle sorte que, la plupart du temps, ils puissent être respectés. On observera donc qu'en moyenne, les pièces entrent en stock avant la date du besoin réel ; ces pièces resteront donc en stock jusqu'à leur consommation par les ordres correspondant au niveau supérieur de la nomenclature. Dans de nombreux progiciels, le délai d'obtention est déterminé en introduisant un temps d'attente devant chacune des opérations de la gamme. Le cycle de fabrication s'en trouve majoré, mais la charge induite est plus étalée dans le temps. Cela laisse aux responsables de la fabrication une certaine souplesse pour organiser le travail et rattraper les retards éventuels.

12/3   Les règles de regroupement

Le calcul des besoins à partir d'un échéancier des ventes engendre, pour chaque référence fabriquée ou achetée, une succession de besoins. Par exemple, pour une référence *x*, on aura un besoin de 50 unités pour la semaine 15, de 125 pour la semaine 17, de 25 pour la semaine 18. Dans les ateliers de fabrication, il peut être plus avantageux de lancer en une seule fois les 200 unités nécessaires plutôt que de lancer séparément les besoins hebdomadaires. On ne devra faire qu'un seul réglage sur chacune des machines spécifiées dans la gamme de fabrication de l'article *x,* ce qui permettra d'économiser du temps et donc d'accroître la capacité utile. Ainsi, pour chaque article, selon ses caractéristiques et les temps de réglage impliqués, on peut définir des règles de regroupement des besoins.

En dehors des raisons économiques, des contraintes techniques de fabrication (ou de transport) peuvent conduire à regrouper les besoins. Ainsi, dans la chimie, la pharmacie ou les parfums, on doit souvent travailler par lots de taille fixe (capacité des cuves, des autoclaves, etc.).

Si l'on regroupe plusieurs ordres successifs, il faut lancer la somme des besoins à la date du premier ordre : dans notre exemple, les 200 unités devront être lancées pour la semaine 15. Les pièces qui ne sont pas immédiatement consommées resteront en stock : ici, 125 unités seront stockées pendant 2 semaines et 25 unités pendant 3 semaines.

Les règles de regroupement doivent être appliquées niveau par niveau, car les besoins des niveaux inférieurs ne peuvent être déterminés qu'après avoir regroupé les ordres de fabrication. Le regroupement peut intervenir aussi pour les matières achetées pour bénéficier de rabais sur quantités ou réaliser des économies sur les coûts de transport. Les règles de regroupement peuvent s'avérer déterminantes pour l'efficacité économique des systèmes fondés sur la méthode MRP : elles déterminent pour partie le niveau des stocks et le nombre de réglages de machines.

12/3.1   *La période élémentaire de calcul*

Le premier facteur de regroupement est la période élémentaire de calcul. Les commandes de produits finis à livrer sont datées. On peut faire le calcul des besoins à partir des dates réelles de livraison prévues ou bien regrouper les commandes par périodes : regroupement par semaine, voire par mois pour le traitement des prévisions de ventes.

Traiter les besoins jour par jour entraîne des calculs très nombreux et très lourds. Le fait de les grouper par période simplifie les calculs, mais conduit à anticiper les besoins (toutes les commandes du mois sont demandées pour le début du mois) et donc à créer des stocks. De nombreuses entreprises utilisent, au moins pour les niveaux inférieurs, une période de regroupement d'une semaine.

12/3.2   *Les principales règles de regroupement*

Les règles de regroupement possibles sont nombreuses. Pour chaque article, il faut déterminer la règle la meilleure. Citons les principales règles utilisées :

– *Lot pour lot* : cette règle consiste à ne pas faire de groupage ; chaque besoin donne lieu à un ordre de fabrication même si plusieurs besoins interviennent le même jour. On utilise cette règle essentiellement pour les produits finis correspondant à des commandes spécifiques. Cette règle assure la traçabilité complète des composants utilisés dans les produits finis.

– *Période économique de lancement* : lorsqu'il existe un besoin non couvert par le stock prévisionnel, on regroupe les besoins futurs sur un horizon donné (par exemple, un jour, une semaine, deux semaines, dix jours, etc.). Pour des articles gérés selon un regroupement hebdomadaire, il y aura au plus un lancement par semaine.

– *Quantité économique de lancement* : on lance des lots de taille constante prédéterminée, en appliquant une formule de quantité économique à partir de la demande moyenne (cf. chap. 13). Cette règle n'est applicable que si la demande est relativement régulière.

– *Quantité multiple de lancement* : on lance des lots d'une taille multiple d'une quantité donnée qui correspond généralement à une taille de lot technique.

Le tableau de la figure 12-6 donne des exemples d'application de règles de regroupement des besoins suivant diverses méthodes : lot pour lot, regroupement des besoins sur une journée, sur une semaine, sur dix jours, par quantité économique de 30 unités, par quantités multiples de 10.

D'autres règles visent à optimiser le regroupement des besoins pour minimiser le coût total de gestion des lots en minimisant la somme des coûts de lancement et de stockage correspondants.

12/3.3   *L'optimisation du regroupement*

Les modèles de gestion de stock, étudiés dans le chapitre 13, supposent que la demande reste stationnaire. Mais comme cette hypothèse n'est généralement pas vérifiée à l'issue d'un calcul des besoins, ils ne sont pas applicables pour décider des lancements ou des commandes dans le cadre de systèmes de type MRP.

Figure 12-6 – *Exemple d'application de règles de regroupement*

Jours	1	2	3	4	5	6	7	8	9	10	11	12	13	14	15
Besoins	57		8	2	23		73	4	9		5	3	7	6	1
Lot pour lot	57		8	2	23		73	4	9		5	3	7	6	1
Besoins quotidiens	12		8	2	5		10	4	9		5	3	7	6	1
Besoins hebdo	27						23				22				
Stocks	*15*	*15*	*7*	*5*	*0*	*0*	*13*	*9*	*0*	*0*	*17*	*14*	*7*	*1*	*0*
Besoins sur 10 jours	50										22				
Stocks	*38*	*38*	*30*	*28*	*23*	*23*	*13*	*9*	*0*	*0*	*17*	*14*	*7*	*1*	*0*
Quantité économique	30						30						30		
Stocks	*18*	*18*	*10*	*8*	*3*	*3*	*23*	*19*	*10*	*10*	*5*	*2*	*15*	*9*	*8*
Quantité multiple	20			10			10	10			10		10	10	
Stocks	*8*	*8*	*0*	*8*	*3*	*3*	*3*	*9*	*0*	*0*	*5*	*2*	*5*	*9*	*8*

Quand la demande future est connue par périodes fixes, ce qui correspond aux ordres de fabrication ou d'achat générés par le calcul des besoins, un algorithme, proposé par Wagner et Whitin, permet de trouver la quantité économique de lancement. Le principe est de déterminer si l'on commande seulement pour la période à venir ou s'il est préférable de commander pour plusieurs périodes. Nous allons exposer la méthode de résolution sur un exemple (fig. 12-7). Le coût de lancement ou de passation de commande L est de 100 €, le coût de possession H de 1 % par mois et le coût unitaire de l'article C est de 40 €.

Au début d'un mois donné, on a le choix uniquement entre commander le besoin du mois ou ne pas le commander car le besoin est couvert par le stock. Pour satisfaire la demande de 100 du 11e mois, on peut soit commander 100 au début du 11e mois soit avoir commandé cette quantité plus tôt, par exemple, le 10e, le 9e ou le 8e mois. Par exemple, si on a commandé les 100 unités qui sont consommées le 11e mois le 8e mois, il faudra conserver ce stock pendant trois mois, ce qui entraîne un coût supplémentaire de possession de 100 x 3 x 40 x 0,01 soit 120 €.

Ce coût étant supérieur au coût de passation d'une commande, il est plus avantageux d'attendre le 9e ou le 10e mois pour commander la quantité consommée le 11e mois. L'horizon prévisionnel du 8e mois est donc limité au 10e mois.

Pour déterminer la politique optimale, on part du premier mois, mois pour lequel on passe une commande. Le coût pour satisfaire la demande du mois 1 est donc de 100 € (coût de passation de commande). Pour satisfaire la demande du mois 2, on peut soit disposer de la quantité 70 en stock (ce qui coûte 28 €), soit passer une nouvelle commande (coût 100 €). Dans le premier cas, le coût total pour satisfaire les demandes des mois 1 et 2 est de 128 €, dans le second cas, il est de 200 €. Pour le mois 3, on calcule les coûts totaux pour satisfaire la demande des mois 1 à 3, avec des commandes passées aux mois 1, 2 ou 3. On continue ainsi de mois en mois.

Figure 12-7 – *Calcul des réapprovisionnements*

Mois	1	2	3	4	5	6	7	8	9	10	11	12
Demande	40	70	90	60	50	30	20	50	60	70	100	60
Horizon												
1	100	128	200	272								
2		200	236	284								
3			228	252	292	328	360	460				
4				300	320	344	368	448				
5					352	364	380	440	536			
6						392	400	440	512			
7							428	448	496			
8								460	484	540	660	
9									540	568	648	
10										584	624	672
11											640	664
12												724

On peut cependant limiter les calculs en remarquant que lorsque l'on trouve dans la colonne des coûts totaux un coût correspondant à une commande passée le mois *n* inférieur au coût correspondant à une commande passée le mois *n–1*, il est inutile d'effectuer les calculs pour les mois précédant le mois *n*. En effet, dans la ligne correspondant au mois *n–1*, on multiplie le coût de stockage de la demande du mois considéré par le nombre de mois *m* de stockage ; dans la ligne *n*, on multiplie ce même coût par le nombre de mois *m–1*. Cela correspond à faire la somme de deux inégalités de même sens. En calculant un nouveau mois, on repartira donc seulement de la ligne qui correspond au coût minimum.

On procède ainsi jusqu'à la fin de l'horizon de prévision. On examine alors le chemin qui a permis d'arriver à ce coût minimum. Dans notre exemple, ce coût de 664 correspond à une commande passée le mois 11. La politique optimale pour satisfaire les demandes jusqu'au mois 10 indique qu'il a fallu passer une commande au mois 8. Le coût minimum pour satisfaire les demandes jusqu'au mois 8 est obtenu en passant des commandes aux mois 1 et 3.

Nous avons ainsi déterminé la politique optimale pour satisfaire la demande prévue sur les 12 mois (cette politique n'est peut-être pas optimale s'il existe des demandes au delà de cet horizon). Cela consiste à passer des commandes aux mois 1, 3, 8 et 11.

Nous citerons ensuite les règles de *coût moyen par période* ou *coût moyen par unité* : ces règles – énoncées par Silver et Meal et plus simples que l'algorithme de Wagner et Whitin – consistent à calculer le coût total de gestion (coût de lancement plus coût de stockage) de groupages successifs sur 1, 2, 3... périodes. On arrête de grouper les ordres futurs dès que le coût moyen de gestion par période ou par unité augmente par rapport au groupage précédent.

12/4   La mise à jour et la gestion du calcul des besoins

Nous avons jusqu'à présent décrit le principe du calcul des besoins en mode statique. Mais, le fonctionnement de l'entreprise est dynamique : en permanence les données sont modifiées par de nouvelles commandes des clients, des commandes de matières sont livrées, des ordres de fabrication sont lancés ou terminés. Il convient donc de remettre à jour les calculs des besoins et de faire vivre les ordres de fabrication.

12/4.1   La périodicité de mise à jour

À quelle périodicité faut-il relancer un calcul ? Cela dépend du volume des mises à jour. Pour une entreprise qui travaille sur stock sur des produits relativement stables avec des cycles longs, une mise à jour mensuelle peut être suffisante. En revanche, si les mouvements sont très nombreux, les cycles de fabrication courts, une fréquence supérieure est nécessaire.

La procédure de calcul des besoins est lourde. Lorsque l'entreprise gère plusieurs milliers d'articles reliés entre eux par plusieurs dizaines de milliers de liens de nomenclature, le temps de calcul peut atteindre plusieurs heures. Il est donc rarement conseillé d'effectuer ce calcul tous les jours. De plus, les résultats doivent être examinés et validés par le Service Ordonnancement-Lancement. Or, en général, celui-ci n'a pas la capacité de traiter quotidiennement les recommandations issues de la procédure MRP. C'est pourquoi, bien que la puissance des ordinateurs ait beaucoup augmenté, la périodicité de mise à jour dépasse rarement la semaine. Pour éviter de tout remettre en cause à chaque traitement, d'une part, on fige certaines décisions par les statuts des ordres et, d'autre part, on peut se contenter d'effectuer les calculs de besoins nets uniquement pour les données qui ont évolué depuis le dernier calcul.

12/4.2   Les statuts des ordres

Pour éviter une remise en cause permanente des ordres et du plan de production, on donne aux ordres de fabrication des statuts qui permettent de figer progressivement le plan. Les statuts sont donnés par le service Ordonnancement-Lancement. On distingue trois statuts principaux d'ordres de fabrication :

– *L'ordre suggéré* est un ordre qui a été créé par un précédent calcul des besoins ; on peut modifier sa quantité et avancer ou reculer sa date de besoin ; s'il n'est pas rendu ferme, il disparaîtra avant le lancement du prochain calcul des besoins.

Le service Ordonnancement-Lancement doit rendre fermes les ordres de fabrication suggérés sur un horizon de quelques semaines. Les ordres d'achat suggérés sont eux aussi rendus fermes sur le même horizon. Ils sont alors pris en charge par le service Achats qui passe les commandes correspondantes aux fournisseurs.

– *L'ordre ferme* est un ordre qui en principe ne peut plus être remis en cause ni dans sa date, ni dans sa quantité, les composants nécessaires sont réservés bien que non sortis physiquement du stock ; cependant, si une commande client a été annulée ou a été modifiée, le système MRP peut faire des recommandations d'annulation de l'ordre et de modification de sa date de lancement ou de sa quantité.

À l'horizon d'une semaine ou de deux semaines, le service Ordonnancement-Lancement procède au lancement des ordres de fabrication. Nous décrirons cette fonction dans le prochain chapitre.

– *L'ordre lancé* est déjà dans l'atelier, les composants sont sortis du stock, l'article fabriqué est supposé disponible à la date de fin d'ordre.

Au cours du temps, les ordres passent successivement par les trois statuts : suggéré, ferme, lancé. Le plan de production se stabilise ainsi progressivement au fur et à mesure que l'on se rapproche de la date d'exécution (fig. 12-8).

Figure 12-8 – *Les horizons d'affermissement progressif des ordres*

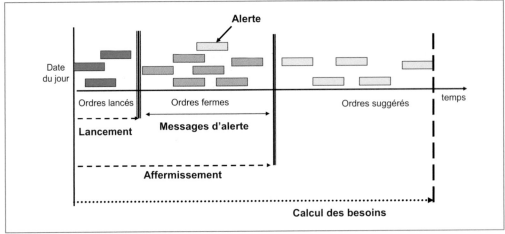

12/4.3   *Système régénératif ou calculs par écarts*

Dans un système MRP, on peut effectuer les mises à jour de deux façons :
– soit on efface tous les ordres qui ne sont pas lancés et on effectue un nouveau calcul complet, c'est le mode *régénératif*,
– soit on n'effectue les calculs que pour les différences par rapport au plan précédent comme le montre la figure 12-9.

Dans un calcul par écarts, on éclate les besoins sur les différences et non sur les valeurs absolues des ventes prévues. Il en résulte des ordres de fabrication pour le complément par rapport à ce qui avait été prévu. Lorsque l'on rencontre des quantités négatives, cela conduit à réintégrer des quantités que l'on avait prévues de sortir, à annuler certains ordres et à modifier des quantités figurant sur des ordres prévisionnels. On peut ainsi évaluer facilement les conséquences de modifications de la demande sur le plan de production en cours.

Il faut cependant noter que cette méthode, qui est beaucoup plus rapide, ne peut être appliquée en permanence car elle ne permet pas le groupage des ordres. On ne peut l'utiliser qu'entre deux calculs régénératifs qui, seuls, peuvent redonner au plan de production sa cohérence d'ensemble. Le fonctionnement par écarts est surtout intéressant pour effectuer des simulations ou des modifications minimes.

Figure 12-9 – *MRP et mode régénératif*

Prévisions faites au mois de février

Produit	Mars	Avril	Mai	Juin	Juillet	Août
A	80	70	30	0	0	50
B	100	60	80	100	60	60
C	15	0	10	20	0	10

Prévisions faites au mois de mars

Produit	Avril	Mai	Juin	Juillet	Août	Sept.
A	70	30	10	0	35	40
B	60	90	100	60	60	0
C	0	10	15	5	10	15

Différence entre les deux prévisions

Produit	Avril	Mai	Juin	Juillet	Août	Sept.
A			+10		-15	+40
B		+10				
C			−5	+5		+15

12/4.4 La structuration des nomenclatures

Le cycle total de fabrication d'un produit fini est déterminé par la somme des décalages entre chaque niveau de sa nomenclature. Plus le nombre de niveaux est important, plus les opérations de lancement et de stockage intermédiaire sont nombreuses et plus le cycle total est susceptible d'être long.

La création d'un niveau de nomenclature est une décision du Bureau d'Études et du Bureau des Méthodes. Ils tentent d'identifier des sous-ensembles communs à plusieurs articles permettant de faire des lancements groupés. Mais cela peut conduire à créer de nombreux niveaux de sous-ensembles et donc à allonger les cycles.

À l'inverse, on peut structurer la nomenclature selon les grands stades du processus de fabrication. On obtiendra alors moins de niveaux, mais les fabrications de sous-ensembles identiques ne seront pas groupées (fig. 12-10).

12/4.5 Le risque de gonflement de l'en-cours

La gestion d'un système de production selon le principe MRP est délicate car elle suppose de fixer et de tenir à jour pour chacun des articles (souvent au nombre de plusieurs milliers) les paramètres de gestion :
− stock de sécurité,
− décalage,
− règle de regroupement.

Les aléas du système de production, que nous avons évoqués précédemment, incitent le gestionnaire à se protéger en anticipant les lancements et en produisant plus que le besoin net. Lorsque les aléas deviennent importants, les dates de disponibilité des composants deviennent difficiles à prévoir et, pour s'en protéger, les stocks augmentent et le système devient coûteux et difficile à gérer. L'objectif de départ (viser un fonctionnement en *Juste-à-temps* avec la quasi-suppression des stocks d'encours) est impossible à tenir.

Figure 12-10 – *Niveaux de nomenclature et cycle de fabrication*

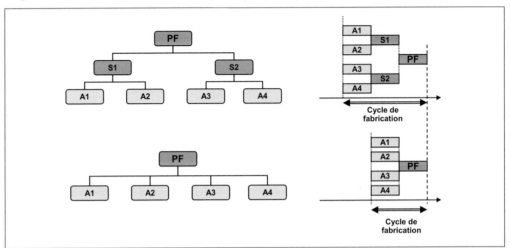

Si l'on veut réduire les aléas, il faut que les efforts portent sur la recherche de la fiabilité générale du processus de production. Cela concerne les machines, les procédés de fabrication, le personnel, le respect des délais internes et des délais des fournisseurs. Si les aléas sont trop importants, on risque de s'enfermer dans un cercle vicieux qui est l'échec de la méthode MRP (fig. 12-11).

Figure 12-11 – *Le risque de perte de maîtrise d'un système MRP*

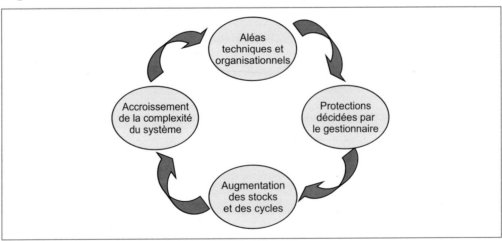

12/4.6 La traçabilité et l'origine des besoins

Si l'entreprise fabrique des produits standard de manière répétitive, elle groupe les besoins par période (en général la semaine). Si elle travaille à la commande, elle préfère conserver une relation directe entre l'ordre de fabrication et le besoin. Les besoins bruts pour une même référence ne sont donc pas totalisés, même s'ils apparaissent dans la même période. Cela permet de suivre les lots clairement identifiés selon leur destination. À tous les niveaux, on pourra retrouver l'origine du besoin brut.

La connaissance de l'origine des besoins se révèle extrêmement utile pour les décisions de planification. Par exemple, si la surcharge d'une machine impose de retarder un ordre, on en voit les conséquences sur les ordres de niveau supérieur. Cela permet de choisir parmi les livraisons de produits finis celle(s) que l'on retardera.

D'autre part, dans certaines industries, pour assurer la qualité, il est impératif de savoir à quel moment un lot de produits finis a été fabriqué et à partir de quels composants. Ainsi, si l'on détecte un défaut de fonctionnement, on peut rechercher quel composant ou quelle matière est en cause. C'est le cas des industries pharmaceutique, nucléaire, aéronautique ou spatiale. Cette recherche est l'une des conditions pour mettre en œuvre des procédures d'assurance-qualité (cf. chap. 21) et d'assurer une traçabilité complète de la production. Un test objectif impose de conserver des historiques détaillés des fabrications réalisées.

12/5 Le calcul des charges

La méthode MRP fait le calcul des besoins « à capacité infinie » ce qui signifie que l'on ne tient pas compte de la capacité lors de la génération des ordres. Cela peut engendrer des incompatibilités entre le planning et les ressources installées. La *CRP* ou *Capacity requirements planning* est une fonction additionnelle qui permet de vérifier la faisabilité du jalonnement et du calcul des charges induites par la MRP.

12/5.1 Le jalonnement et le calcul des charges

Le calcul des besoins engendre un échéancier d'ordres de fabrication, provenant des différents éclatements réalisés aux niveaux supérieurs. Chaque ordre de fabrication correspond au passage d'un lot sur la succession des postes de charge qui sont spécifiés dans la gamme de fabrication. Pour chaque ordre, qui correspond à la fabrication d'un article, un délai d'obtention est spécifié. Mais nous avons vu que le temps nécessaire pour réaliser l'ordre est souvent très inférieur au délai d'obtention qui a été pris en compte pour déterminer les dates de lancement à partir des dates de besoin. Chaque ordre aura alors une marge égale à la différence entre le délai d'obtention et le temps de fabrication. L'existence d'une telle marge permet de donner de la souplesse au système de production : les ateliers ne sont pas obligés de traiter les ordres exactement à la date de lancement en enchaînant strictement les opérations successives pour respecter la date de besoin. Ils peuvent utiliser cette marge pour organiser leur travail et pour tenir compte du fait que certains moyens de production sont très chargés.

Le jalonnement consiste à déterminer les dates de début et de fin de chacune des opérations de la gamme en plaçant la marge soit à la fin (jalonnement au plus tôt), soit au début (jalonnement au plus tard) comme le montre la figure 12-12.

À l'issue du jalonnement, on peut calculer les charges induites par l'ensemble des ordres de fabrication sur chacun des moyens de production pour s'assurer que la charge de travail ne dépasse pas la capacité. À ce niveau tous les calculs sont faits par rapport aux postes de charge, et non par rapport aux machines qui composent ces postes. La raison en est simple : en général, un poste de charge est constitué de plusieurs machines et à l'issue du calcul des besoins on ignore en général sur quelles machines les ordres vont être réalisés. Cette détermination constitue la principale fonction de l'ordonnancement détaillé (cf. chap. 19).

Figure 12-12 – *Jalonnement au plus tôt et au plus tard*

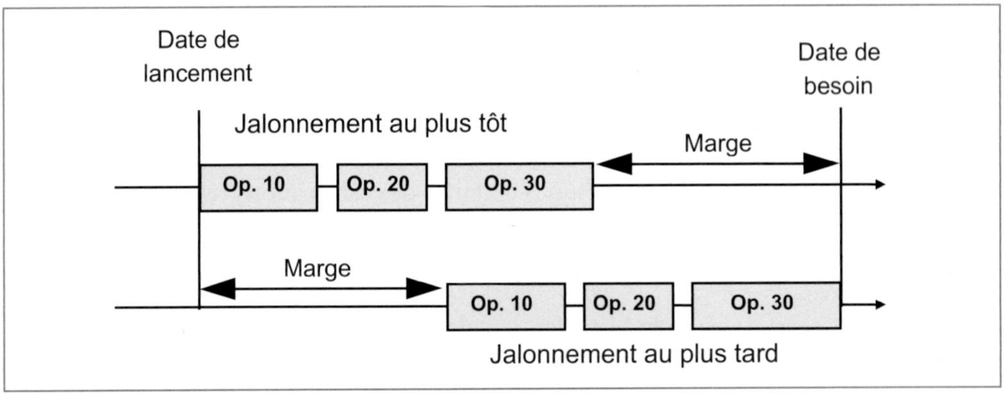

12/5.2   *Le calcul des charges*

On effectue un calcul des charges à capacité infinie, c'est-à-dire que l'on place successivement chacun des ordres de fabrication sur les postes de charge, aux dates de jalonnement au plus tôt et au plus tard de chaque ordre, en accumulant la charge induite sans se soucier de la charge déjà placée. Lorsque tous les ordres de fabrication ont été placés sur les postes de charge, on constate le total des charges induites, période par période et on le compare à la capacité disponible.

Exemple : le calcul des besoins a créé des ordres de fabrication pour trois articles X, Y et Z sur les semaines 45 à 50. La charge induite par chaque article sur un poste de charge donné figure en première colonne du tableau suivant (les charges unitaires sont précisées dans les gammes de fabrication ; elles peuvent comprendre une partie fixe – le temps de réglage – et une partie variable – le temps unitaire).

Charge unitaire	Semaines	**45**	**46**	**47**	**48**	**49**	**50**
1,5	Article X	11	15	20	9	13	14
2,2	Article Y	5		10		15	12
0,8	Article Z	20	25	30	15	22	14

À partir de ce tableau, on peut calculer le tableau des charges induites sur le poste de charge en multipliant les quantités à fabriquer par période par la charge unitaire (fig. 12-13).

Figure 12-13 – *Charges induites par les ordres de fabrication*

	45	46	47	48	49	50
Article Z	16	20	24	12	17,6	11,2
Article Y	11	0	22	0	33	26,4
Article X	16,5	22,5	30	13,5	19,5	21

■ Article X □ Article Y □ Article Z

On compare alors le profil de charge avec le profil de capacité. Cette charge totale peut, à certains moments, dépasser la capacité disponible. Si dans notre exemple la capacité hebdomadaire est de 60 heures, nous voyons que les charges des semaines 47 et 49 sont supérieures à la capacité disponible. Si l'on n'intervient pas, il est certain que, lors de la fabrication, certains ordres ne pourront pas être réalisés dans les délais impartis. Il en résultera des retards en cascade sur les ordres de fabrication.

Pour éviter cela, la meilleure solution consiste à adapter la capacité à la charge, par exemple, en décidant de faire des heures supplémentaires, de travailler en deux ou trois équipes, d'embaucher des intérimaires, etc. La sous-traitance doit aussi être envisagée.

Si l'on dispose de capacités inutilisées en amont, on peut aussi tenter de lisser la charge comme exposé ci-dessous.

Si ces actions ne sont pas possibles, il faut envisager de modifier le plan directeur de production en retardant certaines fabrications de produits finis et en modifiant en conséquence le plan de livraison.

12/5.3 Le lissage des charges

Pour lisser la charge, on avance certains ordres (dans la mesure où cela est possible) ; la charge d'une période diminuera et la charge de la période précédente augmentera. Il y aura création d'un stock (les produits fabriqués en avance ne sont pas consommés immédiatement). Mais cela a aussi pour conséquence de modifier les calculs des besoins pour les niveaux inférieurs puisque l'on aura besoin plus tôt des composants qui entrent dans les produits dont on aura avancé la fabrication (fig. 12-14). Il est alors nécessaire de relancer le calcul des besoins.

Figure 12-14 – *Lissage de charge par déplacement d'un ordre*

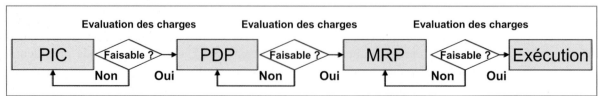

12/5.4 MRP II ou Manufacturing Resource Planning

Le concept de MRP II est une généralisation de cette approche à l'ensemble des ressources nécessaires à la production.

Les charges sont calculées sur les ressources machine, main-d'œuvre (éventuellement pour chaque type de qualification de personnel), outillages, espace de stockage, etc.

La figure 12-15 illustre l'approche par laquelle la CRP est utilisée pour modifier le système MRP, le PDP et le PIC quand les ressources et la charge générée par la demande en besoins de capacité ne sont pas en adéquation. Cette fonctionnalité importante a conduit à une première évolution du système de calcul des besoins connue sous le nom de *closed loop MRP*.

L'objectif de la MRP II est donc d'étendre le système MRP afin de :
– partager l'information avec un ensemble de fonctions de la gestion industrielle,
– centraliser l'information,
– rendre l'information disponible aux fonctions selon le besoin.

Quand toutes les activités de la planification hiérarchisée évoquée plus haut sont informatisées et liées avec les fonctions de l'entreprise telles que les achats, la maintenance, la comptabilité et contrôle, le marketing et ventes ainsi qu'avec d'autres fonctions en relation avec la production, le système résultant est appelé ERP (*Enterprise Resource Planning*) décrit dans le chapitre 24.

Figure 12-15 – *Étapes successives d'ajustement des capacités*

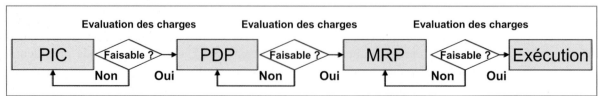

Chapitre 13

Systèmes et modèles de gestion des stocks

Les stocks représentent dans le bilan des entreprises de 20 % à 80 % du total des actifs : ils engendrent donc un important besoin de financement ainsi que des coûts de gestion considérables. Il convient donc de mettre en place des méthodes de gestion de ces stocks qui minimisent les coûts associés. Toutefois, le problème se complique dans la mesure où ces stocks remplissent différentes fonctions fondamentales décrites dans le chapitre 3. En particulier, les stocks permettent la mise en œuvre d'un niveau de qualité de service aux clients. Ce service peut s'exprimer suivant différents critères comme le délai d'obtention, le degré de certitude de trouver l'article souhaité en stock ou le prix de l'article. La véritable problématique de la gestion des stocks consiste à mettre en place des méthodes qui garantissent un tel niveau de service objectif, tout en minimisant les coûts correspondants.

Une définition précise de la gestion des flux et des différentes méthodes possibles a été donnée au chapitre 3. On reprend ici les idées fondamentales qui caractérisent les méthodes dites de gestion des stocks de type *stocks de distribution*[1].

D'une part, on ne cherche pas dans le cas présent à synchroniser les flux d'entrée et de sortie du stock, mais plutôt à garantir dans une certaine mesure que le stock, régulièrement réapprovisionné, sera suffisant pour faire face aux consommations successives au cours du temps. D'autre part, on ne prend pas en compte explicitement la structure des produits gérés (à savoir la nomenclature du produit et/ou sa gamme de production) : chaque article stocké est géré indépendamment de ses liens avec d'autres articles en temps que composant ou sous-ensemble. Les demandes des différents articles sont donc considérées comme indépendantes, au sens où l'on ne cherche pas à déduire la demande d'un article de la demande d'un autre.

Dans ce chapitre, on présente les différentes manières d'organiser la gestion d'un tel stock ainsi que le calcul des paramètres de gestion. Une description des différents coûts à considérer est proposée. Il alors possible de sélectionner la méthode et les

---

[1] Il s'agit d'une simple convention de langage car, dans les faits, ces approches de gestion des stocks peuvent concerner des matières premières approvisionnées chez un fournisseur extérieur tout autant que des produits finis assemblés en interne. Le vocable *stocks de distribution* est utilisé par opposition aux *stocks de fabrication*, qui ont fait l'objet du chapitre 12.

paramètres de gestion afin d'optimiser les performances du système, exprimées en termes de coûts et de niveau de service au client.

13/1 La problématique considérée

On décrit les principes, définitions et hypothèses de base de l'ensemble de ce chapitre consacré à la gestion des stocks.

13/1.1 *Le processus de demande*

Tout d'abord, on admettra que la demande est une donnée exogène (soit non contrôlable), les moyens d'action sur la demande étant du ressort du marketing.

Cette demande peut donc être globalement constante (on parle dans ce cas de *demande stationnaire*) ou présenter des évolutions importantes au cours du temps, on parlera alors de *demande non stationnaire*. De plus, il est possible qu'une part de la demande présente un caractère aléatoire, qui la rend difficile à quantifier à l'avance. On parle alors de *demande aléatoire*. De manière générale, le processus de demande peut être analysé et quantifié via les méthodes de prévisions exposées au chapitre 9.

Enfin, la durée de vie de l'article considéré est suffisamment longue pour permettre plusieurs réapprovisionnements (nous avons évoqué le cas spécifique des produits à durée de vie courte dans le chapitre 11).

13/1.2 *Le processus d'approvisionnement du stock*

Lorsqu'un ordre de réapprovisionnement du stock est passé, il s'écoule un certain délai, dénommé *délai d'obtention de la commande*. Ce délai d'obtention est soit constant, soit modélisable par une loi de probabilité (généralement de Poisson). La situation qui vient en priorité à l'esprit est celle où le réapprovisionnement du stock est assuré par un fournisseur externe à l'entreprise (comme c'est le cas pour les matières premières). Mais rien ne change dans l'analyse si le fournisseur du stock est « interne », comme un atelier de production, par exemple. De manière générale, le délai d'obtention peut inclure de nombreux phénomènes : délai de transmission de l'information, délai de production des pièces commandées, délai de transport, délai de réception et contrôle, etc.

13/1.3 *En-cours, stock physique et stock disponible*

À tout moment, de nombreuses matières, composants, sous-ensembles et produits finis sont présents dans un système logistique et/ou industriel. On parle généralement d'en-cours pour les matières qui sont soit en train de subir des transformations sur les équipements, soit en attente ou en transfert entre deux opérations par opposition aux stocks qui sont des articles rangés en magasin et qui ne subissent à cet instant aucune transformation. Il convient alors d'ajouter le concept de *stock disponible* comme le stock physique en magasin, augmenté des quantités commandées (mais pas encore réceptionnées suite aux délais de livraison) et diminué des demandes non encore satisfaites.

13/2 Règles de gestion des stocks et paramètres

Les règles de gestion de stocks consistent à définir des politiques de réapprovisionnement : déterminer à quel moment on passe des commandes et quelle quantité on commande. Les deux questions fondamentales auxquelles il faut répondre pour gérer des stocks de distribution sont donc les suivantes : quand commander ? combien commander ?

Quand commander ?

Répondre à cette question revient à déterminer l'événement qui déclenche la passation de commande. Deux systèmes principaux sont employés :
- le gestionnaire passe un ordre de réapprovisionnement du stock à périodicité fixe, par exemple, une fois par semaine ou une fois par mois,
- il passe une commande quand le stock disponible descend en dessous d'un niveau minimum appelé *point de commande* (ou parfois stock d'alerte).

Combien commander ?

La réponse à cette question dépend de la réponse à la question précédente. En effet, si l'on passe des commandes à dates fixes pour une quantité fixe, on ne s'adapte jamais aux variations de la demande. Donc, il faut que le facteur temps ou/et le facteur quantité soient variables pour absorber les fluctuations. On en déduit les principes des deux systèmes de gestion de stock les plus fréquents :
- si la commande survient lorsqu'un stock minimum est atteint, on approvisionne toujours la même quantité, il s'agit alors d'un système à quantité fixe et à périodicité variable,
- si la passation de commande a lieu à périodicité fixe, on approvisionne des quantités différentes d'une commande à la suivante (typiquement on approvisionne à chaque fois ce qui a été consommé depuis la dernière commande passée, pour ramener le niveau du stock vers un niveau cible). On a là un système à périodicité fixe et quantité variable.

Il existe des variantes de ces deux systèmes de base que nous étudierons plus loin : le système à point de commande périodique et le système à recomplètement périodique avec seuil.

13/2.1 Étude du système à point de commande

Le premier système consiste à commander une quantité fixe Q à chaque fois que le stock disponible descend à un niveau déterminé, dit *point de commande* (fig. 13-1). Cette commande est réceptionnée à l'issue d'un délai d'obtention, d_o. La date de passation de commande est donc variable : si la demande est plus forte, le point de commande sera atteint plus tôt ; si la demande se ralentit, le point de commande sera atteint plus tard.

Tout cela suppose un suivi permanent du stock. Le support administratif de ce système est très simple : il suffit de tenir à jour, par article, une fiche de stock (informatisée ou non), sur laquelle sont portés les paramètres de gestion pour cet article, c'est-à-dire le point de commande et la quantité à commander.

Figure 13-1 – *Système à point de commande*

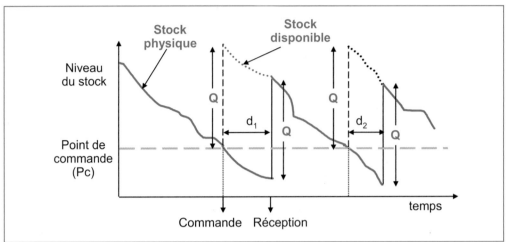

Pour visualiser le fonctionnement, considérons la fiche de stock de la figure 13-2.

Figure 13-2 – *Fiche de stock*

Article 125.320 Point de commande : 50 Quantité à commander : 200					
Date	Entrées	Sorties	Stock	Commandes	Disponible
2/3			85		85
3/3		5	80		80
4/3		8	72		72
6/3		10	62		62
8/3		2	60		60
9/3		15	45	200	245
12/3		10	35		235
14/3		7	28		228
16/3		6	22		222
17/3		6	16		216
18/3	200		216		
20/3		11	205		

Le 9/03, le stock passe en dessous du point de commande qui est de 50 : on passe alors une commande de 200 unités.

Le 13/03, le stock physique est descendu à 35, mais néanmoins on ne passe pas de commande, car le stock disponible est de 35 + 200 = 235 (la commande du 09/03 n'est pas encore livrée).

Le stock correspondant au point de commande a pour but de couvrir la demande jusqu'à la réception de la commande. Son niveau est donc au moins égal à la demande pendant le délai d'obtention sinon il y a rupture. Si la demande est de 20 par semaine et si le délai d'obtention est de 3 semaines, il faudra commander dès que le stock atteindra le seuil de 60.

On verra plus loin comment calculer avec précision les paramètres optimaux pour ce système. Notons dès à présent que si le point de commande est fixé trop haut, le stock moyen augmente ainsi que les charges financières associées. Si, à l'inverse, le point de commande est fixé trop bas, le stock moyen diminue, mais le risque de rupture s'accroît.

Lorsque la demande augmente, le point de commande est atteint plus rapidement et le réapprovisionnement est commandé plus tôt. Dans la mesure où le point de commande peut absorber le surcroît de demande pendant le délai d'obtention, il n'y a pas rupture.

Ce système par définition suppose que l'on peut passer une commande (ou faire un lancement en production) dès que le point de commande est atteint ; cela entraîne des difficultés dans plusieurs cas :

– De nombreux articles proviennent d'un même fournisseur. Comme les différents articles atteignent le point de commande à des dates différentes, on ne peut pas effectuer un regroupement des commandes.

– L'organisation de la production, dans l'entreprise ou chez les fournisseurs, est souvent telle qu'un lancement ne sera pris en compte qu'à l'établissement du prochain programme (hebdomadaire ou mensuel, par exemple) de fabrication ; le délai d'obtention s'en trouve allongé. La prise en compte de la commande étant périodique, le système ne fonctionne plus réellement comme un système à point de commande. Il est alors nécessaire qu'il soit associé, soit à une organisation souple de la production, soit à l'existence de stocks chez le fournisseur.

– La connaissance du stock disponible à tout instant, nécessaire pour être alerté dès qu'un article atteint son point de commande, peut entraîner des coûts de gestion élevés ou, en tout cas, des coûts importants de mise en place d'un système de suivi informatisé.

Lorsque les stocks sont suivis par un système informatique qui enregistre les mouvements en temps réel, la connaissance du niveau du stock est permanente et le système peut signaler à tout moment les articles qui ont atteint leur point de commande. C'est le cas des grandes surfaces et, de manière générale, de plus en plus d'entreprises.

Cette méthode a donné lieu à la mise en place de nombreux systèmes simples et astucieux. L'idée de base consiste à isoler physiquement le stock correspondant au point de commande. Une façon fréquemment utilisée sur le terrain pour effectuer les réapprovisionnements est la mise en œuvre du système dit *à deux casiers*. Il consiste à puiser dans un premier casier ; lorsque ce casier est vide, on commande une quantité de produits correspondant au volume d'un casier. En attendant la réception, on puise dans le second casier. Un autre exemple courant est celui du pharmacien qui entoure les 4 ou 6 dernières boîtes (le point de commande) d'un article avec un bracelet en caoutchouc maintenant une fiche qui indique la quantité fixe à commander.

En résumé, le système à point de commande correspond à un suivi très précis du stock. Il est donc le mieux adapté lorsqu'un ou plusieurs des éléments suivants sont réunis :

– demande à forte variabilité,
– articles qui, par leur prix ou leur importance pour l'entreprise, imposent une forte protection contre les ruptures,
– processus de réapprovisionnement souple (via des stocks chez le fournisseur ou un système de production flexible en interne).

13/2.2   Système à recomplètement périodique

Le principe du second système de base (fig. 13-3) est le suivant. À périodicité fixe, appelée *période de révision* et notée *Pr*, on constate le niveau du stock disponible. On le ramène alors, par une commande de réapprovisionnement, à un niveau fixe dit *niveau de recomplètement*, noté *Nr*.

Figure 13-3 – *Système à recomplètement périodique*

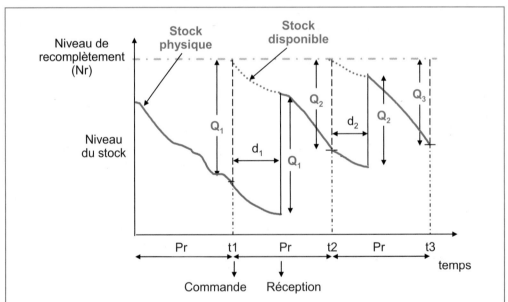

Cette commande est réceptionnée après un délai d'obtention, *d*. La quantité commandée à la fin de chaque période fixe est donc égale à la différence entre le stock disponible et le niveau de recomplètement. Sauf exception, cette commande est habituellement égale à la demande de la période précédente.

La fiche de stock (fig. 13-4) visualise le fonctionnement de ce système pour une période de révision de deux semaines, un délai d'obtention de la commande de huit jours et un niveau de recomplètement de 300.

Le 9/3, le stock disponible étant de 45, on passe une commande de 255 pour porter le niveau à 300. Le 23/3, le stock disponible étant de 234, la quantité à commander est $300 - 234 = 66$.

Le stock correspondant au niveau de recomplètement doit couvrir la demande non seulement pendant le délai d'obtention, mais aussi pendant une période supplémentaire. Reprenons l'exemple de la figure 13-4 pour préciser ce point :

Figure 13-4 – *Fiche de stock*

Article 852.642 Cycle de révision : 2 semaines Niveau de recomplètement : 300					
Date	Entrées	Sorties	Stock	Commandes	Disponible
2/3			85		85
3/3		5	80		80
4/3		8	72		72
6/3		10	62		62
8/3		2	60		60
9/3		15	45	255	300
12/3		10	35		290
14/3		7	28		283
16/3		6	22		277
17/3		6	16		271
18/3	255	-	271		271
20/3		11	260		260
22/3		14	246		246
23/3		12	234	66	300
25/3		15	219		285
26/3		9	210		276
28/3		12	198		264
31/3	66		264		264

Au 9/3, le stock disponible est de 45, on commande 255 pour recompléter à 300 qui est le niveau de recomplètement.

Au 18/3, la commande est livrée, les sorties cumulées de stock depuis le 9/3 ayant été de $10 + 7 + 6 + 6 = 34$, le disponible est de 271.

Il n'y aura plus ensuite de réapprovisionnement jusqu'à la livraison des 66 articles commandés à la fin de la période suivante, soit le 23/3. Cette livraison aura lieu le 31/3, c'est-à-dire 2 semaines plus 8 jours après le 9/3. Le stock de 300 (niveau de recomplètement au 9/3) doit donc être suffisant pour couvrir la demande jusqu'au 31/3, soit une période plus le délai d'obtention.

Lorsque le délai d'obtention est supérieur à la longueur d'une période de révision, il peut y avoir simultanément plusieurs commandes en cours. Cela ne présente pas de difficultés si la fiche de stock donne le stock disponible (qui est la somme du stock physique et des commandes passées non encore livrées). La figure 13-5 montre le comportement d'un système à recomplètement périodique avec un délai d'obtention compris entre 1 et 2 périodes de révision.

L'avantage du système périodique est que le groupage des commandes par fournisseur est rendu possible, ce qui peut réduire les frais administratifs et de transport.

Figure 13-5 – *Délai d'obtention supérieur à une période de révision*

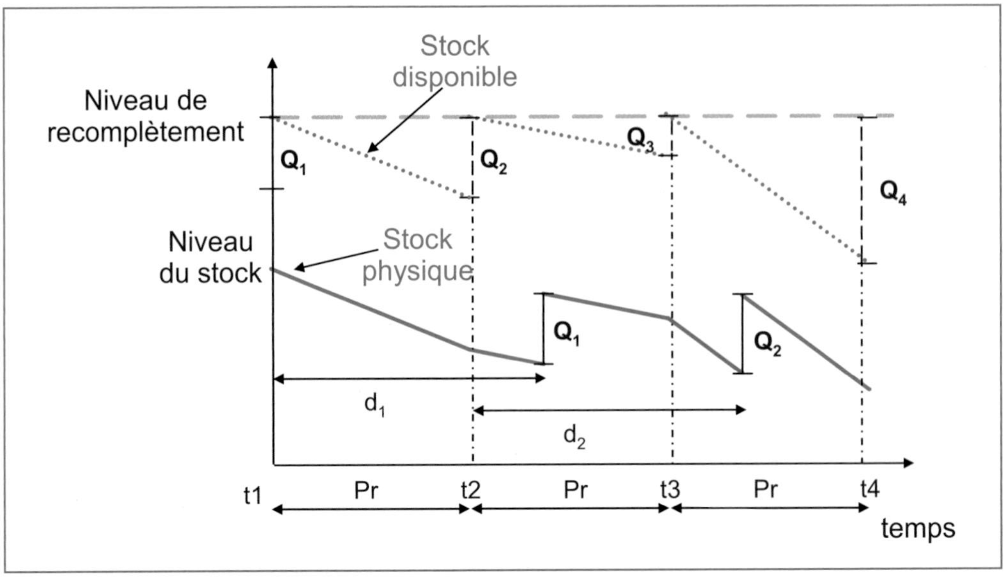

En revanche, le système étant « aveugle » à l'intérieur d'une période de révision, une variation instantanée de la demande laisse le système insensible (à la différence du système à point de commande). Pour se protéger, on est conduit à augmenter le niveau de recomplètement.

En résumé, le système à recomplètement périodique est préférable lorsqu'un ou plusieurs des éléments suivants sont présents :
– demande et délai d'obtention à faible variabilité,
– articles dont la valeur de consommation est faible par le prix ou la quantité, ce qui fait qu'un stock moyen important n'entraîne pas des coûts de détention trop élevés,
– impossibilité de prendre les commandes en charge de façon continue au cours du temps, du fait de contraintes de l'organisation et/ou de la structure du système logistique.

13/2.3 *Les systèmes mixtes*

En plus des systèmes de base qui viennent d'être présentés, on peut imaginer d'autres principes de gestion des stocks. Nous nous limiterons aux deux systèmes alternatifs les plus fréquemment rencontrés : le système à point de commande périodique et le système à recomplètement périodique avec seuil.

Système à point de commande périodique

Le principe de ce système est le suivant : une commande ne peut être passée qu'à une double condition :
– comme dans un système à point de commande, le stock doit être descendu au-dessous du point de commande,
– comme dans un système à recomplètement périodique, les commandes sont passées à dates fixes.

La figure 13-6 illustre le comportement d'un tel système. On examine périodiquement le niveau du stock et on passe commande si ce niveau est inférieur au point de commande. La quantité commandée est fixe, comme dans un système à point de commande.

Figure 13-6 – *Système à point de commande périodique*

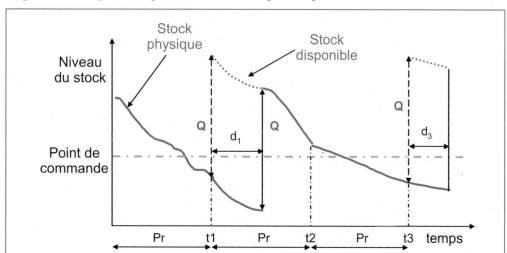

À la fin de la période 1, le point de commande est franchi et on passe une commande alors qu'à la fin de la période 2, le point de commande n'étant pas atteint, on ne passe pas de commande.

Ce type de système ne fonctionne correctement que dans la mesure où la périodicité de révision est faible. Il présente l'avantage de concentrer le travail des approvisionneurs ainsi que les traitements informatiques. Le niveau du point de commande doit être surévalué pour tenir compte du fait que le franchissement du point de commande peut intervenir juste après une période de révision.

Système à recomplètement périodique avec seuil

Le principe de ce système est le suivant : à la fin de chaque période de révision, on examine le niveau du stock. On ne passe une commande que si ce niveau est inférieur à un seuil prédéterminé. Cela évite de passer des commandes de trop petite taille si la demande pendant la période a été très faible.

La figure 13-7 illustre le comportement d'un tel système : à la date t_1, le seuil est franchi et on passe une commande alors qu'à la date t_2, le seuil n'étant pas franchi, on ne passe pas de commande et on attend la période t_3.

Figure 13-7 – *Système à recomplètement périodique avec seuil*

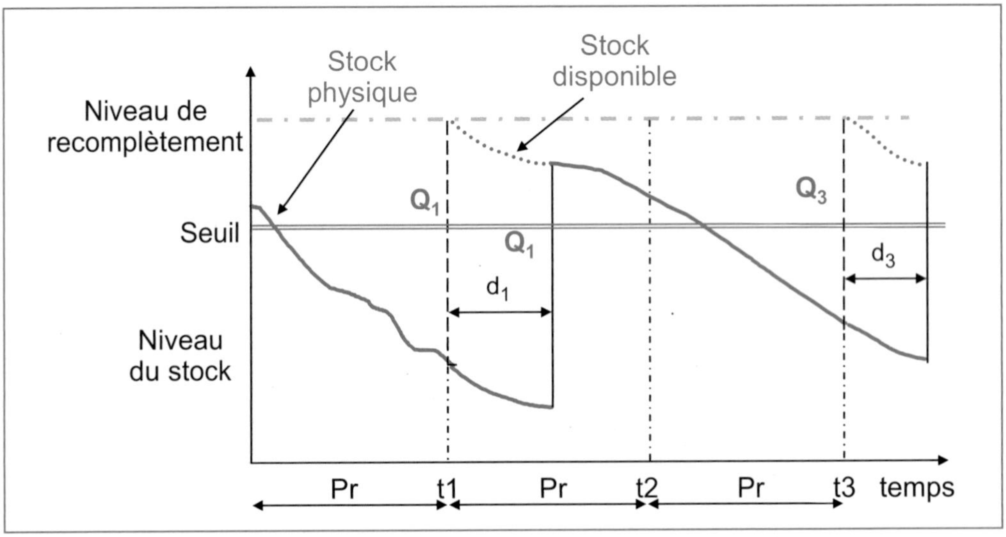

13/3   Les coûts d'une politique de stock

Une politique de gestion des stocks efficace est une politique qui assure un service objectif au client à un coût minimal. Il est donc important de bien identifier les différents coûts potentiels. En règle générale, une politique de stock induit quatre types de coûts : le coût d'acquisition, le coût de détention, le coût de passation de commande ou de lancement en fabrication et le coût de rupture.

Le coût d'acquisition

Il s'agit du coût d'achat unitaire multiplié par le nombre d'unités achetées. Le coût à prendre en considération est le coût des marchandises rendues sur le lieu d'utilisation et mises à disposition. Il comprend, outre le prix d'achat, les coûts d'emballage, de transport, d'assurance, de contrôle, etc. Selon les conditions de livraison négociées avec le fournisseur, ces coûts additionnels peuvent être facturés par le fournisseur (vente franco) ou supportés par l'acheteur. Dans le cas de l'achat international, il faut inclure dans le coût d'acquisition les droits de douane.

En principe, le coût d'acquisition ne dépend pas du système de gestion choisi. Cependant, le prix de vente, les coûts de transport et d'emballage peuvent varier selon les quantités commandées si le fournisseur propose un barème de remises sur quantités ; il est alors indispensable de prendre en compte le coût d'acquisition dans la recherche du système de gestion le plus approprié (cf. 4.2).

Le coût de possession

Le fait de conserver un produit en stock entraîne, pour l'entreprise, des frais de stockage ainsi qu'un besoin en fonds de roulement qui engendre des frais financiers.

Les frais de stockage sont constitués par le coût de l'entrepôt et du matériel d'entreposage, les coûts du personnel du magasin, les primes d'assurance, des frais divers tels que l'éclairage, le chauffage, etc. Ces frais de stockage varient selon la nature des articles stockés. Dans certains cas, il faut aussi tenir compte des risques de détérioration des marchandises qui restent longtemps en stock.

Pour certains articles (micro-ordinateurs, hi-fi, vidéo…), il faut ajouter le coût d'obsolescence. En effet, certains produits conservés trop longtemps en stock deviennent techniquement dépassés ou démodés et sont invendables ou inutilisables. Plus le stock est important, plus son temps d'écoulement est long et donc plus le risque d'obsolescence est grand et plus ce coût est élevé (cf. 6.2).

Les marchandises que l'on a en stock ont été facturées par le fournisseur (ou des frais de fabrication ont été engagés). Cela représente un besoin en fonds de roulement qui doit être financé soit en puisant dans la trésorerie de l'entreprise, soit par recours au crédit bancaire. Cette immobilisation financière a donc un coût que l'on peut estimer de diverses façons : taux du découvert bancaire, coût moyen du capital de l'entreprise, taux de rentabilité souhaité des capitaux investis, coût d'opportunité.

En moyenne, on considère que le coût de possession d'un stock représente de 15 % à 40 % de la valeur de ce stock. C'est ainsi qu'un stock de 1 000 000 €, si le coût de possession est de 30 % par an, coûte annuellement 300 000 €.

Le coût de passation de commande ou de lancement

Avant de passer une commande, il faut surveiller le niveau du stock, déterminer la taille de la commande, choisir un fournisseur, fixer avec lui le délai, le prix et les conditions de transport et de livraison. On doit ensuite émettre la commande et en assurer la réception, contrôler et payer la facture du fournisseur. Tous ces coûts sont indépendants de la taille de la commande, mais se répètent à chaque fois qu'une nouvelle commande est passée.

Il en est de même lorsqu'un lancement en fabrication doit être fait pour alimenter un stock de produits finis ou semi-finis : le lancement fait l'objet d'un certain nombre de travaux administratifs : instructions aux ateliers, bons de sortie des matières, ordonnancement dans le programme de production, recherche des gammes, émission de l'ordre de fabrication. De plus, le changement de fabrication entraîne des coûts additionnels en production : montage de nouveaux outils, accoutumance du personnel, nouveaux réglages, dégradation possible de la qualité au début de la nouvelle série…

Le coût de rupture

De manière générale, une rupture de stock entraîne une dégradation de l'image de marque de l'entreprise, et donc un risque de baisse du niveau des ventes futures. De plus, face à une rupture de stock, les clients peuvent réagir de deux façons : la vente est perdue ou la vente est différée.

En cas de vente perdue, le coût d'une rupture de stock est d'abord celui d'une marge bénéficiaire perdue.

Dans le cas des ventes différées, la perte de marge bénéficiaire doit être remplacée par un coût, qui correspond d'une part à une pénalité à payer au client, éventuellement prévue dans le contrat et d'autre part à l'accroissement des coûts associés, liés à une fabrication ou une expédition d'urgence par exemple.

Dans de nombreuses situations, on observe une combinaison de ces deux comportements : une partie des clients annule leur commande et achète le produit chez un concurrent et une partie accepte d'attendre.

13/4   Le calcul de la quantité économique

La *quantité économique* est la quantité, lancée ou commandée, qui minimise la somme des coûts des stocks. En général, dans un but de simplicité mathématique et de robustesse, l'estimation de la quantité économique ne prend en compte que les coûts de possession et de passation de commande. On voit alors que cette quantité économique résulte d'un compromis simple. En effet :
– les coûts de possession augmentent avec la valeur et donc avec la quantité du stock ; il faudrait, pour les réduire, multiplier les petites commandes,
– les coûts de passation de commande augmentent avec le nombre de commandes ; il faudrait, pour les réduire, ne passer que de grosses commandes.

13/4.1   Le modèle de gestion de flux

Calculons d'abord, avec des hypothèses simples, la quantité de commande qui minimise le coût de la gestion du stock. Ces hypothèses sont les suivantes :
– on gère un seul article,
– la demande est linéaire (c'est-à-dire constante par unité de temps) et connue avec certitude,
– la livraison d'une commande est reçue en une seule fois,
– le prix est fixe, quelle que soit la quantité commandée (pas de remise sur quantités),
– le délai d'obtention est connu et fixe. On rappelle que ce délai est le temps qui s'écoule entre le moment où l'on passe la commande et le moment où la marchandise est disponible en rayon,
– on n'admet pas de ruptures de stock.

Ces hypothèses sont représentées sur la figure 13-8 où Q est la quantité commandée, D est la demande par unité de temps et *d*, le délai d'obtention.

L'intervalle entre deux commandes successives est donné par le rapport Q/D, alors que le nombre de commandes passées par unité de temps est égal à D/Q.

De plus, comme aucun aléa n'est présent dans ce modèle de base, on constate que le niveau du stock varie de façon linéaire entre Q et 0. Le stock moyen possédé est dès lors égal à Q/2. Dans ce système, la nouvelle commande est passée quand le stock

descendra à la valeur D *d*. Ce modèle particulièrement simple peut donc s'interpréter de deux manières :
- Tout d'abord comme un système à point de commande, dont les paramètres sont D *d* pour le point de commande et Q comme taille de commande.
- Ensuite comme un système à révision périodique. La période de révision serait *Q/D*. Le niveau de recomplètement doit permettre de couvrir la demande pendant la période de révision augmentée du délai d'obtention. Ce niveau vaut donc

$$Q + D\,d$$

Figure 13-8 – *Le modèle de base*

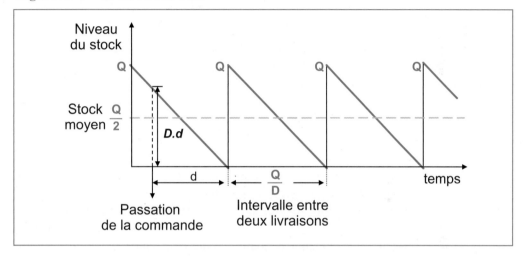

Exemple : si la demande annuelle est de *D* = 100 et si l'on commande à chaque fois Q = 20 unités, on passera 100/20 = 4 commandes dans l'année. Supposons un délai du fournisseur de 2 semaines, soit environ 2/50 de l'année (qui est l'unité de temps). On trouve :

$$D\,d = 100 \times 2/50 = 4 \text{ unités}$$

Nous placerons une commande chaque fois que le stock descendra à 4 unités et la commande arrivera 2 semaines plus tard alors que notre stock deviendra nul.

13/4.2 Détermination de la quantité économique et du coût de gestion des stocks

Pour déterminer Q*, la taille du lot optimal dans le modèle de base (fig. 13-8), on calcule le coût total par unité de temps, dénoté CVT(Q), d'une politique de gestion de stock avec commandes de taille Q. CVT(Q) se compose du coût de détention (ou de stockage) et du coût de passation de commande, par unité de temps.

Le coût CVT(Q) est encore appelé *coût variable total* de gestion du stock. Ce coût est défini sur une période de temps homogène, l'année en général.

Les paramètres de ce modèle de coût sont les suivants :
- L, le coût de passation d'une commande, encore appelé coût de transaction,

– H, le taux de détention exprimé en pourcentage du montant des capitaux immobilisés ; soit C, la valeur unitaire de l'article, le coût de détention par unité de temps d'une unité en stock est alors évalué selon CH.

Remarque : il est essentiel que D et H soient cohérents, c'est-à-dire que leurs valeurs soient exprimées dans la même unité de temps. Sinon on risquerait d'ajouter, par exemple, un coût de lancement mensuel (correspondant à une demande D mensuelle) à un coût de possession annuel (associé à un taux H annuel).

Au vu de la figure 13-8, on obtient donc l'expression suivante pour le coût total par unité de temps :

$$CVT(Q) = \frac{D}{Q} L + \frac{Q}{2} CH$$

Cette formule s'explique comme suit :

Coût de détention par unité de temps : la quantité moyenne en stock est de Q/2 et le coût moyen de possession du stock est donné par :

$$\frac{Q}{2} CH$$

Exemple : gardons Q = 25 et supposons que C = 100 € et H = 25 %. On trouve CH Q/2 = 100 x 0,25 x 25/2 = 312,50 €. L'évolution de ce coût avec la valeur de Q est représentée sur la figure 13-9. Elle est linéaire et croît quand Q augmente :

– pour Q = 100, le coût de possession est de 1 250 €,
– pour Q = 10, le coût de possession est de 125 €.

Coût de passation de commande : il est égal au produit du coût de passation d'une commande, à savoir L, par le nombre de commandes passées par unité de temps. Pour satisfaire une demande pendant une unité de temps en réapprovisionnant par quantités Q, il faut passer D/Q commandes. Le coût de passation de commande pendant cette unité de temps est donc :

$$\frac{D}{Q} L$$

Exemple : si la demande annuelle est de D = 100 et si l'on commande à chaque fois Q = 25 unités, on passera 100/25 = 4 commandes dans l'année. Si chaque commande a un coût de passation de L = 50 €, le coût de passation de commande pour la période considérée (l'année dans notre exemple) sera de :

$$\frac{D}{Q} L = \frac{100}{25} 50 = 200 \text{ €}$$

On voit que ce coût diminue lorsque Q augmente :

– pour Q = 100, il est égal à 50 € (1 commande par an),
– pour Q = 10, il est égal à 500 € (soit 10 commandes par an).

La formule donnant CVT(Q) fait bien apparaître la somme de deux coûts antagonistes : le coût de possession, proportionnel à Q et le coût de lancement variant en sens inverse. L'évolution du coût variable total est représentée sur la figure 13-9.

La *quantité économique* Q* est la quantité d'unités commandées, lors de chaque approvisionnement, qui conduit au coût variable total minimum. On trouve Q* en dérivant CVT(Q) par rapport à la variable Q :

$$(CVT)'(Q) = -\frac{D\,L}{Q^2} + \frac{C\,H}{2}$$

À l'optimum, la dérivée est nulle, ce qui fournit la condition :

$$-\frac{D\,L}{Q^2} + \frac{C\,H}{2} = 0$$

Figure 13-9 – *Évolution du coût variable total*

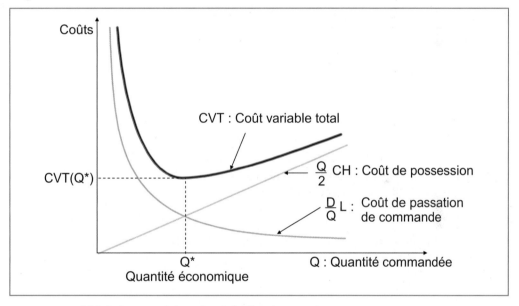

et on en déduit la quantité optimale[1], dite *économique*,

$$Q^* = \sqrt{\frac{2D\,L}{C\,H}}$$

La formule qui donne Q* est connue sous le nom de *formule de Wilson*, qui n'en est pas l'inventeur (qui est F. Harris en 1913), mais qui l'a utilisée dans ses activités de conseil aux États-Unis dans les années 1920. Cette quantité économique est la quantité qu'il faut commander dans le cas présent pour minimiser le coût total de gestion du stock.

De plus, en remplaçant l'expression de Q* dans la formule du coût total, on trouve :

$$CVT(Q^*) = \sqrt{2DLCH}$$

---

[1] On peut vérifier que pour Q = Q* la dérivée seconde de CVT(Q) est positive, ce qui garantit que Q* est bien un minimum.

Notons que le minimum du coût variable total CVT(Q) est obtenu quand le coût de détention est égal au coût de passation de commande.

Exemple : pour les valeurs D = 100, L = 50, C = 100 €, H = 25 %, on trouve :

$$Q^* = \sqrt{\frac{2 \times 100 \times 50}{100 \times 0,25}} = 20$$

$$CVT(Q^*) = \frac{100}{20} \times 50 + \frac{20}{2} \times 100 \times 0,25 = 250 + 250 = 500$$

On vérifie bien que les deux termes de coût sont égaux.

Si on interprète le modèle de flux comme un système à recomplètement périodique, on ne cherche pas à déterminer une quantité économique, mais une périodicité économique (ou intervalle entre deux commandes). Celle-ci se déduit directement de la quantité économique comme suit :

$$T^* = \frac{Q^*}{D}$$

Le nombre optimal N* de commandes à passer par période est l'inverse de cette périodicité :

$$N^* = \frac{1}{T^*} = \frac{D}{Q^*} = \sqrt{\frac{D\,C\,H}{2\,L}}$$

Nous aurions pu rechercher directement le nombre optimal de commandes en écrivant l'expression du coût variable total en fonction de N et en la dérivant. On a en effet

$$CVT(N) = L\,N + \frac{D}{2N}\,CH$$

et

$$CVT'(N) = L - \frac{D}{2N^2}\,CH$$

En annulant cette dérivée, on obtient le nombre optimal de commandes :

$$N^* = \sqrt{\frac{DCH}{2\,L}} = \sqrt{\frac{H}{2\,L}}\sqrt{DC}\,.$$

Cette formule possède une interprétation intéressante : elle montre que la fréquence optimale d'approvisionnement est proportionnelle à la racine carrée du chiffre annuel d'achats DC.

Dans l'exemple numérique précédemment étudié, on trouve

$$N^* = \sqrt{\frac{100 \times 100 \times 0,25}{2 \times 50}} = 5$$

qui est le nombre annuel de commandes pour la quantité économique Q* = 20.

13/4.3   *Analyse de sensibilité du coût variable total*

Les conditions d'applications de la formule de Wilson sont très restrictives. De plus, les paramètres de la formule, notamment L et H, sont difficiles à apprécier avec précision. Aussi est-il important d'étudier les effets sur le coût variable total d'une erreur d'appréciation sur l'un des paramètres.

Supposons que nous nous soyons trompés d'un facteur multiplicateur k sur l'un des paramètres, par exemple sur L : le véritable coût de lancement n'est pas L, mais

$$L' = k\,L$$

La quantité économique Q*(k) que l'on aurait dû trouver aurait été

$$Q^*(k) = \sqrt{\frac{2\,D\,k\,L}{H}} = Q^* \sqrt{k}$$

et en reportant cette valeur dans l'expression de CVT(Q), on obtient :

$$CVT(Q^*(k)) = \left(\sqrt{k} + \sqrt{\frac{1}{k}}\right) = \frac{1}{2}\left(\sqrt{k} + \sqrt{\frac{1}{k}}\right) CVT(Q^*)$$

Nous avons donc dans le calcul de Q* un coefficient d'erreur de $\sqrt{k}$ et dans le calcul de CVT(Q*) ce coefficient devient

$$\frac{\sqrt{k} + \sqrt{\dfrac{1}{k}}}{2}$$

Si l'erreur porte sur l'un des facteurs du dénominateur de la formule, on obtiendrait les mêmes résultats en utilisant $k'=1/k$.

On est donc parfaitement en droit d'utiliser pour les paramètres entrant dans la formule de Wilson des approximations, sans que cela n'engendre une augmentation importante du coût variable total. Cette propriété de robustesse est importante dans les situations pratiques en entreprise, où les valeurs des paramètres ne sont jamais connues avec certitude.

Exemple : supposons que nous nous soyons trompés du simple au double dans l'estimation du coût de lancement : $k = 2$. Nous avons $\sqrt{k} = 1{,}414$ et $\sqrt{1/k} = 0{,}707$.

L'expression $\dfrac{\sqrt{k} + \sqrt{\dfrac{1}{k}}}{2}$ est égale à 1,06.

L'erreur résultante est donc de 41 % (1,414) sur l'évaluation de Q*, mais seulement de 6 % sur CVT(Q*). Le résultat serait le même pour $k = 1/2$.

13/5 Application aux cas de réapprovisionnement continu, de rabais, de groupage et de contrainte

Nous allons maintenant étendre le modèle de base à quatre situations fréquemment rencontrées dans la pratique :

– Au lieu de recevoir la totalité de la quantité commandée en une seule fois, le stock est alimenté en continu ; cette logique devient de plus en plus fréquente et correspond notamment à la philosophie de la tension des flux.

– Les fournisseurs proposent des rabais sur le prix d'achat lorsque l'entreprise commande par quantité supérieure à des seuils de rabais déterminés.

– Plusieurs articles sont commandés simultanément chez un même fournisseur ou sont lancés simultanément sur un même équipement de fabrication.

– Il existe des contraintes, par exemple un volume de stockage ou un investissement en stock maximal.

13/5.1   Réapprovisionnement continu

Nous avons supposé jusqu'à présent que la commande ou l'ordre de fabrication passé était livré en une seule fois. Il peut arriver que l'approvisionnement soit étalé au rythme de la production ou encore selon les possibilités des moyens de transport. Il est évident que le taux de production doit être supérieur au taux de demande, faute de quoi on se trouverait en rupture continuelle.

Désignons par P le taux de production (exprimé dans la même unité que D). Les Q unités fabriquées vont entrer en stock à un rythme égal à P, pendant Q/P unités de temps. Pendant cette durée, les sorties du stock se font à un rythme égal à D, pour une quantité égale à DQ/P (fig. 13-10).

Figure 13-10 – *Modèle avec réapprovisionnement continu*

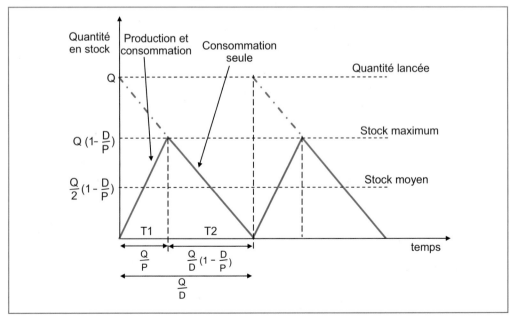

Le stock n'atteindra donc pas le niveau Q, mais

$$Q - D\frac{Q}{P} = Q\left(1 - \frac{D}{P}\right)$$

et la quantité moyenne en stock ne sera plus Q/2, mais

$$\frac{Q}{2}(1-\frac{D}{P})$$

On peut alors écrire :

$$CVT(Q) = \frac{D}{Q}L + \frac{Q}{2}CH(1-\frac{D}{P})$$

et la formule de la quantité économique devient :

$$Q^* = \sqrt{\frac{2DL}{CH(1-\frac{D}{P})}} = \sqrt{\frac{2DL}{CH}}\sqrt{\frac{P}{P-D}}$$

Exemple : on conserve les valeurs D = 100, Cp = 25 et L = 50, et on suppose que P = 500. Cette valeur de P signifie que la production serait de 500 si l'on fabriquait toute l'année, et non que l'on va produire en continu 500 unités lorsque le besoin n'est que de 100. On trouve :

$$Q^* = \sqrt{\frac{2 \times 100 \times 50}{25(1-\frac{100}{500})}} = 22$$

La nouvelle quantité économique est supérieure à la précédente, qui était égale à 20, ce qui est normal puisque le stock moyen et donc le coût de détention sont plus faibles.

13/5.2   Remise sur quantités

Afin d'augmenter leurs ventes et aussi de réduire leurs coûts de gestion de stocks (notamment leurs coûts de lancement et de transport), il est fréquent que les fournisseurs consentent des remises lorsque la commande dépasse un certain seuil. Il arrive même qu'ils accordent des remises de plus en plus importantes lorsque la taille de la commande croît. Les systèmes de remise proposés par les fournisseurs peuvent être très élaborés. On considère ici les deux situations les plus fréquentes : les rabais uniformes et les rabais incrémentaux (fig. 13-11).

Figure 13-11 – *Les deux situations de rabais*

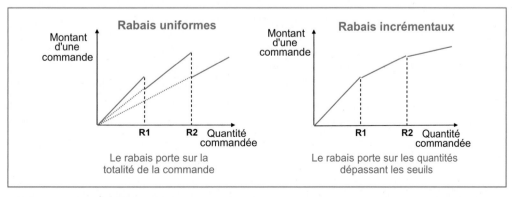

Soit C(Q) le coût d'achat d'une unité si la taille de la commande est Q. Intuitivement, dans un problème de rabais sur quantité, la réduction de coût unitaire du produit a trois conséquences sur le coût total :

- le coût d'achat total DC(Q) diminue puisque le coût C(Q) d'achat du produit est plus faible,
- le coût annuel de passation de commande L D/Q diminue également puisque la commande augmente, faisant diminuer le nombre de commandes par unité de temps,
- le coût de détention C(Q)H Q/2 est modifié, sans qu'on puisse *a priori* dire dans quel sens. En effet, la diminution du coût unitaire C(Q) tend à le faire diminuer alors que l'augmentation de la quantité économique tend à le faire augmenter.

Rabais uniformes

On considère d'abord le cas où le fournisseur propose un rabais uniforme, c'est-à-dire une réduction du prix de vente de l'article lorsque la quantité commandée dépasse un certain seuil. Le prix réduit s'applique donc à toute la commande. La question à laquelle l'acheteur doit répondre est la suivante : la somme des coûts de gestion des stocks (que nous avons appelée coût variable total) et des coûts d'achat des produits sera-t-elle diminuée s'il accepte la proposition du fournisseur ? On considère d'abord le cas simple d'un seuil de rabais unique, qui sera ensuite généralisé.

Seuil de rabais unique

Soit Q, la quantité approvisionnée à chaque commande, la description complète de la procédure d'attribution de rabais est alors :

si $Q < R$, alors chaque unité coûte C_1,

si $R \leq Q$, alors chaque unité coûte C_2,

et puisque des tailles de commandes plus importantes sont associées à des prix plus bas, on a $C_1 < C_2$.

On note $CT_1(Q)$ et $CT_2(Q)$, les coûts totaux correspondant respectivement aux prix C_1 et C_2. Si on note $CT(Q)$ le coût variable total annuel, y compris les coûts d'achat, ce coût a l'expression suivante,

$$CT(Q)^* = \begin{cases} CT_1(Q) = C_1 H/2Q + L D/Q + C_1 D & \text{(si } Q \leq R) \\ CT_2(Q) = C_2 H/2Q + L D/Q + C_2 D & \text{(si } Q > R) \end{cases}$$

Cette fonction étant discontinue pour $Q = R$, trouver son minimum est complexe. La procédure est la suivante.

Soit Q_1^* et Q_2^* les quantités économiques pour les prix C_1 et C_2. Ces quantités constituent des solutions optimales candidates, à condition toutefois qu'elles soient en accord avec le principe du rabais. La quantité économique Q_1^* n'a en effet de sens que si $Q_1^* \leq R$, alors que Q_2^* doit satisfaire $Q_2^* > R$, pour pouvoir être utilisée concrètement. De plus, la théorie des fonctions nous enseigne que les points de discontinuité peuvent également être des minima. La dernière solution optimale possible sera donc R, le seuil de rabais. On en déduit que les solutions optimales possibles sont les quantités économiques (sous réserve qu'elles aient du sens) pour les deux coûts C_1 et C_2, ainsi que R, le seuil de rabais, en temps que point de discontinuité de la courbe. Il reste à comparer les coûts associés à ces quantités pour trouver l'optimum général.

On peut observer que la courbe de coût total est discontinue au niveau du seuil de rabais R. Cela provient bien sûr du passage discontinu de C_1 à C_2.

La figure 13-12 montre un cas particulier dans lequel $Q_2^* \leq R$, ce qui rend automatiquement Q_2^* non optimale. On constate que la quantité optimale est $Q^* = R$.

Exemple : soit les données précédentes, D = 100, C = 100 €, H = 25 % et L = 50. Le fournisseur consent un prix unitaire de C_2 = 81 € pour des commandes passées par quantités supérieures ou égales à 50 unités à la fois. Les autres paramètres étant inchangés, on a :

$$Q_2^* = \sqrt{\frac{2DL}{C_2 H}} = \sqrt{\frac{2 \times 100 \times 50}{81 \times 0,25}} = 22$$

La nouvelle quantité économique Q_2^* est donc inférieure à 50 (le seuil de rabais). Elle n'est ainsi pas une solution admissible. Il nous reste alors à comparer les coûts totaux pour C_1 = 100 € et Q = Q_1^* = 20 et pour C_2 = 81 € et Q = R = 50. On trouve :

$$CT(Q_1^*) = L\frac{D}{Q_1^*} + \frac{1}{2}C_1 H Q_1^* + DC_1 = 10\ 500\ €$$

$$CT(R) = L\frac{D}{R} + C_2 H \frac{R}{2} + DC_2 = 8\ 706\ €$$

La meilleure politique consiste donc à commander par quantités Q = R, bien que le coût variable CVT, hors coût d'achat, ait augmenté de 500 € à 100 + 506 = 606 €.

Figure 13-12 – *Rabais uniforme sur quantité : seuil unique*

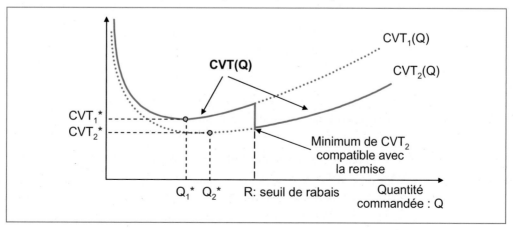

Seuils de rabais multiples

En pratique, on rencontre des situations où le nombre de seuils de rabais est élevé. On propose donc la méthode suivante pour résoudre ces problèmes de manière systématique. Globalement, la logique est conservée : les solutions optimales potentielles sont les quantités économiques correspondant aux différents prix et les seuils de rabais. Toutefois, il n'est pas nécessaire de tester toutes ces solutions, comme explicité ci-dessous.

Soit Q, la quantité approvisionnée à chaque commande, la description complète de la procédure d'attribution de rabais est alors :

si $Q < R_1$, alors chaque unité coûte C_1,

si $R_1 \leq Q < R_2$, alors chaque unité coûte C_2,

...

si $R_{k-1} \leq Q$, alors chaque unité coûte C_k.

Puisque des tailles de commandes plus importantes sont associées à des prix plus bas, le bon sens impose :

$$C_1 < C_2 \dots < C_k$$

L'extension de la procédure décrite dans l'exemple numérique précédent est la suivante :

1. En commençant par le prix le plus bas, déterminer pour chaque prix C_j la quantité économique Q_j^* associée, jusqu'à l'obtention d'une quantité économique admissible Q_i^*, au sens où elle satisfait les conditions :

$$R_{i-1} \leq Q_i^* < R_i$$

2. Évaluer alors les coûts totaux pour Q_i^* et tous les seuils de rabais supérieurs à cette quantité, soit R_i, R_{i+1}, R_{i+2}, .., R_{k-1}

3. La taille de commande optimale sera alors la quantité parmi ces valeurs qui minimise le coût total.

Rabais incrémentaux

Dans ce nouveau cas de figure, le rabais ne s'applique qu'aux quantités qui excèdent les seuils de rabais. Pour chaque commande passée, le coût d'achat se calcule de la manière suivante,

$C = C_0$ pour les premières R_1 unités,

$C = C_1$ pour les $R_2 - R_1$ unités suivantes,

$C = C_2$ pour les $R_3 - R_2$ unités suivantes,

...

$C = C_m$ pour les unités qui excèdent $R_m + 1$.

La procédure de calcul de la quantité économique est assez complexe dans cette situation et fonctionne comme suit.

On définit $M(Q)$ comme le coût d'achat d'une commande de Q unités. Pour chaque taille de lot comprise entre deux seuils de rabais successifs, soit

$$R_i < Q \leq R_{i+1},$$

ce coût peut être calculé de manière récursive comme suit,

$$M(Q) = M(R_i) + C_i (Q - R_i) = M(R_i) - C_i R_i + C_i Q$$

avec M(0)=0. Le coût d'achat moyen par unité est donné par

$$M(Q)/Q = M(R_i)/Q - C_i R_i /Q + C_i$$

et en substituant M(Q)/Q dans le coût total annuel, on trouve

$$CT_i(Q) = \frac{C_i H}{2} Q + (L + M(R_i) - C_i R_i) \frac{D}{Q} + C_i D + \frac{H}{2} (M(R_i) - C_i R_i)$$

En annulant la dérivée première de ces coûts totaux, on obtient le lot économique pour les différents niveaux de prix (i = 0, ..., m),

$$Q_i^* = \sqrt{\frac{2D(L + M(R_i) - C_i R_i)}{C_i H}}$$

Cette formule possède une interprétation très intéressante. Le terme $M(R_i)$ est le coût d'acquisition de R_i unités, via le processus de rabais. Le terme $C_i R_i$ est le prix avec rabais, C_i, multiplié par R_i unités : c'est donc ce que coûteraient R_i unités achetées toutes au prix C_i. Puisque dans ce mode de rabais toutes les unités ne peuvent être acquises au prix C_i, $M(R_i)$ est supérieur à $C_i R_i$. L'écart $M(R_i) - C_i R_i$ a donc comme origine le fait que, pour obtenir le coût d'acquisition C_i, certaines unités doivent être achetées à un coût supérieur. Cet écart peut être interprété comme un coût supplémentaire de passation de commande, puisqu'il est à payer à chaque nouvelle commande. La formule ci-dessus est donc une formule de Wilson modifiée, dans laquelle les écarts de coûts d'acquisition, $M(R_i) - C_i R_i$, sont ajoutés au coût de passation de commande L. De plus, comme on a la relation

$$M(R_i) - C_i (R_i) = \sum_{k=1}^{i} R_k (C_{k-1} - C_k)$$

Q_i^* peut être exprimé sous la forme

$$Q_i^* = \sqrt{\frac{2D\left(L + \sum_{k=1}^{i} R_k (C_{k-1} - C_k)\right)}{C_i H}}$$

En cas de rabais incrémentaux, il a été démontré que le coût minimum n'est pas obtenu pour un seuil de rabais, mais toujours pour un lot économique Q_i^* valide, au sens où

$$R_i < Q_i^* \leq R_{i+1}$$

Cependant, plusieurs lots économiques peuvent être simultanément admissibles et aucune règle simple ne permet de déduire *a priori* celui qui conduira au coût minimum : il est simplement nécessaire de comparer entre eux les coûts correspondants. On peut donc proposer l'algorithme suivant pour identifier le lot optimal :

1. Pour les différents niveaux de prix C_i, commencer par déterminer la quantité économique Q_i^* associée, puis sélectionner les quantités économiques admissibles, c'est-à-dire telles que

$$R_i < Q_i^* \leq R_{i+1}$$

2. Évaluer alors les coûts totaux pour ces différentes quantités admissibles.
3. La taille de commande optimale sera alors la quantité parmi ces valeurs qui minimise le coût total.

Exemple : soit les valeurs $D = 2\,000$, $L = 80$, $C = 20$, $H = 0,35$. Le fournisseur consent le rabais progressif suivant :

$C = C_0 = 20$ pour les premières 499 unités,

$C = C_1 = 15$ pour les 500 unités suivantes,

$C = C_2 = 12,5$ pour les 4 000 unités suivantes,

$C = C_3 = 10$ pour les unités qui excèdent 4 999.

Figure 13-13 – *Rabais incrémentaux : exemple numérique*

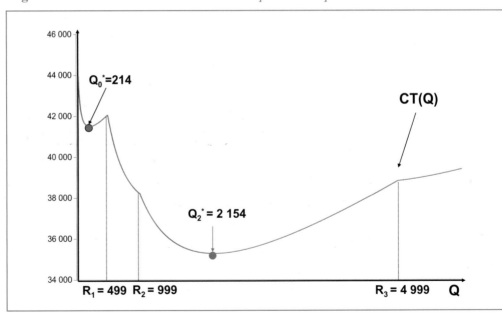

Si on applique l'algorithme, on trouve les quantités économiques :

$$Q_0^* = 214, \; Q_1^* = 1\,401, \; Q_2^* = 2\,154, \; Q_3^* = 4\,481$$

Seules Q_0^* et Q_2^* sont admissibles. Les coûts totaux correspondant à ces quantités économiques sont alors

$$CT(Q_0^*) = 41\ 496 \text{ et } CT(Q_2^*) = 35\ 295$$

et on en déduit que la quantité optimale est $Q_2^* = 2\ 154$.

13/5.3   *Groupage de commandes de produits*

Il est fréquent que l'on puisse réduire les coûts administratifs ou de transport en groupant les commandes de plusieurs articles à un même fournisseur aux mêmes dates. Nous allons rechercher le nombre optimal de commandes groupées à passer au fournisseur.

Pour grouper les commandes de *n* articles, nous noterons :

– C_i, le coût unitaire de l'article *i* (*i* de 1 à *n*),
– H, le taux de détention (supposé identique pour tous les articles),
– D_i, la demande par période de l'article *i*,
– Ct_g, le coût de lancement de la commande groupée,
– N_g, le nombre de commandes groupées par période.

Le coût variable total devient :

$$CVT(N_g) = N_g\,L_g + \frac{H}{2N_g}\sum_{i=1}^{n} D_i\,C_i$$

et le nombre optimal N_g^* de commandes groupées est égal à :

$$N_g^* = \sqrt{\frac{H\displaystyle\sum_{i=1}^{n} D_i\,C_i}{2\,L_g}}$$

Les quantités à commander pour chacun des articles du groupe (i=1,..,n) sont alors données par la formule :

$$Q_i = \frac{D_i}{N_g^*}$$

Exemple : soit trois articles X, Y, Z dont nous voulons grouper les commandes. Les demandes annuelles sont respectivement de 300, 1 200, 600 et les coûts unitaires de 50 €, 20 € et 100 €. Le coût de passation de commande est le même pour chacun d'entre eux dans le cadre de la commande groupée et égal à 120 €. Le coût fixe de passation de commande groupée est donc de 360 €. Enfin, le taux de détention est de 25 % par an. On a :

$$N_g^* = \sqrt{\frac{0{,}25\ (\ 300 \times 50 + 1200 \times 20 + 600 \times 100)}{2 \times (3 \times 120)}} \sim 6$$

Il faudra donc commander 6 fois dans l'année.

Le coût variable total est :
$$CVT(N_g^*) = 2\,080 + 2\,080 = 4\,160$$

13/5.4   *Demandes non stationnaires*

Dans tous les modèles précédents, on a supposé que la demande périodique est stationnaire et entièrement définie par sa valeur moyenne par période (D). En réalité, rares sont les situations où la demande présente une telle stationnarité. Le chapitre 9, décrivant les méthodes de prévisions, fait bien ressortir que dans de nombreuses situations les demandes périodiques successives présentent des fluctuations.

Lorsque ces fluctuations sont faibles, à évolution lente, une approche empirique efficace consiste à utiliser les modèles présentés jusqu'ici, en remettant à jour de temps en temps la valeur du taux de demande D. Si au contraire le caractère non stationnaire du processus de demande est très marqué, il est nécessaire d'adapter les modèles présentés jusqu'ici. Pour des raisons de simplicité, on considère uniquement l'extension du modèle de Wilson (cf. section 3) au cas non stationnaire. L'extension des modèles de groupage et/ou rabais sur quantités sort du cadre de cet ouvrage, les développements mathématiques associés étant trop complexes.

Lorsque la demande est non stationnaire, on ne peut plus supposer que la meilleure stratégie consiste à toujours commander la même quantité. Il faut dans ce cas rechercher une séquence de commandes, de tailles variables, adaptées au profil des demandes.

De plus, puisque les conditions évoluent au cours du temps, et qu'en général on dispose uniquement d'une prévision sur un horizon limité, il faut spécifier l'horizon sur lequel on recherche la séquence de commandes optimale, ainsi que le niveau de stock souhaité à la fin de l'horizon.

Cela mis à part, les hypothèses sont les mêmes que pour la quantité économique, en particulier on suppose les délais d'obtention égaux à 0[1]. L'objectif est ainsi de déterminer la séquence de commandes qui minimise la somme des coûts de transaction et de possession sur l'horizon considéré. On ne tolère aucune rupture de stock, bien entendu. Les paramètres de ce modèle sont les suivants :

– L, le coût de passation d'une commande,
– CH, le coût de détention par période d'une unité en stock. On note donc que si on considère des demandes hebdomadaires, on prendra comme échelle de temps un coût de possession hebdomadaire,
– D(i), la demande en période i,
– T, le nombre de période correspondant à l'horizon du problème.
On définit I(i) comme le stock en fin de période i.

La résolution exacte de ce type de problème est basée sur la programmation dynamique. On a présenté au chapitre 12 l'algorithme dit de Wagner et Within, qui est basé sur cette technique.

---

[1] Cette dernière hypothèse n'est pas restrictive et se généralise aisément, mais conduit à des notations plus complexes.

On propose ici une méthode approximative, qui présente l'avantage de sa simplicité, dénommée algorithme de Silver et Meale, qui en général fournit des solutions proches de la politique de commande optimale. Cette méthode consiste à choisir les quantités à commander de manière à ce que sur chaque intervalle de temps entre deux commandes, le coût total par unité de temps soit aussi bas que possible. L'idée étant que si on augmente le nombre de commandes passées, on accroît le coût moyen de passation de commande tout en baissant le coût moyen de stockage. Si au contraire on diminue le nombre de commandes, en regroupant certaines demandes futures successives, l'effet inverse va se faire sentir. Le tout est donc de bien arbitrer entre ces deux choix.

Pour déterminer la première commande, on recherche un nombre N de périodes dont la demande cumulée sera couverte par la commande. La quantité commandée associée à une valeur particulière de N est

$$Q(N) = \sum_{k=1,.N} D(k)$$

Le coût moyen sur l'horizon N est alors donné par

$$L + CH/N \ [I(0)/2 + \sum_{i=2,.N-1} I(i) + I(N)/2]$$

où I(i) est le stock en fin de période i.

On déduit alors le coût moyen par période suivant

$$CT(N) = 1/N \ (L + CH/N \ [I(0)/2 + \sum_{i=2,.N-1} I(i) + I(N)/2])$$

Ce stock, par principe de la passation de commande, correspond à la demande cumulée jusqu'à la date N, soit

$$I(i) = \sum_{k=i+1,.N} D(k)$$

Pour minimiser le critère de coût moyen par période, on calcule ce coût pour des valeurs croissantes successives de l'horizon N, jusqu'à ce qu'on trouve une valeur n telle que

$$CT(n+1) > CT(n)$$

À ce moment, on prend N = n comme nombre de périodes à couvrir par la commande, ce qui fournit

$$Q^*(1) = \sum_{k=1,.n} D(k)$$

En début de période n+1, le stock redevient nul et il faut passer une nouvelle commande, en utilisant la même procédure d'optimisation. Empiriquement, les résultats obtenus par cette méthode sont très satisfaisants.

Exemple : soit un article dont les prochaines demandes mensuelles prévues sont respectivement de 30, 120, 60, 90 et 10. Le coût de passation de commande est égal à 1 000 €, alors que le coût de possession mensuel est de 10 €. Considérons la première commande à passer. Si on prend Q(1) = 30, on trouve un coût moyen de

$$CT(1) = 1\ 000 + 10 * 15 = 1\ 150$$

Suivant l'algorithme, on teste alors Q(2) = 30 + 120 = 150. Le coût associé est de

$$1\ 000 + 10 * 135 + 10 * 60 = 2\ 950$$

pour un coût moyen par mois de 1 475. La première commande est donc $Q(1) = 30$, pour un coût mensuel de 1 150. Si applique de même la procédure aux demandes résiduelles, soit 120, 60, 90 et 10, on trouve la séquence de commandes suivante : 180 unités, commandées en période 2 et 100 unités, commandées en période 4, pour des coûts mensuels respectifs de 1 250 et 800.

Chapitre 14

Service au client et stocks de sécurité

Ce chapitre est consacré aux problématiques du service au client. Il montrera que, parmi d'autres mesures développées en dernière partie, le stock de sécurité permet d'améliorer la disponibilité des produits dans la *supply chain* dans un environnement où la demande et l'offre sont volatiles et variables. Il traitera des indicateurs de niveau de service au client et de la façon dont les managers de la *supply chain* peuvent définir les niveaux du stock de sécurité pour offrir une disponibilité des produits satisfaisante. Il s'appuiera sur les méthodes de gestion des stocks et sur les différents coûts liés aux stocks pour optimiser les variables de décision associées aux stocks de sécurité.

Il analysera également comment les managers peuvent utiliser des mesures organisationnelles pour réduire les niveaux de stock de sécurité requis tout en maintenant ou même améliorant la disponibilité des produits dans les canaux de la *supply chain*. L'objectif recherché est de permettre une compréhension du processus de sélection des méthodes et/ou des paramètres de gestion afin d'optimiser les performances du système, exprimées en termes de coûts et de niveau de service.

14/1   Le rôle du stock de sécurité dans la *supply chain*

Le stock de sécurité est le stock que l'on doit maintenir afin de satisfaire toute demande supérieure à la quantité prévue pour une période donnée. Cet écart est fréquent dans de nombreuses situations car les prévisions sont rarement justes. Le système de gestion des stocks doit faire face à des aléas de plusieurs natures :

– la demande réelle est différente de la demande prévisionnelle,
– la demande résultant de nombreuses demandes individuelles est aléatoire,
– le délai de livraison fournisseur est supérieur à ce qui a été annoncé,
– la quantité livrée est inférieure à la quantité commandée ou le contrôle à la réception élimine les produits non conformes.

L'existence d'un ou de plusieurs de ces aléas a pour conséquence que la disponibilité du produit sur un horizon donné peut poser problème. Le gestionnaire, s'il veut limiter les ruptures de livraison (et donc la perte de chiffre d'affaires et/ou la perte d'image de marque associées), doit prévoir un stock, dit *de sécurité*. Dans ce qui suit, ce stock est noté Ss.

Pour illustrer notre propos, considérons l'exemple suivant : soit le cas d'une demande unique sur une seule période, gérée selon un mode de recomplètement. Supposons que, sur la base d'une analyse statistique sur plusieurs périodes, cette demande a une valeur de 100 unités avec une probabilité de 0,5 et une valeur de 200 unités avec une probabilité de 0,5. La demande moyenne est donc égale à 150 unités. Le coût de possession en stock est égal à 100 € par période et par unité, alors que le coût de rupture est de 100 € par unité en rupture.

Dans le cadre de la présente illustration, on propose *a priori* trois valeurs possibles pour le niveau de recomplètement : 100, 150 et 200 unités. Les performances sont alors reprises dans le tableau suivant (fig. 14-1).

Figure 14-1 – *Gestion de stock en présence d'aléas*

Niveau de recomplètement	Probabilité de rupture	Nombre de ruptures en moyenne	Stock résiduel en moyenne	Coût de rupture en moyenne	Coût du Ss en moyenne
100	0,5	50	0	5 000	0
150	0,5	25	25	2 500	2 500
200	0	0	50	0	5 000

Cet exemple élémentaire illustre parfaitement deux points fondamentaux :
- fixer un niveau de recomplètement égal à la demande moyenne (soit 150 unités dans le cas présent) ne garantit en rien l'absence de ruptures,
- la présence d'aléas au niveau de la demande périodique force le gestionnaire à faire un arbitrage entre un « surstock » (constitué par un excès de stock par rapport à la demande moyenne) ou des ruptures. Il n'existe aucune solution permettant d'éviter à la fois les ruptures de stock et les stocks excédentaires.

Pour un système logistique donné, la problématique est d'identifier le niveau de stock de sécurité et/ou le niveau de rupture optimal.

Il est clair que si le niveau de stock de sécurité est élevé, la disponibilité du produit augmente et permet à l'entreprise de répondre à la demande. Cependant, augmenter le niveau de stock de sécurité se traduit par une augmentation du coût de détention de stock. Ce coût peut être particulièrement important dans le cas des produits où le cycle de vie est court et qui induit souvent une demande volatile (et donc nécessité de plus de stock de sécurité !). Par ailleurs, ce stock de sécurité pourrait s'avérer inutile dans le cas de l'arrivée d'un nouveau produit de substitution plus attractif sur le marché. Dans ce cas et assez rapidement, le stock de sécurité se transforme en stock mort.

Le raccourcissement du cycle de vie des produits n'est pas la seule difficulté à laquelle doit faire face le gestionnaire des stocks. Il y a également la multiplication de la variété des produits et la course au « sur-mesure ». Le résultat est une fragmentation du marché et donc une hétérogénéité de l'offre et de la demande entraînant une plus grande variabilité dans les quantités demandées et des cycles de livraison plus incertains. Finalement, le client est devenu moins fidèle et il suffit que le produit ne soit pas disponible au moment de l'achat pour que celui-ci se tourne vers d'autres fournisseurs du même produit voire vers un produit de substitution.

Tous ces éléments plaident pour une disponibilité importante des produits et, par conséquent, des niveaux de stocks de sécurité à définir avec soin. Cependant, toutes les entreprises n'ont pas forcément des stocks aux mêmes niveaux de la *supply chain*.

Une entreprise fabriquant sur stock a besoin d'un stock de sécurité de produits finis alors qu'une entreprise fabriquant à la commande a surtout besoin d'un stock de sécurité de matières premières et de composants. Donc, la notion de disponibilité des produits n'a pas la même signification dans les deux cas. En effet, la flexibilité de l'entreprise fabriquant à la commande lui permet de mieux faire face à la variété de la demande.

On peut résumer la problématique de ce chapitre à travers les deux questions suivantes :
– Quel niveau de stock de sécurité faut-il maintenir ?
– Quelles actions doit-on prendre pour assurer une disponibilité des produits tout en réduisant le stock de sécurité ?

14/2   Détermination du stock de sécurité

La détermination du niveau de stock de sécurité se fait en utilisant différentes méthodologies mais elle s'établit principalement en fonction des deux facteurs suivants :
– les aléas dus à la demande et au délai de réapprovisionnement,
– le niveau de service au client souhaité.

Le calcul du stock de sécurité dépend également du système de gestion des stocks adopté. Dans ce chapitre, on retient les deux systèmes développés dans le chapitre 13, à savoir le système à point de commande et le système à recomplètement périodique.

Dans le cas où le calcul du stock de sécurité se fait à partir des aléas sur la demande et/ou sur le délai de réapprovisionnement, il est important de caractériser la distribution de probabilité de la variable aléatoire (demande et/ou délai de réapprovisionnement). Dans le cas où le calcul du stock de sécurité se fait à partir du niveau de service au client, on procédera à une analyse économique fondée sur les coûts de stockage, de passation de commande et de rupture (fig. 14-2).

Figure 14-2 – *Méthodes alternatives de détermination des stocks de sécurité*

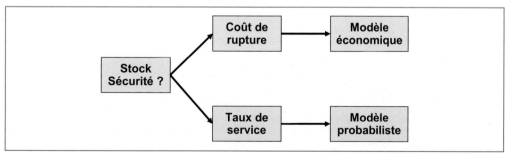

Avant de détailler ces approches, nous définirons les deux facteurs.

14/2.1   Caractérisation du caractère aléatoire de la demande

Suivant le taux de rotation des stocks, on peut classer les demandes aléatoires en deux grandes catégories et leur associer des modèles mathématiques spécifiques.

Articles à forte rotation

Il s'agit d'articles dont les consommations sont relativement régulières au cours du temps, tels les biens de grande consommation. On représente en général de telles demandes par une loi de probabilité Normale (encore appelée loi gaussienne). De telles lois, outre leur formulation générale[1], sont caractérisées par deux paramètres : la valeur moyenne de la demande, notée traditionnellement μ_D et la dispersion de cette demande évaluée par l'écart type noté σ_D. Les figures 14-3, 14-4 et 14-5 présentent les lois de probabilité, simples et cumulées, dans ce cas.

Figure 14-3 – *Série chronologique d'une demande d'un article à forte rotation (loi gaussienne : $\mu_D = 1\ 000$, $\sigma_D = 100$)*

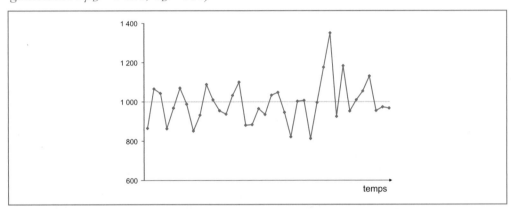

L'expression analytique de ces types de loi est en général considérée comme trop complexe pour être utilisée de façon pratique. Les calculs nécessaires se font traditionnellement via des tables (voir annexe en fin de chapitre) ou en recourant aux fonctions spécifiques des tableurs (comme la fonction LOI.NORMALE sur Excel).

Figure 14-4 – *Exemple de loi gaussienne : courbe de probabilité ($\mu_D=1\ 000$, $\sigma_D=100$)*

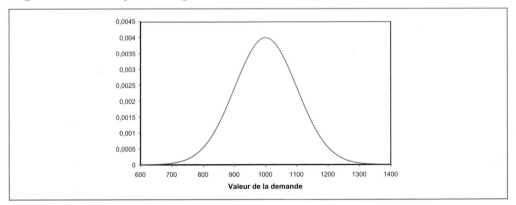

---

[1] La formulation mathématique explicite n'est pas reprise ici, car elle n'est pas nécessaire pour la résolution des problématiques considérées.

Figure 14-5 – *Exemple de loi gaussienne : courbe de probabilité cumulée (μ_D=1 000, σ_D=100)*

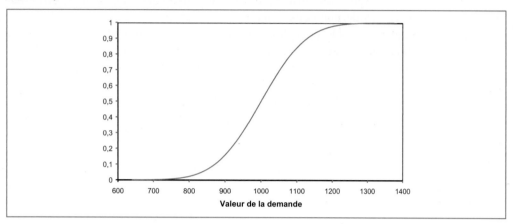

Exemple : soit un article, dont D, la demande mensuelle, a une moyenne μ_D de 100 unités et un écart type σ_D de 10 unités. On souhaite évaluer Prob(D ≤ 115). La résolution traditionnelle de cette équation est la suivante :

$$\text{Prob}(D \leq 115) = \text{Prob}\left(\frac{D-100}{10} \leq \frac{115-100}{10}\right) = \text{Prob}\left(\frac{D-100}{10} \leq 1,5\right)$$

La théorie nous apprend que l'expression (D-100)/10 est une variable aléatoire Gaussienne dite centrée et réduite (c'est-à-dire de moyenne nulle et d'écart type égal à 1). Cette variable étant traditionnellement notée Z, on obtient la relation

$$\text{Prob}(D \leq 115) = \text{Prob}(Z \leq 1,5)$$

À l'aide de la table de distribution de probabilité cumulée de la loi gaussienne centrée et réduite (voir annexe), on trouve 0,9332 comme résultat.

Une autre méthode consiste à évaluer directement Prob(D ≤ 115) par Excel comme présenté en figure 14-6.

Figure 14-6 – *Utilisation d'un tableur pour évaluer une probabilité gaussienne cumulée*

Articles à faible rotation

Ce sont des articles dont les consommations sont intermittentes, de longues périodes de non-consommation pouvant alterner avec des périodes de consommation non nulles. De plus, les consommations concernent un petit nombre d'unités et les fluctuations autour de la moyenne peuvent représenter plusieurs fois cette valeur moyenne.

Figure 14-7 – *Exemple de demande d'un article à faible rotation (loi de Poisson : $\mu_D = 1$)*

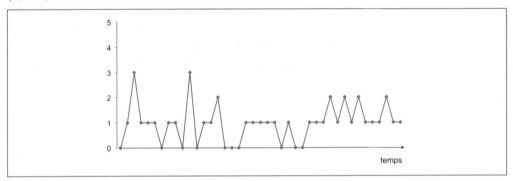

Figure 14-8 – *Exemple de loi de Poisson : courbe de probabilité ($\mu_D=1$)*

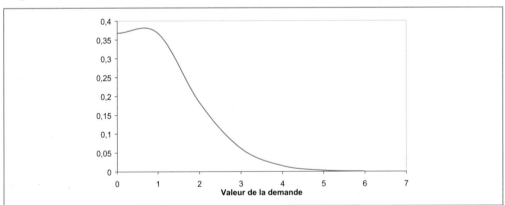

Les marchés des pièces de rechange ou les produits présentant une variété très forte (comme les articles sur mesure ou intégrant un très grand nombre d'options) en sont des exemples typiques. De telles demandes sont modélisées à l'aide d'une loi de Poisson. De telles lois, outre leur formulation générale, sont caractérisées par un seul paramètre : la valeur moyenne de la demande par unité de temps, notée ici μ_D. On peut alors facilement évaluer les probabilités associées, soit à l'aide de tables spécifiques, soit à l'aide d'un tableur, par exemple via la fonction LOI.POISSON sur Excel.

Figure 14-9 – *Exemple de loi de Poisson : probabilité cumulée (μ_D=1)*

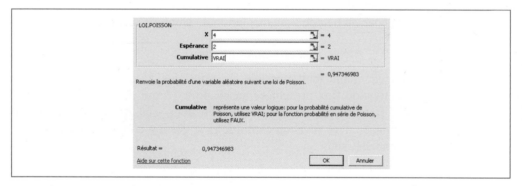

Exemple : soit une pièce, dont la demande mensuelle aléatoire suit une loi de Poisson, avec une moyenne μ_D de 2 unités. Dans ce cas, on peut évaluer Prob(Demande mensuelle $\leq$ 4) comme suit (fig.14-10).

Figure 14-10 – *Utilisation d'un tableur pour évaluer une probabilité de Poisson cumulée*

Le recours à la table présentée en annexe fournit un résultat comparable.

14/2.2 *Le service au client*

Le service au client est la capacité de l'entreprise à répondre à la commande client à partir du stock disponible. Si la commande n'est pas satisfaite, une rupture en résulte. Le niveau de service[1] au client peut s'exprimer, suivant les cas (et les besoins ou préférences des utilisateurs) comme :
– la probabilité qu'un phénomène de rupture apparaisse entre deux commandes successives. Cette probabilité de rupture par commande est notée *prc*,

---

[1] On parle également souvent *de taux de service au client* plutôt que de niveau de service.

- le rapport entre le nombre d'articles (ou de commandes) livrés immédiatement sans rupture et le nombre total d'articles (ou de commandes) à livrer[1],
- le nombre de jours (ou de périodes) sans rupture sur le nombre total de jours (ou de périodes) considérés, qui peut s'interpréter comme la probabilité moyenne de rupture au cours du temps. Cet indicateur de probabilité de rupture moyenne au cours du temps est noté prm.

Exemple : prenons l'exemple d'un gestionnaire qui observe que pour 100 commandes successives, d'une quantité moyenne de 150 unités, des ruptures sont apparues en attendant la livraison de 20 d'entre elles. La probabilité de rupture par commande est donc estimée par :

$$prc = 20/100 = 0,2 \text{ ou } 20 \%$$

Supposons maintenant que, pour chaque commande ayant donné lieu à rupture, le nombre d'unités en rupture ait été comptabilisé. Soit 1 500 unités, le cumul des ruptures pour toutes les commandes. Le rapport entre le nombre d'articles livrés immédiatement et le nombre d'articles à livrer est donc :

$$13\ 500/15\ 000 = 0,9 \text{ ou } 90 \%$$

On remarque que cet indicateur s'applique indifféremment aux deux modes de gestion des stocks (révision continue ou révision périodique).

Cela dit, le calcul des ces indicateurs varie en fonction de la disponibilité du client à accepter des livraisons partielles à délai très court, ce qui permet des dépannages d'urgence au lieu de l'augmentation du stock de sécurité.

14/2.3   Aléas, flux et stocks moyens

Il est maintenant possible de relier les niveaux de stock de sécurité avec les équations de flux présentées au chapitre 13 qui traitaient des stocks cycliques et des flux, hors aléas. Il faut considérer deux cas distincts : la gestion sur point de commande avec révision continue et la gestion en révision périodique, avec niveau de recomplètement.

Révision continue et point de commande

Le profil typique d'évolution du niveau de stock a été proposé à la section 13/3. On a vu que pour ce modèle de base, le stock de sécurité est nul et le stock moyen est $Q/2$. Si un stock de sécurité est ajouté, les résultats donnés en 13/3 se généralisent suivant la figure 14-11.

Soit μ_D la demande moyenne par période. Lorsqu'un stock de sécurité Ss est mis en place, le point de commande se calcule aisément comme

$$Pc = d_o\, \mu_D + Ss$$

et le stock moyen devient donc :

$$\frac{Q}{2} + Ss$$

---

[1] Cet indicateur, par ailleurs requérant des développements mathématiques plus lourds que le précédent, est connu en anglais sous le vocable *fill rate*.

Au vu de la figure 14-11, on peut déjà noter que plus la quantité commandée Q est importante, plus le coût moyen de rupture est faible puisque l'on se trouve moins fréquemment avec un stock bas, donc en état de risque de rupture.

Figure 14-11 – *Flux moyens et stock de sécurité en révision continue et point de commande*

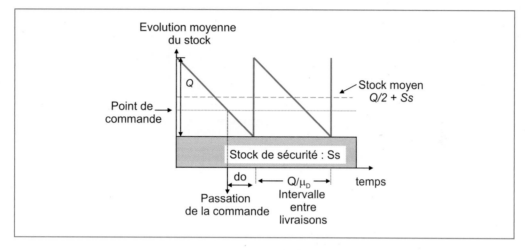

Révision périodique et recomplètement

Hors aléas, dans un système à révision périodique et recomplètement, le stock moyen est égal à la moitié de $Pr\ \mu_D$, la quantité commandée à chaque période, soit en moyenne (fig. 14-12).

$$Pr\ \mu_D /2$$

Lorsqu'un stock de sécurité Ss est mis en place, le stock moyen devient donc :

$$Pr\ \mu_D /2 + Ss$$

Le niveau de recomplètement peut alors être introduit comme :

$$Nr = (Pr + d_o)\mu_D + Ss$$

Exemple : soit un cas où la demande moyenne est de 1 000 unités par mois, le délai d'obtention de 3 mois, la taille de commande de 5 000 unités et le stock de sécurité vaut 1 000 unités.

Géré en point de commande et révision continue, il faut prendre un point de commande de 4 000 unités, pour un stock moyen de 3 500 unités. En révision périodique avec recomplètement, la période de révision sera de 5 mois et le niveau de recomplètement sera de 9 000.

Figure 14-12 – *Flux moyens et stock de sécurité en révision périodique et niveau de recomplètement*

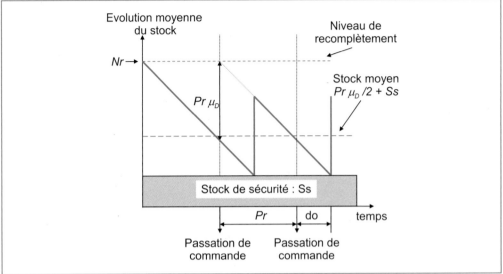

14/2.4   *Stocks de sécurité et intervalle de protection*

En termes de rotation (ou de flux), un stock de sécurité est très différent des stocks cycliques présentés jusqu'ici, qui étaient destinés à être écoulés entièrement entre deux livraisons. La particularité du stock de sécurité est d'être sinon permanent, du moins d'usage exceptionnel.

En effet, ce stock joue son rôle de protection contre les aléas uniquement pendant une période de temps spécifique dénommée *intervalle de protection*. Intuitivement, cet intervalle correspond à la période pendant laquelle le gestionnaire doit livrer les demandes directement à l'aide du stock disponible, en attendant les livraisons des commandes passées. Il faut donc calibrer le niveau de stock de sécurité par rapport à la demande pendant cette période. De plus, le stock de sécurité est utilisé uniquement lorsque la demande pendant l'intervalle de protection est supérieure à la demande moyenne attendue.

La longueur de l'intervalle de protection, donnée fondamentale pour les stocks de sécurité, dépend du type de système de gestion de stock mis en place. Dans un système à point de commande, l'intervalle de protection est égal au délai d'obtention (fig. 14-13).

Figure 14-13 – *L'intervalle de protection dans un système à point de commande*

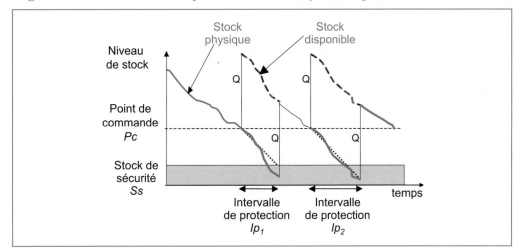

Dans un système à recomplètement périodique, le gestionnaire passe une commande à la fin de chaque période. On voit sur la figure 14-14 que l'intervalle de protection est alors égal au délai constitué d'une période de révision et d'un délai d'obtention.

Il apparaît donc clairement qu'il est nécessaire de connaître la distribution de probabilité de la demande pendant l'intervalle de protection pour paramétrer le système de gestion.

Soit les notations suivantes : D_{ip}, la demande pendant l'intervalle de protection, μ_{Dip} sa moyenne, σ_{Dip} son écart type, T_{ip} la durée de l'intervalle de protection. Deux cas sont alors à considérer pour l'évaluation de μ_{Dip} et σ_{Dip} : intervalle de protection de durée fixe ou de durée aléatoire.

Durée fixe de l'intervalle de protection

Soit l'intervalle de protection T_{ip}, supposé fixe et mesuré en périodes (jours, semaines, mois ou années, suivant les cas). Soit D, la demande aléatoire périodique (en unités par jour, semaine, mois ou année), de moyenne μ_D et écart type σ_D.

Si les demandes périodiques successives sont indépendantes[1], on trouve via la propriété d'additivité des moyennes et des variances :

$$\mu_{Dip} = \mu_D\, T_{ip}$$

$$\sigma_{Dip} = \sigma_D\, \sqrt{T_{ip}}$$

---

[1] Nous ne traitons pas dans cet ouvrage le cas des demandes successives dépendantes, vu la lourdeur des développements mathématiques correspondants.

Figure 14-14 – *L'intervalle de protection dans un système à révision périodique*

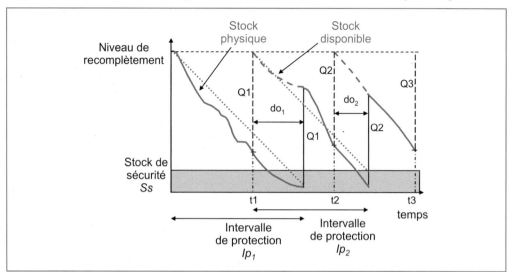

Durée aléatoire de l'intervalle de protection

Dans ce cas, la durée T_{ip} est un nombre aléatoire de périodes. Soit μ_{Tip} et σ_{Dip} la moyenne et l'écart type correspondants. La théorie des probabilités enseigne que, dans ce cas, on a :

$$\mu_{Dip} = \mu_D\,\mu_{Tip}$$

$$\sigma_{Dip} = \sqrt{\sigma_D{}^2\,\mu_{Tip} + \mu_D{}^2\,\sigma^2{}_{Tip}}$$

Effet des différents facteurs

Via les formules ci-dessus, on voit donc que σ_{Dip}, la variabilité de D_{ip}, la demande pendant l'intervalle de protection, s'accroît en même temps que :
- σ_D, la dispersion de la demande périodique,
- μ_{Tip}, la longueur moyenne de l'intervalle de protection,
- σ_{Tip}, la dispersion de l'intervalle de protection.

Cette intuition est précieuse à garder à l'esprit puisque nous verrons que le stock de sécurité est fonction directe de σ_{Dip}. Des actions typiques visant à baisser les stocks de sécurité consisteront donc à :
- limiter la dispersion aléatoire de la demande en améliorant le système de prévision ou en procédant à des agrégations de demandes traitées jusque-là séparément,
- obtenir une diminution du délai de réapprovisionnement de la part du fournisseur, en recourant par exemple aux commandes via Internet et/ou à des modes de transport plus rapides,
- fiabiliser le délai d'obtention de la part du fournisseur, par exemple avec un système de pénalité en cas de retard.

14/3   Liens entre différents taux de service au client

Dans la section 2.2, on a évoqué les indicateurs de taux de service client, *prc* et *prm*. Il est utile de préciser, à ce niveau, les liens entre ces deux indicateurs.

Liens entre les indicateurs prm et prc

Les praticiens utilisent *prm* comme mesure temporelle du phénomène de rupture. Cet indicateur est difficile à exprimer mathématiquement. Pour simplifier les écritures, on propose ici une méthode approximative pour déduire cet indicateur à partir du *prc*. Des développements mathématiques exacts peuvent être retrouvés dans les références bibliographiques.

Deux cas sont à considérer pour cette approximation : les modèles de révision continue et de révision périodique. On suppose que tous les paramètres sont donnés et on montre comment en déduire une valeur (approximative) du *prm*.

Probabilité de rupture moyenne en révision continue

La première constatation est qu'en dehors de l'intervalle de protection, la probabilité de rupture est toujours nulle. Par exemple, dans un système à point de commande, lorsque l'on est au-dessus du point de commande, par définition, on n'est pas en rupture. Le niveau de service global dépendra donc de la proportion du temps pendant laquelle on se situe dans l'intervalle de protection.

Figure 14-15 – *Évolution de la probabilité de rupture en révision continue et point de commande*

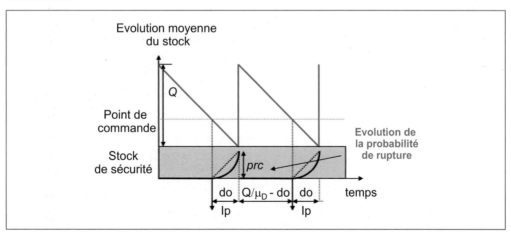

Durant l'intervalle de protection, égal ici au délai d'obtention, le taux de rupture évolue non-linéairement entre 0 et *prc*, alors qu'en dehors de cet intervalle le taux est nul. Si on considère, à titre d'approximation simple, que le taux de rupture moyen sur l'intervalle de protection vaut *prc*/2, le taux de rupture moyen entre deux commandes successives vaut

$$prm \cong \frac{prc/2 \text{ x } do + 0 \text{ x } (Q/\mu_D - do)}{Q/\mu_D} = \frac{prc/2 \ do}{Q/\mu_D}$$

On remarque que le calcul du lien entre *prm* et *prc*, en révision continue, nécessite de connaître Q/μ_D l'intervalle de temps moyen entre deux commandes successives. Typiquement, le lot de commande Q aura été estimé par un des modèles d'optimisation présenté en section 13/3.

Probabilité de rupture moyenne en révision périodique

En révision périodique, un simple coup d'œil à la figure 14-16 montre qu'on se situe toujours dans un intervalle de protection : par définition de ce type de système, le gestionnaire est toujours en attente d'une livraison de commande.

Durant l'intervalle de protection, égal ici au délai d'obtention augmenté d'une période de révision, le taux de rupture évolue non-linéairement entre 0 et *prc*. Si on considère à nouveau, à titre d'approximation simple, que ce taux de rupture évolue linéairement, le taux de rupture moyen entre deux commandes successives est

$$prm \cong \frac{prc + prc\,do/(Pr + do)}{2} = prc\,\frac{1 + do/(Pr + do)}{2}$$

Typiquement, la période de révision *Pr* aura été choisie par un des modèles d'optimisation présenté en 13/3.

Figure 14-16 – *Évolution de la probabilité de rupture en révision périodique et niveau de recomplètement*

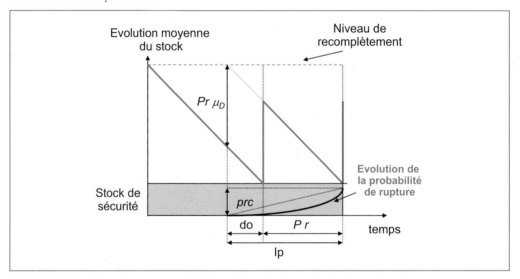

Exemple : supposons un système à point de commande avec une taille de commande telle que la périodicité moyenne de commande est de quatre semaines et le délai d'obtention d'une semaine. On choisit un point de commande égal à la demande hebdomadaire moyenne (le stock de sécurité est donc nul). Si la demande est gaussienne, par symétrie la probabilité de rupture par commande est égale à 0,5. Après réception d'une commande, on ne risque pas d'être en rupture avant d'atteindre le point de commande, soit en moyenne après trois semaines. Le risque intervient seulement pendant la quatrième semaine alors qu'une nouvelle commande est passée est non encore reçue. Donc pendant trois semaines, le risque de rupture est 0 et pendant une semaine, le risque de rupture moyen est approximativement de 0,25. Le risque moyen global est donc de :

$$\frac{(3 \times 0) + (1 \times 0,25)}{4} = 0,0625$$

Considérons un système à révision périodique, avec les mêmes paramètres et un niveau de recomplètement de 5 fois la demande hebdomadaire moyenne. La probabilité de rupture par commande est à nouveau égale à 0,5. Le risque de rupture moyen serait alors

$$0,5 \times \frac{1 + 0,2}{2} = 0,3$$

On remarque ici qu'à protection égale et pour une probabilité de rupture donnée, le stock de sécurité est plus élevé dans un système à recomplètement périodique que dans un système à point de commande.

Lorsqu'on spécifie le taux de service en termes de *prc*, on a vu que le stock de sécurité peut être évalué indépendamment de la valeur de la taille de commande (ou de la périodicité de commande). Par contre, ce n'est plus du tout le cas lorsqu'on souhaite paramétrer un système afin d'obtenir un *prm* objectif. Le niveau du stock de sécurité ne peut donc être fixé indépendamment de la quantité ou de la périodicité économique. La procédure de fixation des stocks de sécurité sera la suivante :

– déterminer, par famille de produits, le niveau de service *prm* désiré,
– calculer pour chaque référence sa périodicité économique ou sa quantité économique et en déduire la périodicité moyenne de réapprovisionnement,
– déduire alors pour chaque référence le *prc* correspondant,
– déterminer le stock de sécurité à partir de ce taux de service.

14/4   Calcul du stock de sécurité à partir du taux de service au client

Nous allons considérer dans la suite la détermination d'un stock de sécurité en fonction d'un taux de service exigé. Le taux de service utilisé ici est le *prc*[1].

Afin d'illustrer au mieux cette procédure, on considère deux cas typiques : révision périodique en présence de demandes à distribution gaussienne et révision continue dans le cas de demandes intermittentes, à distribution de Poisson.

En s'inspirant de la procédure suivie pour résoudre ces deux cas, il est possible de résoudre toute autre situation par simple réécriture des équations.

Révision périodique et demande gaussienne

Nous devons fixer le niveau de recomplètement du stock au moment des passations de commande, en fonction du niveau de service choisi. La figure 14-17 représente le

---

[1] Si on souhaite utiliser l'indicateur *prm*, il suffit d'adapter les procédures décrites ici, via les formules qui lient *prc* et *prm*.

lien entre le niveau de recomplètement Nr et le taux de rupture prc, via la distribution de probabilité de la demande D_{ip}, supposée Gaussienne.

Le niveau de recomplètement nécessaire obéit à la relation :

$$\text{Prob}(D_{ip} > Nr) = prc$$

et le stock de sécurité est obtenu par différence selon :

$$Ss = Nr - \mu_{Dip}$$

Traditionnellement, pour obtenir le niveau Nr, l'équation est reformulée sous la forme :

$$\text{Prob}(D_{ip} > Nr) = \text{Prob}\left(\frac{D_{ip} - \mu_{Dip}}{\sigma_{Dip}} > \frac{Nr - \mu_{Dip}}{\sigma_{Dip}}\right) = prc$$

où $D_{ip}\text{-}\mu_{Dip}/\sigma_{Dip}$ est une variable aléatoire gaussienne de moyenne nulle et d'écart type égal à 1. Cette variable étant notée Z, on obtient la relation :

$$\text{Prob}\left(Z > \frac{Nr - \mu_{Dip}}{\sigma_{Dip}}\right) = prc$$

Figure 14-17 – *Risque de rupture*

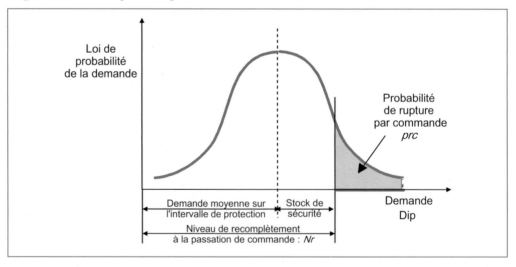

On en déduit la valeur correspondante de Nr via une table de distribution de probabilité cumulée de la loi gaussienne centrée et réduite (voir annexe 1). Cependant, les tableurs permettent de résoudre l'équation directement. On peut facilement évaluer le niveau de recomplètement à l'aide de la fonction LOI.NORMALE.INVERSE sur Excel.

Exemple : supposons que la distribution de la demande suive une loi normale, que la demande moyenne hebdomadaire soit de 100 avec un écart type de 20, le délai d'obtention de 5 semaines (fixe) et la période de révision de 10 semaines. De plus, on veut que la probabilité de rupture par commande soit inférieure à 5 %.

Comme décrit en 5.2, les demandes hebdomadaires successives étant indépendantes, la demande moyenne pendant l'intervalle de protection est de :

$$100 \times 15 = 1\ 500 \text{ unités}$$

alors que l'écart type est égal à :

$$20 \sqrt{10+5} = 77,47 \text{ unités}$$

Pour que 95 % de l'aire sous la courbe de la loi de probabilité soit située à gauche de Nr, la table de répartition de la loi normale, fournie en annexe, indique qu'il faut se trouver à 1,645 écart type de la moyenne. Le stock de sécurité est égal à :

$$20 \sqrt{15} \times 1,645 = 128 \text{ unités}$$

et le niveau de recomplètement est :

$$Nr = 1\ 500 + 128 = 1\ 628$$

En recourant à un tableur, on trouve directement $Nr = 1\ 628$, comme illustré ci-dessous (fig. 14-18).

Figure 14-18 – *Utilisation d'un tableur pour évaluer le niveau de recomplètement*

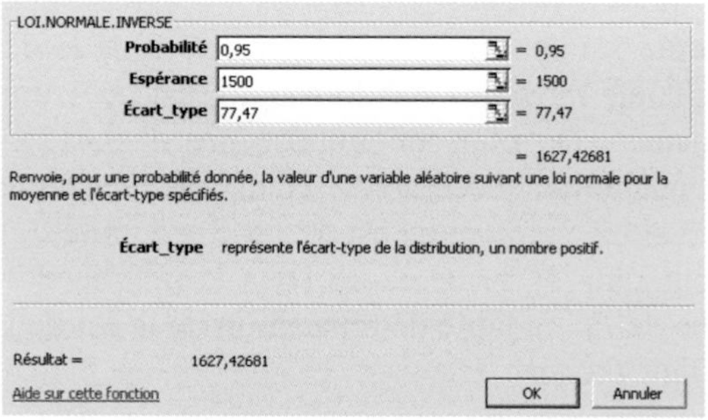

Révision continue et demande poissonnienne

Dans le cas d'un système à point de commande, l'intervalle de protection est égal au délai d'obtention. La question posée est la détermination du point de commande Pc qui assure le taux de rupture souhaité, *prc*. Le point de commande nécessaire obéit à la relation :

$$\text{Prob}(D_{ip} > Pc) = prc$$

Comme ici D_{ip} obéit à une loi de Poisson, il faut recourir à une table de Poisson ou à un tableur pour identifier la valeur *Pc* qui obéit à la condition ci-dessus. On notera que la fonction LOI.POISSON.INVERSE n'est pas toujours disponible sur tableur.

Figure 14-19 – *Risque de rupture*

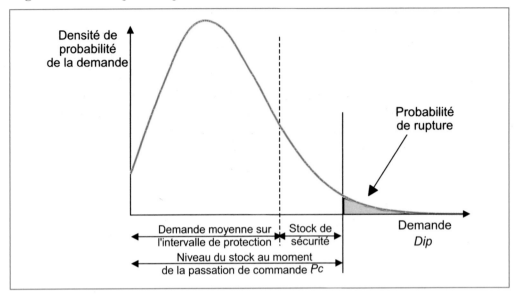

Exemple : supposons que la distribution de la demande suive une loi de Poisson, que la demande moyenne hebdomadaire est de 1 unité et que le délai d'obtention est de 5 semaines. De plus, on impose $prc = 0,01$. Comme décrit en 5.2, les demandes hebdomadaires successives étant indépendantes, la demande moyenne pendant l'intervalle de protection est de 1 x 5 = 5 unités.

Pour que 99 % de l'aire sous la courbe de la loi de probabilité soient situés à gauche de Pc, la table de répartition de la loi de Poisson, fournie en annexe 3, indique qu'il faut choisir :

$$Pc = 11 \text{ unités, soit un stock de sécurité de 6 unités.}$$

Si on recourt au tableur, on obtient un résultat similaire par tâtonnements (fig. 14-20).

Figure 14-20 – *Calcul du point de commande*

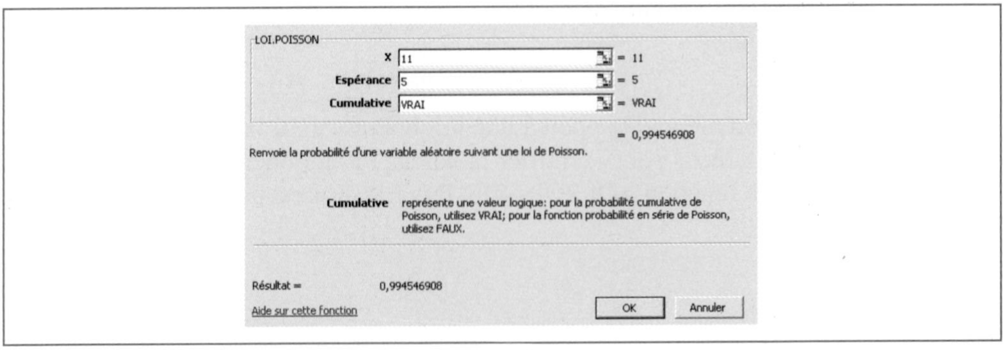

14/5   Calcul du stock de sécurité à partir du coût de rupture

Dans ce cas, aucun taux de service au client n'est fixé *a priori*. L'analyse se fait uniquement sur la base des coûts du système de gestion de stocks en question. Une analyse marginale portant sur l'arbitrage des coûts de possession du stock de sécurité et des coûts de rupture permet de déterminer le niveau optimal du stock de sécurité, un peu à la manière du calcul de la quantité économique du chapitre précédent. Plus on conserve de stock de sécurité, plus cela coûte cher en coût de possession mais le coût de rupture diminue. Inversement, si l'on conserve peu de stock de sécurité, le coût de possession sera faible alors que le coût de rupture sera élevé. On cherche à minimiser la somme du coût de rupture et du coût de stockage du stock de sécurité (fig. 14-21) qui représente le coût de la *fonction Sécurité*.

14/5.1   *Calcul point à point du coût de la fonction Sécurité*

Pour expliquer simplement cette approche, prenons l'exemple suivant.
Exemple : une étude statistique, portant sur les demandes hebdomadaires d'un produit pendant 100 semaines, a donné les résultats qui figurent dans le tableau de la figure 14-22.

Ce produit est géré par un système à point de commande qui conduit à passer environ six commandes par an et le délai d'approvisionnement pour ce produit est d'une semaine.

Chaque article est vendu 200 €. La marge sur coût direct de chaque article est de 80 €. Le taux de détention est évalué à 24 % par an. Le coût de rupture est fixé à 280 € (80 € correspondant à la marge perdue, plus 200 € correspondant à l'impact commercial négatif).

Figure 14-21 – *Optimum du coût de la fonction Sécurité*

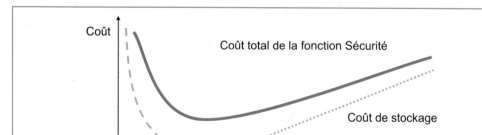

Figure 14-22 – *Distribution de probabilité de la demande hebdomadaire*

Demande hebdomadaire	Nombre de semaines
160	2
180	4
200	6
210	8
240	12
250	18
260	17
270	14
280	9
290	6
300	3
340	1

À quel niveau fixer le point de commande et le niveau de stock de sécurité s'il s'agit de minimiser les coûts de stockage de sécurité et de ruptures de stock en s'appuyant sur un raisonnement économique ? Quel est le taux de service au client dans ce cas ?

D'après les données du problème, la moyenne de la demande est de 250 unités. Le coût annuel de la fonction « sécurité » est égal à la somme du coût de détention du stock de sécurité et du coût des ruptures. Pour déterminer le stock de sécurité, on procède de la manière suivante :

Pour un point de commande donné, par exemple, Pc = 260, il y a rupture seulement si la demande s'avère supérieure à 260 et donc égale à 270, 280, 290, 300 ou 340. Ces demandes apparaissent avec des probabilités respectives de 14 %, 9 %, 6 %, 3 % et 1 %. À partir de cela, on déduit la valeur de l'espérance du nombre de ruptures, noté Nr. Les résultats apparaissent dans la figure 14-23.

Par exemple, pour Pc = 260 et une demande de 270 unités, le nombre de ruptures observé est de 270 – 260 = 10. De même, on peut calculer le nombre de ruptures moyen pour la colonne Pc = 260, en pondérant chaque rupture observée par la probabilité correspondante, ce qui donne un total de 7 unités. Dans ce cas, le coût de rupture périodique est 280 € x 7 = 1 960 €. Le coût annuel de rupture est donc 1 960 € x 6 = 11 760 €. Le coût annuel du stock de sécurité est 10 x 120 € x 24 % = 288 €. D'où un coût total annuel de 12 048 €.

On constate que le coût variable total annuel minimum est de 2 112 € correspondant à un point de commande de 300 unités et donc à un stock de sécurité optimal de 50 unités. Une fois ce stock de sécurité connu, on peut déterminer le taux de service associé. Dans cet exemple, pour un point de commande de 300 unités, le taux de service peut être calculé via le tableau 14-22 et vaut 99 %.

Figure 14-23 – *Calcul des coûts en fonction du point de commande*

		Pc=260	Pc=270	Pc=280	Pc=290	Pc=300	Pc=340
Stock de sécurité		10	20	30	40	50	90
Demande	**Proba.**	\multicolumn{6}{Nombre de ruptures}					
270	0,14	10					
280	0,09	20	10				
290	0,06	30	20	10			
300	0,03	40	30	20	10		
340	0,01	80	70	60	50	40	
Nombre moyen de rupture		7	3,7	1,8	0,8	0,4	0
Coût de rupture/période		1960	1036	504	224	112	0
Coût de rupture annuel		11760	6216	3024	1344	672	0
Coût annuel du Ss		288	576	864	1152	1440	2592
Coût annuel total		12048	6792	3888	2496	2112	2592

14/5.2   *Calcul du taux de service au client en fonction des coûts*

L'impact d'un stock de sécurité sur les coûts est double : baisse des coûts de rupture et accroissement des coûts de détention. Il est donc nécessaire de réaliser un arbitrage économique pour fixer *le niveau de service au client* qui est optimal par rapport à ces coûts. Un tel arbitrage permettra de plus d'assurer la cohérence de la politique des taux de service lorsque de nombreuses références doivent être gérées simultanément.

Sur le terrain, forts de l'expérience de leur organisation logistique, ainsi que celle des concurrents, les responsables logistiques sont souvent à même d'établir intuitivement les niveaux de service aux clients, adaptés à la stratégie générale. Toutefois, il est des situations où une approche formalisée simple constitue une première grille d'analyse efficace. Cette approche est la suivante. Considérons un article dont :

– D_{ip} est la demande aléatoire pendant l'intervalle de protection,
– Cp est le coût de possession unitaire annuel,
– Cr est le coût de rupture par unité en rupture à un moment donné.

Soit Nc/an, le nombre moyen de commandes passées par an pour recompléter le stock. Soit Ss, le niveau de stock de sécurité. Si on augmente ce stock d'une unité pour passer à Ss+1, on constate :

– un accroissement du coût annuel de possession du stock de Cp,
– une baisse du coût moyen annuel de rupture de

$$Cr \; Nc/an \; Prob(D_{ip} > Ss)$$

Le principe de l'analyse marginaliste indique que le stock de sécurité doit être augmenté tant que la baisse moyenne de coût est supérieure à l'accroissement moyen. À l'équilibre optimum les espérances d'accroissement et de baisse des coûts sont égales, c'est-à-dire que l'on a :

$$Cp = Cr \; Nc/an* \; Prob(D_{ip} > Ss^*)$$

où on peut introduire prc^*, le taux de service optimal, défini comme

$$\text{Prob}(D_{ip}>Ss^*) = prc^*$$

On obtient ainsi l'expression suivante pour le taux optimal :

$$prc^* = \frac{Cp}{Cr\ Nc/an}$$

Cette relation montre que le risque optimal de rupture par commande est proportionnel au coût de possession de l'article, Cp et inversement proportionnel au coût de rupture, Cr. Une fois la valeur de prc^* connue, on peut évaluer l'indicateur prm^* correspondant, via les formules développées aux sections précédentes.

Exemple : supposons une installation multimédia dont la valeur est de 10 000 € et dont le processus de réapprovisionnement est géré en révision périodique mensuelle, avec un délai d'obtention d'un mois. Le gestionnaire considère que le coût de rupture est uniquement constitué de sa marge, à savoir 2 500 €. Le taux de détention annuel est estimé à 20 %. La probabilité de rupture optimale par commande est alors :

$$prc^* = \frac{10\,000 \times 0{,}2}{2\,500 \times 12} = 0{,}06$$

Celle-ci s'interprète en disant qu'il est optimal d'avoir un phénomène de rupture (d'une ou plusieurs unités) tous les 16 mois environ.

L'indicateur optimal de taux de rupture moyen au cours du temps se déduit alors suivant la formule :

$$prm^* \cong \frac{0{,}06}{2} \times \frac{1+0{,}5}{2} = 0{,}045$$

Remarque : dans de nombreuses situations pratiques, le coût Cr n'est pas connu exactement, article par article. Toutefois, si les rapports entre les coûts de ruptures des différents articles peuvent être estimés, la formule précédente permet au moins d'assurer la cohérence d'une politique générale de gestion de stocks.

Soit un indice i (i = 1, ...,n) pour repérer les différents articles, on doit donc retrouver les relations :

$$\frac{prc_i^*}{prc_j^*} = \frac{Cp_i}{Cp_j}\ \frac{Nc_j/an}{Nc_i/an}\ \frac{Cr_j}{Cr_i}\ (i, j = 1,...,n)$$

Exemple : considérons un grand distributeur qui doit en permanence disposer de 2 articles différents, A et B. Le responsable estime qu'une rupture sur une pièce A est 100 fois plus grave qu'une rupture sur une pièce B (même si cette personne est incapable de chiffrer ces coûts). En supposant, par simplicité d'écriture, que les coûts et les processus d'approvisionnement de ces pièces sont similaires, on pourra en déduire que les probabilités de rupture optimales doivent respecter la relation :

$$\frac{prc_A^*}{prc_B^*} = \frac{1}{100}$$

ce qui constitue une première analyse de la cohérence d'une politique de gestion.

14/6   Cas de demandes non stationnaires

Dans tous les modèles précédents, on a supposé que la demande pendant l'intervalle de protection, ainsi que les demandes périodiques, suivaient une loi de probabilité stationnaire au cours du temps. En fait, dans de nombreuses situations concrètes, les demandes peuvent être fortement non stationnaires, comme en cas de forte croissance ou de saisonnalité marquée. Dans ces situations, pour les périodes successives, les demandes moyennes et les écarts types correspondants sont estimés par les méthodes de prévisions présentées au chapitre 9. L'exploitation de ces informations dans la constitution des stocks de sécurité en cas de demandes non stationnaires est la suivante.

On reprend ici le principe que le stock de sécurité joue son rôle de protection contre les aléas uniquement pendant l'intervalle de protection. L'intervalle de protection sera supposé déterministe, c'est-à-dire non aléatoire. Comme expliqué précédemment, la longueur de l'intervalle de protection dépend du type de système de gestion de stock mis en place : système à point de commande ou système à recomplètement périodique[1].

Soit l'intervalle de protection T_{ip}, supposé fixe et mesuré en périodes (jours, semaines, mois ou années suivant les cas). Soit les notations suivantes : D_{ip}, la demande pendant l'intervalle de protection, μ_{Dip} sa moyenne, σ_{Dip} son écart type.

La meilleure approche pour caractériser les paramètres μ_{Dip} et σ_{Dip} consiste à développer un modèle de prévision quantitatif pour cette demande pendant l'intervalle de protection (cf. chap. 9). Dans ce cas, on obtiendra automatiquement les valeurs des paramètres pour les intervalles de protection successifs.

Une approche alternative consiste à exploiter les prévisions des demandes périodiques pour reconstituer par agrégation les paramètres de la demande sur l'intervalle de protection.

Dans ce cas, soit $\mu_D(1)$, $\mu_D(2)$, …, $\mu_D(T_{ip})$, les prévisions moyennes des demandes périodiques successives dans l'intervalle de protection et $\sigma_D(1)$, $\sigma_D(2)$, …, $\sigma_D(T_{ip})$, les écarts types par rapport aux prévisions moyennes des demandes périodiques successives. Si on suppose que les demandes successives sont indépendantes[2], on trouve via la propriété d'additivité des moyennes et des variances :

$$\mu_{Dip} = \mu_D(1) + \mu_D(2) + \dots + \mu_D(T_{ip})$$

$$\sigma_{Dip} = \sqrt{\sigma_D(1) + \sigma_D(2) + \dots + \sigma_D(T_{ip})}$$

On applique alors ensuite tous les raisonnements classiques à partir de ces paramètres.

---

[1] On remarquera que, dans le cas des demandes non stationnaires, le système à recomplètement périodique peut être assimilé d'une certaine manière aux programmes directeurs, présentés au chapitre 11.

[2] La propriété n'est pas garantie, c'est pourquoi l'approche précédente par prévision directe est plus pertinente.

14/7 Autres approches managériales et organisationnelles

Dans la *supply chain*, il existe des possibilités d'agrégation des stocks qui peuvent avoir un impact sur le niveau du stock de sécurité pour un même niveau d'exigence du service au client. Différentes mesures organisationnelles permettent aux entreprises de rationaliser leur *supply chain* et fournissent une sorte d'alternative à la constitution systématique de stocks de sécurité élevés. Parmi les mesures organisationnelles possibles, on peut citer :
- la centralisation des stocks dans un entrepôt unique,
- la segmentation des produits et focalisation des sites de stockage,
- la substitution des produits,
- la différenciation retardée et la standardisation des composants et des modules,
- une politique fournisseurs adaptée,
- la coordination des stocks par un système d'information centralisé.

14/7.1 Centralisation du système de distribution et des stocks

Dans un réseau de distribution multi-dépôts régionaux, il y a généralement un stock de sécurité dans chaque site dont le niveau est défini en fonction du taux de service souhaité au client. Comme déjà mentionné dans le chapitre 7, certaines entreprises ont rationalisé leur réseau de distribution en localisant leurs stocks au sein d'un entrepôt central. Cette mesure permet, sous certaines conditions assez générales, de réduire sensiblement le stock de sécurité total.

En effet, si les demandes régionales sont indépendantes, le stock de sécurité total à garder au sein de l'entrepôt central est égal au rapport de la somme des stocks de sécurité au niveau des régions par la racine carrée du nombre de dépôts. Pour illustrer ce point, prenons l'exemple simple suivant : l'entreprise dispose de 9 dépôts régionaux dont le stock de sécurité est de 100 unités par centre. Supposons que ce niveau de stock de sécurité correspond à un taux de service au client de 95 %. Si l'entreprise décide de remplacer les 9 dépôts régionaux par un entrepôt central, le stock de sécurité centralisé doit être de (900/racine carrée(9)) = 300 unités. Ces 300 unités constituent le niveau de stock de sécurité requis pour parvenir à un taux de service au client de 95 %. Le gain de 600 unités est conséquent et montre, à quel point, la centralisation est une mesure organisationnelle potentiellement prometteuse si les conditions le permettent.

14/7.2 Segmentation des produits et focalisation des sites de stockage

Dans de nombreuses activités, le nombre de produits à gérer est de l'ordre de plusieurs milliers. La gestion d'un réseau de distribution multi-dépôts avec la présence systématique en stock de tous les produits dans chaque dépôt serait très coûteuse voire impensable. Il convient donc de constituer des familles homogènes pour appliquer à tous les articles de ces familles une même politique de gestion. La méthode de classification repose le plus souvent sur l'analyse ABC. Dans ce cas précis, la segmentation pourrait se faire en fonction du taux de rotation de stocks des produits.

Les produits de classe A, peu nombreux mais bénéficiant d'un taux de rotation très élevé, doivent être stockés dans des dépôts régionaux à proximité des clients. On utilisera de préférence un système de stock qui offre une grande flexibilité et par conséquent un niveau de stock de sécurité limité.

À l'inverse, les produits de classe C, qui sont très nombreux et dont le taux de rotation des stocks est faible, doivent être stockés dans un entrepôt central. Cette centralisation, comme vue précédemment, permettra de maintenir un stock de sécurité beaucoup moins important que si les produits étaient disponibles dans les dépôts régionaux.

Une partie des produits de classe B peut être gérée comme ceux de la classe A et le reste assimilé aux produits de la classe C.

Cette segmentation suggère une focalisation possible des dépôts de stockage et permet une rationalisation de la configuration de la *supply chain.*

14/7.3 *Segmentation selon des classes de taux de service*

Dans une entreprise stockant un grand nombre de références différentes (cas des sociétés de distribution), comme abordé au paragraphe ci-dessus, la préoccupation du financier est l'investissement global en stocks de sécurité toutes références confondues. Le bon sens doit être d'envisager une politique commerciale fondée sur une hiérarchisation des taux de service selon les impératifs et risques commerciaux. Prenons un exemple concret.

Un concessionnaire analyse ainsi ses familles de pièces (fig. 14-24). On voit que toutes les pièces d'usure et consommables correspondant à des prestations « Service rapide » et opérations forfaitaires doivent être absolument disponibles avec un taux de service « à 100 % ». En revanche, pour les pièces de carrosserie, à l'extrême limite, des stocks de sécurité peuvent être faibles.

Figure 14-24 – *Exigences selon les types de produits*

Catégories	Exigence	Taux de service	Nb ref.
Pièces mécaniques (pièces d'usure)	Élevée	95 %	2 500
Service rapide/forfaits (bougies, amortisseurs, plaquettes, etc.)	Absolue	99,99 %	500
Huiles, pneumatiques	Absolue	99,99 %	200
Pièces carrosserie	Sous 1 jour	60 %	1 200
Équipements divers et accessoires	Sous 1 jour	50 %	960

En effet, en cas d'accident, la réparation doit attendre de toute façon l'évaluation d'un expert d'assurance, ce qui laisse – étant donné les délais d'intervention normaux – le temps de réapprovisionner les pièces avant passage en atelier. À la limite, il ne serait pas nécessaire de tenir un stock de sécurité si le délai d'approvisionnement du constructeur permettait la réception des pièces dans la « fenêtre » de temps disponible avant restitution de la voiture au client.

14/7.4   *Substitution des produits*

Malgré la bonne volonté des entreprises de maintenir un taux de service élevé aux clients, la multiplication des produits accentue le risque de rupture des stocks. Lors d'une rupture, l'entreprise soucieuse de garder ses clients peut proposer comme geste commercial un produit de substitution souvent plus cher. Ce geste apparemment coûteux à l'entreprise peut ne pas l'être si l'on considère le risque de perte du client et le coût du stock de sécurité supplémentaire qu'il fallait avoir pour éviter la rupture du produit. Par extrapolation, l'entreprise pourrait réfléchir, d'une part, à une politique d'un stock de sécurité plus important pour un nombre restreint de produits qualifiés de produits de substitution et, d'autre part, à une réduction du niveau du stock de sécurité pour une multitude de produits « substituables » dont la demande serait très volatile.

La pratique de substitution est également pratiquée par le client. Si le produit dans un format spécifique n'est pas disponible, le client peut prendre le produit dans un autre format. Par exemple, si un produit est emballé en un pack de 4 unités, le client peut prendre le même produit mais en un pack de 6 unités ou un pack de 2 unités. Dans ce cas, un stock de sécurité élevé pour chaque variante de conditionnement de produit n'est pas une nécessité. Face à cette course effrénée à la variété, l'entreprise doit réfléchir aux moyens de réguler l'offre de ses produits en garantissant un taux de service élevé au client mais, peut-être, en gérant sélectivement ses stocks de sécurité.

14/7.5   *Différenciation retardée et standardisation des composants et des modules*

La section précédente a mis en lumière le défi posé par la variété et le sur mesure. Les entreprises en sont conscientes et certaines font des efforts de plus en plus importants pour limiter la propagation de la variété des produits aux processus amont de la *supply chain*. La standardisation des composants et des modules est une solution qui a déjà donné des résultats encourageants dans le secteur de l'automobile, des ordinateurs, de l'aéronautique, des chantiers navals, etc. Évidemment, la standardisation permet une différenciation retardée du produit et évite de multiplier les points de stockage pour des sous-ensembles et des modules différents. Cette mesure organisationnelle permet de limiter d'une manière drastique les stocks ainsi que le niveau du stock de sécurité dans la *supply chain*.

14/7.6   *Une politique fournisseurs adaptée : le multi-sourcing*

En général, il est rare qu'une entreprise se limite à une source unique sauf pour des produits très spécifiques et de haute technicité.

Dans le cas de produits dont la demande est volatile et donc nécessitant des stocks de sécurité élevés, on peut imaginer un système avec deux fournisseurs. Un premier fournisseur chargé de livrer des quantités stables pour faire face à la fraction de la demande sans variabilité. Au deuxième fournisseur, dit de « dépannage », on attribue la fraction de la demande variable.

Puisque le deuxième fournisseur gère les aléas de la demande, il est évident que le stock de sécurité doit être élevé chez lui et presque inexistant chez le premier fournisseur. Par ailleurs, le premier fournisseur pratique en général un prix sensiblement plus bas que celui consenti par le second. Le résultat de ce double *sourcing* s'apparente à une *supply chain* dont une partie (premier fournisseur) est centrée sur l'efficience alors que l'autre partie (deuxième fournisseur) est conçue pour une très grande réactivité et flexibilité. Cette politique fournisseurs permet de réduire le niveau du stock de sécurité et de minimiser globalement les coûts.

14/7.7   *Coordination des stocks par un système d'information centralisé*

Une entreprise disposant d'un réseau de distribution multi-sites et géographiquement dispersé peut se passer d'un niveau de stock de sécurité conséquent dans chaque dépôt pourvu qu'elle mette en place un système permettant de partager l'information. La connaissance en temps réel du stock disponible à la vente (ATP, cf. chap. 11) au niveau de chaque site permet d'éviter des ruptures en honorant la commande client à partir d'autres sites. C'est un moyen de centraliser et d'agréger l'offre d'une manière virtuelle. Cette centralisation virtuelle peut se traduire par une réduction réelle du stock de sécurité sur l'ensemble des sites sans pour autant pénaliser le taux de service au client.

D'autres initiatives de collaboration et de coordination telles que celles traitées dans le chapitre 15 concourent à la réduction du niveau du stock de sécurité et à un taux de service élevé au client.

Annexe 1 : Table de la loi de Poisson cumulée

$$\text{Prob}(X \le c; \mu_D) = \sum_{k=0}^{c} \frac{\mu_D^{k} e^{-\mu_D}}{k!}$$

μD	\multicolumn{9}{c}{Valeurs de c}
	0	1	2	3	4	5	6	7	8
0,02	0,980	1,000	1,000	1,000	1,000	1,000	1,000	1,000	1,000
0,04	0,961	0,999	1,000	1,000	1,000	1,000	1,000	1,000	1,000
0,06	0,942	0,998	1,000	1,000	1,000	1,000	1,000	1,000	1,000
0,08	0,923	0,997	1,000	1,000	1,000	1,000	1,000	1,000	1,000
0,1	0,905	0,995	1,000	1,000	1,000	1,000	1,000	1,000	1,000
0,15	0,861	0,990	0,999	1,000	1,000	1,000	1,000	1,000	1,000
0,2	0,819	0,982	0,999	1,000	1,000	1,000	1,000	1,000	1,000
0,25	0,779	0,974	0,998	1,000	1,000	1,000	1,000	1,000	1,000
0,3	0,741	0,963	0,996	1,000	1,000	1,000	1,000	1,000	1,000
0,35	0,705	0,951	0,994	1,000	1,000	1,000	1,000	1,000	1,000
0,4	0,670	0,938	0,992	0,999	1,000	1,000	1,000	1,000	1,000
0,45	0,638	0,925	0,989	0,999	1,000	1,000	1,000	1,000	1,000
0,5	0,607	0,910	0,986	0,998	1,000	1,000	1,000	1,000	1,000
0,55	0,577	0,894	0,982	0,998	1,000	1,000	1,000	1,000	1,000
0,6	0,549	0,878	0,977	0,997	1,000	1,000	1,000	1,000	1,000
0,65	0,522	0,861	0,972	0,996	0,999	1,000	1,000	1,000	1,000
0,7	0,497	0,844	0,966	0,994	0,999	1,000	1,000	1,000	1,000
0,75	0,472	0,827	0,959	0,993	0,999	1,000	1,000	1,000	1,000
0,8	0,449	0,809	0,953	0,991	0,999	1,000	1,000	1,000	1,000
0,85	0,427	0,791	0,945	0,989	0,998	1,000	1,000	1,000	1,000
0,9	0,407	0,772	0,937	0,987	0,998	1,000	1,000	1,000	1,000
0,95	0,387	0,754	0,929	0,984	0,997	1,000	1,000	1,000	1,000
1	0,368	0,736	0,920	0,981	0,996	0,999	1,000	1,000	1,000
1,1	0,333	0,699	0,900	0,974	0,995	0,999	1,000	1,000	1,000
1,2	0,301	0,663	0,879	0,966	0,992	0,998	1,000	1,000	1,000
1,3	0,273	0,627	0,857	0,957	0,989	0,998	1,000	1,000	1,000
1,4	0,247	0,592	0,833	0,946	0,986	0,997	0,999	1,000	1,000
1,5	0,223	0,558	0,809	0,934	0,981	0,996	0,999	1,000	1,000
1,6	0,202	0,525	0,783	0,921	0,976	0,994	0,999	1,000	1,000
1,7	0,183	0,493	0,757	0,907	0,970	0,992	0,998	1,000	1,000
1,8	0,165	0,463	0,731	0,891	0,964	0,990	0,997	0,999	1,000
1,9	0,150	0,434	0,704	0,875	0,956	0,987	0,997	0,999	1,000
2	0,135	0,406	0,677	0,857	0,947	0,983	0,995	0,999	1,000

Annexe 2 : Table de la loi de Poisson cumulée (suite)

$$\text{Prob}(X \le c; \mu_D) = \sum_{k=0}^{c} \frac{\mu_D^{k} \, e^{-\mu_D}}{k!}$$

μ_D	Valeurs de c																
	0	1	2	3	4	5	6	7	8	9	10	11	12	13	14	15	16
2,2	0,11	0,35	0,62	0,82	0,93	0,98	0,99	1,00	1,00	1,00	1,00	1,00	1,00	1,00	1,00	1,00	1,00
2,4	0,09	0,31	0,57	0,78	0,90	0,96	0,99	1,00	1,00	1,00	1,00	1,00	1,00	1,00	1,00	1,00	1,00
2,6	0,07	0,27	0,52	0,74	0,88	0,95	0,98	0,99	1,00	1,00	1,00	1,00	1,00	1,00	1,00	1,00	1,00
2,8	0,06	0,23	0,47	0,69	0,85	0,93	0,98	0,99	1,00	1,00	1,00	1,00	1,00	1,00	1,00	1,00	1,00
3	0,05	0,20	0,42	0,65	0,82	0,92	0,97	0,99	1,00	1,00	1,00	1,00	1,00	1,00	1,00	1,00	1,00
3,2	0,04	0,17	0,38	0,60	0,78	0,89	0,96	0,98	0,99	1,00	1,00	1,00	1,00	1,00	1,00	1,00	1,00
3,4	0,03	0,15	0,34	0,56	0,74	0,87	0,94	0,98	0,99	1,00	1,00	1,00	1,00	1,00	1,00	1,00	1,00
3,6	0,03	0,13	0,30	0,52	0,71	0,84	0,93	0,97	0,99	1,00	1,00	1,00	1,00	1,00	1,00	1,00	1,00
3,8	0,02	0,11	0,27	0,47	0,67	0,82	0,91	0,96	0,98	0,99	1,00	1,00	1,00	1,00	1,00	1,00	1,00
4	0,02	0,09	0,24	0,43	0,63	0,79	0,89	0,95	0,98	0,99	1,00	1,00	1,00	1,00	1,00	1,00	1,00
4,2	0,01	0,08	0,21	0,40	0,59	0,75	0,87	0,94	0,97	0,99	1,00	1,00	1,00	1,00	1,00	1,00	1,00
4,4	0,01	0,07	0,19	0,36	0,55	0,72	0,84	0,92	0,96	0,99	0,99	1,00	1,00	1,00	1,00	1,00	1,00
4,6	0,01	0,06	0,16	0,33	0,51	0,69	0,82	0,90	0,95	0,98	0,99	1,00	1,00	1,00	1,00	1,00	1,00
4,8	0,01	0,05	0,14	0,29	0,48	0,65	0,79	0,89	0,94	0,97	0,99	1,00	1,00	1,00	1,00	1,00	1,00
5	0,01	0,04	0,12	0,27	0,44	0,62	0,76	0,87	0,93	0,97	0,99	0,99	1,00	1,00	1,00	1,00	1,00
5,2	0,01	0,03	0,11	0,24	0,41	0,58	0,73	0,84	0,92	0,96	0,98	0,99	1,00	1,00	1,00	1,00	1,00
5,4	0,00	0,03	0,09	0,21	0,37	0,55	0,70	0,82	0,90	0,95	0,98	0,99	1,00	1,00	1,00	1,00	1,00
5,6	0,00	0,02	0,08	0,19	0,34	0,51	0,67	0,80	0,89	0,94	0,97	0,99	0,99	1,00	1,00	1,00	1,00
5,8	0,00	0,02	0,07	0,17	0,31	0,48	0,64	0,77	0,87	0,93	0,97	0,98	0,99	1,00	1,00	1,00	1,00
6	0,00	0,02	0,06	0,15	0,29	0,45	0,61	0,74	0,85	0,92	0,96	0,98	0,99	1,00	1,00	1,00	1,00
6,2	0,00	0,01	0,05	0,13	0,26	0,41	0,57	0,72	0,83	0,90	0,95	0,98	0,99	1,00	1,00	1,00	1,00
6,4	0,00	0,01	0,05	0,12	0,24	0,38	0,54	0,69	0,80	0,89	0,94	0,97	0,99	0,99	1,00	1,00	1,00
6,6	0,00	0,01	0,04	0,11	0,21	0,35	0,51	0,66	0,78	0,87	0,93	0,96	0,98	0,99	1,00	1,00	1,00
6,8	0,00	0,01	0,03	0,09	0,19	0,33	0,48	0,63	0,75	0,85	0,92	0,96	0,98	0,99	1,00	1,00	1,00
7	0,00	0,01	0,03	0,08	0,17	0,30	0,45	0,60	0,73	0,83	0,90	0,95	0,97	0,99	0,99	1,00	1,00
7,2	0,00	0,01	0,03	0,07	0,16	0,28	0,42	0,57	0,70	0,81	0,89	0,94	0,97	0,98	0,99	1,00	1,00
7,4	0,00	0,01	0,02	0,06	0,14	0,25	0,39	0,54	0,68	0,79	0,87	0,93	0,96	0,98	0,99	1,00	1,00
7,6	0,00	0,00	0,02	0,06	0,12	0,23	0,36	0,51	0,65	0,76	0,85	0,91	0,95	0,98	0,99	0,99	1,00
7,8	0,00	0,00	0,02	0,05	0,11	0,21	0,34	0,48	0,62	0,74	0,84	0,90	0,95	0,97	0,99	0,99	1,00
8	0,00	0,00	0,01	0,04	0,10	0,19	0,31	0,45	0,59	0,72	0,82	0,89	0,94	0,97	0,98	0,99	1,00

Annexe 3 : Table de loi Gaussienne centrée et réduite

z	.00	.01	.02	.03	.04	.05	.06	.07	.08	.09
.0	.5000	.5040	.5080	.5120	.5160	.5199	.5239	.5279	.5319	.5359
.1	.5398	.5438	.5478	.5517	.5557	.5596	.5636	.5675	.5714	.5753
.2	.5793	.5832	.5871	.5910	.5948	.5987	.6026	.6064	.6103	.6141
.3	.6179	.6217	.6255	.6293	.6331	.6368	.6406	.6443	.6480	.6517
.4	.6554	.6591	.6628	.6664	.6700	.6736	.6772	.6808	.6844	.6879
.5	.6915	.6950	.6985	.7019	.7054	.7088	.7123	.7157	.7190	.7224
.6	.7257	.7291	.7324	.7357	.7389	.7422	.7454	.7486	.7517	.7549
.7	.7580	.7611	.7642	.7673	.7703	.7734	.7764	.7794	.7823	.7852
.8	.7881	.7910	.7939	.7967	.7995	.8023	.8051	.8078	.8106	.8133
.9	.8159	.8186	.8212	.8238	.8264	.8289	.8315	.8340	.8365	.8389
1.0	.8413	.8438	.8461	.8485	.8508	.8531	.8554	.8577	.8599	.8621
1.1	.8643	.8665	.8686	.8708	.8729	.8749	.8770	.8790	.8810	.8830
1.2	.8849	.8869	.8888	.8907	.8925	.8944	.8962	.8980	.8997	.9015
1.3	.9032	.9049	.9066	.9082	.9099	.9115	.9131	.9147	.9162	.9177
1.4	.9192	.9207	.9222	.9236	.9251	.9265	.9279	.9292	.9306	.9319
1.5	.9332	.9345	.9357	.9370	.9382	.9394	.9406	.9418	.9429	.9441
1.6	.9452	.9463	.9474	.9484	.9495	.9505	.9515	.9525	.9535	.9545
1.7	.9554	.9564	.9573	.9582	.9591	.9599	.9608	.9616	.9625	.9633
1.8	9641	.9649	.9656	.9664	.9671	.9678	.9686	.9693	.9699	.9706
1.9	.9713	.9719	.9726	.9732	.9738	.9744	.9750	.9756	.9761	.9767
2.0	.9772	.9778	.9783	.9788	.9793	.9798	.9803	.9808	.9812	.9817
2.1	.9821	.9826	.9830	.9834	.9838	.9842	.9846	.9850	.9854	.9857
2.2	.9861	.9864	.9868	.9871	.9875	.9878	.9881	.9884	.9887	.9890
2.3	.9893	.9896	.9898	.9901	.9904	.9906	.9909	.9911	.9913	.9916
2.4	.9918	.9920	.9922	.9925	.9927	.9929	.9931	.9932	.9934	.9936
2.5	.9938	.9940	.9941	.9943	.9945	.9946	.9948	.9949	.9951	.9952
2.6	.9953	.9955	.9956	.9957	.9959	.9960	.9961	.9962	.9963	.9964
2.7	.9965	.9966	.9967	.9968	.9969	.9970	.9971	.9972	.9973	.9974
2.8	.9974	.9975	.9976	.9977	.9977	.9978	.9979	.9979	.9980	.9981
2.9	.9981	.9982	.9982	.9983	.9984	.9984	.9985	.9985	.9986	.9986
3.0	.9987	.9987	.9987	.9988	.9988	.9989	.9989	.9989	.9990	.9990
3.1	.9990	.9991	.9991	.9991	.9991	.9992	.9992	.9992	.9993	.9993
3.2	.9993	.9993	.9994	.9994	.9994	.9994	.9994	.9995	.9995	.9995
3.3	.9995	.9995	.9995	.9996	.9996	.9996	.9996	.9996	.9996	.9997
3.4	.9997	.9997	.9997	.9997	.9997	.9997	.9997	.9997	.9997	.9998

Chapitre 15

Coordination des flux et collaboration dans la *supply chain* étendue

Le chapitre 6 a exposé comment, et la pratique industrielle le montre tous les jours, une bonne approche de management consiste non pas à optimiser chaque stade du processus indépendamment des autres, mais à rechercher une performance globale au profit du client final, par conception et pilotage d'un *système intégré ou coordonné*, où la priorité est donnée à l'optimisation de l'ensemble plutôt qu'à chacun de ses éléments pris séparément. C'est cette approche actuelle qu'on qualifie de management de la chaîne logistique globale ou *Supply Chain Management*.

Le présent chapitre a pour objet d'en expliquer les raisons, d'analyser les dysfonctionnements qui apparaissent si on ne procède pas ainsi, d'énoncer les principaux choix stratégiques auxquels on peut être confronté, et d'étudier ses répercussions concrètes sur le pilotage de la chaîne globale.

15/1   Optimisations « locales » : les effets pervers

L'approche « classique » consiste donc à optimiser chaque stade du processus de production / distribution. Or, au niveau de la recherche en gestion industrielle, notamment depuis les premiers travaux du professeur Jay Forrester, et relayée largement depuis par la pratique, on a pu observer les effets pervers d'une gestion indépendante des différents stades d'une chaîne logistique globale[1].

Imaginons le scénario suivant – simplifié pour l'exemple – illustré par la figure 15-1. Une entreprise textile fabrique des pantalons ; son processus de stockage / distribution comporte quatre stades principaux : l'entrepôt central Usine, un entrepôt régional, un grossiste et un magasin distributeur. Pour simplifier, on oublie volontairement l'usine elle-même (fabrication) et le stade amont des fournisseurs. De plus, on envisage une seule entité par stade, alors que dans le cas réel il y a quelques

---

[1]   Voir Forrester J. W., *Industrial Dynamics*, MIT Press, 1961.
Lee H. L., V. Whang P. & S., « The Bullwhip Effect in Supply Chains », *Sloan Management Review*, Spring 1997.
Lee H. L. & Billington C., « Managing Supply Chain Inventory: pitfalls and opportunities », *Sloan Management Review*, Spring 1992.
Mason-Jones R., Naîm M. M. & Towill D. R., « The Impact of Pipeline Control on Supply Chain Dynamics », *The International Journal of Logistics*, Number 2, 1997.

dépôts régionaux, un certain nombre de grossistes et tout un réseau de magasins couvrant l'ensemble du territoire national.

Figure 15-1 – *Un système production / distribution simplifié*

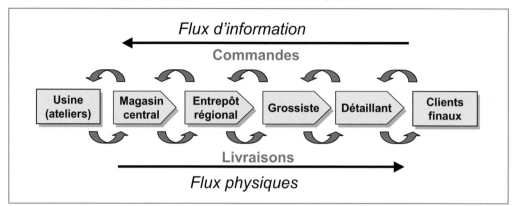

L'idée de base est de procéder à une simulation en observant la façon dont chaque stade va opérer en fonction de sa perception de la demande ; on mesurera les conséquences de sa politique de réapprovisionnement sur ses stocks et la façon dont il satisfait la demande de son ou ses clients. Dans l'exemple, les résultats illustrés sur les figures suivantes 15-2 font ressortir le phénomène sur 22 semaines[1].

Le principe de la simulation est le suivant :
- Chaque stade observe l'évolution de « sa » demande aval directe, et réagit en conséquence (il lui est loisible bien sûr de la prévoir selon l'historique de demande qu'il a pu enregistrer à son niveau).
- La transmission des commandes se fait au stade directement supérieur (les décisions à prendre consistent donc simplement à savoir par quelle quantité commander pour recompléter le stock qui doit assurer un taux de service au « client » de 100 %).
- Dans une version simplifiée de la simulation, il n'y a pas de contrainte de capacité (de stockage en l'occurrence).
- À chaque stade, les délais de commandes et de livraison sont égaux à une semaine.
- Chaque stade doit rechercher la minimisation de ses coûts (investissement en stock et coût de ruptures).

15/1.1 Processus d'amplification : effet « Bullwhip »

À partir des résultats, on peut faire les constats suivants :
- plus on remonte vers l'amont du système, plus l'amplitude de la demande augmente (pour une demande moyenne de 40 articles au niveau du client final avec un pic à 70 articles en semaine 11, nous observons un pic à 200 articles en semaine 16 au niveau des commandes du magasin Usine à l'atelier de fabrication),

---

[1] Ces résultats représentent la synthèse de plusieurs simulations réalisées sur 22 semaines, de façon à faire apparaître un phénomène convergent.

Figure 15-2 – *Résultats de la simulation multi-stades*

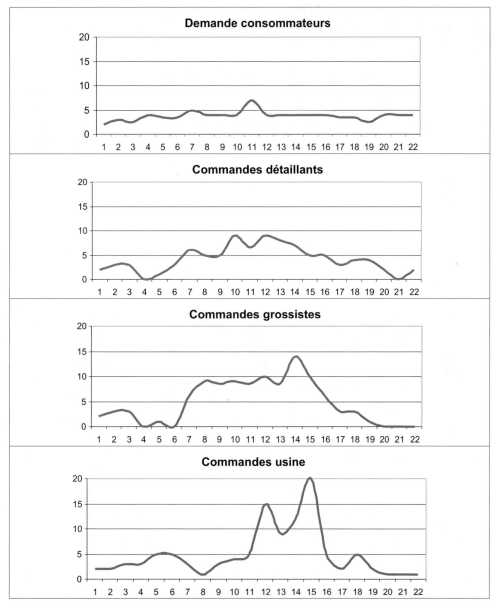

– par ailleurs, on observe un décalage de quatre semaines dans la transmission de l'augmentation passagère de la demande,

– (bien que les évolutions simultanées des stocks ne soient pas représentées ici) si on pense aux délais de livraison d'une semaine à chaque stade, on comprendra aisément que le cycle de réapprovisionnement de la filière provoquera rapidement des ruptures de stocks sauf à maintenir un niveau moyen de stock élevé,

– si enfin, pour n'envisager qu'un exemple simple, la capacité de l'atelier se trouve être de 160 articles par semaine, on comprend que la commande de 200 articles ne pourra être satisfaite en une seule semaine, provoquant ainsi un rallongement de la période possible de rupture de stock à tous les stades du processus par effet induit au niveau des livraisons.

Tous ces phénomènes sont observés avec une seule entité à chaque stade : ils sont évidemment amplifiés si on se rapproche de la réalité d'un réseau de distribution à entités multiples. Par exemple, 3 détaillants réagissant à peu près de façon identique à l'augmentation de la demande finale sur leur territoire respectif pourraient retransmettre une commande cumulée à leur grossiste de 270 articles environ au lieu de 90 dans la simulation !

On notera néanmoins que tous les acteurs auront cru bien faire en prenant les bonnes décisions d'optimisation de gestion à leur niveau en fonction de leurs données de coût et de leur connaissance de leur propre demande !

15/1.2   Analyses des principales causes

Le phénomène trouve son explication dans plusieurs causes :

1) Indépendance des acteurs et méconnaissance de la demande finale

Même si un stade fait une prévision de demande, au lieu de réagir à une brusque augmentation sans aucune anticipation, il réagit par rapport à sa perception immédiate sans se préoccuper des conséquences en amont. Cela induit un phénomène d'amplification naturel au fur et à mesure de la « remontée » dans la chaîne logistique, résultant de décisions de réapprovisionnement cherchant à chaque stade à se protéger contre une augmentation qui pourrait être durable.

Dans l'exemple, ce qui, au niveau du client final apparaît comme une simple augmentation passagère et mineure des ventes (de l'ordre du doublement de la demande moyenne de 40 articles en volume), se traduit au niveau du magasin usine comme un phénomène extrêmement fluctuant.

Ainsi les niveaux de stocks de sécurité devront être globalement très élevés pour faire face à des fluctuations importantes si l'on veut maintenir un taux de service proche de 100 %.

2) Règles d'optimisation purement locales

À chaque stade, selon la structure des coûts et par application scrupuleuse des règles de quantités économiques et de conception de systèmes de gestion de stocks tout à fait conformes sur le plan théorique, au lieu de réapprovisionner le stock de façon régulière et lissée à fréquence plutôt élevée, on commandera en général par quantités importantes espacées dans le temps. Cette approche économique, tout à fait valide « localement », contribuera, elle aussi, à amplifier les fluctuations de la demande « perçue » par les niveaux supérieurs.

Par ailleurs, il n'y a aucune garantie – d'ailleurs on observe le contraire – que les commandes soient passées selon une périodicité identique aux différents niveaux de la chaîne logistique : cela interdit toute tentative de planification coordonnée de l'ensemble du dispositif.

3) Effet induit des contraintes d'approvisionnement des stades amont

Dans cette simulation simpliste, aucune contrainte de capacité n'a été introduite aux différents stades. Or, dans la réalité, ce sera le cas, ne serait-ce qu'au niveau de l'usine. Ainsi, sur certaines périodes on ne pourra pas matériellement fabriquer les quantités commandées par le magasin en suivant les fluctuations importantes : cela entraînera des livraisons partielles et donc des retards à tous les niveaux de la chaîne de distribution.

Ces contraintes de capacité auront les conséquences suivantes :
− mauvaise satisfaction du client final (à moins de « contrer » le phénomène par augmentation des niveaux de stock tout au long de la chaîne ce qui engendre des surcoûts),
− mauvaise efficience de la chaîne par obligations de gérer des livraisons partielles avec l'augmentation du travail administratif correspondant,
− pire, les différents opérateurs à tous les stades prenant l'habitude de n'être pas servis à 100 % de leurs commandes passées, auront tendance progressivement à commander plus que leur besoin à court terme, en « pariant » ainsi sur la couverture de leurs besoins réels malgré les livraisons partielles.

Ce faisant, sans en être conscients, par accélération de l'amplification de la demande enregistrée par l'usine, ils contribueront à une détérioration progressive et croissante de sa performance (sans aucun rapport avec les fluctuations de la demande finale).

4) Anticipation de situations de pénurie

En corollaire, dans certains secteurs industriels, où certains composants peuvent être soumis à des mouvements spéculatifs (comme le marché des mémoires électroniques DRAM composant essentiel des ordinateurs individuels), les distributeurs anticipent souvent des risques de pénuries sur les produits finis.

De ce fait, selon leur perception – fondée ou pas – de ces risques, certains d'entre eux ont naturellement tendance à les anticiper en passant des commandes largement supérieures à leurs besoins réels ce qui constitue un autre facteur d'amplification. Dans la pire des hypothèses, si le phénomène n'apparaît pas, l'entreprise pourra se trouver confrontée à des tentatives d'annulations de commandes (après avoir eu à faire face à des augmentations des volumes à produire !).

5) Incidences d'opérations promotionnelles

Les phénomènes présentés ici dans la simulation n'ont pas fait intervenir la politique de prix des produits sur le marché. Or que ce soit pour les produits de grande consommation ou les produits industriels, toutes les entreprises mettent en place des opérations promotionnelles limitées dans le temps. Celles-ci posent des problèmes de prévision spécifiques et l'anticipation sur les ventes réelles est souvent difficile à faire.

Le plus souvent, la conséquence en est une prise de risque des distributeurs se traduisant par une augmentation des volumes commandés, sans recherche de coordination avec le producteur pour planifier conjointement le dispositif à mettre en place.

6) Nombre de stades dans la chaîne

Dernier point important : les phénomènes évoqués auront des effets dont l'importance est en relation directe avec le nombre de stades de la chaîne logistique.

Sans fournir dans ce chapitre d'illustrations graphiques comparées de différentes structures de réseaux, le lecteur comprendra intuitivement que les réseaux de distribution courts géreront mieux les fluctuations de demande finale que les autres[1].

15/1.3   Comment atténuer l'effet « Bullwhip »

L'effet d'amplification des fluctuations est extrêmement néfaste en termes de coûts induits par les changements de niveaux de production et de risques d'obsolescence. Pour atténuer cet effet, plusieurs types d'actions peuvent être engagés :

1) Connaissance de la demande finale

Si le producteur connaît la véritable demande pour les produits, il peut réagir sans retard. Cette information, sur la demande effective, doit être partagée pour prendre des décisions plus pertinentes (fig.15-3).

Plusieurs moyens peuvent être étudiés :
- le producteur demande au client de lui renvoyer un bon de garantie (sans valeur juridique) ou de transmettre par Internet ses coordonnées pour recevoir ultérieurement des offres promotionnelles ; si un pourcentage stable de clients répond, on peut en déduire les ventes réelles,
- le distributeur transmet quotidiennement ses sorties de caisse (statistiques de vente obtenues par la lecture des codes-barres),
- producteur et distributeur mettent en place une véritable GPA (cf. 15/4.1).

Figure 15-3 – *Transparence de l'information*

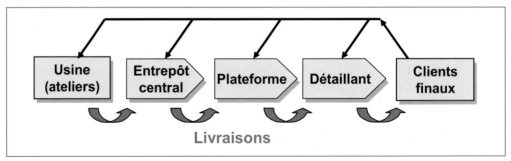

---

[1] Par réseau, on entend des entités de stockage disposant d'un stock dont elle gère le réapprovisionnement. En revanche, une plate-forme d'éclatement n'ayant pas la fonction de stockage et de réapprovisionnement n'est pas génératrice de phénomène d'amplification.

2) Accélération de la prise de décision

Bien souvent, ce n'est qu'une fois par semaine, voire une fois par mois, que le niveau des stocks est analysé et que les commandes de réapprovisionnement sont passées ; ce délai ralentit la réaction des divers acteurs de la chaîne. Travailler en continu comme le permettent les nouvelles technologies informatiques améliore la réactivité du système.

3) Accélération des transports

Au lieu d'attendre que le volume des commandes représente un camion complet (pour réduire le coût du transport), ce qui introduit un délai supplémentaire, les transports doivent se faire par petites quantités en utilisant des messageries (cf. chap. 17) ou mettant en œuvre, par exemple, des tournées de ramassage fréquentes.

4) Réduction du nombre de stades dans la chaîne

Toute solution tendant à diminuer le nombre de stades intermédiaires ira dans le bon sens du point de vue de la maîtrise des fluctuations. Les seuls obstacles à cette évolution sont de trois ordres :
- Le report au niveau de l'entreprise productrice conduit à une organisation complexe pour le traitement des commandes nombreuses, qui doit être économique et flexible.
- Les stades de distribution qu'on envisage de supprimer peuvent remplir de réelles fonctions de services additionnels à « valeur ajoutée » pour le client (au-delà de leur fonction de base de stockage / distribution) telles que conseil, démonstration, etc. Ces services doivent être apportés à distance.
- La dépendance vis-à-vis des transports augmente, ce qui accroît le risque de rupture d'approvisionnement et, éventuellement, le coût de la distribution.

15/2 Initiatives de collaboration et de coordination dans la *supply chain*

La collaboration dans la *supply chain* a lieu quand au moins deux partenaires acceptent de partager et d'échanger des informations émanant de leur planification, pilotage, exécution et indicateurs de performance. Ces relations collaboratives déterminent comment les informations sont partagées entre les partenaires et conduisent le changement dans les différents processus de la *supply chain*. Donc, la collaboration est perçue comme une opportunité pour optimiser la *supply chain* et les relations entre ses partenaires. Cependant, cette collaboration n'est pas acquise d'avance et pose encore problème du fait qu'il y a actuellement un spectre assez large d'initiatives de collaboration, de protocoles de communication pas assez standardisés et de niveaux différents de maturité *supply chain* et autres processus des partenaires. Il est clair que les relations collaboratives exigent de la part des fournisseurs et des clients une adaptabilité à différentes structures et aux modes de gestion ainsi qu'aux différents outils et protocoles de communication. Les systèmes en place doivent être flexibles afin de gérer les interfaces entre des modèles souvent hétérogènes. La figure

15-4 illustre les initiatives de collaboration les plus pertinentes mises en œuvre ou en cours de développement. Certaines de ces initiatives seront détaillées dans les différentes sections de ce chapitre.

Figure 15-4 – *Différentes initiatives de collaboration dans la* supply chain

Initiatives de collaboration	Description
Collaborative Planning Forecasting and Replenishment (CPFR)	Les fournisseurs collaborent avec les clients pour développer des prévisions de vente. Un système de pilotage basé sur le partage d'information concernant les ventes réelles et les prévisions permet de gérer l'offre et la demande d'une manière optimale.
Efficient Customer Response	L'ECR est définie comme une stratégie à travers laquelle fournisseurs, grossistes et détaillants coopèrent afin de mieux satisfaire le consommateur final en lui offrant le bon produit, au bon endroit et au bon prix.
Vendor Managed Inventory (VMI)	Les fournisseurs approvisionnent des entrepôts et/ou des magasins de leurs clients suivant des règles de gestion définies dans un contrat de coopération.
Continuous Replenishment Planning	Le réapprovisionnement continu vise à mettre en place entre fournisseurs et distributeurs des règles de gestion des approvisionnements basées sur la demande réelle. Le fournisseur calcule la demande à venir grâce à l'historique des ventes et les prévisions sont établies en commun par le distributeur et le fournisseur.
Cross-docking	C'est une démarche qui tend à réduire les stocks sur l'ensemble de la *supply chain* en faisant un éclatement sur plate-forme en fonction des commandes clients tout en préservant la disponibilité du produit en linéaire.
Category Management	L'objectif de cette démarche consiste, pour les industriels et les distributeurs, à mieux connaître la demande du consommateur afin de présenter une offre mieux adaptée. Elle repose sur un mode de gestion par catégorie de produits et non plus par produits.
Management de promotions	Les fournisseurs partagent les informations de promotions planifiées avec les clients. Les effets pervers des promotions poussent les acteurs à appliquer plutôt des prix moins élevés mais stables sur l'année.
Quick Response	Approche qui fait appel à la combinaison de l'EDI et des codes barres standardisées pour capturer la demande par SKU afin de la transmettre en amont dans la *supply chain*, du magasin à travers les centres de distribution jusqu'aux étapes d'assemblage et même vers les fournisseurs.

Historiquement, le facteur coût lié à la technologie de communication a été une barrière à la mise en œuvre des initiatives de collaboration. Cependant, les outils Internet et les applications XML se sont imposés comme un moyen relativement peu coûteux pour l'échange de l'information. De ce fait, ces technologies jouent actuellement un rôle de catalyseur de changement dans le développement de nouveaux standards pour supporter les modèles collaboratifs cités plus haut. Des programmes pilotes ont déjà démontré que des solutions collaboratives de ce type permettent un avantage concurrentiel significatif aussi bien dans la réduction des stocks et des ruptures que dans l'amélioration du service client et dans l'efficience des processus de la *supply chain*.

Le secteur des biens de grande consommation a été historiquement leader dans le développement et la mise en œuvre d'initiatives collaboratives. Des entreprises de ce secteur ont développé des solutions collaboratives basées sur l'EDI. Citons en particulier l'initiative *Efficient Consumer Response* (ECR) centrée sur des solutions GPA (cf. section 4). Par ailleurs, l'organisation *Voluntary Interindustry Commerce Standard* (VICS) œuvre, pour sa part, pour le développement des standards de *Collaborative Planning, Forecasting, and Replenishment* (CPFR) pour le secteur des biens de grande consommation.

Des entreprises, comme Procter & Gamble et Hewlett-Packard ont réussi à mettre en œuvre des solutions CPFR avec les leaders de la grande distribution tels que Wal-Mart et Carrefour. Dans ce qui suit, nous développerons les initiatives les plus significatives.

15/3 *Collaborative Planning, Forecasting and Replenishment* (CPFR)

Le CPFR (*Collaborative Planning, Forecasting and Replenishment*) est une nouvelle méthode de gestion globale de l'offre et de la demande.

Le CPFR se focalise sur les relations opérationnelles entre le client et le vendeur. C'est un processus dans lequel des partenaires, typiquement des producteurs et des distributeurs, échangent leurs prévisions et analysent ensemble les écarts éventuels. Ensuite, ils développent des prévisions communes qui permettent de déclencher les approvisionnements et la production. Ce rapprochement des prévisions offre l'opportunité d'accroître la disponibilité des stocks, les marges brutes et les ventes, tout en réduisant les investissements en stocks et les ruptures. Cette collaboration utilise les nouvelles technologies de l'information et les supports tels qu'Internet et EDI.

Les objectifs à long terme de CPFR sont :
– l'augmentation de la disponibilité des produits en rayon,
– l'amélioration du service client,
– l'augmentation des ventes,
– l'augmentation des marges brutes,
– la réduction des stocks dans la *supply chain*,
– la stabilisation de la production des fournisseurs.

Comment fonctionne le CPFR ?

Les différentes étapes de fonctionnement du CPFR sont les suivantes :
1. Établir un accord stipulant les attentes en termes de performances et d'indicateurs de succès. Dans le processus de prévisions, le CPFR permet aux partenaires de partager les plannings de promotion, les données relatives aux ventes et aux stocks. Cela permettra de réduire les délais et une intégration avec les systèmes de prévisions et de réapprovisionnement.
2. Les partenaires évaluent toutes les prévisions pour une sélection de produits à travers la *supply chain*, typiquement des articles saisonniers et promotionnels. À

partir de cela, les partenaires établissent des prévisions hebdomadaires pour ces articles.

3. Les écarts de prévisions sont analysés et des corrections sont apportées permettant le partage d'une prévision commune.
4. Chacun des partenaires procède aux différentes phases de planification nécessaires à partir de ces prévisions communes. Des ordres de fabrication et d'achats sont alors générés.
5. Les différents ordres générés sont examinés par l'ensemble des partenaires et les écarts sont corrigés.
6. Finalement, les ordres ainsi validés sont exécutés et contrôlés. Toute anomalie susceptible d'entraver la bonne exécution de ces ordres est portée à la connaissance des partenaires impliqués dans la démarche CPFR.

La mise en œuvre des procédures de CPFR n'est pas un processus simple mais le résultat en vaut l'effort puisque l'approche est considérée comme une avancée notable dans la gestion de stocks et de la relation client ainsi qu'une source d'avantages concurrentiels pour les entreprises pionnières dans sa mise en œuvre.

Comme déjà mentionné plus haut, le CPFR a été testé avec succès sur des projets pilotes et, de ce fait, il est maintenant intégré par plusieurs éditeurs de progiciels ERP/APS.

15/4 L'*Efficient Consumer Response*

L'*Efficient Consumer Response* (ECR) est défini comme une stratégie à travers laquelle fournisseurs, grossistes et détaillants coopèrent afin de mieux satisfaire le consommateur final en lui offrant le bon produit, au bon endroit et au bon prix. Il s'agit de mieux organiser la chaîne de valeur en rendant les systèmes d'échanges plus efficients, moins coûteux et plus réactifs aux demandes du consommateur. Ce concept est apparu dans un premier rapport publié en 1993 intitulé : *Efficient Consumer Response : Enhancing Consumer Value in the Grocery Industry*, élaboré par le cabinet Kurt Salmon Associates. L'étude de Kurt Salmon Associates anticipe des réductions de prix de l'ordre de 10 % et des diminutions de 40 % des niveaux de stock sur l'ensemble de la chaîne d'approvisionnement. Concernant les ruptures de stock et l'amélioration du taux de service aux clients, le cabinet prévoit une réduction importante de leur ampleur grâce à l'échange entre fournisseurs et distributeurs d'informations plus précises et le partage de leurs prévisions.

La première application a eu lieu entre Wal-Mart et Procter & Gamble. D'autres applications pratiques suivirent entre industriels et distributeurs avant d'être adoptée en Europe et en particulier en France, où elle a produit d'excellents résultats.

Les principes de l'ECR

Les principes de l'ECR reposent sur les intérêts conjoints qu'ont des fabricants et des distributeurs à se différencier de la concurrence et à offrir aux consommateurs une réponse adaptée à leur demande : prix bas, produits disponibles en rayons, assortiment attractif, promotions et innovations permanentes. L'ECR consiste à :

– offrir une meilleure valeur aux consommateurs, ce qui entraînera une réduction des coûts sur toute la chaîne d'approvisionnement. Cela passe par l'offre constante du meilleur rapport qualité/prix, de la meilleure qualité, du meilleur assortiment et du meilleur service en magasin,

– encourager les dirigeants d'entreprise à prendre les mesures nécessaires pour développer des alliances commerciales « gagnant-gagnant » mutuellement profitables,

– utiliser les informations les plus récentes pour prendre les décisions de marketing, de fabrication et de logistique les plus judicieuses. Ces informations circuleront entre les partenaires par EDI,

– veiller à ce que les produits voulus soient offerts aux consommateurs au moment opportun grâce à des processus à valeur ajoutée dans le flux des produits, depuis leur fabrication et leur emballage et jusqu'à ce qu'ils parviennent dans le panier du consommateur,

– adopter des systèmes de mesure qui évaluent les répercussions des décisions de gestion sur le système tout entier. Il faut mettre en place un cadre commun et cohérent de *reporting* qui soit axé sur l'efficacité du système tout entier et qui favorise le partage équitable des bénéfices.

Les avantages de l'ECR

Les avantages de l'ECR apparaissent nombreux pour l'ensemble des acteurs de la chaîne, producteurs, distributeurs et consommateurs.

– Les fabricants reconnaissent que l'ECR leur a permis d'avoir une connaissance plus précise de la demande, de pouvoir améliorer la planification de leur production, de diminuer les risques de rupture et de développer de meilleures relations avec le client.

– Les distributeurs, quant à eux, ont vu leurs stocks réduits dans leurs entrepôts, leur risque de rupture dans les rayons diminuer. De plus, certains ont passé des accords d'exclusivité pour les produits nouveaux et ainsi amélioré leurs relations avec leurs fournisseurs.

– Les consommateurs ont constaté moins de ruptures dans les rayons, une meilleure fraîcheur des produits et une meilleure traçabilité.

Les accords de ce type concernent presque exclusivement les grands groupes industriels (Unisabi, Nestlé, Colgate, Procter & Gamble, etc.) ainsi que les distributeurs comme Carrefour, Auchan et Casino. Les bilans de ces opérations s'avèrent extrêmement positifs.

Nous analysons successivement les domaines principaux qui constituent la base de l'ECR, à savoir les approvisionnements, le management de la demande et la gestion des promotions.

15/4.1 Les approvisionnements

Dans ce contexte, la gestion des approvisionnements vise à optimiser l'efficacité de la *supply chain* à l'aide de techniques logistiques tendant à diminuer les stocks tout en préservant le taux de service. La mise en place de ces pratiques d'approvisionnement s'inscrit dans une démarche plus large de flux tirés par la demande : sorties de caisse, prévisions, état des stocks…

Plusieurs types de démarches sont venus répondre à ces attentes et concrétiser un partenariat logistique entre producteurs et distributeurs, notamment la gestion partagée des approvisionnements (GPA) ou *Vendor Managed Inventory (VMI)*, le réapprovisionnement continu ou *Continuous Replenishment Planning (CRP)* et le *cross-docking*.

1) La gestion partagée des approvisionnements (GPA)

La GPA est la base du réapprovisionnement continu des entrepôts et des magasins des distributeurs. Elle se déroule en cinq phases (fig. 15-5) :

Phase 1 : la plate-forme du distributeur livre ses magasins.

Phase 2 : la plate-forme envoie, chaque jour, au fabricant, les informations concernant ses produits (cumul des quantités livrées pour chaque référence).

Phase 3 : le fabricant, connaissant le stock de la plate-forme ainsi que ses sorties, peut déterminer un réapprovisionnement optimal. Avant d'effectuer celui-ci, il demande confirmation à son client en lui adressant une « proposition de livraison ».

Phase 4 : la plupart du temps celui-ci confirme.

Phase 5 : le fabricant livre les quantités proposées.

Figure 15-5 – *Le principe de la GPA*

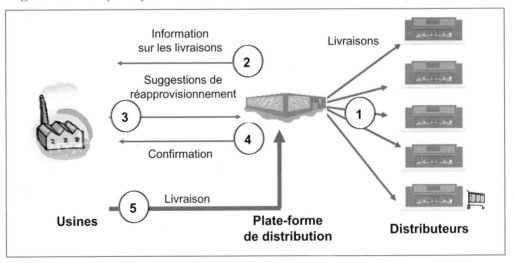

Il s'agit d'approvisionner des entrepôts et/ou des magasins suivant des règles de gestion définies dans un contrat de coopération entre un distributeur et un industriel. En matière de gestion partagée des approvisionnements, deux modèles s'opposent : la planification des approvisionnements par le distributeur et celle faite par le fournisseur. Dans le premier cas, le distributeur transmet à son fournisseur un plan d'approvisionnement sur plusieurs semaines qu'il devra suivre. Dans le second cas, le distributeur communique de façon journalière à son fournisseur des informations relatives à ses sorties d'entrepôts, l'état de ses stocks, les quantités en transit et les promotions à venir. Le fournisseur détermine alors la commande à partir de ses prévisions de ventes. La GPA a prouvé être efficace pour la réduction des stocks et du *Bullwhip Effect*.

La GPA a les objectifs suivants :
- anticiper les besoins des clients par un suivi des consommations des entrepôts ou des points de ventes,
- réduire les ruptures pour améliorer le taux de service et dynamiser le chiffre d'affaires,
- fidéliser le consommateur,
- baisser les niveaux de stocks dans les entrepôts (clients et fournisseurs) pour réduire les coûts sur toute la chaîne,
- optimiser le chargement des camions ou atteindre les minimums de livraison,
- créer une relation de partenariat avec les clients en ajoutant une dimension logistique dans les discussions,
- améliorer le *Supply Chain Management* en intégrant une approche en « flux tirés » par la consommation réelle.

2) Le réapprovisionnement continu ou Continuous Replenishment (CRP)

Le réapprovisionnement continu vise à mettre en place entre fournisseurs et distributeurs des règles de gestion des approvisionnements basées sur la demande réelle. Le fournisseur calcule la demande à venir grâce à l'historique des ventes et les prévisions sur les promotions sont établies en commun par le distributeur et le fournisseur.

Le but principal du CRP est d'augmenter les volumes vendus grâce à la réduction des ruptures de stock et donc à l'amélioration du niveau de service aux consommateurs. Il vise également à optimiser la gestion des stocks en minimisant les niveaux d'inventaire sur l'ensemble de la chaîne logistique et en réduisant ainsi les coûts de transport et les coûts administratifs. Pour cela, l'information partagée doit être fiable et fournisseurs et distributeurs doivent travailler ensemble.

3) Le cross-docking

Le *cross-docking* est une démarche qui tend à réduire les stocks sur l'ensemble de la *supply chain* tout en préservant la disponibilité du produit en linéaire, et ce en partant du besoin du consommateur.

Le principe du *cross-docking* est le suivant (fig. 15-6) :
- On cumule les besoins des magasins par fournisseur.
- On passe les commandes correspondantes aux fournisseurs.
- Les palettes sont expédiées par le fournisseur, généralement par camion complet, à la plate-forme du distributeur. Elles peuvent déjà être constituées par magasin destinataire.
- Sur la plate-forme, si les palettes réceptionnées regroupent les besoins de plusieurs magasins, elles sont fracturées et les produits sont triés et placés sur des palettes

par magasin. On regroupe ensuite les palettes par magasin et on les recharge sur des camions.à destination des surfaces de vente.

Figure 15-6 – *Principe du cross-docking*

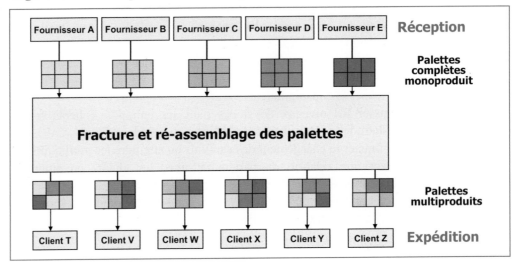

Les avantages du *cross-docking* sont les suivants :
– réduction des stocks dans l'entrepôt central et en réserve,
– augmentation de la surface utile de vente en réduisant les réserves puisque les magasins reçoivent les produits correspondant exactement à leurs besoins,
– réduction du nombre de points de stockage dans l'ensemble de la chaîne d'approvisionnement,
– augmentation de la durée du produit en linéaire du fait d'une plus grande fréquence des livraisons de chaque produit,
– augmentation de la disponibilité du produit.

Le gain observé est en moyenne de 20 % sur la durée de stockage d'un produit sur toute la chaîne.

15/4.2   Le management de la demande par catégorie de produits (Category Management)

La gestion de la demande clients repose principalement sur une organisation par catégorie de produits (*Category Management*) et la gestion des assortiments.

L'objectif de cette démarche consiste, pour les industriels et les distributeurs, à mieux connaître la demande du consommateur afin de présenter une offre mieux adaptée. Elle repose sur un mode de gestion par catégorie de produits et non plus par produits.

L'industriel apparaît bien placé pour développer cette approche : il connaît ses produits et surtout le distributeur n'a ni le temps ni les moyens matériels pour effectuer de telles études avec tous ses fournisseurs.

Le producteur commence par constituer des catégories de produits sur lesquels il souhaite développer de telles coopérations. Ensuite elles sont regroupées en catégories plus vastes, selon la logique consommateur, même avec des produits non fabriqués par cette société.

Des études consommateurs viennent valider ces segmentations et l'univers de référence. On définit ainsi l'univers du petit déjeuner, des animaux ou encore du bébé, regroupant les couches, les aliments et les jouets. Dans l'enseigne, il existe un responsable de l'univers bébé.

L'industriel procède à des analyses de la demande du consommateur puis définit les leviers qui vont permettre d'augmenter son chiffre d'affaires dans cette enseigne.

Les actions possibles peuvent varier : adaptation des linéaires, des assortiments, promotions, opérations spéciales (promotions *théâtralisées* dans les points de vente), services complémentaires au consommateur (par exemple : idées recettes, conseils).

15/4.3   *Les promotions*

Le système des promotions engendre des perturbations sur l'ensemble de la *supply chain* matérialisées par des pointes d'activité chez le fabricant et une augmentation du stockage chez le distributeur. De plus en plus fréquentes dans le domaine de la grande distribution et propres à chaque enseigne, elles sont devenues le cauchemar des industriels. Le conditionnement s'avère souvent spécifique, les prévisions quasiment impossibles et les produits restants difficiles à revendre. En revanche, en cas de sous-estimation des ventes, la pression des distributeurs augmente car l'absence, dans leurs rayons, des produits promotionnels annoncés s'apparente à de la publicité mensongère. Différentes solutions permettraient au producteur d'organiser au mieux sa chaîne logistique : la connaissance le plus tôt possible dans l'année de ces promotions ou encore la réduction du nombre de promotions en échange d'un prix légèrement plus bas toute l'année. Cette solution connue sous le vocable *everyday low price* ou EDLP, développée par Campbell Soup aux États-Unis, permet d'éviter les achats groupés au moment où les prix fournisseur sont au plus bas.

15/5   L'initiative de *Quick Response*

L'approche *Quick Response* (QR) se focalise sur une communication de plus en plus rapide entre les acteurs, leur permettant de répondre aux changements sans cesse croissants dans la grande distribution. Elle a été initiée dans l'industrie textile afin d'accroître sa réponse aux changements dans la demande des produits et à la pression de réduction des coûts. Elle fait appel à la combinaison de l'EDI et des codes barres standardisées pour transmettre la demande réelle (sorties de caisse) en amont dans la *supply chain*, aux centres de distribution, aux étapes d'assemblage et même aux fournisseurs. L'avantage évident de QR est la disponibilité immédiate d'une information à jour susceptible d'être partagée par l'ensemble des acteurs de la *supply chain*. La mise en œuvre effective nécessite d'adapter le système de planification de la *supply chain*. Les résultats enregistrés sont parfois spectaculaires. Des entreprises comme Benetton et Zara sont des exemples de réussite de cette approche.

15/6   Les technologies de l'information comme support de collaboration et la coordination dans la *supply chain*

Comme nous l'avons évoqué dans ce chapitre, les technologies de l'information sont un média incontournable pour le bon fonctionnement de la *supply Chain*. Les solutions disponibles aujourd'hui sont les codes à barres, l'EDI, Internet et Web-EDI.

1) La codification à barres

La codification chez les distributeurs est gérée en France par GENCOD (Groupement d'étude et de normalisation pour une codification). Cet organisme réunissant les fabricants et les distributeurs est chargé de créer et de promouvoir un langage commun dans la codification des articles, afin de faciliter les échanges. Il attribue un code, matérialisé par le code-barres dont les différentes barres permettent d'identifier les fabricants, les distributeurs et leurs localisations respectives. Cette codification fait disparaître l'étiquetage des prix sur les produits et permet un passage plus rapide en caisse grâce à une lecture laser. Elle permet aussi au détaillant d'obtenir une gestion des stocks plus rigoureuse puisqu'il peut connaître plus rapidement la rotation exacte des articles.

2) EDI : échange de données informatisé

L'EDI consiste en l'établissement d'un lien direct entre les ordinateurs des partenaires commerciaux au moyen de réseaux de télécommunication. Ce système de transmission de données connaît un important développement depuis 1992 en France, quand la loi a autorisé la dématérialisation des factures. Il nécessite la définition d'un langage commun entre client et fournisseur.

L'EDI permet de réduire :
- les temps de saisie : l'information ne doit être saisie qu'une fois,
- le nombre des litiges : plus de factures égarées ni d'erreurs lors de la ressaisie des données,
- les coûts de communication,
- les délais d'émission et réception des informations,
- les stocks : la rapidité de l'information permet de se rapprocher du travail en flux tendus.

Ce transfert de données doit, pour être performant, s'effectuer de bout en bout, d'ordinateur à ordinateur et permettre un échange d'application à application. Cependant les applications des partenaires qui dialoguent entre elles ont toutes les chances d'être différentes donc non compatibles.

Une composante importante du système consiste à utiliser un langage commun et universel vers lequel chaque partenaire assurera une interface à l'aide d'un « traducteur » depuis son environnement propre. Le langage ainsi défini, assure la structuration des informations échangées et l'auto-information des documents afin d'identifier clairement les contenus et les conditions de l'échange. Il faut, en effet pouvoir adresser le document à l'application à laquelle il correspond.

Aujourd'hui, l'industrie automobile en Europe ainsi que la plupart des autres secteurs, a fait le choix du langage EDIFACT. Le langage EDIFACT (*Electronic Data*

Interchange For Administration, Commerce and Transport) est la norme la plus largement utilisée dans le monde pour l'EDI.

En tant que langage, EDIFACT se compose d'un vocabulaire et d'une grammaire ou syntaxe. La sémantique correspond à l'utilisation des différents éléments du langage qui, structurés en message, traduisent une fonction et donnent un sens au message. En EDIFACT, la véritable communication et le dialogue entre partenaires s'appuie sur un échange (Inter change) constitué d'un ou plusieurs messages.

Cette norme internationale facilite les échanges, permet l'ouverture à d'autres partenaires et l'adéquation, selon les besoins de l'entreprise, aux divers niveaux de partenaires, national ou international, sectoriel ou intersectoriel.

Les démarches de normalisation des EDI au niveau sectoriel (dans l'automobile : GALIA), national (en France : GALIA, EDI-Transport, EAN France…) ou international (en Europe : ODETTE) ne sont pas nouvelles.

Rappelons que GALIA[1] est un organisme de standardisation des moyens d'échange de produits et d'informations créé par et pour l'industrie automobile française en 1984. GALIA est membre de l'organisation européenne Odette dont la mission est identique à la sienne, pour l'Europe et dans des partenariats de plus en plus fréquents avec ses homologues américaine (AIAG), et japonaises (JAMA/JAPIA).

Ce n'est qu'en 1987 que les Nations-Unies et l'ISO, ensuite, ont adopté la norme EDIFACT. Les démarches spécifiques convergent vers EDIFACT à l'exemple de la migration programmée des messages ODETTE/GALIA pour l'automobile européenne. En 1995, ODETTE a adopté le principe d'utiliser EDIFACT comme langage de développement pour les messages EDI de l'industrie automobile européenne. GALIA, en tant que structure pour l'EDI automobile en France, supporte cette orientation. PSA et RENAULT, membres de GALIA, ont engagé une démarche de migration vers EDIFACT.

3) Des solutions Web-EDI

Plus récemment (1996), est apparu un nouveau langage, l'XML (*Extensible Markup Language*) supporté par le World Wide Web Consortium et utilisable sur Internet. Ces solutions permettent au fournisseur de recevoir sur son écran, via son navigateur Internet, la commande, sous un format comparable à la version « papier », alors qu'elle a été émise sous forme EDI par son client puis transformée au format Internet. Des problèmes de langages de programmation sur Internet se posent encore, même si le passage de l'HTML au XML améliore considérablement les résultats.

15/7   Solutions de régulation et de coordination

Toute solution doit être adaptée aux caractéristiques de chaque situation et aux différents *attributs* des produits ou services vendus au client. Toutefois, on peut dresser un tableau synthétique de l'ensemble des mesures ou systèmes à mettre en

---

[1] Le site www.galia.com apporte de nombreuses informations sur ces protocoles de communication et les évolutions en cours.

place pour maîtriser les effets entravant la coordination et la collaboration au sein de la *supply chain*.

Ces différents axes de solutions sont résumés dans le tableau de la figure 15-7.

Figure 15-7 – *Mesures de pilotage et d'amélioration*

Causes de l'effet "Bullwhip"	Types de solutions	Organisation / Pilotage / systèmes
Prévisions non coordonnées	Connaissance pour tous de la demande finale en temps réel et réactualisation	Information partagée - EDI - ECR
Indépendance des stades / Contraintes de capacité	Coordination des besoins et des réapprovisionnements	Planification globale hiérarchisée (ERP-DRP) - Pilotage des stocks distributeur par le fabricant - Abandon des quantités "économiques"
Cycles d'information et de distribution	Raccourcissement de tous les cycles	Toutes actions de JAT et de réduction des cycles
Importance des coûts fixes de commandes	Minimisation des cycles et des coûts	Commandes assistées par ordinateur - Intranet de réseaux logistiques
Structure des réseaux	Minimisation du nombre de niveaux	Mise en place de circuits courts - Plates-formes d'éclatement - Prestataires logistiques intégrés - Priorité aux modes "rapides"
Incidences des promotions	Pilotage contrôlé des effets aléatoires	Stabilisation des prix - Planification conjointe producteur/distributeur
Anticipation de pénuries et attitudes "spéculatives"	Annulation des effets d'amplification	Système d'allocation anticipée "rigide" sur base de données historiques - Pénalités d'annulations de commandes - Système d'information partagée sur niveaux des stocks disponibles (points de vente)

Implications spécifiques à une approche internationale

Qui dit « global » dit « international ». Aussi il est clair que les solutions de coordination et de collaboration évoquées ci-dessus seront compliquées si la *supply chain* étudiée est implantée au niveau international. En effet, certains points spécifiques compliqueront l'obtention d'une solution « optimale » :

– l'existence d'*implantations industrielles et de stockage dans plusieurs pays*, avec les distances ainsi créées sans que des modes de transport flexibles et néanmoins peu coûteux puissent être mis en place ; ce problème sera d'autant plus ardu lorsque l'entreprise a fait le choix d'entités industrielles spécialisées par produits ou technologies pour couvrir le marché global plutôt que d'entités polyvalentes. En effet, dans ce premier scénario, chaque usine doit couvrir tous les marchés mondiaux, multipliant la complexité du réseau de distribution global ; la même remarque s'applique en amont pour le cas d'approvisionnements directs auprès de fournisseurs étrangers plutôt que par l'intermédiaire de filiales locales,

– selon les pays, tous les aspects spécifiques liés aux infrastructures logistiques et/ou industrielles plus ou moins performantes, ainsi qu'aux risques de nature monétaire ou économique,

– en troisième lieu, selon les marchés clients couverts par la chaîne logistique globale, la prévision de vente sera parfois plus difficile, entraînant par effet induit des protections diverses antinomiques avec une gestion économique et une planification aisée.

15/8   Les APS (*Advanced Planning Systems*)

Dans le milieu des années 1990, apparaissait sur le marché une nouvelle génération de progiciels de *Supply Chain Management* : les APS ou *Advanced Planning Systems*. Ils ont pour objet l'optimisation de l'ensemble de la chaîne logistique, depuis la prévision de la demande jusqu'à la distribution, la planification de la production et des approvisionnements. Ils constituent la couche supérieure des progiciels de type ERP dont ils utilisent les informations provenant de leurs bases de données.

Véritables outils d'aide à la décision, dotés d'algorithmes d'optimisation, ils simulent le fonctionnement de l'ensemble du système logistique, vérifient la disponibilité des produits et les capacités de production nécessaires pour faire face à différents niveaux de la demande. Contrairement aux ERP qui font une planification séquentielle, fragmentée et sans contrainte, les APS apportent des innovations majeures en intégrant une planification simultanée, globale et sous contrainte (fig. 15-8).

Figure 15-8 – *Planification séquentielle vs parallèle*

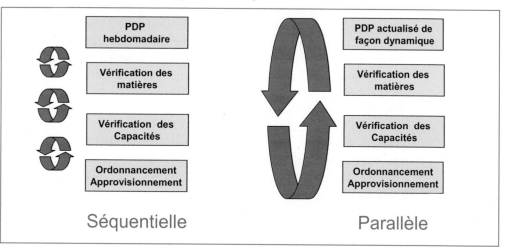

Par ailleurs, et contrairement aux ERP qui sont des outils transactionnels, les APS sont des véritables outils analytiques faisant appel à des techniques sophistiquées de programmation mathématique tels que la programmation linéaire et non linéaire, la programmation dynamique, la théorie des graphes, les algorithmes d'ordonnancement basés sur la théorie de files d'attente et/ou la logique floue et les réseaux de neurones, les méthodes de prévisions basées sur Box-et-Jenkins. Bien que ces algorithmes mathématiques ne datent pas d'aujourd'hui, les avancées considérables de la puissance de traitement des ordinateurs ont joué un rôle important dans le développement des APS.

Les APS se composent généralement de six modules principaux qui couvrent la chaîne de planification de l'entreprise :

1. *Conception du réseau global* : un module de modélisation de la chaîne logistique globale permettant une conception ou reconfiguration du réseau (fournisseurs, usines, centres de distribution, etc.) en fonction de la stratégie d'entreprise.
2. *Planification de la demande* : un module de prévision intégrant des méthodes adaptées à l'horizon de planification. Les données historiques font l'objet d'une analyse très fine.
3. *Planification de la production* : ce module optimise le plan industriel et commercial, le plan directeur et ajuste les ordres de fabrication et d'achat issus de la MRP.
4. *Ordonnancement et gestion des priorités* : des algorithmes sophistiqués d'ordonnancement sont proposés pour optimiser le fonctionnement des ateliers et des centres de fabrication, assemblage et montage.
5. *Planification de la distribution* : un module d'analyse des différentes sources d'approvisionnement afin d'optimiser les flux physiques et le niveau de service au client.
6. *Planification du transport* : un module pour optimiser les livraisons, les tournées et la flotte de transport.

Grâce aux APS, l'entreprise peut ainsi prendre en compte, en temps réel, tout changement dans l'environnement industriel (panne de machines, replanification, retards, modification de commandes, etc.) et optimiser ses processus.

Cependant, si des entreprises comme Dell ont su tirer un maximum de profit de ces outils, la réussite des APS reste mitigée du fait de leur coût élevé d'une part, et leur caractère de boîte noire complexe et bourrée d'algorithmes mathématiques incompréhensibles par la plupart des managers, d'autre part. Les grands fournisseurs d'APS comme i2 Technologies et Manugistics en sont conscients et cela se traduit dans les faits par des sanctions du marché financier à leur égard. Cela n'empêche pas les autres fournisseurs comme SAP, JD Edwards/PeopleSoft, Oracle, Baan, de prendre position sur ce marché, qui ne peut que prendre de l'ampleur vu la complexité sans cesse croissante de la gestion de la *supply chain*. Il nécessite et nécessitera l'utilisation de ces outils pour une rationalisation et une optimisation des ressources de l'entreprise.

Quatrième partie

Gestion des opérations

Nous étudierons dans cette quatrième partie les décisions relevant du court terme pour gérer au quotidien les opérations de tous les maillons de la *supply chain*.

Le chapitre 16 analyse, d'une part, les processus de traitement des commandes clients et fournisseurs et, d'autre part, les choix relatifs à l'organisation de l'entreposage. Nous verrons comment les diverses options qui peuvent être prises dans ce domaine influent sur la qualité de service et le coût du traitement.

Le chapitre 17 concerne la gestion des transports, fonction essentielle pour l'efficacité d'une *supply chain*. On étudiera les divers modes de transport, le coût des transports et la façon dont on peut les minimiser. Il fournira également des informations sur le commerce international.

Le chapitre 18 s'intéresse aux processus de production connectés, c'est-à-dire aux processus où les opérations successives de transformation sont reliées entre elles par les moyens de manutention de façon rigide. Deux types de production seront analysés : la production continue qui est représentée par les industries de process et la fabrication à la chaîne dédiée à l'assemblage de produits complexes en grande série. Les choix logistiques correspondants seront présentés.

Le chapitre 19 traite des processus déconnectés, c'est-à-dire des modes de production qui élaborent des produits diversifiés en petites séries. Les moyens de production ne sont pas dédiés à un produit et doivent donc partager leur temps entre les diverses fabrications. Il s'ensuit de difficiles problèmes de priorité que l'on résout par des techniques d'ordonnancement. La méthode Kanban, issue des concepts du Juste-à-temps sera présentée. Il se termine par l'exposé des méthodes de suivi de fabrication.

Le chapitre 20 traite de sujets relatifs à la gestion des équipements de fabrication. Quatre problématiques seront étudiées : la politique de maintenance et la méthode TPM (*Total Productive Maintenance*) pour fiabiliser le fonctionnement, les changements rapides de série pour obtenir une plus grande flexibilité, l'analyse des défaillances de tous types (AMDEC) et la façon de les réduire et, enfin, l'implantation des machines ou des ateliers pour minimiser les déplacements et les manutentions.

Le chapitre 21 définit les enjeux de la qualité et présente une approche globale du management de la qualité dans l'entreprise en insistant sur les méthodes de prévention pour parvenir à la *qualité totale*. Le concept de qualité a beaucoup évolué dans ces dernières années : elle n'est plus un objectif, c'est devenu une évidence et une contrainte. L'obtention d'une qualité presque parfaite ne s'obtient pas en multipliant les contrôles (même s'ils restent parfois nécessaires), mais en mettant en place une organisation et des procédures visant à appliquer un principe d'assurance-qualité généralisé. Une mention particulière sera accordée à la qualité dans les activités de service. On montrera les avantages et les contraintes de la certification par les normes ISO 9000.

Le chapitre 22 s'intéresse aux hommes dans le processus de production et de distribution pour mettre en œuvre le progrès permanent. Il approfondit les approches actuelles en matière de *pilotage du changement* et du *management des hommes*. Une bonne productivité et une bonne qualité ne peuvent s'obtenir qu'en les impliquant. La motivation du personnel est devenue le facteur clé d'une production efficace. Le modèle taylorien ne permet plus d'atteindre ces nouveaux objectifs. Il doit donc être remis en cause pour donner aux opérateurs plus de responsabilité. Diverses méthodes de démarche de progrès seront présentées : les systèmes de suggestion, la méthode 6 Sigma, la méthode 5S et l'organisation en équipes autonomes.

Chapitre 16

Le traitement des commandes et l'entreposage

La satisfaction de la demande se réalise grâce à une succession d'opérations allant de la réception des commandes, à leur traitement, leur préparation et l'expédition des produits correspondants (boucle n°1 du schéma ci-dessous).

Figure 16-1 – *Flux d'information et flux physiques*

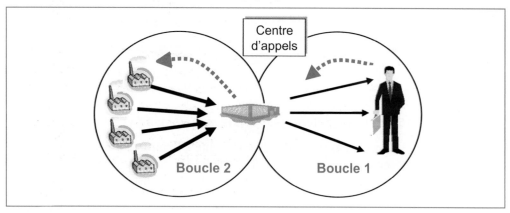

Nous analyserons donc, dans ce chapitre, le cycle des commandes clients, les différentes activités de l'entrepôt, la détermination du besoin en stockage, les caractéristiques des solutions possibles (surface de bâtiment, effectifs, matériels nécessaires) ainsi que les investissements nécessaires et les coûts d'exploitation.

L'entrepôt, avec son stock, fait le lien entre les besoins des clients et les fournisseurs, qu'ils soient internes (usines de l'entreprise) ou externes. Afin de conserver un niveau de stock suffisant, celui-ci doit pouvoir se réapprovisionner régulièrement auprès d'eux (boucle n°2). C'est pourquoi nous terminerons par un rappel du cycle des commandes fournisseurs.

Les fonctionnalités des progiciels de gestion d'entrepôt (ou WMS – *Warehouse Management Systems*) seront ensuite étudiées avant une présentation des principaux indicateurs de gestion utilisés en stockage.

16/1 Le cycle des commandes clients

Les commandes arrivent dans l'entreprise selon différents canaux (téléphone, fax, courrier, minitel, Internet ou EDI), soit directement soit par l'intermédiaire d'un réseau commercial.

Elles viennent alimenter le fichier des commandes à traiter, à partir duquel on vérifie la disponibilité en stock des produits commandés et on procède à un tri par date de livraison. L'entrepôt reçoit ensuite les commandes à préparer et à expédier. Il peut ainsi prévoir les ressources nécessaires à ces opérations (fig. 16-2).

Figure 16-2 – *La boucle des commandes clients*

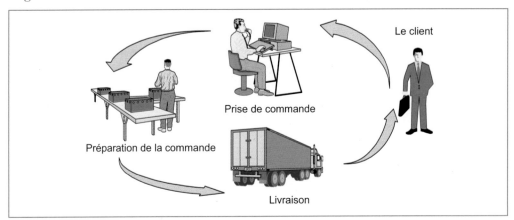

16/1.1 Les différents moyens de commande

Dans le cas où le client se présente à l'entrepôt pour retirer les articles désirés, il se présente à un comptoir où un employé effectue la saisie de la commande.

Dans le cas de vente à distance, le client dispose de plusieurs moyens pour passer sa commande :

Le courrier et le fax

Ce mode de passation de commande suppose que l'on fasse une transcription du contenu de la commande papier dans le système informatique de l'entreprise. Il faut donc prévoir du personnel pour ouvrir et trier le courrier, puis pour saisir la commande, ce qui induit un coût. Pour éviter cette opération manuelle, il est possible, dans certains cas, d'effectuer une lecture optique de la commande.

L'avantage de ce mode d'acquisition des commandes est le fait qu'il se déroule en asynchrone par rapport au client. Les bons de commande transmis peuvent être stockés temporairement.

Son inconvénient réside dans le délai de transmission du courrier et dans le fait que l'on est tributaire de la Poste.

En cas d'indisponibilité des produits, on doit écrire au client pour lui indiquer que sa demande ne peut être satisfaite.

Le fax est utilisé principalement dans les relations interentreprises car il permet de garder une trace de la commande qui a une certaine valeur juridique.

Le téléphone

Le téléphone présente des avantages de rapidité mais suppose qu'un téléopérateur soit disponible au moment où le client appelle. C'est une opération synchrone. Nous verrons plus loin les difficultés que cela engendre.

Il présente l'avantage de permettre un dialogue commercial au moment de la prise de commande : si un produit est indisponible, le téléopérateur peut tenter d'offrir un produit de substitution. Il peut aussi proposer des produits complémentaires, rappeler les promotions en cours, etc. Il permet aussi de préciser les moyens et dates de livraison.

Les moyens électroniques

Les moyens électroniques – minitel ou Internet pour les particuliers, EDI ou webEDI pour les entreprises – constituent des moyens économiques de prise de commande puisque c'est le client qui effectue le travail de saisie. Ils présentent des avantages de rapidité de traitement et de réponse immédiate sur la disponibilité des articles. Cependant, il ne faut pas négliger le coût élevé de création et de maintenance d'un site Internet de vente.

16/1.2 La gestion d'un centre d'appels

Les fonctions d'un centre d'appels

Un centre d'appels assure de nombreuses fonctions.

Il a, en effet, **avant la vente** un rôle de renseignement et de conseil au client. Avant de passer une commande, le client peut parfois obtenir des renseignements techniques ou des précisions diverses. Ce sont souvent des appels d'une durée relativement longue (plusieurs minutes) et qui nécessitent des interlocuteurs spécialisés.

Ensuite il a en charge la **saisie** des données client, la prise de commande, la vérification de la disponibilité en stock. Il doit également proposer au client différents produits de substitution, en cas de rupture du produit commandé, mais également des produits complémentaires ainsi que les offres temporaires et les promotions. Une fois la commande passée, il définira avec le client le mode et la date de livraison.

Enfin, **après la vente**, il pourra fournir des conseils à l'installation et à l'utilisation et traiter les réclamations (produits défectueux, dates de livraison non respectées, livraisons perdues ou endommagées, etc.). Dans ce secteur, il faut souvent du personnel spécialisé. Ces appels peuvent être très longs.

Les variations de charge

La difficulté vient principalement de la disponibilité attendue par le client, lors de son appel : il ne veut pas attendre. Or, dans cette activité, la demande se caractérise par de très fortes variations, selon la période de l'année, le jour et l'heure. Le graphique ci-dessous, présentant l'évolution du nombre d'appels, dans une société de vente à distance, demi-heure par demi-heure, du matin 8 h au soir 20 h, illustre bien ces écarts.

Figure 16-3 – *Exemple d'histogramme du nombre d'appels reçus dans une journée*

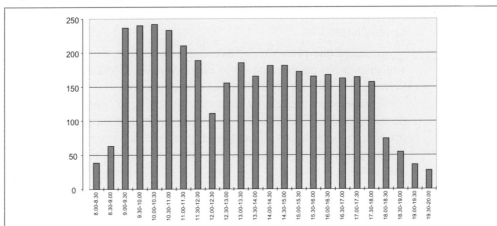

Il faut alors moduler la taille des équipes en fonction de ces variations, d'où une gestion délicate du personnel (employés à temps partiel, CDD, roulement d'équipes…).

L'organisation d'un centre d'appels

La gestion des centres d'appels est un problème complexe qui sort du cadre de ce livre. Nous renvoyons le lecteur intéressé par ce sujet aux nombreux ouvrages qui ont été publiés sur cette question. Néanmoins, cela appelle quelques réflexions :

Les appels qui parviennent au centre sont de natures très différentes : renseignements techniques ou commerciaux avant vente, commandes proprement dites, problème d'après-vente, de livraison, de mise en service, de facturation, etc.

Faut-il spécialiser ou banaliser les postes de travail ?

Banaliser les postes de travail présente l'avantage d'un meilleur lissage de la charge de travail quelle que soit la nature des appels. En revanche, cela suppose que tout le personnel soit capable de répondre à toutes les questions qui peuvent être posées.

La spécialisation permet de disposer de personnel plus compétent pour chaque domaine. On doit alors organiser un tri initial des appels selon leur nature, soit par un automate téléphonique au moyen duquel le client s'aiguille vers le ou les opérateurs compétents, soit par un poste de premier niveau qui qualifie la nature de l'appel et renvoie vers un opérateur spécialisé.

Faut-il centraliser ou répartir le traitement des appels ?

Lorsque l'on reçoit de très nombreux appels, il faut prévoir un nombre de postes de travail en conséquence. Avec les technologies d'aujourd'hui, la distance ne compte plus. On peut donc localiser des centres d'appels n'importe où.

La centralisation en un lieu unique entraîne des coûts techniques et des coûts de supervision plus faibles. En revanche, on concentre en un lieu unique un grand nombre d'opérateurs dont le travail est particulièrement pénible. Il peut en résulter des difficultés dans la gestion des relations sociales.

À l'inverse, on peut répartir les opérations dans plusieurs centres d'appels à taille plus humaine. Les coûts seront certes un peu plus élevés mais l'ambiance de travail sera meilleure.

Faut-il gérer son propre centre d'appel ou sous-traiter ?

Comme toutes les activités, il est possible de sous-traiter l'activité de centre d'appels. On doit cependant noter que les questions posées en avant-vente, la saisie de commandes et la résolution des problèmes très variés d'après-vente nécessitent, d'une part, un accès au système informatique central de l'entreprise (et donc les opérateurs doivent connaître toutes les procédures) et, d'autre part, bien connaître l'activité et les produits de l'entreprise. La sous-traitance est donc risquée.

En revanche, on peut parfaitement sous-traiter les *appels sortants*, c'est-à-dire les appels de prospection commerciale.

16/1.3   La préparation des commandes

Cette phase consiste à prélever dans le stock les différents articles composant les commandes des clients. Nécessitant un effectif important dans l'entrepôt, elle a fait l'objet de nombreuses recherches d'optimisation, d'où l'existence de diverses méthodes.

Pas de zone de préparation de commande spécifique

Le stock de préparation est situé au pied des colonnes de casiers (ou racks). Le préparateur, à l'aide d'un transpalette ou chariot de préparation, va prendre les articles à expédier en parcourant l'entrepôt. On peut imaginer plusieurs modes de prélèvement.

Figure 16-4 – *Circuit d'un préparateur de commande*

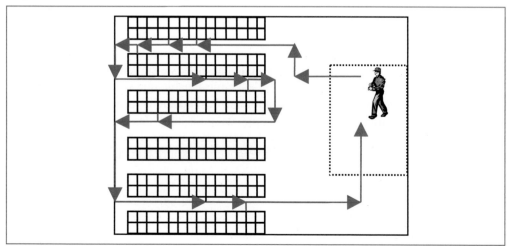

Prélèvement par commande

On confie au préparateur la commande d'un client. Il se déplace dans l'entrepôt pour prélever successivement tous les articles de la commande (les lignes de la commande auront été préalablement triées par zone géographique). Si l'entrepôt présente une grande surface, il risque de parcourir une distance journalière élevée, donc d'utiliser une part importante de son temps à se déplacer. De ce fait, le nombre de personnes nécessaire pour traiter l'ensemble de la demande sera grand.

Prélèvement par zone géographique

Une variante de ce système consiste à affecter les préparateurs par zone géographique dans le magasin et à scinder la commande par zone. Chaque préparateur, opérant uniquement dans celle-ci, effectue moins de déplacements, on gagne en effectif ; par contre, il est nécessaire de rassembler ces fractions de commande sur la zone d'expédition et d'effectuer les regroupements par commande sans erreur.

Prélèvement par référence

Une seconde variante vise à cumuler, pour chaque référence, les demandes par lots représentant quelques heures de travail, voire une demi-journée ou une journée, selon le volume à traiter, et à sortir ces quantités en une seule fois. On réduit ainsi le nombre de prélèvements à réaliser et la longueur des déplacements. Les articles prélevés sont rapportés sur une zone dans laquelle on procédera à la reconstitution des commandes ce qui impose un temps supplémentaire (et augmente le risque d'erreurs).

Création d'une zone de préparation spécifique

On crée une zone de préparation spécifique ou zone de *picking*[1], approvisionnée régulièrement à partir du stock de réserve par les caristes (conducteurs de chariots élévateurs). La zone de préparation est composée de rayonnages dynamiques, ce qui permet au préparateur de prélever les articles constituant la commande tout en parcourant de faibles distances.

On améliore le système en installant un tapis roulant entre les casiers et en affectant chaque préparateur à une zone. Les bacs vides, servant à recevoir les différents articles et munis du bon de commande, circulent sur ce tapis et s'arrêtent dans chaque zone. La personne lit le bon de commande, effectue le prélèvement correspondant aux produits de sa zone et envoie le bac au poste suivant. (fig. 16-5)

Une telle organisation n'est envisageable que si le nombre de références est limité.

Il existe une version automatisée du principe précédent dans lequel on remplace les préparateurs par un système de poussoirs des articles sur le tapis roulant. Reste cependant à vérifier que le gain en personnel ne soit pas largement compensé par l'investissement et la maintenance nécessaire (fig. 16-6).

---

[1] La zone de *picking* est l'endroit où sont préparées les commandes à livrer aux clients. Le *picking* consiste donc à effectuer le prélèvement des produits demandés dans le stock.

Figure 16-5 – *Préparation de commande avec zone spécifique*

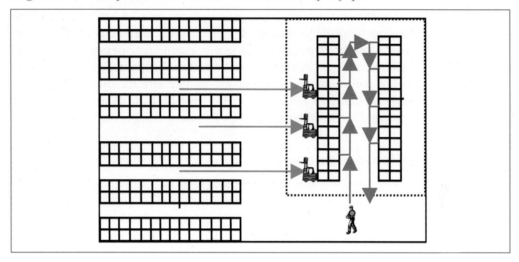

Figure 16-6 – *Préparation mécanisée*

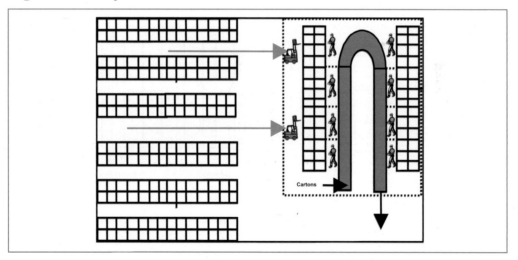

Segmentation de l'activité

Selon la politique commerciale de l'entreprise, on peut utiliser simultanément plusieurs systèmes :
– les commandes urgentes peuvent être prélevées par commande pour gagner du temps même si leur coût de traitement est élevé,
– les commandes normales peuvent être traitées par référence pour diminuer le coût du prélèvement.

16/1.4   L'emballage et l'expédition

La dernière opération consiste à placer tous les articles commandés par un client dans un emballage adapté, à effectuer un dernier contrôle de la conformité des produits prélevés par rapport à la commande (par pesage par exemple), à y placer les documents d'expédition (liste de colisage) et éventuellement la facture.

Les colis ainsi préparés doivent ensuite être regroupés selon leur destination et le mode de transport désiré. On opère ainsi un tri final des colis pour les diriger vers le bon quai d'embarquement afin qu'ils soient chargés dans les camions.

16/2   La gestion des entrepôts

L'existence d'entrepôts dans le réseau de distribution se justifie par de nombreuses raisons : besoin de se protéger contre les aléas (arrêts de fabrication), réduction du délai de livraison, regroupement de produits en provenance de fournisseurs différents. Dans tous ces cas, la fonction stockage représente un poste important dans le bilan de l'entreprise. Ses performances et ses coûts doivent être suivis en permanence.

Figure 16-7 – *L'organisation des flux physiques*

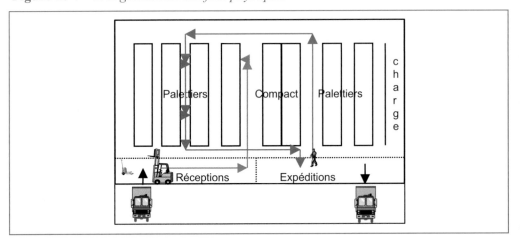

L'entrée des marchandises en stock

Dès son arrivée dans le magasin ou l'entrepôt, la marchandise est réceptionnée selon le processus suivant :
– déchargement du camion ou du wagon au moyen d'un chariot élévateur pour les produits provenant de fournisseurs extérieurs ou d'usines éloignées,
– contrôle de conformité quantitative et, éventuellement, qualitative et émission de réserves auprès du transporteur (si nécessaire),
– détermination de l'emplacement où elle va être stockée,
– transfert jusqu'au stock de réserve, le plus souvent par chariot élévateur ou par un système automatique comme un transtockeur,
– déclaration de l'entrée en stock dans le système informatique.

Ensuite, selon les secteurs, la marchandise va séjourner en stock de quelques jours à quelques semaines.

L'importance du nombre d'opérations à réaliser, de l'effectif et du matériel nécessaire amène le gestionnaire à se poser périodiquement des questions relatives à leur organisation. Dans une usine importante, cette fonction peut employer plusieurs dizaines de personnes. Ainsi, dans certaines unités de production organisées en flux tendus, l'effectif dédié à cette fonction est plus important que l'effectif de production !

16/2.1 Les matériels de manutention et de stockage

Notons tout d'abord qu'un entrepôt doit souvent contenir des produits dont les caractéristiques physiques sont très différentes (pièces de petite taille ou pièces très volumineuses), articles qui peuvent être placés sur des palettes ou non (par exemple, les vêtements doivent être placés sur ces cintres), etc. On choisira donc pour chaque catégorie d'articles des moyens de stockage et de manutention adaptés.

Les moyens de manutention et de stockage sont nombreux et peuvent engendrer des investissements importants. Aussi nous présenterons ici, pour chacun d'entre eux, leurs caractéristiques et leurs domaines d'utilisation.

Figure 16-8 – *Moyens de stockage et de manutention*

Tout d'abord, précisons que l'unité de manutention la plus utilisée, en ce qui concerne les produits finis, demeure la palette. Ce support de bois dont les dimensions les plus courantes sont 0,80 m sur 1,20 m (ou encore 1 m sur 1,20 m) permet de stocker et de déplacer en une seule fois des charges importantes, pouvant dépasser couramment 500 kg.

Lorsque les flux à traiter sont faibles, les distances faibles ou l'accès difficile, on a recours à des diables ou des transpalettes. D'utilisation simple, peu coûteux, on les retrouve pour les opérations de déchargement (et de chargement) des marchandises de l'intérieur des véhicules jusque sur les quais (ou inversement).

Le chariot élévateur reste cependant le moyen le plus utilisé pour transporter des charges palettisées, sur des distances plus importantes et à des hauteurs pouvant atteindre couramment 7 mètres et même 15 mètres selon le matériel utilisé.

On les utilise donc pour tous les déplacements des quais de réception vers les zones de stockage et de celles-ci vers la zone de préparation.

On distingue les chariots selon l'énergie utilisée (gaz pour les manutentions extérieures, électricité à l'intérieur de l'entrepôt et sur les quais), la prise et le recul des fourches de préhension de la charge (frontal, à mat rétractable), la nature de la prise (frontale, bi ou tri directionnelle) et la hauteur de prise (standard, grande hauteur).

Les prix varient naturellement fortement selon la nature et surtout les performances de ces matériels, de 50 k€ pour un chariot classique fonctionnant au maximum à 7 mètres, à plus de 100 k€ pour un tridirectionnel pouvant atteindre 15 mètres.

Lorsque les entrées et les sorties de stock concernent des flux importants effectués par palettes entières, l'entreprise pourra être tentée par une solution entièrement automatisée constituée de transtockeurs. Ce système réalise les trois types de mouvements (translation, levage et mise en palettier) à des hauteurs impressionnantes (15 niveaux jusqu'à 30 m). Les palettes arrivent jusqu'au transtockeur grâce à un système de convoyage à chaînes et sont ensuite chargées dans l'appareil. Le système de supervision communique alors au transtockeur un numéro d'emplacement pour chaque palette. Celui-ci le traduit en une hauteur et une longueur puis va la ranger.

Figure 16-9 – *Accès aux palettes dans le stock*

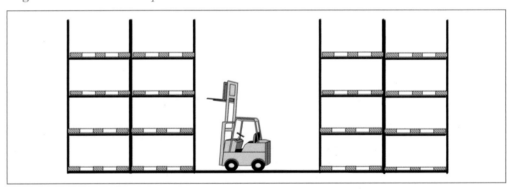

Ces matériels nécessitent certaines conditions de fonctionnement, en particulier en ce qui concerne les largeurs d'allée dans lesquels ils se déplacent. En effet, un chariot frontal nécessite 3 mètres à 3,5 mètres, un chariot à mât rétractable, 2,5 mètres, un tridirectionnel, 1,8 mètres et un transtockeur, 1,6 mètres.

Pour la préparation des commandes, on peut retenir différents matériels selon que le préparateur doit s'élever dans les casiers pour prélever les articles ou que son déplacement s'effectue uniquement au sol. Dans le premier cas, on préfère utiliser des chariots élévateurs ou des plates-formes de conduite « élevables » et dans le second, des rolls (sorte de *caddie* de supermarché) ou des transpalettes à main ou électriques (à conducteur accompagnant ou porté).

En milieu industriel, pour déplacer des charges lourdes, on aura recours à des moyens spécifiques comme les convoyeurs aériens, les portiques ou les ponts roulants.

Nous nous limiterons dans ce paragraphe au stockage de produits manufacturés, les produits en vrac nécessitant des moyens de stockage très spécifiques (citernes pour les liquides et les gaz, silos pour les céréales…).

Les produits finis, palettisés, sont généralement stockés dans des casiers, de dimensions variables, pouvant accueillir d'une à trois palettes.

Les rayonnages les plus classiques autorisent 4 ou 5 hauteurs de palettes mais peuvent atteindre 15 hauteurs dans le cas de transtockeurs[1]. On remarque ainsi qu'il y a correspondance entre le type de matériel de manutention utilisé (et son prix) et le nombre de niveaux autorisés.

Figure 16-10 – *Stockage dynamique*

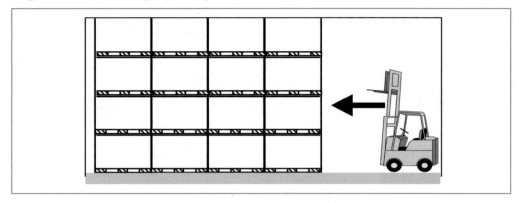

Dans ce système, la mise des palettes dans les cases ainsi que les sorties nécessitent une allée de circulation pour le chariot élévateur, toutes les deux travées, donc une perte de surface de stockage. D'où l'idée de supprimer les allées et d'obtenir une forte densité de stockage en concevant un rayonnage par accumulation. Composé d'échelles et de rails de guidage, il permet de réaliser des couloirs dans lesquels le chariot élévateur pénètre pour stocker les palettes les unes derrière les autres et cela sur plusieurs niveaux. Il s'utilise pour des produits de forte rotation entreposés en grande quantité. La même référence occupe au moins deux couloirs (ou travées) ; lorsque le premier est vide, on prélève les palettes dans le second et on réapprovisionne le premier. Il respecte, par nature, le principe du premier entré-premier sorti (*First In, First Out*).

Également axés sur la réduction du nombre d'allées, les palettiers mobiles permettent d'augmenter fortement la capacité de stockage d'un entrepôt comparé à une installation en palettiers classiques. Montés sur des bases motorisées, ils se déplacent sur des rails. L'utilisateur demande la création d'une allée n'importe où dans la zone, l'ensemble étant généralement piloté par un automate et par des commandes à distance. L'économie de bâtiment obtenue par ce système compense le plus souvent l'investissement généré par l'équipement nécessaire.

Idéal pour la préparation des commandes, le stockage dynamique est constitué de couloirs équipés de rouleaux sur lesquels les cartons ou les colis descendent par effet de gravité. En créant une zone distincte de celle de stockage, on obtient ainsi une réduction des déplacements et de la manutention des préparateurs et magasiniers.

---

[1] Système automatique de manutention horizontale et verticale à grande hauteur permettant l'entrée et la sortie de palettes dans les allées de stockage en rack.

16/2.2   La localisation des produits dans l'entrepôt

Nous aborderons dans ce paragraphe le système de repérage des produits dans l'entrepôt, les méthodes d'affectation et son optimisation.

Le repérage des produits

Les entrées et les sorties du stock ne peuvent s'effectuer que si l'on connaît l'emplacement des produits dans l'entrepôt. Pour ce faire, on définit celui-ci grâce à un système de trois coordonnées : le numéro de travée, le numéro de colonne et le niveau (fig. 16-11).

Figure 16-11 – *Coordonnées d'un emplacement de stockage*

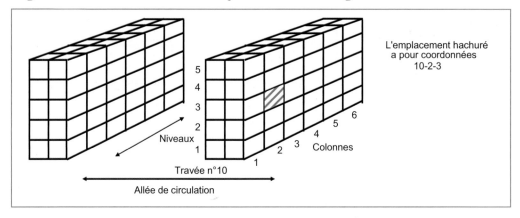

Les méthodes d'affectation

À partir de ce système de repérage, on peut alors affecter un emplacement à un produit. Celui-ci s'effectue habituellement selon deux principes :
– l'affectation fixe (ou stockage affecté),
– la banalisation (ou stockage aléatoire).

Le stockage affecté

Stocker une référence selon le principe de l'affectation consiste à lui donner toujours le *même emplacement* dans le dépôt.

Le personnel se familiarise rapidement avec cette localisation et peut ainsi trouver aisément les produits sans avoir besoin de consulter les bons d'entrée et de sortie.

En revanche, l'application stricte de ce principe risque d'aboutir à un surdimensionnement de l'entrepôt (ou à un mauvais coefficient de remplissage). Il faut, en effet, réserver pour chaque référence un volume de stockage égal au maximum observé lors de la réception du produit. Comme les réapprovisionnements de toutes les références n'arrivent pas en même temps, une partie de l'entrepôt reste toujours inoccupée.

Le stockage banalisé

Le stockage aléatoire ou banalisé affecte au produit entrant un emplacement disponible, quel qu'il soit.

À l'inverse du système précédent, on peut obtenir un fort taux de remplissage, les différentes références ne présentant pas un stock maximum le même jour.

Dans un stock banalisé, il faut cependant disposer d'un système, généralement informatisé, permettant de connaître en permanence la localisation de chaque article puisque celle-ci change à chaque fois. À chaque entrée en stock, on affecte un emplacement au produit et on met à jour le plan de l'entrepôt ; la sortie s'effectue ensuite en demandant au système la localisation de la référence requise.

Solution mixte

Le mode d'organisation le plus souvent retenu dans les entrepôts repose sur une solution mixte :
– le *stock de préparation,* nécessaire au prélèvement manuel des articles par les préparateurs, correspond à du stockage affecté,
– le *stock de réserve,* destiné à entreposer l'ensemble des réceptions en provenance des fournisseurs, est géré de manière aléatoire (ou banalisée).

Optimisation de la localisation

L'emplacement affecté à chaque référence dans l'entrepôt conditionne le temps nécessaire pour effectuer les opérations de manutention et de préparation des commandes, donc l'effectif nécessaire. Deux méthodes permettent d'optimiser celle-ci : l'analyse ABC des flux et la programmation linéaire (méthode hongroise).

Affectation en fonction de l'importance des flux

Les zones de stockage des produits sont déterminées en fonction de leur rotation. Plus ils tournent vite, c'est-à-dire plus le nombre d'entrées et de sorties est important, plus on les stocke près de la réception et de l'expédition : la catégorie A, puis la B et enfin la C (fig. 16-12).

Figure 16-12 – *Localisation des produits dans l'entrepôt*

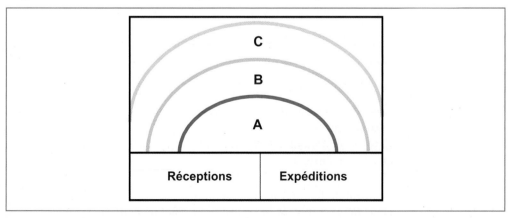

Méthode hongroise

Cette méthode, dérivée de la programmation linéaire classique, nécessite de poser le problème de la manière suivante :

1/ découper la surface de l'entrepôt en P zones élémentaires,

2/ déterminer les distances séparant chaque zone de la réception (di) et de l'expédition (d'i),

3/ relever les nombre des entrées (nj) et des sorties (n'j) journalières (ou par semaine) de chaque produit ou plutôt familles de produits (j),

4/ définir la fonction à minimiser :

Somme (nj . di + n'j. d'i) pour tous les i et pour tous les j.

On peut ensuite traiter ce problème à l'aide de programme d'affectation spécifique ou du solveur d'Excel.

16/2.3 Détermination du besoin en entreposage

Le besoin en entreposage résulte de la quantité en stock définie par l'entreprise, des fréquences de livraison des commandes et des réceptions des marchandises.

Selon les secteurs industriels, ce niveau peut avoisiner 1 jour pour les produits frais, 3 semaines pour l'épicerie mais plusieurs mois pour le mobilier. Aussi doit-on définir dans chaque cas les besoins dans ce domaine, c'est-à-dire la capacité de l'entrepôt, son niveau d'activité, les systèmes de stockage et les matériels de manutention à utiliser, le degré d'automatisation ainsi que le progiciel de gestion.

Stock et flux

Plusieurs points sont à retenir si l'on envisage de faire construire un entrepôt pour ses propres besoins :

– celui-ci ne devant pas être saturé dès la première année, il faudra prendre en compte, non pas les données actuelles mais une prévision à 5 ans,

– la quantité en stock variant en permanence dans l'année, doit-on retenir pour les calculs, le stock maximum, le stock moyen ou toute autre valeur intermédiaire ? On devra tester ces différentes options,

– il en est de même pour les différents flux (réceptions, mises en stock, approvisionnement de la zone de préparation, préparation, contrôle, emballage et expédition),

– l'augmentation d'activité ne se traduit pas par une croissance proportionnelle du stock (cf. chap. 13).

La surface de stockage

Connaissant la quantité à stocker, on peut aisément déterminer la surface du stock de réserve nécessaire.

Il suffit de calculer la surface de la maille constituée par une palette de part et d'autre d'une largeur d'allée, soit (1,20 m + 3,5 m + 1,20 m) x 0,80 m ou 3,92 m^2.

Dans la pratique, on ajoute à chacune de ces valeurs quelques centimètres qui permettront de faciliter les manutentions des palettes dans les cases.

Dans un exemple, la largeur d'allée retenue était de 3,5 mètres, ce qui correspond à un chariot frontal autorisant 4 (voire 5) hauteurs de palettes. On peut donc stocker, 4 x 2 palettes (ou 5 x 2) sur une surface au sol de 3,92 m² soit une surface de 0,49 m² (3,92 / 8) par palette. Ainsi pour un stock de 10 000 palettes retiendra-t-on 4 900 m².

Si l'on choisit un chariot tridirectionnel, nécessitant une largeur d'allée de 1,8 mètre et pouvant fonctionner à 8 hauteurs, on obtient une surface unitaire de 0,21 m², soit 2 100 m² pour ces mêmes 10 000 palettes. Il faut alors vérifier si l'économie de surface (57 %) n'est pas compensée par le supplément de coût du matériel (deux fois plus cher) et du bâtiment.

Figure 16-13 – *Implantation de l'entrepôt*

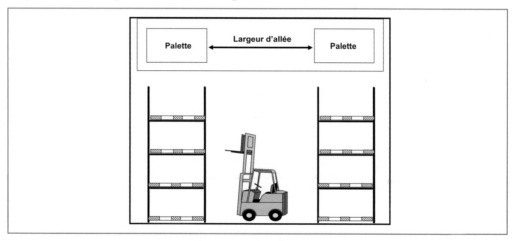

Les dimensions du bâtiment

Connaissant la surface de la zone de stockage, il nous faut déterminer maintenant les dimensions du bâtiment correspondant. La modélisation suivante nous aidera dans cette démarche (fig. 16-14).

Soit, respectivement Lo et La, les dimensions recherchées pour une surface fixée S avec $S = La \times Lo$.

Le parcours moyen (p) pour aller déposer ou prendre une palette est égal à :

$$p = Lo/4 + La/2 + La/2 + Lo/4 \text{ soit } Lo/2 + La$$

Opérons un changement de variable en remplaçant La par S/Lo.
P devient $Lo/2 + S/Lo$.

Minimiser le parcours moyen revient à trouver la valeur de Lo qui annule la dérivée de p par rapport à Lo :

$$\partial p / \partial Lo = \frac{1}{2} - S/Lo^2 = 0$$

$$Lo^2 = 2\,S, \text{ soit } Lo = \sqrt{2} \cdot \sqrt{S}$$

Remplaçons Lo par sa valeur dans $S = La \times Lo$. Nous obtenons :

$$S = La \times \sqrt{2} \cdot \sqrt{S} \text{ et } La = 1/\sqrt{2} \times \sqrt{S}$$

On obtient alors une relation entre les deux dimensions en effectuant le rapport Lo / La, soit $Lo = 2\,La$.

Une fois la surface de stockage calculée, on essaiera de se rapprocher de ce rapport pour déterminer les dimensions de la zone de stockage de réserve. S'ajouteront ensuite les surfaces de préparation, d'expédition et de réception ainsi que les locaux techniques. Toutes ces aires, hormis les locaux techniques, viendront se positionner devant le stockage, venant ainsi augmenter la largeur précédemment calculée.

Figure 16-14 – *Optimisation des dimensions de l'entrepôt*

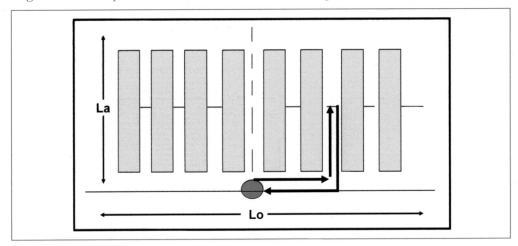

Les effectifs

Le principe consiste à déterminer la charge de travail journalière engendrée par chaque activité puis à en déduire l'effectif correspondant.

On procède de la manière suivante :
– définir les différents types de manutentions à étudier et le matériel utilisé (déchargement d'un véhicule avec un transpalette, mise en stock d'une palette au niveau 3, etc.),
– pour chacune d'entre elles, retenir un temps unitaire de base,
– calculer le temps opératoire en multipliant celui-ci par la fréquence journalière (nombre de fois où elle doit être réalisée chaque jour),
– pour passer aux temps réels, on tiendra compte de coefficients de parcours et/ou de roulage, reflétant la nature du sol et les difficultés de circulation dans les allées,
– enfin un coefficient de repos dû à la fatigue générée par la répétitivité de la tâche permettra de transformer le temps réel en temps d'exécution.

Pour déterminer l'effectif, on retiendra alors un taux d'engagement du personnel (E) en prenant en compte les aléas d'exploitation et la répartition irrégulière de la charge de travail dans le temps. On obtient un temps journalier disponible de E x temps légal de présence (7 heures), soit 5,6 h pour un taux de 80 %.

L'effectif nécessaire est égal à la somme des temps d'exécution divisé par ce temps disponible.

La détermination des temps unitaire de base peut s'effectuer de plusieurs façons :
- par utilisation de tables de temps, résultant d'un grand nombre de chronométrages et établies par des organismes professionnels (par exemple, les Standards de Manutention de Base ou SMB conçus et commercialisées par l'AFT-IFTIM). Ces tables fournissent des temps standard pour des opérations unitaires tellement courtes (par exemple prise d'un colis de 1 kg à 1 mètre de hauteur ou déplacement d'un chariot à vide sur 1 mètre) que l'utilisation d'unités usuelles comme l'heure ou la minute s'avérerait peu pratique. De ce fait les temps sont fournis en centième de minute ou centiminute (cmn),
- par chronométrage, procédé ancien mais toujours d'actualité bien que peu apprécié du personnel,
- par enregistrement au caméscope, plus efficace et moins contraignant,
- par le calcul de temps moyens internes à l'entreprise.

Un exemple simplifié nous permettra de mieux comprendre la méthode : l'opération consiste à mettre en stock 200 palettes par jour et à en sortir 200 autres.

La dépose (et la prise) s'effectue en moyenne au niveau 3, la distance de la zone de réception (et d'expédition) au stock s'élève à 200 mètres, la distance parcourue après avoir positionné la première palette pour rejoindre l'endroit où le cariste doit en prélever une autre est de 50 mètres, la distance de déplacement vers la zone d'expédition également de 200 mètres et la distance entre l'expédition et la réception de 20 mètres.

La table des temps élémentaires figure dans le tableau 16-15.

Figure 16-15 – *Optimisation des dimensions de l'entrepôt*

Opération	Temps unitaire (cmn)	Distance (mètres)	Fréquence	Temps total (cmn)
Prise palette au sol	25		200	5000
Déplacement vers stock	0,74*	200	200	29 600
Dépose niveau 3	65		200	13 000
Déplacement à vide	0,68*	50	200	6 800
Prise niveau 3	65		200	13 000
Déplacement vers expédition	0,74*	200	200	29 600
Pose palette au sol	25		200	5 000
Retour à vide vers zone réception	0,68	20	200	2 720
	* par mètre			100 220

L'ensemble des opérations génère une charge de travail journalière de 100 220 cmn. Un cariste travaillant 7 heures par jour, il faudra donc 3 personnes si l'on retient un coefficient d'engagement de 80 % (100 220 / ((7 x 60) x 80 %)).

16/2.4 *Investissement et coût d'exploitation*

À partir des éléments précédents, il nous est maintenant possible de calculer l'investissement nécessaire ainsi que le coût d'exploitation correspondant. Précisons tout d'abord que la fonction « entreposage » nécessite des investissements importants en bâtiment et matériel de manutention, s'amortissant sur des périodes assez longues (15 à 20 ans pour les bâtiments, 10 ans pour le matériel de stockage et 5 ans pour la manutention). Aussi la question de l'externalisation se posera-t-elle souvent à l'entreprise industrielle et commerciale, qui peut estimer mieux rentabiliser ces sommes dans d'autres activités.

Le coût d'exploitation d'un entrepôt se compose principalement des postes suivants : amortissements, frais financiers, salaires et charges, assurances, chauffage, éclairage. Or toutes ces charges sont fixes, c'est-à-dire que le coût de fonctionnement est pratiquement indépendant du niveau d'activité. Le recours à du personnel intérimaire et la consommation d'énergie des chariots élévateurs représentent la seule partie variable des coûts. Pour cette seconde raison, on comprend mieux ainsi la problématique de l'entreprise qui cherche à réduire ou à supprimer toute possession de ce type de structure ou, tout du moins, à la remplacer par une solution externe présentant un coût variable avec la quantité de produits traités.

Un exemple illustrera ces propos : une entreprise doit stocker en moyenne 5 000 palettes, soit une capacité de 6 000 palettes (pour un coefficient de remplissage d'environ 80 %) avec des flux d'entrée et de sortie de 250 palettes par jour et un volume journalier de 15 000 colis à préparer.

L'application de la démarche précédente a permis d'aboutir aux résultats suivants regroupés dans le tableau 16-16.

Dans ce cas particulier, l'entreprise devra investir 2,25 millions d'euros pour un coût d'exploitation annuel d'environ 1 million d'euros. Répartissons l'ensemble de ces coûts selon trois principales fonctions :

1. *Les manutentions d'entrées et de sorties de l'entrepôt* : effectuées à l'aide de chariots et de transpalettes et nécessitant 3 caristes et 5 manutentionnaires, elles présentent un coût annuel de 249 k€, soit 2,1 € par palette entrée ou sortie (ou 2,3 si on impute les 14 k€ de frais de palettes).

2. *Le stockage :* cette opération correspond aux coûts du bâtiment, c'est-à-dire son amortissement, celui des casiers ainsi que l'assurance et son entretien, soit 160 k€ ou 2,67 €/palette/mois.

3. *La préparation des commandes :* le coût annuel (salaires et matériel) pour cette opération s'élève à 466 k€, soit 0,13 €/colis.

Après imputation des frais de structure (directeur, secrétaire et progiciel), soit 120 k€ à l'ensemble des activités de l'entrepôt, on doit majorer les coûts précédents de 12,1 % (120/990) et l'on obtient respectivement : 2,3 €/palette, 3 €/palette et par mois et 0,14 €/colis.

On peut ainsi comparer aisément une solution externalisée avec un prestataire proposant les tarifs suivants : 2 €/palette, 5 €/palette/mois et 0,2 €/colis. Dans ce cas, le coût annuel s'élève à 1 220 k€, soit 211 k€ de plus qu'avec un entrepôt en propre. Si l'on compare ce « gain » annuel à l'investissement nécessaire (2,25 millions d'euros), il faut plus de 10 ans pour le rentabiliser !

Figure 16-16 – *Calcul du coût de l'entrepôt*

Amortissements	Ans	Prix/unité (€)	Quantité	Invest, (K€)	Amort. (K€)
Bâtiment	15	300	4 213	1 264	84
Casiers	10	80	6 000	480	48
Chariots élévateurs	5	50 000	3	150	30
Chariots de préparation	5	12 000	19	228	46
Palettes	5	12	6 000	72	
Progiciel	3	6 000	1	60	20
Total				**2 254**	**228**
					22,60 %
Exploitation					
Destruction palettes					14
Assurance	1 %	par an			10
Entretien du bâtiment	0,10 %	par an			1
Entretien matériel	1%				4
EDF, chauffage, etc.	4	€/m^2			17
Total					**46**
					4,60 %
Salaires plus charges					
Directeur		70	1		70
Secrétaire		30	1		30
Préparateurs		30	14		420
Caristes		30	3		90
Manutentionnaires		25	5		125
Total				**24**	**735**
					72,80 %
		Coût total		**K€/an**	**1 009***

*Hors terrain et hors frais financiers

16/3 Le cycle des commandes fournisseurs

Le réapprovisionnement du stock de l'entrepôt s'effectue selon les méthodes de planification présentées aux chapitres précédents.

S'il s'agit de produits finis à commander auprès d'industriels en vue d'une commercialisation (cas de la grande distribution), les systèmes classiques de gestion de stock vont s'appliquer (point de commande, recomplètement périodique et méthodes dérivées) ainsi que le Juste-à-temps ou encore la GPA.

Dans le cas de produits fabriqués par l'entreprise, le stock résulte de la planification des usines effectuée en fonction du fichier des commandes clients et des prévisions de vente, l'ensemble de ces opérations étant réalisé dans un ERP.

Dans le cadre de stratégies d'achat clairement définies (cf. section suivante), sur le court terme, le service Achats doit s'engager vis-à-vis des fournisseurs afin de répondre aux besoins exprimés par la production et l'ensemble des services de l'entreprise. Ces activités s'organisent selon un processus séquentiel (*work flow*) comme le montre la figure 16-17.

Ce processus commence avec l'émission des demandes d'achat (résultant des calculs de besoins et/ou de la gestion des stocks pour les matières et composants, et de besoins ponctuels non récurrents). Ensuite, cela implique que les Achats s'assurent de la qualité de l'expression des besoins et de la rédaction des cahiers des charges.

Par ailleurs, lorsqu'il n'existe pas de contrat-cadre, le service Achats doit rechercher les fournisseurs potentiels, mener des opérations de consultation, d'appel d'offres et de demande de prix, organiser et piloter les négociations, et procéder à la sélection des fournisseurs.

Le service Achats a enfin une responsabilité juridique puisqu'il assure la rédaction des commandes / marchés et des contrats d'approvisionnement.

Une fois le cadre juridique déterminé et les fournisseurs potentiels sélectionnés, le service Achats doit assurer à court terme le traitement administratif des commandes et s'assurer du bon fonctionnement logistique des approvisionnements :

– suivi des commandes et relances prévisionnelles,
– suivi des livraisons et des contrôles qualitatifs et quantitatifs à la réception,
– gestion des stocks de matières premières et composants. Selon les entreprises, le service Achats a ou non cette responsabilité ; même si ce n'est pas le cas, il est important qu'il intègre à sa décision cette dimension. L'avantage d'une fonction Logistique au sens large, ou *Supply Chain* (qui inclut les Achats, les Approvisionnements et la gestion des stocks), est de rendre plus faciles la communication et les arbitrages en cas de divergence d'intérêt,
– mise en œuvre de mesures de dépannages et, plus généralement, de toute procédure qui doit être prévue en cas de *mode dégradé* des procédures normales (défaillance d'un fournisseur pour diverses raisons : incendie, inondation, bris de machine ou d'outillage, dépôt de bilan),
– règlement des litiges éventuels liés à des problèmes de qualité ou des erreurs de livraison,
– participation à la vérification des factures et aux procédures de règlement des fournisseurs.

Figure 16-17 – *Étapes du processus Achats*

Étapes	Personne(s) concernée(s)	Support / document comptable	Éléments principaux
1 Cahier des charges	Utilisateur Client interne	CdC détaillé ou CDC fonctionnel	Expression du besoin Spécifications techniques Services associés Délai attendu
	Prescripteur technique (Achats) Décideur financier		Validation (opportunité) technique Validation budget (si pertinent) *voir - seuils selon montant engagement*
2 Demande d'achat	Utilisateur	DA Demande d'achat	Formalisation du besoin « Contrat interne »
3 Analyse du marché	Achats	Fichier Fournisseurs	Recherche des fournisseurs potentiels Faire jouer la concurrence
4 Consultation Sélection	Pilotage Achats	AO Fiches fournisseurs	Appel d'offres Dépouillement des réponses / Cotation Sélection
	Utilisateur		Validation choix fournisseur Validation conditions technico-économiques
	Achats / utilisateur (?)		Négociation (éventuelle)
5 Contrat commande	Achats	BC Bon de commande Marché	Contractualisation (tous éléments du contrat)
	Comptabilité fournisseurs		MAJ système d'infos comptable Comptabilisation des engagements
6 Livraison Contrôle	Utilisateur Magasin	BL Bon de livraison	Contrôles de cohérence Contrôle quantitatif Contrôle qualitatif
			Commande "soldée" / Livr. Disponible (sinon, gestion de soldes de livraisons)
7 Réception facture	Comptabilité fournisseurs	Facture	
	Utilisateur / Magasin Achats		Vérification facture Prix / conditions économiques Quantité / Qualité / Délai respecté
	Achats		Règlement des litiges
8 Règlement	Comptabilité fournisseurs		Paiement fournisseurs (selon clauses contractuelles)
	Comptabilité fournisseurs		MAJ système d'information Comptabilisation des montants achats

À ce niveau, l'informatisation peut apporter une grande aide aux acheteurs en leur permettant d'être plus efficaces en les libérant de tâches de routine. De ce point de vue, les modules achats des systèmes ERP s'avèrent très utiles pour améliorer la productivité des traitements administratifs. Les acheteurs peuvent ainsi se consacrer à la recherche de nouveaux fournisseurs et de nouveaux produits.

Notons enfin que l'utilisation de techniques d'appels de livraison automatique par EDI permet de réduire les coûts administratifs liés à l'acte d'achat. Cela consiste à transmettre directement les commandes de l'ordinateur du client à l'ordinateur du fournisseur. Celui-ci renvoie de la même façon les avis d'expédition et les factures.

16/4   Les progiciels de gestion d'entrepôt

Les WMS, ou *Warehouse Management System*, sont des systèmes informatiques destinés à supporter l'ensemble des activités de l'entrepôt : réception, mise en stock, préparation de commandes, contrôle, etc.

Lors de la réception, une étiquette unique, caractérisant le produit, est émise et collée sur celui-ci. Chaque fois que l'article sera mouvementé, le manutentionnaire (ou le cariste) indiquera au WMS la quantité concernée et le lieu de la dépose.

Celui-ci peut suggérer la localisation idéale pour cet article compte tenu de ses caractéristiques physiques et de sa rotation. Dans ce cas, le cariste n'a pas à mémoriser l'emplacement habituel de la référence, le système lui indiquant où aller.

Si ce transfert d'informations s'effectue en temps réel, possibilité autorisée par exemple avec du matériel radiofréquences, le système connaît en permanence le plan de l'entrepôt (lieu, quantités et emplacement de chaque référence) donc le stock en temps réel avec les dates d'entrée.

À partir du fichier des commandes clients, le système lance l'ordonnancement des préparations et envoie les données aux préparateurs. Lorsque le cariste se connecte au WMS, une liste de tâches à effectuer apparaît. Pour chaque activité retenue, le système lui fournit toutes les informations nécessaires à sa réalisation : nature du produit, quantité et emplacement. Le gestionnaire connaît ainsi en permanence la charge de travail déjà réalisée et restante.

Ces progiciels proposent également l'édition d'un certain nombre d'indicateurs, comme nous le verrons ci-après. Le marché propose un nombre important de WMS parmi lesquels on peut citer Clé 128, Infolog, Gold, Crystal, Génerix.

16/5   Les indicateurs de performance

L'entrepôt a pour objectif de satisfaire la demande des clients au moindre coût. On mesurera donc principalement celui-ci par quatre indicateurs principaux.

Le niveau de service

Ce ratio mesure le réalisé par rapport au demandé. Pour ce faire, on utilise le plus souvent le nombre de commandes complètes traitées dans le délai demandé par rapport au nombre de commandes à traiter ou encore, plus précis, le nombre de lignes (à la place du nombre de commandes).

Délai de traitement de la commande

Ce temps recouvre toutes les activités depuis la demande du client jusqu'à la réception des articles correspondants, qu'elles concernent le traitement de l'information ou le circuit des produits.

Le coût de passage par l'entrepôt

Regroupant l'ensemble des coûts de réception, mise en stock, entreposage et préparation des commandes, cette valeur est souvent exprimée en fonction du chiffre d'affaires mais également par unité d'œuvre (tonne ou palette).

Le niveau de stock

Ce niveau, mesuré le plus souvent en nombre de semaines (ou de jours) d'activité, correspond à une somme immobilisée qui ne rapporte rien à l'entreprise.

On utilise couramment d'autres indicateurs dont le suivi permet d'expliquer la non-atteinte des objectifs :
– le taux d'erreurs, exprimé en fonction du nombre de commandes,
– le taux de remplissage de l'entrepôt (nombre de palettes en stock par rapport à la capacité de stockage),
– la productivité définie comme :
  - le nombre de lignes de préparation/jour/personne,
  - le nombre de colis/heure/personne,
  - le nombre de palettes manutentionnées/heure/personne.

À titre d'exemples, nous pouvons citer quelques ordres de grandeurs couramment rencontrés : 1 100 colis / jour / personne pour la préparation de petits colis, 30 à 40 lignes / heure / personne, ou encore 20 à 25 palettes/heure/personne pour la manutention d'entrée et de sortie de stock.

Chapitre 17

Les transports

Un produit fini livré au client passe par des étapes successives d'achat et d'approvisionnement, de production et de distribution finale. Une opération commune prend place dans chacune de ces étapes : l'opération qui consiste à *transporter* les flux physiques :

- depuis les fournisseurs vers les usines où seront réalisées les opérations de fabrication,
- au sein même des usines entre les différentes ressources de fabrication (on parle encore de transfert[1] dans ce cas),
- depuis les magasins de produits finis vers les clients finaux ou les entrepôts de distribution finaux.

Comme décrit aux chapitres précédents, la compétitivité de l'entreprise trouve sa source, pour une partie significative, à un tel niveau opérationnel parce que c'est bien au niveau des opérations que se constituent notamment :

- le coût de revient global des produits fabriqués et distribués,
- la qualité fonctionnelle des produits livrés,
- la qualité de service au client, puisque le service est directement lié aux retards, erreurs, pertes, casses, vols, avaries, etc.

De manière synthétique, un système de transport peut être décomposé en plusieurs couches[2] qui concourent à la réalisation du service (fig. 17-1). La couche inférieure est constituée par les infrastructures (routes, voies ferrées, ports, aéroports). La deuxième concerne l'instrument du service, c'est-à-dire les moyens de transports : les camions, les trains, les bateaux et les avions. La troisième couche identifie l'objet du service, à savoir les marchandises transportées, et enfin la couche supérieure décrit les installations des sites d'origine et de destination. Toutes ces couches sont reliées par un système d'information qui va permettre la bonne réalisation du service de transport. Les acteurs peuvent maîtriser une ou plusieurs de ces couches.

Exemple 17-1 : en France, jusqu'à une date récente, la SNCF possédait les deux couches inférieures. Elles ont maintenant été séparées juridiquement puisque le réseau est confié à la RFF (Réseau Ferré de France), la SNCF conservant les « véhicules ».

---

[1] Ces processus de transfert, un petit peu particuliers, ne seront pas étudiés ici.

[2] Savy M., *Le transport des marchandises*, Eyrolles, 2007.

Exemple 17-2 : lorsqu'une entreprise livre ses produits avec ses propres camions, elle maîtrise les deux couches intermédiaires alors que si elle fait appel à un transporteur, elle ne contrôle plus que la cargaison.

Figure 17-1 – *Structure d'un système de transport*

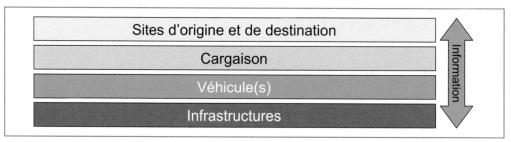

Les modes de transport : le transport apparaît donc comme un maillon indispensable de la chaîne logistique qui assure la liaison entre les différents étages du système logistique. Ce transport peut se faire suivant différents *modes* : aérien, maritime ou terrestre (par route, fer, encore appelé rail, et voies navigables terrestres, essentiellement constituées par les canaux et les grands fleuves). Le choix d'un ou plusieurs modes est une problématique qui doit intégrer les caractéristiques du produit, du service attendu et du parcours à réaliser.

Le coût de transport : au même titre que les opérations de fabrication, les opérations de transport devront être optimisées parce que susceptibles d'induire des coûts considérables. En effet, même si ces coûts peuvent varier considérablement selon les produits et les destinations, on estime qu'en moyenne les coûts de transport représentent entre 5 et 10 pour cent[1] de la valeur du produit fini livré.

Les différentes problématiques : cette optimisation n'est pas simple parce que la mise en œuvre efficace des processus de transport au sein de la chaîne logistique constitue une problématique complexe, d'une certaine manière aussi complexe que l'organisation de la fabrication industrielle elle-même. De nombreuses décisions doivent en effet être prises, en intégrant des contraintes de natures variées. Selon les origines et les destinations, les caractéristiques du produit et les quantités en jeux, différents moyens de transport peuvent être utilisés : route, fer, voie navigable, mer, air. Même si pour un trafic donné, tous ces modes ne se concurrencent pas, la question du choix se pose fréquemment et peut avoir une incidence significative sur les coûts et les marges réalisées. Une fois un mode de transport sélectionné, il restera à optimiser sa mise-en-œuvre. Par exemple, si le transport par route est retenu, le gestionnaire aura à arbitrer entre le recours à des transporteurs spécialisés, externes à l'entreprise, et l'utilisation d'une flotte propre ou en location. Pour ce faire, il devra déterminer et suivre l'évolution des coûts d'exploitation des véhicules de l'entreprise ou de ses transporteurs. Enfin pour approvisionner ses matières premières et livrer ses clients, il devra organiser ses tournées de collecte ou de livraison, éventuellement sous contrainte de délais ou horaires de livraison imposés.

---

[1] Savy M., *Le transport des marchandises*, Eyrolles, 2007.

17/1   Les modes de transport

Avant d'aborder les problèmes de gestion relatifs au transport, il est nécessaire de présenter les principales caractéristiques des différents modes de transport ainsi que leur adaptation aux différents types de trafic des entreprises. Même s'il est illusoire de vouloir décrire en quelques mots de manière exhaustive l'état de l'art au niveau des modes de transport, il est possible de donner les éclairages suivants.

À un niveau qualitatif, les différents modes présentent des avantages et des inconvénients au niveau des caractéristiques de transport qui incluent :

– la *diversité* ou le nombre de types de produits qu'il est possible de transporter,
– la *vitesse* moyenne du transport depuis le point d'expédition jusqu'à la destination finale,
– l'*accessibilité*, qui fait référence à la question de savoir si le mode permet d'accéder directement au client final ou au contraire nécessite le transfert vers un autre mode de transport pour livrer le client,
– le *coût* du transport,
– la *capacité* d'une ressource de transport (un camion, un bateau…),
– la *flexibilité intermodale*, autrement dit la possibilité de combiner facilement ce mode avec d'autres.

Le tableau suivant synthétise les caractéristiques des différents modes.

Figure 17-2 – *Caractéristiques des modes de transport*

Mode	Diversité des produits	Vitesse	Accessibilité	Performance économique	Capacité	Flexibilité intermodale
Route	++	+	++	=	-	++
Fer	+	=	=	+	+	++
Air	-	++	-	--	--	=
Eau	+	--	=	++	++	++

À un niveau plus quantitatif, la figure 17-3 présente les tonnages transportés en moyenne ces dernières années en Europe par chaque mode.

On notera que dans le cadre des exportations et des importations de l'Union Européenne les transports aérien et maritime occupent une place importante, le premier par les valeurs transportées, le second par les tonnages.

17/1.1   Les modes terrestres

L'appellation « transports terrestres » recouvre la route, le fer ainsi que la voie navigable. Globalement, l'évolution du partage des transports par mode terrestre est reprise la figure 17-4.

Les projections futures prévoient, sauf rupture fondamentale, une stabilisation des parts des différents modes dans les années à venir.

Figure 17-3 – *Synthèse des tonnages transportés en Europe (en millions de tonnes)*

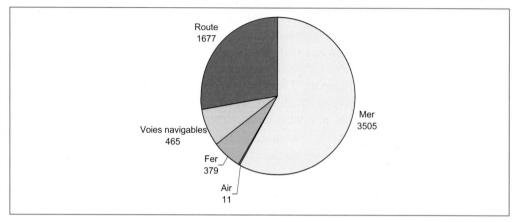

Figure 17-4 – *Transports terrestres : partages des modes*

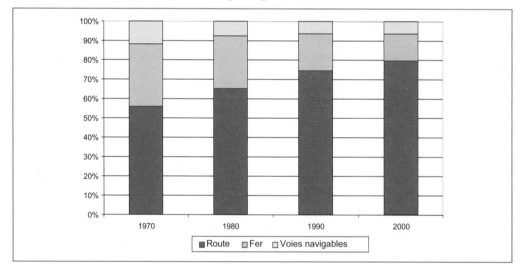

1.1.1. La route

Le transport routier est à la première place des transports en Europe. À titre d'illustration, en France la route représente plus de 80 % des tonnes chargées et des tonnes x km[1] réalisées. Précisons cependant, comme le font apparaître les indicateurs suivants, qu'une partie importante des tonnes transportées concerne les courtes distances : plus de 50 % à moins de 50 km et plus de 75 % à moins de 150 km, domaine où elle n'a pas de concurrent.

---

[1] On utilise fréquemment dans le transport deux unités de compte : la tonne et la tonne x km. Cette dernière doit être utilisée avec précaution, surtout dans les comparaisons entre modes ; en effet, un trafic d'un million de tonnes x km correspond aussi bien à 10 000 tonnes transportées sur 100 km qu'à 1 000 tonnes transportées sur 1 000 km.

Depuis les années 70, période où la route a dépassé le fer, elle n'a cessé d'accroître sa part du marché. La suprématie de la route s'explique principalement par le fait que le transport routier demeure le plus flexible et, de fait, le seul mode permettant de réaliser aisément un véritable porte-à-porte entre fournisseur et client.

La prédominance de la route risque d'être fortement remise en cause dans les prochaines décennies du fait des effets externes qu'elle engendre. En effet, la pollution se développe et devient un enjeu majeur, les encombrements sont de plus en plus fréquents aux abords des villes importantes et sur les principaux axes routiers et la sécurité demeure toujours préoccupante. Du fait du doublement prévu du trafic dans les vingt prochaines années, le réseau routier français devrait poursuivre son effort de développement (environ 10 000 kilomètres d'autoroutes planifiés pour ces dernières années, plus environ 2 500 km de routes ayant un niveau d'aménagement autoroutier) ainsi que son raccordement aux réseaux européens.

Le trafic s'effectue soit par l'intermédiaire de sociétés de transport (on parle alors de transport pour « compte d'autrui ») pour plus de 80 % des tonnes x km[1], soit avec les véhicules de l'entreprise (« compte propre ») pour moins de 20 % des tonnes x km.

À l'exception de quelques structures de taille considérable, la profession de transporteur se caractérise par une forte structure artisanale : on compte en France plusieurs dizaines de milliers d'entreprises de transport qui emploient 5 salariés ou moins ; ce sont en réalité le plus souvent des patrons-chauffeurs.

Le matériel utilisé autorise des charges utiles extrêmement variées, pouvant s'adapter très facilement à tout type de demande : de quelques centaines de kilos à 25 tonnes dans le cas d'un ensemble routier de 40 tonnes de poids total roulant.

Pour une semi-remorque, les dimensions limites en Europe sont de 13,50 m de long sur 2,40 m de large et de 2,70 m de haut. Elle peut transporter à plat 32 ou 33 palettes de 0,80 m x 1,20 m selon la disposition (fig. 17-5) ou plus si les palettes peuvent être décomposées. Le volume maximum est de l'ordre de 100 m³.

Figure 17-5 – *Plans de chargement d'un camion*

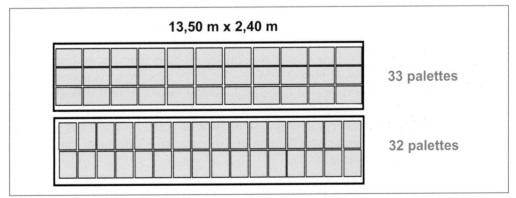

Le trafic se compose d'envois par charges complètes mais également de messagerie. Les entreprises dites « de messagerie » acceptent des charges incomplètes,

---

[1] Concerne le trafic effectué par des véhicules de plus de 3 tonnes de charge utile.

voire même des petits colis de nombreux clients, qu'elles regroupent pour effectuer le transport. Par exemple, en France la Poste est une telle entreprise de messagerie. On trouve ainsi dans un même véhicule des marchandises appartenant à des clients différents. La messagerie, et en particulier la messagerie express, connaît un fort développement depuis quelques années. Elle nécessite une organisation particulière en réseau afin de pouvoir effectuer, dans de bonnes conditions de rentabilité, des groupages et des dégroupages aux deux extrémités de chaque ligne régulière.

1.1.2. Le fer

Les produits métallurgiques, les minerais, les produits agricoles, les denrées alimentaires, les combustibles et les produits pétroliers représentent encore la majorité du trafic ferroviaire.

Conséquence du Juste-à-temps, la volonté de réduire les stocks, d'augmenter les fréquences de livraison, donc de réduire les tailles des lots a touché de plein fouet ce mode de transport, structuré historiquement pour les transports de masse et les grandes distances : dans ce mode de transport, plus de 80 % des tonnes x km s'effectuent sur des distances supérieures à 200 km.

Par exemple, en 2005, la SNCF a transporté, sur le territoire national, 65 millions de tonnes de marchandises, soit 23 milliards de tonnes x km. Avec moins de 9 % des tonnes transportées et 15 % des tonnes x km, le transport ferroviaire se place ainsi très loin derrière la route.

Malgré une offre diversifiée dans la nature de ses wagons, adaptés à chaque type de trafic (wagon couvert, à toit ouvrant, plat, tombereau, à trémie, etc.) et dans les tailles des unités transportées (wagon isolé jusqu'à 50 tonnes, rame de plusieurs wagons, train complet plus de 1 000 tonnes), le fer ne parvient pas vraiment à enrayer la lente, mais régulière, baisse de son trafic.

Pour compenser un des principaux handicaps du fer, à savoir la difficulté de réaliser un véritable porte-à-porte sans rupture de charge[1], les sociétés de transport par le fer ont réagi en proposant, d'une part, des embranchements particuliers et, d'autre part, le concept de « rail-route ». Depuis longtemps, les plus gros clients (entreprises industrielles, commerciales et agricoles) peuvent disposer d'un raccordement de la voie du réseau général à des lignes privées situées sur leur terrain. Elles obtiennent ainsi une desserte directe et régulière. Si leurs fournisseurs (ou clients) sont également embranchés, le porte-à-porte sans rupture de charge est possible. Les techniques rail-route se développent également dans le même objectif. Elles consistent à utiliser des unités de transport, comme la caisse mobile ou le conteneur, pouvant être aisément chargées (et déchargées) d'un mode à un autre. Dans ces cas, les transports terminaux (de l'entreprise vers la gare et inversement) s'effectuent par la route et le transport principal par le fer.

On utilise également le système des semi-remorques « kangourou » : la semi-remorque est acheminée par la route jusqu'à une gare où elle est chargée sur un wagon

---

[1] On appelle rupture de charge le fait de devoir transborder les marchandises d'un vecteur de transport à un autre. Une rupture de charge fait appel à des moyens matériels (chariots élévateurs, espace de stockage temporaire…) et humains (manutentionnaires). Elle induit donc un coût.

spécial ; arrivée à la gare de destination, elle est reprise par un tracteur routier qui la conduit jusqu'à sa destination finale. Ce type de transport dit « combiné » a crû régulièrement (+3,5 % par an depuis 1984), mais semble stagner depuis. Il représente aujourd'hui une part importante du trafic ferroviaire (plus de 25 % des tonnes x km).

La situation du transport ferroviaire n'est pas propre à la France. On retrouve, dans tous les pays d'Europe, la même « détresse du rail » caractérisée par une détérioration des parts de marché (21 % du trafic en 1970, 8 % en 1998) due principalement à une insuffisance des services offerts. Face à ce constat, la construction d'un espace ferroviaire intégré se met lentement en place, le déclin n'étant pas inéluctable, en particulier au vu de l'intérêt actuel de ce mode de transport au niveau des émissions de gaz à effet de serre.

1.1.3. La voie navigable

En 2005, le volume total transporté dans l'Union Européenne via ce mode était supérieur à 450 millions de tonnes. L'Allemagne, les Pays-Bas et la Belgique en étant les principaux acteurs puisque ces trois pays ont transporté à eux seuls 87% du volume global.

Au début des années 2000, la voie navigable représentait en France moins de 2 % du trafic intérieur de marchandises contre 15 % en Allemagne et 50 % aux Pays-Bas. De plus, ce trafic baisse régulièrement : avec 56,8 millions de tonnes transportées et 6,9 milliards de tonnes x km réalisées en 2002, il atteint à peine son niveau de 1955.

De nombreux facteurs expliquent cet état de fait : la géographie, le réseau et l'état des voies, le matériel utilisé et la structure de l'offre. Contrairement à ses voisins européens, la France est défavorisée puisqu'un seul département sur trois est dit « mouillé ». Le réseau fluvial, avec 6 500 km de voies, ne concerne qu'une partie du territoire et innerve principalement une zone géographique située au nord et à l'est d'un axe Tancarville, Paris, Chalon-sur-Saône, auquel s'ajoute la liaison rhodanienne jusqu'à Lyon puis Marseille.

Il se compose de trois types de voies :
- le réseau *Freycinet,* qui est un réseau à petit gabarit s'étendant sur 4 000 km mais qui ne peut admettre que des péniches de 500 tonnes de capacité utile de transport,
- les voies à grand gabarit, qui admettent des péniches de plus de 1 000 tonnes mais ne concernent que 2 000 km,
- le réseau accessible aux convois poussés de plus de 3 000 tonnes qui, lui, n'est que de 1 500 km.

À la prépondérance des canaux de petit gabarit s'ajoute leur mauvais entretien, ce qui empêche les bateliers de pouvoir toujours utiliser le tirant d'eau maximum et qui, de ce fait, réduit le tonnage pouvant être transporté (souvent à 350 tonnes).

L'offre de transport public est constituée pour plus de 50 % par un millier d'artisans bateliers indépendants disposant d'automoteurs d'environ 500 tonnes de capacité. Ce secteur artisanal cohabite avec un petit nombre de sociétés, disposant de matériel plus performant, atteignant 1 500 tonnes, voire même 3 000 tonnes.

Le trafic fluvial concerne surtout les produits pondéreux transportés sur de faibles distances (118 km en moyenne, en France). Les marchandises transportées demeurent en effet les matériaux de construction, les produits agricoles, les produits pétroliers, les combustibles minéraux solides et les minerais et déchets pour la métallurgie.

Les principaux atouts de ce mode de transport sont une tarification plus faible que ses concurrents (la route et le fer) et une composante écologique indéniable (par rapport à la route). En revanche, les délais observés sur certaines liaisons peuvent limiter son utilisation. De plus, si l'entreprise utilisatrice n'est pas située au bord de la voie navigable, les parcours terminaux rendent, le plus souvent, ce mode de transport non compétitif.

Depuis 1970, année où la voie navigable transportait 110 millions de tonnes et 14 milliards de tonnes x kilomètres, le transport fluvial a connu une baisse importante de son activité qui s'explique principalement par le déclin des industries lourdes traditionnelles et des transports de pondéreux ainsi que par l'importance croissante de la rapidité des acheminements. À cela s'ajoutent la vétusté du réseau, son manque d'entretien, les difficultés d'exploitation qui en ont découlé ainsi que le cadre législatif et réglementaire dans lequel il opérait. Il faut signaler un redressement du trafic de 1997 à 2000 dû à des efforts importants du secteur : réduction de la surcapacité des flottes, rénovation du cadre législatif et réglementaire, effort conséquent de l'État et de Voies Navigables de France (VNF) en matière d'entretien et de restauration du réseau.

17/1.2   Le transport maritime

Le transport maritime achemine plus des trois quarts du trafic marchandises mondial (hors commerce intra communautaire) et plus du tiers des échanges entre membres de l'Union européenne.

Progressant d'environ 5 % par an depuis 1980, ce trafic a dépassé 7 milliards de tonnes et 30 000 milliards de tonnes x miles (nautiques) en 2005. Il concerne principalement les matières premières dont le pétrole brut et les produits pétroliers (40 % des tonnes), le minerai de fer, le charbon et les céréales. Les marchandises générales, de plus forte valeur ajoutée et le plus souvent transportées dans des conteneurs, représentent moins de 25 % du trafic total.

L'organisation diffère selon la nature du produit : transport à la demande pour les produits bruts et les matières premières, transport par lignes régulières pour les marchandises générales :
– Le transport à la demande, ou *Tramping*, fonctionne sur un marché mondial, où se rencontrent l'offre constituée des armateurs possédant des navires qu'ils mettent à disposition et la demande représentée par les compagnies recherchant des navires pour transporter leurs produits. Les contrats négociés (ou *affrètement*) peuvent concerner tout ou partie d'un navire, un voyage ou une période de temps défini.
– Le transport de lignes se caractérise par un trafic, le plus souvent intercontinental, proposé à intervalles réguliers par des armements maritimes. Deux types de sociétés pratiquent ces lignes : les armements *Conférences* et les *Outsiders*.

Une conférence est une entente privée entre plusieurs compagnies de différentes nationalités qui exploitent régulièrement une même ligne. Par ligne, on entend une liaison entre ports d'une même zone portuaire origine et destination : par exemple la *Far Eastern Freight Conference* concerne le trafic entre les ports de la mer du Nord (principalement Anvers, Rotterdam, Le Havre) et les ports du sud-est asiatique. Sur chacune d'entre elles, les armements ont harmonisé leurs services (en particulier les fréquences de départ), mais également leur tarification. Il existe ainsi, dans le monde, environ 350 conférences de ce type.

Les compagnies *Outsiders* n'appartiennent pas à ces conférences et peuvent ainsi concurrencer leurs adhérents sur leurs lignes en proposant des tarifs inférieurs, mais souvent avec des fréquences plus faibles.

La conteneurisation

Les deux tiers des marchandises transportées sont chargés dans des conteneurs standard de 8 pieds de haut, de 8 pieds de large et de 20 ou 40 pieds de long, ce qui représente une capacité unitaire respectivement de 30 ou 60 m^3. Ce trafic a continué de se développer régulièrement car il permet une accélération des opérations de chargement et de déchargement dans les ports. Les moyens modernes de manutention portuaires permettent de charger ou décharger de 25 à 30 conteneurs de 40 pieds à l'heure. La conteneurisation évite les ruptures de charge : en effet, le conteneur peut directement être globalement transféré sur un camion, sans opération de déchargement des produits du conteneur et rechargement de ces produits, un à un, dans le camion. De plus, cette procédure assure une meilleure protection de la marchandise. En revanche, cela nécessite des investissements importants de la part des compagnies, ce qui a amené celles-ci à se regrouper et à constituer des *pools* ou consortiums. On assiste à une course au gigantisme des navires porte-conteneurs : on a lancé des bateaux pouvant transporter de 10 000 à 15 000 conteneurs de 20 pieds sur les lignes internationales. Automatisation et accroissement de taille ont permis des gains de productivité considérables.

17/1.3   Le transport aérien

Plus récent que ses concurrents sur le marché du transport de marchandises, le transport aérien est parvenu à y occuper une place enviable. L'ensemble des compagnies membres de l'IATA[1] a, en effet, acheminé, en 2002, 37 millions de tonnes de fret. On prévoit de plus une croissance de plus de 5 % pour les années à venir, due principalement aux besoins du marché asiatique.

En tonnage, ce trafic apparaît faible comparé à celui du transport maritime, mais il concerne généralement des produits de nature très différente, caractérisés par une forte valeur ajoutée. Le matériel informatique, médical, audiovisuel, téléphonique, les médicaments et les produits de luxe (malles, valises, cosmétiques et parfums) représentent, de fait, la principale clientèle du transport aérien. De ce fait, il représente environ la moitié de la valeur du commerce international et seulement quelques pour cent du volume correspondant. En Europe, où les distances n'incitent pas à utiliser l'avion, le trafic fret reste toutefois encore faible.

Le développement de ce mode de transport s'explique principalement par sa rapidité, comparé au transport maritime (par exemple 3 jours, de porte-à-porte, de

---

[1]   Association Internationale du Transport Aérien.

Paris à Denver, contre 26 jours par bateau), mais aussi sa régularité et sa fiabilité, malgré un coût souvent plus élevé. Toutefois ce différentiel de coût (le fret aérien coûte souvent 2,5 à 4 fois plus cher que le maritime) se réduit considérablement lorsque l'on intègre les coûts des opérations terminales et surtout des stocks. Plus les origines ou destinations sont éloignées, comme dans le cas des zones Asie et Pacifique, plus cette dernière variable devient déterminante.

L'IATA définit et publie régulièrement les tarifs correspondant à chaque liaison internationale, en fonction de différents paramètres (poids, dimensions, nature, valeur, rapport poids/volume, etc.). Toutefois ceux-ci se positionnent bien au dessus du niveau du marché et présentent plutôt un caractère de référence.

Les caractéristiques des appareils ont beaucoup évolué : les compagnies utilisent actuellement des versions entièrement consacrées au fret et pouvant transporter plus de 100 tonnes de marchandises (jusqu'à 120 tonnes maximum pour un B 747-400), sur des rayons d'action de plus de 10 000 km. La palettisation et la conteneurisation se sont généralisées dans le fret aérien, ce qui facilite les manutentions de chargement et de déchargement dans les aéroports. Au sol, les compagnies ont fortement investi dans la mécanisation du traitement des charges (tri automatique, suivi par code-barres) ainsi que dans l'informatisation du traitement des données.

Malgré tout, et c'est une des préoccupations actuelles du secteur, le temps passé au sol reste encore trop important par rapport au temps en vol. Des améliorations dans ce domaine permettront au mode aérien de continuer sa croissance auprès d'entreprises fonctionnant de plus en plus en Juste-à-temps et préoccupées, de ce fait, par la fiabilisation et la réduction des délais.

La recherche de délais de plus en plus courts explique le fort développement de sociétés dites *intégrateurs* comme DHL et FedEx sur le marché du petit colis. Signalons que ces entreprises possèdent des flottes supérieures à celle d'Air France…

17/2   Le commerce international

Dans le cas du commerce intra-européen, on utilise le plus souvent des modes de transport terrestres (route, fer et voie navigable) ; en revanche pour « la grande importation », le maritime et l'aérien prédominent. L'organisation se complique alors singulièrement compte tenu de l'éloignement, du nombre important d'opérations relatives aux marchandises et aux informations ainsi que des risques de toutes sortes.

De ce fait, interviennent sur ce marché de nombreuses sociétés dont le rôle et les responsabilités sont très clairement définis, comme décrit ci-dessous.

17/2.1   Les intervenants du commerce international

La figure 17-6 présente les principaux intervenants de la chaîne logistique.

1) Le commissionnaire de transport

Le commissionnaire apparaît avant tout comme un organisateur de la chaîne logistique : il choisit l'itinéraire, le mode de transport, le transporteur, contrôle la bonne exécution des opérations et accomplit les formalités réglementaires.

Figure 17-6 – *Les intervenants du commerce international*

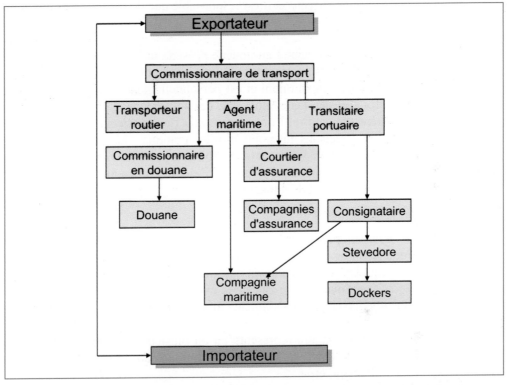

Exemple 17-3 : une situation simple nous fera aisément comprendre son rôle : un exportateur du centre de la France doit expédier une machine à son client situé à Pékin. Il contactera un commissionnaire de transport qui se chargera de l'*ensemble de l'opération*. C'est donc un commerçant qui propose une offre de transport, en prend la responsabilité et la fait exécuter par quelqu'un d'autre, en l'occurrence un (ou plusieurs) transporteur(s), entrepositaire(s) et manutentionnaire(s). Il agit en son nom, ou sous un nom social, pour le compte d'un commettant. Sa responsabilité s'étend à l'ensemble des opérations de transport. Il a une obligation de résultat, c'est-à-dire qu'il est garant de l'arrivée des marchandises, des avaries, des pertes et des faits des sous-traitants.

2) Le transitaire

Le transitaire se charge des opérations physiques et administratives permettant d'assurer la liaison entre deux modes de transport. On le trouve donc principalement dans les ports, les aéroports et aux frontières terrestres (cette dernière activité disparaissant à l'intérieur de l'Union Européenne du fait de la libre circulation des marchandises).

Exemple 17-4 : un importateur demandera à son transitaire du Havre de réceptionner des caisses de matériel en provenance des États-Unis sur un navire désigné et de les réexpédier par route à destination de Marseille, sur un véhicule de la compagnie de transport de son choix. Du fait qu'il exécute les ordres de son client, sa responsabilité est beaucoup plus limitée que celle du commissionnaire : il n'a, en effet, qu'une obligation de moyens et n'est responsable que de ses fautes professionnelles.

3) Le commissionnaire en douane

Le commissionnaire en douane possède un agrément en douane, ce qui lui permet d'accomplir les formalités douanières pour compte d'autrui. Il déclare les marchandises en son nom et est personnellement responsable, vis-à-vis de la douane, des droits et des taxes ainsi que des infractions. Son utilisation ne présente pas un caractère obligatoire, l'importateur (ou l'exportateur) pouvant déclarer lui-même ses produits. Précisons un point d'ordre pratique : les activités de commissionnaire de transport, de transitaire portuaire (ou aéroportuaire) et de commissionnaire en douane sont très souvent exercées par une même compagnie que l'on qualifie couramment mais abusivement de « transitaire ».

4) L'agent maritime / le consignataire

Une compagnie maritime se doit d'être présente dans de nombreux ports dans le monde. Pour ce faire, elle dispose, en dehors de ses succursales, de représentants exerçant les activités d'agent maritime et de consignataire.

L'agent maritime prospecte le marché, trouve le fret, négocie les contrats, signe les documents (le connaissement maritime) et encaisse le fret pour le compte de l'armateur.

Le consignataire représente un ou plusieurs armateurs dans un port donné et son rôle se limite à la réception technique du navire (remorquage, manutentions, ravitaillement, etc.).

5) Le stevedore ou aconier

Ces sociétés se chargent des opérations de chargement et déchargement des marchandises dans les ports. Elles employaient uniquement des dockers jusqu'en 1994, date de la cessation du monopole du travail dans les ports maritimes français de cette catégorie de personnel.

L'importateur (ou l'exportateur) peut alors choisir entre deux possibilités : il contacte un commissionnaire qui se chargera de tout ou il intervient dans tout ou partie du processus en espérant obtenir des tarifs plus intéressants.

17/2.2   *Les contrats internationaux (Incoterms)*

Le nombre des intervenants dans le négoce international oblige les partenaires à préciser les termes de leurs contrats afin de réduire au minimum les risques de litiges. Les *Incoterms* (ou *International Commercial Terms*) répondent en partie à cet objectif. Ils sont définis par la Chambre de Commerce Internationale depuis 1936. Ils ont subi plusieurs modifications en 1953, en 1980, en 1990, puis plus récemment en 2000 pour tenir compte des évolutions du commerce international. Les treize termes[1] actuellement en cours sont présentés sur la figure 17-7.

---

[1] Pour une définition précise de ces termes, le lecteur se reportera à « Incoterms 2000 » édité par la Chambre de Commerce Internationale.

Figure 17-7 – *Les treize Incoterms – CCI 2000*

Incoterms	Signification	Sigle	Type de transport	Transfert de risques
Ex Works	À l'usine	EXW	Polyvalent	À l'usine (vente Départ)
Free Carrier	Franco transporteur… (point désigné)	FCA	Polyvalent	En tout lieu convenu dans la zone de pré-acheminement (Vente Départ)
Free Along Side Ship	Franco le long du navire (port de départ)	FAS	Maritime	À quai, le long du navire (Vente Départ)
Free On Board	Franco à bord (port de départ)	FOB	Maritime	Lorsque la marchandise a franchi le bastingage du navire au port d'embarquement (Vente Départ)
Cost and Freight	Coût et Fret (port d'arrivée)	CFR	Maritime	Lorsque la marchandise a franchi le bastingage du navire au port d'embarquement (Vente Départ)
Cost Insurance Freight	Coût Assurance Fret (port d'arrivée)	CIF	Maritime	Lorsque la marchandise a franchi le bastingage du navire au port d'embarquement (Vente Départ)
Cost Paid To	Fret, port payé jusqu'à (lieu convenu dans le pays de destination)	CPT	Polyvalent	À la remise de la marchandise au 1er transporteur dans les locaux du vendeur (Vente Départ)
Cost Insurance Paid to…	Fret, port payé, assurance comprise jusqu'à (lieu convenu dans le pays de destination)	CIP	Polyvalent	À la remise de la marchandise au 1er transporteur dans les locaux du vendeur (Vente Départ)
Delivered Ex Ship	Rendu à bord (port d'arrivée)	DES	Maritime	Au port de destination convenu, marchandise à bord (Vente Arrivée)
Delivered Ex Quay	Rendu à quai (port d'arrivée)	DEQ	Maritime	Au port de destination convenu, marchandise à bord (Vente Arrivée)
Delivered at Frontier	Rendu frontière	DAF	Polyvalent	Au point frontière convenu (Vente Arrivée)
Delivered Duty Unpaid	Rendu, droits non acquittés	DDU	Polyvalent	Au lieu convenu dans la zone de post-acheminement, droits de douane non acquittés (Vente Arrivée)
Delivered Duty Paid	Rendu, droits acquittés	DDP	Polyvalent	Au lieu convenu dans la zone de post-acheminement, droits de douane acquittés (Vente Arrivée)

Précisons les principales caractéristiques de ces termes :
- Ils définissent les transferts de frais et de risques, c'est-à-dire les dépenses à la charge du vendeur et celles à la charge de l'acheteur ainsi que le moment à partir duquel le risque incombe à l'une ou l'autre des parties.
- Ils précisent également la nature des documents à établir et qui doit procéder à leur établissement.
- Leur emploi reste facultatif mais devient de plus en plus fréquent, les exportateurs et les importateurs ayant tout intérêt à utiliser des termes clairement définis et reconnus partout dans le monde.
- Ils concernent uniquement le vendeur et l'acheteur, bien qu'ils fassent référence à des contrats négociés avec d'autres sociétés (transporteurs, transitaires, etc.).

– Les usages locaux priment devant eux (par exemple, un contrat négocié FOB – *Free On Board* – avec un exportateur américain peut avoir le sens d'un *Ex Works*, c'est-à-dire départ usine).

Pour chacun d'entre eux on répartit les frais et les risques entre vendeur et acheteur comme l'indique le tableau de la figure 17-9

Le schéma ci-dessous illustre une répartition pour le contrat CIF (fig. 17-8).

Figure 17-8 – *Exemple de répartition des frais et des risques pour un contrat CIF*

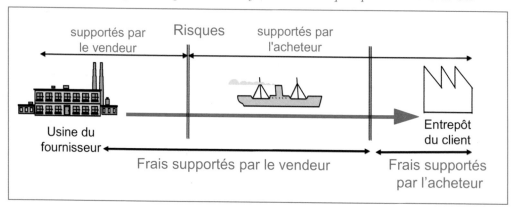

La vente CIF (ou terme assimilé) et l'achat départ (ou FOB) reflètent une volonté de la part de la société de maîtriser sa logistique en termes de coût, délai et risques. Cette politique nécessite cependant une connaissance du domaine et des pratiques internationales que ne possèdent pas toutes les entreprises.

Ce comportement ne peut naturellement pas s'appliquer à tous les contrats ; aussi, dans tous les cas, l'entreprise demandera (ou proposera) une cotation départ et une cotation rendu, permettant ainsi une comparaison systématique des deux solutions.

17/3   Les décisions de transport

Le transport est une des décisions importantes en management de la *supply chain*. Le transport est souvent une rubrique essentielle du coût puisqu'il représente entre 40 % à 50 % du coût logistique total et de 4 % à 10 % du prix de vente produit. Les décisions majeures concernent la sélection du mode de transport, le choix du (ou des) transporteur(s), la planification du transport et la consolidation des chargements. Nous aborderons dans cette section le choix du mode de transport, la détermination des coûts ainsi que les choix achat/location/sous-traitance. Même si ceux-ci concernent tous les moyens de transport, nous avons pris l'option, compte tenu de l'importance de la route dans les échanges nationaux et européens, de nous limiter à ce mode.

Figure 17-9 – *Tableau de répartition des frais et des risques entre vendeur et acheteur (Incoterms CCI 2000)*

Opérations	EXW	FAS	FCA	FOB	CFR	CIF	CPT	CIP	DES	DEQ	DAF	DDU	DDP
Mode de transport	Tous	Mer	Tous	Mer	Mer	Mer	Tous	Tous	Mer	Mer	Tous	Tous	Tous
Transfert de risques	VD	VD	VD	VD	VD	VD	VD	VD	VA	VA	VA	VA	VA
Emballage	□	□	□	□	□	□	□	□	□	□	□	□	□
Chargement à l'usine	▣	□	□	□	□	□	□	□	□	□	□	□	□
Pré acheminement	■	□	▣	□	□	□	□	□	□	□	□	□	□
Douane à l'export	■	□	□	□	□	□	□	□	□	□	□	□	□
Manutention départ (terminal, port / aéroport)	■	■	■	▣	□	□	□	□	□	□	□	□	□
Transport principal	■	■	■	■	▣	▣	□	□	□	□	▣	□	□
Assurance*	■	■	■	■	■	▣	■	□	■	■	▣	■	■
Manutention arrivée (terminal, port, aéroport)	▣	■	■	■	■	▣	▣	▣	■	□	▣	▣	▣
Douane à l'import	■	■	■	■	■	■	■	■	■	■	▣	■	□
Post-acheminement	■	■	■	■	■	■	▣	▣	■	■	■	■	■
Déchargement à destination	■	■	■	■	■	■	■	■	■	■	■	■	■

□ Frais à la charge du vendeur ■ Frais à la charge de l'acheteur
▣ Frais pouvant être pris en charge par le vendeur ou l'acheteur selon le lieu de mise à disposition convenu entre les parties (utilisation des variantes des incoterms)
VD = Vente Départ (la marchandise voyage aux risque de l'acheteur)   VA = Vente Arrivée (la marchandise voyage aux risques du vendeur)

* Seuls les Incoterms CIF et CIP définissent précisément les obligations en termes d'assurance. Pour les autres Incoterms, il ne s'agit que de recommandations.

Famille E (vente départ) EXW = départ d'usine
Famille F (vente départ) FAS = franco le long du navire FCA = franco transporteur FOB = Franco à Bord
Famille C (vente départ) CFR = coût et fret CIF = coût, assurance, fret CPT = port payé jusqu'à CIP = port payé assurance comprise jusqu'à
Famille D (vente arrivée) DES = rendu à bord DEQ = rendu à quai DAF = rendu frontière DDU = rendu droits non acquittés
DDP = rendu droits acquittés

17/3.1   Les objectifs et les contraintes

Les décisions que l'on doit prendre à propos du transport de ses marchandises sont conditionnées par un certain nombre de facteurs dont les principaux sont les suivants :

- **Les quantités transportées** : si les lots de marchandises à transporter sont de faible taille, on sera conduit à utiliser des moyens partagés (messagerie) ; en revanche, si l'on a de grosses quantités à transporter, on peut mettre en œuvre des moyens spécifiques.
- **La nature et les caractéristiques physiques des marchandises** : on ne transporte pas avec les mêmes moyens des marchandises fragiles emballées en carton, des liquides ou des produits pondéreux. De plus, le transport de marchandises dangereuses est soumis à des règlementations particulières, les transporteurs doivent posséder des homologations spéciales.
- **La valeur des marchandises** : des marchandises de forte valeur pourront supporter des coûts de transport élevés alors que pour des marchandises de faible valeur, il faudra sélectionner des moyens de transports économiques.
- **La densité des marchandises** (rapport poids/volume) : un moyen de transport impose des limites en termes de poids ou de volume (par exemple, un camion ou un conteneur de 40 pieds peuvent recevoir des charges de 20 tonnes environ ou de 100 m^3) ; on choisira le vecteur approprié en fonction de la contrainte la plus favorable.
- **Les exigences des clients en matière de délai** : si les délais de livraison imposés sont courts, on devra choisir des moyens de transport rapides (camions en livraison directe, avions) à un coût élevé alors que si le délai n'est pas primordial, on sélectionnera le moyen le moins coûteux.
- **La répartition géographique des clients** (distance, concentration) : si les clients sont éloignés, il peut être très coûteux de faire de la livraison directe ; cela amènera souvent à utiliser des moyens partagés. En revanche, pour des points de livraison proches, on peut envisager des livraisons avec des moyens propres.
- **Le temps de transport** : il peut constituer une contrainte dans le cas de produits périssables ou de mode ; par exemple, un transport par bateau depuis l'Asie demande environ deux mois.
- **La fréquence des moyens de transports** : sur certaines destinations, il existe des moyens de transports fréquents alors que sur d'autres destinations, les moyens de transports sont plus rares. Il en résultera des contraintes pour la planification des transports.
- **La fiabilité** (variabilité du temps) : certains moyens de transport sont très fiables, c'est-à-dire qu'ils respectent les temps de parcours prévus. Il peut néanmoins y avoir des incertitudes sur les délais nécessaires pour les opérations intermédiaires (déchargement, dédouanement, contrôle…) selon le lieu de destination.
- **Le coût total** (ensemble des coûts induits) : une opération de transport ne concerne pas que le transport principal, mais aussi toutes les opérations logistiques annexes (emballages, pré- et post-acheminements, stocks induits…). C'est finalement le critère de coût total qui commandera la décision en respectant les contraintes propres au produit et aux exigences des clients.

Tous ces facteurs doivent être pris en compte lors de la définition de la structure des réseaux d'approvisionnement et de distribution (cf. chapitre 7) et de la politique Transports. À titre d'illustration de la variété des facteurs selon les filières, et même au sein d'une même filière, le tableau suivant présente les critères jugés comme fondamentaux par les entreprises,

Figure 17-7 – *Illustration des exigences par secteur*

Filière	Critères fondamentaux en matière de transport
Agro-alimentaire	Respect strict des délais, intégrité de la marchandise, coûts bas
Automobile	Flexibilité et adaptabilité aux aléas, respect du Juste-à-Temps, Vitesse du transport, coûts bas
Chimie	Sécurité, coût du service porte-à-porte
Granulats, sable, graviers	Distances courtes, adaptation à une activité saisonnière, respect des horaires de livraison
Produits de groupage (vente par correspondance)	Rapidité, souplesse, ponctualité et fiabilité du système

17/3.2 Les coûts de transport

Les coûts de transport peuvent être difficiles à estimer car le transport constitue un véritable marché et les tarifs fluctueront donc en permanence en fonction de l'offre et de la demande. Toutefois, quelques principes clés sous-tendent ces coûts. D'une part, une partie substantielle des coûts sont des coûts fixes. Un moyen de transport (camion, bateau, avion…) a approximativement le même coût qu'il soit plein ou qu'il soit vide. Les transporteurs cherchent donc à maximiser leur revenu en trouvant des marchandises pour saturer la capacité de leurs moyens de transport. C'est pourquoi, selon la demande sur une ligne, les prix varient considérablement à court terme. Il est donc nécessaire de prendre fréquemment connaissances des cotations. Cependant, la figure 17-10 présente quelques relations générales entre le coût et divers facteurs comme la distance à parcourir, le poids transporté ou la densité des produits.

Figure 17-10 – *Quelques facteurs explicatifs du coût de transport*

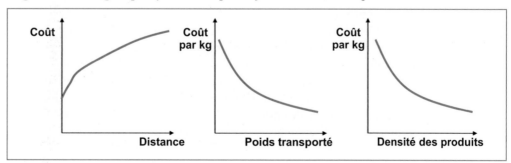

Nous développerons un exemple de calcul à propos du transport routier. Alors qu'il est impensable qu'une entreprise possède sa propre flotte d'avions ou de bateaux, elle peut envisager de se doter d'une flotte de véhicules pour accroître la flexibilité de ses livraisons.

Le coût du transport routier

L'exploitation d'une flotte privée amène les industriels à exercer un métier qu'ils connaissent en général mal. Ils doivent en effet :
– gérer un parc de véhicules (déterminer son coût d'exploitation, l'entretenir, le renouveler ou le louer, choisir le matériel approprié, etc.),
– comparer régulièrement les coûts internes aux prix proposés par la sous-traitance,
– planifier les livraisons, organiser les tournées, suivre l'activité des chauffeurs, etc.

C'est pourquoi la détermination du coût, en particulier dans le cas d'un parc propre de véhicules, nous a semblé être un exemple particulièrement illustratif pour être développé dans cet ouvrage.

Un véhicule peut être assimilé à une machine dont on chercherait à calculer le coût de fonctionnement et la production (qu'elle soit exprimée en tonnes, mètres cubes ou colis, etc.). Pour cela, nous retiendrons quatre catégories de coûts : coûts fixes, coûts variables, coût du personnel de conduite et frais généraux.

Coûts fixes : ce poste correspond à des charges supportées par l'entreprise indépendamment de l'activité du véhicule, qu'il roule ou qu'il ne roule pas. Son montant est fixe sur longue période (l'année par exemple). Il comprend les coûts suivants : amortissement, frais de financement, taxes, assurances.

Coûts variables : les frais variables représentent des dépenses engagées par l'entreprise uniquement lorsque le véhicule est utilisé, à savoir : carburant, pneumatiques, entretien et réparations. Le montant annuel de ce poste dépend uniquement du niveau d'activité (mesuré par le kilométrage et le nombre de jours d'utilisation).

Frais de personnel de conduite : bien que fixes dans leur majorité, les frais de personnel sont comptabilisés souvent à part, permettant ainsi une comparaison plus aisée avec le coût d'une location sans chauffeur. Les frais de personnel regroupent le salaire de base, la rémunération des heures supplémentaires, les primes, les charges sociales, les frais de route et le coût du personnel de remplacement pour les périodes de congé.

Frais généraux : l'ensemble des frais administratifs du service Transport s'ajoute aux postes précédents pour constituer le coût complet d'exploitation du véhicule. Ce coût intègre donc les frais de fonctionnement de ce service et une quote-part des frais généraux.

Un exemple de calcul pour un ensemble composé d'un tracteur et d'une semi-remorque est présenté sur la figure 17-11. À partir de ces données, il est facile de déterminer le coût de transport de chaque unité (tonne ou km) et de le comparer au coût d'une location ou d'une sous-traitance.

Figure 17-11 – *Exemple de calcul du coût d'exploitation*

Type de véhicule :	**Tracteur + semi**		Charge utile (tonnes) :		24	
Prix d'achat Tracteur (ou porteur) :	75 000	€		Semi :	25 000	€
Durée d'amortissement :	5	ans			7	ans
Taux d'intérêt :	6,0 %					
Entretien/Réparation :	0,07	€/km	Entretien/Réparation :		0,015	€/km
Taxes :	800	Euros	Assurances :		4 000	€/an
Prix du carburant :	0,9	€/l	Consommation :		36	l/100 km
Prix d'un pneu :	400		km par pneu :		100 000	
Nombre de pneus :	14					
Salaire + charges :	32 000	euros	Nombre de chauffeur(s) :		1	
Frais de structure :	10 %	ou	Frais de structure :		0	k€/an
Tours par jour :	1		Remplissage :		80 %	
Jours d'utilisation/an :	220		Kilomètres/an :		100 000	

Frais fixes	€/an		**Frais variables**			
Amortissement Tracteur :	15 000	13,5 %	Carburant	32 400	29,1%	0,324
Amortissement semi :	3 571	3,2 %	Entretien/Rép.	8 209	7,4 %	0,082
Frais financiers :	3 740	3,4 %	Pneus	5 600	5,0 %	0,06
Taxes :	800	0,7 %	Péages	0	0,0 %	
Assurances :	4 000	3,6 %				
Total 1 :	27 111	24,4 %	Total 3 :	46 209	41,5 %	0,46
	123	€/jour				
Chauffeurs :	32 000	28,7 %				
Frais de route :	6 000	5,4 %				
Total 2 :	65 111	58,5 %				
Coût fixe :	296	€/jour	(véhicule+chauffeur)			

Coût total (coût fixes et variables)			111 320	€/an	100 %	
(hors frais de structure)			1,11	€/km		
			26	€/tonne		
Frais de structure			11 132	€/an		
Coût total			122 452	€/an	557	€/jour
(frais de structure inclus)			**1,22**	€/km		
			29	€/tonne		

Le coût d'emballage

Les coûts d'emballage dépendent de la nature et de la fragilité de la marchandise et du mode de transport. Ils peuvent représenter des coûts élevés. Certaines marchandises demandent des protections particulières pour éviter des risques de détérioration lors des manutentions. Dans le cas du transport aérien, on privilégiera des emballages légers. Les emballages maritimes doivent être résistants si les marchandises ne sont pas mises en conteneurs.

Les coûts de manutention

Il y a manutention à chaque rupture de charge, c'est-à-dire lorsqu'il y a changement de moyen de transport ou lorsqu'il y a mise en stock, même temporaire. Une manutention nécessite la mise en œuvre de moyens matériels et humains. Dans le cas d'un transport par bateau ou avion, on effectue un pré-acheminement généralement par camion ; celui-ci est déchargé sur le port ou l'aéroport. Les palettes ou les conteneurs sont ensuite placés dans le moyen de transport principal. À l'arrivée, on doit effectuer les opérations inverses : déchargement du moyen de transport principal et rechargement sur le camion de post-acheminement.

Les coûts d'assurance

Toute opération de transport comporte des risques : avarie, détérioration, vol, etc. Il convient donc d'assurer les marchandises. Le coût de l'assurance dépendra de la valeur des marchandises mais aussi du moyen de transport utilisé.

Le coût des stocks induits

Toute opération de transport va induire des stocks. Elle constitue une rupture dans la continuité du flux. Les niveaux de stock dépendent de la taille des lots de transport.

La figure 17-12 montre l'évolution du niveau des stocks au départ et à l'arrivée d'une opération de transport (avec des hypothèses simplificatrices de production et de consommation constantes).

Figure 17-12 – *Profils des stocks au départ et à l'arrivée*

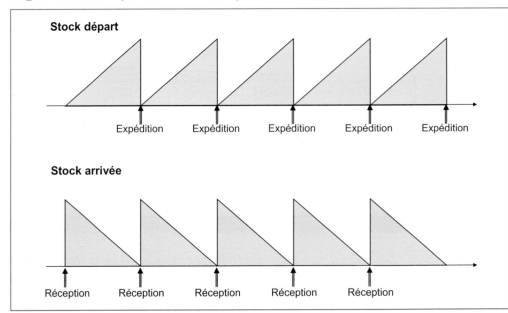

Au départ, on constitue progressivement le lot de transport. Lorsque l'on procède à l'expédition, le niveau de stock redescend et il remonte ensuite. À l'arrivée, lors de la réception d'un lot de transport, le stock remonte, puis descend progressivement du fait de la consommation.

Plus les lots de transport sont grands, plus les stocks induits (et donc les coûts de stockage) seront importants.

Le transport induit également un *stock en transit*. Les marchandises en cours de transport appartiennent toujours soit au vendeur, soit à l'acheteur (selon le contrat de transport, – cf. les Incoterms écrits plus haut). La valeur de ces stocks entre donc dans le besoin en fonds de roulement d'une entreprise.

La valeur du stock en transit est proportionnelle à la taille du lot transporté et à la durée de transport (fig. 17-13).

Figure 17-13 – *Stocks induits par une expédition*

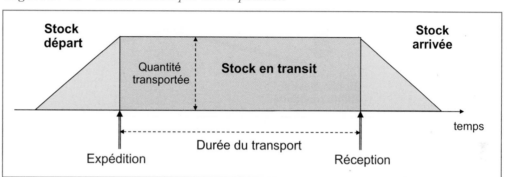

Le choix d'un mode et sa fréquence induisent une taille de lot et donc une quantité moyenne en stock. Par exemple, pour satisfaire des besoins de 10 tonnes par jour, un approvisionnement de 20 tonnes par la route tous les deux jours engendrera un stock moyen de 10 tonnes alors que si le transport s'effectue par lot de 40 tonnes par wagon tous les quatre jours, ce stock moyen sera de 20 tonnes. Le coût du stock en transit sera plus élevé ; en revanche, le prix du transport risque d'être plus faible.

17/3.3 *Les arbitrages et l'optimisation des coûts de transport*

Les responsables de la *supply chain* sont en permanence confrontés au dilemme suivant : offrir une excellente qualité de service tout en réduisant les immobilisations en stocks et les coûts opérationnels. Or ces objectifs sont antinomiques. Des arbitrages sont donc nécessaires.

Arbitrage fréquence – coût de transport

Comme nous l'avons mentionné, le coût d'un moyen de transport est pratiquement indépendant de la charge transportée. Pour minimiser le coût de transport par unité transportée, on a donc intérêt à remplir au maximum le moyen de transport donc à constituer des lots de transport de grande taille. Mais, cela peut conduire à des voyages espacés dans le temps du fait du flux insuffisant et donc à une faible réactivité de la *supply chain* et à des stocks élevés au départ et à l'arrivée. Si l'on veut maintenir une fréquence élevée des transports pour être très réactif, il faut accepter de transporter avec des moyens non saturés et donc une augmentation des coûts (fig. 17-14).

Exemple 17-5 : entre deux points, on doit transporter par camion un flux moyen mensuel de 20 tonnes. Si l'on organise un voyage une fois par mois, on remplira complètement le camion mais cela conduira à un stock moyen total (au départ et à l'arrivée) de 20 tonnes. Si l'on organise un voyage par semaine, le camion sera au quart plein ; le coût de transport sera donc quatre fois plus élevé. En revanche, la réactivité sera bien meilleure et les stocks quatre fois moins élevés (5 tonnes).

Figure 17-14 – *Arbitrage fréquence – coût de transport*

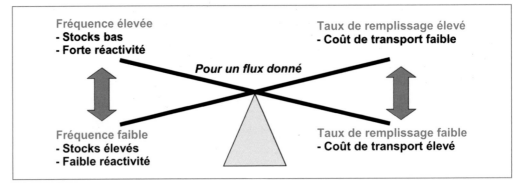

L'optimisation des coûts de transport

La recherche d'une diminution des coûts de transports passe en premier lieu par l'utilisation optimale des moyens de transports. Pour ce faire, plusieurs actions doivent être menées conjointement :

– *Prendre en compte les facteurs logistiques lors de la conception des produits et des emballages* : lorsque le bureau d'études, conjointement avec le marketing, conçoit les emballages, il faut fixer des dimensions de l'emballage de telle sorte que toute la surface de la palette soit utilisée ; quelques centimètres de plus sur une dimension d'emballage peut faire perdre une surface considérable sur la palette. On mettra donc moins de produits sur une palette et moins de produits dans le camion.

– *Concevoir des emballages assez solides* pour permettre d'empiler les produits sur une palette et de supporter deux voire trois couches de palettes superposées.

– *Améliorer le taux de remplissage des camions (ou des conteneurs)* : cette amélioration passe par la massification (le regroupement) des quantités à transporter sur une destination.

Décision parc propre, location ou sous-traitance

Face à un besoin en transport, l'industriel peut répondre de trois façons : l'*achat* ou la *location* de véhicules et leur exploitation, et la *sous-traitance* auprès de transporteurs. Mis à part les différences de coût, d'autres éléments interviennent dans le choix d'une solution plutôt que d'une autre. On peut citer :

– l'immobilisation du capital investi dans le matériel roulant,

– le remplacement du matériel en panne,
– les problèmes de gestion (de matériel mais aussi de personnel),
– l'adaptation aux variations de trafic,
– la responsabilité des marchandises transportées.

L'examen de ces différents critères milite en faveur de la sous-traitance même si certaines entreprises craignent, en procédant ainsi, de perdre la maîtrise de cette fonction. De fait, en France, le transport routier est assuré à plus de 50 % par des parcs propres si l'on raisonne en tonnes, mais seulement à 16,2 % en tonnes x km, le recours aux transporteurs devenant très fréquent pour les distances supérieures à 150 km (89 % des tonnes x km).

Ces trois solutions peuvent être combinées lorsque l'on observe de fortes variations dans la demande de transport (fig. 17-15) : pour la partie basse (1) qui correspond à la demande minimum, un parc propre qui sera utilisé presque à 100 % ; pour la partie intermédiaire (2) qui correspond à des demandes encore fortes mais qui ne sont pas permanentes, on peut louer des véhicules ; enfin pour les pointes de courte durée (3), on aura recours à la sous-traitance ponctuelle.

Figure 17-15 – *Exemple de fluctuations de charge de transport*

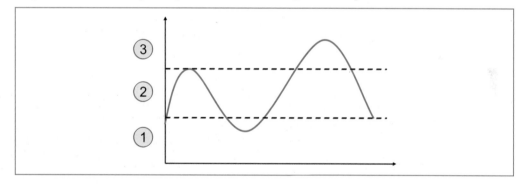

Dimensionnement d'une flotte de camions

La détermination du besoin de transport se pose dans le cas de flotte de véhicules en propre (ou loués). Il faut alors définir le nombre de véhicules ou de semi-remorques nécessaire à la satisfaction de la demande. On procède en calculant le nombre de voyages qu'un véhicule peut effectuer par jour sur chaque liaison concernée compte tenu du temps de conduite et des temps d'arrêt dus au chargement et au déchargement, puis en extrapolant ce résultat à l'ensemble de l'activité.

Exemple 17-6 : un exemple permettra de mieux comprendre cette approche : une entreprise vient d'implanter son nouvel entrepôt central à 50 km de son usine. Elle envisage d'approvisionner celui-ci plusieurs fois par jour de manière à ne conserver pratiquement aucun stock de produits finis dans l'usine. La quantité produite par jour s'élève en moyenne à 100 tonnes, soit 200 palettes. La société envisage d'utiliser des tracteurs routiers et des semi-remorques de 30 palettes de capacité.

Il s'agit de déterminer les moyens nécessaires pour satisfaire cette demande de transport (nombre de tracteurs et nombre de semis) sachant que la vitesse moyenne retenue est de 60 km à l'heure, le temps de chargement de la semi-remorque de 30 minutes et le temps pour positionner le véhicule et décrocher (ou accrocher) la semi de 5 minutes.

Calculons le temps d'une rotation effectuée par un tracteur :
– accrochage de la semi-remorque déjà chargée : 5 minutes
– aller de l'usine au dépôt : 50 km à 60 km soit 50 minutes
– décrochage de la semi-remorque : 5 minutes
– accrochage de la semi-remorque précédente, déchargée pendant le voyage : 5 minutes
– retour à vide à l'usine : 50 minutes
– décrochage de la semi-remorque : 5 minutes

On obtient un temps total de 120 minutes par rotation pour un tracteur. Celui-ci peut ainsi réaliser 4 rotations par jour, par journée de 8 heures. Comme nous venons de le voir dans la décomposition de la rotation, à un tracteur correspondent 2 semis. Un ensemble composé d'un tracteur routier et de 2 semi-remorques peut donc transporter 120 palettes par jour (4 rotations à 30 palettes). L'ensemble du trafic nécessite alors 2 tracteurs et 4 semis.

17/3.4   Le choix du mode de transport

Le choix du mode de transport dépend tout d'abord des décisions logistiques qui sont prises en amont :
– la localisation des sites de production,
– la sélection des fournisseurs (qui peuvent être proches ou éloignés),
– la décision d'utiliser des transports coûteux mais rapides, et avec des stocks minimum (aérien),
– la décision d'utiliser des transports lents et de moindre coût, mais avec des stocks importants en cours de transport (maritime) et entre deux points de commande.

Ensuite, le choix d'un mode de transport d'un produit donné sur une liaison définie s'effectue selon les critères suivants : délai, fréquence, coût, fiabilité, risques. Peuvent également intervenir d'autres considérations, comme la protection de l'environnement qui incite, par exemple, à utiliser le combiné Rail-Route plutôt que la route (cas des sociétés suisses) ou la sauvegarde du pavillon national qui pousse à recourir à des compagnies nationales.

Cependant certaines contraintes spécifiques au produit (fragilité, température de conservation, etc.) ainsi que le degré d'urgence peuvent limiter ce choix à un nombre très réduit de solutions. De plus, le choix d'une solution de transport comprend, certes, celui du mode mais également celui de la société prestataire et il est difficile de dissocier les deux, la fiabilité et le service proposés étant, le plus souvent, liés au transporteur plutôt qu'au mode proprement dit.

La comparaison entre deux solutions doit s'effectuer de « porte à porte », c'est-à-dire d'usine (ou entrepôt) expéditrice à usine (ou entrepôt) destinataire, tant au niveau des coûts que des délais ou encore des risques. On ne se limitera donc pas au seul prix du transport principal mais on prendra également en compte les coûts de manutention (chargement et déchargement) ainsi que ceux de pré-acheminement et/ou de post-acheminement. En effet, dans le cas de transport principal par fer, aérien ou voie navigable, il y a lieu d'ajouter le coût des transports terminaux (de l'usine vers la gare, l'aéroport ou le port, et inversement), généralement effectués par la route, si les entreprises ne sont pas embranchées fer ou appontées.

D'autres paramètres influencent le choix mode de transport. Nous allons les détailler ci-dessous :

Le critère du délai d'approvisionnement est prépondérant. Si ce délai doit être réduit et que le produit n'est pas volumineux, le seul mode envisageable est l'aérien.

Mais l'acheteur doit toujours se renseigner sur le caractère urgent d'une expédition et mettre en évidence le surcoût d'une solution aérienne plutôt qu'une solution maritime ou terrestre.

D'autre part, si les fournisseurs respectent leurs engagements sur les délais et que le service achat suit de façon régulière les transports, il n'est pas toujours nécessaire de prendre des marges de sécurité et donc de demander des temps de transport réduits au minimum nécessitant alors l'aérien.

La configuration et la nature de l'envoi ont également leur importance. Le nombre d'envois annuel ainsi que la quantité et les poids correspondants permettent de trancher entre l'utilisation d'un conteneur ou non, entre un envoi groupé ou en lot…

Par exemple, si le produit est volumineux, il semble impératif d'utiliser le maritime du fait des capacités limitées des avions.

D'autre part, si la nature du produit présente un risque d'avarie, il nécessite l'utilisation d'un transport rapide.

L'emballage a également son importance car il doit aussi bien être approprié au contenu qu'au moyen de transport qu'il va utiliser. Si l'emballage n'est pas adapté et que la marchandise est détériorée, l'entreprise n'aura aucun recours contre le transporteur.

Enfin, si l'entreprise a la volonté de lutter pour la protection de l'environnement, ce paramètre pourra également être pris en compte.

Toutefois, lorsque l'acheteur comparera deux solutions, il devra prendre en compte tous les éléments permettant de transporter la marchandise depuis le site du fournisseur jusqu'à l'entreprise cliente. En procédant de la sorte, il obtiendra le délai et le coût total.

Par contre, une fois ce ou ces modes de transport déterminés, l'acheteur devra encore étudier la santé financière des transporteurs, la qualité du service proposé, les recours possibles en cas de litiges afin d'effectuer un choix final et de sélectionner les transporteurs qui seront utilisés par l'entreprise.

17/4   Le transport à longue distance

Pour les transports à longue distance, trois solutions s'offrent à l'entreprise comme le montre la figure 17-16. Nous allons analyser les avantages et les inconvénients de chacune d'elles.

Figure 17-16 – *Les schémas de transport à longue distance*

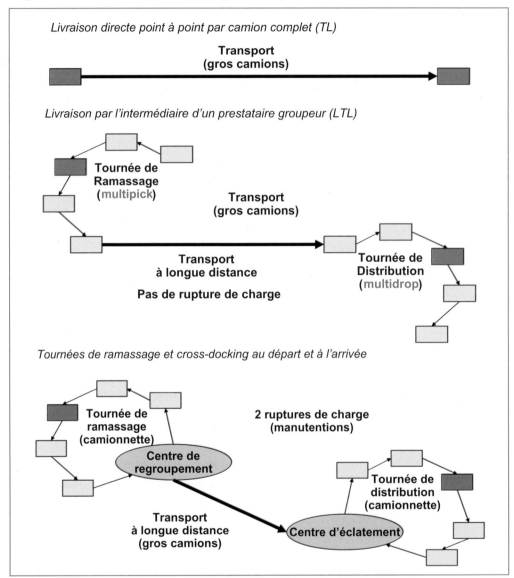

17/4.1 Le transport direct

La livraison directe par camion complet (que l'on appelle en anglais *Truck Load – TL*) présente l'avantage du trajet direct de porte à porte sans perte de temps ni rupture de charge. Elle sera donc rapide et efficace.

En revanche, elle suppose d'avoir à transporter des lots importants pour obtenir un taux de remplissage du camion élevé ce qui peut conduire à des liaisons peu fréquentes comme nous l'avons évoqué plus haut.

Si les flux sont élevés et réguliers, ce transport peut être effectué par un camion appartenant à l'entreprise. Sinon, on fait appel à un transporteur pour une liaison ponctuelle.

17/4.2   *Le transport multi-sources et/ou multi-destinations*

Si les flux sont faibles ou si l'on veut maintenir une fréquence de livraison élevée, l'entreprise peut demander à un prestataire le transport d'un certain nombre de palettes d'un point à un autre. Le prestataire recherche du fret (des marchandises à transporter) de la même région d'origine et pour la même région de destination. Le camion emportera donc des marchandises appartenant à des entreprises différentes. Cette organisation est nommée en anglais *Less than Truck Load – LTL* ou *multi-pick - multi-drop*. Il n'y a pas de rupture de charge.

Elle peut s'appliquer vers l'amont pour l'approvisionnement des usines en composants : un camion effectue le ramassage de pièces fabriquées par divers fournisseurs d'une même région et les transporte à l'usine de montage.

Elle s'applique vers l'aval lorsqu'une usine doit livrer plusieurs centres de distribution d'une même région ou un centre de distribution doit livrer plusieurs magasins géographiquement proches.

Dans ce schéma, c'est donc le camion qui effectue le transport à longue distance qui fait la tournée de ramassage et/ou la tournée de distribution.

17/4.3   *Tournées et* cross-docking *au départ et/ou à l'arrivée*

Pour éviter que le moyen de transport coûteux qui effectue le transport à longue distance ne soit utilisé trop longtemps en tournées de ramassage ou de distribution, on peut mettre en place une organisation avec transfert de charge : des camions de faible capacité effectuent les tournées de ramassage. Les marchandises sont rassemblées sur un centre de regroupement. Elles sont transférées (*cross-dock*) alors dans le moyen de transport qui effectue le transport à longue distance jusqu'à un centre de distribution. À l'arrivée, les marchandises sont transférées (*cross-dock*) dans des petits camions qui procèdent à la livraison terminale chez les clients.

Une telle organisation du transport s'impose lorsque les flux sont faibles entre chaque point de départ et chaque point de destination. Elle suppose l'existence de plateformes pour faire les *cross-docking*. Les deux ruptures de charge induisent des coûts additionnels.

Cette solution s'impose lorsqu'il est nécessaire d'avoir de fortes réactivité et flexibilité. Elle est limitée à des petites charges.

17/4.4   *Les coûts des diverses solutions*

La figure 17-17 présente les structures des coûts des trois solutions de transport décrites précédemment en fonction du flux de marchandises à transporter.

Dans le cas du camion complet, le coût est fixe par camion (sur une destination donnée). Si le flux dépasse la capacité d'un camion, il faudra en prévoir un second ou doubler la fréquence de livraison. Le coût augmente donc par paliers.

Figure 17-17 – *Coûts des diverses solutions de transport*

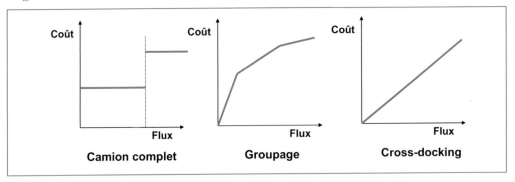

Dans le cas du groupage, le coût par unité transportée diminue en fonction du flux. En effet, une partie du coût provient de la tournée de collecte. Si les quantités collectées lors du passage du camion sont importantes, le coût relatif sera plus faible.

Dans le cas du *cross-docking*, le coût est pratiquement proportionnel au flux transporté. Il existe de fait très peu d'économies d'échelle.

Bien entendu, il n'est pas nécessaire de choisir une solution unique pour traiter l'ensemble du flux de distribution ou d'approvisionnement. Par exemple, dans le cas de la distribution :

– les gros clients peuvent être livrés par camion complet,
– les petits clients seront livrés par groupage et tournées.

Pour ces derniers, le coût total dépend de la distance totale parcourue et du nombre de points de livraisons. Pour minimiser le coût, on adaptera les fréquences de livraison à l'intensité du flux vers chaque client.

Le choix de la solution est aussi influencé par la densité des points de livraison.

Si la densité est forte, autrement dit si les points de livraison sont proches les uns des autres, on fera des livraisons sur un centre d'éclatement à partir duquel on organisera des tournées. La forte densité permet de prévoir des centres d'éclatement en moyenne peu éloignés des clients.

En revanche, si la densité est faible, une logistique de distribution propre sera trop coûteuse car soit on multiplie les centres d'éclatement mais alors les flux qui passeront par chaque centre seront faibles, soit on ne met en place qu'un nombre réduit de centres d'éclatement et alors la distance moyenne à parcourir pour livrer un client sera grande. Le recours à des moyens de distribution partagés s'impose dont : il faut passer par un prestataire logistique qui traite des flux de nombreuses entreprises ce qui permet de réduire les coûts.

17/4.5 *Typologie des trafics*

Compte tenu des caractéristiques des différents matériels utilisés, des tailles de lots, des contraintes de délais et des coûts, on constate que les différents modes se positionnent sur des marchés différents. Sur un marché donné, la concurrence se limite souvent à deux ou trois d'entre eux. De ce fait, on peut réaliser une typologie des trafics selon la place du transport dans la chaîne logistique : approvisionnement, transports inter-usines ou livraison aux clients.

– *L'approvisionnement des usines en matières premières* concerne des volumes et des tonnages élevés. Les tailles de lot sont importantes et les trafics réguliers ; ceux-ci s'effectuent le plus souvent entre un expéditeur et un destinataire. Ils nécessitent du matériel de forte capacité et, de ce fait, représentent, sur le territoire national, le domaine de prédilection du fer et de la voie navigable (rames ou trains complets, péniches ou convois poussés) et en international du maritime (pétroliers, vraquiers). Aussi la route est-elle moins présente sur ce trafic, à l'exception des matériaux de construction.

– *Les transports inter-usines de semi-finis ou de sous-ensembles* (ainsi que les approvisionnements des entrepôts) représentent des envois réguliers dont la taille du lot varie de 3 à 23 tonnes (camion complet). Ils s'effectuent à partir de plusieurs expéditeurs vers un ou plusieurs destinataires. De ce fait, des lots de marchandises appartenant à des entreprises différentes peuvent voyager ensemble dans la même unité de transport. C'est le domaine traditionnel de la concurrence entre le rail et la route.

– *Les livraisons des usines (ou des entrepôts) vers les clients* se caractérisent par une grande variété d'expéditions de taille plus faible pouvant varier entre quelques kilogrammes et plusieurs tonnes. C'est le domaine, au niveau national, du groupage, des tournées de livraison, de la route et des groupeurs ferroviaires, et à l'international et pour certaines catégories de produits, du transport aérien.

17/4.6   Qui maîtrise le transport ?

La pratique traditionnelle veut que ce soit le fournisseur qui prenne en charge le transport de ses marchandises vers ses clients. En fonction des flux et des caractéristiques géographiques de sa clientèle, il définit la structure de son réseau de distribution et organise les transports. Si l'on reprend les notions d'Incoterms, la livraison se fait *franco (DDP)*. Quelle que soit la structure retenue, nous avons vu que cela peut engendrer des coûts élevés et une piètre performance en termes de rapidité, de réactivité et de flexibilité.

Le client peut avoir intérêt à définir lui-même son réseau d'approvisionnement. Il achète les marchandises à la sortie d'usine (*ex works*), et se charge de définir le réseau optimal d'approvisionnement, c'est-à-dire celui qui minimise le coût total des produits mis à disposition au point de consommation. Le réseau d'approvisionnement ne concerne que ses propres produits. Il peut en résulter des flux faibles en provenance de certaines origines et donc des coûts de transport élevés ou des fréquences de livraison faibles.

Une troisième solution consiste à confier de commun accord la maîtrise du transport des marchandises entre les usines du fournisseurs et les usines ou les centres de distribution du client à un tiers qui, ayant à gérer les flux de plusieurs fournisseurs et de plusieurs clients, trouvera des solutions logistiques globales (pour l'ensemble des fournisseurs et des clients) plus économiques en termes de coût global (du fait de la rationalisation de l'utilisation des plateformes et des moyens de transport). Cela suppose une négociation globale avec un prestataire et la recherche d'un accord sur le partage des économies potentielles. Ces prestataires qui recherchent la solution la meilleure pour leurs deux clients sont nommés des *4PL* (*Fourth Party Logistics*) que nous décrirons dans la section suivante.

Figure 17-18 – *Les évolutions de la responsabilité de la gestion des flux*

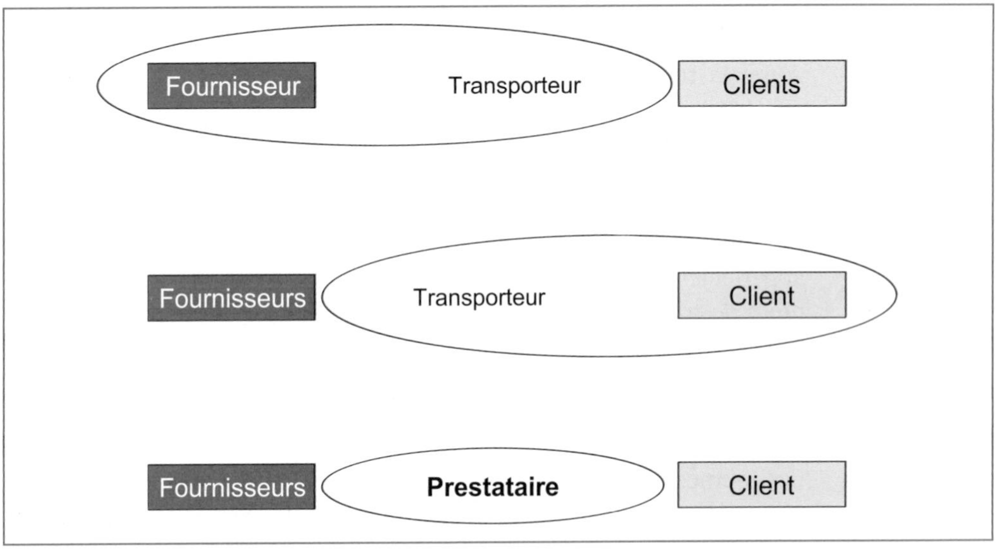

17/5   Le transport à courte distance

L'organisation des tournées concerne également les opérations de ramassage (cas du lait en zone rurale, des ordures ménagères, du bétail…) ainsi que la collecte à fréquence élevée de composants auprès de plusieurs fournisseurs dans le cas d'approvisionnement en Juste-à-temps. En anglais, la notion de tournée est souvent traduite par *milk run*.

La tournée de livraison de *n* clients (ou de ramassage chez *n* fournisseurs) à partir d'un dépôt se présente graphiquement sous la forme suivante (fig. 17-19). Le temps total nécessaire à la réalisation de la tournée correspond aux opérations de :

– manutentions et chargement du véhicule au dépôt
– transport d'approche jusqu'au premier client
– déchargement chez le client (*n* fois)
– parcours jusqu'au client suivant (*n* fois)
– retour au dépôt

Figure 17-19 – *Le problème de la tournée*

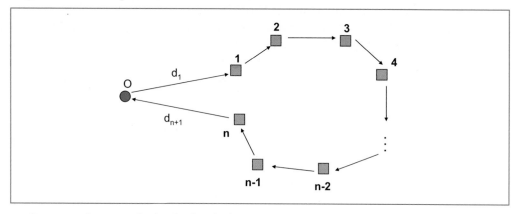

La connaissance de la durée de la tournée et du kilométrage réalisé permet de calculer aisément le coût de celle-ci. En effet, le coût d'exploitation du véhicule s'exprime habituellement sous la forme suivante :

$$\text{Frais fixes} + \text{Frais variables} \times \text{km}$$

Exemple 17-7 : on prend comme exemple, une situation où le coût d'exploitation du véhicule s'exprime par

$$40\ 000\ \text{€/an} + 0{,}25\ \text{€/km}$$

pour un camion de dix tonnes de charge utile. Si le camion réalise deux circuits par jour, de 150 km chacun, pendant 230 jours par an, le coût de la tournée s'élève à 124 euros.

17/5.1 *L'organisation des tournées*

L'organisation des tournées de livraison constitue la dernière étape de la planification des flux aval : elle se trouve donc intimement liée au processus de production (sur stock ou à la commande) ainsi qu'au système de traitement des informations.

La gestion des commandes clients s'effectue le plus souvent de la manière suivante :

– les commandes parviennent le jour J à la société par voie postale, téléphone, télécopie, télex, Internet, ou encore directement d'ordinateur à ordinateur,

– elles sont enregistrées directement à l'écran (ou après saisie intermédiaire sur un bon standard) et constituent ainsi le fichier des commandes,

– celui-ci est ensuite trié selon la date de livraison,

– les bons correspondant aux clients prévus pour les tournées du jour (par exemple J+4) sont édités,

– le jour J+2, le responsable Transports définit les tournées du jour J+4,

– le jour J+3, le dépôt réalise la préparation physique des commandes et le chargement des véhicules,

– le matin du jour J+4, le véhicule part livrer les commandes reçues le jour J.

La planification des circuits de livraison peut s'effectuer selon deux principes : la tournée fixe ou la tournée variable.

Dans le cas de la *tournée fixe*, la composition des circuits reste immuable quant au jour de la semaine et à la zone géographique (le lundi le département *x*, le mardi le département *y*, etc.). Ce système ne garantit pas le remplissage optimal des véhicules et introduit une certaine rigidité dans le planning compte tenu de la prédétermination des dates.

La procédure de *tournée variable* consiste à constituer chaque jour les tournées en fonction de la demande (quantité, localisation) et des véhicules disponibles. On affecte ainsi un nombre variable de véhicules à chaque zone en fonction de l'importance du tonnage à distribuer.

17/5.2   *La recherche d'une solution optimale*

Souvent, c'est encore l'intuition et l'expérience qui permettent aux *dispatchers* d'organiser leurs tournées de livraison. Cependant, une telle pratique ne permet pas nécessairement d'obtenir le coût minimal de livraison ou d'approvisionnement. Des méthodes d'optimisation peuvent être mises en œuvre pour atteindre cet objectif.

Le problème se pose différemment selon que l'on possède déjà un parc de véhicules de charges utiles déterminées, que l'on tente d'utiliser au mieux, ou que l'on recherche la meilleure composition possible du parc pour satisfaire une demande donnée.

La résolution d'un tel problème ne peut se faire manuellement compte tenu de la combinatoire des différentes solutions possibles. Des progiciels d'optimisation commercialisés permettent de traiter convenablement cette question. Ils utilisent le plus souvent l'algorithme des *écartements* conçu par Kruskal, susceptible aussi d'application manuelle pour un petit nombre de clients à livrer.

Cette méthode, de type heuristique, fournit une bonne solution mais pas nécessairement la meilleure. Son objectif vise à minimiser la distance à parcourir ou la durée correspondante. Elle repose sur la notion simple de gain ou d'écartement défini comme suit (fig. 17-20) : soit un dépôt O et deux clients A et B. On veut trouver le plus court chemin permettant de livrer A et B à partir de O. Deux solutions s'offrent à nous :

– approvisionner A, retourner au dépôt, puis livrer B et revenir en O,
– inclure A et B dans la même tournée.

Les distances parcourues s'écrivent alors comme suit, d(x, y) signifiant distance de x à y :

– première solution : 2 d(O,A) + 2 d(O,B),
– deuxième solution : d(O,A) + d(O,B) + d(AB).

On appelle *gain ou écartement du couple de points A,B* par rapport au centre O la différence entre ces deux quantités, soit :

$$e(A,B) = d(O,A) + d(O,B) - d(A,B)$$

e(A,B) représente donc le gain obtenu en intégrant ces deux points dans une même tournée. Le planificateur doit alors en priorité déterminer ses circuits avec les couples de points présentant l'écartement le plus élevé possible.

Figure 17-20 – *Définition de l'écartement*

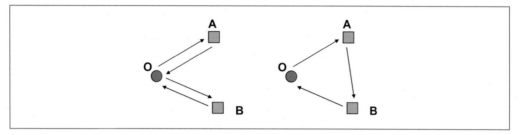

On démontre que, pour une localisation donnée du dépôt, minimiser la longueur de la tournée revient à maximiser la somme des écartements. La procédure d'application se définit comme suit :
- calculer les écartements de tous les couples de points par rapport au centre,
- les classer par importance décroissante,
- sélectionner chaque couple de la liste ; abandonner ceux formant une boucle ou une fourche avec ceux précédemment sélectionnés (on s'interdit en effet de passer plus d'une fois en chaque point) (fig. 17-21),
- arrêter la procédure lorsque $n - 1$ couples ont été retenus ou plus tôt selon les contraintes de tonnage, de temps, etc.
- joindre le centre à ces deux extrémités.

Figure 17-21 – *Fourche et boucle*

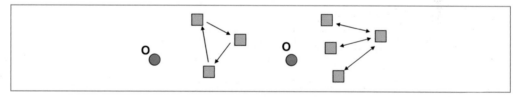

La méthode fournit des résultats beaucoup plus performants si l'on retient à chaque étape de calcul non pas le couple qui présente le plus grand écartement mais celui qui permet d'obtenir la somme des écartements la plus grande pour l'ensemble des couples à choisir après lui.

Exemple 17-8 : un exemple précisera mieux l'application de la procédure : six clients répartis géographiquement comme le montre la figure 17-22 doivent être livrés avec un véhicule de 10 tonnes de charge utile.

On cherche à obtenir la tournée minimisant la distance à parcourir. Les distances entre les clients ainsi que les poids à livrer nous sont donnés par le tableau de la figure 17-23.

On calcule les écartements de tous les couples de points en procédant comme pour AF :

$$e(A,F) = OA + OF - AF = 16 + 26 - 18 = 24$$

On les classe ensuite par ordre d'importance décroissante :

CD (31), BC (26), AF (24), EF(18), BD (16), DE (14), CE (9), etc.

Figure 17-22 – *Exemple*

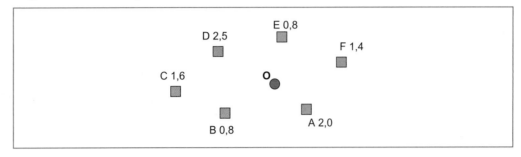

Figure 17-23 – *Tableau des distances*

Tonnes		O	A	B	C	D	E	F
2,0	A	16	-	27	43	34	24	18
0,8	B	15		-	18	17	27	40
1,6	C	29			-	16	35	53
2,5	D	18				-	19	41
0,8	E	15					-	23
1,4	F	26						-

On constitue alors la tournée en sélectionnant d'abord CD, puis BC, AF, EF mais pas BD qui formerait une boucle et enfin DE. Il suffit de joindre les extrémités A et B au centre pour obtenir le circuit fermé. La longueur de la tournée ainsi définie s'élève à 125 kilomètres (fig. 17-24).

Figure 17-24 – *Tournée résultante*

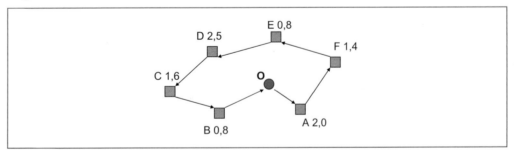

Modifions maintenant nos hypothèses et supposons que le dépôt A ne dispose que d'un véhicule de 5 tonnes de charge utile pour effectuer ces livraisons. En appliquant la même méthode mais en s'arrêtant lorsque la capacité du véhicule est atteinte, on obtient alors deux nouveaux circuits (fig. 17-25) :

O, B, C, D, O (4,9 tonnes et 67 km),
et O, A, F, E, O (4,2 tonnes et 72 km).

Figure 17-25 – *Tournées résultantes*

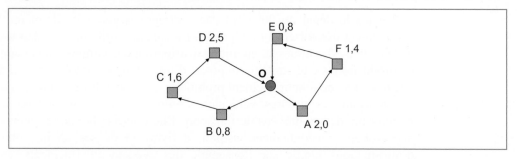

On note ainsi la dégradation de la solution au fur et à mesure que l'on introduit des contraintes supplémentaires (taille du parc, heures de livraison, limite de poids total roulant) : 139 km au lieu de 125 km dans le cas de la tournée unique.

Il resterait cependant à vérifier que deux circuits avec un véhicule de cinq tonnes ne présentent pas un coût plus faible qu'un seul avec un véhicule de dix tonnes.

Si, par exemple, les clients C, E et A devaient être impérativement livrés avant midi et les autres après midi, les tournées précédentes se transformeraient comme suit (fig. 17-26) :

$$O, C, E, A, O \text{ (4,4 tonnes et 104 km)}$$

$$\text{et } O, B, D, F, O \text{ (4,7 tonnes et 99 km).}$$

Figure 17-26 – *Tournées sous contraintes horaires*

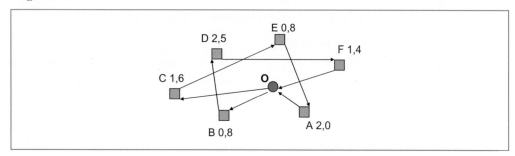

Le respect de la contrainte horaire s'est traduit, dans ce cas, par une augmentation de la distance à parcourir de 64 km, soit 45 %.

Cette méthode devient inutilisable sans moyen informatique lorsque les clients sont nombreux, le nombre d'arcs à analyser croissant beaucoup trop rapidement (4 850 pour 100 clients). En revanche, de nombreux organisateurs de tournées appliquent cet algorithme, sans d'ailleurs le savoir, lorsqu'ils commencent par constituer leur circuit en regroupant les points éloignés du centre mais proches les uns des autres, c'est-à-dire présentant un écartement maximal.

17/6 Les partenaires logistiques

Depuis le début du 20ᵉ siècle, les entreprises géraient elle-même leur transport. Elles étaient très fortement intégrées à l'image de Ford qui possédait tous les maillons de la chaîne : des mines au circuit de distribution des voitures en passant par les usines de production. Cette stratégie imposait d'importantes immobilisations de capital ainsi que des coûts de fonctionnement prohibitifs aux dépends de l'outil de production.

En ayant ses propres véhicules, l'entreprise a l'assurance de la disponibilité permanente de ses moyens de transport. Elle maîtrise la qualité globale de sa chaîne depuis l'approvisionnement jusqu'à la livraison de ses clients, obtient un retour d'informations rapide sur l'ensemble des évènements (incidents, aléas…) qui se produisent et bénéficie de moyens de transport qui peuvent être spécifiques à ses produits. Par contre, pour être rentable, ces équipements doivent être pleinement utilisés (ils nécessitent l'utilisation de progiciels pour maximiser les taux d'occupation).

Le principal inconvénient du transport privé est son manque de souplesse par rapport aux variations saisonnières du fret, aux pointes hebdomadaires ou aux baisses d'activité. Par ailleurs, les seuls moyens de transport qui peuvent être achetés sont des poids lourds, car pour les autres (avions, bateaux…), les investissements sont trop conséquents. Ainsi, pour les entreprises s'approvisionnant à l'international (sur d'autres continents), la solution consistant à posséder ses propres moyens de transport n'est pas envisageable.

Dans les années 70, les stratégies industrielles ont évolué pour se recentrer sur leur savoir-faire et les activités à forte valeur ajoutée. Dans les années 90, l'arrivée du concept de *supply chain* management a accéléré cette tendance.

Le cas « Faire faire »

De ce fait, les entreprises à caractère international ont tendance à se tourner plutôt vers la solution du transport public. Elles ont alors le choix entre l'utilisation de transporteurs « classiques » ou bien de prestataires.

Dans le premier cas, l'entreprise doit effectuer les démarches pour rechercher les différents transporteurs. Elle gère à la fois le pré et le post acheminement ainsi que le transport principal. Elle doit coordonner ces différents modes, s'occuper des groupages de marchandises (dans le cas où elle souhaite le faire), prendre en charge les tâches administratives liées à l'import de marchandises (les douanes par exemple).

Pour obtenir un transport efficient, il est alors impératif de réaliser un cahier des charges afin de préciser les éléments suivants :
- données relatives à la marchandise (poids, volume, conditionnement, nature du produit…)
- données relatives au site d'enlèvement et de livraison (créneaux horaires, les difficultés d'accès pour le chargement)
- données relatives au trafic (type de véhicule, fréquence…)
- données administratives et financières (documents, mode de facturation, conditions financières…)

L'ensemble de ces actions nécessite une main-d'œuvre importante afin d'assurer la mise en place ainsi que le suivi du transport.

Dans le second cas, les prestataires peuvent proposer un ensemble diversifié mais cohérent de prestations connexes à l'acheminement des marchandises. On retrouve ainsi dans cette catégorie des commissionnaires et des transitaires. D'une façon générale, le transport sera confié à une société d'affrètement qui devra trouver tous les moyens de transport, étudier les groupages (chargements de ses différents clients sur une même destination)…

Un cahier des charges établira les attentes de l'entreprise dans les domaines suivants : les délais de transport, le type de matériel, les indicateurs de suivi de performances…

L'avantage économique de cette solution pour l'entreprise est la variabilisation de ses coûts. L'entreprise cliente peut également demander un prix à la tonne transportée, le prestataire devant trouver les meilleures solutions pour réduire les coûts. Cela peut générer une économie dès la signature du contrat, mais il faut également mettre en place une clause spécifiant que le prestataire fera bénéficier à l'entreprise de réduction supplémentaire s'il arrive à diminuer fortement ses coûts.

D'autre part, l'utilisation d'un prestataire pour effectuer un transport international, permet de se décharger des déclarations de douanes donc de faciliter les démarches administratives.

De nos jours, les entreprises ont tendance à demander plus de ces prestataires. Au-delà des activités présentées ci-dessus, des prestataires peuvent également proposer d'autres services comme le stockage, le conditionnement, le réapprovisionnement, le montage de sous-ensembles…

La figure 17-27 met en lumière l'évolution de la fonction logistique de la simple sous-traitance des années 70 au 3PL et 4PL des années 2000.

Sur le marché actuel, il existe quatre types d'acteurs : les prestataires 3PL, les prestataires de services de technologie de l'information (SSII) et les cabinets de conseil. Les spécificités de ces prestataires, leurs avantages et leurs inconvénients sont présentés ci-dessous.

Les prestataires 3PL

L'externalisation de la logistique et de la *supply chain* s'est accélérée lors des restructurations des différents groupes internationaux. La recherche de la réduction des coûts et actifs, l'amélioration du service client ont conduit la tendance.

Les Prestataires Logistiques ou *Third Party Logistic Providers (3PL)* ont ouvert aux clients la voie vers un nouveau type d'externalisation de la *supply chain*. Ils sont passés d'un statut de gestionnaire des expéditions, des transports et de l'entreposage à un statut de prestataires de nouveaux services logistiques tels que :
– la consolidation des transports et de la distribution,
– le marquage, packaging et labelling de produits,
– la gestion des inventaires,
– la gestion de la flotte de véhicule et du trafic,
– le cross docking,

– la mise en place de systèmes d'information,
– la préparation de commandes,
– …

Figure 17-27 – *L'évolution de la prestation logistique*

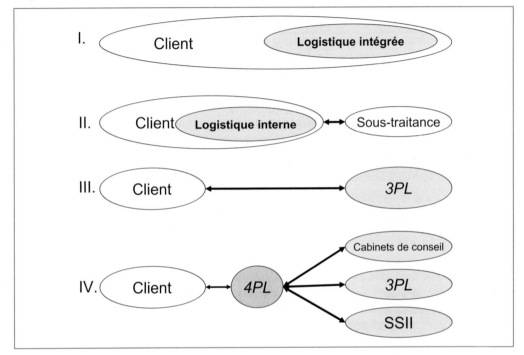

Certains élargissent encore plus leur panel de prestations avec de nouveaux services à haute valeur ajoutée allant de la différenciation retardée comme l'étiquetage dans la langue du pays de vente, ou co-manufacturing, l'intégration des prestataires logistiques dans le processus industriel comme le pré câblage de certaines pièces, en passant par le contrôle qualité comme le fait Géodis avec plusieurs entreprises. D'autres optent pour le développement d'un réseau à couverture mondiale pour répondre à la gestion de flux internationaux toujours plus mouvants et complexes.

Pour les grandes entreprises, l'externalisation vers un 3PL est mature puisque ces prestataires sont devenus des acteurs à part entière de leur *supply chain*. Elle a également libéré le top management de la gestion de ces tâches opérationnelles.

Actuellement, tous les grands 3PL disent faire du 4PL. Cette tendance est en pleine progression car ce nouveau type de service est très rentable et permet d'augmenter le chiffre d'affaire du prestataire. Cependant, il faut remarquer que tous les 3PL et les pseudo 4PL ne se valent pas. Ils sont souvent spécialisés par secteur d'activité : Gefco dans l'automobile, Daher dans l'aéronautique et l'industrie de haute technologie, Géodis dans la distribution et l'automobile…

Les cabinets de conseil

Il est important de rappeler qu'un cabinet de conseil est à l'origine du concept de 4PL. Les cabinets de conseil n'ont pas de moyens en propre. Par conséquent, ils remplissent de la meilleure manière la condition de neutralité. Leurs points forts sont leur capacité d'analyse et de définition des processus. Ils y associent de fortes compétences en développement stratégique qui leur permettent de proposer des solutions globales de *supply chain management*.

Toutefois, ils ont des faiblesses dans la mise en place à un niveau opérationnel des concepts théoriques. Il en est de même pour la coordination des fonctions logistiques.

Pour devenir de vrai 4PL, les cabinets de conseil devront se rapprocher de l'aspect opérationnel et développer leur faculté à mettre en place les solutions préconisées. La reconnaissance grandissante du *supply chain management* et de l'externalisation auprès d'un 3PL ou d'un 4PL attire tous les jours de nouveaux acteurs sur ce marché très rentable. Parmi les cabinets de conseil sur ce segment, on peut citer Accenture, Freelog, Masaï Logistics…

Les prestataires de services en technologie de l'information (SSII)

Ces prestataires sont les mieux placés pour développer les systèmes d'information et mettre en place les outils de communication et d'information nécessaire au management de la *supply chain*. Toutefois, comme les cabinets de conseil, ils ne sont spécialistes ni de la logistique ni de la gestion opérationnelle de la *supply chain*. Par ailleurs, ces prestataires ont également tendance à favoriser leurs solutions informatiques mettant souvent en situation de dépendance l'entreprise cliente.

Les prestataires 4PL

Ces différents acteurs ont des compétences complémentaires : les cabinets de conseils et les prestataires de services informatiques ont de fortes capacités d'analyse des processus alors que les 3PLs ont l'expérience du management de la logistique et des processus. Dans les années à venir, il y aura certainement une homogénéisation des compétences sous l'orchestration de quelques 4PL d'envergure européenne voire mondiale.

L'intégrateur logistique *Fourth Party Logistics Provider* (4PL) est le concept le plus récent en termes d'externalisation du management de la *supply chain*. L'idée est qu'une société ou une institution neutre planifie et coordonne les activités logistiques pour tous les acteurs inclus dans la *supply chain*, s'assurant que les prestataires de services logistiques font tout pour atteindre une optimisation globale de toutes leurs tâches logistiques.

Ces 4PL se concentrent sur l'optimisation des flux d'informations et développent leur offre de conseil pour la réorganisation des schémas de distribution et d'approvisionnement, ainsi que le développement des procédures d'exploitation des systèmes logistiques, des choix de progiciels et l'aide à la mise en place. Ne disposant pas des moyens de transport ni d'entreposage (cas du 3PL), elles se situent donc entre l'entreprise et les différents prestataires qu'elles font intervenir, se chargeant de l'animation et de la gestion globale de ce réseau.

Les 4PL permettent aux entreprises clientes de se concentrer totalement sur leur « cœur de métier ». La tendance croissante des entreprises à l'externalisation se manifeste ainsi particulièrement dans le domaine de la logistique. En dehors du coût proprement dit, l'économie d'investissements, la variabilisation des coûts, l'adaptation aux variations de la demande ainsi que la souplesse du réseau expliquent cette stratégie. Même si, ce faisant, certaines sociétés craignent de développer une *situation de dépendance* vis-à-vis des prestataires, notamment en perdant le contact direct avec le client final et en réduisant la protection de la confidentialité de leurs opérations.

Formellement, la définition d'un 4PL ne fait pas encore l'unanimité. Cependant, des points communs apparaissent.

– **Le rôle d'intermédiaire** : le 4PL prend en main, pour le compte de ses clients, la coordination des fonctions de management pour contrôler tous les membres de la *supply chain* y compris les différents 3PL.

– **Le re-engineering sur mesure** : le 4PL est force de proposition dans le développement, la réorganisation et l'optimisation des flux et processus de la *supply chain* du client. Il prend aussi la direction de l'ensemble des fonctions logistiques de ses clients.

– **Le rôle d'expertise** : le 4PL met à profit son expertise en *supply chain* management, logistique, IT et intégration de système ainsi que ses compétences et connaissances conceptuelles et analytiques.

– **La neutralité et l'honnêteté** : le 4PL doit rester aussi bien neutre qu'honnête envers tous les membres de la *supply chain*. En effet, les différentes interactions avec les membres de la *supply chain* peuvent donner accès à des informations confidentielles et ne devant pas être partagées avec les autres partenaires.

Les caractéristiques ressortant de ces définitions répondent aux faiblesses des 3PL : manque d'expertise et désintéressement vis-à-vis des processus de leurs clients. Le 4PL, par son statut d'unique intermédiaire, apparaît comme une bonne solution à la problématique d'optimisation globale de la *supply chain*. Dans cette démarche la bonne compréhension des liens entre les différents maillons est indispensable.

Au bilan, le 4PL est un prestataire indépendant, neutre qui agit pour le compte d'un client, prend en main le management de l'ensemble des opérations logistiques et améliore l'efficacité globale de la *supply chain* (d'un bout à l'autre) par son expertise des processus, des technologies de l'information et ses compétences d'analyse.

Chapitre 18

Les processus connectés

Les processus de production dits connectés sont des processus dans lesquels le flux de produits suit une séquence d'opérations fixe ; le déplacement des produits entre les opérations est réalisé par des moyens automatiques ; on obtient un flux continu ou quasi continu. Ce type d'organisation de la production ne se justifie que si les taux de production à atteindre sont très élevés. Ils concernent donc, soit des produits intermédiaires peu différenciés, soit des produits vendus en grandes quantités pour le grand public.

Selon la nature des produits fabriqués, on distingue deux types de processus connectés :
- l'élaboration de produits intermédiaires qui se fait sur des unités de production travaillant en continu (exemples : ciment, papier, acier, pétrole, chimie lourde, verre, carrelage),
- l'assemblage de produits finis en grande série sur des chaînes de fabrication tels que les automobiles, l'électroménager, l'agroalimentaire.

La transformation se fait en une séquence d'opérations qui doivent travailler à la même cadence, le produit en cours de transformation ne s'arrêtant pas d'un bout à l'autre du processus. Il est impossible de constituer des stocks intermédiaires sauf de petits stocks de régulation représentant quelques minutes ou quelques heures de production car les volumes à stocker seraient très importants.

Le problème des processus connectés est d'assurer la continuité des opérations car l'arrêt d'une opération entraîne nécessairement l'arrêt de tout le processus. Une panne a rapidement des conséquences très lourdes. La maintenance est donc une fonction clé ; elle doit disposer de tout ce qui est nécessaire pour réparer dans les plus brefs délais, un stock important de pièces de rechange doit être conservé dans l'usine.

Nous étudierons dans un premier temps les processus continus avant d'aborder les problèmes relatifs aux chaînes de fabrication.

18/1   Les processus continus

Le choix de mettre en place un processus continu s'explique par des raisons techniques ainsi que par des raisons économiques.

Par la nature des produits, il est préférable d'utiliser des moyens de manutention continus, par exemple, pour les produits liquides ou pondéreux. L'utilisation de moyens de manutention discrets (sacs, fûts, etc.) serait extrêmement coûteuse en termes de manutention. Le fait de connecter des opérations successives par des moyens de manutention continus permet des gains de productivité importants.

Figure 18-1 – *Un processus continu : la fabrication du ciment*

Source : SFIC (2002).

Saturer l'utilisation des capacités

Dans la majorité des cas, les processus continus requièrent des investissements très lourds. Ceux-ci représentent des coûts fixes, c'est-à-dire que les amortissements ne dépendent pas des volumes de production. Aussi, on cherchera à utiliser au maximum les capacités en travaillant souvent « à feu continu », c'est-à-dire sans arrêter le processus la nuit, le week-end ou pendant les vacances. Cela impose de mettre en place cinq équipes d'ouvriers qui se relaient 24 heures sur 24, 7 jours sur 7 et cela toute l'année (hors arrêts pour maintenance programmée).

Des raisons techniques expliquent aussi la nécessité de travailler en continu : certaines transformations se faisant à haute température, il est impossible d'arrêter un four car il faudrait le vider entièrement pour le remettre en route quelques heures plus tard, d'où un temps perdu pour sa remontée à la bonne température et de l'énergie consommée inutilement.

Si l'on effectue une analyse de point mort (fig. 18-2), on s'aperçoit que souvent le point mort se situe à un niveau proche de la capacité de l'outil de production. Pour que l'usine gagne de l'argent, elle doit donc faire en sorte que les équipements travaillent à plein.

Tout devra donc être mis en œuvre pour éviter les arrêts de production : stocks de matières premières en amont, maintenance préventive, sécurité sur la fourniture en énergie, etc.

Figure 18-2 – *Position du point mort par rapport à la capacité*

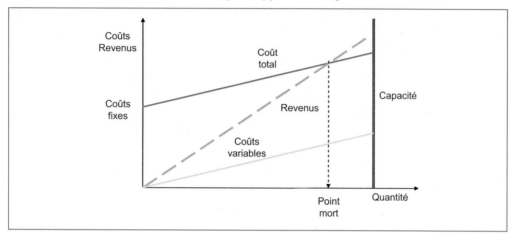

Assurer l'équilibre charge/capacité

Par construction, un processus continu a une capacité qui est pratiquement fixe. Comment s'ajuster à la demande qui peut être variable, en particulier saisonnière ?

Dans certains cas, on peut jouer légèrement sur le taux de production en réglant la vitesse des équipements. Sinon, il faut avoir recours au stockage de produits finis, mais cela coûte vite cher car les volumes à stocker peuvent devenir rapidement très importants.

En cas de baisse significative de la demande, la seule solution reste l'arrêt complet de l'installation pendant un certain temps. Ce sont des arrêts programmés pouvant aller jusqu'à plusieurs semaines. Le personnel est alors occupé à des tâches de maintenance préventive et d'entretien général.

Assurer la constance de la qualité

Un processus continu doit assurer une qualité des produits sortants qui soit constante ; elle doit rester parfaitement conforme aux spécifications dans le temps. Or, des variations dans le processus d'élaboration ou dans les matières premières sont inévitables. Le processus doit donc être piloté en temps réel.

On suit, souvent avec des moyens de contrôle automatiques, des grandeurs physiques, de telle sorte que toute dérive soit détectée immédiatement et que l'on prenne des actions correctives (modification des réglages). La technique mise en œuvre se rapproche des cartes de contrôles de la maîtrise statistique des procédés (cf. chap. 21).

Les contrôles doivent être effectués à toutes les étapes du processus afin qu'un écart dans une grandeur physique n'entraîne pas de dégradation de la qualité dans la suite du processus.

Assurer la continuité

La maintenance est la fonction clé dans la gestion des processus continus. Il faut disposer d'équipes de maintenance pendant tout le temps d'ouverture de l'installation.

Les réparateurs doivent pouvoir intervenir à tout moment pour éviter l'arrêt d'un équipement. Souvent, le degré de technicité est élevé et les réparateurs sont spécialisés par technologie. On doit disposer en permanence de personnel capable de faire face à n'importe quel type de panne. Le coût de la maintenance est donc très élevé.

Pour effectuer les réparations dans un temps très court, il faut disposer d'un stock de pièces de rechange pour toutes les pièces qui composent l'installation. Si une seule pièce manque, c'est tout le processus qui doit être arrêté : le coût de rupture de stock est énorme. Le volume du stock de pièces de rechange sera donc très important. Il est particulièrement difficile à gérer car, sauf pour les pièces d'usure dont la consommation est régulière, les besoins sont souvent très totalement imprévisibles. La fonction Maintenance est étudiée dans le chapitre 20.

Gérer la diversité

Si l'on fabrique un produit unique, la gestion de production est simple (exemples : cimenteries, raffineries…). En revanche, si l'on doit faire face à une demande diversifiée, il faut faire passer sur un seul équipement la diversité des produits.

On va donc établir des séquences de fabrication passant
- soit par l'arrêt de l'équipement, le nettoyage de l'ensemble du process, le réglage et le redémarrage,
- soit progressivement d'un produit à un autre, en produisant pendant un laps de temps des produits non conformes.

Le problème est donc de définir la séquence de produits qui fait perdre le moins de temps. Par exemple, dans l'industrie du verre pour flaconnage, on commence par le verre à peine teinté, puis on monte progressivement en couleur pour terminer par le noir. À ce moment-là, on arrête tout le process et on effectue un nettoyage avant de recommencer une nouvelle séquence.

18/2   Les chaînes de fabrication

L'organisation en chaîne de fabrication présente l'avantage d'imposer à toutes les opérations une cadence commune et régulière. La manutention de produits est réalisée le plus souvent par les moyens automatisés (chaînes transfert). Les composants incorporés à chaque opération doivent être apportés en bord de chaîne.

Dans ce cas, l'organisation des équipements est conçue de telle façon que le flux physique circule sans interruption entre les postes de travail. Les stocks d'en-cours sont limités et les cycles de fabrication courts. Ces avantages sont atteints sous la condition de produits et d'opérations très standardisés. La fabrication est divisée en un certain nombre d'opérations élémentaires, permettant la spécialisation simultanée de la main-d'œuvre et des équipements. De plus, comme chaque produit subit la même séquence d'opérations, un système de transport automatique des pièces entre les postes de travail peut être installé (convoyeur à bande…). L'inconvénient en est cependant la vulnérabilité du système face aux aléas : une panne ou une personne absente sur un poste paralyse l'ensemble du processus. Cela implique donc la mise en place de programmes stricts de prévention de ces aléas.

Dans le cas de fabrications industrielles opérées selon ce mode d'organisation, les articles sont réalisés sur un ensemble de centres opératoires en général mis en ligne selon la (ou les) gamme(s) de fabrication ou de traitement. On notera que cette mise en ligne peut se faire suivant diverses configurations : en ligne droite, en forme de U, en cercle…

Au niveau des gammes de produits fabriqués, une ligne donnée peut être exploitée de plusieurs manières. Lorsque les quantités à fabriquer le justifient, une ligne peut être dédiée à la fabrication d'un produit unique. Il est cependant courant d'utiliser une ligne pour fabriquer une famille de produits finis. Il s'agit dans ce cas de variantes d'un produit générique. On peut citer par exemple le montage, dans des coloris différents, d'appareils de petit électroménager ou d'outillage. Les opérations de montage sont strictement identiques : la seule différence étant les coloris des matières et composants utilisés. Enfin, une ligne peut aussi assurer la production d'un ensemble de pièces ou composants ayant des caractéristiques techniques ou de dimensions semblables. On retrouve des lignes de ce type dans la confection, par exemple, mais également dans l'automobile où des modèles différents sont assemblés en séquence (voir section 2.2).

18/2.1   *La chaîne de montage d'un produit unique*

Le processus continu le plus simple est constitué de la chaîne de montage d'un produit unique. On aborde ci-dessous les questions de base liées à la planification et à la gestion de l'activité d'un tel processus continu, à savoir :
- l'évaluation de la charge de travail,
- la détermination du nombre nécessaire d'opérateurs,
- la répartition des opérations de fabrication entre les opérateurs.

Processus opératoire du produit ou service concerné

Avant d'organiser une ligne de production, il convient de définir précisément la gamme opératoire du produit à fabriquer par une étude Méthodes. Les informations à recueillir sont les suivantes :
- la séquence opératoire de réalisation du produit (ou service), précisant les opérations élémentaires retenues, leurs temps opératoires mesurés, les modes opératoires, les machines et équipements requis (cf. chap. 2),
- souvent, des contraintes techniques exigent que certaines opérations soient réalisées avant d'autres ; il convient donc de connaître *le diagramme d'antériorité* des opérations, précisant les antériorités techniques ainsi que les phases opératoires qui peuvent être éventuellement menées en parallèle,
- la perception correcte des charges de travail exige de connaître *l'activité moyenne* de la main-d'œuvre et son évolution au cours du temps. L'activité est mesurée par un ratio qui tient compte du rapport entre le rythme de travail effectif et le rythme considéré comme normal, retenu par le Bureau des Méthodes lors de l'évaluation des temps opératoires. Cette activité moyenne sera celle constatée sur les fabrications existantes ou résultera d'accords conventionnels au niveau de l'entreprise.

Exemple : on veut constituer une chaîne d'assemblage pour fabriquer 200 produits par jour. Le Bureau des Méthodes a décomposé le travail en onze opérations élémentaires notées de A à L dont les temps figurent dans le tableau 18-3. De plus, les contraintes techniques exigent que ces opérations soient réalisées dans un ordre particulier, ce qui peut se représenter par le diagramme d'antériorité (fig. 18-4). Par exemple, l'opération C ne peut être réalisée que si les opérations A et B ont été précédemment effectuées.

Figure 18-3 – *Gamme de fabrication d'un anorak*

Opération	Temps unitaire (en milliheures)
A	26
B	29
C	23
D	16
E	27
F	20
G	11
H	21
I	30
K	21
L	10

Détermination du taux de production à atteindre

La quantité à produire par période (le taux de production) est déterminée par le programme de production qui est lui-même fixé en fonction de la demande commerciale prévisionnelle. Ce taux de production représente le débit du flux qui doit sortir du système de production. Les responsables doivent fixer le nombre de lignes à installer ainsi que la durée du travail. Pour atteindre une même production quotidienne, on peut mettre en place une seule chaîne ou bien deux chaînes en parallèle produisant deux fois moins que la chaîne unique, travailler 8 heures par jour ou 16 heures par jour. Ces décisions fixent le taux de production de chaque chaîne, qui doit produire une quantité Q pendant une période T.

L'inverse de ce taux est la *cadence* qui indique la périodicité de sortie des produits. Nous l'appelons C, égal au rapport T/Q. Cette cadence, directement déduite des prévisions commerciales, devient l'objectif de l'équilibrage proprement dit. Par exemple, si l'on veut produire 200 téléviseurs en une journée de 8 heures, la ligne doit être conçue avec une cadence de 25 par heure : un téléviseur doit être fabriqué tous les 40 millièmes d'heure.

Évaluation du nombre nécessaire d'opérateurs

Dans sa logique, la recherche de l'équilibre entre charge et capacité est simple. Elle résulte d'une recherche du potentiel nécessaire à mettre en place face à la charge prévisionnelle (représentée par le taux de production à atteindre).

Figure 18-4 – *Diagramme d'antériorité des opérations*

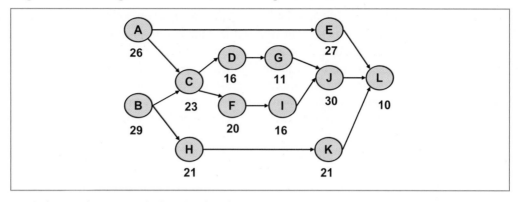

Soit top$_i$ le temps de l'opération i et Q la quantité à produire sur une période de référence (par exemple, le nombre d'articles par équipe) ; la charge de travail prévisionnelle est donc :

$$Q \times \Sigma_i \, top_i$$

La capacité de production obéit à l'équation suivante :

$$N \times H \times A$$

N est le nombre d'opérateurs et H est l'horaire de travail effectif sur la même période de référence, donc hors pauses et arrêts conventionnels. Le paramètre A spécifie l'activité moyenne probable qui représente la vitesse relative des opérateurs par rapport à la vitesse théorique utilisée pour estimer les temps. Par exemple, une activité de 130 % indique que les opérateurs parviennent à réaliser 130 produits dans le temps officiellement alloué pour la réalisation de 100 produits.

L'égalité entre la charge de travail et la capacité de travail conduit au nombre théorique de postes nécessaires :

$$N = \frac{Q \times \Sigma_i \, top_i}{A \times H}$$

En pratique, il convient d'arrondir N au nombre entier supérieur.

Exemple (suite) : l'objectif de production est de 200 produits par jour ; sachant que la somme des temps opératoires est de 0,25 heure, on trouve que la charge de travail correspondant à l'objectif de production est de :

$$Q \times \Sigma_i \, top_i = 200 \times 0,25 = 50 \text{ heures}$$

L'horaire de travail des ouvriers est de 8 heures par jour. S'ils travaillent à une cadence normale (A = 100 %), on trouve donc :

$$N = 50 / 8 = 6,25.$$

Si les ouvriers travaillent plus vite que le rythme normal, par exemple à un niveau d'activité de 130, ils pourront effectuer 8 x 1,30 heures de travail standard par jour, soit 10,40 heures. Le nombre d'ouvriers nécessaire est alors de :

$$N = 50 / 10,40 = 4,8 \text{ que l'on arrondit à 5.}$$

L'équilibrage des postes sur une chaîne de production

L'étape suivante est la répartition des opérations entre les postes. De cette répartition dépend tout d'abord la cadence de production effective qui est égale à la cadence du poste dont les opérations ont la durée la plus grande. Ensuite, la répartition doit assurer un bon équilibrage des temps de travail de chacun. Ce que l'on cherche à travers un bon équilibrage, c'est éviter les temps morts des opérateurs (ou des équipements) pour optimiser leur productivité et donc diminuer les coûts de fabrication. Comme expliqué ci-dessus, les contraintes technologiques imposent partiellement un ordre à la réalisation de ces opérations. On note néanmoins une certaine flexibilité pour grouper les opérations. Il s'agit donc de répartir, entre les N postes, les différentes opérations de telle sorte que :
- les contraintes d'antériorités techniques entre les opérations soient respectées,
- tous les postes de travail se voient attribuer des opérations dont le temps total par poste soit à peu près identique.

C'est à cette seule condition que la chaîne sera bien équilibrée.

Exemple (suite) : une répartition possible des opérations entre les cinq postes est la suivante (fig. 18-5).

Figure 18-5 – *Affectation des opérations aux postes*

Poste	Opérations	Temps opératoires (en milliheures)	Temps morts (en milliheures)
1	A, B	55	55 − 55 = 0
2	C, H	44	55 − 44 = 11
3	D, F, I	52	55 − 52 = 3
4	E, K	48	55 − 48 = 7
5	G, J, L	51	55 − 51 = 4

Dans ce cas, la cadence de production est d'une pièce toutes les 55 milliheures. Le total des temps morts pour une pièce est égal à 25 milliheures.

Ainsi on voit sur la figure 18-6 que le poste 1 de la chaîne est le plus chargé : il conditionne donc la cadence de la chaîne, et détermine le taux de production. Les autres postes ont donc, sur le papier, un temps mort par cycle qui ne peut pas être réduit.

Il est difficile de parvenir à une répartition égale des tâches. Cela provient de ce que les durées des tâches sont discrètes, inégales, et ne peuvent être indéfiniment divisées. De plus, l'allocation aux postes est limitée par des contraintes technologiques. L'équilibrage est donc rarement parfait.

Un grand nombre de techniques analytiques d'équilibrage ont été développées. Les méthodes de recherche de la répartition la plus équilibrée des opérations entre les postes sont basées sur la programmation mathématique. Cependant, la plupart des problèmes de ce type sont résolus en entreprise via des approches approximatives, ou heuristiques fondées sur l'expérience. En cas d'impossibilité d'obtention d'un équilibrage satisfaisant, on peut envisager la mise en œuvre de mesures spécifiques.

Figure 18-6 – *Affectation des opérations aux postes*

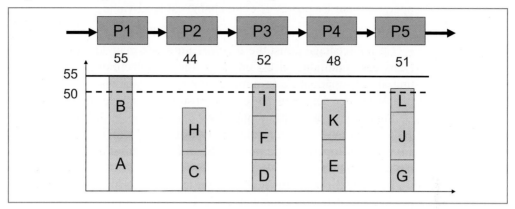

La qualité d'un équilibrage est importante à calculer. On le fait en évaluant la *perte d'équilibrage*, qui est le rapport entre la somme des temps morts et le temps total (y compris les temps morts) consacré par les postes à la fabrication d'une pièce. Soit C_m le temps opératoire du poste le plus chargé ; on trouve aisément que la perte d'équilibrage s'exprime comme

$$\frac{N\,C_m - \Sigma_i\,top_i}{N\,C_m}\,(\%)$$

On estime qu'un équilibrage correct doit correspondre à une perte d'équilibrage située entre 0 et 5 %. Il est possible que l'équilibrage aboutisse d'emblée à une production de la chaîne égale à l'objectif de production (premier cas). En revanche, les contraintes peuvent induire un équilibrage imparfait, au point que la production n'arrive pas à atteindre le niveau objectif initialement prévu.

Dans ce cas, plusieurs solutions existent selon les situations :

– Décision d'affecter sur le poste concerné un opérateur dont le niveau d'activité moyen est supérieur à celui qui a servi d'hypothèse au calcul, de façon à ramener le temps de réalisation *effectif* au niveau des autres postes. Il est donc indispensable de disposer d'un outil permettant la connaissance parfaite des qualifications, degrés de polyvalence et activités moyennes réalistes de l'ensemble du personnel de production.

– Dédoublement du poste le plus chargé (toutefois cette solution risque le plus souvent d'impliquer une occupation partielle du second poste, donc un problème de gestion de l'opérateur entre ce poste et un second sur une autre chaîne ou dans une autre section).

– Modification du processus opératoire en essayant, en particulier, de décomposer les opérations les plus longues qui posent les principaux problèmes d'équilibrage.

– Changement du nombre de postes envisagé et réalisation d'un second équilibrage sur cette nouvelle base. Cette solution correspond cependant à une modification de la capacité de production de la ligne.

Exemple (suite) : dans notre exemple, la perte d'équilibrage due à la répartition des opérations sur les postes de cette chaîne est la suivante :

$$(5 \times 55) - 250 = 25 \text{ soit } 25 / 255 = 9,8\ \%$$

Ce pourcentage constitue *a priori* un assez mauvais résultat pour un équilibrage. Dans ces conditions, il est envisageable de sélectionner des opérateurs travaillant à une allure supérieure à la normale pour les postes les plus chargés et des opérateurs plus lents (des débutants par exemple) sur les postes les moins chargés.

Supposons par exemple que, pour les postes 1 et 3, l'allure des opérateurs soit de 10 % supérieure à la normale (c'est-à-dire que leur coefficient d'activité soit égal à 110) et que l'opérateur du poste 2 ait un coefficient d'activité de 90. On trouve alors le tableau suivant (fig. 18-7).

Le poste 5 est le plus lent avec un temps effectif de 51 milliheures. Le temps total perdu est de 10 milliheures par pièce. La perte d'équilibrage est :

$$(51 \times 5) - 245 = 10 \text{ soit } 10 / 245 = 4,1\ \%$$

ce qui est satisfaisant car inférieur à 5 %.

L'optimisation de l'équilibrage

Pour trouver une solution satisfaisante lorsque l'on a de nombreuses opérations, on doit utiliser des méthodes mathématiques. Nous n'en décrirons qu'une : algorithme de Webster et Kilbridge (fig. 18-8).

Comme précédemment, on calcule le cycle objectif de la chaîne, c'est-à-dire le temps alloué à chaque poste.

Figure 18-7 – *Résultat de l'équilibrage*

Poste	Opérations	Temps opératoires arrondis (en milliheures)	Temps morts (en milliheures)
1	A, B	55 / 1,10 = 50	51 − 50 = 1
2	C, H	44 / 0,90 = 49	51 − 49 = 2
3	D, F, I	52 / 1,10 = 47	51 − 47 = 4
4	E, K	48 / 1,00 = 48	51 − 48 = 3
5	G, J, L	51 / 1,00 = 51	51 − 51 = 0

On détermine ensuite le niveau de chaque opération ; les opérations qui n'ont pas de prédécesseurs sont au niveau 1 ; celles qui ont un prédécesseur de niveau 1 sont au niveau 2, etc.

On affecte à chaque poste les opérations restantes de niveau le plus bas. Lorsque plusieurs opérations d'un même niveau sont susceptibles de compléter le poste, on retient la combinaison d'opérations qui sature le poste.

Après cette première affectation, on regarde si on ne peut pas améliorer la solution trouvée en déplaçant des opérations.

Figure 18-8 – *Application de l'algorithme de Webster et Kilbridge*

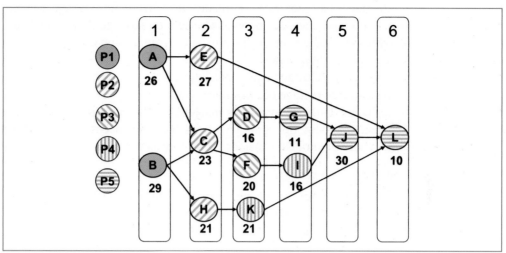

18/2.2 Les chaînes à produits multiples

L'utilisation de la chaîne et l'organisation en flux tendus conduisent à une production très efficace lorsque la variété des produits à fabriquer reste faible. Plus la variété des produits augmente, plus les problèmes de conception et de gestion de la chaîne deviennent complexes, et plus l'efficacité de la production diminue en termes de productivité.

Or, sur les marchés de produits de grande consommation, la concurrence est forte et les goûts des clients deviennent de plus en plus variés et différenciés. Dans l'industrie automobile, par exemple, aucune chaîne n'est consacrée à la production continue d'un seul et unique produit. Cette observation a un caractère général. Dans de nombreuses entreprises, une large famille de produits possède des pièces en commun, ou bien se réalise à travers des opérations similaires : cela justifie l'utilisation d'une même ligne de production pour différents produits.

Au problème de l'équilibrage vient alors s'ajouter un problème de programmation. Faut-il lancer les produits différents par lots successifs homogènes, ou les lancer de façon mélangée ?

Chaînes multiproduits par lots

Sur ces chaînes, un seul modèle ou type de produit à la fois est fabriqué par séries successives homogènes. Ce type de production pose les problèmes suivants :
– comment équilibrer la chaîne dans tous les cas ?
– quelles sont les tailles optimales des séries par types de produits ?
– dans quel ordre ces séries doivent-elles être engagées ?

En pratique, la chaîne est préparée pour un modèle de produit, puis des ajustements sont faits avant de commencer la fabrication du modèle suivant. On peut donc considérer le problème comme une succession de problèmes de conception de chaînes séparées.

La troisième question recouvre le problème de l'ordonnancement des séries de production. La séquence optimale des différentes séries dépend des coûts de préparation et de réglage de la chaîne lors du passage d'un modèle à l'autre (cf. chap. 19). Plus ces coûts sont élevés, plus la programmation doit se faire par lots importants.

Ces coûts comprennent :
– les coûts de changements d'outillages,
– les coûts de réglage des machines,
– les coûts de temps morts des machines et des ouvriers, de la montée en cadence et, éventuellement, des réimplantations partielles nécessaires. Ces coûts dépendent de la nature du modèle considéré et de son successeur.

Chaînes à modèles mixtes

Sur ces chaînes, un ou plusieurs modèles, ou bien une ou plusieurs variantes de produits, sont fabriqués simultanément. Les modèles sont mêlés sur la chaîne dans une proportion telle que les quantités prévues soient réalisées pour suivre au mieux la répartition des ventes à court terme. Les chaînes de montage d'automobiles ou de matériels agricoles comme les tracteurs sont conçues suivant ce principe. La réalisation des chaînes mixtes est nettement plus complexe que celle des chaînes à modèles multiples.

Les questions suivantes se posent :
– comment équilibrer la chaîne ?
– dans quel ordre faut-il placer les modèles sur la chaîne ?

Par rapport aux chaînes à modèles multiples, une chaîne mixte présente l'avantage de produire un flux régulier de modèles pour satisfaire la variété de la demande des consommateurs. Il ne se constitue donc pas – théoriquement – de stocks de produits finis. Cependant, le fait que les modèles ne demandent pas les mêmes opérations élémentaires a pour effet la sous-utilisation et/ou la saturation de certains postes de travail avec des risques de files d'attente importantes de produits semi-finis (si le stockage est possible), ou d'arrêts de certains postes en aval.

Le problème de l'équilibrage de ce type de chaîne peut être envisagé schématiquement de la façon suivante. On détermine toutes les opérations élémentaires nécessaires à la fabrication de tous les modèles et l'on groupe les opérations communes à un ou plusieurs modèles aux mêmes postes de travail.

On essaie ensuite d'équilibrer la chaîne de façon théorique. En pratique, la réalisation est délicate. Plus on regroupe les modèles identiques par grande série, plus il y a de temps morts sur les postes de travail non engagés par le modèle en question.

18/2.3   *L'approvisionnement des lignes*

Une chaîne d'assemblage a pour objectif d'incorporer progressivement des composants au produit. Ceux-ci doivent être apportés en bord de chaîne de telle sorte que les opérateurs puissent en disposer pour réaliser le montage. Si un composant est manquant, soit on laisse le produit poursuivre sa progression avec une pièce manquante que l'on devra placer en fin de processus lorsqu'elle sera disponible, soit, si ce n'est pas possible, on doit interrompre tout le processus.

Un approvisionnement régulier en composants des bords de chaîne est donc fondamental. C'est la logistique interne qui en est responsable.

Les modes d'approvisionnement dépendent de la diversité et de la taille des pièces : les pièces de grande taille ne peuvent être stockées en nombre en bord de chaîne, elles doivent donc être réapprovisionnées fréquemment. Si les composants à incorporer à un poste de travail sont très diversifiés, il est impossible de les garder tous en bord de chaîne : on devra les apporter juste au moment où l'on en a besoin.

Les modes de réapprovisionnement

L'approvisionnement se fait à partir de magasins de stockage internes à l'usine ou externes (magasins avancés fournisseurs, usines de composants).

Si l'approvisionnement des chaînes simples ne pose pas trop de difficultés, les chaînes à modèles mixtes posent un difficile problème d'alimentation. En effet, la technique classique qui consiste à stocker aux abords de la ligne toutes les pièces ou sous-ensembles nécessaires entraîne de sérieux problèmes d'encombrement. Chaque option, chaque variante, exige en effet une réservation d'espace.

On peut distinguer quatre modes d'approvisionnement d'une chaîne de montage.

Le mode « Programme »

La première étape consiste à établir le « film » journalier de fabrication, c'est-à-dire à définir la succession des modèles qui seront montés sur la ligne. À partir de ce film, on effectue un calcul des besoins précis (à la minute près) pour déterminer les quantités de composants nécessaires à chaque instant.

On émet ensuite le planning des sorties de stock et de manutention jusqu'au poste consommateur (fig. 18-9).

Figure 18-9 – *Le mode « Programme »*

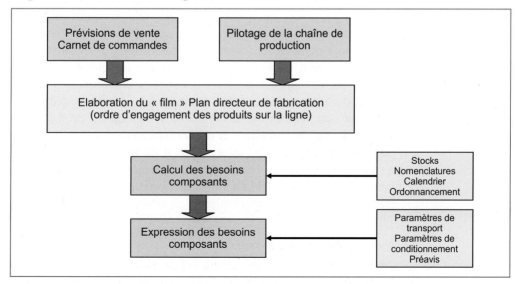

Le mode « Point de commande »

Pour les articles peu volumineux et qui sont communs à la majorité des produits fabriqués, on peut estimer que leur consommation est régulière. On peut donc utiliser les techniques classiques de gestion des stocks : on calcule un point de commande pour les stocks de bord de chaîne. Celui-ci doit être fixé de telle sorte qu'un réapprovisionnement parvienne dans le délai de livraison des produits en bord de chaîne (fig. 18-10).

Figure 18-10 – *Le mode « Point de commande »*

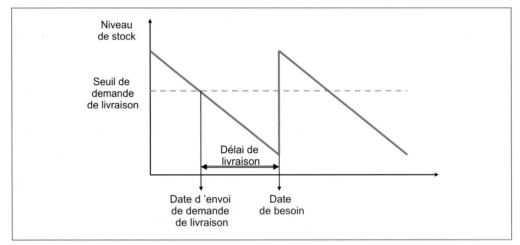

Il faut savoir immédiatement lorsque le stock descend en dessous du point de commande ; plusieurs méthodes peuvent être mises en œuvre :

- une alerte physique dans le stock : on place un repère à l'intérieur du stock ; lorsque celui-ci est découvert, on lance une demande de réapprovisionnement auprès de la logistique interne,
- le système à deux casiers, système le plus simple bien que non optimal ; l'espace de stockage peut contenir deux conteneurs ; lorsqu'un conteneur est vide, il est récupéré par les approvisionneurs qui vont en chercher un plein et le place derrière le second conteneur ; pendant ce temps, les opérateurs prélèvent dans le second conteneur ; on peut utiliser un stockage dynamique, c'est-à-dire que les conteneurs sont placés sur les rouleaux et descendent seuls lorsque l'on enlève le conteneur vide sans avoir besoin de l'intervention d'un approvisionneur,
- la post-consommation, qui consiste à évaluer les consommations de chaque composant à partir des quantités de produits finis sorties de la chaîne ; les approvisionneurs sont alors alertés et procèdent au réapprovisionnement de la ligne.

Le mode « Kanban Fournisseurs »

Ce mode de réapprovisionnement est décrit sur la figure 18-11. On peut l'utiliser avec les fournisseurs externes proches de l'usine. On utilise le principe du Kanban en utilisant, soit un Kanban électronique, soit un Kanban physique qui est souvent l'emballage vide. Lorsque le contenu d'un emballage est entièrement consommé, l'emballage est retourné au fournisseur qui est ainsi informé de la consommation et qui doit en faire parvenir un plein. En pratique, on retourne plusieurs emballages simultanément (pour un même composant et pour des composants différents) pour minimiser les coûts de transport.

Figure 18-11 – *Le mode « Kanban Fournisseurs »*

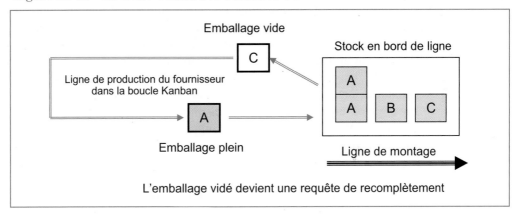

Le mode « Synchrone »

Cette solution consiste – au moins pour les pièces volumineuses – à livrer sur la chaîne, dans l'ordre dans lequel ils doivent être montés, les seuls produits nécessaires à chaque véhicule spécifié. Cette technique s'appelle la *synchronisation* (fig. 18-12). Par exemple, dans le cas de sièges automobiles, dont la couleur ou la forme dépendent du modèle commandé par le client, le fournisseur livre les sièges par camion. Dans le camion, les différents sièges sont déjà rangés en fonction de la façon dont les véhicules se présenteront sur la ligne de montage (cet ordre est appelé le *film* de la journée de production).

Figure 18-12 – *Le mode « Synchrone »*

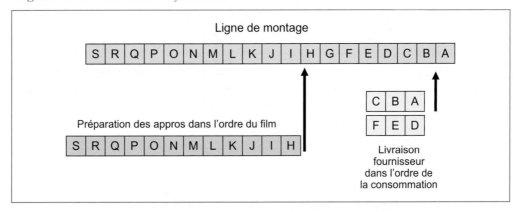

Cette technique est délicate à mettre en œuvre car elle suppose une grande fiabilité dans le déroulement des processus de production et de livraison. En effet, en l'absence de stock, la moindre erreur peut compromettre le déroulement de la production.

La logistique interne

La pratique la plus courante consiste à apporter au moyen d'un chariot élévateur un conteneur de pièces depuis le stock central. Rappelons qu'un conteneur a une capacité d'environ 1 m^3. L'inconvénient de cette solution est que les conteneurs traditionnels prennent beaucoup de place en bord de chaîne et que leur contenu correspond, pour des petites pièces, à plusieurs heures de consommation. C'est pourquoi, on préfère maintenant utiliser des bacs de petite capacité aisément manipulables à la main.

Pour éviter aux opérateurs sur la ligne d'avoir à prélever des pièces dans de nombreux conteneurs, on peut effectuer une préparation de conteneurs dans lesquels on a placé au préalable toutes les pièces qu'ils ont à monter ; cela suppose une synchronisation parfaite entre la préparation de conteneurs et les produits qui se trouvent sur la ligne de montage. Une équipe de préparateurs effectue le *picking* des composants dans le stock en fonction des besoins qui leur sont communiqués par le système d'information.

Dans ce cas, les moyens de manutention utilisés peuvent être un petit train de chariots conduit par un approvisionneur qui se déplace en bord de chaîne et dépose les conteneurs auprès des postes (fig. 18-13).

On peut aussi utiliser des chariots filoguidés et c'est l'opérateur de ligne qui décharge les conteneurs qui lui sont destinés.

Figure 18-13 – *L'approvisionnement des lignes de montage*

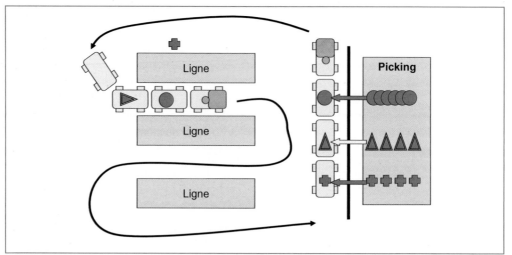

18/2.4   *Aspects humains du travail en ligne*

Dans une chaîne entièrement automatisée, où l'ouvrier n'intervient pas dans le processus de fabrication, la durée des opérations élémentaires varie très peu. C'est donc une situation idéale pour l'application des méthodes d'équilibrage. En revanche, lorsque les postes de travail sont à dominante manuelle, le temps d'exécution varie de façon aléatoire autour d'un temps moyen (comme on peut l'observer dans une procédure de chronométrage).

Cette dispersion incite, au moment de la conception de la chaîne, à fixer le cycle à une valeur supérieure à la moyenne de la distribution du temps de travail à chaque poste. Cependant si le cycle est trop grand, il apparaît un sous-emploi de la main-d'œuvre, donc une dégradation du coût de revient.

Des études ont montré que ces *pertes de système*, résultant de la variabilité des durées des tâches, sont plus importantes que celles résultant d'un mauvais équilibrage. Dans ces conditions, le problème de la conception d'une chaîne est autant celui de l'adaptation des opérateurs au travail que celui d'une division égale du travail entre postes. Dans le fonctionnement quotidien, ces pertes de système ont une influence déterminante sur le taux de production de la chaîne. Les solutions pour y faire face sont multiples, bien que toutes imparfaites.

Temps de mise à disposition du produit

L'exemple suivant d'une chaîne cadencée montre que les pertes de système dépendent directement du temps durant lequel le produit est disponible pour l'ouvrier.

Considérons une chaîne où les ouvriers sont assis. Les produits en cours se déplacent au-dessus des postes dans des balancelles au moyen d'un convoyeur aérien. L'ouvrier doit prendre le produit, faire les opérations nécessaires, remettre dans la balancelle le produit semi-fini qui est transporté au poste suivant. Les balancelles sont espacées de 1,5 mètre et le convoyeur se déplace à la vitesse de 1,5 mètre par minute. La chaîne produit donc 60 produits à l'heure. Avec un espacement de 0,75 mètre et une vitesse de 0,75 mètre par minute, on a la même production à l'heure. Mais chaque combinaison a un effet différent sur l'ouvrier assis qui ne peut atteindre les produits que dans un rayon de 0,75 mètre. Donc, le produit est disponible une demi-minute dans le premier cas et une minute dans le deuxième cas. Les pertes de système sont réduites sans affecter le taux de production si l'on allonge le temps de disponibilité pour effectuer les opérations à chaque poste.

Décadencement de la chaîne

La seconde solution, pratiquée lorsque les produits ont un faible encombrement et une valeur unitaire assez réduite, consiste à disposer entre les postes des stocks intermédiaires permettant d'absorber les fluctuations de cadences entre postes, et de déconnecter en partie les postes de travail sans provoquer des arrêts ou ralentissements du flux.

De plus en plus, les entreprises sont assez réservées face à cette solution. En effet, elle a été trop fréquemment utilisée comme un moyen de pallier des dysfonctionnements sans chercher à en traiter les causes. Il est clair que le fait de constituer des stocks intermédiaires présente certains inconvénients :

– immobilisation permanente de capitaux dans les stocks, et augmentation du besoin en fonds de roulement,

- corrélativement, allongement des délais de réaction à un changement technique ou commercial,
- enfin, cette solution, par la constitution de stock, rend plus malaisés le contrôle et la maîtrise de la qualité car elle retarde la détection des défauts.

Développement de la polyvalence

Une autre mesure consiste à s'appuyer sur l'existence de personnel polyvalent qui pourra changer de poste selon l'évolution des activités respectives pour rééquilibrer l'outil de production. Dans certains cas, lorsque la polyvalence est complète, chaque opérateur transporte le produit et réalise les opérations sur la succession des postes de travail. Cette organisation s'appelle le *pièce à pièce*. L'avantage est d'éliminer tout problème d'équilibrage tout en créant une grande souplesse dans la gestion de la capacité : il suffit de faire varier le nombre d'opérateurs parcourant la ligne. Cette organisation suppose néanmoins une surcapacité en machines pour que les opérateurs ne se gênent pas et elle entraîne généralement une perte de temps en déplacements.

Dédoublement de la chaîne (ou de certains postes)

Une quatrième solution consiste à remplacer la chaîne unique par deux chaînes parallèles, voire plus.

Dans le cas d'un dédoublement, les deux nouvelles chaînes seront constituées de deux fois moins de postes, ayant à réaliser deux fois plus d'opérations par poste. La condition du succès est une polyvalence plus élevée (élargissement des tâches des opérateurs, plus grande responsabilité).

L'avantage additionnel est que, statistiquement, la variabilité du temps opératoire total à chacun des postes diminue, dans la mesure où le nombre d'opérations élémentaires augmente (diminuant ainsi les pertes de système en pourcentage du temps opératoire).

De plus, en cas de fluctuations du taux de production global dues à une évolution des besoins commerciaux, il suffit d'ajuster une seule des deux ou trois chaînes, les autres restant stables et équilibrées sans modification fondamentale. L'inconvénient majeur d'une telle formule est qu'elle augmente les besoins d'outillage, ainsi que la place occupée par les stocks.

Chapitre 19

Les processus déconnectés et le suivi de fabrication

Les processus de production dits déconnectés sont des processus dans lesquels les flux de produits ne suivent pas de séquences d'opérations fixes. C'est le cas lorsque les divers produits ont des gammes opératoires très différentes. Les parcours entre les ressources variant d'un produit à un autre, les transferts entre opérations ne peuvent pas être efficacement réalisés pièce par pièce. Ils sont organisés par lots, entraînant une discontinuité des flux.

L'étape de planification à court terme de tels processus consiste à affecter de manière détaillée les ressources aux ordres de fabrication : c'est le domaine de la gestion d'atelier à court terme dont l'horizon s'étend d'une journée à un mois.

Suivant les cas, l'entreprise dispose soit d'un système MRP qui définit sur un horizon de quelques semaines la liste des ordres de fabrication à réaliser, soit d'un portefeuille de commandes à réaliser (cas d'un sous-traitant prestataire par exemple).

À ce stade, le plan de production détaillé (PDP) est défini, l'atelier a reçu l'ensemble des ordres à lancer dans la période et l'équilibre charge-capacité global a été validé par un calcul des charges à capacité infinie. En effet, il ne servirait à rien de chercher à faire un ordonnancement si un poste de charge était en surcharge chronique : il en résulterait nécessairement des retards sur les dates de livraison.

Il faut maintenant déterminer les priorités de passage sur les machines (fonction *Ordonnancement*), faire démarrer la fabrication correspondante (fonction *Lancement*) et enregistrer l'avancement du travail (fonction *Suivi*).

Dans la gestion à court terme, pendant les phases d'ordonnancement et de suivi, quelques ajustements mineurs de la capacité peuvent s'avérer nécessaires du fait des aléas imprévisibles comme l'absentéisme, les défauts de qualité ou les pannes de machines.

19/1 La fonction Ordonnancement : des objectifs multiples

Le but principal de l'ordonnancement est de définir un planning de travail pour les ateliers de telle sorte que les dates planifiées de mise à disposition des produits fabriqués soient respectées. Dans un système MRP, si un composant n'est pas disponible à la date prévue, le composé de niveau supérieur ne pourra être assemblé au moment prévu. Il en résultera des retards en cascade sur tout le programme de production et de livraison.

Un objectif complémentaire est la bonne utilisation des moyens de production et, en particulier, des postes de charge critiques, c'est-à-dire ceux dont la capacité est saturée. Sur un poste de charge dont le rapport charge/capacité calculé à capacité infinie est proche de 1, toute heure perdue ne pourra être rattrapée et entraînera nécessairement un retard. L'ordonnancement cherchera donc à éviter toute inactivité.

La bonne utilisation des moyens de production passe aussi par une optimisation des temps perdus en réglage des machines. Il arrive fréquemment que le temps de réglage d'une machine pour fabriquer une pièce dépende de l'état initial de la machine, donc de la pièce qu'elle fabriquait précédemment. Considérons l'exemple d'une machine produisant des boulons ; si les boulons sont de même diamètre mais de longueurs différentes, le temps de réglage de la machine est de l'ordre de 5 minutes ; si l'on change de diamètre, il faut changer l'outillage et alors le temps de réglage est d'une demi-heure. L'ordonnancement devra naturellement chercher à enchaîner des fabrications de boulons de même diamètre pour perdre le moins de capacité possible en changement de diamètres.

Pour atteindre ces objectifs, deux approches fondamentales de planification à court terme peuvent être mises en œuvre : *l'ordonnancement prévisionnel déterministe* et *la gestion décentralisée des files d'attente*.

Lorsque les flux sont relativement réguliers, on peut utiliser une autre méthode de régulation : la méthode *Kanban* qui s'appuie sur les concepts du Juste-à-temps où les flux sont tirés par l'aval. Elle s'apparente à une gestion décentralisée de files d'attente et est décrite dans la section 6.

19/2 L'ordonnancement prévisionnel déterministe

Ce modèle ne peut être mis en œuvre que dans les industries où les temps opératoires sont connus de façon assez précise. Partant de l'hypothèse que les durées des opérations de fabrication sont prédéterminées et définies dans les gammes (fournies par le Bureau des Méthodes), on peut représenter très simplement le déroulement prévu des travaux dans l'atelier sur un tableau appelé *diagramme de Gantt*. Celui-ci consiste à représenter sur une demi-droite figurant l'axe des temps les temps opératoires de chaque OF sur chaque machine par des segments dont les longueurs sont proportionnelles aux durées des opérations (fig. 19-1).

Cette méthode présente un caractère centralisateur très marqué (on parle aussi d'*ordonnancement centralisé*). Elle définit, en effet, dans le détail l'activité prévisionnelle de chaque atelier, de chaque machine ou de chaque poste opératoire, et permet ainsi à tout moment un contrôle des réalisations. De plus, elle traite en même temps le problème de l'ordonnancement proprement dit, à savoir la détermination de l'ordre de passage des travaux sur les machines, et celui du suivi de l'équilibre charge/capacité. Dans le cadre de l'ordonnancement, aucune machine n'est en surcharge à un moment donné. L'équilibre est réalisé automatiquement par la procédure.

En effet, si la capacité nécessaire n'est pas disponible au moment requis, l'ordonnancement repousse (ou avance) l'opération jusqu'à ce qu'elle trouve une capacité disponible pour placer l'opération. On parle aussi d'*ordonnancement à capacité finie*, pour exprimer que cette procédure prend en compte la capacité instantanée, contrairement à ce qui avait été fait au chapitre 12, dans le cadre de l'analyse des charges par poste de charge à l'issue du calcul des besoins. On parlait dans ce dernier cas de chargement à capacité infinie.

Figure 19-1 – *Diagramme de Gantt des opérations d'un OF*

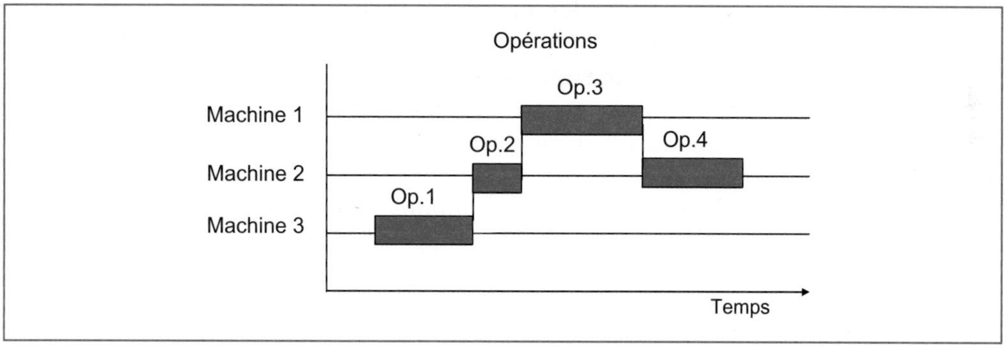

À ce niveau de planification, on considère la capacité comme une donnée, l'ajustement entre la charge et la capacité se faisant automatiquement en allongeant si nécessaire le délai de livraison des ordres de fabrication (appelés par la suite OF). Le problème d'ordonnancement admet donc toujours une solution, même si celle-ci se traduit par un retard sur le planning.

La procédure d'ordonnancement consiste à charger successivement les ordres de fabrication issus des commandes des clients ou du calcul des besoins. Ces ordres spécifient la quantité de pièces à réaliser et la date de livraison demandée. L'ordre de fabrication reprend de plus la succession des opérations de fabrication avec les temps alloués.

Mais, pour réaliser l'ordonnancement, il faut se fixer une règle pour déterminer l'*ordre* dans lequel les OF sont ordonnancés. En effet, cet ordre n'est pas indifférent. Il y a autant d'ordonnancements que d'ordres dans lesquels on peut charger les OF. Le plus souvent, on prend en compte les impératifs de délai de livraison, délai commercial vis-à-vis du client final ou délai interne dans les relations inter-ateliers. Dans ce cas, ce délai permet de synchroniser les disponibilités prévisionnelles des OF dans une procédure MRP par exemple.

19/2.1   L'ordre de chargement des OF

Le résultat de l'ordonnancement dépend de l'ordre dans lequel les OF sont placés sur le planning des machines. Les premiers OF sont faciles à placer, les derniers sont plus difficiles du fait de l'encombrement de l'atelier. Il convient donc de charger les OF dans un ordre qui permet le mieux de satisfaire les objectifs assignés à l'ordonnancement, par exemple le meilleur respect des dates de livraisons demandées ou le meilleur remplissage de l'atelier (laissant le moins de trous dans le planning).

Les principales règles de priorité pour le chargement des ordres sont les suivantes :

– *Date de besoin la plus rapprochée* : on charge d'abord les OF qui doivent être terminés le plus tôt,

– *Nombre d'opérations le plus grand* : on place en priorité les OF qui doivent passer par un grand nombre de postes de charge,

– *Temps de travail le plus long* : on charge d'abord les OF qui sont longs à réaliser et ensuite on peut placer dans les périodes creuses ceux qui demandent moins de temps,

– *Marge la plus faible* : la marge étant définie comme la différence entre le délai restant et la somme des temps opératoires, une priorité aux OF à marge faible signifie que l'on charge d'abord les plus difficiles à placer car ils ne disposent que de peu de battement : leurs opérations doivent s'enchaîner sans attente.

Autant les premiers OF chargés sont placés facilement puisque les machines sont inoccupées, autant il est difficile de placer les derniers, ce qui a pour conséquence d'allonger leurs cycles de fabrication : certaines opérations doivent être retardées jusqu'à ce que l'on trouve une durée disponible sur la machine au moins égale à la durée prévisionnelle de l'opération. Ces attentes peuvent engendrer des stocks d'en-cours importants. Le résultat obtenu sur les délais et le taux de chargement de l'atelier dépend de l'ordre dans lequel les différents OF ont été chargés. Une fois l'ordre de chargement choisi, on dispose de deux possibilités pour placer les OF sur le planning : le *chargement au plus tôt* et le *chargement au plus tard*.

19/2.2   Le chargement au plus tôt

La procédure de chargement au plus tôt d'un OF consiste à charger, dans l'ordre chronologique, les opérations de l'OF en commençant par la première opération *dès que le potentiel disponible le permet*. On dispose, sur les demi-droites qui représentent la capacité de chaque machine, un segment proportionnel à la durée de l'opération de l'OF. On procède ainsi de la gauche vers la droite, c'est-à-dire du présent au futur en plaçant d'abord la première opération de l'OF puis la seconde, etc. Lorsque l'on a terminé d'ordonnancer un OF, on passe à l'OF suivant (selon la règle de priorité sélectionnée) et ainsi de suite.

On privilégie ainsi l'occupation à très court terme de l'atelier et on laisse la capacité future disponible. Par contre, rien ne dit que la date de livraison sera respectée. On trouvera sur la figure 19-3 un exemple d'ordonnancement au plus tôt réalisé à partir du tableau des ordres de fabrication (fig. 19-2), avec comme ordre de priorité de chargement : OF 1, OF 2, OF 3 et enfin OF 4.

Le chargement de l'OF 3 illustre une des principales caractéristiques de ce type de production (organisation par ateliers et fabrication par lots), à savoir à la fois les attentes des OF devant les postes et la faible utilisation des ressources. Ainsi, on ne peut lancer l'OF 4 qu'en début de septième heure, la machine M1 étant occupée auparavant par les OF 2 et 3. De fait, M2 qui a une charge de travail totale, sur la période, de douze heures finit la dernière opération de l'OF 3 à la dix-septième heure. De même, M4 fonctionne quinze heures, mais doit étaler son travail sur vingt-sept heures, etc.

Figure 19-2 – *Tableau des ordres de fabrication*

Postes de charge	M1	M2	M3	M4	M5	M6	Délai (h)
OF 1	-	2	-	-	5	7	35
OF 2	1	3	5	3	3	2	40
OF 3	6	2	-	4	2	7	30
OF 4	5	5	3	8	-	-	37
Charge totale par poste de charge	12	12	8	15	10	16	

Figure 19-3 – *Le chargement au plus tôt*

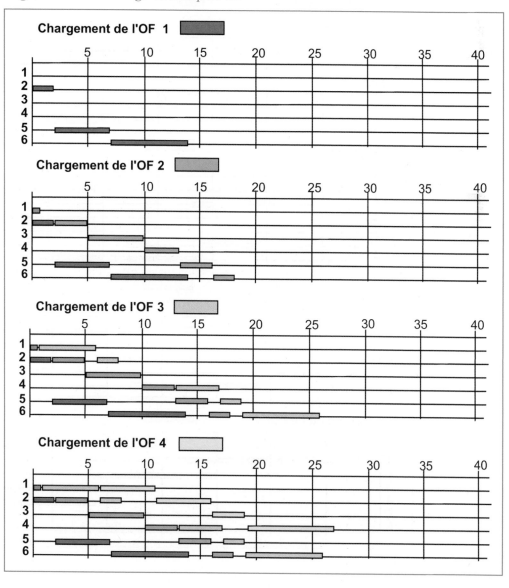

19/2.3 Le chargement au plus tard

On commence, dans ce cas, par placer *la dernière opération* de l'OF le plus près possible de la date d'achèvement imposée (date de livraison par exemple). On remonte ensuite dans le temps en chargeant l'avant-dernière opération et ainsi de suite jusqu'à la première. La figure 19-4 présente un tel ordonnancement, sur les mêmes données que l'ordonnancement précédent, en plaçant les OF dans l'ordre des délais de livraison.

Figure 19-4 – *Le chargement au plus tard*

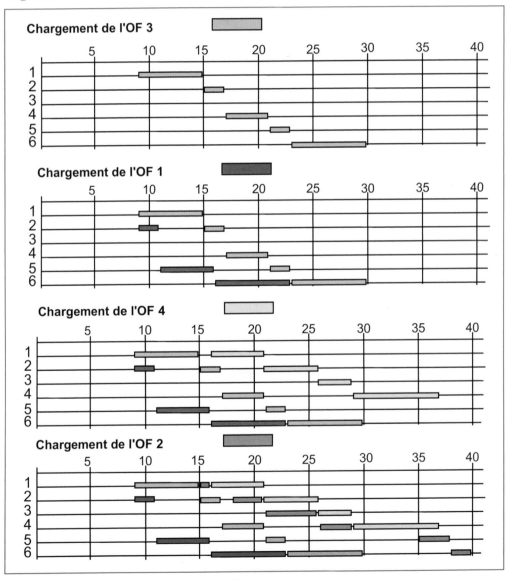

Le chargement au plus tard libère du temps à court terme, charge la période future et minimise les stocks d'en-cours. Il privilégie le respect des délais et garde la capacité actuelle disponible pour placer des commandes urgentes.

On peut toujours définir un ordonnancement au plus tôt (quitte à dépasser les dates de livraisons demandées). En revanche, la capacité disponible peut empêcher de placer au plus tard l'ensemble des lots entre la date de livraison et la date actuelle. On pourrait aboutir à une opération à démarrer la semaine dernière !

Dans la pratique, on combine souvent l'utilisation des deux méthodes en un chargement mixte : on commence par un chargement de l'OF au plus tard, puis au plus tôt s'il n'a pas été possible de l'ordonnancer.

19/2.4 Le chevauchement des opérations

Dans les procédures de chargement que nous avons présentées, une opération ne peut être placée que lorsque l'opération précédente est entièrement terminée pour la totalité du lot. Or, en particulier lorsqu'il y a des opérations longues, il est possible d'effectuer deux opérations successives partiellement en parallèle pour réduire le cycle total de fabrication. C'est ce que l'on appelle le *chevauchement* (fig. 19-5).

Figure 19-5 – *Chevauchement entre opérations*

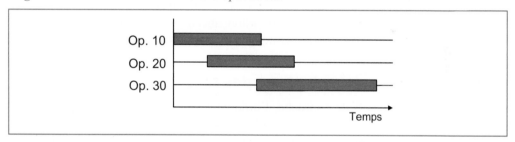

Comme, bien souvent, il n'existe qu'une seule fiche suiveuse qui identifie les pièces du lot, le chevauchement peut présenter le risque de confusion des pièces d'un lot qui se trouvent réparties en plusieurs lieux géographiques. Le chevauchement est facilité si les machines sont proches, voire « en ligne ».

19/2.5 Critiques de l'ordonnancement centralisé

Cette méthode ne permet pas aisément l'ordonnancement simultané d'OF d'assemblage de produits finis et des OF relatifs aux composants qui entrent dans les produits finis. Sauf à garder des décalages de sécurité, tout aléa au niveau de la réalisation des composants rendra caduc le planning des OF d'assemblage.

L'ordonnancement centralisé fournit à l'atelier un plan de travail détaillé sur un horizon aussi éloigné qu'on le désire. Le responsable pense ainsi connaître les dates de fin de chaque OF, ce qui permet à la fois d'annoncer des délais aux clients et d'affecter à l'avance les moyens de production aux différentes tâches.

Malheureusement, cet ordonnancement s'avère souvent peu réaliste dans la mesure où il est destiné à être perpétuellement remis en cause. En effet, des nouvelles commandes arrivent en permanence et des urgences viennent perturber le planning initial. De plus, le délai de réalisation de chaque tâche tient compte, en plus des temps de manutention, de réglage et de fabrication, d'un temps d'attente moyen sur le poste qui, naturellement, varie en fonction de la charge de l'atelier. Les temps de réalisation standard eux-mêmes sont des moyennes : les temps réels se distribuent autour des standards sans que le temps total de réalisation d'un lot soit nécessairement égal à *n* fois le temps standard unitaire. Nous sommes en effet dans le domaine de la petite série où *la loi des grands nombres* ne s'applique pas. Ainsi sur un planning très chargé, il suffit que quelques opérations voient leurs temps réels varier par rapport aux temps alloués prévisionnels pour que le décalage se répercute sur tout l'ordonnancement restant à courir et le rende faux. Il peut enfin y avoir tous les aléas habituels : pièces défectueuses, pannes, retards de livraison, absentéisme imprévu.

On tente donc de gérer de façon déterministe un univers par nature aléatoire. Tant que l'atelier fonctionne avec un faible rapport charge/capacité, on peut utiliser ce type d'ordonnancement sous réserve de fréquentes remises à jour. Il est également bien adapté au cas d'ateliers où les opérations sont en partie ou totalement automatisées (le phénomène aléatoire de réalisation des opérations étant limité du fait de la faible dispersion des temps réels autour de leur moyenne).

Il existe des progiciels de gestion d'atelier capables de réaliser de tels ordonnancements à condition qu'un ajustement charge/capacité des ressources ait été effectué au préalable. Fonctionnant en capacité finie, de tels logiciels recalculent en permanence les nouveaux ordonnancements engendrés par chaque aléa de fabrication et fournissent par là-même, une aide appréciable au gestionnaire d'atelier.

19/3   La gestion décentralisée des files d'attente

Dans cette approche, l'ordonnancement se réduit à des décisions locales, c'est-à-dire que le choix des OF à faire passer sur les machines n'est pas déterminé prévisionnellement, mais en temps réel sur chaque poste de travail, au moment où les machines se libèrent. On considère ainsi l'atelier comme un réseau de files d'attente de lots en attente de ressources (fig. 19-6). On parle aussi d'*ordonnancement décentralisé*.

Le principe en est le suivant : lorsqu'une machine devient disponible, le responsable choisit parmi les OF en attente devant cette machine celui qui s'avère être le plus urgent selon une règle de priorité prédéfinie. Les décisions sont ainsi prises de manière décentralisée. La même règle de priorité étant appliquée sur tous les centres opératoires, on fait l'hypothèse qu'un ensemble de décisions locales permet d'atteindre un objectif global.

Ajoutons que, contrairement à l'ordonnancement centralisé, la gestion locale des files d'attente ne prétend pas régler le problème de la gestion prévisionnelle de la capacité. Elle ne peut donc fonctionner correctement que si ce problème a déjà été traité au préalable.

On distingue deux grandes familles de règles de priorité : des règles qui ne prennent en considération que les lots en attente devant un poste que l'on appellera des *règles locales* et des règles qui prennent en compte l'état de l'atelier que l'on appellera des *règles globales*.

Figure 19-6 – *L'atelier vu comme un réseau de files d'attente*

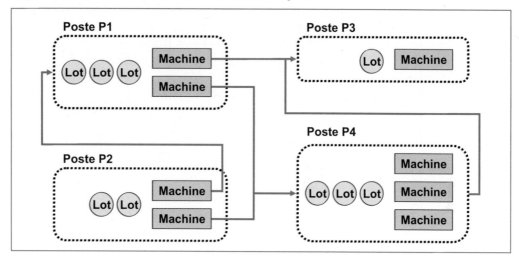

19/3.1   Les règles locales

– *Premier arrivé-premier servi* : c'est la règle la plus simple ; elle consiste à sélectionner les OF dans l'ordre d'arrivée sur les postes de charge. Elle s'utilise souvent lorsque les temps opératoires sont faibles face aux délais de livraison, c'est-à-dire lorsque l'on dispose d'une marge suffisante pour leur réalisation. Cependant, en cas de panne de machine ou de défaut pouvant engendrer un retard, il s'avère totalement impossible d'accélérer la procédure afin de rattraper le temps perdu.

– *SOT (Shortest Operating Time)* : elle consiste à donner la priorité à l'OF qui représente le temps opératoire le plus court pour le poste considéré. Cette règle maximise le nombre d'OF terminés par unité de temps, mais risque de laisser de côté pendant très longtemps une opération particulièrement longue.

– *Délai de livraison* : qu'il s'agisse d'OF issus d'une procédure MRP ou de commandes venant des clients, cette règle classe les OF par date de livraison. Les OF en retard ont évidemment une priorité absolue par ordre décroissant du retard.

– *Priorité au lot de plus grande valeur* : l'objectif est de réduire la valeur du stock d'en-cours en privilégiant le passage des commandes représentant la plus grande valeur en-cours.

– *Règle du ratio critique* : cette règle vise avant tout le respect des délais, ce qui en fait la plus appliquée dans la pratique. Elle consiste à calculer, pour chaque lot en attente, le rapport entre le nombre de jours restant avant la date d'achèvement prévue (*Dr*) et le nombre d'opérations restant à réaliser (*n*). Plus la valeur du ratio *Dr/n* sera faible, plus le lot sera prioritaire sur le poste de charge considéré. Ce ratio devient négatif dès que le lot présente du retard. Il existe une variante qui prend en compte au dénominateur la somme des temps opératoires et des temps de réglage à réaliser avant l'achèvement du lot au lieu du nombre des opérations. L'exemple suivant (fig. 19-7) illustre cette seconde définition.

Figure 19-7 – *Application de la règle du ratio critique*

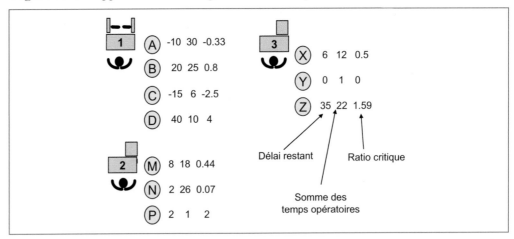

Le lot C passera en premier sur la première machine, car le délai restant divisé par le temps opératoire total des opérations encore à réaliser fournit la valeur la plus faible (indice – 2,5) par rapport à A, B et D. Lorsque la machine se libérera, il devra donc être sélectionné en premier.

Cette variante, plus complexe que la précédente, ne présente de l'intérêt que si les temps opératoires de la gamme sont longs par rapport à la durée du cycle total. Or, le plus souvent, ceux-ci dépassent rarement 10 % de ce cycle compte tenu de l'importance des temps d'attente, de manutention et de contrôle ; aussi se contente-t-on généralement de la première définition.

Quelle que soit la variante retenue, la règle du ratio critique permet une prise en compte rapide des dysfonctionnements. En effet, si un lot subit par exemple un incident de fabrication, il devient aussitôt prioritaire pour les opérations suivantes et peut ainsi diminuer, voire rattraper, son retard.

19/3.2 Les règles globales

Ce type de règles fait l'hypothèse que l'on peut prendre de meilleures décisions si l'on ne considère plus un poste de charge isolément mais si l'on tient compte de l'état des autres postes de charge de l'atelier et, en particulier, de ceux sur lesquels les OF en attente doivent se diriger après avoir été traités à un poste. Par exemple, il serait de peu d'utilité de faire passer en priorité un lot qui doit ensuite être traité par une machine en panne.

Des règles de ce type peuvent être très complexes. Elles visent à saturer à court terme l'outil de production et à éviter qu'un poste de charge ne s'arrête faute de travail. Nous en présenterons trois :

– *Priorité à la file d'attente suivante la plus courte* : cette règle implique de surveiller les postes où les OF en attente devront aller après être passées sur le poste concerné. On fera passer en priorité l'OF qui doit se diriger vers le poste dont la file d'attente actuelle est la plus courte (en nombre de lots) comme illustré sur la figure 19-8. Le lot A doit passer sur le poste 1 puis sur le poste 2 où il y a déjà 4 lots en attente. Le lot B doit passer sur le poste 1 puis sur le poste 3 devant lequel deux lots attendent. Le lot C doit passer sur le poste 1 puis sur le poste 4 où un seul lot est en attente. Si l'on fait passer le lot A en priorité, on le changera de file d'attente. En revanche, on remarque que le poste 4 n'a qu'un lot en attente et qu'il risque donc de manquer de travail. On peut donc avoir intérêt à faire passer d'abord le lot C.

Figure 19-8 – *Priorité à la file d'attente suivante la plus courte*

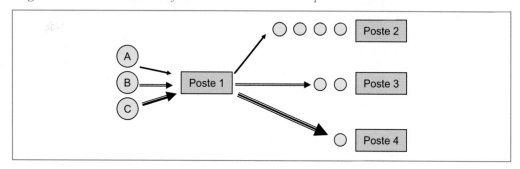

– *Priorité au poste suivant le moins chargé* : on fera passer en priorité le lot qui doit se diriger vers le poste le moins chargé (en termes de nombre d'heures de travail en attente). Cette règle vise à saturer à court terme l'outil de production et évite qu'un centre de charge ne s'arrête faute de travail.

– *Priorité au poste suivant qui est goulet* : une telle règle permet d'éviter que la file d'attente en amont du poste goulet ne devienne vide alors qu'il est impératif de l'approvisionner en permanence. En effet, toute heure perdue sur un tel poste se traduit par un retard général de la production que l'on ne pourra jamais rattraper.

De manière générale, l'ordonnancement décentralisé constitue une approche dynamique du problème de la gestion d'atelier. En effet, sur l'exemple de la figure 19-7, lorsque la première machine se libère, l'application de la règle du ratio critique fera passer le lot C en premier. Toutefois, l'ordre de la file d'attente n'est pas figé : pendant la fabrication de C, tout nouvel événement peut venir la modifier, comme par exemple l'arrivée dans la file d'un lot nouveau qui s'avérerait être en retard et qui doublerait A, B et D. On répond ainsi par cette méthode à des questions de priorité locales *au moment où* les machines se libèrent.

19/3.3   *Implications sur le système d'information*

Le lecteur peut observer que les règles de priorité ci-dessus se différencient selon deux critères :

– Certaines règles peuvent être appliquées à partir des informations relatives à la file d'attente concernée (règles locales), alors que d'autres règles prennent en considération la situation de l'ensemble de l'atelier (règles globales). Dans ce cas, il sera nécessaire d'avoir un système d'information centralisé même si les décisions d'ordonnancement restent locales.

– Certaines règles sont statiques, alors que d'autres sont dynamiques. Cela signifie que les unes s'appuient sur des informations fixées une fois pour toutes (cas du délai de livraison), alors que les autres sont fondées sur des informations modifiées selon l'avancement (cas des temps opératoires restant dans la règle du ratio critique).

19/3.4   *Le choix des règles de priorité*

Il n'y a pas de règle qui soit meilleure que d'autres dans l'absolu. Certaines règles donnent de meilleures performances pour un carnet de commandes et une structure de production donnés et par rapport aux objectifs fixés à l'atelier.

Le choix de la (ou des) règle(s) peut se faire soit par une simulation informatique pour en prévoir les effets, soit par des essais sur le système opérationnel lui-même.

Le gestionnaire devra préalablement définir une batterie de critères d'évaluation, parmi lesquels on cite généralement :
– le respect des délais commerciaux, en particulier sur les commandes prioritaires,
– la durée du cycle de fabrication par commande ou global,
– le taux de chargement global, par machine ou groupe de machines,
– la régularité de la charge,
– la proportion des temps improductifs,
– la valeur des en-cours.

19/4   Ordonnancement par les goulets et optimisation

Les méthodes d'ordonnancement que nous venons de décrire ne tiennent pas compte de l'élément fondamental dans la gestion des flux que nous avons souvent évoqué, à savoir le taux de charge des équipements. Sur une machine globalement peu chargée, il ne sera pas difficile de planifier les opérations. En revanche, sur la ou les quelques machines les plus chargées (les goulets), le placement des OF sera difficile. En suivant les conclusions de la théorie des contraintes, on peut en déduire une logique simple : il faut commencer par ordonnancer les machines, et plus généralement les ressources (main-d'œuvre, outillage) goulets et seulement ensuite, lorsque l'on a réussi à placer les ordres sur ces ressources, on procède à l'ordonnancement sur les autres ressources (fig. 19-9).

Selon cette procédure, on commence par faire une liste des opérations qui passent sur chaque ressource critique avec leur date de début au plus tôt et leur date de fin au plus tard issues du jalonnement à capacité infinie.

Sur la (les) ressource(s) critique(s), on recherche une solution satisfaisante par combinatoire, en optimisant, si la technologie l'impose, les séquences de réglages (cf. section 19/5.2).

Cette planification réalisée, on effectue alors l'ordonnancement des opérations sur les ressources non critiques, au plus tard pour les opérations amont (avec un délai de sécurité) et au plus tôt pour les opérations aval, sachant que l'existence de capacités excédentaires pour ces dernières évitera qu'un glissement dans la réalisation n'affecte l'ensemble du programme. De tels algorithmes ou heuristiques sont mis en œuvre dans les logiciels d'optimisation dit *ASP* (*Advanced Planning Systems*) tels ceux de I2 Technology, Manugistic, Numetrix.

Figure 19-9 – *L'ordonnancement par les goulets*

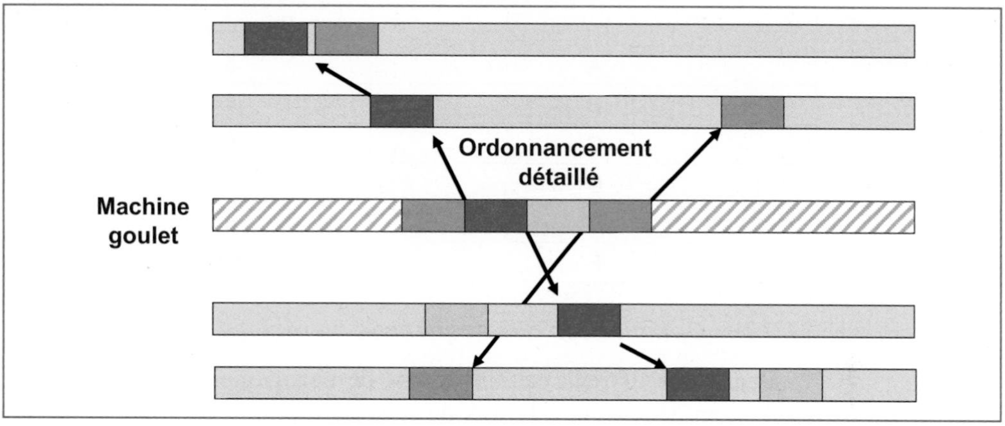

19/5   Deux cas particuliers d'ordonnancement

Un des objectifs de l'ordonnancement est d'éviter les pertes de temps sur les machines. Ces pertes de temps peuvent provenir d'attente dues à la non-disponibilité des lots ou des temps de réglage. Nous allons examiner deux cas particuliers : la détermination de l'ordre de passage de lots sur deux machines en séquence, puis la recherche d'un ordre optimal de passage de lots sur une machine lorsque les temps de réglage de la machine dépendent du type de réglage précédent.

19/5.1   Ordre de passage sur deux machines en séquence

L'objectif est de déterminer un ordre de passage des lots de telle sorte que le dernier lot soit terminé le plus tôt possible. On utilisera, pour résoudre ce problème, l'algorithme de Johnson dont le principe est le suivant :

1- Sélectionner, sur l'une et l'autre des machines, le lot présentant le temps opératoire le plus court. Si celui-ci concerne le premier poste, placer le lot en tête des opérations à ordonnancer ; s'il concerne le second, le placer en dernier.

2- Éliminer le lot précédemment sélectionné de la liste des lots à ordonnancer.

3- Répéter les phases 1 et 2 jusqu'à ce que tous les lots aient été ordonnancés.

On obtient ainsi l'ordre dans lequel les lots doivent passer sur les postes de travail.

Exemple : un atelier doit traiter 6 lots de pièces selon un processus composé de deux opérations consécutives (dégraissage et peinture) dont les temps opératoires sont donnés ci-dessous (fig. 19-10).

On cherche à déterminer l'ordonnancement des lots permettant de minimiser le temps total de travail. L'algorithme de Johnson nous donne la séquence : D - A - C - F - E - B. Le dernier lot sortira à l'heure 51. Le temps d'inactivité de la peinture est de 5 heures. L'intérêt pratique de cet algorithme est très réduit.

Figure 19-10 – *Temps opératoires sur deux opérations consécutives*

Lot	Dégraissage	Peinture
A	5	6
B	4	3
C	8	9
D	2	7
E	8	6
F	12	15

19/5.2   Optimisation des séquences de réglage

Dans de nombreux cas, les temps de changement de séries pour un processus de production dépendent à la fois du type de produit couramment fabriqué et du produit suivant à introduire. Au lieu d'avoir un temps de réglage fixe précisé au niveau de la gamme de fabrication, on aboutit au concept de *matrice de temps de réglage* qui contient les temps de réglage pour passer d'un produit à un autre produit. Un exemple très connu concerne les coloris dans le textile, où les changements se font depuis les coloris les plus clairs vers les coloris les plus foncés. De même, pour des yaourts, le passage de la production d'un yaourt nature à un yaourt aux fruits se fait sans nettoyage intermédiaire, ce qui n'est pas le cas dans la situation inverse (fig. 19-11). Une question vient alors immédiatement à l'esprit : dans le cas de productions cycliques, dans quel ordre effectuer les changements de références, de manière à minimiser les temps ou les coûts de changement ?

Figure 19-11 – *Exemple de matrice des temps de réglage*

Yaourt	Au type	Nature	Sucré	Aux fruits
	Nature	0	0	0
Du type	Sucré	10'	0	0
	Aux fruits	15'	10'	0

Ce problème peut être rapproché du problème dit du *voyageur de commerce* qui doit organiser sa tournée de livraison pour ses différents clients, à coûts de transport minima (cf. chap. 15).

De nombreux algorithmes de résolution ont été développés[1]. Une approche à la fois simple et efficace est la suivante :

La première étape consiste à construire une séquence de changement par l'algorithme « du plus proche voisin ». L'idée en est très simple :

– choisir un réglage initial,
– choisir comme réglage suivant celui qui est le moins coûteux,
– procéder ainsi de suite de proche en proche.

---

[1] Graves S., Rinnoy Kan A., Zipkin P., *Logistics of production and inventory*, North-Holland, 1993.

Exemple : soit un processus et des produits avec la matrice de coûts de réglage suivante (fig. 19-12).

Figure 19-12 – *Matrice des coûts de réglage de l'exemple*

Du type	Au type						
	A	B	C	D	E	F	G
A	-	68	85	69	76	81	54
B	41	-	52	26	17	76	78
C	49	70	-	93	69	67	30
D	22	97	54	-	52	38	6
E	59	52	97	72	-	60	23
F	87	4	43	4	96	-	58
G	19	99	31	65	63	72	-

La suite de séquences obtenues suivant cet algorithme est alors
A / A-G / A-G-C / A-G-C-F / A-G-C-F-B / A-G-C-F-B-E et, enfin, A-G-C-F-B-E-D.

Les séquences de production sont donc à ce niveau : AGCFBED - AGCFBED - ..., avec un coût de 267 par séquence.

De multiples phénomènes font que cet algorithme n'est pas optimal, en particulier du fait que le dernier réglage de la séquence est imposé par les choix précédents sans aucune réflexion *a priori*. Il est donc important de raffiner cette première séquence, qui doit être prise comme une ébauche initiale.

Un algorithme a été proposé par Lin. Il consiste à réaliser des améliorations progressives de la séquence en recombinant deux paires de réglages successifs. L'idée est donc de passer en revue l'ensemble des morceaux de séquence -W-X-...-Y-Z- et de voir si le morceau -W-Y-...-X-Z- n'est pas plus performant, auquel cas on change la séquence en introduisant le morceau -W-Y-...-X-Z- à la place de -W-X-...-Y-Z-. Cet algorithme est très facile à programmer et est extrêmement rapide. De plus, les résultats fournis sont en général à quelques pour-cent de la solution optimale, qui elle ne peut être obtenue que par énumération, ce qui est beaucoup plus long.

Exemple (suite) : le morceau de séquence -E-D-A-G- correspond à un coût de 148. Si on le remplace par -E-A-D-G-, on trouve un coût de 134. La séquence DGCFBEA est donc meilleure, avec un coût de 253. On peut alors continuer à raffiner la séquence DGCFBEA en procédant de la même manière.

19/6   La méthode *Kanban*

Cette méthode de gestion des flux dans les ateliers, entre les ateliers, et même entre fournisseurs et clients, s'oppose aux méthodes traditionnelles d'ordonnancement qui s'appuient sur des lancements effectués sur prévision de lots de tailles prédéterminées. Elles ont toutes tendance à saturer l'outil de production ; en effet, quand une machine est disponible, on lance aussitôt le lot suivant : le système est dit *poussé par l'amont*. Les approches japonaises développées depuis les années 1960 et reposant sur un mode de fonctionnement dit en *Juste-à-temps* ont donné naissance à un système de pilotage à court terme d'atelier appelé *Kanban*. Cette technique s'appuie sur une règle simple : chaque poste de travail ne doit travailler que sur la demande du stade situé en aval de lui et non plus sur prévision. Le système devient alors *tiré par l'aval* et s'apparente à un système de recomplètement de la consommation réelle des pièces.

19/6.1   *Description de la méthode Kanban*

L'information sur cette consommation est transmise, dans cette relation client-fournisseur interne, par un document standard simple appelé *kanban* (*kanban* signifiant *étiquette* ou « support d'information » en japonais) qui sert simultanément de fiche suiveuse et d'ordre de fabrication au lot produit.

Le ticket *kanban* comporte les informations suivantes :
- la désignation de la pièce et de l'opération,
- la désignation des lieux d'origine et de destination,
- la quantité par conteneur (cette technique s'appuyant obligatoirement sur l'utilisation de conteneurs *standard* pour les manutentions inter-postes).

Par rapport à l'ordre de fabrication traditionnel, le ticket *kanban* présente les particularités suivantes :
- C'est un ordre de fabrication « ouvert » qui circule en permanence dans le flux de fabrication. Il descend le flux avec les pièces et le remonte une fois les pièces consommées.
- Le rythme de fabrication est commandé par la vitesse de circulation du ticket, qui est elle-même déterminée par le rythme de consommation des pièces. C'est donc le poste aval qui pilote la fabrication du poste amont. Si le poste aval cesse de consommer certaines références, le poste amont cesse *mécaniquement* de les produire.

Avant de lier deux ou plusieurs postes par un système *Kanban*, il faut s'assurer que le ou les postes amont disposent d'une capacité suffisante pour faire face aux demandes des postes aval. Pour que le système fonctionne de façon souple, il faut même prévoir une surcapacité.

Selon l'organisation physique de la fabrication, on peut avoir deux types de systèmes *kanban* : dans l'un, les conteneurs sont conservés auprès des postes de travail et une seule boucle *kanban* suffit ; dans l'autre, les conteneurs de pièces sont stockés dans un magasin intermédiaire et il faut alors deux boucles *kanban*.

Système à une seule boucle

La circulation des tickets se fait sur la base de la structure client-fournisseur la plus simple (fig. 19-13). Le fonctionnement est le suivant :
- le ticket est mis sur le conteneur de pièces fabriquées au poste amont (a),
- il accompagne le conteneur au poste suivant (aval du flux) et reste sur le conteneur en attente (b),
- au moment où le conteneur est mis en fabrication au poste aval, le kanban est libéré et retourne au poste amont (c),
- il est placé dans un planning près du poste amont (d) d'où il sera retiré au moment d'une nouvelle mise en fabrication (a).

Figure 19-13 – *Principe du système Kanban à une boucle*

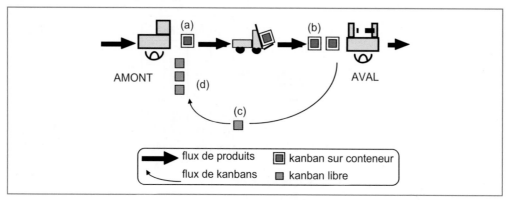

Pour être efficace, la méthode *Kanban* suppose que les règles suivantes soient respectées :

– Tout conteneur rempli possède obligatoirement un *kanban* issu de la dernière opération (fabrication ou expédition).

– Le *kanban* « libre », c'est-à-dire celui qui n'est plus attaché à un conteneur, représente un ordre de fabrication pour une quantité fixe de pièces sur un poste de travail déterminé. Un conteneur contient le nombre de pièces inscrit sur le *kanban*, qui est déterminé au départ.

– Le nombre de *kanbans* en circulation entre deux postes est fixé par le responsable. Il traduit la souplesse et le niveau de stock en-cours que le planificateur souhaite.

Les *kanbans* peuvent se trouver en différents endroits : soit sur les conteneurs en attente ou en cours de transport, soit « libres » en cours de retour au poste amont, soit en attente sur le planning du poste amont. C'est parce que leur nombre, pour une référence donnée, est fixe que l'on atteint les deux résultats suivants :

– le volume des en-cours, autrement dit le nombre de conteneurs entre les postes, ne peut pas dépasser le nombre de *kanbans* et, si on diminue celui-ci, on réduit le stock correspondant,

– en regardant son planning, le responsable du poste amont connaît le stock en attente au poste aval, ce qui lui permet de choisir ses priorités de mise en fabrication d'après les besoins les plus urgents du poste aval (fig. 19-14).

Comme un opérateur livre en général plusieurs opérateurs en aval, les cartes *Kanban* sont placées sur un tableau qui synthétise les besoins de l'aval à tout moment. Souvent ce tableau contient deux signaux d'alerte pour l'opérateur : l'index vert et l'index rouge.

Quand le nombre de tickets de retour au poste amont atteint l'index vert, l'opérateur sait qu'il peut lancer la quantité correspondante de conteneurs (lot de fabrication minimum).

L'index rouge signale que le nombre de conteneurs qui restent au poste aval atteint un seuil d'alerte. Un lancement de cette référence s'impose en urgence pour éviter toute rupture d'approvisionnement en aval.

Figure 19-14 – *Tableau Kanban*

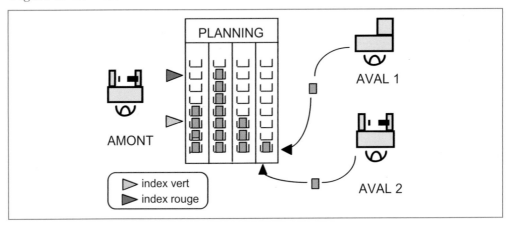

Système à deux boucles

Lorsque les pièces ne peuvent être stockées dans l'atelier à cause du manque de place, lorsque les postes sont éloignés ou lorsqu'il y a plusieurs postes consommateurs des mêmes pièces produites par un poste amont, le système à une seule boucle doit être remplacé par un système à deux boucles qui encadrent un magasin intermédiaire où sont stockés des conteneurs de pièces. Son principe de fonctionnement est le suivant (fig. 19-15).

Figure 19-15 – *Principe du système Kanban à deux boucles*

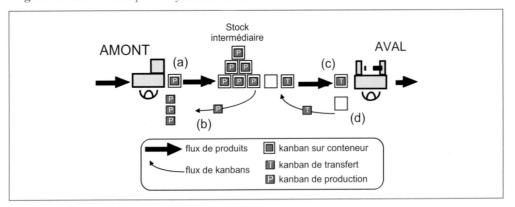

- Lorsque le poste aval entame un conteneur de pièces, l'opérateur détache du conteneur le *kanban* qui l'identifiait. Celui-ci, appelé *kanban de transfert,* est remis à un manutentionnaire qui va chercher un conteneur plein dans le magasin (d).
- Quand le manutentionnaire sort le conteneur du magasin, il en détache le *kanban de production* qu'il portait et le remplace par le *kanban de transfert* pour identifier les pièces du conteneur qui est transporté au poste aval (c).
- Le *kanban de production* détaché du conteneur est renvoyé vers le tableau du poste amont (b).

– Lorsque celui-ci produit des pièces, elles sont placées dans un conteneur qui reçoit un *kanban de production* et transportées vers le magasin intermédiaire (a).

Le *kanban de transfert* circule donc entre le poste aval et le magasin intermédiaire. Le *kanban de production* circule entre le poste amont et le magasin. Dans le magasin, les conteneurs portent des *kanbans de production*.

19/6.2   *Détermination du nombre de tickets*

Un problème reste à résoudre : la détermination du nombre de *kanbans* à mettre en circulation dans la boucle entre un poste amont et un poste aval. L'idée de base est claire : si ce nombre est trop élevé, cela autorisera la constitution de stocks inutiles ; si, au contraire, ce nombre est trop faible, le poste aval risque de tomber en rupture de composants.

Considérons une boucle entre un poste amont et un poste aval. L'opérateur amont fabrique les pièces par lot économique de taille *Qe*. Les conteneurs ont une capacité de *n* pièces. Soit *Cu* la consommation du poste aval par unité de temps.

Soit *Tr*, le délai que met le système à réagir lorsque le stock aval atteint le seuil critique de lancement : c'est-à-dire le délai avant l'arrivée du premier conteneur dans le stock aval. Ce temps de réaction recouvre donc les phases suivantes : retour du ticket d'alerte vers l'amont, attente au planning amont, réglage de la machine amont, production du premier conteneur, transport du conteneur jusqu'au stock du poste aval.

On considère par ailleurs que la cadence de production du poste amont est nettement supérieure à la consommation moyenne du poste aval. L'ensemble des conteneurs de la boucle doit donc contenir :
– le lot économique *Qe* produit par le poste amont,
– le stock correspondant au seuil d'alerte au pied du poste aval. Ce stock doit permettre au poste aval de fonctionner pendant le délai de réaction *Tr*. Compte tenu des aléas toujours possibles, le gestionnaire retiendra une marge supplémentaire de sécurité (α). On considère donc que le délai de réaction pratique est $Tr(1+\alpha)$. Le stock nécessaire vaut donc $Cu\ Tr\ (1+\alpha)$.

Pour déterminer le nombre de *kanbans* à mettre dans la boucle, il suffit ensuite de diviser la quantité totale de pièces par la capacité d'un conteneur (c'est-à-dire l'équivalent d'un ticket). La formule de calcul du nombre de tickets peut alors s'écrire :

$$N = \frac{Cu\ Tr\ (1 + \alpha) + Qe}{n}$$

Ce nombre est arrondi à l'unité supérieure.

La capacité du conteneur dépend du volume des pièces mais également de la place disponible à côté du poste de travail ; elle représente souvent d'une demi-journée à une semaine de consommation selon les articles.

Exemple : prenons le cas d'une pièce que le poste aval consomme en moyenne à la cadence de 2 000 par journée de huit heures. La taille du lot de fabrication en amont s'élève à 600, le temps de réglage à 22 minutes et le temps de fabrication à 0,1 minute par pièce. La capacité de production du poste amont, compte tenu des réglages, est de l'ordre de 4 000 pièces par jour.

L'attente moyenne atteint 20 minutes, le transport du poste amont vers l'aval 25 minutes et le ramassage des tickets s'effectue régulièrement toutes les heures, c'est-à-dire qu'un ticket attend en moyenne une demi-heure avant d'être retourné au tableau du poste amont. Calculons le nombre total de tickets ainsi que le niveau d'urgence au planning amont correspondant à une sécurité de 10 % et à des conteneurs de 100 pièces.

Le délai de réaction s'élève dans ce cas à :

$$20 + 25 + 30 + 10 + 10 = 95 \text{ minutes}$$

Pendant ce temps la consommation du poste aval, en tenant compte de la sécurité, est de :

$$95 \times 1{,}1 \times 2\,000 \,/\, 8 \times 60 = 435 \text{ pièces}$$

La quantité totale de pièces dans la boucle s'élève alors à 435 + 600, soit 1 035, ce qui correspond à 11 conteneurs de 100 pièces. On retiendra donc un nombre total de 11 tickets pour l'ensemble de la boucle.

On considère que le coefficient de sécurité α n'est pas à inclure dans le seuil d'alerte du poste aval mais constitue plutôt une souplesse d'organisation au poste amont. Dans ce cas, le nombre de pièces consommées par l'aval pendant le délai de réaction est de 396 pièces, soit 4 conteneurs. Le niveau d'urgence sur le planning du poste amont (index rouge) doit donc être placé à 7 tickets. Le seuil de lancement (index vert) se situe à 6 tickets, la taille du lot étant de 600 unités.

19/6.3 *Comparaison avec les systèmes de gestion sur stock*

Le système *Kanban* présente quelques analogies avec une méthode traditionnelle de gestion des stocks *à point de commande*. Lorsque le niveau du stock atteint un certain seuil, le gestionnaire passe commande au fournisseur d'une quantité fixe appelée quantité économique.

Les différences concernent principalement l'identité du décideur et la détermination de la quantité à lancer en fabrication. Le *Kanban* peut, en effet, se définir comme un système de régulation à court terme dans lequel le fournisseur (le poste amont) connaîtrait à tout moment le stock de son client (le poste aval) et l'approvisionnerait en fonction de sa consommation.

De plus, la philosophie de la méthode pousse le gestionnaire à tout mettre en œuvre pour réduire ses en-cours. Il est donc amené à diminuer la taille du lot de fabrication, c'est-à-dire à réduire le nombre de tickets. La quantité économique de la théorie classique n'est donc plus immuable, elle diminue et les lancements se font plus fréquents : le système réagit de plus en plus vite à la demande. Cela passe par des progrès dans de nombreux domaines (réduction des temps de changement de série, allégement des procédures administratives, amélioration de la qualité, rapprochement des machines, etc.) qui seront étudiés dans la quatrième partie de cet ouvrage.

19/6.4 *La mise en œuvre de la méthode Kanban*

La méthode *Kanban* ne peut être mise en œuvre qu'à un certain nombre de conditions. Elle n'est pas d'un usage universel.

D'abord, le produit doit être techniquement stabilisé et sa demande doit être relativement régulière. Si la demande est erratique, le temps de réaction des boucles *kanban* ne permettra pas de satisfaire la demande sans délai. Le poste aval ne doit donc pas travailler par longues campagnes. Si tel est le cas, il faut utiliser la méthode MRP classique.

Si le niveau de la demande varie, il faut modifier le nombre de tickets en circulation : en cas d'augmentation de la demande, on introduit de nouveaux tickets sur le tableau et, à l'inverse, si la demande diminue, on enlève des tickets lors de leur retour sur le tableau.

Il faut ensuite que le système de production puisse réagir rapidement puisque les stocks intermédiaires sont limités. Les temps de changement de série doivent être courts : une des conditions de réussite est donc l'application des techniques SMED aux machines (cf. chap. 18). De même, le volume des conteneurs doit être aussi faible que possible. Souvent, le ticket peut être avantageusement remplacé par le retour du conteneur.

Il faut enfin organiser le système de remontée de l'information de telle sorte qu'il n'induise pas de perte de temps qui serait préjudiciable à la réactivité du système. Les *kanbans* détachés des conteneurs doivent être transmis à fréquence élevée (au moins toutes les heures) au poste amont. Dans le cas où les postes sont éloignés, le ticket *kanban* peut être remplacé par un message informatique. Cela est particulièrement vrai si l'on utilise le *kanban* entre usines ou avec les fournisseurs.

19/6.5   *Les avantages de la méthode Kanban*

La méthode *Kanban* présente de nombreux avantages :

– Elle est simple : les procédures administratives sont réduites et son fonctionnement ne nécessite pas de système informatique même si l'on observe aujourd'hui de nombreux cas où l'ordinateur se substitue au support papier pour transmettre l'information (en particulier pour des postes éloignés).

– Elle est prise en charge directement par les opérateurs ou les contremaîtres sans faire appel au service Ordonnancement central. Cette prise en charge décentralisée accroît la responsabilité et la motivation du poste fournisseur vis-à-vis du poste client. L'objectif devient clair : ne pas mettre en rupture d'approvisionnement le poste aval. Les moyens pour y parvenir apparaissent clairement sur le terrain : flexibilité, rapidité, qualité, fiabilité.

– Elle diminue les stocks constitués aux niveaux intermédiaires de la nomenclature ou aux interfaces entre ateliers. Certes, il reste un stock près de chaque poste mais il est plus faible que celui qui est constitué par un ordre de fabrication complet qui rentre en magasin.

– Elle garantit un fonctionnement à en-cours limité, ce qui permet d'organiser la circulation des flux avec rigueur. Les rangements sont respectés, l'implantation s'organise peu à peu dans le sens du flux.

– Elle peut être utilisée aussi bien à l'intérieur de l'usine qu'avec les fournisseurs extérieurs.

19/7   Le lancement et le suivi de fabrication

Après avoir défini un ordonnancement de manière centralisée ou retenu des règles locales de priorité, le responsable doit matériellement faire démarrer la production, c'est-à-dire *lancer* les ordres de fabrication. Il devra ensuite suivre le cheminement de ces ordres dans tout l'atelier et réagir lorsqu'un problème survient (panne d'une machine, opérateur absent, produit défectueux).

19/7.1   Le lancement

Le lancement d'un OF recouvre l'ensemble des opérations administratives associées au démarrage physique des opérations de cet OF. Il consiste à vérifier la disponibilité en stock des composants nécessaires, des machines, de l'outillage et du personnel. Il comprend également la préparation des dossiers de fabrication fournissant l'ensemble des informations indispensables à la fabrication : fiche suiveuse, bons de travaux, bons de sortie matières, bons d'outillage, plans, spécifications techniques, etc.

Précisons le rôle de deux de ces documents :

- La *fiche suiveuse* contient tous les éléments nécessaires à l'identification de l'OF (nom du client, désignation de l'article à fabriquer, quantité, date de livraison, etc.) ainsi que la liste des opérations à réaliser avec les temps alloués et les outillages nécessaires. Elle accompagne physiquement le lot d'un poste à l'autre durant tout le processus de production.
- Le *bon de travail* correspond à une opération de la gamme sur un poste. Il reprend les caractéristiques de l'ordre et de l'intervention et sert à l'opérateur à indiquer le temps opératoire réel et le nombre de pièces bonnes effectivement produites. Ce bon retourne au service Ordonnancement qui peut ainsi mettre à jour son planning, imputer les coûts de main-d'œuvre à l'OF et évaluer la performance de l'atelier.

19/7.2   Le suivi de fabrication

Le suivi de fabrication consiste à enregistrer l'information sur les réalisations effectives dans les ateliers, d'une part, pour mettre à jour l'ordonnancement, d'autre part, pour mesurer la performance de la production.

Informations sur l'avancement des fabrications

Pour suivre l'avancement des fabrications, il faut déclarer les quantités bonnes et, éventuellement, les quantités rebutées. Ainsi, lors de l'ordonnancement suivant, on ne prendra en compte que les quantités non traitées et les opérations non terminées.

Ces déclarations peuvent se faire de deux façons :

- Lorsqu'un opérateur a terminé une opération, il fait parvenir le bon de travail correspondant au service Ordonnancement ; sur le bon de travail sont indiquées les quantités bonnes et rebutées.
- Les opérateurs remplissent des feuilles de journées sur lesquelles ils portent les numéros d'OF et d'opérations ainsi que les quantités réalisées. Ces feuilles de journée sont prises en compte le lendemain par le service Ordonnancement.

Informations sur les consommations de ressources

Pour suivre la performance des ateliers, il faut comparer les consommations réelles de ressources par rapport aux consommations prévues, qui figurent dans les nomenclatures et les gammes. Les consommations suivies sont :
– les quantités de composants utilisées que l'on compare aux quantités prévues dans les nomenclatures,
– les temps de fabrication machine et main-d'œuvre que l'on compare aux temps alloués qui figurent dans les gammes.

Lorsque les opérateurs reçoivent des primes de rendement, ces temps servent de base à leur détermination.

Les écarts entre temps standard et temps réels, entre consommations standard et consommations réelles doivent être soigneusement analysés pour corriger toute différence systématique dans les gammes et nomenclatures.

Les consommations réelles de ressources par ordre de fabrication permettent de calculer le coût réel de l'ordre de fabrication et de le comparer aux coûts standard du produit fabriqué ou au devis client.

19/7.3 Le suivi des charges

Le suivi des charges présentes dans les ateliers se fait grâce à des tableaux d'entrées/sorties de charge qui mesurent les flux d'heures de travail entrant et sortant et comparent les réalisations aux prévisions.

On détermine le niveau de la file d'attente prévu dans le système à la fin de chaque période en ajoutant à la file d'attente initiale la différence (Entrées – Sorties). Un exemple facilitera la compréhension du principe (fig. 19-16).

Figure 19-16 – *L'analyse de l'en-cours*

Semaine	0	1	2	3	4	5	6	7
Capacité		40	40	40	60	80	80	60
Capacité cumulée		40	80	120	180	260	340	400
Charge prévue	45	55	30	50	55	55	60	70
Charge prévue cumulée	45	100	130	180	235	290	350	420
Variation prévue de la file d'attente		15	-10	10	-5	-25	-20	10
File d'attente	45	60	50	60	55	30	10	20

Les capacités de l'atelier ainsi que les charges prévues sont exprimées en nombre d'heures de travail. Ces dernières représentent la somme des temps gammes des lots arrivant en amont du poste. On calcule alors la variation prévue de la file d'attente (évaluée en heures de charge) et le niveau de retard de l'atelier.

Le responsable de l'atelier peut ensuite considérer ce retard structurel comme acceptable et conserver ce plan en tant que standard de référence auquel il comparera la performance réalisée. Si tel n'est pas le cas, il a toujours la possibilité d'effectuer des ajustements de la capacité, à court terme, par l'introduction d'heures supplémentaires. (comme le fait apparaître la première ligne du tableau à partir de la semaine 4).

Les tableaux d'entrées/sorties s'exploitent principalement en comparant les capacités de production du poste aux sorties réelles, comme le précise la figure 9-17. On remarque immédiatement que les sorties sont presque toujours inférieures aux capacités et que le retard ne fera que s'accroître pour atteindre 34 heures en fin de semaine 5. Malheureusement, si le tableau permet de détecter aisément l'existence de dysfonctionnements dans le système, il ne fournit que peu d'indications sur leurs causes possibles. Cependant, la comparaison de la charge réelle entrante et de la charge prévue peut permettre d'identifier un manque d'approvisionnement dû au fait qu'un poste de travail précédent dans le processus ne respecte pas son plan de production.

Figure 19-17 – *Les variations de charge*

Semaine	0	1	2	3	4	5	6	7
Capacités planifiées		40	40	40	60	80	80	60
Capacité planifiée cumulée		40	80	120	180	260	340	400
Sorties réelles		40	34	52	50	50	80	70
Sorties réelles cumulées		40	74	126	176	226	306	376
Écarts		0	-6	+12	-10	-30	0	10
Écarts cumulés		0	-6	+6	-4	-34	-34	-24

19/7.4   Le suivi des performances

Les indicateurs de performance reflètent l'activité des ateliers. Ils doivent être suivis régulièrement par la hiérarchie et faire l'objet de plans de progrès. On suivra ainsi plusieurs types d'indicateurs :

– *Indicateur de productivité main-d'œuvre* : nombre standard d'heures de main-d'œuvre réalisées par rapport aux nombres d'heures que les opérateurs présents pouvaient réaliser ; cet indicateur n'a de signification que dans les ateliers où la main-d'œuvre est la ressource essentielle de production.

– *Indicateur de productivité machine* : nombre standard d'heures de machines contenues dans les pièces fabriquées par rapport au temps d'ouverture des équipements.

– *Indicateur de qualité* : taux moyen de pièces défectueuses.

– *Indicateurs de délai* : cycle de fabrication moyen et retard moyen des lots terminés.

Chapitre 20

La gestion des équipements

Pour résister à la concurrence, les entreprises doivent continuellement améliorer leur productivité. Elles y parviennent par de nouvelles formes d'organisation du travail, ainsi que par la mise en œuvre de matériels de plus en plus sophistiqués et de plus en plus coûteux. De ce fait, le choix et la bonne utilisation de ces équipements deviennent des éléments essentiels de la performance de l'entreprise. C'est pourquoi nous aborderons dans ce chapitre :
– la politique de maintenance et la méthode dite « TPM »,
– les changements rapides de série et la méthode dite « SMED »,
– l'analyse des défaillances dans les processus (AMDEC),
– l'implantation des équipements.

20/1   Politique de maintenance et méthode TPM

Le bon fonctionnement de l'outil de production est un des objectifs prioritaires de l'entreprise, particulièrement pour les processus continus et les entreprises fonctionnant en Juste-à-temps. Une machine qui tombe en panne quand les stocks tampons sont réduits au minimum provoque en peu de temps l'arrêt de l'ensemble de l'usine.

Les grandes entreprises japonaises ont développé le concept de Maintenance Productive Totale (ou TPM, *Total Productive Maintenance*) qui vise à utiliser au maximum le potentiel productif. À ce titre, on parle du *zéro panne* comme d'un objectif prioritaire.

Nous décrirons dans un premier temps les composantes d'une politique de maintenance (au sens classique du terme), puis nous présenterons le concept de TPM.

20/1.1   La politique de maintenance

Parmi les principales actions constituant une politique de maintenance, nous citerons :
– la maintenance curative (ou réparation sur panne),
– la maintenance préventive, qui se décompose en maintenance systématique ou maintenance conditionnelle,
– des méthodes d'analyse prévisionnelle des causes de défaillance (méthode AMDEC),

– l'utilisation d'un système de MAO (Maintenance Assistée par Ordinateur).

L'ensemble de ces actions constitue la première étape d'une démarche plus intégrée mettant sous contrôle le rendement global de l'installation industrielle.

Intervention sur pannes ou maintenance curative

Première étape de la maintenance, le dépannage est une opération qui permet de remettre un équipement en état de fonctionnement, et qui s'opère après qu'il y a eu arrêt pour cause de panne. Cette pratique présente deux inconvénients. En premier lieu, l'arrêt étant imprévisible provoque toujours une interruption de production qui perturbe la planification de l'atelier. En second lieu, parce que l'arrêt est difficile à prévoir, on est amené à constituer d'importants stocks de pièces détachées. Ainsi, certaines entreprises possèdent plusieurs machines « en double » pour faire face aux aléas de fonctionnement !

Cela étant, l'intervention sur panne reste parfois inévitable. Ainsi, pour les machines (ou les organes à l'intérieur d'un équipement) où la prévision d'incident est impossible, l'intervention sur panne reste la seule façon de procéder.

En revanche, quand il est possible de prévoir la panne, on peut s'orienter vers un principe d'intervention préventive, donc planifiable. Cette façon de procéder a une incidence favorable sur les délais d'intervention, sur les durées d'immobilisation des machines, le respect du planning de fabrication et sur le volume des stocks de pièces détachées.

La maintenance préventive

Cette méthode s'appuie sur l'analyse statistique des pannes d'une machine ou de ses principaux organes. Ces données peuvent être réunies par l'entreprise à partir d'enregistrements effectués sur son propre parc de machines. Elles peuvent être parfois obtenues auprès du fabricant du matériel ou de confrères utilisateurs.

Les données permettent de calculer des valeurs moyennes de durée de vie des pièces ou un temps moyen de bon fonctionnement entre deux pannes (appelé MTBF : *Mean Time Between Failures*). Ces données statistiques permettent aussi d'établir des corrélations entre la probabilité d'arrêt et l'évolution d'une variable de fonctionnement mesurable (température, vibrations, etc.).

Comme le montre la figure 20-1, les temps de fonctionnement sans panne donnent lieu selon les cas à des courbes de fréquence très différentes. Dans certains cas, la probabilité de panne est indépendante de la durée de fonctionnement, alors que dans d'autres l'histogramme des fréquences est centré autour d'une durée moyenne avec un écart type moins important.

C'est dans le second cas qu'il convient de faire appel à la maintenance préventive (c'est-à-dire systématique) et changer automatiquement la pièce concernée toutes les x heures de fonctionnement (les lampes toutes les 200 heures, les plaquettes de frein tous les 10 000 kilomètres, etc.).

Pour des organes coûteux ou pour les pièces dont la dispersion de la courbe de fréquence est importante, on préfère utiliser la maintenance préventive *conditionnelle*. Dans ce cas, le technicien intervient uniquement lorsque l'état d'usure de la pièce l'impose. Cette constatation résulte de *visites systématiques* effectuées toutes les semaines ou tous les quinze jours. Dans certains cas, il est également possible d'utiliser des *capteurs permanents* effectuant une mesure en temps réel de la variation des variables de fonctionnement. Selon l'évolution des paramètres, on peut donc prévoir la période à laquelle la panne risque d'arriver et intervenir auparavant. Par exemple, au lieu de faire une vidange régulière tous les 10 000 km, on la fera seulement lorsque la densité de particules métalliques dans l'huile dépasse une certaine limite prédéterminée.

Figure 20-1 – *Histogrammes de fréquence de pannes*

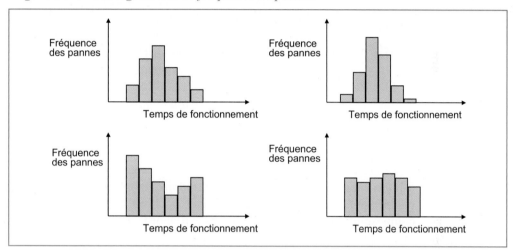

20/1.2   La gestion de la maintenance

Une bonne gestion de la maintenance est fondamentale pour obtenir la disponibilité maximale des équipements. Pour cela, le responsable de la maintenance doit effectuer des choix de gestion et se doter d'outils efficaces.

Répartition entre maintenances préventive et curative

La première décision concerne le volume de maintenance préventive que l'on engage. Naturellement, plus on fait de maintenance préventive, moins il y aura de pannes. Mais, cela est vrai jusqu'à un certain point car la maintenance préventive ne supprime pas totalement les risques de panne, et certains équipements ne se prêtent pas à la maintenance préventive du fait de la distribution de probabilité des pannes. Le responsable de maintenance doit donc définir la part de ses ressources qu'il consacre à la maintenance préventive et celle qu'il conserve pour les réparations sur panne.

L'analyse systématique des causes de panne

Pour éviter les pannes dans l'avenir, il ne faut pas les considérer comme une fatalité ; au contraire, il faut rechercher l'origine de chaque panne pour prendre des mesures préventives.

Pour cela, on utilisera les outils classiques de résolution de problème décrits dans le chapitre 22 comme les analyses de Pareto qui visent à mettre en évidence les pannes les plus fréquentes et les diagrammes cause-effets qui visent à faire rechercher toutes les causes possibles d'une panne et les AMDEC (voir plus bas).

Dans tous les cas, on doit identifier l'origine primaire de la panne par des méthodes de type « 5 pourquoi » d'origine japonaise. En voici un exemple :

Une machine s'est arrêtée.
1) **Pourquoi** la machine s'est-elle arrêtée ?
   Il s'est produit une surcharge et les fusibles ont sauté.
2) **Pourquoi** cette surcharge ?
   La lubrification des coussinets était insuffisante.
3) **Pourquoi** la lubrification était-elle insuffisante ?
   La pompe de graissage ne débitait pas suffisamment.
4) **Pourquoi** la pompe ne débitait pas suffisamment ?
   L'arbre de la pompe était endommagé et vibrait.
5) **Pourquoi** était-il endommagé ?
   Il n'y avait pas de filtre ce qui a entraîné l'inclusion de déchets métalliques.

Dimensionnement de l'équipe de maintenance

Le responsable de la maintenance doit ensuite fixer la taille de son équipe d'intervention. Son objectif est de réduire le plus possible le temps d'arrêt des équipements. Le temps d'arrêt d'une machine qui vient de tomber en panne se compose de trois types de temps : d'abord, le temps d'attente de l'équipe de maintenance, ensuite le temps de diagnostic de la panne et enfin le temps de réparation proprement dit. La réduction du temps de réparation est obtenue dans une certaine mesure en affectant plus de personnel ou en disposant de personnel mieux formé. La réduction du temps de diagnostic peut être obtenue par des systèmes d'aide au diagnostic et par une accumulation d'expérience.

Le temps d'attente de la maintenance dépend de la taille de l'équipe d'intervention. Comme les pannes surviennent de façon aléatoire, la probabilité que plusieurs pannes surviennent dans un même laps de temps n'est pas nulle. Plus l'effectif de l'équipe de maintenance sera grand, plus on aura de chance qu'une personne soit disponible pour effectuer la réparation. En revanche, si l'effectif est surabondant, il risque d'être partiellement inoccupé. On doit donc chercher à optimiser le coût total de la maintenance et des pannes. Le modèle mathématique de base utilisé dans ce cas est le suivant.

Considérons le cas d'un atelier composé de M machines identiques et d'une équipe de R réparateurs. Soit $1/\lambda$, le MTBF d'une machine et $1/\mu$, le MTR, le temps moyen de réparation. La théorie des files d'attente enseigne que, à un instant quelconque, les nombres moyens de machines en panne, *MP,* et en attente de réparation, *MA*, sont respectivement donnés par :

$$MP = \sum_{n=0}^{M} n\, p_n\,, \quad MA = \sum_{n=R}^{M} (n - R)\, p_n$$

où p_n est défini par :

$$p_n = \binom{M}{n}(\lambda / \mu)^n p_0 \quad \text{si } 0 \le n < R$$

$$p_n = \binom{M}{n}\frac{n!}{R^{n-R}R!}(\lambda / \mu)^n p_0 \quad \text{si } R \le n \le M$$

avec

$$p_0 = 1 \Big/ \left[\sum_{n=0}^{R-1}\binom{M}{n}(\lambda / \mu)^n + \sum_{n=R}^{M}\binom{M}{n}\frac{n!}{R^{n-R}R!}(\lambda / \mu)^n \right]$$

De plus, la disponibilité moyenne d'une machine, c'est-à-dire la proportion de temps pendant lequel la machine fonctionne, est donnée par

$$1 - \frac{MP}{M}$$

Exemple : considérons un atelier constitué de 5 machines identiques. Une machine a une durée moyenne de fonctionnement de 30 heures. Deux opérateurs sont affectés aux réparations et la durée moyenne d'une réparation est de 3 heures. On a donc $\lambda = 1/30$ et $\mu = 1/3$, ce qui donne, via les formules ci-dessus, $p_0 = 0,619$, $p_1 = 0,31$, $p_2 = 0,062$, $p_3 = 0,009$, $p_4 = 0.001$ et $p_5 = 0,000$. Le nombre moyen de machines en panne est donné par :

$$1\,(0,31) + 2\,(0,062) + 3\,(0,009) + 4\,(0,001) + 5\,(0,000) = 0,465$$

et la disponibilité d'une machine est de :

$$1 - \frac{0,465}{5} = 0,907$$

La MAO

La MAO (Maintenance Assistée par Ordinateur) est désormais implantée dans de nombreuses usines. À côté de la gestion de production, un tel logiciel concentre toutes les applications de gestion de base de données et la planification de maintenance. On trouvera sur la figure 20-2 la structure type d'un progiciel de MAO.

La MAO comporte toujours les modules suivants : suivi des pannes des machines, réalisation d'analyses statistiques précédemment citées, développement de la maintenance préventive au détriment de la maintenance curative.

De plus, les modules de gestion de stock des pièces de rechange que possèdent la majeure partie de ces progiciels concourent fortement à la réduction de ces stocks tout en empêchant l'atelier de se trouver en rupture.

Enfin, les bases de données techniques (dont les nomenclatures des machines) se présentent comme de puissants outils de standardisation des pièces et organes utilisés.

Figure 20-2 – *Structure des progiciels de MAO*

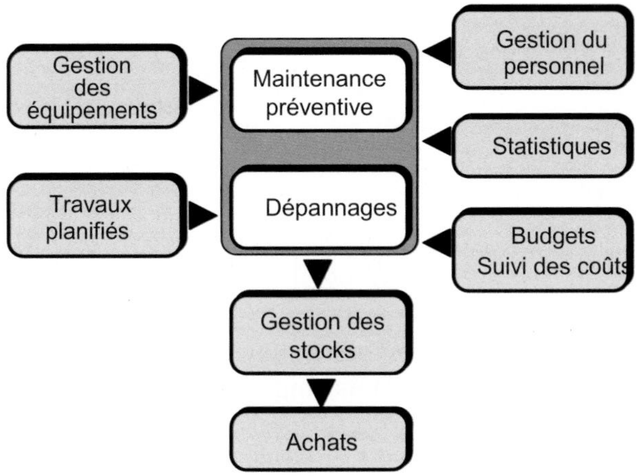

Maintenance et stocks de pièces de rechange

La gestion de pièces de rechange est assez proche de ce qui a été vu au chapitre consacré à la gestion des stocks. Connaissant :
- les prévisions de besoins (et leurs distributions statistiques) résultant des analyses statistiques de pannes, ou des programmes de maintenance prévisionnelle,
- les coûts de stockage et les coûts des arrêts de production,
- un objectif de taux de service à préciser par pièce, famille de pièces ou équipement,

le gestionnaire doit déterminer un niveau de stock optimal.

Les règles d'approvisionnement amènent à distinguer deux cas :

Dans un premier cas, la pièce est toujours référencée chez un fournisseur : il n'y a donc pas de contrainte d'approvisionnement.

Dans un autre cas, la machine n'est plus fabriquée et le fournisseur ne tient plus en stock la pièce de référence. L'entreprise doit prendre un risque sur l'approvisionnement et commander en une seule fois l'ensemble des quantités dont elle pense avoir besoin pour la vie de l'équipement. Le problème de la détermination de la quantité à commander se rapproche de la problématique des stocks monopériodes.

Quand les coûts des pièces finies sont élevés, il est possible de stocker les pièces mécaniques sous une *forme d'ébauches*. Les usinages de finition sont réalisés uniquement à la demande. Cette solution de différenciation réduit les délais et minimise les coûts.

Enfin, quand certains équipements uniques constituent un point critique dans le processus, on peut être amené à *dédoubler* l'équipement pour ne pas arrêter la production.

20/1.3   La méthode TPM

L'expression TPM (*Total Productive Maintenance*) désigne un projet pour améliorer l'efficience globale des installations. Malgré la présence du mot maintenance dans l'expression TPM, le projet est beaucoup plus large qu'une simple action de maintenance. En effet, les pertes d'efficience auxquelles s'attaque un projet TPM ne sont pas dues aux seules pannes, mais également à d'autres facteurs tels que les pièces défectueuses, les arrêts pour manque d'approvisionnement, les pauses, les ralentissements divers.

La mesure de l'efficience est faite par un indicateur qui joue un rôle clé : le TRG ou *Taux de Rendement Global*. Le TRG mesure le rapport entre la quantité de pièces produites (bonnes) et la quantité qui aurait pu être produite si la machine avait travaillé à *sa cadence normale sans aucune interruption.* Le schéma de la figure 20-3 explicite la définition précédente en mettant en évidence l'origine des différentes pertes de temps à partir du temps d'ouverture, c'est-à-dire le temps où l'on décide de faire fonctionner l'équipement.

Figure 20-3 – *Détermination du Taux de Rendement Global*

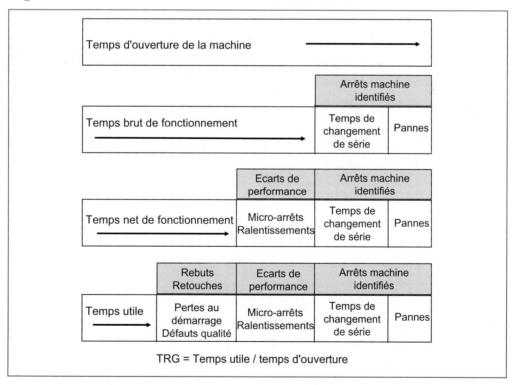

Les avantages d'un projet TPM

Une des forces du TPM est de faire converger vers le même indicateur (TRG) les efforts de différents services avec, à la clé, une diminution spectaculaire des coûts de revient. Dans une usine mécanisée, il existe peu d'actions aussi bénéfiques :

- accroissement de la productivité (davantage de produits fabriqués en moins de temps),
- amélioration de la qualité (moins de déréglages),
- diminution des coûts de maintenance,
- réduction des stocks de sécurité entre les phases successives du processus de production,
- diminution des coûts de main-d'œuvre (un même opérateur peut conduire davantage de machines, puisqu'elles nécessitent moins de surveillance),
- réduction des besoins en investissements (moins de machines pour la même production).

La figure 20-4 présente des améliorations de TRG (c'est-à-dire des gains de productivité) atteintes dans différentes entreprises à la suite d'un projet TPM. La méthode TPM a permis un gain de productivité moyen de 29 %, à l'issue d'une durée comprise entre 6 et 12 mois.

Figure 20-4 – *Améliorations du TRG dans différentes industries*

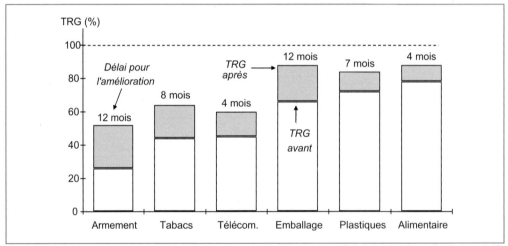

Source : E. Pesnel, Proconseil.

Le déroulement d'un projet TPM

L'originalité d'un projet TPM repose sur plusieurs points :

– Il mobilise l'ensemble de l'usine, en s'attaquant à toutes les pertes de capacité, quelle que soit leur nature : technique (pannes, micro-arrêts, ralentissements), organisationnelle (changement de fabrication, manque de matière, manque d'outils, manque de personnel), ou liée à la qualité (rebuts, retouches).

– Il accroît la responsabilité du personnel de production dans le fonctionnement de son équipement (auto-maintenance).

– Il s'accompagne d'un plan d'action à moyen et long termes qui devient une composante majeure du projet d'entreprise.

Un tel projet remet profondément en cause la façon de travailler, et modifie la répartition des responsabilités entre les services. C'est la raison pour laquelle il ne peut réussir qu'à condition d'être soutenu par la Direction pendant plusieurs années (et pas uniquement au moment du lancement), et conduit de façon rigoureuse à travers une série d'étapes structurées (se reporter à l'ouvrage de Nakajima cité en bibliographie).

20/2 Les changements rapides de série

Le passage d'une production de masse à une production diversifiée a obligé les entreprises à modifier leurs exigences concernant les équipements. La performance ne se résume plus à la rapidité des cadences de production : il faut également pouvoir passer rapidement d'un produit à un autre, c'est-à-dire effectuer *un changement rapide de série.*

Une première solution consiste à acheter du matériel conçu pour le changement rapide (centre d'usinage, robot, etc.). Mais cette solution est coûteuse puisqu'elle oblige à investir. Une autre solution, plus efficace à court terme et nettement moins coûteuse, consiste à adopter la démarche développée par Toyota. Cette entreprise a montré qu'il était possible de changer un outil en un temps record (souvent moins de 10 minutes), alors que les usines occidentales mettaient pour les mêmes machines 5 heures ou davantage. En appliquant la technique SMED, la plupart des entreprises parviennent à des résultats spectaculaires.

20/2.1 La méthode SMED

Ce sigle a été employé pour la première fois par Shigeo Shingo : il signifie *Single Minute Exchange of Die*, c'est-à-dire changement d'outils en moins de dix minutes. Un tel résultat est accessible à condition de suivre une démarche rigoureuse. Celle-ci doit être conduite en trois temps :
- identification et analyse des temps externes,
- conversion des temps internes en temps externes,
- réduction des temps internes et externes.

Étape 1 : Identification et analyse des temps externes

L'étude détaillée du cycle de changement peut être conduite à l'aide d'un enregistrement vidéo. L'analyse du film souligne les nombreux temps morts (attente du régleur, attente de l'outil, recherche d'une fixation rangée loin du poste, etc.) et montre que la réduction du temps de changement est d'abord un problème d'organisation avant d'être un problème technique.

Les phases élémentaires du changement sont classées en deux catégories :
- les tâches externes, réalisables pendant que la machine travaille, c'est-à-dire en temps masqué (préparer l'outil au pied de la machine, rapprocher les matières premières, etc.),
- les tâches internes, qui ne peuvent être faites que machine arrêtée (dévisser les fixations, débrancher les tuyauteries, etc.).

Cette simple décomposition, qui repose sur une bonne préparation du travail, permet déjà de réduire sensiblement le temps de changement.

Étape 2 : Conversion des temps internes en temps externes

Certaines opérations qui ne peuvent être faites actuellement qu'au moment où la machine est arrêtée pourraient être réalisées pendant que la machine travaille, moyennant certaines modifications de l'équipement ou de ses outils. Par exemple, il est possible grâce à un banc de préréglage de préparer l'outil en dehors de la machine et de réduire d'autant l'arrêt de la production. On dit dans ce cas que l'on a *converti* des temps internes en temps externes.

Étape 3 : Réduction des temps internes et externes

Une fois les temps internes bien identifiés, il est possible de les comprimer grâce à différents dispositifs techniques. Certains sont peu coûteux, et permettent d'accumuler des gains de quelques minutes (fixations et branchement rapides, standardisation des hauteurs d'outils, positionnement en butée, etc.). D'autres sont plus conséquents, et nécessitent un investissement dont la rentabilité doit être calculée (transfert automatique de l'outil, fixations hydrauliques, etc.). À l'issue de l'étude, les différentes propositions sont recensées, et choisies en fonction du rapport coût / gain en temps.

Enfin il convient de porter également son attention sur les temps externes. Si les tâches externes n'influencent pas directement le temps d'arrêt de la production, leur réduction allège le travail de préparation. Par exemple : création d'un parc d'outils aux abords des équipements, rationalisation de l'entretien, etc.

Remarque : un changement de série ne se réduit pas à un changement d'outil. Il faut aussi résoudre d'autres problèmes : réaliser une bonne qualité dès la première pièce, préparer les matières premières, simplifier des tâches administratives de lancement.

20/2.2   *Une démarche participative*

La réussite d'un projet SMED implique la collaboration d'une équipe. Pour s'en persuader, il suffit d'observer l'efficacité avec laquelle les équipes de mécaniciens changent les pneus d'une Formule 1 lors d'un Grand Prix. En usine, il convient également de travailler en équipe. Le projet doit être pris en charge par un groupe, composé généralement de l'opérateur, du régleur, d'un agent des méthodes, et d'un représentant du service qualité. Le groupe propose des solutions et suit leur mise en œuvre jusqu'à ce que l'objectif soit atteint.

20/3   L'AMDEC

L'AMDEC (Analyse des Modes de Défaillances et de leurs Criticités, en anglais *FMECA – Failure Mode, Effects and Criticality Analysis*) est une technique utilisée dans la phase de conception d'un produit, d'un matériel ou d'un processus. Elle vise à anticiper les différents défauts pouvant survenir sur un produit ou les différentes pannes pouvant intervenir sur une machine, et à imaginer préventivement toutes les actions susceptibles d'y remédier.

Il existe trois sortes d'AMDEC :

– l'AMDEC Produit, dans laquelle on imagine toutes les pannes éventuelles d'organes et leurs effets sur les fonctions du produit,
– l'AMDEC Équipement, qui consiste à identifier toutes les causes possibles d'arrêt, les organes fragiles, les contraintes élevées…,
– l'AMDEC Processus que nous étudierons ici plus spécifiquement.

Celle-ci a pour objectifs :

– la recherche des défauts potentiels engendrés par un processus,
– l'évaluation de leurs effets vis-à-vis du client interne (opération suivante) et externe (utilisateur),
– l'identification des causes possibles,
– la recherche d'actions correctives et leur mise en œuvre.

Par processus, on entend l'enchaînement des tâches élémentaires ainsi que les moyens correspondants nécessaires à l'élaboration d'un produit. Le processus comprend, d'une part, les opérations principales ou opérations à valeur ajoutée, d'autre part, les opérations annexes telles que réception matière, manutention, stockage, contrôle, conditionnement, expédition, retouches. Ces dernières représentent une partie non négligeable du processus global et peuvent engendrer un grand nombre de défauts sur le produit.

L'AMDEC est souvent mise en œuvre par des groupes pluridisciplinaires qui rassemblent des techniciens spécialistes du matériel, des dépanneurs, des utilisateurs. L'évaluation des risques de panne et des moyens d'y remédier permet d'orienter les efforts pour atteindre une efficacité maximale.

Avant le démarrage de l'étude, le groupe doit connaître :

– la fonction du produit et ses contraintes (*à quoi sert-il ?*),
– son environnement (*où est-il monté ? avec quel organe ?*),
– les exigences de fabrication et de montage et les objectifs de qualité et de fiabilité du produit,
– la décomposition du processus (*comment est prévue la réalisation du produit ?*),
– l'historique qualité sur des produits similaires,
– le plan de surveillance prévisionnel,
– le conditionnement du produit.

Le déroulement de l'AMDEC comprend cinq étapes :

Étape 1 : Analyse et hiérarchisation des défauts potentiels.

Étape 2 : Recherche des actions correctives.

Étape 3 : Réévaluation des défauts après proposition.

Étape 4 : Planification et mise en place des actions prévues.

Étape 5 : Confirmation des actions.

Analyse et hiérarchisation des défauts potentiels

À partir du diagramme de flux, le groupe doit passer en revue toutes les opérations du processus pour :

– rechercher les défauts potentiels imputables à l'opération analysée,

– décrire avec précision l'effet pour le ou les clients de chaque défaut potentiel identifié,

– énumérer toutes les causes possibles du défaut potentiel.

Chaque défaut potentiel reçoit une triple cotation (de 1 à 10 selon les tables présentées ci-dessous).

La note **D** – Détectabilité – représente la probabilité de non détection du défaut à l'opération compte-tenu des contrôles et des systèmes anti-erreur prévus dans le plan de surveillance.

La note **O** – Occurrence – représente la fréquence d'apparition du défaut engendré par la cause.

La note **S** – Sévérité – représente la gravité de l'effet du défaut pour le ou les clients.

On calcule ensuite l'indice de criticité **C** :

$$C = D \times O \times S$$

Cet indice établit une criticité relative du défaut. Plus il est élevé, plus le défaut est préoccupant.

Bien qu'étant une méthode d'analyse du processus de fabrication, cette AMDEC peut amener des propositions de modifications sur le produit.

On peut ensuite trier les défauts par indice de criticité décroissant. Le groupe se préoccupera de ceux qui sont en tête de cette liste pour proposer des actions correctives. On effectuera une nouvelle analyse AMDEC pour réévaluer l'indice de criticité. Si le résultat est satisfaisant, on décidera la mise en place de la modification du processus.

N.B. : les tables ci-dessous, issues de l'industrie automobile, ne sont données qu'à titre d'exemple, chaque analyse devant donner lieu à l'établissement de critères spécifiques. *Retenir la note la plus élevée chez le client aval ou chez le client final.*

Probabilité de non détection « D »

Il s'agit d'exprimer quel risque a le plan de surveillance de ne pas détecter le défaut avant que le produit ne quitte l'opération concernée et laisser passer un défaut :

Critères	Note D	Probabilité
Très faible probabilité Contrôle automatique à 100 % des pièces à l'opération, mise en place de verrous, *Poka-Yoke* à la sortie des pièces	1 ou 2	1/20 000 1/10 000
Faible probabilité Le défaut est évident (exemple : présence d'un trou ; quelques défauts échapperont à la détection (contrôle unitaire par l'opérateur)	3 ou 4	1/2 000 1/1 000
Probabilité modérée Contrôle manuel difficile (aspect ou dimensionnel)	5 ou 6	1/500 1/200
Probabilité élevée Le contrôle est subjectif Le contrôle par échantillonnage est mal adapté	7 ou 8	1/100 1/50
Probabilité très élevée Le point n'est pas contrôlé ou pas contrôlable Le défaut n'est pas apparent	9 ou 10	1/20 >1/10

Probabilité d'occurrence « O »

Il s'agit d'estimer quels risques a le processus de produire le défaut :

Critères	Note O	Probabilité
Probabilité très faible Défaut inexistant sur un processus analogue Capabilité estimée du processus : CAP > 1,33	1 ou 2	1/20 000 1/10 000
Probabilité très faible Très peu de défauts sur processus analogue ou processus sous contrôle statistique Capabilité estimée du processus : 1 < CAP <1,33	3 ou 4	1/2 000 1/1 000
Probabilité modérée Défauts apparus occasionnellement sur des processus analogues ou processus sous contrôle statistique Capabilité estimée du processus : 0,83 < CAP < 1	5 ou 6	1/500 1/200
Probabilité élevée Défauts fréquents sur processus analogue Capabilité estimée du processus : 0,66 < CAP <0,83	7 ou 8	1/100 1/50
Probabilité très élevée Il est certain que le défaut se produise fréquemment.	9 ou 10	1/20 >1/10

Niveau de gravité « S »

Il s'agit d'estimer la gravité sur le client final ou aval, engendrée par le défaut :

Critères Client Final	Note S	Critères Client Aval
Effet minime Le client ne s'en aperçoit pas.	1	Aucune influence sur les opérations de fabrication suivantes ou dans l'usine cliente.
Effet mineur que le client peut déceler mais ne provoquant aucune gêne légère et aucune dégradation notable des performances.	2 ou 3	Effet mineur que l'opérateur ou l'usine cliente peut déceler mais ne provoquant qu'une gêne légère sans perturbation du flux.
Effet avec signe avant-coureur qui mécontente le client ou le met mal à l'aise.	4 ou 5	Effet avec signe avant-coureur qui mécontente l'opérateur aval ou l'usine cliente. Légère perturbation du flux de production.
Effet sans signe avant-coureur (ou avec signe avant-coureur et sans solution) qui mécontente le client. Elle l'indispose ou le met mal à l'aise. On peut noter une dégradation des performances du sous-ensemble. Les frais de réparation sont modérés.	6 ou 7	Effet sans signe avant-coureur qui mécontente l'opérateur ou l'usine cliente. Perturbation modérée du flux. Peut provoquer quelques rebuts ou retouches sur le produit. Frais de remise en état du processus modérés.
Effet avec signe avant-coureur qui provoque un grand mécontentement du client et /ou des frais de réparation élevés en raison d'un véhicule ou d'un sous-ensemble en panne.	8	Effet avec signe avant-coureur qui provoque un grand mécontentement de l'opérateur aval ou de l'usine cliente. Importante perturbation du flux. Rebuts ou retouches importants sur le produit. Frais de remise en état du processus élevés.
Effet sans signe avant-coureur qui provoque un grand mécontentement du client et /ou des frais de réparation élevés en raison d'un véhicule ou d'un sous-ensemble en panne.	9	Effet sans signe avant-coureur qui provoque un grand mécontentement de l'opérateur aval ou de l'usine cliente. Importante perturbation du flux. Rebuts ou retouches importants sur le produit. Frais de remise en état du processus élevés.
Effet impliquant des problèmes de sécurité ou de non conformité aux règlements en vigueur.	10	Effet impliquant des problèmes de sécurité pour l'opérateur aval ou dans l'usine cliente. Arrêt du processus de fabrication.

20/4 L'implantation des équipements

20/4.1 Choix du mode d'organisation industrielle

Le choix de l'implantation suppose enfin que l'entreprise décide du *mode d'organisation* principal cohérent avec l'approche générale en matière de gestion des flux internes. Ce choix renvoie aux décisions consistant à choisir entre sections-opérations et sections-produits (cf. chap. 2).

Qu'il s'agisse d'implanter une usine prise dans sa globalité ou chacun des ateliers situés parallèlement (et dédiés à la fabrication de familles de produits homogènes), ou encore des ateliers situés en séquence, le responsable logistique a le choix entre les modes d'organisation suivants.

Organisation en ateliers spécialisés

Dans ce système de production, les flux sont discontinus et les opérations de même nature sont effectuées sur des machines regroupées en technologies homogènes. Ainsi dans un atelier de mécanique, on trouve, par exemple, les tours et les perceuses regroupés, le traitement thermique dans un troisième centre, les opérations d'assemblage dans un quatrième et les opérations de finition dans une ultime zone.

Cette organisation s'impose lorsque l'entreprise doit gérer un large éventail de produits différents, tous fabriqués en quantités limitées (l'investissement dans un équipement de production spécifique à chacun d'entre eux ne s'avérant pas rentable). Cette implantation permet un maximum de flexibilité et la réalisation en parallèle de produits différents selon leurs gammes opératoires respectives.

La contrepartie de ce choix est la complexité de l'ordonnancement, l'existence de cycles de production relativement longs et de niveaux de stocks d'en-cours assez élevés. En général, les manutentions inter-postes sont nombreuses, variables dans le temps et difficilement automatisables, du fait de l'évolution rapide du portefeuille des produits réalisés. En conséquence, l'implantation doit surtout tenir compte des manutentions, tout en préservant la possibilité d'intégrer de nouvelles fabrications à gammes opératoires particulières.

Organisation en lignes-produits

Ce mode d'organisation, caractérisé par des flux continus, est justifié pour des quantités importantes et une faible variété des produits. Les ressources et équipements sont organisés selon la séquence opératoire des fabrications, le plus souvent, le long d'un système de manutention semi-automatique ou totalement automatisé. La chaîne automobile en est l'exemple type.

Le niveau d'en-cours est faible et les cycles de production sont courts. C'est un système de production relativement rigide qui ne permet de réaliser que des variantes du même produit. Toute modification du produit ou de son processus de production implique une modification des installations et donc de l'implantation.

Cela étant, le choix de l'implantation est dans ce cas beaucoup plus simple. Il s'appuie essentiellement sur la détermination de l'équilibrage et la prise en compte des caractéristiques physiques de l'outil de manutention envisagé (tapis convoyeur, convoyeur aérien, etc.).

Dans le cas des chaînes à modèles multiples, on traite des variantes d'un modèle de base ou des modèles différents mais dont les caractéristiques dimensionnelles permettent l'utilisation du même système de convoyage inter-postes. On raisonne alors sur le principe d'une *gamme mère* commune aux différentes références : cette gamme constitue la partie commune aux différents produits et détermine la ligne centrale de l'implantation. Comme le montre la figure 20-5, les postes correspondant aux opérations spécifiques des différents produits sont distribués *en dérivation* selon les surfaces disponibles.

Figure 20-5 – *Implantation en ligne*

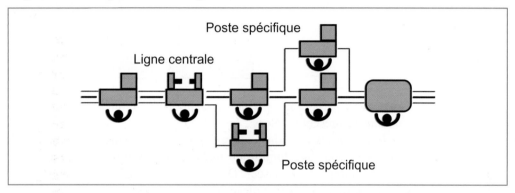

L'implantation physique en ligne présente deux inconvénients principaux.

D'abord elle oblige à séparer les zones de déchargement matières et composants, et d'expédition des produits finis, ce qui peut entraîner un problème de productivité dans l'emploi des personnels de magasinage et de préparation.

Ensuite, dans le cas de produits dont les opérations de fabrication ou de montage sont nombreuses, la disposition en ligne cloisonne les opérateurs sur des zones limitées sans qu'il leur soit possible d'avoir une vision globale du processus.

Pour ces deux raisons, l'implantation en U est souvent préférée (fig. 20-6). Elle permet de faciliter l'implantation adjacente de postes spécialisés, et favorise la distribution des approvisionnements de la chaîne.

Implantation hybride

Dans beaucoup d'entreprises, on combine les deux types d'organisation vus ci-dessus : par exemple, un usinage de pièces sur le mode fonctionnel et un montage final en ligne (c'est ce que l'on rencontre souvent dans les entreprises de biens d'équipement).

Cellules flexibles

Une société qui développe des approches Juste-à-temps pour accélérer les flux recherche souvent une standardisation des processus de production suivant les principes de la TGAO (Technologie de Groupe Assistée par Ordinateur). Cette méthode a pour objectif de classer les pièces selon leurs processus et d'aboutir à la définition de *familles homogènes de pièces*, quelles que soient leurs destinations dans les produits finis.

Figure 20-6 – *Implantation en U*

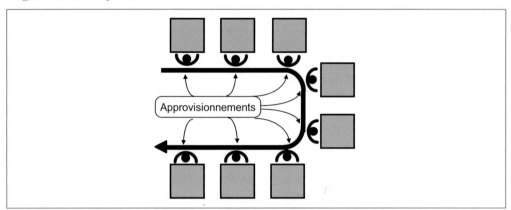

Une telle préparation permet la création de cellules technologiques dédiées. Deux situations se présentent alors :

– Il est concevable, dans un premier cas, de mettre en place une chaîne spécifique multipostes pour une famille de pièces. Cette solution est d'autant plus aisée que la standardisation est poussée. Dans un atelier globalement structuré en sections-opérations, on peut ainsi avoir un ou plusieurs îlots organisés en sections-produits.

– Dans un second cas, et sous réserve de disposer d'équipements polyvalents (machines-outils à commande numérique, par exemple), la solution consiste à mettre en place des cellules flexibles. Si la polyvalence de la main-d'œuvre est suffisante, un ou plusieurs opérateurs prennent en charge la réalisation d'un produit ou d'un composant *dans sa totalité* en disposant autour d'eux de l'ensemble des machines, équipements et outillages nécessaires. La figure 20-7 fournit un exemple avec deux opérateurs.

Au lieu de travailler par lots (opération par opération), il est possible de réaliser *à la suite* l'ensemble des opérations sur chaque unité de produit, et d'atteindre de cette façon des cycles de production très courts puisqu'une pièce n'attend pas entre les opérations.

L'implantation physique de l'atelier doit prévoir et organiser ces îlots ou cellules flexibles sur des sites réservés, disposant de l'ensemble de leurs équipements propres, où l'accent est mis sur la simplification du flux physique des produits. Enfin, dans une implantation en cellules, l'ajustement global de la capacité à la charge se fait par retrait ou ajout de cellules, ce qui offre une grande flexibilité (alors qu'une ligne unique multipostes est par nature plus rigide).

Organisation par chantiers

Le dernier mode d'organisation, pratiqué dans les domaines aéronautique, de la construction navale, du bâtiment et des travaux publics, où il est impossible de déplacer le produit, consiste à déplacer les hommes, les machines et équipements nécessaires. L'implantation consiste principalement à prévoir les accès du chantier ou du site de montage.

Figure 20-7 – *Organisation en îlots*

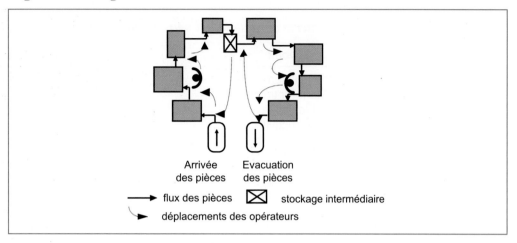

20/4.2 *Critères d'évaluation d'une implantation*

Dans toute démarche d'implantation, il convient de définir de façon précise les critères qui vont permettre d'évaluer les solutions envisagées. On trouvera ci-dessous les plus fréquemment utilisés (le tableau de la figure 20-8 les reprend de façon synthétique).

Montant des investissements

Les besoins en espace et en équipements dépendent des modes d'organisation et de l'implantation envisagés. Ainsi les investissements en matériels auxiliaires des équipements de fabrication représentent toujours un critère essentiel. Dans le cas d'implantations existantes, le coût de *réaménagement* d'un atelier devient le critère économique pertinent (coût direct ainsi que manque à gagner dû à l'immobilisation possible des équipements).

L'évaluation de la rentabilité de l'investissement engagé pour une implantation devra inclure également l'incidence de la modification du besoin en fonds de roulement associé (niveau des stocks intermédiaires requis).

Coût des manutentions

Le deuxième critère d'évaluation d'une implantation concerne le coût des manutentions induites. Dans un atelier organisé sur le mode fonctionnel, la méthode utilisée s'appuie, en général, sur la minimisation des manutentions inter-postes. On cherche à rapprocher les postes deux à deux en fonction à la fois des quantités et de la nature des gammes opératoires respectives. Les méthodes présentées plus loin traitent exactement ce problème.

Dans une unité de stockage et de préparation, on visera la minimisation des coûts de mise en stock, de sortie de stock et de préparation. Pour cette raison, les articles sont souvent stockés dans des zones concentriques dépendant de la fréquence de leur consommation selon une analyse ABC (les articles à fréquence de consommation la plus élevée étant stockés près des zones de réception et d'expédition, cf. chap. 16).

Figure 20-8 – *Critères d'évaluation d'une implantation*

Usines	Entrepôts
Investissement Manutentions Flexibilité Productivité Maintenabilité Environnement Conditions de travail Motivation Visibilité	Investissement Flexibilité Productivité Rangement Préparation
Bureaux	**Services**
Investissement Productivité Communication Satisfaction	Investissement Satisfaction du client Déclenchement de l'acte d'achat Atmosphère Flexibilité

Objectif de flexibilité

Le troisième critère de décision concerne la capacité d'une implantation à s'adapter à des évolutions dans les volumes et les types de produits fabriqués. S'il faut modifier une implantation, il importe de pouvoir l'adapter par touches sans avoir à tout remettre en cause, par exemple, en ajoutant des cellules ou centres opératoires successifs.

De ce point de vue, la conception actuelle de certains bâtiments industriels selon un principe modulaire offre cette capacité d'adaptation à la demande en nature et quantités.

Critères complémentaires

Mis à part ces trois principaux critères d'évaluation, toute implantation doit aussi être jugée selon des critères additionnels qui varient selon les types de locaux ou d'activités (unités industrielles, entrepôts, locaux administratifs, surfaces de vente, etc.). Ces critères additionnels sont :
- la productivité du travail induite par l'implantation (prise en compte par exemple des temps moyens de déplacement pour les opérateurs),
- la maintenabilité des équipements (accessibilité aux organes ou parties des machines qui seront révisés ou remplacés selon des fréquences élevées),
- l'ergonomie de l'environnement des postes de travail,

- la visibilité du processus de production pour les opérateurs et l'encadrement de l'atelier,
- la facilité des opérations de nettoyage, d'évacuation des déchets, etc.

Ainsi la mise en œuvre de méthodes telles que celles présentées ci-après doit-elle être précédée par la définition d'un système de cotation multicritère.

20/4.3   Méthodes pour optimiser l'implantation

Des deux modes d'organisation (fonctionnelle ou en ligne produits), la première est la plus complexe à traiter du fait de la combinatoire des solutions possibles. En comparaison, l'organisation en ligne ne pose pas de problème méthodologique si l'on a préalablement procédé au calcul du nombre de postes et à l'équilibrage. La suite de cette section traitera donc exclusivement du premier cas.

Toutes les méthodes imposent de collecter préalablement l'information nécessaire sur les locaux (surfaces, volumes, arrivées des fluides), sur les produits (gammes opératoires, graphiques de circulation induits, nature des centres opératoires concernés, quantités prévisionnelles et donc capacités induites, types et nombre de machines requises par centre opératoire).

Selon les cas, les méthodes peuvent être :
- le bon sens à l'aide de plans ou de maquettes que le responsable du projet essaie de combiner,
- l'appel à des méthodes plus rigoureuses, nécessitant ou non l'utilisation d'un outil informatique, telles que la méthode dite des chaînons, ou les méthodes CRAFT et CORELAP.

Méthode des chaînons

La méthode des chaînons a pour objectif de définir les positions relatives des centres opératoires afin de minimiser les manutentions (exprimées en distance x quantités). Pour ce faire, on analyse les diagrammes de circulation des différents produits fabriqués.

Prenons l'exemple des trois produits dont les données respectives sont présentées dans le tableau de la figure 20-9.

Figure 20-9 – *Données de production*

Produits	A	B	C
Volume de production (en pièces)	1 000	3 000	2 000
Postes successifs de la gamme de fabrication	P1 P4 P3 P5 P4	P1 P2 P4 P3	P2 P4 P1 P5

On peut en déduire les données du tableau de la figure 20-10, dit des chaînons, dont l'élaboration est expliquée ci-après.

Le passage entre les deux tableaux se fait de la façon suivante :

On prend chaque poste du tableau 20-9, et on considère toutes les paires qu'il forme avec les postes adjacents. Par exemple, P1 est adjacent à P4 pour le produit A, à P2 pour le produit B, ainsi qu'à P4 et P5 pour le produit C.

Dans le second tableau, on porte dans la colonne correspondant à P1 :
- 1 croix pour sa liaison avec P4 pour le produit A
  et 2 croix pour sa liaison avec P4 pour le produit C,
- 3 croix pour sa liaison avec P2 pour le produit B,
- 2 croix pour sa liaison avec P5 pour le produit C.

Figure 20-10 – *Tableau des chaînons*

Postes	P1	P2	P3	P4	P5
P5	XX		X	X	3
P4	XXX	XXXXX	XXXX	4	
P3			2		
P2	XXX	2			
P1	3				

Plus généralement, on porte dans chaque case du second tableau autant de croix que de milliers d'unités transitant entre deux mêmes postes pour tous les produits.

Et ainsi de suite pour chaque paire de postes.

Ainsi pour le poste P3, nous avons les données suivantes :
- Produit A : deux paires : P3 - P4 coefficient 1 (1 000 p.) et P3 - P5 coefficient 1 (1 000 p.),
- Produit B : une paire : P3 - P4 coefficient 3 (3 000 p.),
- Produit C : ce produit ne passe pas sur le poste P3.

Donc, dans le second tableau, on reporte 4 croix dans la case P3 - P4 et une croix dans la case P3 - P5.

Pour le poste P2, nous avons de façon similaire :
- Produit A : ce produit ne passe pas sur le poste P2,
- Produit B : deux paires : P2 - P4 coefficient 3 (3 000 p.) et P2 - P1 coefficient 3 (3 000 p.),
- Produit C : une paire : P2 - P4 coefficient 2 (2 000 p.).

On reporte ainsi 3 croix dans la case P2 - P1 (déjà fait par ailleurs) et 5 croix dans la case P2 - P4.

Il nous reste une liaison P4 - P5 à transcrire sous forme d'une croix dans le second tableau.

On indique également le nombre de relations de chaque poste avec les autres : ainsi P2 a deux relations, avec P1 et avec P4. On placera au centre les postes qui ont les relations les plus nombreuses avec les autres.

À partir de ces tableaux, on peut réaliser un graphe tel qu'il apparaît sur la figure 20-11. Connaissant les surfaces requises par les différents postes, ce graphe permet de réaliser l'implantation réelle et de la visualiser sous forme de représentation physique.

La procédure décrite ci-dessus ne fait usage que de l'astuce et de l'imagination du concepteur pour passer d'un graphe à l'autre. D'une part, il n'y a aucune certitude que la solution finale soit effectivement optimale. D'autre part, au-delà d'un certain degré de complexité, le problème devient impossible à traiter de cette manière. C'est pour répondre à cette difficulté que des programmes informatiques ont été développés.

Figure 20-11 – *Évolution de l'implantation*

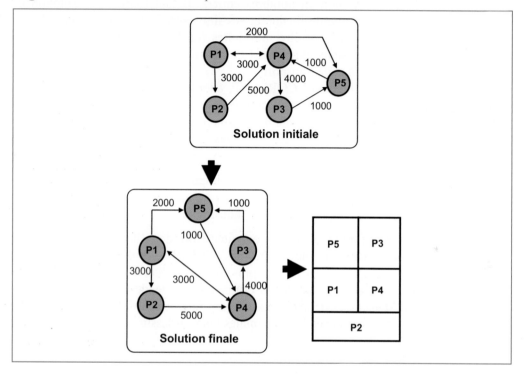

Les méthodes d'optimisation

Nous avons cité deux méthodes : analysons leurs principales caractéristiques avec l'idée d'en comprendre le principe plus que de les détailler.

La première, CRAFT (*Computerized Relation of Facilities Technique*), a pour objectif de minimiser les coûts de manutention et de transport à l'intérieur de l'usine ou de tout centre d'activité.

Nous choisissons les notations suivantes :

n : nombre de départements ou de centres opératoires

i et j : centres opératoires origine et destination

V_{ij} : nombre de charges unitaires à transporter de i vers j

U_{ij} : coût du transport d'une charge unitaire par unité de distance de i vers j

L_{ij} : distance de i vers j

Le but est de trouver la disposition physique qui minimise la fonction économique suivante :

$$E = \sum_{i=1}^{n} \sum_{j=1}^{n} V_{ij} \, U_{ij} \, L_{ij}$$

Il n'existe pas de solution analytique à ce problème qui est très difficile puisque pour 20 départements il existe (20 !) dispositions différentes possibles des départements (s'ils sont de même surface). La seule approche est fondée sur la théorie de l'optimisation en nombres entiers. Il faut fournir une solution de départ, ce qui définit la forme de l'usine et ses limites de surface hors tout. Un certain nombre de contraintes peuvent être introduites (taille et forme des départements, départements fixes, dimensions extérieures du bâtiment). Le seul critère de résultat est le coût de manutention et de transport.

L'autre méthode, CORELAP, adopte une option tout à fait différente de CRAFT. CRAFT utilise pour seul critère les coûts de transport, alors que CORELAP a pour point de départ une grille dans laquelle le décideur fait entrer ses *préférences* en ce qui concerne les proximités relatives des différents départements, suivant l'échelle suivante (fig. 20-12) :

A = essentiel   E = très important
I = important   O = moyennement désirable
U = sans importance X = indésirable

Le fait que la distance souhaitée entre deux départements ne soit indiquée que de manière cardinale ne permet pas à CORELAP d'être aussi précis que CRAFT. En revanche, les données sont plus faciles à obtenir et il est possible de faire entrer en ligne de compte autant de critères qu'on le désire. Il existe d'autres modèles que CRAFT et CORELAP, mais ils sont rarement utilisés. Ils reprennent en grande partie les deux approches fondamentales vues ci-dessus.

Figure 20-12 – *Matrice de préférence*

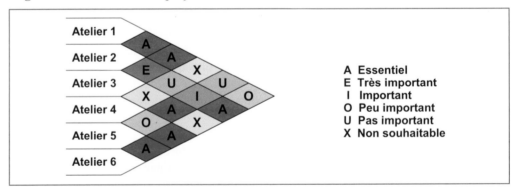

Chapitre 21

La maîtrise de la qualité

Au sens strict, la *supply chain* n'a pas la responsabilité directe de la qualité. Toutefois, les principes et règles en matière de Qualité en vigueur ont un impact fort sur l'organisation et les performances du domaine. De plus, la performance Qualité de l'entreprise est souvent intégrée à l'ensemble des objectifs opérationnels, d'où ce chapitre détaillé.

L'importance de la qualité dans la réussite d'une entreprise est un facteur que peu de gens contestent. Pourtant, nombreuses sont encore les entreprises qui rencontrent des difficultés dans l'application de ce principe.

Prenons un exemple passé : un poste de télévision fabriqué en 1980 dans une usine américaine n'avait pratiquement aucune chance d'être achevé sans avoir à subir au moins une retouche. Quant aux interventions en service après-vente, elles touchaient en moyenne quatorze pour cent des appareils sous garantie. À la même époque, soixante pour cent des véhicules sortant des chaînes de montage d'automobiles françaises étaient invendables en l'état. Une armée de deux cents retoucheurs était affectée, en sortie de ligne, au traitement des défauts.

Dix ans plus tard, la quasi-totalité des téléviseurs vendus aux États-Unis étaient d'origine japonaise. Les usines locales avaient pour la plupart été rachetées par des groupes tels que Matshushita, qui fabriquaient des téléviseurs sans défaut avec des ouvriers, des techniciens et des cadres américains. Quant aux fabricants d'automobiles occidentaux, ils ne doivent leur salut qu'à une profonde remise en question de leur politique industrielle.

À qui la faute ?

Confronté aux problèmes de qualité, il n'est pas rare d'entendre déclarer : « Les gens font n'importe quoi ! La conscience professionnelle a disparu ! ». Faut-il souligner à quel point ce type de réaction est inapproprié ? En effet, il est dans la *nature de l'homme* de vouloir bien faire son travail ; la qualité n'est pas une affaire de bonne ou mauvaise volonté des individus, mais le résultat d'un *bon ou d'un mauvais management*. Il existe de nombreuses raisons qui expliquent pourquoi la qualité peut se dégrader. En voici quelques exemples :
- les caractéristiques des produits ou les instructions de travail sont ambiguës, et chacun les interprète à sa façon,
- les machines se dérèglent fréquemment,

– le poste de travail est mal éclairé ou disposé, ce qui rend difficile le positionnement précis des pièces,

– l'atelier est en désordre, les allées sont encombrées de produits en cours ; de ce fait, certaines pièces subissent des chocs, d'autres sont engagées par erreur dans une opération qui n'appartient pas à leur gamme,

– chacun cherche à produire toujours plus vite – avec parfois une prime à la clé – pour optimiser le résultat d'exploitation du mois, sans se préoccuper des défauts possibles sur les produits,

– en cas d'incident, la réaction consiste à renforcer les contrôles *a posteriori* plutôt qu'à envisager des actions préventives qui traitent les racines du problème,

– l'acheteur persiste à donner la préférence au fournisseur le moins cher, alors que l'usine rencontre de nombreux problèmes avec des matières défectueuses,

– la communication entre les différents services est insuffisante. C'est ainsi que l'atelier de montage se plaint de recevoir de l'usinage des mauvaises pièces, alors que l'atelier d'usinage est persuadé qu'il fait du bon travail.

Traiter les problèmes qui viennent d'être cités (et bien d'autres...) suppose de mener dans l'entreprise un plan d'amélioration cohérent. Mais avant d'aller plus loin, il nous faut revenir sur quelques définitions de base.

21/1   Définitions et enjeux de la qualité

21/1.1   *La qualité : une attente du client*

Qu'est-ce que la qualité ? La question n'est pas aussi simple qu'elle en a l'air. Une Rolls-Royce est-elle de meilleure qualité qu'une Toyota ? Un repas chez Maxim's est-il de meilleure qualité qu'un hamburger chez McDonald's ?

Le concept de *qualité* n'est pas lié à la valeur intrinsèque du produit, mais à l'attente du client et à sa perception du produit (ou de la prestation). C'est la satisfaction du client qui fait la qualité du produit, non les efforts réalisés pour le fabriquer. Un client peut être satisfait d'un hamburger, et mécontent d'un repas dans un restaurant de luxe. C'est pourquoi la qualité est toujours définie par une relation produit-client. Un principe que l'AFNOR[1] exprime sous la forme suivante : *la qualité d'un produit ou d'un service est son aptitude à satisfaire les besoins des utilisateurs.*

21/1.2   *La qualité dans l'entreprise : un objectif de conformité*

Un artisan ou un commerçant perçoit directement l'appréciation du client. Il peut ajuster son offre pour tenir compte du point de vue du consommateur, et tendre en permanence vers un service de meilleure qualité.

La situation est différente dans le cas d'une organisation industrielle. En effet, la nature du produit et le nombre de personnes impliquées dans la production écartent la possibilité d'un contact direct. C'est ainsi que l'opérateur qui usine les soupapes d'un moteur ne peut pas raisonner de la même façon que le plombier qui installe une

---

[1] AFNOR : Association Française de Normalisation (Paris, La Défense).

robinetterie chez un particulier. De même, l'ingénieur qui dessine les plans d'une turbine d'avion ne peut pas procéder comme le conférencier qui adapte son exposé en tenant compte des réactions en temps réel de ses auditeurs.

Voilà pourquoi, à la définition interactive de la qualité énoncée précédemment, doit se substituer dans le cas d'un processus complexe une définition fondée sur un mécanisme en deux temps (fig. 21-1) :
– la spécification du besoin,
– la production en conformité aux spécifications.

Figure 21-1 – *Un manque de qualité peut provenir soit d'une spécification mal définie, soit d'une réalisation imparfaite de la spécification*

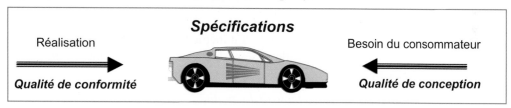

Pour l'atelier qui fabrique les soupapes, la qualité est la *conformité aux spécifications* inscrites sur le plan. De même, pour l'ingénieur de conception, la qualité du moteur est la *conformité aux spécifications* contenues dans le cahier des charges du produit défini par le marketing. Par exemple :
– le diamètre de la tête de soupape doit être de 45 mm (à +/– 7 microns),
– le paquet de biscuits doit peser entre 225 et 230 grammes,
– la turbine doit pouvoir tourner à 10 000 tours/mn avec un rendement de 87 % et se contenter d'une révision toutes les 1 800 heures,
– le client ne doit pas attendre plus de trois minutes avant qu'un serveur enregistre sa commande,
– le producteur de cinéma demande au scénariste une histoire d'amour sur fond de guerre, avec un héros romantique, un banquier indélicat et une fin heureuse.

21/1.3   *Un processus généralisé : la boucle Qualité*

La définition de la qualité est simple, mais sa réalisation est difficile. Trois difficultés majeures peuvent être distinguées.

Première difficulté : le nombre des intervenants en séquence

Tous les services sont impliqués. Du service marketing qui étudie le marché à l'acheteur qui se procure les matières et composants, en passant par le Bureau d'Études qui dessine les plans, les occasions d'erreur sont nombreuses. Et toute imprécision sur la *boucle de la qualité* peut provoquer un défaut du produit fini (fig. 21-2).

Il est important de noter que, contrairement à la productivité qui résulte de la somme des efforts des différents acteurs tout au long du processus de production, la non-qualité localisée en un point de l'organisation ne peut pas être compensée par une sur-qualité faite ailleurs. Même si l'atelier travaille parfaitement, son effort ne peut compenser l'erreur du Bureau d'Études dans le calcul des aubes de la turbine. C'est pourquoi l'on dit que la qualité est une caractéristique *disjonctive* du processus de production, alors que la productivité est une caractéristique *additive*.

Deuxième difficulté : la combinatoire

Quand un produit est complexe, les occasions de défaut se multiplient. Prenons l'exemple d'une automobile ayant 10 000 composants. Même si la production de chaque composant ne comporte en moyenne qu'un défaut sur dix mille, la proportion de véhicules sans défaut une fois le montage achevé ne sera que de un sur trois (0,9999 à la puissance 10 000, soit 36 %).

Troisième difficulté : les coûts induits

Les contraintes de coût. Qui est prêt à payer une voiture sans défaut deux fois plus cher que le prix du marché ? En même temps que l'on assure la qualité, il faut réduire les coûts. On ne peut donc se permettre de multiplier indéfiniment les contrôles et les retouches.

Figure 21-2 – *La boucle de la qualité*

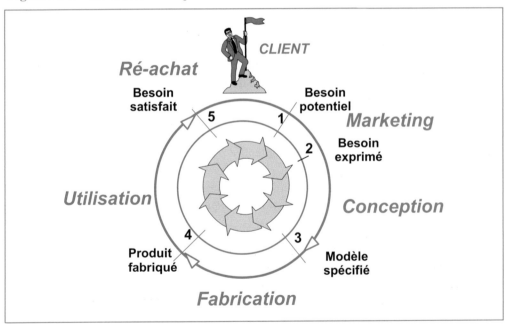

En généralisant, et à un niveau managérial, on peut dire que la qualité définit une véritable culture d'entreprise, avec ses principes de comportement et ses valeurs. Aujourd'hui, toutes les entreprises leaders appliquent ainsi un certain nombre de principes fondamentaux dans leur approche qualité.

21/2 Approche globale du management de la qualité

21/2.1 Principes fondamentaux

Plusieurs concepts de base constituent les lignes directrices d'une approche Qualité moderne.

Postulat de base

Le seul objectif acceptable, on l'a vu, c'est la conformité aux besoins et attentes du client. Cet objectif générique doit s'appliquer à tous les niveaux de l'entreprise. Il suppose, en particulier, que tous les services soient informés sur ce besoin à satisfaire, qu'ils disposent des informations adéquates. Il signifie aussi de ne pas accepter la sur-qualité.

À l'intérieur de l'entreprise, les relations « clients-fournisseurs » entre services doivent aussi être régies selon ce même principe. Cela implique donc dans une démarche qualité que les services administratifs et fonctionnels ou les fonctions support (qui ne sont pas directement concernés par la conception ou la réalisation des produits), soient soumis aux mêmes obligations vis-à-vis des services opérationnels et vice versa.

Une seule norme « cible» acceptable : le « zéro-défaut »

On s'est longtemps satisfait d'un niveau de qualité exprimé en un pourcentage proche de 100 %, considérant que viser le « zéro défaut » était irréaliste, voire impossible. Or preuve est faite quotidiennement qu'on peut toujours améliorer la performance. Ainsi dans le domaine des industries électroniques ou pharmaceutiques par exemple, sur quelque vingt années on est passé d'un taux de défectueux exprimé en pourcentage à un taux exprimé en *ppm* (parties par million), traduisant une performance proche de la perfection.

Et surtout, pour un manager, annoncer un pourcentage « zéro-défaut » comme seule norme acceptable est motivant sur le plan psychologique, mettant l'entreprise en perpétuel mouvement de tension et d'amélioration. D'ailleurs, peu de collaborateurs admettraient dans leur vie privée qu'un tel objectif ne soit pas atteint. Par exemple, se satisfaire de 99,9 % de succès, cela voudrait dire que :
- un avion au moins risquerait de manquer son atterrissage ou son décollage chaque jour à l'aéroport Charles de Gaulle,
- 20 000 ordonnances erronées seraient rédigées par an,
- 15 000 chèques seraient débités en France par jour sur des comptes erronés,
- ou, enfin, 1 200 erreurs par jour seraient effectuées par les distributeurs automatiques de billets dans les réseaux bancaires.

Une seule méthode à promouvoir : l'approche préventive

« Il vaut mieux prévenir que guérir », affirmait le dicton de nos aïeux ; en matière de qualité d'entreprise, ce principe fondateur doit aussi être privilégié de façon systématique pour plusieurs raisons :

– sur le plan économique, cela signifie qu'on évite de « produire » des défauts pour éliminer les produits en fin de processus, en supportant des coûts de réparation ou pire de rebuts,

– vouloir prévenir, c'est s'imposer de rechercher les causes des phénomènes, donc aller aux causes plutôt qu'aux effets, en vue de les supprimer de façon définitive en comprenant les liens de causalité,

– en élargissant le principe, considérant que l'entreprise est située dans une « chaîne de valeur » vis-à-vis du client final, anticiper c'est aussi « remonter » la filière industrielle en amenant les fournisseurs à mener le même type d'approche.

Les paragraphes suivants développeront les approches de contrôle et de prévention de façon détaillée.

Une condition essentielle : avoir un système de mesure objectif

Pour rendre compte sur la réalité, et pour motiver l'ensemble des collaborateurs, il faut mesurer les résultats sur base d'indicateurs incontestables et facilement compréhensibles.

Certains indicateurs sont extracomptables et portent sur les résultats en termes, par exemple, de qualité achetée, produite et livrée. Le chapitre final explicitera ces questions de mesure de performances en détail.

Il est de plus très intéressant de mesurer tous les coûts associés à la qualité, comme le développe la section 2.

Une seconde condition : formaliser règles et méthodes

Règles, outils et méthodes de gestion et de management de la qualité devront être formalisés pour :

– *pouvoir communiquer* et présenter leur contenu et leurs modalités en interne et en externe (vis-à-vis des clients et des organismes de certification en particulier),

– être en mesure de *former tous les collaborateurs* à ces outils de gestion, de façon qu'ils soient à même d'utiliser eux-mêmes certains d'entre eux,

– *garantir leur reproductibilité* à toutes les parties prenantes.

Dans cet esprit, comme pour tous les autres processus de la *supply chain*, tous ces outils et méthodes devront être explicités dans un Manuel Qualité permettant, entre autres, à l'entreprise d'être certifiée selon des normes précises (voir section 6).

Une conséquence : un nouveau management de progrès permanent

Enfin, l'ensemble ne peut fonctionner qu'avec un management différent inculquant les principes et s'assurant de l'évolution des pratiques et de l'état d'esprit.

Ce mode de management impose une modification des approches : l'entreprise n'est plus dans une logique de spécialistes d'un côté et d'exécutants de l'autre (en fait une organisation très taylorienne). Mais les managers deviennent des animateurs, alors que la réflexion sur les causes des problèmes qualité et leur résolution effective sont prises en charge directement par tous les opérateurs qui prennent des responsabilités élargies. De plus, toute démarche qualité suppose un processus long et permanent d'apprentissage et de progrès, comme nous le verrons vers la fin du chapitre.

21/2.2   Le coût d'obtention de la qualité (COQ)

On entend souvent dire que la *qualité coûte cher*, et qu'il faut trouver un compromis entre le coût et la qualité. Cette conception a été prédominante jusque dans les années 1980. Le but est de trouver le meilleur équilibre économique entre les coûts de recherche de la conformité et les coûts de non-qualité.

Pour cela, on calcule un coût global qui est la somme des coûts d'obtention de la qualité et des coûts de non-conformité en partant de l'hypothèse que ces deux types de coûts varient en sens inverse : plus on dépense d'argent dans la recherche de la conformité, moins on aura de défauts et donc les coûts de non-qualité seront plus faibles.

Comme le résume la figure 21-3, les coûts de conformité recouvrent les coûts des actions de prévention et les coûts des contrôles de qualité alors que les coûts de non-conformité comprennent :
- les coûts des défaillances *internes* (défauts détectés avant que le produit ne sorte de l'usine), constitués essentiellement par les coûts des rebuts et des retouches,
- les coûts des défaillances *externes* (défauts détectés alors que le client est en possession du produit), constitués par les dépannages sous garantie, les échanges, le traitement des réclamations des clients et la perte d'image de marque de l'entreprise.

Figure 21-3 – *Les composantes du COQ*

Coûts de conformité	Coûts de non-conformité
Prévention	Défaillances internes
Formation à la qualité	Rebuts
Prototypes	Retouches
Service Méthodes	Pertes de rendement
Assurance-qualité	Modifications techniques
	Stocks
Évaluations	Défaillances externes
Contrôle de réception	Dépannages
Contrôles en cours de processus	Interventions sous garantie
Inspection finale	Réclamations des clients
Audits divers	Échanges de produits
	Pénalités (qualité, retards)

Notons que le chiffrage des coûts de non-qualité ne prend pas en compte les effets indirects sur les stocks à tous niveaux et les charges de structure. Par exemple, l'encadrement d'atelier consacre souvent près de la moitié de son temps à gérer les conséquences de la non-qualité, et n'est pas pris en compte ici ; de même que les conséquences commerciales à moyen terme d'image de marque progressivement déclinante. Les montants observés dans certaines entreprises peuvent être élevés, jusqu'à deux à trois fois supérieurs aux bénéfices. Mais poser la question en termes d'équilibre économique est inadéquat, voire insuffisant. En effet, la non-qualité représente toujours une distorsion entre *ce qu'il aurait fallu faire* et *ce qui a été fait*.

Quoi qu'il arrive, quel que soit le mode d'organisation, la non-qualité doit toujours, à un moment ou à un autre, être corrigée. C'est pourquoi, plutôt que de corriger, il faut tenter de faire en sorte que les défauts ne puissent pas se produire en éliminant systématiquement toutes les causes de non-qualité pour s'approcher du « zéro défaut ».

21/3   L'approche traditionnelle : le contrôle qualité

À la lumière de ce qui précède, on comprend la nécessité d'un contrôle très strict à chaque étape du processus. Son objet est de corriger les anomalies au fur et à mesure de l'élaboration du produit, car le coût de la réparation s'élève de façon rapide si on ne les détecte pas à temps (fig. 21-4).

Figure 21-4 – *Détection d'un composant défectueux dans un téléviseur et coût de réparation associé (données modifiées mais réalistes)*

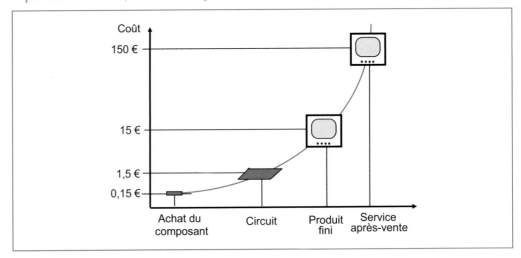

21/3.1   Les techniques de contrôle des produits

C'est entre 1930 et 1950 que furent développées les principales méthodes de contrôle de la production (Jones, Dodge, Romig, Shewhart). Il existe de nombreux ouvrages qui traitent en détail de ces techniques. Nous nous contenterons ici d'en souligner les aspects essentiels.

Contrôle par mesure et contrôle par attribut

On emploie l'expression *contrôle par mesure* quand il est possible de quantifier exactement la caractéristique à évaluer : le poids de la viande dans un hamburger, l'indice de réfraction d'une lentille, le nombre de sonneries avant que le standard téléphonique ne décroche quand un client appelle.

À l'inverse, dans le *contrôle par attribut*, la caractéristique est qualitative, elle est appréciée *en tout ou rien* : le revêtement extérieur de la machine à laver est rayé, le complet est froissé, le vin a un goût de bouchon, la pièce usinée passe ou non dans une ouverture.

Souvent, il est possible de transformer un contrôle par mesure en un contrôle par attribut. Par exemple, au lieu de mesurer le diamètre d'un axe dont le diamètre nominal est D avec une tolérance de $\pm\ t$ (ce qui signifie que son diamètre doit être compris entre $D - t$ et $D + t$), on se contente de vérifier qu'il ne traverse pas une bague de diamètre $D - t$ alors qu'il passe dans une bague de diamètre $D + t$.

Le contrôle par attribut est généralement plus simple à mettre en œuvre que le contrôle par mesure. Mais, dans le cas d'un contrôle statistique, il est moins efficace et donne moins d'informations sur les dérives du processus de production.

Contrôle unitaire et contrôle statistique

Contrôler tous les produits systématiquement (contrôle unitaire ou à l'unité) peut sembler une solution idéale. Mais dans une production de masse c'est généralement très coûteux. Et quand le contrôle détruit le produit (essais de rupture d'un câble, par exemple), le contrôle unitaire est impossible.

C'est ce qui explique le développement du *contrôle statistique*. Son but est de déterminer les caractéristiques d'un lot en mesurant celles d'un petit échantillon. L'avantage est de réduire le coût du contrôle. En contrepartie, on accepte une perte de précision dans la mesure de la qualité du lot.

Efficacité du contrôle statistique

Considérons un lot de pièces dont certaines présentent des non-conformités. Lors de la fabrication, il y a eu une dispersion dans le processus de sorte que le lot est constitué d'un mélange de pièces bonnes et de pièces mauvaises.

L'hypothèse sur laquelle repose le contrôle statistique est que le lot est homogène, c'est-à-dire qu'il est constitué de façon telle que, si l'on choisit au hasard un échantillon de pièces, celles-ci représentent statistiquement le lot. *A contrario*, si un fournisseur livre des pièces fabriquées sur deux lignes de production différentes, le lot ne sera pas statistiquement homogène et le contrôle perdra une partie de son efficacité. C'est l'exemple classique du marchand de fraises qui place sur le dessus des caisses ses plus beaux échantillons : l'image offerte au client n'est pas représentative de la qualité réelle du lot. C'est pourquoi on utilise des méthodes spécifiques de sélection d'échantillons.

Imaginons une usine qui reçoit un lot de 10 000 diodes. Supposons que le pourcentage de défectueux soit de 5 %. Si l'on décide de contrôler systématiquement toutes les diodes, quand les 10 000 diodes auront été examinées, on aura mis de côté 500 diodes défectueuses. Le premier schéma de la figure 21-5 représente l'accumulation des diodes défectueuses au fur et à mesure de la progression du contrôle des 10 000 pièces.

Les tracés qui représentent l'accumulation des quantités défectueuses pendant le contrôle sont en nombre infini. En effet, on peut tomber par hasard, dès le début, sur un grand nombre de pièces mauvaises (schéma 1) ou, au contraire, sur des bonnes pièces (schéma 2). Au bout des 10 000 pièces, tous les tracés se rejoindront. Mais, entre-temps, certains tracés auront été plus proches de la courbe basse et d'autres plus proches de la courbe haute.

Figure 21-5 – *L'efficacité du contrôle statistique*

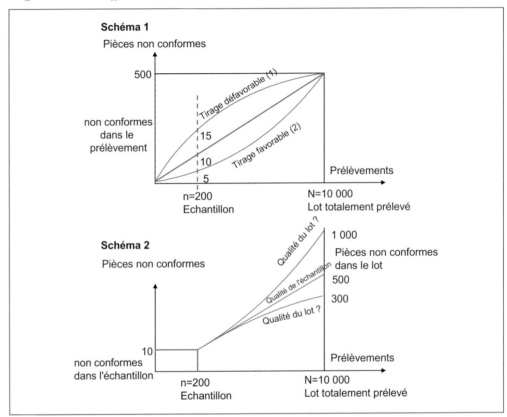

La courbe basse représente l'hypothèse, relativement peu probable, où les mauvaises diodes auraient été en majorité prélevées vers la fin du lot. La courbe haute représente l'hypothèse, relativement peu probable, où les mauvaises diodes auraient été, en majorité, prélevées au début du lot. Entre ces deux courbes existe une infinité de chemins qui convergent quand le prélèvement progresse.

Considérons maintenant un échantillon de 200 pièces. La parallèle à l'axe des ordonnées qui coupe l'axe des abscisses au point 200 met en évidence la dispersion possible des résultats.

Il existe une possibilité de détecter 5 pièces mauvaises sur les 200 (tirage favorable), comme il existe une possibilité d'en détecter 15 (tirage défavorable). Doit-on en conclure, si l'on est dans le premier cas, que le lot présente 2,5 % de défectueux (5/200) et, dans le deuxième cas, que le même lot présente 7,5 % de défectueux (15/200) ? Quelle connaissance peut-on acquérir sur un lot, à partir d'un échantillon limité ?

En observant le schéma 2 de la figure 21-5 et en partant du principe que l'on ne connaît que la qualité de l'échantillon (et non plus la qualité du lot comme dans le schéma 1), on voit que le résultat d'un prélèvement ne permet de tirer, avec une certaine probabilité, que des conclusions situées entre deux extrêmes :

– L'échantillon est *par hasard* constitué d'un grand nombre de pièces défectueuses alors que le lot complet est *en réalité* d'une bonne qualité moyenne (300).

– L'échantillon est *par hasard* constitué d'un petit nombre de pièces défectueuses alors que le lot complet est *en réalité* d'une mauvaise qualité moyenne (1 000).

Dans le premier cas, le contrôle de l'échantillon sous-estime la qualité du lot et l'on dit que ce jugement « pénalise » le fournisseur. Dans le deuxième cas, le contrôle surestime la qualité du lot et l'on dit que ce jugement « pénalise » le client.

À la suite d'une décision d'acceptation ou de rejet d'un lot à partir d'un échantillon, on peut donc faire deux types d'erreurs :

– rejeter un lot alors qu'il est acceptable (*risque du fournisseur*),

– accepter un lot alors qu'il est inacceptable (*risque du client*).

On voit sur la figure 21-5 (schéma 1) que, si l'on accroît la taille de l'échantillon, les enveloppes hautes et basses se rapprochent en valeur relative. À la limite, si l'échantillon couvre la totalité du lot, toute incertitude sur la qualité du lot disparaît.

On comprend mieux l'incertitude qui s'attache à l'extrapolation au lot entier d'une mesure faite sur un échantillon : elle est symbolisée par l'écart entre les valeurs de 300 et de 1 000 (schéma 2 de la figure 21-5). Naturellement, si la taille de l'échantillon augmente, ces valeurs se rapprochent et l'incertitude diminue. La représentativité de l'échantillon s'améliore mais le coût du contrôle est plus élevé.

21/3.2   *L'organisation du contrôle*

Organiser le contrôle consiste à déterminer les étapes du processus où devront être effectués les contrôles, à fixer les seuils de qualité acceptables, et à désigner les responsables de ces opérations.

Où placer les points de contrôle ?

Est-il rentable de contrôler après chaque opération d'un processus ? Doit-on se contenter de placer les contrôles en certains points clés ? Pour répondre à ces questions, il faut considérer les deux conséquences suivantes d'un défaut (fig. 21-6) :

– Si une pièce défectueuse n'est pas détectée après la création du défaut, elle poursuit son chemin jusqu'au prochain contrôle où sera détectée la non-conformité ; on va donc apporter de la valeur ajoutée à une pièce mauvaise. C'est ce que l'on appelle la *propagation dans l'espace*.

– Si l'on ne détecte pas immédiatement un défaut provenant, par exemple, d'un déréglage d'une machine ou d'un lot de matière première hors tolérances, on va continuer à produire des pièces qui seront nécessairement défectueuses si la cause du défaut n'a pas été éliminée. C'est ce que l'on appelle la *propagation dans le temps*.

Des études économiques permettent de déterminer la meilleure politique. La réponse dépend de plusieurs facteurs : le coût du contrôle, le risque prévisible d'apparition de défaut dans la phase amont et des surcoûts engendrés par les propagations dans le temps et dans l'espace.

Figure 21-6 – *La propagation de la non-qualité*

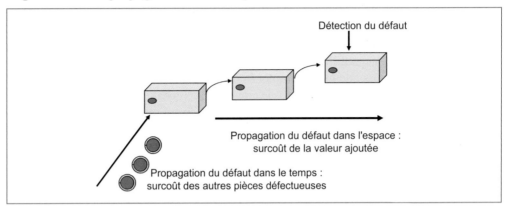

Quel est le niveau de qualité acceptable pour un lot ?

Nous savons que, dans le cas d'un contrôle statistique, le contrôle de l'échantillon ne permet pas d'éliminer toutes les pièces mauvaises. Il donne une information – plus ou moins fiable – sur le lot. Que fait-on de cette information ? La réponse dépend du type de défaut.

On distingue en général différents degrés de gravité : *les défauts critiques, majeurs ou mineurs.* Suivant les cas, on fixe un niveau de qualité acceptable différent. Un lot de pièces de fonderie peut être accepté avec 2 % de pièces mal ébavurées, parce que ce défaut est mineur, alors qu'il sera refusé avec 1 % des pièces déformées, car la déformation est un défaut majeur. Cette philosophie du niveau de qualité acceptable a été la règle dans l'industrie jusque dans les années 1980. Aujourd'hui, elle est contestée. De nombreuses sociétés renvoient à leur fournisseur une livraison de 10 000 pièces dès qu'une seule d'entre elles est défectueuse. C'est le concept de *zéro défaut*, sur lequel nous reviendrons plus loin.

Qui assure le contrôle ?

Cette question a été au centre de nombreux débats. Deux écoles s'affrontent :
- l'une affirme que celui qui exécute un travail ne peut le contrôler lui-même, car l'objectivité commande de confier le contrôle à un agent extérieur au service,
- l'autre affirme qu'il est impossible à l'exécutant de se sentir responsable s'il ne contrôle pas lui-même son travail.

Le débat reflète une opposition entre deux conceptions très différentes de l'organisation. L'une repose sur la méfiance vis-à-vis de l'individu. Elle prend argument de l'incapacité technique de l'opérateur à faire lui-même une mesure objective. L'autre est fondée sur la confiance et sur la possibilité de former l'opérateur à faire son propre contrôle (*auto-contrôle*).

Jusque dans les années 1980, dans la plupart des entreprises, c'est la première conception qui dominait. Le contrôle est confié à des contrôleurs spécialisés, appartenant à un service indépendant de la production. Parfois, la Direction de la Qualité n'est même pas située dans l'usine, mais au siège de l'entreprise[1].

La seconde conception du contrôle traduit une vision plus moderne des organisations. L'objectif est de former les opérateurs et de leur fournir les moyens nécessaires pour qu'ils contrôlent eux-mêmes leur production. Une démarche qui se situe dans une perspective d'autonomie relative, en accord avec l'évolution actuelle de l'organisation industrielle.

Les avantages de l'auto-contrôle sont nombreux :
- *des économies de temps* : en effet, bien souvent, l'opérateur d'une machine automatique peut contrôler en temps masqué les pièces qu'il fabrique,
- *une grande rapidité d'intervention* : en cas de défaut, la correction a lieu sans tarder. Cela évite d'accumuler plusieurs jours de stocks défectueux parce qu'une machine s'est déréglée,
- *l'implication du personnel* : quand il contrôle lui-même ce qu'il fabrique, l'opérateur est plus attentif à ce qu'il fait. Au lieu de produire sans réfléchir, en comptant sur le contrôleur pour filtrer les défauts, il cherche en permanence à atteindre le meilleur niveau de qualité.

Ajoutons que l'auto-contrôle ne signifie ni l'abandon de toute règle, ni l'indépendance vis-à-vis de la hiérarchie. Les instructions de contrôle et les spécifications doivent être très précises, comprises et bien présentées. Cela suppose une formation spécifique du personnel. Ensuite, la hiérarchie doit maintenir une forme de contrôle intermittente, qui se rapproche plus d'un audit que d'un contrôle permanent. L'objectif est de vérifier que les procédures sont respectées et que l'auto-contrôle est efficace.

21/4 L'approche à privilégier : la prévention

Ayant observé plus haut qu'un processus complexe faisant appel à plusieurs centaines d'acteurs présente par nature un risque inévitable d'erreurs et d'incidents, il ne faut pas s'étonner que la première réaction face à une dégradation de la qualité soit de renforcer les contrôles. À court terme, la mesure est raisonnable. Mais à moyen et long termes, elle constitue un piège.

En effet le renforcement du contrôle a presque toujours pour effet de détourner l'attention des problèmes de fond. Au lieu de remédier aux causes des incidents, on se contente d'en traiter les effets tout en laissant les causes subsister. De sorte que les défauts, loin de se résorber, ont tendance à s'accroître. Il faut alors renforcer le contrôle : on entre ainsi dans un cercle vicieux. C'est la raison pour laquelle il est important, quand on chiffre le coût de la non-qualité, d'y inclure le coût des contrôles.

---

[1] On prendra soin de distinguer le service Contrôle du Service Qualité. Dans les entreprises ayant opté pour la décentralisation du contrôle, celui-ci est placé sous la responsabilité directe des ateliers. Néanmoins, il existe un Service Qualité rattaché à la Direction qui a pour rôle d'animer le plan d'amélioration de la qualité, d'organiser et d'auditer les services, de former le personnel. Ce service intervient comme conseil, coordinateur et superviseur.

En résumé, le contrôle des produits demeure nécessaire mais il doit être employé avec précaution. L'expérience montre que, pour améliorer la qualité et la maintenir à un bon niveau, il ne faut pas renforcer les contrôles sur les produits, mais donner la priorité aux actions de prévention. C'est ce type d'action que nous allons évoquer à présent.

21/4.1   Du contrôle du produit au contrôle du processus

En présentant plus haut les techniques de contrôle par lot, nous avons souligné leur relative inefficacité. Leur principale faiblesse est de signaler les défauts *après* la fabrication d'un certain nombre de produits. Le contrôle s'apparente donc à un *constat de décès*.

Le contrôle de processus corrige ce handicap. En effet, son principe est de contrôler non pas le produit mais son processus de réalisation. L'objectif est d'intervenir avant que des pièces défectueuses n'apparaissent. L'attention se porte sur le suivi de la machine, pour stabiliser son réglage. En pratique, une partie des informations proviennent de mesures effectuées sur les pièces produites. Mais, contrairement au contrôle par lot qui cherche à détecter les pièces mauvaises, la mesure a ici pour but de détecter les *dérives de l'équipement*. En général, un prélèvement statistique s'avère suffisant.

La Maîtrise Statistique des Procédés

La Maîtrise Statistique des Procédés (en anglais : *SPC – Statistical Process Control*) consiste à contrôler des échantillons de produit en sortie de machine. L'opérateur effectue par exemple une mesure de contrôle toute les 50 pièces fabriquées. La mesure est enregistrée sur une carte de contrôle (fig. 21-7).

Figure 21-7 – *Carte de contrôle*

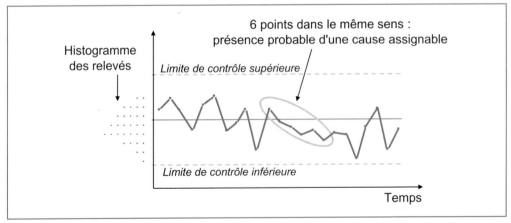

Dès que la valeur dépasse des limites de contrôle (situées avant que le produit ne soit considéré comme inacceptable), ou dès que l'on détecte une déviation suspecte, il faut arrêter la machine. Une recherche des causes de déviation doit être entreprise.

On voit bien les avantages de cette méthode par rapport à celle qui consiste à contrôler le lot terminé. La difficulté provient cependant du fait qu'elle ne peut être réalisée par un contrôle central. En effet, un contrôleur n'a pas le temps d'effectuer des mesures régulières sur chaque poste de travail.

C'est donc l'opérateur qui effectue les contrôles. C'est également lui qui prend la décision éventuelle d'arrêter la machine. La mise en place du SPC suppose une action importante de formation. Les opérateurs doivent savoir mesurer les échantillons (moyenne et dispersion) et remplir les cartes de contrôle[1].

Capabilité d'un procédé et indicateurs de mesures

Lorsqu'un nouveau produit est industrialisé ou quand une nouvelle machine est mise en service, il est nécessaire de réaliser une étude de capabilité. L'objectif est de déterminer si l'équipement peut satisfaire les tolérances imposées.

En résumé, une telle étude consiste à faire fonctionner le procédé et à tester les pièces fabriquées, afin de réaliser une étude statistique des performances. Les mesures réalisées sont collectées et on en déduit les valeurs de la moyenne et de l'écart type.

Les limites de capabilité du procédé correspondent à l'intervalle de valeurs situées à moins de trois écarts types de la valeur moyenne. Statistiquement, 99,9 % des pièces fabriquées tomberont dans cet intervalle. Il est donc important que cet intervalle soit situé à l'intérieur des spécifications, si on souhaite éviter des rebuts. Le rapport entre l'intervalle de spécification et l'intervalle de capabilité est noté *Cp* et est appelé indice de capabilité du processus. Pour éviter l'apparition de rebut, il est nécessaire que ce coefficient soit supérieur à 1. Un objectif que se fixent de nombreuses entreprises aujourd'hui est d'obtenir des valeurs de *Cp* supérieures à 1,33, ce qui assure le respect des spécifications, même en cas de dérives légères du procédé.

21/4.2   *Les détrompeurs (Poka Yoke)*

Le SPC sert à améliorer la qualité des opérations faites sur des machines. Dans le cas d'un travail à dominante manuelle, l'objectif est d'éviter les erreurs d'inattention, les oublis, les défauts dus à la précipitation, etc. Pendant longtemps, pour faire face à ces incidents, on a demandé au personnel de faire plus attention à son travail. Mais cette démarche a ses limites. En effet, même en faisant très attention, il est difficile d'éviter *une* erreur sur une opération *mille fois* répétée. Et si ce taux de 1/1 000 paraît acceptable au niveau d'une pièce, ses conséquences sont graves pour un produit fini comportant un grand nombre de pièces.

Le *Poka Yoke* (en français *système anti-erreur* ou *détrompeur*) est un dispositif, généralement simple, qui permet d'empêcher l'erreur humaine. Des détrompeurs existent dans la vie courante : ainsi, le bec verseur d'une pompe à essence ordinaire ne rentre pas dans l'orifice du réservoir d'un véhicule utilisant de l'essence sans plomb. L'idée d'utiliser des détrompeurs dans les ateliers n'est pas nouvelle. Ce qui est plus récent, c'est la généralisation de leur emploi. Les réalisations peuvent être très simples : gabarits dans lesquels s'insère uniquement la bonne pièce, cellules

---

[1] Les entreprises installent souvent des ordinateurs près des machines. Leur rôle est de recueillir la succession des mesures et d'alerter l'opérateur en cas d'anomalie.

photoélectriques détectant la présence effective d'une forme lors du passage de la pièce sur un tapis convoyeur, etc.

Dans de nombreux cas, la découverte des détrompeurs se fait dans les cercles de qualité. L'idée ne résulte pas de travaux théoriques, mais relève plus de l'astuce et du pragmatisme des utilisateurs (fig. 21-8).

Chaque détrompeur ne traite en général qu'une partie des incidents que rencontre quotidiennement l'entreprise. Mais l'installation systématique de nouveaux dispositifs permet peu à peu de se rapprocher de l'objectif du *zéro défaut*.

Figure 21-8 – *Exemple de détrompeur*

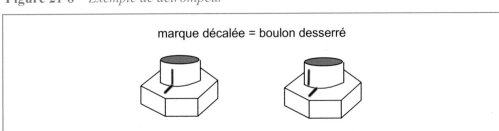

marque décalée = boulon desserré

« On peut dire sans exagérer que la cause de tous les problèmes se trouve dans le déserrage des boulons et des écrous »[1]

21/4.3 La qualité en phase de conception

Quand un bureau d'études s'intéresse à la qualité, il pense surtout à améliorer les fonctions du produit : performances, esthétique, fiabilité, etc. Il est vrai que le service rendu au client dépend d'abord de la bonne conception du produit.

Il existe toutefois un risque. C'est que cette recherche de performance se fasse sans tenir compte – et même parfois au détriment – de la facilité de production. En d'autres termes, certains problèmes de qualité en atelier peuvent naître d'une conception inadéquate du produit. On parle ainsi de *manufacturabilité* d'un produit.

Une collaboration étroite doit donc s'instaurer entre les services qui conçoivent le produit et le processus (Bureau d'Études, R&D et Bureau des Méthodes) et les services de production. En pratique, des réunions de projet doivent être régulièrement organisées, pour vérifier que toutes les dispositions visant à réduire le risque de défaut ont été prises.

21/4.4 La qualité des achats

Au cours des dernières années, la relation qui associe l'industriel à ses fournisseurs a beaucoup évolué (cf. chap. 8). Le changement porte surtout sur trois points :
- L'acheteur ne tolère plus de livraison comportant *a priori* un certain pourcentage de défectueux. Les clients aujourd'hui tendent à rejeter le concept de qualité « statistiquement bonne ».

---

[1] *Seichi Nakajima,* cité par Y. Pimor, *TPM*, Masson, 1991.

– L'entreprise cliente ne veut plus contrôler les livraisons. C'est au fournisseur qu'il appartient de le faire[1].

– La qualité du fournisseur ne se limite pas à la qualité de ses livraisons. Elle s'apprécie également en amont : qualité de ses machines, de son organisation, compétence du personnel.

C'est cette idée que l'on désigne par le terme « assurance de la qualité ». Pour être agréé, le fournisseur doit faire la preuve qu'il est en mesure de garantir la qualité. On retrouve le principe développé plus haut à propos du contrôle de processus : pour renforcer la qualité, ce n'est pas le *produit* qui doit faire l'objet d'une surveillance, mais le *système* qui le réalise.

Comment le fournisseur donne-t-il la preuve qu'il est en mesure de fournir de la bonne qualité ? Il décrit avec précision, dans un manuel qualité et par des procédures détaillées, la façon dont son entreprise est organisée pour obtenir un bon niveau de qualité. Les grandes lignes d'une telle organisation étant souvent similaires d'une entreprise à l'autre, un canevas général est fourni par l'AFNOR sous forme d'un guide d'assurance-qualité. Cette démarche peut aussi passer par un processus formel de certification par un organisme agréé. Une fois le contrat d'assurance-qualité signé, le fournisseur reçoit régulièrement des représentants du service Qualité de son client. Ceux-ci effectuent, à l'aide d'un questionnaire, un audit qualité (fig. 21-9). Le rapport est communiqué au fournisseur, afin qu'il en tienne compte. Un fournisseur souvent défaillant peut, à court terme, perdre son homologation.

Figure 21-9 – *Extrait d'un questionnaire d'audit fournisseur (AFNOR)*

- La marchandise stockée en magasin est-elle protégée contre les risques de choc et de corrosion ?
- Les machines font-elles l'objet d'un entretien préventif ?
- Existe-t-il un système de diffusion pour les modifications des produits ?
- Quel est le taux de rebut en cours de fabrication ?
- Y a-t-il des instructions de contrôle écrites ?
- Les moyens matériels de contrôle sont-ils en bon état ?
- Quel est le processus d'actions correctives à la suite d'une anomalie ?
- Existe-t-il un programme de formation du personnel à la gestion de la qualité ?
- Comment motive-t-on le personnel sur les problèmes de qualité ?

21/5   L'approche Qualité dans les activités de services

On connaît l'adage bien connu : « *Dans les services, un client satisfait le dit à 3 personnes, un client mécontent le dit à 11* ». D'où les enjeux forts. L'esprit général de la démarche qualité n'est pas fondamentalement différent dans les activités de services. Toutefois, quelques points spécifiques aux services doivent être rappelés.

---

[1] Cette volonté est généralement liée au fait que l'usine du client fonctionne en Juste-à-temps. Les produits sont livrés par petites quantités, au dernier moment. Il n'est plus possible de les vérifier.

21/5.1 *Caractéristiques principales des services*

Un service est intangible

Le service, par définition, n'est pas un bien matériel. Il ne peut être produit à l'avance. Il n'est pas transportable : il est forcément rendu en présence du client. Le service est difficilement mesurable directement : le client ne peut comparer plusieurs services en les essayant ; la mesure de la qualité de service est différente de celle de la qualité des produits.

Un service n'est pas stockable

La production[1] et la consommation du service sont nécessairement simultanées. Il n'est donc pas possible de stocker du service produit par anticipation pour qu'il soit consommé ultérieurement. Cette caractéristique posera de délicats problèmes d'ajustement de la charge et de la capacité de production de service. Le seul ajustement qui peut intervenir est la création de files d'attente : il peut en résulter une dégradation de la qualité perçue du service.

Par exemple, il n'est pas possible de stocker des places d'avion. Si le nombre de passagers est inférieur à la capacité de l'avion, la compagnie supportera néanmoins les frais du vol et aura des revenus inférieurs à ceux qu'elle peut espérer. À l'inverse, si le nombre de clients est supérieur à la capacité de l'avion, elle devra refuser des clients (insatisfaction évidente) et supportera néanmoins également un manque à gagner.

Il y a contact direct entre une partie du personnel « de production » et le client

Alors que dans l'industrie il y a séparation claire entre les producteurs et les clients, dans les services une partie de la production doit être faite en présence du client ou en l'impliquant directement. Il y a donc nécessairement un contact physique direct entre une partie du personnel et le client. Cela pose des problèmes de sélection et de formation d'un personnel qui doit allier des qualités techniques et commerciales. La qualité perçue par le client sera dans une large mesure conditionnée par la qualité et la formation du personnel qu'il aura en face de lui.

Le client participe souvent à la production du service

Dans un certain nombre d'activités de service, le client participe lui-même à la production du service. C'est le cas dans les activités en libre service (supermarchés, restaurants self-service, distributeurs automatiques de billets, etc.). La part de production réalisée par le client peut être plus ou moins grande selon la définition de l'offre. Cette caractéristique, que l'on trouve rarement dans les biens industriels (sauf montage de kits), présente des avantages et des inconvénients : le client apporte sa force de production au moment et à l'endroit où l'on en a besoin mais, à l'inverse, il doit être « éduqué » pour bien remplir sa part de production et la qualité du service peut s'en ressentir.

---

[1] En la matière, les différents auteurs spécialisés ont qualifié la production de service de « servuction ». Ce terme sera ainsi utilisé dans la suite du chapitre.

Le service doit être rendu là où se trouve le client

Le service, immatériel, n'est pas transportable. Il ne peut donc être rendu qu'en présence du client. Cela va donc impliquer de mettre en place des capacités de service sur les lieux de consommation. L'augmentation de l'activité passera donc souvent par une multiplication des points de production-consommation de service.

Autre conséquence : on ne pourra choisir les implantations selon les lieux qui permettraient de minimiser les coûts de production (comme on peut le faire pour la production des biens). Les lieux de production sont imposés par les lieux de consommation.

Un service est souvent un package

Bien souvent, l'offre de service comprend plusieurs services élémentaires combinés. Par exemple, un hôtel-restaurant propose l'hébergement, la restauration, le bar et divers autres services complémentaires (blanchisserie, etc.). Le gestionnaire de l'activité de services doit donc gérer plusieurs services très différents du point de vue des équipements, des qualifications de personnel, des attentes de clients. Ces différents services peuvent créer des interactions positives (apports de clientèles) ou négatives (la qualité perçue de chaque service se répercute sur les autres).

21/5.2 *La logique qualité des activités de services*

La « boucle » qualité des services présente des similitudes avec celle des activités industrielles (fig. 21-10).

Dans ce cas aussi, beaucoup de la performance qualité va se jouer dès la phase de conception en imposant de comprendre parfaitement les attentes du client et de bien identifier l'ensemble des risques potentiels de non-qualité.

En effet, le client ne possède aucun élément tangible pour juger *a priori* de la qualité du service. Il n'est pas possible, sauf dans quelques cas particuliers, de faire une démonstration. Par exemple, la coupe de cheveux d'un client donné n'existe pas avant que le service ne soit rendu et ne peut donc faire l'objet d'une démonstration. En cas de mauvaise exécution, il n'est pas possible de renvoyer la prestation au fabricant « pour réparation ». S'il n'est pas possible de recommencer, la seule chose que l'on puisse offrir est un dédommagement ou des excuses.

La garantie de la qualité doit donc intervenir avant la production et non après comme c'est le cas pour les produits. On ne peut faire un contrôle du produit fini puisqu'il est déjà consommé. Le contrôle de qualité doit donc être nécessairement un contrôle en-cours du processus de servuction.

Les standards de qualité ne sont pas aussi clairs que pour les produits. L'attente du client fait partie de la satisfaction qu'il retirera du service obtenu. Il est donc fondamental de bien connaître les attentes des clients pour bien concevoir l'offre de service.

Figure 21-10 – *Boucle qualité des activités de services*

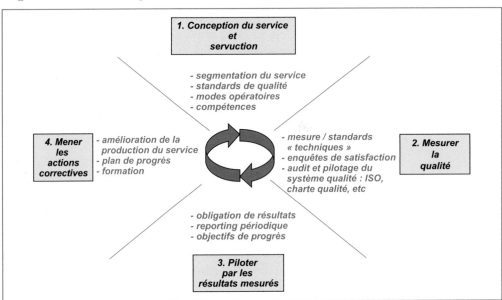

Déterminants physiques et psychologiques de la qualité pour le client

Les principaux déterminants de la qualité attendue et perçue d'un service sont les suivants :
– définition des standards caractérisant les éléments tangibles du service : conditions d'accueil, équipements, apparence physique du personnel, etc.,
– écoute des besoins du client : commençant par la bonne identification des clients, ce point rejoint la bonne compréhension de (tous) ses besoins et attentes (parfois non dites spontanément),
– fiabilité et réactivité du service associées aux compétences perçues : conviction du client sur la capacité de la société à remplir le contrat promis avec une vision claire et incontestable de son savoir-faire ; la certitude du résultat comprend la conformité du service rendu à la demande formulée, mais aussi la régularité dans le temps (ou dans l'espace) de la performance obtenue,
– serviabilité et accessibilité du personnel : sont importants un abord facile, un contact aisé, une courtoisie qui englobe la politesse, le respect, la considération et l'amabilité du personnel en contact, voire une certaine empathie,
– crédibilité aux yeux du client, comprenant une perception de loyauté et d'honnêteté,
– mise sous contrôle aux yeux du client : tout doit paraître maîtrisé (le client détestant avoir l'impression que le processus n'est pas « piloté »).

21/5.3   Qualité attendue et qualité perçue : le modèle de référence

La figure 21-11 fournit un modèle conceptuel illustrant l'ensemble du processus d'obtention de la qualité dans les services et des risques associés.

Figure 21-11 – *Modèle d'obtention et de risques qualité*

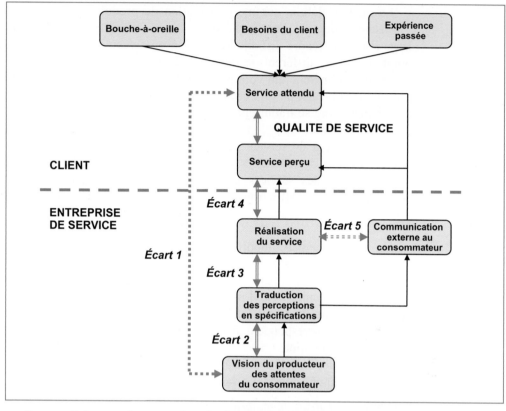

La qualité attendue est la résultante du besoin potentiel du client, de ses expériences antérieures, de l'information qu'il reçoit par le bouche-à-oreille ou la communication d'acteurs comme des organismes de consommateurs ou de notation (facteur très important dans les services).

Cette attente du client doit être traduite par le producteur du service en spécifications du service offert. Deux distorsions peuvent apparaître : d'une part, le producteur peut ne pas percevoir correctement les attentes réelles du client potentiel (besoin potentiel/besoin exprimé, écart 1) et, d'autre part, il peut se tromper en les traduisant ou ne pas pouvoir les traduire pour des raisons économiques dans les caractéristiques du service qu'il offre (besoin exprimé/modèle, écart 2).

La réalisation du service peut elle-même être entachée de défauts de qualité (modèle/produit, écart 3) et le consommateur peut ne pas apprécier les qualités propres du service (produit/satisfaction du client, écart 4). Par ailleurs, la promesse communiquée au client peut ne pas correspondre au service tel qu'il est effectivement rendu (écart 5).

La qualité de service est la résultante de tous ces écarts. Comme pour les produits, il faut minimiser la différence entre le besoin potentiel et la satisfaction du client en réduisant chacune des causes de distorsion. Nous allons développer chacun des écarts potentiels.

Bien définir l'offre (écart 1)

La qualité, définie comme l'adaptation du produit ou du service aux besoins de l'utilisateur, suppose d'avoir choisi une ou des clientèles cible. Viser une clientèle trop large risque de rendre difficile l'atteinte d'un niveau de qualité élevé et homogène du point de vue des différents segments de la clientèle. La définition de l'offre passe par des études de marché qui vont permettre de préciser les services attendus, leurs divers aspects, les niveaux de prix admissibles ainsi que les standards de qualité requis. Ces études marketing se traduisent par un cahier des charges qui précise les spécifications du ou des services.

Le producteur de service peut avoir tendance à vouloir proposer une offre large pour « ratisser » des clientèles variées. Mais, ce faisant, il devra assurer un haut niveau de qualité sur des services parfois très différenciés sans disposer du savoir-faire correspondant. Une offre trop large se fait souvent au détriment de la qualité.

Spécifier tous les aspects du service (écart 2)

Du fait de la part importante prise par la main-d'œuvre, les services peuvent souvent être assimilés à de l'artisanat. Mais, cela ne signifie pas que le service doit être une improvisation permanente. Au contraire, comme la production de service est souvent très décentralisée, il importe de spécifier très précisément tous les aspects des services pour qu'ils soient totalement respectés dans le temps et dans l'espace. Ces spécifications correspondent dans le domaine industriel aux nomenclatures et aux gammes de fabrication.

Par exemple, dans la restauration, il faut écrire les recettes de façon très soigneuse, pour qu'il y ait une constance dans les caractéristiques de l'offre.

Contrôler la réalisation matérielle du service (écart 3)

Comme la production et la consommation sont simultanées, il est impossible de contrôler la qualité du produit fini avant de le « mettre sur le marché ». Il est pratiquement toujours impossible de réparer un service mal rendu. Presque toute défaillance devient externe et provoque le mécontentement du client. Il faut donc *faire bien du premier coup.*

Alors que pour les biens industriels il est possible de procéder à un contrôle de qualité avant la livraison aux clients, dans le cas des services, une telle opération est impossible. La bonne qualité ne peut être obtenue que si le processus de réalisation du service est lui-même de bonne qualité. Ne pouvant contrôler le produit, il ne reste au producteur que le *contrôle du processus.* La mise sous contrôle du processus est réalisée par une démarche de type Assurance Qualité qui consiste à s'assurer du respect des procédures, de la fiabilité des matériels, de la formation du personnel, etc.

Répondre aux attentes des clients (écart 4)

Le service, c'est l'importance absolue accordée à tous les détails. Le moindre aspect du service qui ne satisfait pas le client provoque une mauvaise perception de la qualité d'ensemble de la prestation. La qualité porte sur deux dimensions : des prestations (l'objet du service) et une expérience (le vécu du service par le client).

Les prestations peuvent être clairement définies. On retrouve là des problématiques proches de celles que l'on rencontre dans le domaine industriel.

L'expérience porte sur des aspects divers qui sont plus difficiles à traduire en normes : par exemple, la sécurité, la constance, l'attitude du personnel et des autres clients, l'atmosphère et l'ambiance, la disponibilité.

Ainsi, porter sa voiture chez son concessionnaire pour une réparation complexe et la récupérer parfaitement réparée et propre, c'est parfait (et d'ailleurs considéré comme normal). Mais le client ne retiendra pas cela. En revanche, l'accueil, le sourire, la qualité de l'environnement de la salle d'attente, le sentiment d'être la personne « la plus importante qui soit » lors son passage en après-vente, seront beaucoup plus déterminants dans la qualité perçue du concessionnaire. D'ailleurs de bons indicateurs qualité mesurés en sortie d'atelier et directement après le règlement de facture pourront être totalement contredits par les résultats de l'enquête de satisfaction différée de deux mois : ce sont pourtant ces derniers qui compteront le plus et qui finalement faciliteront la fidélité du client (seul véritable « juge de paix » pouvant aboutir au ré-achat d'un nouveau modèle !).

Le producteur de service devra donc soigner particulièrement tous les aspects de l'expérience vécue (par exemple, propreté, amabilité du personnel, empathie, etc.).

Expliciter la promesse (écart 5)

Pour éviter toute ambiguïté, tout malentendu entre le producteur et le client, il importe de bien expliciter la promesse de service que l'on adresse au client. Une bonne façon de procéder est de porter à la connaissance de la clientèle les facteurs de qualité vus par le producteur. La publicité relative aux activités de service doit faire apparaître les points clés de cette promesse.

Mais, corrélativement, il faut que cette promesse soit traduite dans les spécifications du service pour que son respect devienne un objectif permanent du personnel de service et que les moyens indispensables soient mis en œuvre. Affirmer haut et fort, par exemple, qu'on livre « 24 heures chrono » (ce qui se veut un élément de différenciation stratégique majeur), et ne pas réussir à le faire dans 100 % des cas, serait la pire des communications : il ne faut jamais promettre en mettant en lumière un attribut du service sur lequel on n'est pas capable de garantir un résultat « zéro-défaut » !

Comme il n'est pas possible de démontrer le service ou de proposer un essai avant consommation (sauf dans quelques cas particuliers), la promesse constitue le *contrat* qui va lier le producteur et le client. Une rédaction claire de ce contrat est donc tout à fait fondamentale dans le succès de l'entreprise de service. Elle sera à la base du marketing aval pour attirer les clients.

Selon Georges Trépo[1], pour écrire une promesse de qualité de service, il faut respecter les 9 principes suivants :
- C'est le client qui s'exprime dans son langage.
- Chaque mot pèse lourd. La promesse tient en moins de 100 mots.

---

[1] Georges Trépo est professeur au Groupe HEC dans le département Management et Ressources Humaines.

- La promesse exprime les bénéfices que le client peut retirer.
- Les bénéfices s'expriment en termes d'avantage comparatif visé.
- Le domaine des prestations est clairement délimité pour la clientèle cible.
- Il est spécifié si les prestations sont gratuites ou payantes.
- La promesse commence et finit par des points forts.
- Le vocabulaire est précis (il faut utiliser des verbes *d'action*).
- La promesse couvre l'ensemble des prestations et de l'expérience (accueil, environnement et ambiance du service, etc.).

Mettre en place un système de mesure de la qualité perçue

Pour savoir si la qualité promise a été « livrée » ou non, il faut mesurer la performance directement auprès du client. Cette performance se traduit, d'une part, par des indicateurs physiques aisément mesurables, d'autre part, par des indicateurs psychologiques. Les deux doivent être mesurés. Mais cette mesure de la qualité *a posteriori* n'intervient que pour tirer les leçons d'un processus en vue de l'améliorer. Ce sont les futurs clients qui en bénéficieront. Le client actuel, s'il est mécontent, restera perdu. Les actions correctives doivent intervenir rapidement si l'entreprise ne veut pas perdre sa clientèle.

Les mesures objectives de qualité

Selon le type d'activité, les types de mesure sont différents. On peut citer par exemple : les temps d'attente moyens, le taux de réclamations (sachant que sur 100 clients mécontents, 4 seulement le font savoir), les lettres positives ou négatives, les demandes de remboursement ou de « geste commercial », le taux de fidélité ou de renouvellement, etc. Ces mesures techniques sont internes et peuvent donc être mises à jour facilement. Elles doivent figurer sur les tableaux de bord des responsables opérationnels de l'entreprise de service.

Les mesures de la qualité perçue

Les mesures de la qualité perçue sont effectuées par des enquêtes simultanées ou différées auprès des clients, généralement sous forme de questionnaires simples et très souvent confiées à des organismes indépendants, donc réputés objectifs.

Voici par exemple un extrait d'un questionnaire d'Air France utilisé par le passé :

> Pour chacun des services suivants proposés par Air France, pouvez-vous donner une note de 1 à 10 selon les qualités que vous leur attribuez ?
>
> Accueil au sol
> Accueil et service à bord
> Qualité des repas
> Confort à bord
> Ponctualité des vols
> Fréquence des vols
> Couverture géographique
> Distribution à bord
> Entretien à bord (propreté)
> Vente à bord (choix et disponibilité des produits)

21/6 La certification qualité des entreprises

21/6.1 Définition générique

Certifier une entreprise, c'est constater qu'elle dispose d'un système d'assurance de la qualité conforme à des standards explicitement définis. Les grands donneurs d'ordre du secteur militaire (OTAN, Délégation Générale pour l'Armement), du domaine spatial (NASA, CNES) ou du domaine nucléaire (EDF, CEA) ont été les premiers à utiliser une démarche formelle pour homologuer leurs fournisseurs. Mais comme les normes avaient tendance à se multiplier, un même fournisseur devait souvent satisfaire à des contrôles incessants de la part de sa clientèle. La série des normes internationales ISO 9000 (International Standard Organisation) a été créée en 1986, puis réactualisée en 2000, pour rationaliser l'ensemble des références touchant à la qualité. Les normes sont éditées dans des ouvrages qui expliquent comment construire un système qualité.

L'opération de certification d'une entreprise est réalisée par un organisme indépendant des clients. En France, l'AFAQ (Association Française pour l'Assurance de la Qualité) est le plus connu des organismes habilités à délivrer des certificats (valables trois ans).

Il est important de souligner que, si la certification confirme qu'une entreprise applique les recommandations ISO 9000, en revanche elle ne démontre pas que les produits sont de bonne qualité. La certification atteste que des procédures ISO existent et sont appliquées, ni plus, ni moins. La norme ISO 9000 comporte trois niveaux d'assurance-qualité qui dépendent de la nature des services ou des produits achetés par le client. Le niveau ISO 9003 est le plus restreint, le niveau ISO 9001 le plus étendu (fig. 21-12).

Figure 21-12 – *Les modèles de certification ISO*

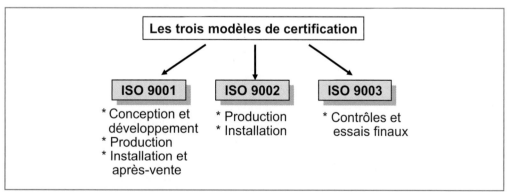

21/6.2 Les exigences et évolutions récentes des normes ISO 9000

La description détaillée de la norme est disponible auprès de l'AFNOR. Nous nous contenterons ici d'en citer les têtes de chapitre (fig. 21-13).

Figure 21-13 – *Exigences des normes ISO 9000*

Normes	ISO 9001	ISO 9002	ISO 9003
LA DIRECTION			
Responsabilité de la Direction	X	X	X
Système qualité	X	X	X
Audits qualité internes	X	X	
Formation	X	X	X
LA DOCUMENTATION QUALITÉ			
Maîtrise des documents	X	X	X
Enregistrements relatifs à la qualité	X	X	X
LES PRODUITS OU LES SERVICES NON CONFORMES			
Maîtrise du produit non conforme	X	X	X
Actions correctives	X	X	
LES PHASES D'ÉLABORATION DU PRODUIT OU DU SERVICE			
Revue de contrat	X	X	
Maîtrise de la conception	X		
Achats	X	X	
Produit fourni par l'acheteur	X	X	X
Identification et traçabilité du produit	X	X	X
Maîtrise des procédés	X	X	
Contrôles et essais	X	X	X
Maîtrise des équipements de contrôle/essais	X	X	X
Manutention, stockage, conditionnement., livraison	X	X	X
Soutien après la vente	X	X	
Techniques statistiques	X	X	X

Les zones grisées indiquent les thèmes pertinents
pour le niveau d'assurance-qualité recherché.

Évolutions récentes – ISO version 2000

En même temps que la certification ISO 9000 s'étendait à de nombreuses sociétés, petites et grandes, dans l'industrie comme dans les services, des critiques souvent sévères se faisaient entendre.

Elles concernaient le risque couramment observé de « dérive bureaucratique », l'entreprise privilégiant la qualité des lourds manuels de procédures au détriment de la qualité des produits et des services offerts aux clients. La critique portait ainsi sur l'authenticité de la démarche : l'objectif était-il seulement d'obtenir un label ou de rentrer dans une véritable politique de progrès permanent ?

C'est pour répondre à ces insuffisances que la nouvelle norme ISO 9000 a été créée. Elle diffère de la version précédente sur les points suivants :

– Elle s'intéresse au fonctionnement global de l'entreprise. Ce n'est pas seulement la qualité des opérations qui est testée, mais leur cohérence à l'échelle de l'organisation. L'accent est mis sur la qualité et l'efficacité des processus transverses aux différents services et non sur la seule qualité des opérations au sein d'un service donné.

– Elle cherche moins à valider la conformité formelle des documents et s'intéresse davantage à l'existence – à l'échelle de l'entreprise – d'une véritable dynamique de progrès et de la participation effective du personnel à cette dynamique.

– Enfin elle demande aux auditeurs d'approfondir leur enquête, de ne pas se contenter des apparences, mais d'évaluer la qualité du management à tous les niveaux.

Cette norme actuelle est ambitieuse. Reste que son succès dépend largement de la qualité des auditeurs, ainsi que de la volonté de coopération des entreprises auditées.

21/6.3 Les avantages de la certification

De nombreuses entreprises se sont engagées dans un projet de certification. Il y a des entreprises industrielles, mais également des entreprises de services (sociétés de travail temporaire, chaînes de restaurants, organismes de formation, etc.). L'effort pour aboutir à la certification est important. Il consiste surtout dans le temps passé par l'entreprise pour analyser les procédures existantes (qui ne sont pas toujours très claires), pour les compléter le cas échéant et rédiger les nombreux documents exigés par la norme. En contrepartie, les entreprises attendent :

– une reconnaissance de la part des clients, en particulier à l'exportation (et une meilleure image auprès du public),
– une simplification des contrôles et audits de la part des clients (industriels),
– une organisation plus transparente, c'est-à-dire plus facile à utiliser par l'ensemble du personnel,
– une occasion pour engager le personnel dans une démarche de Qualité totale.

21/7 La Qualité Totale : un projet d'entreprise

En commençant ce chapitre, nous avons concentré notre attention sur la qualité du produit vendu. Puis, nous avons intégré dans notre réflexion la qualité du processus de production, la qualité de l'organisation, la qualité des hommes. Peu à peu, le champ de la qualité s'élargit jusqu'au point de devenir *Qualité Totale*.

Qu'entend-on exactement par cette expression ? Le concept de Qualité Totale intègre plusieurs aspects, dont certains ont déjà été évoqués précédemment :

Le souci du client : chacun, dans l'entreprise, possède un client et un fournisseur. Le consommateur est le client final, celui qui fait vivre l'entreprise.

Le zéro défaut : un but est fixé, au-delà des compromis à court terme. Le *zéro défaut* ne répond pas à une logique d'optimisation économique. Il appartient au système de valeurs de l'entreprise.

L'action conjointe de tous les acteurs : le terme Qualité Totale exprime l'idée que toute personne participe à la fonction qualité. La standardiste fait de la qualité lorsqu'elle transmet correctement une communication. Le vendeur fait de la qualité quand il respecte les délais promis au client. Le chauffeur fait de la qualité quand il tient son camion de livraison propre. Le service du personnel fait de la qualité quand il évite les erreurs sur les bulletins de paie. Le service de comptabilité Fournisseurs fait de la qualité lorsqu'il règle les fournisseurs dans les délais contractuels. Parce qu'elle touche chaque individu dans son comportement individuel et social, la qualité acquiert une dimension morale. C'est pourquoi de nombreuses entreprises construisent leur projet d'entreprise autour de ce thème.

Chapitre 22

Le progrès permanent

Lorsque Frédéric Taylor inventa sa théorie au début du XXe siècle, il pensait qu'il existait pour tout travail une seule *bonne méthode* et qu'il n'appartenait pas aux ouvriers de la rechercher. Ce rôle était dévolu aux ingénieurs du Bureau des méthodes.

Ce concept améliora de façon spectaculaire l'efficacité du travail. Il devenait possible de rendre rapidement productive une main-d'œuvre peu qualifiée recrutée en grand nombre.

Pendant près d'un siècle, la distinction entre ceux qui conçoivent le travail et ceux qui le réalisent a défini les rôles au sein des usines.

C'est ce modèle qui est aujourd'hui contesté par le concept de *progrès permanent*.

Les premiers signes du changement datent des années 80 avec l'apparition des cercles de qualité et la prise en charge par des groupes d'opérateurs des problèmes de qualité rencontrés dans leur travail, principe que l'on trouve appliqué dans d'autres stratégies de progrès telles que la Qualité totale, la TPM (*Total Productive Maintenance*), le 5S, le *Kanban* ou le *Six Sigma*. Elles reposent toutes sur une participation active des opérateurs.

Allant plus loin dans cette voie, de nombreuses entreprises créent des équipes autonomes responsables de l'organisation de leur travail et de l'amélioration constante de leurs performances.

Au cours de ce chapitre, nous étudierons les méthodes du progrès permanent et leurs conditions de réussite. Nous verrons ensuite en quoi consistent les équipes autonomes.

22/1   Le progrès permanent (*Kaizen*)

22/1.1   Définition

Le mot japonais *Kaizen* signifie progrès permanent. Le principe du *Kaizen* est de considérer que *chacun doit en permanence apporter des améliorations applicables dans son travail courant.*

Si les industriels japonais attachent une grande importance au *Kaizen* c'est qu'ils ont constaté que :

– malgré la qualité des équipements et des méthodes conçus par les services techniques, il subsiste un important potentiel de progrès qui n'apparaît qu'au moment de la mise en œuvre,
– la personne la mieux placée pour proposer des améliorations est celle qui utilise le dispositif quotidiennement.

Les dirigeants de Toyota considèrent que les gains de productivité réalisés dans leurs usines proviennent pour 50 % du *Kaizen* et pour 50 % des nouveaux investissements. Cet avis est partagé aujourd'hui par de nombreux dirigeants d'entreprises occidentales.

Une étude intéressante a été réalisée par Riuji Fukuda dans plusieurs usines du groupe Sumitomo fabricant des produits en caoutchouc. Elle est résumée sur la figure 22-1[1].

Figure 22-1 – *Courbes de progrès de productivité*

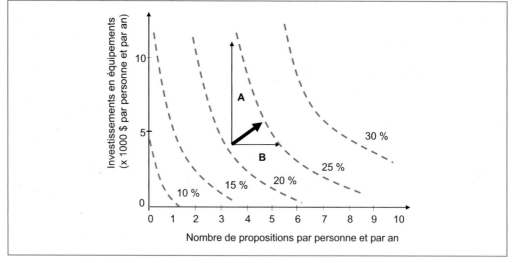

Les courbes en pointillé correspondent à un gain donné de productivité pour différentes usines (10 %, 15 %…). Certaines usines améliorent leur productivité en mettant l'accent sur les investissements, d'autres sur une politique *Kaizen*. Le graphique donne ainsi une mesure de l'efficacité respective des investissements et d'une plus grande créativité du personnel. On voit qu'un accroissement du gain de productivité de 20 % à 25 % peut se faire soit par un investissement de l'ordre de 7 000 dollars (par personne et par an), soit par un accroissement du nombre de suggestions de 3,5 à 5,5 par personne et par an.

Cela signifie qu'une suggestion de plus par personne et par an équivaut dans l'usine à un investissement de l'ordre de 3 500 dollars.

[1] Extrait du livre : Fukuda R., *Productivité, mode d'emploi*, Les Éditions d'Organisation, 1990.

22/1.2   *La place du Kaizen dans une stratégie de progrès*

Le schéma ci-dessous (fig. 22-2), extrait du livre de Masaaki Imai[1], résume l'idée selon laquelle l'amélioration des performances comporte toujours deux composantes :
– La première correspond à des modifications profondes de la technologie ou de l'organisation. Ces modifications, localisées dans le temps, proviennent des études réalisées par les ingénieurs ou les organisateurs.
– La deuxième est constituée de l'ensemble des améliorations qui sont apportées continuellement par le personnel sur le terrain (*Kaizen*).

Figure 22-2 – *Deux stratégies : l'une combine politique d'innovation et Kaizen (1), l'autre fait uniquement appel à l'innovation (2).*

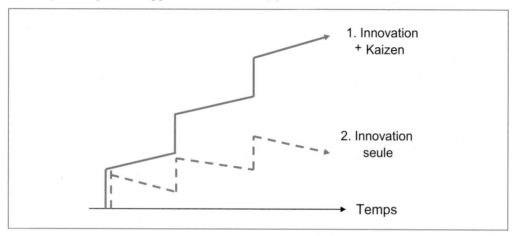

En l'absence de *Kaizen*, la performance se dégrade après chaque changement technologique ou organisationnel en raison des difficultés d'adaptation au nouveau système.

À l'inverse, le *Kaizen* permet de faire progresser la performance de façon continue entre deux progrès majeurs.

22/1.3   *La mise en œuvre du progrès permanent*

Si le concept de progrès permanent est clair, la façon de le mettre en œuvre l'est moins. Il n'existe pas de méthode unique mais une variété de démarches et d'outils auxquels les entreprises font appel en fonction des circonstances. Nous en présentons plus loin quelques-unes.

Toutes ces méthodes présentent trois points communs :
– Elles sont collectives.
– Elles reposent sur un processus organisé.
– Elles sont tournées vers l'action.

---

[1] Masaaki I., *Le Kaizen*, Dunod, 1990.

Elles sont collectives

Les erreurs, gaspillages et autres dysfonctionnements qui dégradent les performances prospèrent particulièrement bien à l'abri des cloisons étanches. Tel service ignore les besoins du service voisin. Tel responsable ne va jamais sur le terrain pour comprendre les difficultés des acteurs du processus.

Les démarches de résolution de problèmes reposent sur une coopération de l'ensemble des acteurs : non seulement les employés et l'encadrement directement concernés mais également les techniciens des services supports ou les représentants des clients et des fournisseurs internes ou externes à l'entreprise.

Ce principe a été appliqué dans les cercles de qualité, les groupes de résolution de problèmes et les équipes autonomes. Ce qui est moins évident est qu'il l'a été également dans le cas des systèmes de suggestions, qui participent, comme nous le verrons plus loin, d'une démarche plus collective qu'on ne le croit.

Elles reposent sur un processus organisé

Le progrès permanent consiste à résoudre une multitude de problèmes qui affectent le travail de tous les jours. Or les acteurs impliqués (ouvriers, employés, techniciens, encadrement opérationnel) ne sont généralement pas des spécialistes et le temps qu'ils consacrent à ces travaux est limité.

C'est la raison pour laquelle ils doivent être guidés par un processus précis et des méthodes simples et efficaces. Le processus correspond à la structure générale d'un projet : définition précise du problème, analyse de données, recherche et validation des solutions, mise en œuvre, contrôle des résultats. Ces méthodes simples constituent les *méthodes de résolution de problèmes* (voir plus loin).

Elles sont tournées vers l'action.

Bunji Tozawa est le secrétaire de la JHRA (Japanese Human Relations Association). Lors d'une conférence faite au Japon sur le progrès permanent, il cita l'exemple d'un parc d'attractions foraines. Les auto-tamponneuses perdaient parfois un boulon en raison des vibrations auxquelles elles étaient soumises. En fin de journée, il fallait les retourner toutes pour trouver celle qui était en cause. Un jour l'employé chargé de cette tâche eut une idée. Il alla chercher les peintures qui servaient à faire les retouches sur les carrosseries et peignit les boulons de la couleur de la voiture. Il était fier de son œuvre. Les boulons colorés étaient bien visibles sur la piste noire. Et il était facile de savoir à quelle voiture ils appartenaient.

Lorsqu'il présenta sa réalisation à la réunion qui récompensait les meilleures idées, l'ingénieur des méthodes critiqua sa solution, notant qu'elle ne supprimait pas le risque de desserrage. Mais le Président, qui en général intervenait peu dans les discussions, prit la parole : « *Il me semble au contraire que c'est une excellente idée* Kaizen. *Elle est simple. Elle a été mise en œuvre rapidement avec des moyens peu coûteux. Elle témoigne d'une grande ingéniosité.* »

Cette anecdote souligne la particularité de la démarche *Kaizen* : elle est tournée vers l'action. Une solution simple et rapide vaut mieux qu'une solution compliquée et longue à mettre en œuvre. En fait l'un n'empêche pas l'autre : une fois les boulons colorés, le bureau d'études doit chercher une solution pour qu'ils ne se desserrent plus.

22/2 Les systèmes de suggestions

La boîte à idées est l'exemple le plus ancien de l'application du *Kaizen*. En 1898, William Connors, employé chez Eastman Kodak, suggère de nettoyer les vitres de son atelier pour améliorer la luminosité. Il reçoit pour son idée une prime de 2 $. Dans les années vingt, le mouvement s'étend à l'étranger chez Siemens, Michelin et d'autres.

Par la suite, les Japonais se sont approprié le principe avec succès. Les résultats sont éloquents. Alors que les valeurs annoncées par les entreprises occidentales sont en moyenne de l'ordre de 0,1 suggestion appliquée par personne et par an, celles des japonaises sont de 30 suggestions appliquées par personne et par an, soit 300 fois plus !

En réalité on ne parle pas de la même chose.

Les boîtes à idées installées en Occident étaient élitistes. Elles valorisaient les idées qui rapportaient gros. Ces idées étaient peu nombreuses, leur mise en application était lente et les meilleures volontés se décourageaient compte tenu du manque de soutien de la hiérarchie et du caractère opaque du dispositif.

Les systèmes de suggestions *Kaizen* cherchent à impliquer le plus grand nombre. Elles visent les petites améliorations de tous les jours, même si leur apport financier est faible (fig. 22-3).

Figure 22-3 – *Boîte à idées et suggestions Kaizen. La première vise les quelques idées qui rapportent gros. Le Kaizen recherche les nombreuses idées qui rapportent chacune peu mais qui au total représentent un montant important.*

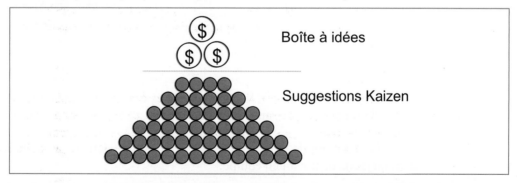

Les suggestions sont généralement affichées pour être visibles de tous. La réalisation, souvent faite avec les moyens du bord, est rapide. Enfin l'encadrement est directement impliqué : la dynamique de progrès au sein de son équipe est un des objectifs sur lequel il est jugé.

22/2.1   Conditions de réussite

Toutes les idées sont intéressantes

Toute idée d'amélioration présente de l'intérêt. Car même si elle ne peut être mise en œuvre, elle traduit un problème à résoudre, et dans ce sens elle est la première étape d'un processus *Kaizen*. Il faut souligner qu'une proposition initiale rejetée peut souvent être améliorée et déboucher dans un deuxième temps sur une solution valable. Surtout, quand l'encadrement s'intéresse à toutes les propositions – même à celles qui semblent inapplicables – le personnel est fortement incité à poursuivre ses recherches.

Les propositions sont discutées au sein de l'équipe

Il est rare qu'une proposition d'amélioration soit bonne du premier coup. Discutée avec les collègues, analysée et améliorée, elle a plus de chances d'aboutir et d'être acceptée par tous au moment de sa mise en œuvre.

Figure 22-4 – *Différences entre boîte à idées et suggestions Kaizen*

	Boîte à idées	Suggestions Kaizen
Nature des idées	Recherche d'idées dont l'apport financier est mesurable.	Recherche d'idées qui simplifient le travail.
Motivation	Prime calculée d'après la rentabilité de la proposition.	Pas de prime (sauf exception), mais divers modes de reconnaissance.
Implication de l'encadrement	Faible ou nulle.	Chaque manager est responsable du nombre de suggestions mises en œuvre dans son équipe.
Résultats	1 à 2 % des personnes proposent des idées. On aboutit de 0,1 à 1 idée par personne et par an.	Plus de 80 % des personnes proposent des idées. On aboutit de 5 à 10 idées par personne et par an.

C'est une des raisons de l'échec des boîtes à idées traditionnelles. Chacun se croit obligé de réfléchir seul, sans l'aide de l'équipe, et le rejet d'une idée est vécu comme un échec personnel.

Il est important de le rappeler : le *Kaizen* est une démarche collective qui s'inscrit dans un mode de travail en équipe.

L'encadrement et les services supports apportent leur soutien

Le personnel d'une entreprise réagit en fonction de ce que l'encadrement attend de lui. Si la priorité est à la production et que l'encadrement ou les services supports se désintéressent des propositions d'amélioration, il y a peu de chances que les employés y consacrent leurs efforts. C'est la raison pour laquelle les responsables doivent apporter leur soutien à l'activité créative de leurs équipes.

Une bonne solution consiste à demander à chaque responsable de participer une fois par mois à un comité de Direction. Il a dix minutes pour présenter ses résultats.

Après avoir commenté les courbes de productivité, de qualité et de respect des délais, il indique le nombre de suggestions faites dans le mois écoulé et détaille les meilleures d'entre elles.

La réalisation est rapide

Le fait pour le personnel de voir ses propositions rapidement mises en œuvre est une motivation puissante. Cet objectif suppose que l'atelier dispose de moyens de réalisation décentralisés. En effet, la prise en charge par les services techniques centraux d'un grand nombre de propositions conduit immanquablement à de longs délais de réalisation. Les moyens décentralisés peuvent être internes (par exemple un atelier de mécanique générale qui réalise des petits dispositifs techniques ou des aménagements de poste de travail) ou externes (une relation directe avec un sous-traitant). Dans certains cas, l'atelier dispose d'un budget autonome.

Les moyens décentralisés permettent de traiter 80 à 90 % des améliorations. Le reste demeure du ressort des services techniques centraux.

Les systèmes de suggestions sont intégrés dans un ensemble plus large

Les suggestions du personnel ne représentent qu'un élément parmi d'autres dans une démarche *Kaizen*.

D'autres méthodes doivent être employées en parallèle, car elles sont mieux adaptées à des situations spécifiques. Citons en particulier :
– les groupes de résolution de problèmes, qui suivent une démarche méthodique pour résoudre un problème donné et qui se constituent généralement en concertation avec l'encadrement,
– les chantiers Hoshin, ou chantiers éclairs, qui consistent à mobiliser pendant une durée courte la totalité d'une équipe pour réorganiser l'outil de travail,
– le CEDAC, présenté ci-dessous.

22/2.2   Le CEDAC

CEDAC est un mot composé des initiales de *Causes and Effect Diagram with the Addition of Cards*. Comme on peut le voir sur la figure 22-5, il s'agit d'un tableau de papier d'environ deux mètres de large, destiné à recevoir des idées d'amélioration du personnel pour un problème donné. Il peut s'agir de n'importe quel problème qui concerne l'atelier ou le bureau (qualité, délai, économies sur les frais généraux, amélioration du service client, etc.).

Le tableau est installé sur le lieu de travail. Chacun peut faire une proposition, même s'il n'appartient pas au service concerné. La personne résume en quelques lignes sa proposition sur un ticket (souvent un simple *post-it*). Chaque semaine, un petit groupe se réunit près du tableau pour examiner les propositions et engager les actions prioritaires. L'animateur du groupe assure le suivi des réalisations. En général, un CEDAC ne dure que deux à trois mois. Dans une même entreprise, plusieurs CEDAC peuvent fonctionner en parallèle dans différents secteurs.

Figure 22-5 – *Exemple de CEDAC*

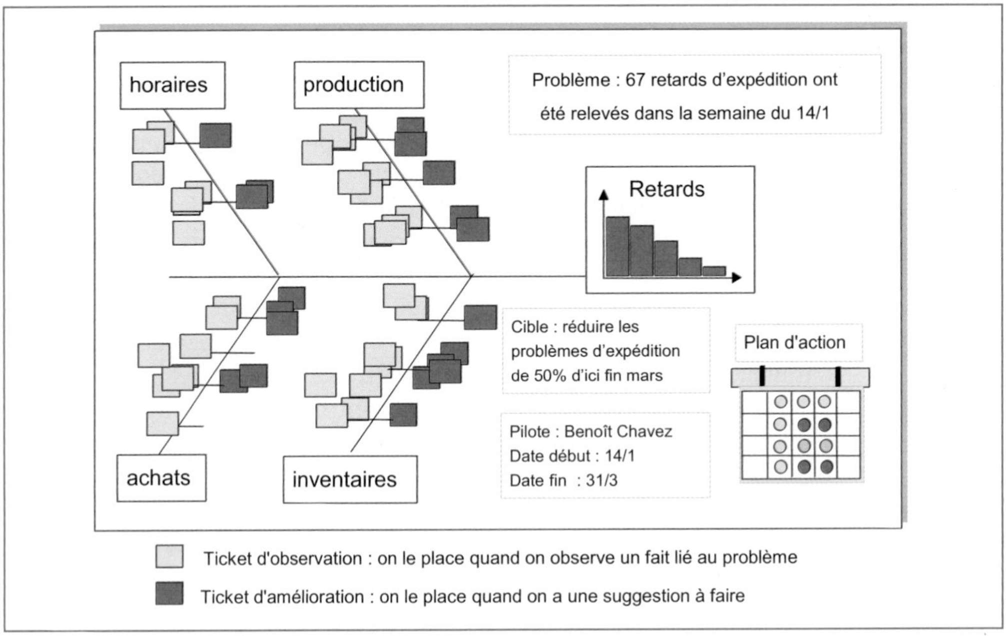

22/2.3 Les méthodes de résolution de problèmes

Les méthodes de résolution de problèmes ont été développées par les Japonais à l'intention des cercles de qualité. Les groupes qui se réunissaient pour améliorer la qualité avaient besoin de méthodes structurées pour les aider dans leur démarche. À l'heure actuelle ces méthodes sont largement utilisées par tous les groupes qui ont besoin de résoudre des problèmes. Elles sont présentées ci-après en fonction de la phase au cours de laquelle elles sont habituellement utilisées (fig. 22-6).

Analyse de Pareto

L'analyse de Pareto consiste à classer les défauts par nature en fonction de leur importance relative. L'expérience prouve qu'un petit nombre de défauts représente souvent un pourcentage important de la non-qualité totale. D'où l'idée de traiter en priorité ces défauts afin de rétablir plus rapidement une situation proche de la normale.

Sur l'exemple du relevé de défauts présenté en figure 22-7, on voit sur la figure 22-8 que les problèmes de sérigraphie et les soudures insuffisantes sont à l'origine de 60 % des incidents. C'est donc à ces difficultés qu'il convient de s'intéresser en premier lieu.

L'analyse faite ici en termes de fréquences d'apparition du défaut peut être complétée selon un critère de coût de non-qualité : en effet, parfois des défauts apparemment peu fréquents peuvent être très coûteux par leurs conséquences techniques ou financières.

Fig. 22-6. *Les méthodes de résolution de problèmes.*

Phase	Nom	Descriptif
Poser le problème	QQOQCP	Qui, Quoi, Où, Quand, Comment, Pourquoi ? Les principales questions pour définir une situation.
Mesurer et analyser	Fiche de relevé	Tableau servant à enregistrer et/ou à comptabiliser les événements (voir exemple plus loin).
	Indicateur	Mesure d'un phénomène et représentation graphique.
	Pareto	Classement des facteurs en fonction de leur importance (voir plus loin)
	5 pourquoi ?	Chercher la cause, puis la cause de la cause, et ce, jusqu'à la cause d'origine.
	Arbre causes-effet	Pour classer les causes possibles d'un problème de façon méthodique (voir plus loin).
Trouver des solutions	Brainstorming	Créativité en groupe pour trouver des idées.
Décider	Analyse multicritères	Attribution à chaque solution d'une série de valeurs chiffrées en fonction de plusieurs critères, de façon à choisir la meilleure.
Mettre en œuvre	Plan d'action	Tableau de suivi permettant de visualiser l'avancement des actions planifiées.

Figure 22-7 – *Relevé de défauts*

Feuille de relevé							
N°	Anomalie	Lundi	Mardi	Mercr.	Jeudi	Vendr.	Total
1	Soudure insuffisante	4	4	4	4	5	21
2	Soudure décalée	1	2			2	5
3	Décentrage valve	2	3	4	3	2	14
4	Défaut sérigraphie	4	5	8	3	7	27
5	Manque matière	2	1	1	2	2	8
6	Erreur de positionnement		1		1		2
7	Perforation	2				1	3
8	Notice oubliée				1		1
	Total	**15**	**16**	**17**	**14**	**19**	**81**

Figure 22-8 – *Analyse de Pareto*

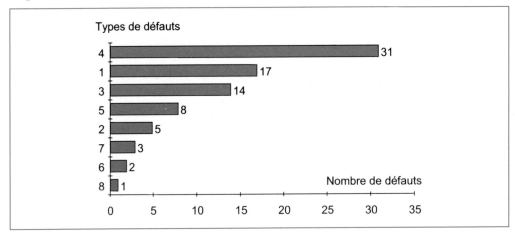

Diagramme d'Ishikawa

Ce diagramme a été développé par Kaoru Ishikawa pour rechercher les causes des problèmes de qualité. On l'appelle également *diagramme causes-effets* ou *diagramme en « arête de poisson »*.

La figure 22-9 montre l'utilisation du diagramme pour classer les causes possibles d'un défaut suivant leur origine. On utilise souvent les catégories des *5M* : Matière, Main-d'œuvre, Machines, Méthodes, Milieu. Ensuite on analyse chaque branche du diagramme, de façon à envisager toutes les causes possibles. Il faut ensuite prendre des mesures prioritaires pour agir efficacement sur les plus importantes.

Figure 22-9 – *Diagramme d'Ishikawa*

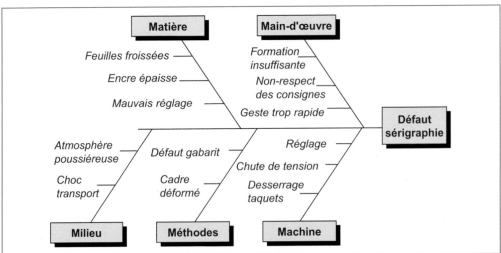

L'efficacité du diagramme d'Ishikawa tient à deux éléments : il aide à décomposer un problème complexe et il évite d'oublier certaines causes importantes.

22/3   La méthode 6 Sigma

La méthode 6 Sigma a été développée par Motorola dans les années 1980. L'objectif est de maîtriser les processus opérationnels afin de réduire le risque d'apparition de défauts à quelques *parties par million* (ppm).

Le terme 6 Sigma signifie que le pourcentage de produits non conformes est inférieur à ce qu'une loi de probabilité normale laisse subsister au delà de 6 écarts types. Dire qu'un processus est « 6 sigma » revient donc à dire qu'il a une probabilité de défaut inférieure à 3 ppm.

22/3.1   Une recherche du « zéro défaut »

Dans de nombreux systèmes de production, les opérations élémentaires sont affectées d'un pourcentage de défauts de l'ordre de 0,1 % ou 1 %. Quand on applique de tels pourcentages à une production en série de produits complexes, la qualité résultante est médiocre.

Figure 22-10 – *La méthode 6 Sigma vise à réduire la probabilité de défauts à la surface située au delà de 6 écarts type*

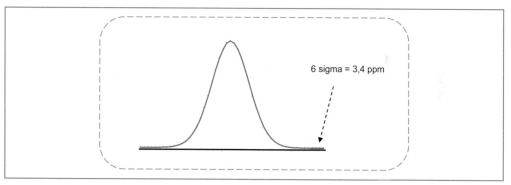

Considérons par exemple un produit composé de 100 composants présentant chacun une probabilité de défaut de 1 %. Le produit fini aura une probabilité de défauts de 64 %. En effet, si chaque composant a 99 % de chances d'être bon, le produit composé a seulement :

$$(0,99)^{99} = 36\ \% \text{ de chances d'être bon.}$$

Considérons à présent un processus dont la capabilité est de 3 sigma. Sa probabilité de défauts est égale à 1 %.

Cette valeur semble faible. Elle a pourtant comme conséquences (à l'échelle du monde occidental) :
- 20 000 lettres perdues par heure,
- de l'eau non potable 15 minutes chaque jour,
- 5 000 opérations chirurgicales ratées par semaine,
- 2 crashs par jour dans la plupart des aéroports internationaux,
- 200 000 mauvaises prescriptions médicales chaque jour,
- une panne d'électricité de 7 heures tous les mois.

22/3.2 Une méthode générale de progrès

Le projet de Motorola était de rendre les processus de production plus robustes, afin d'atteindre le niveau de qualité exigé par la production en grande série de composants électroniques.

L'idée a été reprise par la société General Electric et généralisée à tous les processus de l'entreprise. Pourquoi ne pas viser également le « ppm » dans le traitement des commandes clients, l'expédition, la facturation, ou le calcul de la paie ?

Chaque processus de l'entreprise doit être maîtrisé, ce qui suppose de connaître tous les facteurs susceptibles de provoquer des aléas et de les contrôler pour obtenir un processus stable.

La méthode 6 Sigma est une méthode de progrès qui repose sur trois composantes :
– une organisation pour la conduite des projets,
– un déroulement en 5 étapes,
– des méthodes de progrès.

22/3.3 Une organisation pour la conduite des projets

La mise en œuvre d'une politique 6 Sigma consiste à mener à bien des projets d'amélioration. Une organisation est mise en place dans l'entreprise pour conduire ces projets. Elle comporte les rôles suivants :

Titre	Rôle
Master Black Belt	Membre du Comité de Direction Identifie les projets et les affecte aux *Black Belts* Soutient les projets
Champion	Sponsor du projet Patron d'activité / Propriétaire du processus
Black Belt	Conduit et développe les équipes d'amélioration inter-fonctionnelles Conseille le management sur la mise en œuvre des plans d'amélioration Diffuse les outils 6 Sigma au sein de l'entreprise
Green Belt	Assiste le Black Belt sur un projet Temps partiel (25 % à 50 %)

La prise en charge d'un rôle comporte une formation approfondie. Elle varie entre une semaine pour un *Green Belt* à plusieurs semaines pour un *Black Belt* dont la vocation est de piloter les projets. La personne qui prend le rôle *Black Belt* s'y consacre à plein temps.

22/3.4 Un déroulement en 5 étapes

Toute opération 6 Sigma suit un déroulement en 5 étapes représenté par les initiales DMAIC.

Phase	Étape
Définir *Define*	Sélectionner un projet d'amélioration. Identifier les processus et données associés. Évaluer le coût du problème et le coût du projet. Soumettre le projet à la Direction.
Mesurer *Measure*	Définir les caractéristiques de la qualité. Mesurer les caractéristiques de la qualité et les autres valeurs influentes sur le résultat.
Analyser *Analyse*	Rechercher les causes. Faire des analyses et des essais.
Améliorer *Improve*	Proposer une solution. Valider la solution.
Maîtriser *Control*	Standardiser la solution. Obtenir l'adhésion sur la nouvelle solution. Suivre les résultats.

Un tel déroulement est courant dans les méthodes de résolution de problèmes (voir l'analogie avec la démarche PDCA).

La méthode 6 Sigma ayant pour objectif de maîtriser les processus, l'accent est mis sur les phases de mesure et d'analyse. Il faut connaître le processus en détail avant de proposer des solutions. Ne pas le faire risquerait de conduire à des situations acceptables mais imparfaites et rendrait illusoire la réalisation d'objectifs de l'ordre de quelques ppm.

On aura compris que la méthode 6 Sigma est puissante mais relativement lente. Elle vise une amélioration en profondeur du fonctionnement de l'entreprise.

22/3.5   Des méthodes de progrès

La méthode 6 Sigma a été utilisée à l'origine par Motorola pour améliorer la robustesse des processus de fabrication. Les méthodes pour y parvenir étaient celles de l'approche statistique de la qualité :
– SPC (*Statistical Process Control*, ou Maîtrise Statistique de la Qualité),
– Plan d'expérience,
– Détrompeurs (les *Poka-Yoke* japonais),
– etc.

Avec son extension à l'ensemble des processus opérationnels de l'entreprise, le 6 Sigma a élargi sa panoplie à l'ensemble des outils du progrès permanent :
– Analyse des processus,
– 5S,
– Management visuel,
– TPM.

22/4   La méthode 5S

Nous avons choisi de présenter la méthode 5S dans ce chapitre parce qu'elle illustre bien les principes du *Kaizen* : elle est simple, participative et méthodique.

La méthode 5S a été développée au Japon à la fin des années 80, et introduite en France en 1993[1]. Cette méthode, qui s'applique aussi bien aux ateliers, aux bureaux ou aux magasins, consiste à mobiliser l'ensemble du personnel pour améliorer la propreté et le rangement de l'environnement de travail.

Les cinq S sont les initiales de cinq mots japonais qui caractérisent le processus à suivre pour aboutir au résultat visé [2] :

- *Seiri* (débarrasser),
- *Seiton* (ranger),
- *Seiso* (tenir propre),
- *Seiketsu* (standardiser, visualiser),
- *Shitsuke* (respecter les règles).

Derrière la banalité technique du sujet (quoi de moins valorisant qu'un projet traitant du désordre et de la saleté !) se cache un processus de mobilisation d'une surprenante efficacité. En effet, s'agissant de motiver le personnel, ce n'est pas la technicité ou la rentabilité du projet qui comptent, mais la simplicité des actions et la visibilité du résultat.

C'est la raison pour laquelle les entreprises qui engagent un projet 5S le considèrent comme le meilleur choix pour promouvoir un *apprentissage organisationnel*. Le 5S permet au personnel d'apprendre à travailler en groupe, à élaborer un langage commun, à organiser l'espace de travail en suivant la logique des flux, à résoudre des problèmes de façon méthodique ou à planifier et suivre une multitude d'actions de progrès.

> *Une organisation 5S fait largement appel à la signalétique visuelle,*
> *de façon à ce que chacun puisse ranger les objets à leur place.*
> *Le plan de l'atelier présente les résultats du dernier audit propreté.*

La conduite d'un projet 5S dans un établissement de taille moyenne (300 personnes) s'étend sur une période d'environ deux ans. Cette durée s'explique en partie par la volonté de prendre les décisions de façon participative. Et il ne faut pas oublier que chaque service réalise son projet 5S en plus de son travail courant.

L'investissement en temps et en énergie est donc loin d'être négligeable. Mais le projet bénéficie de multiples effets positifs : gain de temps et de productivité, diminution du risque d'accidents, diminution des erreurs, amélioration de l'ambiance de travail, meilleure image pour les visiteurs.

---

[1]   Voir Osada T., *Les 5S, première pratique de la qualité totale*, Dunod, 1993.

[2]   La traduction varie suivant les textes en notre possession. Celle-ci n'est qu'une traduction parmi d'autres.

Figure 22-11 – *Exemples d'organisation 5S*

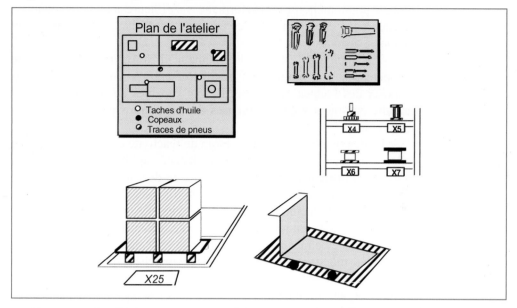

En outre, le 5S instaure progressivement une nouvelle culture, favorable à la réussite du Juste-à-temps, de la Qualité totale ou à l'introduction de nouvelles technologies. C'est la raison pour laquelle de nombreuses entreprises abordent le 5S comme un préalable au lancement de tout projet participatif. Elles considèrent le 5S comme un « camp de base pour se lancer à la conquête d'autres sommets ».

22/5   Les équipes autonomes

Le constructeur automobile suédois Volvo réalisa dans les années soixante une expérience qui fut particulièrement médiatisée.

L'objectif était de trouver un substitut à la chaîne fordienne. L'entreprise décida, dans les usines de Kalmar et d'Uddevalla, de confier à des équipes d'une dizaine de membres l'assemblage d'un véhicule complet. Au lieu de répéter inlassablement les mêmes gestes, les opérateurs disposaient de deux heures pour réaliser le montage. Le travail en miettes avait été remplacé par une forme moderne d'artisanat.

L'expérience Volvo fut-elle concluante ? En termes de conditions de travail, certainement. C'était du reste la priorité de l'entreprise suédoise. Dans un pays qui souffrait à l'époque d'une pénurie de main-d'œuvre, les candidats ne se bousculaient pas pour travailler à la chaîne.

Et sur le plan des performances ? Les avis furent partagés. La diminution du nombre de véhicules à retoucher fut sensible. Et la productivité, qui avait fortement chuté au départ, était en train de remonter quand l'entreprise, confrontée à la stagnation du marché, dut fermer les deux usines et rapatrier la production sur le site de Göteborg.

Mais la majorité des observateurs s'accordent à reconnaître que l'initiative, dans sa conception même, souffrait d'un handicap majeur : elle avait été engagée sur des bases restreintes (améliorer les conditions de travail) et ne s'inscrivait pas dans une stratégie globale pour améliorer les performances. À l'heure actuelle, la majorité des entreprises considèrent l'évolution vers les équipes autonomes comme une nécessité pour trois raisons :

– La première est d'ordre humain. Les ouvriers et les employés ont des compétences qui progressent régulièrement. À condition d'être organisés et de disposer des bonnes méthodes, ils sont capables de piloter leur propre travail et de prendre eux-mêmes de nombreuses décisions qui étaient auparavant du ressort de la hiérarchie.

– La deuxième répond à un besoin de réactivité et d'adaptation. Pour répondre sans délai à la demande des clients et lancer rapidement de nouveaux produits, les entreprises mettent en place des circuits de décision courts. Les acteurs sur le terrain s'organisent sans attendre l'intervention d'un service ordonnancement ou d'un cadre. L'exemple de la méthode Kanban, dans laquelle la production est directement pilotée par les opérateurs, est représentatif de cette tendance.

– La troisième raison relève de la volonté de déployer le progrès permanent. Toutes les études montrent que ce type de démarche est d'autant plus efficace que les opérateurs sont responsabilisés et travaillent en groupe. L'équipe autonome est la forme d'organisation la mieux adaptée pour résoudre les problèmes de tous les jours et améliorer les performances.

22/5.1 Définition

Dans un livre qui l'a rendu célèbre[1], Ricardo Semler raconte comment il a créé l'entreprise Semco en prenant à contre-pied toutes les conventions habituelles. C'est ainsi que les employés se répartissent eux-mêmes le travail, disposent d'un horaire libre et sont invités à travailler chez eux chaque fois que c'est possible. Les décisions importantes sont prises de façon démocratique au sein du département ou de l'atelier. Le recrutement est fait de façon collégiale par les collègues et les subordonnés. Le responsable d'un service est noté par les membres de son équipe. Enfin les cadres sont fortement incités à changer régulièrement de service ou de fonction.

Cet exemple représente une situation particulièrement avancée. Mais il existe de nombreux cas moins spectaculaires où l'autonomie se développe en tenant compte des contraintes propres au métier. Par exemple, quand les opérateurs d'une chaîne de montage d'automobiles décident d'arrêter la chaîne s'ils jugent que la qualité se dégrade, changent librement de poste avec un collègue, se réunissent pour proposer des améliorations sur leur méthode de travail, ou participent au redécoupage des tâches à la suite d'un changement de niveau de production, on évoque le concept d'équipes autonomes. L'autonomie est une caractéristique qui se mesure sur une échelle continue.

Les points communs à toutes les équipes autonomes sont au nombre de trois :

– Le travail se fait en *équipe*, ce qui n'était pas le cas dans l'organisation taylorienne du travail où chaque opérateur devait se préoccuper uniquement de sa

---

[1] Semler R., *À contre-courant,* Dunod, 1992.

propre cadence. Travailler en équipe veut dire en particulier se répartir au mieux le travail, changer de poste si nécessaire ou aider un collègue en cas de besoin.

– L'équipe est *autonome* pour un certain nombre de décisions. Le tableau 22-12 montre que le périmètre d'autonomie peut recouvrir une étendue plus ou moins large, en fonction des compétences du personnel et de la maturité de l'organisation.

– Enfin l'équipe est responsable de ses *performances*. Elle a des objectifs d'amélioration à atteindre et doit faire évoluer en permanence ses méthodes de travail.

22/5.2   *L'organisation hiérarchique*

La figure 22-13 illustre l'évolution classique d'un organigramme (on a choisi un modèle assez courant dans une unité de production de 200 à 300 personnes).

Au delà de la réduction d'un ou deux niveaux hiérarchiques (de cinq à trois dans l'exemple ci-dessous), il faut souligner la décentralisation des services fonctionnels :

– une partie des activités (qualité, maintenance, ordonnancement et dans certains cas approvisionnements, méthodes et fonction personnel) sont prises en charge par des techniciens directement rattachés à l'atelier,

– certaines activités fonctionnelles sont assurées par les équipes autonomes (auto-contrôle, entretien de premier niveau, etc.),

– certains services experts sont maintenus au niveau de l'établissement pour réaliser des tâches d'expertise et assurer la coordination et l'évolution générale de la fonction.

Figure 22-12 – *Les missions de l'équipe. Pour plus de clarté, nous avons séparé celles qui ressortent du domaine technique de celles qui ressortent du management.*

Missions techniques	Missions de management
Auto-contrôle - Changements de fabrication - Enregistrement des causes d'arrêt - Propreté et rangement de l'espace de travail du groupe - 5S.	Répartition du travail entre les membres de l'équipe - Passation des consignes à l'équipe suivante - Suivi administratif de la production (quantités, qualité).
Réglages simples des équipements - Maîtrise statistique des processus (SPC) - Entretien de premier niveau (graissage).	Approvisionnements - Planning hebdomadaire de la production - Calcul et mise à jour des indicateurs de performance - Gestion des absences et des congés.
Réglages difficiles - Entretien de second niveau - Étude des temps - Définition et implantation des postes de travail.	Analyse des dysfonctionnements - Conduite des actions correctives et préventives (résolution de problèmes) - Création de la documentation de travail - Formation des nouveaux arrivants.
Participation au choix des équipements et à l'industrialisation des nouveaux produits.	Traitement des commandes clients et des factures - Participation au choix des fournisseurs - Participation à l'établissement des budgets et des plans annuels de progrès - Participation au recrutement.
N.B. : l'autonomie progresse vers le bas du tableau	

Figure 22-13 – *Évolution de l'organigramme. L'équipe autonome comporte en général de 5 à 15 personnes.*

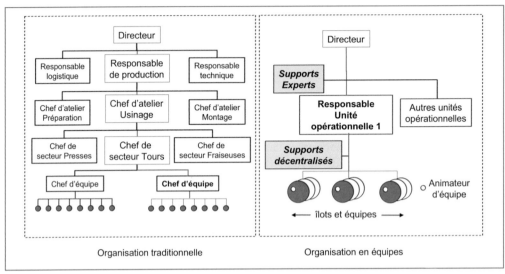

22/5.3 *Le fonctionnement de l'équipe*

Il ne suffit pas de constituer un groupe pour obtenir une équipe efficace. Le bon fonctionnement d'une équipe suppose plusieurs conditions.

Polyvalence des rôles

Alors que l'organisation taylorienne tire profit d'une stabilisation de l'opérateur à son poste, le travail en équipe incite au changement. La mobilité entre les postes offre plusieurs avantages :
– elle permet de s'adapter à la demande commerciale : le personnel peut facilement passer de l'atelier qui fabrique un produit à celui qui en fabrique un autre,
– elle autorise une gestion plus souple des horaires de travail et des vacances,
– elle a un effet positif sur la qualité, car chacun comprend le travail des autres et se sent concerné par le processus global de production,
– enfin la mobilité favorise la communication. Au comportement individuel se substitue un esprit d'équipe, favorisant les échanges d'expérience, la solidarité dans les situations difficiles, et la prise de décision consensuelle (fig. 22-14).

Intégration

Dans le système taylorien, les membres d'une section entretiennent peu de contacts avec leur environnement (les autres sections, les services techniques, les magasins, etc.). La coordination repose essentiellement sur la *structure hiérarchique*. Chacun reçoit des instructions de sa hiérarchie et les transmet à ses subordonnés.

Une organisation en équipes autonomes fonctionne différemment. L'intégration de l'équipe repose en grande partie sur son appartenance à un *réseau*. La hiérarchie n'a donc plus l'exclusivité du traitement de l'information. Elle le conserve toutefois dans des domaines précis : décisions importantes, actions à moyen et long terme.

Figure 22-14 – *De l'organisation taylorienne à l'équipe*

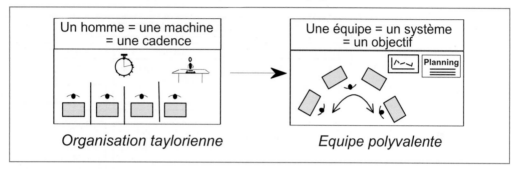

À court terme, la relation de l'équipe avec son environnement se fait par les échanges directs d'informations et de décisions avec ses partenaires, c'est-à-dire avec ses *fournisseurs internes* en amont et ses *clients internes* en aval (fig. 22-15).

Figure 22-15 – *Les relations de l'équipe avec son environnement*

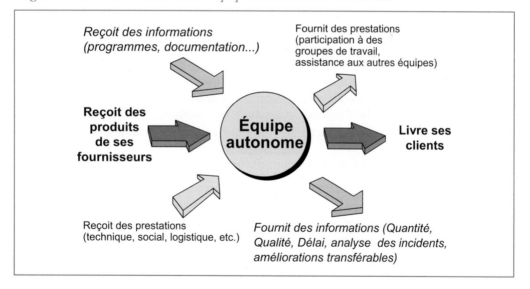

Responsabilité

La performance d'un opérateur de production cesse d'être mesurée exclusivement par sa cadence. Désormais, ce sont des critères collectifs qui interviennent : production totale du groupe, niveau de qualité, respect des délais, consommation de matières. Le système de rémunération doit en tenir compte, avec la suppression des primes calculées sur la cadence individuelle, et dans certains cas leur remplacement par un intéressement collectif.

Les indicateurs de performance collective sont souvent affichés dans l'espace de travail (fig. 22-16). Ils sont commentés régulièrement lors des réunions d'équipe.

Figure 22-16 – *Affichage des indicateurs de performance*

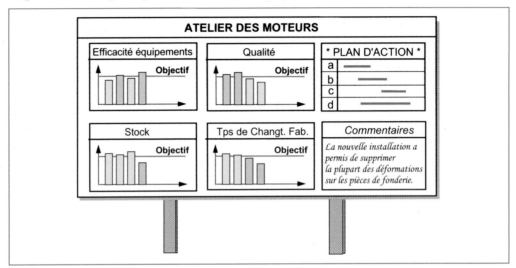

Ces réunions, animées par le responsable d'équipe, sont généralement au nombre de deux :
- une réunion quotidienne de cinq minutes avant de prendre le travail, où sont brièvement commentés les faits marquants de la veille et les consignes du jour,
- une réunion hebdomadaire ou mensuelle (de vingt minutes à une heure) dans laquelle l'animateur analyse les performances de l'équipe et communique des informations générales sur l'entreprise, ses marchés, ses nouveaux produits, etc.

22/5.4 Le rôle de l'encadrement

Dans le cas général, une équipe autonome ne comporte pas de responsable hiérarchique. En revanche il y a un animateur (*team leader*), mais celui-ci fait partie de l'équipe et assure des tâches opérationnelles au même titre que les autres membres (avec souvent une part plus importante de son temps consacrée à des activités administratives ou relationnelles). L'animateur n'a pas de rôle hiérarchique. Sa mission est de coordonner l'équipe, d'animer les réunions et d'assurer certaines relations extérieures de l'équipe (mais pas la totalité).

Le premier niveau hiérarchique coordonne généralement plusieurs équipes. Ce poste est tenu par un responsable dont le titre diffère suivant les entreprises : chef de fabrication, chef d'atelier, chef de groupe, responsable de ligne produits, superviseur, manager, etc.

Il est intéressant de noter que le premier niveau hiérarchique encadre un groupe de 50 à 120 personnes. Ce chiffre permet d'apprécier l'économie par rapport au système traditionnel à trois niveaux :
- chef d'équipe assisté parfois d'un régleur,

– contremaître,
– chef d'atelier.

Précisons que le bénéfice ne s'exprime pas seulement en termes de coûts, mais également sous forme d'une communication plus efficace et d'une meilleure réactivité.

Comme le processus de mise en place des équipes autonomes est long, de nombreuses entreprises conservent durant la période de transition un chef d'équipe hiérarchique. Mais même dans ce cas, sa mission évolue : il doit déléguer aux opérateurs le maximum de tâches et ne conserver que les activités de formation, d'animation, de conduite du progrès et de relations extérieures.

22/5.5   *La conduite du projet*

La mise en œuvre d'un projet d'équipes autonomes modifie en profondeur le fonctionnement de l'entreprise.

Une enquête conduite par le cabinet Proconseil auprès d'une cinquantaine d'entreprises concernées a mis en évidence plusieurs observations :
– La position des différents acteurs (fig. 22-17). L'enquête montre que dans moins de 10 % des entreprises les syndicats se sont opposés au projet. La catégorie la plus réticente est le premier niveau d'encadrement (agents de maîtrise).

Figure 22-17 – *L'avis des entreprises concernant la position des acteurs*

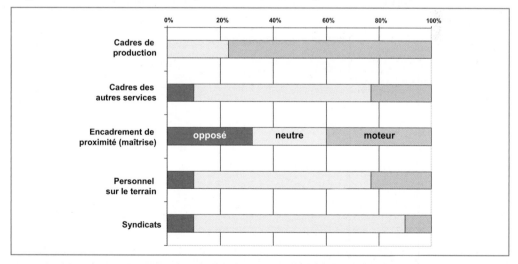

– Les principaux obstacles à la réussite du projet (fig. 22-18). La majorité des entreprises citent en premier lieu le cloisonnement des services et le manque d'esprit d'équipe de l'encadrement.
– La durée du projet (fig. 22-19). Le graphique met en relation la note obtenue au diagnostic (une mesure qui a permis de classer les entreprises suivant le degré d'autonomie des équipes) et la durée qui s'est écoulée depuis le début du projet. Il faut en moyenne cinq ans pour atteindre des résultats satisfaisants.

Figure 22-18 – *Les obstacles à la mise en place des équipes autonomes*

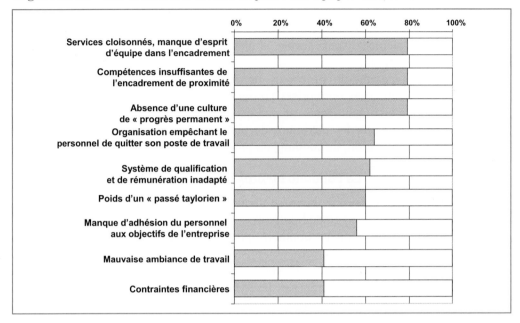

Figure 22-19 – *Note obtenue au diagnostic en fonction de l'ancienneté du projet*

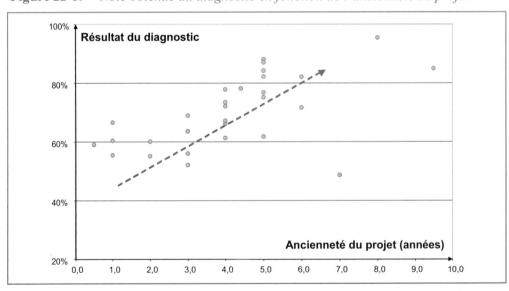

Cinquième partie

Le management de la *supply chain*

Cette partie regroupe des sujets transversaux liés au management global de la *supply chain* et fondamentaux pour parvenir à la meilleure performance globale.

Le chapitre 23 exposera la philosophie générale du Juste-à-temps et ses évolutions vers la notion de Production au plus juste (*Lean Production*).

Le chapitre 24 montrera l'importance de la mise en œuvre de progiciels de gestion intégrée (ERP – *Enterprise Resource Planning*) et décrira en détail les modules logistiques et les fonctions de gestion de production.

Le chapitre 25 présentera les applications de l'Internet dans les divers domaines de la *supply chain* : communication interne à l'entreprise, relations avec les clients, relations avec les fournisseurs et, enfin, conception de nouveaux produits. Internet modifie en profondeur les modes de fonctionnement des entreprises et des pratiques logistiques.

Le chapitre 26 prend acte du fait que l'entreprise n'est plus une organisation statique qui cherche à optimiser son fonctionnement dans un environnement stable. Elle doit s'adapter en permanence. Cela conduit à mettre en place un *management de et par projets*, pouvant être de tous types. Le succès de tels projets suppose, d'une part, des méthodes de gestion et de planification et, d'autre part, des structures adaptées.

Le chapitre 27 approfondit une autre approche transversale fondamentale : *la conception et le développement des nouveaux produits*. L'âpreté de la concurrence, les exigences des clients et la nécessité d'accélérer le renouvellement des produits imposent en effet de mettre en place une organisation, des méthodes et modes de management, offrant à l'entreprise de nouveaux facteurs de différenciation. De plus, on démontre clairement que le coût et la qualité des produits à terme dépendent, en grande partie, des choix faits et décisions prises à ce stade.

Le chapitre 28 aborde le problème du développement durable qui est aujourd'hui une préoccupation majeure des responsables de la *supply chain* à tous les niveaux.

C'est un sujet très vaste qui concerne aussi bien la conception des produits en vue d'un meilleur recyclage que la protection de l'environnement, les usines et les transports étant une source majeure de pollution.

Le chapitre 29 montrera les choix possibles en termes de structures d'entreprise pour gouverner la *supply chain*. Dans un premier temps, on présentera les structures organisationnelles classiques, puis on montrera leurs évolutions pour mieux prendre en compte les nouveaux processus issus des concepts de *supply chain*.

Le chapitre 30 s'intéressera aux méthodes de mesure et de pilotage de la performance de la *supply chain* selon son niveau de maturité. On présentera successivement les *Balanced Scorecards*, l'approche ABC (*Activity Based Costing*) et le modèle SCOR.

Chapitre 23

Le Juste-à-temps
et la Production au Plus Juste

Deux grandes préoccupations sont permanentes chez les responsables industriels : d'une part, augmenter la réactivité du système logistique (livrer sans délai une demande diversifiée), d'autre part, diminuer le coût global de production en éliminant les gaspillages et les opérations inutiles. La première trouve ses solutions dans l'application du Juste-à-temps, la seconde dans les principes de la production au plus juste.

23/1   Les effets du modèle d'organisation taylorien

Le modèle traditionnel (d'inspiration taylorienne) avait pour objectif essentiel la recherche de la productivité du système de production (pour obtenir des coûts de revient les plus bas possible). La recherche de cet objectif a toujours eu plusieurs conséquences (qui ont toutes pour effet la constitution de stocks) :

1) Pour réaliser des économies d'échelle, toutes les fabrications sont concentrées dans des unités de production de grande taille organisées en ateliers spécialisés où l'on met en œuvre des équipements les plus productifs possibles. Il en résulte des flux à la fois complexes et discontinus qui entraînent des en-cours importants (cf. chap. 3 et 5).

2) Pour diminuer le coût des produits, l'entreprise met en place des capacités de production qui correspondent à la demande moyenne. Elles sont ainsi saturées en permanence. Mais la demande effective varie autour de ce niveau moyen, à court terme (selon le rythme de prise de commande) comme à moyen terme (si la demande est saisonnière). Les fluctuations de la demande sont absorbées par des stocks de produits finis.

3) L'usine lance des séries longues de sorte que les temps perdus cumulés lors des changements de série soient faibles par rapport aux temps productifs. Or, ceux-ci n'ont jamais fait l'objet d'une attention spéciale de la part des techniciens. Ils sont donc souvent très longs, et le paramètre « coût de lancement » de la formule de Wilson est donc élevé : ce qui donne des séries économiques de taille importante (cf. chap. 13).

4) Pour diminuer les coûts de manutention interne et de transport externe, on déplace des quantités importantes (conteneurs entiers, camions complets) qui ne sont pas consommées immédiatement. Il en résulte des stocks inter-ateliers ou inter-sites volumineux qui ralentissent l'écoulement des produits.

5) On cherche à isoler les diverses unités du système logistique les unes des autres de sorte qu'une variation imprévue ou un incident dans une unité n'ait pas de répercussion en aval du processus. Pour cela, on constitue des stocks intermédiaires qui ont pour effet de découpler les stades de fabrication les uns des autres : une panne de machine dans un atelier n'arrête pas les autres machines, un lot de pièces présentant des défauts peut être retouché, un retard de livraison est absorbé par le stock de matières premières, une erreur de prévision est absorbée par le stock de produits finis. Chaque unité est ainsi censée travailler à son rythme optimal sans se soucier du fonctionnement du reste de l'usine.

6) La circulation des produits est complexe et les lots sont arrêtés fréquemment (à l'occasion des contrôles, des entrées en magasin, des transports). Il en résulte une imprévisibilité des cycles réels. Le système de planification prend en compte ce facteur en créant des décalages de sécurité à chaque stade (cf. chap. 12), ce qui revient à constituer des stocks.

7) Le système de comptabilité industrielle et de mesure des performances reflète cet objectif. L'entreprise est découpée en centres de responsabilité autonomes. Chaque centre doit obtenir le meilleur résultat. Le critère qui prévaut encore fréquemment est la productivité de la main-d'œuvre directe. Cela conduit à produire même en l'absence de demande pour ne pas laisser les ouvriers inactifs, ce qui entraîne la constitution de stocks de marchandises dont l'entreprise n'a pas l'usage immédiat.

Ainsi, le stock est chargé de satisfaire de nombreuses fonctions de régulation. Puisque chacun trouve, à son niveau, un avantage à accroître le stock, cela explique que le volume global augmente sans cesse, malgré tous les efforts des services de planification chargés d'assurer la coordination des flux. Il en résulte des cycles de fabrication longs qui sont incompatibles avec l'objectif de réactivité qu'impose la nouvelle stratégie commerciale.

Le Juste-à-temps constate l'impossibilité de gérer les stocks de façon optimale. Au lieu de les gérer, il propose simplement de bâtir une organisation capable de les supprimer.

23/2 Les principes du Juste-à-temps

Lorsqu'on fabrique des produits peu diversifiés en grande série, il est aisé de mettre en place des lignes de production qui travaillent de façon continue sans stock. Mais, dans la plupart des industries, la production n'est pas suffisamment répétitive pour organiser une chaîne analogue à celle qu'a inventée Henry Ford. C'est là qu'intervient l'originalité du concept JAT : l'idée est de faire circuler le flux « comme si » le système des machines était une chaîne alors que, physiquement, les machines restent indépendantes.

Ce système recherche ainsi les avantages de la grande série (flux rapide et gestion simplifiée) tout en conservant ceux de la petite série (variété des références, adaptabilité technique et commerciale, production de petites quantités personnalisées).

L'impact du JAT, comme nous le verrons plus loin, s'exerce sous deux angles. D'une part, en faisant circuler un flux rapide, il donne au système productif la réactivité voulue dans un environnement commercial complexe et changeant. D'autre part, l'objectif de rapidité et de régularité du flux devient le cœur du programme de réduction des coûts.

L'équation fondamentale du Juste-à-temps est donc :

Production = Demande

Cela signifie que le producteur (ou le transporteur) produit (ou livre) la quantité strictement nécessaire pour satisfaire au bon moment les besoins immédiats de son client. Appliqué de proche en proche à l'ensemble du système logistique, c'est-à-dire depuis l'expédition des commandes aux clients en remontant le long du processus de fabrication jusqu'aux fournisseurs, ce principe entraîne un fonctionnement sans stock, à l'exception des pièces en cours de production ou de transport : c'est ce qu'on appelle la gestion « en flux tendus ».

Ayant énoncé ce principe général, on peut faire trois remarques :

1) Il est fréquent de rencontrer des usines qui ne fonctionnent que partiellement en flux tendus : on peut travailler sans stock dans les phases terminales du processus de production (où il y a souvent une personnalisation du produit et donc une grande diversité) alors que les phases amont (approvisionnements, fabrication des pièces primaires) travaillent en flux poussés.

2) Les flux de production peuvent être tirés non par des commandes clients mais par le plan directeur (c'est-à-dire la politique de stock d'anticipation).

3) La mise en œuvre du Juste-à-temps ne dispense pas de l'établissement d'un plan directeur et d'un calcul des besoins. Même en travaillant en flux tirés, on doit déterminer les besoins (à partir des prévisions et des commandes) pour passer les marchés avec les fournisseurs pour les composants à longs délais et pour lancer des fabrications dont le cycle de fabrication est long.

23/3   Les facteurs clés du Juste-à-temps

Pour répondre aux nouvelles exigences des clients, l'entreprise recherche une meilleure réactivité de son système de production, c'est-à-dire à fournir une réponse rapide aux variations quantitatives et qualitatives de la demande.

Pour pouvoir réagir vite, il faut diminuer l'inertie de tout le système par un raccourcissement des cycles de fabrication. La réduction des cycles impose une réduction des stocks à tous les niveaux :

- les stocks de matières premières, ce qui suppose que les fournisseurs livrent fréquemment,
- les stocks d'en-cours, ce qui suppose de réduire les temps d'écoulement dans tous les ateliers,
- les stocks de produits finis, ce qui suppose que l'on puisse changer très rapidement de fabrication.

Dans cette optique, la réduction des stocks n'est pas un objectif en soi, mais une conséquence de la réduction des cycles (il existe une relation linéaire entre le cycle et le niveau moyen de stock comme nous l'avons montré dans le chapitre 3). Faire varier l'un des facteurs revient à faire varier l'autre dans le même sens et dans la même proportion. Mais il est souvent plus facile d'exprimer des objectifs en termes de réduction de stocks, car les stocks sont plus visibles et plus facilement contrôlables que les délais.

Mais, pour réduire les cycles et donc les stocks, il faut éliminer les raisons qui ont rendu les stocks nécessaires (défauts de qualité, pannes de machine, temps de réglages longs, etc.). L'amélioration de la performance à chacun de ces niveaux constitue une condition nécessaire, un *pré-requis*, dans la démarche.

Le Juste-à-temps ne se présente pas comme une nouvelle méthode de gestion de la production mais comme une remise en cause globale du système industriel : choix des investissements, organisation et implantation des ateliers, maîtrise de la fiabilité et de la qualité, gestion des hommes, etc.

Le passage réussi d'une organisation classique à une organisation en Juste-à-temps exige qu'un ensemble de conditions soit réuni. Ces conditions peuvent être regroupées en trois catégories : la recherche d'une grande flexibilité, la maîtrise des aléas et des méthodes de gestion très réactives.

23/3.1   La recherche d'une plus grande flexibilité

La flexibilité, c'est la capacité du système de production à s'adapter en permanence à la demande.

La flexibilité quantitative

Pour pouvoir travailler avec un très faible stock de produits finis, il faut être capable de fournir rapidement la demande maximale. Il faut donc en général surdimensionner la capacité. Cela étant, il n'est pas nécessaire de disposer toujours des machines les plus performantes. La surcapacité sera, en général, obtenue grâce à des machines moins coûteuses : plutôt que de faire l'acquisition de machines à la pointe de la technologie, on peut, par exemple, conserver des machines anciennes réglées pour faire un seul type de pièce.

La flexibilité repose également sur une flexibilité de la main-d'œuvre : appel à du personnel temporaire, recours aux sous-traitants, horaires modulables, etc. La polyvalence du personnel est recherchée car elle permet des réaffectations instantanées sur les lignes de produits selon l'évolution respective de leurs demandes.

La flexibilité qualitative : le changement rapide de fabrication

La flexibilité qualitative est la capacité de l'usine à traiter une grande variété de produits. Les changements de série deviennent donc très fréquents. Pour éviter de réduire le potentiel productif, il faut pouvoir passer très rapidement d'un produit à un autre. La méthode SMED pour réaliser des changements rapides d'outils sera décrite dans le chapitre 20. La flexibilité est également obtenue grâce à des progrès technologiques dans les équipements de fabrication : centres d'usinage, ateliers flexibles, machines à commande numérique équipées de dispositifs de réglage automatique (découpe au laser, plieuse à commande numérique, grignoteuse programmable), ou robots industriels. Enfin le personnel d'exécution doit aussi être capable de réaliser une variété de tâches plus grande. Cela suppose une augmentation de son autonomie et un niveau de formation plus élevé (chap. 22).

Mise en ligne des machines

Quand le type de production s'y prête, un des moyens pour faciliter l'écoulement du flux est d'organiser le processus « en ligne ». La principale condition à la mise en ligne réside dans une affectation stable de machines à des produits ou des familles de produits, ce qui suppose :
- qu'il existe une quantité suffisante de produits à fabriquer suivant un processus commun pour justifier l'affectation des machines,
- qu'il est possible de faire circuler un flux à travers les postes de travail sans constituer de stocks, ce qui suppose un bon équilibrage des cadences aux postes successifs car si elles sont trop différentes, la perte de productivité peut être intolérable (cf. chapitre 18).

Cette mise en ligne peut prendre la forme d'îlots de fabrication (cf. chapitre 20) ou de lignes-produits où la fabrication est confiée à des équipes semi-autonomes. Dans ces équipes, le travail des opérateurs est élargi et enrichi : ils doivent prendre en charge des tâches traditionnellement dévolues à des services fonctionnels (maintenance de premier niveau, contrôle de qualité, réglages, etc.). Cela suppose une polyvalence accrue pour absorber les variations de charge, un niveau de qualification plus élevé, une plus grande responsabilisation des opérateurs et une solidarité à l'intérieur de l'équipe qui gère la ligne (cf. chap. 22).

Allégement des interfaces

Enfin, pour réduire le cycle d'obtention des produits, il ne faut pas s'intéresser uniquement aux phases de fabrication. Les stocks se créent souvent aux interfaces entre deux stades de la chaîne logistique : transport entre deux usines, manutention entre deux ateliers, réception des livraisons des fournisseurs.

Là encore, il faut tenter de réduire la taille des lots qui transitent en organisant des livraisons plus fréquentes. Pour qu'une telle mesure n'entraîne pas des coûts trop élevés, on peut organiser, par exemple, des tournées de collecte des composants dans les usines des fournisseurs ou mettre en place un magasin avancé (cf. chap. 7).

23/3.2   *La maîtrise des aléas*

La réduction des stocks n'est possible qu'en agissant sur les causes profondes de leur existence, c'est-à-dire la protection contre les divers aléas possibles : pièces reçues défectueuses, pannes de machines, retards de livraison, etc.

Le « zéro défaut »

Les stades de fabrication n'étant plus séparés par des stocks, tout défaut à l'issue d'un stade oblige à interrompre immédiatement la fabrication au stade suivant ce qui risque de provoquer des retards de livraison. Il faut donc viser le *zéro défaut*. Plusieurs méthodes peuvent être utilisées pour atteindre cet objectif. Elles sont fondées sur l'idée de prévention plutôt que sur le contrôle *a posteriori* (chap. 21).

La fiabilité des équipements

L'arrêt d'une machine dans le processus de fabrication entraîne l'arrêt de toutes les machines qui se trouvent en aval, faute d'approvisionnement. Les machines en amont doivent aussi s'arrêter sous peine de constituer des stocks devant la machine en panne. Dans un contexte de Juste-à-temps, une panne a donc des conséquences qui dépassent la machine elle-même. Pour ne pas dégrader la productivité globale du système de production, il faut parvenir à une très grande fiabilité des équipements.

Cette fiabilité est obtenue par la mise en place de procédures de maintenance préventive décrites dans le chapitre 20.

Une relation plus étroite client-fournisseur

La réduction du stock améliore la communication client-fournisseur. Les expériences conduites chez les fournisseurs de l'industrie automobile ont montré que la motivation d'une équipe qui livre directement les chaînes de montage est beaucoup plus forte que si elle alimente un stock anonyme. Cela s'explique par l'instauration d'une relation directe entre le fournisseur et son client (prise de conscience de l'enjeu, *feed-back* immédiat sur les résultats de qualité et de service). Ce facteur devient prépondérant dans le choix des fournisseurs (cf. chap. 8).

La visibilité et la responsabilisation

D'une façon générale, il faut améliorer la visibilité que l'on a du processus de production, de sorte que toute anomalie (stock ou rupture d'approvisionnement) soit immédiatement remarquée et traitée. La simplification de la circulation du flux physique améliore grandement cette visibilité.

23/3.3   *Planification de la production et des approvisionnements*

La planification à moyen terme en Juste-à-temps n'est pas différente de celle que l'on connaît dans des organisations traditionnelles. En particulier, la méthode MRP est nécessaire pour déterminer les besoins en composants. Mais cette procédure est mise en œuvre sur des périodes de temps plus courtes puisque les cycles de fabrication sont réduits. Elle peut prendre en considération les commandes fermes à la place des prévisions.

La période élémentaire de planification est généralement d'une semaine avec des ajustements journaliers (voire par équipe). Dans le secteur automobile, les appels de pièces aux usines et aux fournisseurs se font à travers les DLH (demandes de livraison hebdomadaires) qui sont affinées par les DLJ (demandes de livraison journalières) voire les DLMQ (demandes de livraison multi-quotidiennes).

À court terme, le JAT consiste à régler la cadence d'un poste sur celle du poste suivant : c'est le principe des *flux tirés* ou d'*appel par l'aval*. Les modalités de ce type de régulation dépendent des caractéristiques du système de production :

– Dans le cas d'un atelier constitué de machines indépendantes, travaillant des *lots non répétitifs*, le concept de flux tiré se traduit par un flux de lancements adapté à la cadence des machines les plus lentes. On retrouve cette forme de gestion par les goulets d'étranglement dans la méthode OPT (cf. chap. 4).

– Dans le cas d'un atelier constitué de machines affectées à des productions *répétitives*, le flux peut être tendu grâce à la méthode Kanban (cf. chap. 19).

23/4   La production au plus juste ou *Lean Production*

> Il n'y a pas d'un côté les recettes et de l'autre les dépenses.
> Il y a d'un côté les recettes et les dépenses utiles,
> et de l'autre les dépenses inutiles.
> *Propos d'Oscar Barenton, Confiseur (Auguste Detoeuf, 1928).*

Si la trilogie des objectifs coût-qualité-délai reste une constante de l'entreprise industrielle, la façon de les atteindre a été profondément modifiée depuis une dizaine d'années. Hier, pour obtenir des coûts de fabrication bas, on cherchait à augmenter les cadences de la main-d'œuvre directe de production. Pour obtenir de la bonne qualité, on multipliait les contrôles à tous les stades du processus. Pour livrer rapidement, on maintenait des stocks de produits finis pléthoriques.

Aujourd'hui, on sait qu'un haut niveau de qualité ne peut être atteint et maintenu qu'en cherchant à faire bien du premier coup et qu'en impliquant tous les acteurs, de l'ingénieur de bureau d'études à l'opérateur, dans la recherche d'une qualité parfaite. Pour livrer rapidement, on sait qu'il faut augmenter la flexibilité de l'outil de production et donc sa réactivité pour permettre une accélération des flux.

Quant à l'obtention de coûts bas, on ne la recherche plus en se focalisant seulement sur les coûts directs de production mais en analysant la pertinence de tous les types de coûts sans exception et en recherchant de façon systématique des moyens plus économiques, ramenés au juste nécessaire, pour parvenir à la même production.

Dans l'optique de la production de masse, on s'attachait à minimiser les conséquences des dysfonctionnements : on se protège contre les retards en constituant des stocks, contre les défauts en multipliant les contrôles, contre les pannes en organisant des équipes de dépannage et en doublant les moyens critiques… On augmentait ainsi les immobilisations et le personnel qui seraient inutiles si les dysfonctionnements n'existaient pas.

23/4.1   *Supprimer volontairement les sécurités*

Les défauts, les rebuts, les retouches, les pannes de machine provoquent des interruptions de la production que seuls des stocks constitués entre chaque stade peuvent atténuer. Faire baisser les stocks de façon volontariste contraint à s'attaquer aux causes de ces dysfonctionnements.

Selon l'image de Taiichi Ohno, directeur industriel de Toyota, on peut comparer les stocks au niveau de l'eau dans une rivière (fig. 23-1).

Dans l'approche traditionnelle, les responsables considèrent que plus le niveau de l'eau est élevé, plus la navigation est aisée car cela permet de s'affranchir des risques que présentent les récifs : on se cache les problèmes, on n'essaie pas de les résoudre. Ohno propose, au contraire, de faire baisser le niveau de l'eau pour laisser apparaître les récifs. Il faut alors absolument les éliminer pour pouvoir continuer à naviguer. On pourra ensuite encore baisser le niveau : de nouveaux obstacles surgiront qui devront être vaincus, etc. C'est la philosophie du progrès continu (*Kaizen* en japonais, cf. chap. 22).

Figure 23-1 *– Les stocks masquent les dysfonctionnements*

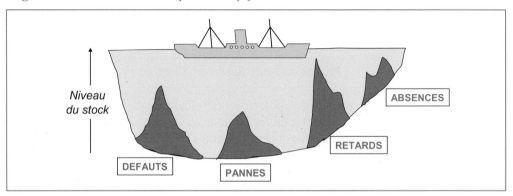

La « production au plus juste » cherche, en supprimant les sécurités prises, à mettre en lumière les dysfonctionnements. Elle s'attaque aux causes (retards, variabilité du process, fragilité du matériel, etc.) et non aux conséquences de ces dysfonctionnements. La contrepartie des risques pris et des efforts déployés est la réduction au « juste nécessaire » des moyens mis en œuvre et donc des coûts de production.

Cette chasse aux dysfonctionnements entraîne une amélioration de la productivité globale du système de production (traduite dans le coût complet de production), de la qualité des produits sortants et donc de la compétitivité de l'entreprise.

23/4.2   *Éliminer les opérations sans valeur ajoutée*

La production de masse reposait sur un principe élémentaire : l'amélioration de la productivité provenait essentiellement de l'accélération des cadences au poste de travail. La production au plus juste élargit le champ de réflexion et propose de concentrer les efforts sur l'ensemble des activités qui environnent le poste de travail. La justification de ce changement étant que l'opérateur qui exerce son activité dans un milieu fortement mécanisé ne représente plus qu'une fraction des coûts de production, et que les gisements de productivité les plus importants se situent désormais dans le fonctionnement d'une organisation devenue au fil des ans de plus en plus lourde et difficile à gérer. La simplification et la chasse aux tâches improductives deviennent des objectifs prioritaires. Une telle remise en cause peut être étendue à l'ensemble des activités de l'entreprise. Examinons par exemple la liste ci-dessous : quels sont, parmi les verbes cités, ceux qui ajoutent de la valeur au produit ?

Déplacer - Stocker - Attendre - Sortir Du Magasin - Compter - Recopier - Chercher - Grouper - Manutentionner - Ranger - Contrôler - Transcrire - Trier - Signer - Détruire - Réparer - Vérifier - Recommencer - Surveiller - Imprimer un état - Démonter - Écrire - Dépanner - Transformer - Nettoyer - Régler - Annuler - Changer l'outil.

Un verbe seulement mérite d'être retenu : **transformer**. La transformation est la seule activité qui ajoute de la valeur au produit ; toutes les autres n'ajoutent que des coûts. Plus de 95 % des fonctions citées ne présentent – pour le client – strictement aucune valeur !

On pourra certes objecter que toutes les activités de la liste demeurent nécessaires dans un contexte donné. C'est vrai, et tant que la concurrence est peu présente, le client n'a pas le choix : il doit payer pour l'ensemble des tâches, qu'elles ajoutent ou non de valeur. Mais si un concurrent, doté de la même technologie, parvient à éliminer certaines activités sans valeur ajoutée, il peut aborder le marché avec des produits moins chers. Y aura-t-il un client pour se plaindre que son produit ait été privé de manutention, de formalités administratives ou de stockage ? Seul le processus technologique a de la valeur à ses yeux.

La valeur pour le client

Lorsque l'on parle d'opérations sans valeur ajoutée, il faut s'entendre sur ce que l'on appelle la valeur. La valeur peut être définie comme un élément (caractéristique fonctionnelle du produit, qualité, délai…) que le client est prêt à payer car il y trouve un avantage (fonctionnalité supplémentaire, meilleure fiabilité, prix plus faible).

Lorsque, dans une usine, un chariot élévateur déplace une palette d'un endroit à un autre, des coûts sont engagés : salaire du cariste, amortissement du chariot, énergie, etc. Mais, les pièces transportées ont-elles plus de valeur après avoir été déplacées qu'avant ? Le client ne préférerait-il pas acheter le même produit mais sans payer le coût de cette manutention interne ?

Lorsque l'on effectue des opérations de contrôle, les pièces contrôlées ont-elles plus de valeur après le contrôle qu'avant ? Le client ne préférerait-il pas acheter le même produit mais sans payer le coût de ce contrôle ?

Lorsqu'un produit sort d'un stock, a-t-il plus de valeur que lorsqu'il y est entré ? Souvent, il en a moins mais, dans tous les cas, le stockage a engendré des coûts (surfaces, frais financiers, etc.).

On peut identifier ainsi de nombreuses activités qui engendrent des coûts pour l'entreprise mais qui n'apportent pas une valeur supplémentaire aux produits vendus. L'objectif est de ne conserver que les activités qui apportent une valeur par une élimination systématique des opérations sans valeur ajoutée.

Comme on peut s'en rendre compte en parcourant le tableau ci-après (fig. 23-2), les opérations sans valeur ajoutée proviennent pour la plupart d'une organisation de la production cloisonnée et centralisée, laissant peu d'initiative au personnel sur le terrain.

La stratégie de baisse des coûts proposée par la production au plus juste peut s'énoncer de la façon suivante : c'est en traquant les activités sans valeur ajoutée que l'entreprise améliore sa performance. Et par la même occasion se dessinent deux autres avantages (fig. 23-3) :

– La flexibilité s'améliore de façon sensible, par le simple fait que la plupart des activités qui n'ajoutent pas de valeur au produit s'exercent quand le produit attend. En supprimant ces activités, on accélère du même coup la circulation du produit, ce qui permet de servir rapidement le client sans entretenir un stock de produits finis.

Figure 23-2 – *Éliminer les opérations sans valeur ajoutée*

Opération	Coût	Autres conséquences	Axes de progrès
Manutention	Chariots. Manœuvres, surface. Gestion du transport. Chargement et déchargement	Stocks. Retards de livraison au poste	- Réimplantation - Mise en ligne
Inspection	Contrôle	Attente. Transport	- Auto-contrôle - Qualité à la source
Stockage en magasin	Bâtiments Frais de gestion Frais financiers Autres frais	Documents d'entrée et de sortie des magasins. Attentes. Risque de retards de livraison au poste	- Stockage près du lieu d'utilisation - Diminution des stocks
Retouche (ébarbage)	Temps gamme	Rupture du flux	- Choix d'une technologie adaptée
Changement de série	Perte de production	Pertes matières. Problèmes de qualité	- SMED - Standardisation des pièces
Attente des produits entre les opérations	Surface en atelier Suivi	Allongement des délais Difficulté à maintenir un bon rangement. Risques de défauts	- Flux tendus - Mobilité du personnel entre les postes - Capacité de travail flexible
Suivis administratifs en production	Charges administratives	Attente, risque d'erreurs	- Prise en charge du pilotage et du suivi par les équipes de production - Méthode *Kanban*

Figure 23-3 – *La philosophie de la production au plus juste*

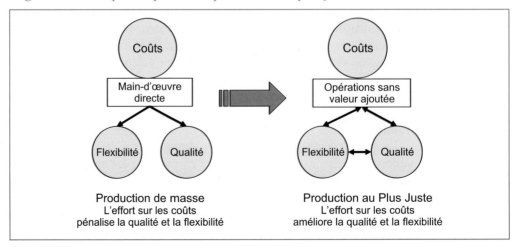

– La qualité progresse également. D'une part grâce à la disparition d'opérations improductives susceptibles elles-mêmes de provoquer de la non-qualité. Ensuite parce que la tension des flux a pour effet de mettre à jour les multiples dysfonctionnements qui affectent le processus (pannes, erreurs, problèmes de qualité, etc.), incitant l'ensemble de l'organisation à s'engager dans la voie de la prévention. Une fois la prévention solidement établie, la qualité pourra être garantie sans qu'il y ait à entretenir des contrôles coûteux.

Ainsi, en focalisant ses efforts de productivité sur les coûts sans valeur ajoutée pour le client, l'entreprise progresse parallèlement sur la voie d'une meilleure qualité et d'un meilleur service. C'est précisément cet avantage – offrir une stratégie compétitive qui ne sacrifie aucune des composantes de la trilogie des objectifs – qui rend particulièrement attractif le modèle de la production au plus juste.

23/4.3 Réduire les dysfonctionnements

Engagées dans une politique de croissance à tout prix, les entreprises ont souvent remédié aux effets des dysfonctionnements au lieu de traiter les problèmes en profondeur. On connaît les inconvénients d'une telle politique : un stock élevé doit être constitué pour se protéger contre les retards de livraison, les techniciens passent leur temps à dépanner des machines qui manquent de fiabilité, les contrôleurs éliminent les pièces défectueuses. Les dysfonctionnements s'installent durablement et pèsent lourd sur les comptes de l'entreprise. Le tableau de la figure 23-4 présente quelques solutions.

23/4.4 Lutter contre les gaspillages

L'entreprise a-t-elle fait le maximum pour comprimer ses dépenses ? Rien n'est moins sûr. Une étude systématique permet dans la plupart des cas de constater que les consommations de matière, de temps ou de frais généraux sont nettement supérieures à ce qu'elles pourraient être. À cet égard, les procédures budgétaires qui intègrent un pourcentage normal de surconsommation se révèlent souvent dangereuses, car la normalisation du gaspillage éteint toute initiative de progrès. Comme pour les dysfonctionnements, le progrès passe par une prise de conscience collective : il ne suffit pas que le responsable de l'entreprise soit conscient de l'enjeu, il faut que tous les acteurs de l'organisation s'impliquent dans la chasse aux dépenses excessives. Le tableau de la figure 23-5 présente quelques exemples.

23/4.5 Alléger et décloisonner l'organisation

Quand une entreprise grandit, elle s'organise en créant des services spécialisés. Avec le temps, elle court le risque de voir chaque service viser des performances qui lui sont propres sans prendre en compte leur effet négatif sur les résultats des autres. On peut aboutir dans ce cas à une situation où la production bat tous ses records de productivité avec des produits qui dorment en stock, où les services techniques achètent des machines sophistiquées dont on s'aperçoit à l'usage qu'elles sont difficiles à entretenir, et où les achats reçoivent des félicitations pour des baisses de prix obtenues chez un fournisseur qui ne respecte ses délais de livraison que par exception.

Figure 23-4 – *Réduire les dysfonctionnements*

Dysfonctionnement	Coût	Autres conséquences	Axes de progrès
Fabrication défectueuse	Retouches, rebuts, pertes de production	Perturbations sur les postes aval. Retards	- Conception des produits en tenant compte de la fabrication - AMDEC procédés - SPC - Plan d'expérience - Détrompeurs - Instructions de travail claires
Pannes machines	Arrêt du poste de travail. Dépannage	Perturbations sur les postes aval. Retards	- Maintenance préventive. - TPM - Action prioritaire sur les postes goulets
Micro-arrêts et ralentissements	Perte de production	Coût de la surveillance	- SPC - TPM
Erreurs administratives	Perte de temps	Retards	- Développement de la qualité administrative
Manque d'approvisionnement interne	Arrêt du poste de travail	Retards	- Ordonnancement - Gestion des priorités en appel par l'aval
Retard d'approvisionnement externe	Lancement perturbé	Retards de livraison Temps perdu en relance Stocks excédentaires	- Gestion des approvisionnements - Suivi des indicateurs - Relations avec les fournisseurs - Standardisation des composants
Accidents	Cotisations	Impact humain Production perturbée	- Prévention
Absentéisme	Indemnisations	Production perturbée Emploi d'intérimaires	- Politique sociale

Le handicap est particulièrement lourd quand l'entreprise doit faire face à de nouveaux défis et prendre des décisions importantes, car la défense de sa fonction pousse chacun à se replier sur des habitudes acquises. Le cloisonnement s'oppose au changement et l'organisation ne peut réagir devant la dégradation de ses performances.

Les coûts d'environnement de fabrication sont causés par l'existence de nombreuses activités de support des opérations de fabrication. Ils se situent dans les services communs de l'usine : encadrement de la production, services Méthodes, Qualité, Entretien, Manutentions, Outillage, Métrologie ainsi que le coût des surfaces occupées. Ils représentent une part croissante dans le coût de production.

Ces activités n'apportent pas directement de valeur ajoutée aux produits mais, en revanche, induisent des coûts. Pour chacune de ces fonctions, on devra se poser la question de sa pertinence (est-elle utile ?) et de son efficience (ne peut-on remplir la même fonction en consommant moins de ressources, ne peut-on obtenir le même résultat à moindre coût ?).

On s'intéressera enfin aux coûts de structure supportés par l'entreprise : personnel des services administratifs, coûts d'études et de développement, frais généraux, coûts commerciaux. La recherche de gains de productivité n'épargne pas la structure administrative. Par exemple, a-t-on besoin d'un service comptable de 5 personnes dans une PME de 100 personnes ? De même, on fera une chasse systématique aux gaspillages de toutes sortes. On trouve ainsi aisément des économies dans les frais généraux tels que le téléphone ou les photocopies.

Figure 23-5 – *Lutter contre les gaspillages*

Gaspillage	Coût	Axes de progrès
Personnel inemployé par manque temporaire de charge	Charges de personnel	- Développement de la polyvalence - Développement des activités non génératrices de stock (auto-maintenance, groupes de résolution de problèmes, formation)
Surdimensionnement d'un produit	Matière et main-d'œuvre	- Analyse de la valeur
Obsolescence du stock	Matière	- Surveillance des stocks - Standardisation
Chutes de matière	Coûts d'achat	- Études de placement, CAO
Matière abîmée en atelier	Coûts d'achat	- Organisation du poste de travail - Étude de la manutention et du rangement
Énergie et fluides	Consommations	- Suivi des consommations - Entretien des équipements - Études économiques
Dépenses variées : téléphone, déplacements, etc.	Frais généraux	- Indicateurs - Sensibilisation des utilisateurs et groupes de progrès

D'une façon générale, on doit mettre en place des structures légères. Le nombre de niveaux hiérarchiques doit être réduit. Les structures pyramidales profondes (il n'est pas rare de trouver dans une PME des organigrammes à 6 niveaux) devront être remplacées par des structures en râteau plus légères qui conduisent chaque responsable à gérer de nombreux collaborateurs. Cela ne peut fonctionner que dans la mesure où chacun jouit d'une très large autonomie dans son travail. Il faut donc étendre les responsabilités à tous les niveaux de l'organigramme, ce qui n'est possible qu'avec un personnel compétent et stable. La production au plus juste touche donc toutes les catégories de personnel, de l'opérateur à la direction générale, et constitue, plus globalement, un nouveau mode social de production qui suppose que tous les acteurs aient un rôle différent.

L'efficacité du système tient à la compétence et à la responsabilité de toutes les personnes impliquées. On parvient à diminuer les coûts, à réduire les cycles de production, à améliorer la qualité en élevant le niveau général des compétences et donc en investissant dans la formation de tous les collaborateurs de l'entreprise, en créant un climat qui incite à introduire continuellement des améliorations, en assurant une rotation des tâches, en travaillant en équipe.

Cette nouvelle organisation industrielle imposant une transformation profonde des responsabilités, des compétences et des qualifications de l'ensemble du personnel assure aux salariés un enrichissement et donc un intérêt professionnel et une polyvalence plus importants.

Chapitre 24

Les progiciels de gestion intégrée

Les systèmes d'information constituent la clé de la compétitivité dans le domaine de la *supply chain*. En effet, dans une entreprise industrielle, c'est dans le secteur de la production et de la distribution que l'on rencontre les plus grands volumes d'informations à traiter : nomenclatures, gammes, ordres de fabrication, commandes, stocks, etc. C'est aussi dans ce domaine que la rapidité de traitement de l'information est la plus importante : il est impensable d'arrêter le fonctionnement d'une usine ou d'une centre de distribution, alors que les investissements se comptent en dizaines de millions d'euros et le personnel en centaines de salariés, pour un défaut dans le traitement de l'information comme une rupture de stock, des ordres de fabrication non édités à temps ou des nomenclatures périmées. L'informatique de gestion travaille nécessairement en temps réel. Volumes importants et délais de réponse très courts en font donc une informatique difficile.

24/1 Les PGI ou ERP

Jusque dans les années 1990, les systèmes d'information étaient constitués d'applications spécifiques séparées (Comptabilité, Gestion commerciale, Gestion de production) qui communiquaient par des interfaces périodiques. Maintenant, pour parvenir à la réactivité imposée par le marché et assurer la cohérence de décisions, il est indispensable de mettre en œuvre des systèmes intégrés. C'est ce que l'on appelle les PGI (Progiciels de Gestion Intégrés) ou ERP en anglais (*Enterprise Resource Planning*).

De tels systèmes constituent un investissement majeur pour les entreprises (leur coût est de plusieurs dizaines de millions d'euros) et modifient profondément les procédures et les méthodes de travail.

24/1.1   Les caractéristiques des ERP

Les ERP possèdent les caractéristiques majeures suivantes :
- une base de données commune à toutes les applications : ainsi, il ne peut plus y avoir de distorsion entre les données exploitées par les diverses applications,
- une saisie unique, en amont, des données interdépendantes,
- un environnement applicatif unique, quel que soit le domaine : l'interface utilisateur est la même quelle que soit l'application,

– des référentiels partagés, des traitements qui travaillent en cohérence,
– une standardisation des processus, des règles de gestion qui s'harmonisent entre les divers services de l'entreprise,
– une accélération des procédures dans lesquelles interviennent plusieurs décideurs grâce au *workflow*,
– une intégration dans l'espace de travail des utilisateurs : outils bureautiques, messagerie…,
– une interface utilisateur disponible dans de nombreuses langues,
– des outils d'analyse (EIS : *Executive Information Systems*) et de *reporting* sophistiqués,
– une ouverture sur le monde extérieur : liaisons directes (d'ordinateur à ordinateur) avec les clients et les fournisseurs, accès direct à Internet.

Figure 24-1 – *L'étendue des applications des ERP*

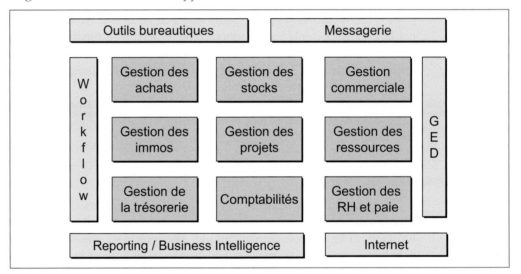

Grâce aux puissantes technologies de communication, la notion d'espace tend à disparaître. Des utilisateurs distants de plusieurs milliers de kilomètres (par exemple, dans des filiales à l'étranger) peuvent travailler simultanément sur la même base de données.

24/1.2   La structure informatique

Les ERP présentent une architecture informatique de type « client-serveur » à trois niveaux :
– le niveau Présentation constitue l'interface utilisateur ; elle dépend du système d'exploitation de l'ordinateur de l'utilisateur ; sur des ordinateurs personnels (les « clients ») connectés à un réseau local, c'est une interface graphique de type Windows (dans la langue désirée par l'utilisateur),
– le niveau Applications correspond aux fonctions de traitement de l'information : une fonction simple consiste en une simple interrogation, une fonction complexe

est un calcul des besoins nets par exemple. Selon les volumes de transactions à réaliser, les applications peuvent se dérouler sur un ou plusieurs ordinateurs « serveurs »,
– le niveau Base de données gère les grands volumes de données que l'entreprise conserve. La base de données peut se trouver répartie sur plusieurs ordinateurs, éventuellement distants.

Figure 24-2 – *La structure informatique des ERP*

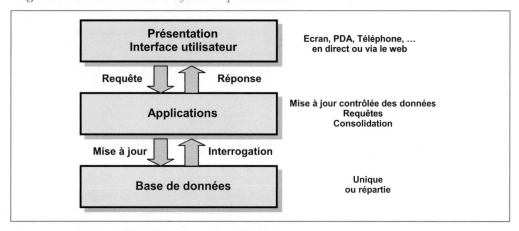

En termes de matériels et de logiciels de base, les ERP peuvent travailler dans des environnements hétérogènes. L'entreprise peut choisir les fournisseurs des matériels, des systèmes d'exploitation et des gestionnaires de bases de données.

24/1.3   La couverture fonctionnelle

Les grands éditeurs d'ERP ont créé des progiciels qui couvrent littéralement toutes les fonctions de l'entreprise : gestion commerciale, gestion de production, achats, stocks, maintenance, qualité, comptabilités (générale, clients, fournisseurs), trésorerie, consolidation, gestion des ressources humaines, etc.

À titre d'exemple, nous présentons ci-après (fig. 24-3) la structure générale de l'ERP le plus diffusé dans le monde : SAP R/3.

La structure modulaire des ERP permet de ne mettre en œuvre que les modules désirés, quitte à ajouter ultérieurement des modules complémentaires. Chacun des grands modules est lui-même composé de sous-modules qui traitent des fonctions particulières. Comme ces ERP ont été implantés dans de très nombreuses entreprises, pratiquement toutes les situations de gestion peuvent être prises en charge à travers un paramétrage des fonctions. Des solutions spécifiques à un métier particulier ont été développées.

Les grands domaines d'application sont les suivants :
– la **gestion financière** (comptabilité générale, comptabilité clients, comptabilité fournisseurs, gestion de la trésorerie, comptabilité analytique et contrôle de gestion, gestion des immobilisations, etc.),

Figure 24-3 – *Les modules SAP*

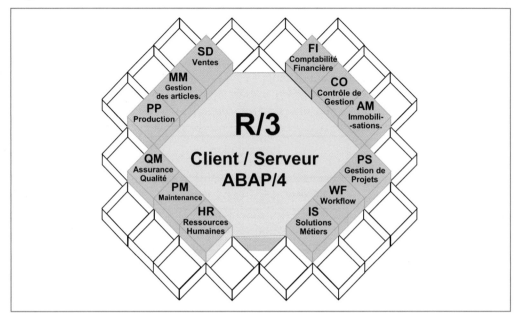

– la **gestion logistique** au sens large : elle part de la gestion commerciale (gestion des prospects et des clients, prise de commande, expédition et facturation) : elle gère les achats, les entrepôts, la distribution et les transports ; elle gère la production (quel que soit le type de production) à tous les niveaux de planification ; elle effectue un suivi de la qualité à tous les stades : un module prend en charge la gestion de la maintenance des équipements,

– la **gestion des ressources humaines** traite naturellement la paye mais également la gestion des compétences, des carrières, de la formation et du recrutement ; les temps de travail des opérateurs enregistrés dans le module de suivi de production peuvent servir au calcul des primes de productivité,

– la **gestion de projets** est un domaine transversal puisqu'un projet a des implications financières (échéancier des règlements, suivi des coûts et de la rentabilité), des implications logistiques (achats de matières et composants spécifiques, fabrication spéciales) et éventuellement des implications sur les ressources humaines (suivi du personnel affecté à un projet).

24/1.4 · *Les ERP et la chaîne logistique étendue*

Au delà de toutes les fonctions de gestion interne de l'entreprise, les ERP offrent, grâce à une ouverture sur le monde extérieur au moyen des technologies de l'information, la possibilité de gérer efficacement l'ensemble de la chaîne logistique dans laquelle évolue l'entreprise.

La **planification inter-entreprises** (***Collaborative Planning***) permet de communiquer les plannings de fabrication et de livraison entre les partenaires (fournisseurs, clients, sous-traitants) pour aboutir à des solutions réalistes. Cela suppose des connexions entre les ERP des partenaires et donc d'avoir mis en place des accords de partenariat.

La **planification du réseau logistique** (*Supply Network Planning*) permet de faire correspondre la demande avec les processus d'achats, de fabrication et de transport, pour équilibrer et optimiser l'ensemble du réseau de logistique (augmentation du niveau des services client et maximalisation de la rentabilité).

Le **pilotage du réseau logistique** (*Supply Chain Cockpit*) offre aux utilisateurs une vue générale de la chaîne logistique à l'aide d'une interface utilisateur graphique personnalisable. On peut ainsi suivre en temps réel les flux et les stocks à tous les niveaux de la chaîne logistique.

Le **disponible à la vente global** (*Global Available-to-Promise*) fait coïncider l'offre et la demande à une échelle vraiment internationale. Il permet aussi de présenter aux clients de réelles garanties de livraison grâce à des contrôles en temps réel et à des méthodes de simulation sophistiquées.

Enfin les ERP possèdent des passerelles vers toutes les applications Internet permettant de communiquer avec tous les partenaires de l'entreprise : clients, fournisseurs, sous-traitants, co-développeurs, etc. Ces applications sont décrites dans le chapitre suivant.

24/1.5 La mise en œuvre des ERP

Les avantages que l'on retire de la mise en place d'un tel progiciel peuvent être considérables, mais ne sont obtenus qu'au terme d'un long travail de préparation et de paramétrage, de saisie de nombreuses données dont la précision doit être assurée et d'une volonté de rigueur dans les procédures de gestion. Un ERP permet normalement de réduire les ruptures de stocks, d'abaisser le niveau moyen des stocks par une rotation plus élevée, d'améliorer le respect des délais de livraison promis aux clients et d'abaisser le coût de revient de la production par une meilleure régularité dans le fonctionnement des ateliers.

24/2 Les principaux modules logistiques

Comme c'est l'objet de cet ouvrage, nous nous attacherons aux outils conçus pour la gestion logistique de l'entreprise en prenant comme exemple le progiciel SAP R/3.

24/2.1 La gestion commerciale

Le **module SD** (*Sales and Distribution*) prend en charge la gestion des prospects et des clients, la saisie des commandes, l'entrée des prévisions à moyen et court termes, la facturation, éventuellement la gestion des commissions des représentants et les statistiques commerciales.

Les prix sont déterminés automatiquement dans les commandes. Afin de déterminer de manière fiable les prix, les majorations et les remises, le système s'appuie sur des listes de prix et des contrats clients ou détermine le prix en fonction du produit, du groupe de produits ou de son coût, de la quantité. La fonction de détermination du prix, très flexible, permet de maîtriser les structures de prix les plus compliquées. Les éléments de tarifications peuvent ainsi être regroupés dans des actions commerciales et les promotions. Les documents de facturation peuvent être envoyés directement au client par la poste, par fax ou par EDI. Simultanément, les recettes et les créances sont immédiatement visibles dans les modules FI Comptabilité financière et CO Contrôle de gestion. Des remises peuvent également être calculées en fonction du volume d'achats des clients.

Le système gère également une limite de crédit dynamique et analyse les données de crédit, financières et commerciales pour contrôler le plafond de crédit du client. Le système peut être configuré pour avertir automatiquement le responsable commercial ou le service du crédit lorsqu'une commande est rejetée par ce contrôle.

Le contrôle de disponibilité fonctionne en conjonction avec les modules MM-Achats et stocks et PP-Planification de la production pour vérifier si les quantités sont suffisantes à la date de livraison souhaitée par le client. Si les conditions ne sont pas remplies, le système détermine immédiatement la date à laquelle les quantités seront disponibles, pour proposer immédiatement un nouveau délai au client. Le *disponible à la vente* peut être analysé sur plusieurs sites de livraison.

Le module SD-Expédition Gestion des livraisons apporte des fonctions de gestion de prélèvement d'articles (*picking*), d'emballage et de chargement, ainsi que de contrôle des dates de livraison. Le système fournit une liste de toutes les commandes échues et permet de déclencher des livraisons complètes ou partielles, individuellement ou collectivement. En même temps, on peut déclencher le prélèvement des quantités disponibles d'articles, grâce à une intégration complète avec le module WM Gestion des magasins.

Le module SD-Transport comporte les fonctions nécessaires pour la planification et la gestion du transport, ainsi que pour son pilotage et son contrôle. Quel que soit le mode de transport choisi, terrestre, aérien ou maritime, on peut définir la chaîne de transport pour des transports individuels ou collectifs incluant plusieurs sites et destinations de livraison. On peut également choisir le transporteur et le circuit de livraison.

24/2.2   La gestion des achats et des stocks

Le **module MM** (*Materials Management*) prend en charge les stocks et les achats. Il permet de connaître en permanence les stocks qui se trouvent dans les divers magasins et entrepôts et de gérer les flux physiques et les transports. Il est interfacé avec le module SD pour prendre en charge l'expédition des produits aux clients.

Le module Achats

Les besoins estimés à partir des consommations fournissent des propositions de demande d'achat, en se fondant sur les niveaux de réapprovisionnement ou sur les prévisions. Les applications logistiques, c'est-à-dire Ventes et distribution, Maintenance, Gestion de production et Système de gestion de projets peuvent également engendrer des besoins. Les différents services peuvent, en outre, saisir manuellement les demandes d'achat.

Le système transmet directement les demandes d'achat au service Achats, qui les transforme en commandes. Les acheteurs disposent de nombreux outils sophistiqués allant des données de base d'achat à des appels d'offres, en passant par les devis et les contrats-cadres. On peut, par exemple, comparer les prix lors du processus d'approvisionnement ou automatiser la sélection du fournisseur ou le processus de création d'une commande. Les fonctions Évaluation des fournisseurs sélectionnent les meilleurs fournisseurs en s'appuyant sur les critères définis par l'utilisateur. Les opérations d'achat sont validées par des personnes autorisées, à l'aide d'une signature électronique. Les commandes et les plannings de livraison sont transmis aux fournisseurs soit sur papier, soit par voie électronique (par exemple par EDI). L'historique des commandes permet de contrôler le statut des commandes et de garder la trace des livraisons et des factures déjà reçues.

Les ERP offrent maintenant des possibilités de connexion avec les applications de *e-sourcing* qui sont décrites dans le chapitre suivant.

Gestion des stocks

Les stocks sont gérés par le module Gestion des stocks, en valeur et en quantités. Ce module gère les types courants de documents de gestion de stocks, entrée, sortie et transfert, mais aussi des stocks spéciaux (lots, stocks de consignation, stocks de projet, emballages consignés et composants stockés chez les sous-traitants). Les écritures de mouvements des marchandises entraînent une mise à jour des données des modules Comptabilité financière, Comptabilité des immobilisations et Contrôle de gestion.

Que l'inventaire physique soit effectué périodiquement ou en continu, par décompte global, par sondage ou par des méthodes cycliques, le système assiste l'utilisateur, grâce à des outils très pratiques permettant de saisir les données et de réaliser de nombreuses évaluations automatiques. On peut utiliser des méthodes de valorisation des stocks de type LIFO ou FIFO.

Le module Gestion des magasins (WM) offre une gestion souple et automatique des mouvements de marchandises permettant de conserver une trace permanente de tous les articles stockés dans des structures de magasins très complexes. En utilisant des techniques très performantes d'entrée et de sortie de stocks, WM optimise les flux d'articles ainsi que la capacité des magasins et permet de stocker les produits aux endroits les plus favorables, de manière à ce qu'ils soient disponibles lorsqu'on en a besoin. Les possibilités d'interfaçage de WM aux terminaux manuels, aux lecteurs de codes-barres et aux systèmes de stockage automatiques complètent les nombreux processus inclus dans le module.

Les factures reçues sur papier ou par EDI sont automatiquement contrôlées par le système. Lors de la saisie d'une facture faisant référence à une commande, le système peut générer automatiquement la facture qu'il s'attend à recevoir. Le paiement d'une facture est bloqué automatiquement si des différences non autorisées sont identifiées, concernant par exemple la date de livraison, la quantité livrée ou le prix convenu.

Le **module PP** (***Production Planning***) prend en charge, en relation avec le module de gestion des stocks, les fonctions de ce que l'on nomme la GPAO (Gestion de Production Assistée par Ordinateur). Il reprend la structure générale de la planification hiérarchisée que nous avons décrite dans les chapitres précédents. Ce module couvre le processus complet de production depuis la création des fiches articles jusqu'à la gestion de la planification, en passant par le MRP, l'ordonnancement des capacités, la gestion d'atelier et le contrôle des coûts.

Planification de production

La fonction Plan Industriel et Commercial (PIC) permet de déterminer des données de planification réalistes et cohérentes sur la base des prévisions de ventes. Ensuite, la fonction Gestion de la demande éclate ces chiffres au niveau des produits et crée le programme de production. Le module MRP calcule alors les quantités et les dates d'approvisionnement pour les articles nécessaires, allant jusqu'au niveau des matières premières. Les capacités peuvent déjà être planifiées dans cette phase. On peut ainsi identifier les goulets d'étranglement, suffisamment tôt pour pouvoir prendre les mesures préventives qui s'imposent.

Contrôle de la production

En fonction de la méthode de production, on peut opter pour la gestion classique par ordres de fabrication, la fabrication en série ou la gestion de production *Kanban*.

L'ordre de fabrication est fondamentalement un outil de production discrète, incluant des fonctions de gestion des statuts, de contrôle par ordre de fabrication ainsi que des fonctions liées aux opérations. La fabrication en série est prévue en particulier pour les produits qui sont fabriqués de manière répétitive sur une ligne de production spécifique, pendant une longue période. La gestion et le contrôle de production sont généralement réalisés par périodes ou par quantités.

La planification des capacités est intégrée à la gestion des ordres de fabrication et est également utilisée pour la fabrication en série. Différentes stratégies d'ordonnancement et un tableau de planification graphique aident à planifier les ressources. Si on pilote la production par les techniques *Kanban*, le réapprovisionnement d'un article n'est déclenché que lorsqu'un besoin dépendant demande cet article. Le signal de réapprovisionnement d'un article peut être déclenché par un code-barres ou en utilisant un tableau graphique Kanban.

Des outils de gestion de la qualité, les interfaces vers les systèmes de collecte de données PC, les systèmes d'information de laboratoire ainsi que des fonctions étendues d'analyse et de *reporting* sont également intégrés dans le module Contrôle de la production.

Adaptation à tous les types d'industries

Ce module peut être utilisé dans tous les secteurs de l'industrie car il comporte une palette complète de méthodes de production tels que la fabrication à la commande avec traitement des variantes et options, l'assemblage à la commande, la fabrication pour les stocks, la fabrication pour les industries de process...

24/2.4 La gestion de la qualité

Le **module QM (*Quality Management*)** enregistre tous les incidents de qualité au niveau des réceptions fournisseurs, les rebuts par article et par processus de fabrication et les réclamations clients.

La centralisation des activités de planification de la qualité garantit que les exigences concernant les caractéristiques de qualité, les méthodes de contrôle et les spécifications sont documentées et à jour. L'utilisation intégrée des données de base assure la cohérence et l'efficacité des activités de planification des contrôles.

Les paramètres de contrôle déterminent quels articles doivent être contrôlés et enregistrés dans le stock de contrôle qualité (par exemple pour y subir un contrôle de réception ou un contrôle de production). Cette procédure garantit que seuls les produits conformes à des impératifs de qualité prédéfinis pourront être utilisés pour la suite des processus. Les articles peuvent être gérés par lots sur la base de certaines caractéristiques de qualité. Ces caractéristiques peuvent servir de critère de recherche de lots lors d'une livraison.

Les fonctions de *Statistical Process Control* (SPC) (Maîtrise statistique des processus, cf. chap. 19) offrent des moyens de contrôle, de maîtrise et d'amélioration des processus. Le système permet d'utiliser des écrans de contrôle qualité à cet effet.

24/2.5 La gestion de la maintenance

Le **module PM (*Plant Maintenance*)** prend en charge la gestion de l'ensemble des tâches de maintenance d'une entreprise. Il enregistre la description complète de tous les moyens de production par des nomenclatures arborescentes. Il planifie les interventions de maintenance préventive et suit les réparations sur panne en tenant compte de la disponibilité, des coûts, des articles et des besoins en main-d'œuvre. Pour une description détaillée de ces fonctions, voir le chapitre 18.

L'enregistrement de toutes les informations relatives aux équipements aide à réduire les temps et les coûts des arrêts résultant de pannes, ainsi qu'à identifier aussi tôt que possible les points faibles éventuels dans les machines. Il constitue ainsi la base permettant de définir une politique de maintenance dans l'optique *Total Productive Maintenance* (TPM), ou de la maintenance optimisée selon les risques encourus.

24/2.6 La gestion du service après-vente

Un système de gestion intégrée des services est devenu essentiel pour assurer la compétitivité de l'entreprise. L'importance des services à la clientèle a augmenté et ils sont désormais considérés comme une activité à part entière.

La gestion de la base installée des clients (qu'il s'agisse de vos produits ou de ceux de la concurrence), y compris sa configuration et son historique, est l'une des activités principales du système.

Les contrats-cadres à long terme et/ou les conditions de garanties sont contrôlés lorsqu'un appel est reçu. Les services offerts peuvent être configurés librement (période d'intervention, temps de réponse, étendue du service, etc.). Toutes les interventions sont enregistrées dans une base de données chronologique complète.

24/3   Les fonctions de gestion de production

Nous décrirons dans cette section les fonctions « classiques » de gestion de production, sachant qu'il existe des variantes selon le mode de production de l'entreprise ou les caractéristiques spécifiques des produits fabriqués. La gestion de production est fondée sur un système hiérarchisé, qui permet d'effectuer l'ajustement charge/capacité au niveau d'un module *plan industriel et commercial*, qui réalise dans ce cadre le *calcul des besoins* selon la procédure de planification des besoins en composants, qui émet les ordres de fabrication et d'achat, et qui prend en charge *l'ordonnancement* et le *suivi* des OF dans les ateliers.

Un logiciel de gestion de production est organisé autour d'une base de *données techniques,* qui décrivent la structure du système de production : caractéristiques des articles, des nomenclatures, des postes de charge et des gammes.

Le système de planification comprend trois niveaux :
- une gestion à long terme qui calcule l'équilibre charges / capacité des ressources critiques : fonction *Plan industriel et commercial,*
- une gestion à moyen terme qui recouvre la gestion des matières et des charges : fonctions *calcul des besoins matières* et *calcul des charges, suivi des flux* de pièces et des stocks,
- une gestion d'atelier à court terme qui comprend la gestion des gammes, *le lancement, le suivi* des ordres de fabrication à l'intérieur des ateliers, *l'ordonnancement* et *le suivi des charges, le suivi des coûts réels de fabrication.*

La figure 24-4 montre les relations entre les divers modules et fichiers. Il s'agit ici d'une structure générale. Chaque progiciel a une structure qui lui est propre, mais qui se rapproche de celle-ci.

24/3.1   *La gestion des données techniques*

Ce module gère les bases *Articles, Nomenclatures, Gammes* et *Postes de charge.* Chaque entité susceptible d'être stockée, usinée, montée ou vendue fait l'objet d'un enregistrement dans le fichier Articles. On y trouve les matières premières, les pièces élémentaires, les sous-ensembles et les produits finis. Chaque article reçoit une référence unique qui sera utilisée par tous les services de l'entreprise. Le logiciel permet d'enregistrer pour chaque article, sa description, ses paramètres de gestion, ses données comptables, etc. Chaque service ne peut modifier que les informations dont il a la responsabilité, mais peut consulter les autres données.

Les nomenclatures définissent l'architecture du produit. Le logiciel gère un fichier des liens qui contient les relations entre chaque article composé et chacun de ses composants. Pour effectuer le calcul des besoins et pour éviter les boucles dans les nomenclatures, le système calcule un indice de plus bas niveau qui est mis à jour à chaque modification de la nomenclature. Le système permet d'interroger les nomenclatures à un niveau ou à plusieurs niveaux ; il permet aussi d'effectuer les recherches « à l'envers » pour trouver les cas d'utilisation d'un article ou d'un sous-ensemble.

Figure 24-4 – *Structure des fonctions de gestion de production*

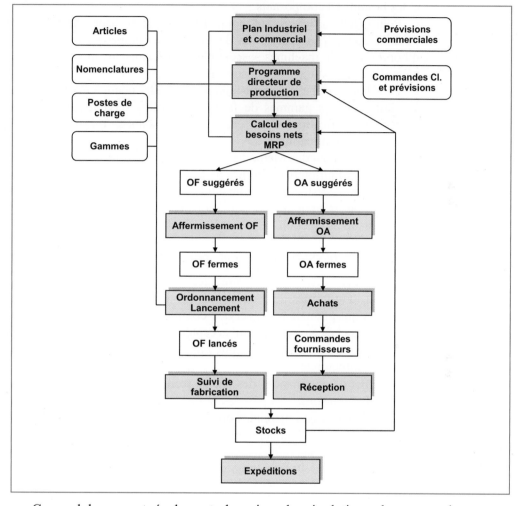

Ce module permet également de suivre les évolutions des nomenclatures en gardant trace de la succession des modifications techniques. Il est ainsi possible de retrouver l'état de la nomenclature d'un produit à une date donnée.

Si le Bureau d'Études conçoit les produits au moyen de systèmes de CAO (Conception Assistée par Ordinateur), ceux-ci peuvent être interfacés avec la base de données Articles pour la gestion des flux.

Les logiciels autorisent la création d'articles « fantômes ». Il s'agit de sous-ensembles qui ne sont normalement pas stockés, mais sont immédiatement incorporés dans le niveau supérieur d'assemblage. Cela permet d'améliorer la présentation des nomenclatures.

Les logiciels permettent de définir des options et des variantes de produits. Ainsi, pour définir une variante, il suffit d'indiquer les différences – en plus ou en moins – par rapport à un modèle de base. Certains permettent d'indiquer des pourcentages estimés de vente de chacune des variantes. Lors de la mise au point du plan industriel et commercial, on partira de ces pourcentages pour calculer les charges prévisionnelles et les besoins en composants.

Pour gérer les flux, il faut indiquer les capacités disponibles. Un fichier du système va donc contenir la description des postes de charge qui représentent des ensembles d'hommes ou de machines susceptibles d'effectuer les mêmes opérations et ayant les mêmes caractéristiques de capacité et de coût.

Le calcul des charges prévisionnelles correspondant à un programme de production se réalise via les gammes de fabrication. Elles servent aussi à l'établissement des ordres de fabrication. Pour chaque pièce usinée, on indique la succession des opérations de fabrication.

C'est le Bureau des Méthodes qui a la responsabilité des processus de fabrication et donc de la définition des gammes de fabrication ; il peut utiliser des systèmes de FAO (Fabrication Assistée par Ordinateur) qui permettent de contrôler directement les machines-outils à commande numérique et qui peuvent être interfacés avec le système de gestion de production.

24/3.2 *Les plans industriels et commerciaux*

Les plans industriels et commerciaux constituent les outils de planification à moyen et long termes des activités de production de l'entreprise ; mais ce sont aussi des outils qui permettent au service commercial de fixer les délais de réalisation des commandes et de savoir s'il peut accepter ou non une commande nouvelle.

Les informations utilisées sont issues des fichiers mis à jour par le module de gestion commerciale :
– le carnet de commandes des clients (référence des articles commandés, quantité et date de livraison),
– les prévisions commerciales qui ne font pas encore l'objet de commandes fermes, mais qui sont statistiquement prévisibles,
– les besoins en pièces de rechange ou autres.

À partir de ces données, le système calcule les charges qui sont comparées aux capacités qui ont été définies au niveau des postes de charge. Il apparaît des surcharges ou des sous-charges prévisionnelles. Les responsables de l'entreprise peuvent, au vu des résultats, prendre plusieurs types de décision :
– modifier le programme de livraison en avançant ou en reculant certaines commandes, pour déplacer des charges,
– modifier les capacités de production, en prévoyant des heures supplémentaires, le travail à deux équipes ou du chômage technique,
– prévoir un plan de sous-traitance pour trouver de la capacité de production à l'extérieur de l'entreprise.

Le système informatique permet donc de mettre au point le programme de production en testant diverses hypothèses ; il se comporte ici comme un outil de simulation.

Une fois les plans directeurs acceptés par tous les intervenants, ceux-ci deviennent la base de toutes les décisions de gestion et servent de point d'entrée au calcul des besoins nets en pièces.

24/3.3   Le calcul des besoins nets

La procédure de calcul des besoins nets permet de déterminer pour chaque article la quantité et la date des lancements nécessaires ou des commandes à passer aux fournisseurs. Le principe en est simple : on éclate de niveau en niveau le programme de livraison par l'intermédiaire des nomenclatures. À chaque niveau, on soustrait des besoins bruts les stocks disponibles et les en-cours pour obtenir les besoins nets ; on procède aux regroupements des commandes ou des lots pour diminuer les coûts de lancement selon les règles choisies par l'utilisateur.

À l'issue de ce calcul, le système établit des listes d'ordres d'achat et d'ordres de fabrication suggérés. Les responsables de la production peuvent y apporter diverses corrections. Ils peuvent avancer ou retarder certains ordres ou modifier des quantités.

Le calcul des besoins nets doit être refait périodiquement pour prendre en compte les modifications dans le programme de livraison, dans les positions des stocks ou dans les capacités de production. Selon les logiciels, deux procédures de mise à jour sont mises en œuvre : soit une procédure régénérative dans laquelle on recalcule à chaque fois l'ensemble des ordres, soit une procédure qui n'effectue le calcul que pour les différences intervenues depuis le dernier calcul des besoins nets. Les gestionnaires de la production figent le plan de production sur un horizon de quelques semaines en transformant les ordres suggérés en ordres fermes qui ne seront plus remis en cause dans les prochains calculs des besoins.

24/3.4   L'ordonnancement

Le module Ordonnancement se fonde sur les données de position temporelle des ordres de fabrication (dates au plus tôt et au plus tard) pour proposer un ordre de passage des lots sur les machines et un jalonnement prévisionnel. Les méthodes décrites dans le chapitre 19 sont mises en œuvre.

L'analyse de la position des lots dans l'atelier permet de calculer la charge actuelle et prévisionnelle au niveau des ressources, de faire un suivi des entrées et des sorties de charge et donc de prendre des décisions d'ajustement à court terme de la capacité.

Notons que souvent cette fonction est traitée dans un logiciel séparé interfacé avec l'ERP.

24/3.5   Le lancement

Le module Lancement transforme les ordres fermes en ordres lancés qui doivent effectivement être réalisés par les ateliers en éditant les documents permettant à la fabrication de travailler : fiches suiveuses, bons de travaux, bons de sortie des matières, bons d'outillage, etc.

Comme nous l'avons vu dans le chapitre 9, des fonctions complémentaires sont parfois ajoutées : simulation de sortie pour vérifier la disponibilité des composants, choix de la gamme si le logiciel permet d'enregistrer des gammes multiples par article. Chaque logiciel possède dans ce domaine des particularités.

24/3.6 Le suivi de ordres de fabrication

Il s'agit d'enregistrer tous les mouvements des lots de pièces à l'intérieur des ateliers. Généralement, ces mouvements sont déduits des déclarations de production, dans lesquelles on indique les lots terminés à chaque poste de travail. Ces déclarations peuvent être faites soit en temps réel – dès qu'une opération est terminée, on en informe le système – soit en temps légèrement différé, une ou deux fois par jour. Le logiciel est ainsi informé de la position de chaque lot dans l'atelier et de son degré de réalisation. Les logiciels permettent aussi d'enregistrer les divers incidents qui émaillent la fabrication : pannes de machines, temps de changement d'outillage, rebuts, etc.

24/3.7 La gestion des stocks

Le module de gestion des stocks a pour objet de suivre tous les mouvements de matières à l'intérieur de l'entreprise, que ce soit des mouvements concernant des matières premières ou des pièces achetées, des en-cours de fabrication stockables ou des produits finis.

Ce module enregistre les mouvements d'entrées en magasin provenant des fournisseurs ou des ateliers. Il suit les sorties des matières à destination des ateliers ou des clients.

Le système suit également les manquants, c'est-à-dire les pièces dont la fabrication a besoin et que le magasin ne peut fournir immédiatement. Lors de l'entrée de ces pièces dans le stock, le système informe le service utilisateur de la disponibilité de ces pièces.

Le progiciel enregistre tous les mouvements dans un fichier historique qui permet d'analyser les consommations passées.

L'ordinateur permet d'éditer des inventaires sous diverses formes, d'établir des listes pour procéder à des inventaires tournants, de procéder à des ajustements de telle sorte que le stock informatique corresponde exactement au stock physique.

Les progiciels permettent également de suivre les positions de stock dans des magasins de stockage multiples, et même de faire la tenue des stocks, emplacement par emplacement de stockage à l'intérieur de chaque magasin.

Sur option, on peut également suivre tous les mouvements, lot par lot, pour assurer une traçabilité qui est imposée par certains clients ou dans certains secteurs (la pharmacie par exemple).

24/3.8 Le calcul des coûts standard

Ce module a pour objet de déterminer les coûts prévisionnels de chaque article. Le module procède à l'*implosion des coûts* (cf. chap. 2) en partant des articles des niveaux inférieurs de la nomenclature. Il doit vérifier que chaque article qui ne fait pas l'objet d'une nomenclature a bien un prix d'acquisition standard. Les coûts de main-d'œuvre sont calculés à partir des temps figurant sur les gammes. Les taux horaires doivent être précisées au niveau de chaque section analytique ou de chaque poste de charges. Ainsi, le système calcule niveau par niveau, le coût de chaque article, en recherchant le coût matière à partir des coûts des articles figurant sur le niveau inférieur de la nomenclature et en calculant le coût de main-d'œuvre en multipliant les temps gammes par le coût de l'heure de la section ou du poste de charges.

Si, pour les coûts directs, tous les systèmes appliquent approximativement les mêmes méthodes, il n'en va pas de même pour les frais indirects. Pour certains, les frais indirects sont introduits à l'aide de coefficients dans le taux horaire du centre de charge, en se fondant généralement sur la main-d'œuvre directe. D'autres, en revanche, isolent à tous les niveaux les frais indirects des frais directs, donnant ainsi une meilleure vision de la structure des coûts des produits.

Certains progiciels offrent des possibilités de simulation de coût. Il est ainsi possible de mesurer l'influence d'un changement intervenant sur le prix d'un composant, d'une modification d'un taux horaire, etc.

24/3.9 *Le calcul des coûts de revient de fabrication*

Ce module calcule *a posteriori* le coût de revient réel des lots terminés. Il calcule les consommations réelles de matières à partir des sorties de stocks – et éventuellement des réintégrations – concernant un OF. Il valorise ces consommations au coût standard et au coût unitaire moyen pondéré. Il calcule les temps réellement passés à la réalisation de l'OF à partir des déclarations de production. Il valorise ces temps par les taux horaires de chaque poste de charge. On obtient ainsi le coût réel d'un produit ou d'une commande que l'on peut comparer au coût standard calculé par le module Coûts de revient standard.

Chapitre 25

Internet et communication dans la *supply chain*

Nous allons examiner dans ce chapitre les apports possibles d'Internet pour chacune des grandes fonctions de l'entreprise industrielle. Comme on le voit sur le schéma suivant, pratiquement tous les départements, services et fonctions sont concernés : le commercial, les achats, le bureau d'études, le personnel, etc.

Figure 25-1 – *Les champs d'application d'Internet*

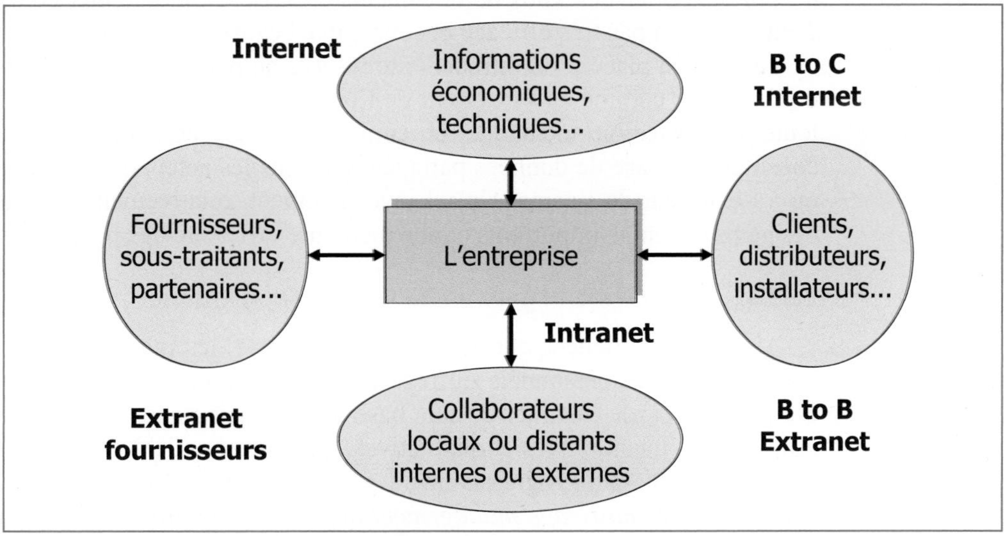

25/1 Internet pour la communication

Avant d'aborder les apports d'Internet pour chacune des fonctions de l'entreprise et les évolutions que cette technologie a rendu possibles, nous devons reconnaître qu'Internet est d'abord un moyen de communication à longue distance rapide et peu coûteux.

25/1.1   *Communication avec les sites distants*

Internet permet d'obtenir en temps réel des informations sur l'activité des sites éloignés de l'entreprise. À travers les ERP modernes ou des logiciels spécialisés, il est aisé de connaître l'état des stocks de toutes ses filiales ou succursales dans le monde, le carnet de commandes, les marchandises en transit, etc. On peut ainsi consolider facilement des informations pour mieux gérer la chaîne logistique. Internet rend possible la mise en œuvre de la technique DRP (cf. chap. 11) et des logiciels APS (*Advanced Planning Systems*, cf. chap. 15) pour optimiser les décisions sur les flux de marchandises entre les diverses sites, usines et centres de distribution.

25/1.2   *Communication avec le personnel distant ou nomade*

De nombreuses entreprises doivent travailler avec du personnel à l'extérieur de leur site principal : employés en agence, représentants, commerciaux, installateurs, réparateurs, etc. Toutes ces personnes doivent partager la même information. Par exemple, les commerciaux doivent avoir accès à l'historique des commandes passées par les clients qu'ils visitent et les tarifs pratiqués, les employés de maintenance doivent connaître l'historique des réparations effectuées sur les matériels des clients, la disponibilité des pièces de rechange, etc. Sans accès à Internet, ces personnes doivent emporter des kilos de documents et passer de nombreux coups de téléphone. Tout cela n'est pas très efficace et consomme beaucoup de temps.

La mise en place d'un intranet (site réservé au personnel de l'entreprise, accessible de l'intérieur comme de l'extérieur de l'entreprise) permet de mettre à leur disposition toute l'information technique et commerciale en permanence à jour. L'intranet constitue une base de données partagées par tous les acteurs, qu'ils soient dans l'usine ou à l'extérieur de l'usine. Un tel investissement, relativement peu coûteux, entraîne des gains de temps importants et une meilleure efficacité des personnels sur le terrain.

25/1.3   *Groupware et gestion de l'information interne*

Au-delà des données que les ERP savent gérer, les ingénieurs de développement, les acheteurs, les personnels du réseau d'après-vente… ressentent souvent le besoin d'alimenter et de maintenir une base de connaissances partagée, contenant des informations quantitatives et qualitatives, qui correspondent à leur « cœur » de métier, et qui s'enrichissent progressivement par un *retour d'expérience* organisé. C'est une application du *knowledge management* qui vise à capitaliser et à rendre accessible les savoir-faire accumulés par l'entreprise.

Par ailleurs, il est aussi intéressant de diffuser auprès des utilisateurs des informations pertinentes constituant une politique de communication organisée et planifiée.

Comme le montre la figure 25-2 sur un exemple propre à la fonction Achats, ces préoccupations relatives à la gestion de l'information interne aboutissent en particulier au développement de deux outils majeurs issus des nouvelles technologies de l'information :
– le *groupware*,
– la gestion électronique de documents (GED).

Par *groupware*, on entend un système d'information partagé où tous les personnels sont en réseau intranet, où les différentes applications sont interfacées, où la communication est rapide et efficace, et qui permet la mise en œuvre de forums et de communications transparentes avec les utilisateurs.

La gestion électronique des documents permet d'améliorer la productivité des opérations administratives en constituant une mémoire et en permettant un partage de l'information homogène dont l'accès est très simplifié. Elle permet de plus de faciliter la gestion de la confidentialité des informations.

Toutefois ces applications restent orientées vers la structuration et le partage de l'information en supposant qu'une meilleure information conduise à de meilleures décisions.

Figure 25-2 – *Exemple : principales dimensions des intranets Achats*

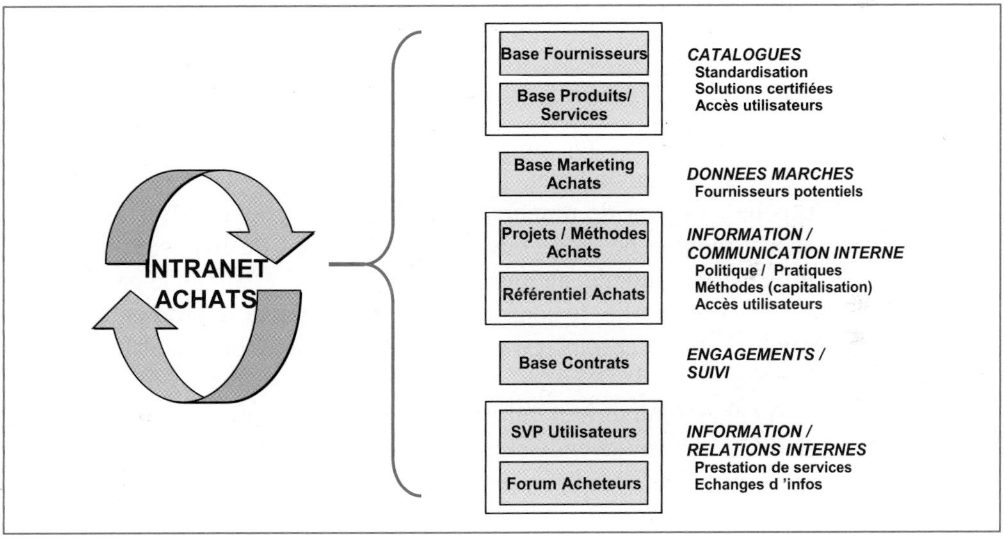

25/1.4   Internet et la gestion industrielle

Le standard Internet entre aussi dans l'usine. Le grand mérite d'Internet, c'est d'imposer de fait un protocole unifié de communication quels que soient les types d'applications. Dans l'usine, chaque fournisseur d'automate avait ses propres spécifications ; faire dialoguer diverses applications imposait alors la création d'interfaces lourdes qui ont rebuté plus d'une entreprise. Les fabricants de machines-outils, de robots et autres automates ne pouvaient rester à l'écart de ce mouvement : les nouveaux équipements sont maintenant au standard Internet, ce qui leur permet de communiquer aisément avec le système de gestion de production où qu'ils soient situés, dans l'usine ou chez un partenaire installé à des milliers de kilomètres. À un moment où la réactivité est le maître mot, ces nouvelles technologies laissent entrevoir de nouvelles avancées. S'il est inutile de changer ses équipements à court terme pour suivre cette nouvelle mode, ce facteur doit être pris en compte dans les décisions d'investissement.

25/2 Internet et les relations clients

Internet constitue un nouveau moyen de s'adresser à ses clients. Avec l'expérience, on s'est aperçu qu'il ne remplace pas les moyens de communication classiques mais vient en complément. Internet permet de fournir de l'information à ses clients mais aussi de faire des transactions, c'est-à-dire prendre des commandes. C'est ce que l'on appelle parfois le *e-commerce*.

Cette activité s'adresse à deux clientèles distinctes.

- Le « **B to C** », « **B2C** » ou « **Business to Consumer** », correspond aux ventes aux particuliers de biens physiques et immatériels ainsi que de services. La croissance du nombre d'utilisateurs d'Internet, combinée à la création permanente de nouveaux sites et à la sécurisation des moyens de paiements sur Internet, expliquent le fort développement de ce secteur.
- Le « **B to B** », « **B2B** » ou « **Business to Business** », regroupe l'ensemble des achats et des ventes interentreprises.

25/2.1 Le BtoC ou la vente aux particuliers

Internet représente un *nouveau canal de vente à distance* : si le consommateur utilise le média Internet, il privilégie le moyen et non l'objet de la transaction. Il espère y trouver de nombreux avantages : découverte rapide de la gamme proposée, aspect ludique de la découverte du site, délai de livraison court et garanti, livraison effectuée à domicile, au jour et à l'heure fixée, commande passée rapidement, etc.

En contrepartie, le consommateur désire payer le produit à un prix inférieur à celui proposé par le commerce traditionnel, lorsque l'on inclut le coût de la prestation de service.

Pour les entreprises qui pratiquaient déjà la vente à distance, Internet a apporté un nouveau moyen de contact plus dynamique que les catalogues « papier » ou le minitel mais il ne les remplace pas. La logistique de livraison n'a pas changé du fait de l'usage d'Internet.

Pour celles qui ne pratiquaient pas la vente directe aux clients finaux, Internet a présenté une nouvelle opportunité vers laquelle beaucoup se sont ruées. Or la vente à distance est un métier en soi qui ne peut s'improviser. De plus, l'entreprise qui décide de s'adresser directement au client final se met en concurrence directe avec son réseau de distribution. Celui-ci en est rarement satisfait et risque de réagir en boycottant les produits de l'entreprise. Il faut donc être extrêmement prudent avant de se lancer dans une telle aventure. De plus, il faut mettre en place une logistique adaptée au traitement et à l'expédition de commandes nombreuses et de petite taille.

Si le produit est configuré à la commande, l'ensemble de la chaîne sera tiré par la demande à l'intérieur d'une organisation Juste-à-temps, comme celle de la société Dell.

Sans vouloir être exhaustifs, nous allons analyser deux exemples de logistiques de distribution.

Les hypermarchés en ligne

Toutes les enseignes de grande distribution ont créé des filiales Internet : Auchandirect, Houra (Cora), Ooshop (Carrefour), Télémarket (Galeries Lafayette). Offrant une gamme de produits importante, ces sites traitent plusieurs milliers de commandes par jour (5 pour Houra, 1,2 pour Télémarket), correspondant à un panier moyen de 150 euros pour une composition de 40 produits différents. Bien qu'en situation de croissance permanente, le chiffre d'affaires reste relativement faible et la rentabilité difficile à atteindre.

Les clients s'attendent à des prix comparables à ceux qui sont pratiqués dans les grandes surfaces. Or, lorsqu'un client se rend dans son hypermarché, il effectue lui-même le *picking* et la livraison à domicile. Si le client commande par Internet, ces tâches doivent être réalisées par l'opérateur ; le coût de livraison facturé (de 7 € à 12 €) ne compense pas les coûts engendrés. Dans les grandes agglomérations, le coût de la livraison terminale est très élevé du fait des difficultés de circulation et de stationnement.

Diverses organisations logistiques sont envisageables :
- soit on crée un entrepôt dédié à la vente à distance mais cela limite la couverture géographique du service à quelques grandes villes,
- soit on effectue le *picking* dans les hypermarchés eux-mêmes en dehors des heures d'ouverture à la clientèle,
- soit on pratique le *cross-docking* : les produits commandés par les clients sont livrés sur une plate-forme par les producteurs ou des intermédiaires qui possèdent un stock et l'opérateur recompose les commandes avant leur livraison.

Les produits éditoriaux

Les produits éditoriaux (livres, disques…) connaissent une forte croissance des ventes par le canal Internet. Les opérateurs les plus connus sont Amazon.com, Alapage.fr, Fnac.fr. Du fait de la petite taille et du faible poids des produits, la livraison est facile : on utilise le plus souvent les circuits classiques de la Poste. La difficulté provient de la largeur du référencement : souvent plusieurs dizaines de milliers d'articles doivent être stockés pour assurer un délai de livraison court et une bonne qualité de service. L'entrepôt doit être bien adapté pour ne pas engendrer des coûts de *picking* trop élevés.

À titre d'exemple, Amazon traite en France l'ensemble de ses commandes de livres, disques et CD à partir d'un entrepôt de 10 000 m^2 situé près d'Orléans et avec un effectif de 60 personnes à temps plein. La seule solution permettant de livrer rapidement impose la disposition d'un stock important (environ 500 000 références permanentes peuvent y être stockées) capable de satisfaire 90 % des commandes et un réapprovisionnement très fréquent du site (deux fois par jour pour les livres).

25/2.2   *Le BtoB ou vente aux professionnels*

Internet à destination de clients professionnels présente moins de difficultés ; ils sont moins nombreux et compétents et le paiement se fait par les moyens traditionnels.

Internet peut, et doit, devenir le moyen privilégié de communication et de fidélisation de ses clients et de ses partenaires (distributeurs, installateurs, réparateurs, experts…).

Deux solutions s'offrent au vendeur : soit créer un catalogue électronique, soit participer à une place de marché.

1) Les catalogues électroniques

Pour vendre à des professionnels, il faut créer un extranet, c'est-à-dire un site à accès restreint à des personnes autorisées au moyen d'un identifiant et d'un mot de passe qui donne accès au catalogue électronique. Constitués comme des véritables vitrines virtuelles, et mis à jour en temps réel, ils sont accessibles aux acheteurs 24 heures sur 24.

Pour les entreprises qui offrent des produits standard, ce catalogue comporte la description technique des produits et leurs conditions d'utilisation aussi précises que possible. Il deviendra la référence pour les services achats des clients. Ce *e-catalogue* s'appuie sur l'ERP de l'entreprise. Si celui-ci est bâti autour d'une base de données, l'application extranet puisera directement les informations requises dans la base articles. Pour être efficace, un *e-catalogue* doit donner de multiples possibilités de recherche pour faciliter et accélérer le travail des acheteurs. Le gros avantage du catalogue de produits en ligne, c'est qu'il est en permanence à jour ; cela évite des rééditions fréquentes de catalogues papier. Il permet aussi la présentation très rapide des nouveautés, ce qui accroît la réactivité commerciale de l'entreprise.

Un site à destination des clients doit comporter également le maximum d'informations techniques, de conseils d'utilisation, d'éléments de réglementation, de description de bonnes pratiques, d'informations et de conseils pour la maintenance, etc. C'est cet ensemble qui fera du site de l'entreprise une référence incontournable et qui fidélisera les clients et les partenaires.

Se pose ensuite le problème de la publication des prix de vente. Faut-il ou non afficher les prix de ses produits ? On ne peut donner de réponse définitive : cela dépend de la politique commerciale de l'entreprise. On rencontre souvent des systèmes de tarification complexes et confus (remises selon le type de client, selon les quantités, selon le montant de la commande, etc.) qui interdisent l'affichage d'un prix définitif. Les commerciaux sont souvent réticents face à cette pratique car elle limite leur liberté d'action. L'introduction d'Internet dans la relation client est une opportunité pour repenser sa stratégie commerciale. Si l'on décide d'afficher les prix, ceux-ci peuvent être réactualisés en temps réel en fonction de circonstances extérieures ou des promotions commerciales.

Avec des logiciels plus évolués, il est possible d'offrir aux acheteurs des possibilités de personnalisation ou de configuration des produits ou d'effectuer leurs propres devis en ligne.

2) Les places de marché

Parmi la floraison de nouvelles idées issues des nouvelles technologies, celle de place de marché (*Market Place*) est une des plus originales ; nous y reviendrons dans la section suivante. Rappelons qu'une place de marché est un site Internet qui fait se rencontrer vendeurs et acheteurs. L'intérêt d'une place de marché est de rassembler l'offre en un lieu unique, ce qui permet de comparer les offres et ensuite de passer la transaction d'achat-vente. Il existe maintenant des places de marché actives spécialisées par secteur industriel (places dites verticales pour les achats de production) ou par nature de produit (places dites horizontales essentiellement pour les achats hors production).

Faut-il présenter ou non ses produits sur une place de marché ? Parmi les avantages, on peut citer le fait que la place de marché offre une grande visibilité pour ses produits, qu'elle fait bénéficier du trafic engendré par les produits des autres entreprises présentes sur la place et qu'elle ne suppose pas un coût de développement informatique spécifique. Parmi les inconvénients, on notera que l'entreprise doit verser une commission à l'intermédiaire, que la comparaison des offres se fait essentiellement sur le prix et qu'elle ne maîtrise plus sa communication. Participer à une place de marché est donc une décision difficile : ne pas être présent, c'est éventuellement être marginalisé si les clients prennent l'habitude de passer par cet intermédiaire – ce qui commence à se développer ; y être présent, c'est se battre essentiellement sur les prix et ce d'autant plus que certaines places développent des systèmes d'enchères inversées.

25/2.3   *Les relations avec les donneurs d'ordres*

Pour les sous-traitants, les relations informatiques avec les donneurs d'ordres ne sont pas nouvelles. Depuis longtemps, les constructeurs automobiles puis la grande distribution ont mis en œuvre des systèmes d'EDI (Échange de données informatisé) avec leurs principaux équipementiers et fournisseurs. Cette technologie est lourde et coûteuse car fondée sur des protocoles spécifiques. Elle est progressivement remplacée par le *webEDI* qui consiste à transmettre les messages standard entre partenaires à travers une messagerie électronique classique. C'est donc maintenant à la portée de la majorité des entreprises quelle que soit leur taille.

Lorsque l'on travaille régulièrement avec un petit nombre de clients ou de donneurs d'ordres, on peut envisager la mise en place d'une planification « collaborative » à travers Internet. Sans vouloir porter au pinacle les notions comme le *Collaborative Planning, Forecasting and Replenishment* (CPFR, cf. chap. 15), il faut reconnaître que l'entreprise participe à une *supply chain* dont les maillons ne peuvent être gérés de façon isolée. Même si le sigle est nouveau, cette pratique a été mise en œuvre depuis de nombreuses années dans l'industrie automobile. Les constructeurs transmettent leurs besoins prévisionnels quotidiens et hebdomadaires à leurs fournisseurs de sorte que ceux-ci planifient leur production pour assurer à court terme la livraison en Juste-à-temps sans être obligés de maintenir des stocks élevés.

Sans investir dans des systèmes complexes et coûteux, des développements informatiques relativement simples permettent de communiquer les plannings de besoins et de production entre clients et fournisseurs. Ceux-ci peuvent être intégrés dans la base de données de la gestion de production, ce qui évite de nombreuses saisies et permet des calculs de besoins beaucoup plus fréquents. Le fournisseur peut alors transmettre ses plans de production et, en quelques itérations, on aboutit à un planning réalisable et satisfaisant pour les deux parties.

Certains gros clients imposent maintenant la pratique de la GPA (Gestion partagée des approvisionnements – cf. chapitre 15) dans laquelle le fournisseur a accès via Internet au stock de ses produits chez son client et il prend la responsabilité de réapprovisionner ce stock. Cela impose des contraintes au fournisseur mais cela peut aussi constituer un avantage : plutôt que d'attendre une commande à livrer dans un délai très court, il peut planifier ses fabrications au vu des consommations effectives chez son client.

Sans aller jusque-là, l'entreprise peut mettre à disposition de ses clients des informations sur la disponibilité des produits (disponible ou non, date probable de disponibilité), sur les délais de livraison ou les capacités de production, ce qui évite de très nombreux coups de téléphone ou de fax qui consomment beaucoup de temps sans être véritablement productifs.

Il faut reconnaître que ces pratiques supposent d'accepter une grande transparence quant à son activité et que peu d'entreprises s'y soumettent de bon gré. C'est un véritable changement culturel.

25/3   Internet et les achats

Dans le domaine des achats, les typologies sont compliquées par le fait de l'évolution et de l'innovation permanente des techniques ainsi que par l'apparition de nouveaux opérateurs[1].

En effet, les dispositifs *e-purchasing* s'appuient tous très souvent sur de nouveaux fournisseurs prestataires de services (*ASP : Application Service Provider*) constituant une offre locative d'hébergement par une société tierce, sur un serveur situé à distance, d'applications diverses qui sont accessibles directement par un utilisateur de son poste de travail via un simple outil de navigation. Certains fournisseurs peuvent apporter un seul service limité ; d'autres une offre globale diversifiée.

Ainsi, deux types d'applications existent :
– d'une part, Internet peut être utilisé pour des applications orientées sur l'Achat ou le *sourcing*,
– d'autre part, certaines applications permettent d'effectuer des transactions, dans certains cas dans le cadre d'une externalisation partielle des achats pour certains segments de portefeuille (*e-procurement*). Il s'agit alors d'applications orientées Approvisionnements.

25/3.1   Le e-sourcing

On s'aperçoit que, trop souvent, les services Achats travaillent avec une base de fournisseurs peu renouvelée. L'acheteur peut utiliser Internet pour compléter ses informations en vue d'identifier de nouveaux fournisseurs potentiels ou de nouveaux produits ainsi que recueillir des informations comptables et financières. La recherche de nouveaux fournisseurs est aisée. Il peut suffire d'utiliser les moteurs de recherche

---

[1] Sur le *e-procurement*, le lecteur francophone aura intérêt à lire régulièrement la revue *La Lettre des Achats*, Paris, qui traite de ces questions depuis le début de 1999.

pour retrouver les fournisseurs potentiels du monde entier pour un produit spécifique ou une catégorie de produits. Il existe ainsi dans le monde un certain nombre de bases offrant des informations descriptives sur les entreprises. Certains sites fournissent des renseignements généraux, d'autres restituent une forme d'audits de fournisseurs. Du fait de la baisse des droits de douane et des coûts de transport, il n'est plus difficile de s'approvisionner à longue distance. Les certifications ISO apportent une présomption de qualité même si l'on ne rencontre pas physiquement les fournisseurs. Annoncer clairement les types de produits que l'on achète sur son site Internet peut également susciter des offres spontanées.

Ce *sourcing* doit être complété par une demande d'informations aux fournisseurs caractérisant ce qu'on appelle le *e-RFI* (*Request For Information*). Le but est d'alimenter le panel fournisseurs et de permettre le processus d'homologation.

Comme le résume la figure 25-3, les différentes utilisations d'Internet à des fins d'information sont les suivantes.

Figure 25-3 – *Internet comme source d'information achats*

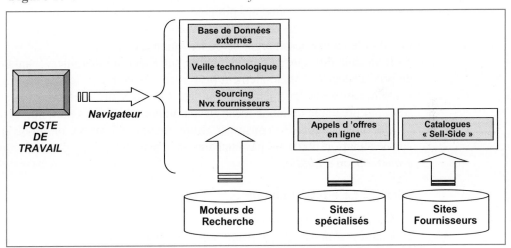

Au-delà, face à un cahier des charges précis pour un achat déterminé, on va devoir procéder à la préparation puis au lancement de l'appel d'offres. D'un point de vue Internet, cela se traduit par l'envoi d'un *e-RFQ* (*Request For Quotation*) suivi d'un système de cotation / sélection éventuellement prévu dans des applications spécifiques.

Les catalogues électroniques fournisseurs

Certains peuvent donner un accès permanent à leur catalogue ; les informations sur ses produits étant intégrées dans le système du client. Dans ce cas, l'acheteur sélectionne dans les offres fournisseurs et constitue un catalogue en ligne, interne et unifié, permettant de réaliser une standardisation des produits et matériels achetés. Ensuite, les actes d'achats proprement dits pourront plus aisément être délégués aux utilisateurs dans le cadre de leur autonomie budgétaire et selon la segmentation achats préalable. Mais l'utilisation d'un site fournisseur peut nécessiter l'installation de logiciels spécifiques. Compte tenu de la multiplicité des fournisseurs, l'acheteur peut se trouver rapidement dans l'obligation de gérer un grand nombre de catalogues, et donc se trouver limité dans son action en perdant la possibilité de changer de fournisseurs facilement. Cette démarche est gratuite, mais n'a de sens qu'en cas de recherche de produits catalogables et donc standardisés.

Les appels d'offres

Le lancement des appels d'offre ou des demandes de devis ainsi que leur exploitation sont ainsi plus efficaces. On évite la multiplication de photocopies, des fax et envois de courrier, etc. Les délais de traitement sont réduits. La mise en concurrence des fournisseurs en est facilitée, ce qui doit conduire à une réduction du coût global d'acquisition.

Il existe des sites d'appels d'offres électroniques qui permettent de procéder à des appels d'offres ouverts ou fermés[1]. Dans certains cas, il s'agit de ventes aux enchères qui permettent aux participants de faire plusieurs propositions, d'avoir une idée du prix du marché en temps réel, et de suivre l'évolution de la vente. Dans d'autres cas, la logique correspond plus au pilotage de l'appel d'offres par l'acheteur qui peut transmettre des cahiers des charges spécifiques, intervenir en cours d'appel d'offres ou modifier le cahier des charges selon les réponses.

Il va sans dire que la confidentialité sur l'identité des intervenants et les cotations de prix respectives est totalement préservée. De ce point de vue, les règles communes s'appliquent avec les mêmes garanties. Certains sites intègrent dans leur offre un *sourcing* préalable de façon à élargir le nombre de sociétés participantes.

Une fois la *short-list* constituée avant contractualisation, on procède classiquement par négociation finale ou par enchères inversées (si c'est pertinent) et on fait alors du *e-auctions* ou *e-bidding*.

25/3.2   Le e-procurement

On appelle *e-procurement* le domaine récent couvrant l'ensemble des *nouvelles techniques d'achat s'appuyant sur l'utilisation d'Internet, et destinées à gérer l'ensemble des transactions liées au processus d'approvisionnement, depuis l'appel de livraison jusqu'éventuellement au traitement et au règlement de la facture du fournisseur.* Ces développements sont assez récents, mais on doit s'attendre à ce que, au-delà des aspects purement techniques, cela induise une révolution des méthodes d'achat, ainsi que des stratégies et du management des entreprises industrielles et commerciales.

Internet permet de transmettre les commandes et d'en faire le suivi de façon beaucoup moins lourde et coûteuse que par les moyens technologiques précédents, à savoir l'EDI. On peut transmettre rapidement les commandes directement à partir de son ERP par une interface simple, ce qui diminue les coûts de fonctionnement du service Achats.

---

[1] Un appel d'offres fermé est lancé sur une liste de fournisseurs préalablement définie par l'acheteur. Dans un appel d'offres ouvert, tout fournisseur potentiel est à même de répondre (cf. achats sous régime public européen).

Au niveau des définitions, on notera que le *e-procurement* dépasse largement la mise en place et l'utilisation des modules Achats des ERP. Si effectivement ces modules permettent de gérer la passation de commandes et de maintenir un système d'information achats, ils n'offrent pas les fonctionnalités et la flexibilité des applications développées sur Internet.

Les places de marché (*market places*)

Comme du côté vente, pour les achats, il existe dans certains domaines des places de marché qui présentent l'offre de plusieurs fournisseurs. Pour apprécier l'intérêt d'acheter sur une place, il faut distinguer les achats de production et les achats hors production (fournitures, consommables, matériels de bureau, prestations diverses, transports et voyages). Pour ces derniers, on achète souvent des matériels standard pour lesquels les offres peuvent être aisément comparées, le prix étant le facteur déterminant. Là l'intérêt de la place de marché est évident : on peut trouver le meilleur prix au moment où l'on a besoin de la fourniture, le risque associé étant faible.

Généralement hébergée sur le serveur d'une société tierce sur un principe d'intermédiation, une place de marché gère et automatise les échanges d'informations et les transactions interentreprises. Elle constitue et met à jour des catalogues fournisseurs et permet de multiplier les transactions entre acheteurs et fournisseurs, en respectant les processus et contrats de chacun (fig. 25-4).

Figure 25-4 *– Le principe des places de marché*

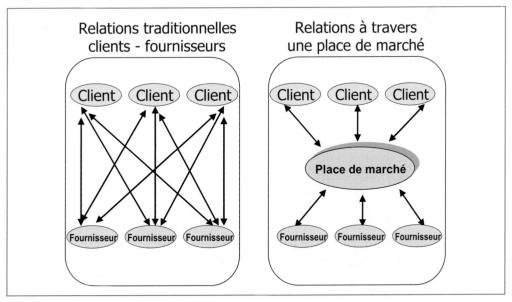

Quatre niveaux de prestations sont proposés (fig. 25-5) :

- des transactions simples (constitution et mise en ligne de catalogues),
- des transactions avancées (traitement et suivi des ordres et commandes passés par les clients, pilotage des livraisons, support logistique),
- des services support (*sourcing*, certification, paiement électronique),

– des outils de collaboration avancés (par exemple pilotage et coordination des achats associés à un projet important).

Du fait de la multiplicité des entreprises utilisant ses services, une place de marché peut amortir ses coûts de gestion en les mutualisant et améliorer grandement la productivité Achats de ses clients.

Elle joue donc un rôle d'interface, de mise en relation, de traitement de solutions individuelles ; elle ne peut et ne doit pas se transformer en centrale d'achats.

On parle de deux types de places de marchés :

– les places de marchés *verticales* sont dédiées à une entreprise ou plus généralement à un secteur ou une industrie,

– les places de marché *horizontales* présentent une offre plus large en se spécialisant sur des familles d'achats nécessairement communes à un grand nombre d'entreprises quels que soient leurs métiers et leurs secteurs.

Figure 25-5 – *Fonctionnalités d'une place de marché*

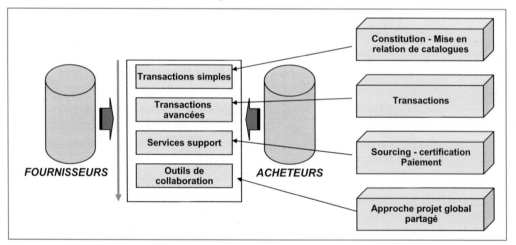

C'est la raison pour laquelle ces places horizontales connaissent une véritable « explosion » dans le domaine des achats « hors production » (ou MRO) en particulier, où les besoins parviennent à être assez facilement catalogables.

Les achats de production, en revanche, sont critiques pour la pérennité de l'entreprise. Le choix du fournisseur ne doit pas se faire uniquement sur le prix mais sur l'ensemble des prestations qu'il apporte. On demande au fournisseur d'apporter documentation et assistance technique, échantillons, capacité de personnalisation et de co-développement, etc. Bref, on souhaite établir un véritable partenariat qui suppose le maintien de relations dans la durée. Le critère de prix n'est pas unique, l'ensemble des services associés est aussi important. Donc, sauf pour des fournitures très standardisées, le choix du recours à la place de marché peut ne pas être pertinent.

Les prestataires de services à « valeur ajoutée »

Au delà des places qui ne remplissent qu'une fonction d'intermédiation, il existe des centrales d'achat qui ont développé des outils internet pour leurs clients, ou alors des sites de prestations spécialisées. Cela permet d'externaliser en partie la fonction Achats, naturellement pour des achats en général non stratégiques ou non récurrents. Passer par ce type de prestataire permet de réaliser des économies importantes sur les coûts de transaction.

Dans ce cas, nous parlons d'acteurs qui possèdent un vrai savoir-faire en matière d'achat (méthodologie achat, outils élaborés à valeur ajoutée, etc.). Ils interviennent comme prestataires de services pour des entreprises ayant décidé d'externaliser totalement une partie de leur portefeuille achat. Actuellement, de telles sociétés s'implantent surtout pour les achats dits « hors production » (les entreprises préférant garder une maîtrise totale de ceux qui constituent leur cœur de métier).

Ils constituent entre autres leurs propres catalogues fournisseurs. Pour élargir la gamme de leurs services, ces opérateurs peuvent être associés à d'autres intervenants spécialisés (places de marché ou sites d'appels d'offres). Ils s'engagent sur des plans de progrès achats vis-à-vis de leurs clients, et donc sur une obligation de résultats. Néanmoins, ils restent juridiquement dans un rôle d'intermédiation dans un cadre de déontologie et de confidentialité stricte, et les engagements contractuels finaux achat-vente lient bien vendeurs et acheteurs.

25/3.3   *e-achat : avancées stratégiques*

Le *e-achat* n'est pas que le simple aboutissement d'une démarche d'automatisation des processus d'achat, permettant de plus une personnalisation de l'environnement de travail de l'acheteur. Ils visent des objectifs de nature vraiment stratégique, et permettent d'atteindre des résultats constituant des avantages compétitifs pour l'entreprise.

Surtout, ils ne dédouanent pas les dirigeants d'achats – au contraire et obligatoirement – d'une analyse stratégique préalable claire selon une approche segmentée du portefeuille, puis de la définition précise de plans d'action avec objectifs de résultats.

Avec le recul de la pratique (même faible) de quelques années, au niveau de l'entreprise, on observe toujours les résultats suivants :
- une réduction des prix d'achat significative par une mise en compétition plus facile, en temps réel sur une base de données fournisseurs « partagée » et élargie par le *web-sourcing*,
- une réduction des coûts administratifs d'achat (simplification et automatisation des process), donc une meilleure productivité,
- par la réduction des temps de transaction, une réduction des temps de réponses aux utilisateurs et des cycles internes, mais aussi externes dans les négociations et dialogues avec les fournisseurs, conjointement à une diminution des erreurs et des litiges,
- un contrôle des informations à confidentialité garantie et un pilotage en temps réel des achats (statistiques achats, suivis en temps réel divers, mises à jour des catalogues, informations en ligne, etc.),
- une possibilité d'innovation achat permanente par appel à des solutions externes et services à valeur ajoutée.

En interne, concernant les collaborateurs et le management des hommes, les évolutions suivantes deviennent possibles :
- une modification du métier de l'acheteur et de son environnement, entre autres par la convivialité des solutions permettant une auto-formation,
- une augmentation indéniable de la satisfaction des utilisateurs par la possibilité de décentraliser en partie l'approvisionnement (sous réserve de la mise en place de catalogues ou de contrats préalables), et de suivre l'état d'avancement de ses commandes en direct,
- par effet induit, les acheteurs peuvent ainsi se libérer d'activités sans valeur ajoutée pour se reporter vers l'amont des processus achats (aide au *sourcing*, veille économique et technologique, meilleure sélection de fournisseurs) et la recherche permanente d'améliorations de la satisfaction des besoins clients (optimisation des cahiers des charges en particulier).

Ces progrès ne sont pas réservés aux seules grandes entreprises : le *e-achat* vise aussi les PMI pour lesquelles c'est une réponse à la limitation de ressources, voire de compétences achats, sans trop d'investissement associé (si ce n'est probablement un conseil dans le processus d'accompagnement).

Le développement du *e-procurement* est certain, et son avenir pourrait s'organiser selon les perspectives suivantes :
- assainissement du marché de l'offre des fournisseurs de services *BtoB* (avec maintien de la segmentation vue ci-dessus) ; on peut s'attendre à une diminution du nombre d'opérateurs et de places de marché (déjà certaines concentrations ont eu lieu les deux dernières années),
- du point de vue technique interne à l'entreprise, une intégration progressive des processus achat internet avec ceux des ERP,
- la possibilité d'impliquer les utilisateurs, de nouveau et de plus en plus, dans les processus d'achat,
- de ce fait, une automatisation des systèmes d'approvisionnement avec une gestion des flux selon deux logiques différentes : flux poussés par les systèmes ERP pour les achats récurrents (catalogables) de production ou non avec utilisation des systèmes EDI ; flux tirés pour des achats non récurrents et/ou « hors production » sur applications d'*e-procurement*.

En termes d'approche différenciée du portefeuille achat, cela amènera au développement conjoint d'une plus grande décentralisation avec l'externalisation possible d'une majorité relative des achats non stratégiques.

25/4   Internet et la conception

Internet peut se révéler un formidable outil d'aide à la conception des nouveaux produits.

Nous l'avons mentionné plus haut, les fournisseurs présentent leurs catalogues sur leur site ; les moteurs de recherche sur Internet permettent aux bureaux d'études de trouver des produits, matières et composants ou réglementations qu'ils ne connaissaient pas. Internet constitue une source d'information extrêmement vaste et qui s'étend tous les jours. C'est un véritable salon virtuel permanent.

De plus, du fait de la complexité croissante des produits et le poids des coûts de développement, la conception des nouveaux produits ou variantes implique la collaboration de plusieurs acteurs situés dans des entreprises ou des laboratoires éloignés. À l'image de la production où la tendance est à l'externalisation de fabrications non stratégiques, en conception, on constate que la part de sous-traitance d'études est en forte croissance : on fait développer par les fournisseurs les sous-ensembles qu'ils auront à produire.

Depuis une vingtaine d'années, la conception s'est largement numérisée. On peut depuis longtemps transmettre aisément des plans et des spécifications techniques comme on transmet des textes. L'échange de données constitue une première étape dans le travail collaboratif en conception. Le transfert est rapide et peu onéreux. Les données sont transmises sous une forme directement « assimilable » par l'informatique du partenaire, voire par ses machines-outils à commande numérique. Cela diminue les risques d'erreur comme les coûts. Ces moyens sont maintenant à la portée de toutes les entreprises.

La seconde étape consiste à créer un « portail-projet ». C'est un site qui regroupe l'ensemble des outils de CAO et de gestion des données techniques nécessaires pour mener à bien le projet et sur lequel l'ensemble des parties prenantes mettent à jour en permanence les caractéristiques, plans et spécifications de la partie du nouveau produit ou du projet dont elles ont la responsabilité. On constitue ainsi une « plate-forme » virtuelle de développement où s'élabore la maquette numérique du produit. Chaque acteur est averti immédiatement des modifications ou des mises à jour apportées ; il peut ainsi travailler sur des informations fiables et prendre en compte les contraintes de ses partenaires et les évolutions du projet. Les revues de projet peuvent également s'effectuer à distance. Cela permet d'espérer rapidité, réactivité et économies dans le développement des produits. Si ces technologies sont, pour l'instant du moins, réservées aux grandes entreprises, les partenaires doivent se préparer à y participer sous peine d'être écartés des nouveaux projets.

25/5   La mise en œuvre d'Internet dans l'entreprise industrielle

Les nouvelles technologies constituent une opportunité pour repenser son système d'information et mettre en place des procédures efficaces. Pour cela, la mise en place d'un intranet est une étape essentielle. Des systèmes relativement légers autorisent la mémorisation, la structuration et la sécurisation de l'ensemble des informations qui constituent la base des savoirs de l'entreprise quelle que soit leur forme (texte, feuille de calcul, plans, schémas, plannings, etc.). L'intranet est le complément de l'ERP qui ne contient que des informations rigidement structurées. L'établissement d'un lien, si possible en temps réel, entre les fichiers de l'ERP (bases Articles, Clients, Fournisseurs par exemple) fournit un accès local et distant à tous les « catalogues » de l'entreprise.

Cet intranet peut être ouvert aux partenaires de l'entreprise sous réserve de clés d'accès à des espaces dédiés. Il devient alors un extranet qui va faciliter, intensifier et accélérer les relations entre l'entreprise et son environnement, vers l'amont comme vers l'aval.

On ne peut fournir un modèle général de l'utilisation d'Internet. Nous devons insister sur le fait que ces nouvelles technologies ne doivent pas être plaquées sans remise en cause sur les processus existants. La refonte du système d'information est une décision stratégique majeure. La mise en place d'un ERP ne concerne que les fonctions internes de l'entreprise. Les technologies Internet peuvent provoquer une mutation profonde dans les relations de l'entreprise avec ses partenaires. Encore faut-il les mettre en œuvre à bon escient. Certains développements peuvent être trop coûteux par rapport aux bénéfices envisageables ; d'autres deviennent indispensables pour ne pas être éliminés du jeu concurrentiel.

Mais toute technologie n'est qu'une source de coût supplémentaire si elle n'est pas mise en œuvre à bon escient. Les nouvelles technologies doivent modifier en profondeur les modes de travail d'une grande partie du personnel. Sa sensibilisation et sa formation sont les facteurs clés de réussite.

Chapitre 26

Management de et par projets

Trop souvent le mot *projet* évoque pour le public la notion de grand projet associé à des ouvrages d'art comme un pont, un barrage, un tunnel ou encore une bibliothèque nationale. Les problèmes rencontrés pendant la réalisation du tunnel sous la Manche ont montré les difficultés, pour les gestionnaires, à respecter le délai et le budget prévisionnels...

Toutefois cette problématique ne concerne pas uniquement les domaines du bâtiment et des travaux publics mais également celui de l'industrie. En effet, si de nombreuses entreprises produisent en grande quantité des articles standard avec différentes variantes ou options, comme cela est le cas dans l'automobile ou l'électroménager, d'autres fabriquent, le plus souvent en petite quantité, un produit correspondant exactement aux exigences du client : on dit qu'elles travaillent à la *commande spécifique* ou par *affaire*.

Ce genre de production peut se comparer à celle d'un projet, au sens classique du terme, avec des objectifs identiques de délai et de coût.

Le modèle de gestion de projet que nous allons décrire s'applique aussi bien à un grand projet qu'à une commande industrielle spécifique.

Au niveau de l'entreprise, nombreuses sont les situations qui appellent une forme de gestion par projet car elles présentent les mêmes caractéristiques et requièrent le même type d'approche en matière de planification et de contrôle. On peut, en effet, citer la mise en place d'un progiciel, d'un plan Qualité ou le lancement d'un nouveau produit.

26/1   Les caractéristiques d'un projet

Un projet représente un mode de production et d'organisation bien spécifique. Il présente de nombreuses particularités que nous allons préciser :

1) La quantité produite est faible, souvent unitaire (une machine, un logiciel, un pont, etc.) mais, dans certains domaines, la fabrication peut concerner un petit nombre d'unités (navires, avions, etc.). Il correspond à une commande spécifique d'un client (interne ou externe). Par exemple, une commande d'Airbus par une compagnie aérienne se traduit par un type de moteurs particulier et un aménagement interne qui lui est propre. De ce fait l'arrêt de la commande, ou son refus en cours de réalisation, rend très difficile sa revente à d'autres clients. Son acceptation par le client est

naturellement liée à sa réalisation future et au bon fonctionnement du produit : on vend une réalité à venir et non un produit fini existant.

2) Un prix est négocié avec le client externe ou interne : le produit doit donc être conçu et fabriqué pour respecter un coût objectif. Le règlement par le client s'effectue de manière échelonnée (par exemple, pour une machine à conditionner, l'échéancier des paiements est le suivant : 20 % à la commande, 20 % lors des approvisionnements, 30 % au début de la fabrication, 20 % à la livraison sur site, 10 % à la mise en service). Une partie du coût comporte des dépenses régulières pour le fabricant (salaires, charges) liées à sa structure. Il peut en découler des difficultés de trésorerie pour l'entreprise.

3) Un délai de réalisation a été défini et son non-respect entraîne des pénalités de retard définies contractuellement ou sanctionnées par le marché (comme des ventes perdues dues au lancement tardif d'un nouveau produit).

4) Le projet est constitué d'un enchaînement complexe d'un grand nombre d'opérations (ou tâches élémentaires), exécutées en séquence ou en parallèle. Ces opérations sont fréquemment interdépendantes et sont liées par des contraintes d'antériorité techniques, c'est-à-dire que certaines tâches doivent être terminées pour que d'autres puissent commencer. Chaque opération a un début et une fin identifiables. Sa durée dépend, en partie au moins, des ressources qui lui sont affectées.

5) La plupart du temps, le projet utilise des ressources humaines et matérielles multiples et hétérogènes, fournies par des entreprises ou des services différents, et nécessite une organisation spécifique de gestion. Gérer un projet consiste à faire travailler ensemble des personnes de services et de sociétés différents avec un objectif commun de respect du délai et du coût. Le responsable du projet devra donc assurer la coordination ainsi que le suivi du délai et du budget.

La gestion de projet s'effectue autour de trois composants : la planification, la structure organisationnelle permettant de mener à bien le projet, le suivi et le contrôle des coûts et des délais.

26/2 Le processus de planification

La première étape du processus de planification consiste à définir un *plan directeur du projet* décrivant les objectifs, les clauses contractuelles, la nature de l'organisation à mettre en place (personnes, fonctions, rôles), la nature des informations à recueillir, la périodicité des réunions et, dans le cas de projets complexes, le découpage du projet en sous-projets.

Ce découpage s'effectue sous la forme d'un organigramme technique (WBS : *Work Breakdown Structure*) représentant les différents niveaux de décomposition permettant une planification et un contrôle. Un exemple est fourni par la figure 26-1 qui présente un tel découpage pour la fusée Ariane 4.

L'objectif de cette décomposition est de définir un niveau de sous-ensemble géré par un responsable, doté de ressources, d'un budget et d'un objectif de délai. Elle doit être explicite pour tous les participants et comprend :

– la décomposition du projet en plusieurs niveaux de sous-ensembles de plus en plus détaillés jusqu'à un niveau d'opérations ou de tâches élémentaires, qui doivent être suffisamment précises pour que l'on puisse en contrôler le déroulement,
– la recherche des relations d'antériorité nécessaires entre les tâches élémentaires,
– pour chaque tâche, l'affectation *a priori* des ressources humaines et matérielles, déterminant ainsi une capacité et induisant sa durée,
– enfin, l'analyse des diverses contraintes qui peuvent peser sur la planification de l'ensemble (par exemple, périodes où certaines opérations ne peuvent pas avoir lieu, limites maximales de disponibilité en effectifs par qualifications ou disponibilité d'équipements spéciaux).

Ce processus s'effectue à ce niveau de manière non détaillée et sera affiné au niveau de chacun des sous-projets précédemment définis.

Figure 26-1 – *WBS d'un lancement d'Ariane 4*

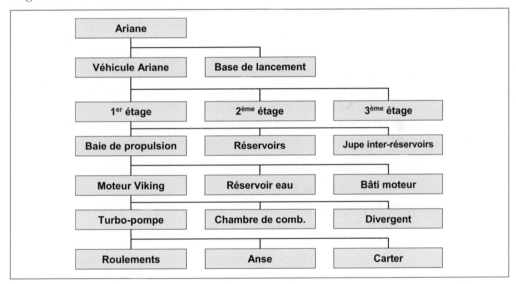

26/3   Les méthodes de gestion de projet

Sur un plan général, l'ordonnancement des projets relève de méthodes de planification par réseau. Celles-ci offrent la particularité de représenter graphiquement la structure d'un projet en montrant les différentes tâches et leurs relations respectives.

Auparavant, on utilisait les méthodes d'ordonnancement décrites dans le chapitre 19 (diagramme de Gantt), dont l'inconvénient est de ne pas faire apparaître les contraintes d'antériorité entre les tâches et de ne pas permettre d'identifier celles dont la durée conditionne la durée totale du projet, dénommées *tâches critiques*.

Il existe deux méthodes principales de planification par réseaux, toutes deux fondées sur l'exploitation du réseau des tâches qui composent le projet :
– la méthode CPM (*Critical Path Method*) développée à l'origine par Dupont de Nemours en 1958 pour la maintenance des usines,

– la méthode PERT (*Program Evaluation and Review Technique*), développée au même moment par la marine américaine pour la fabrication des missiles Polaris.

Ces méthodes ne se distinguent que par leurs représentations graphiques respectives : dans la méthode PERT, les tâches figurent sur les arcs du réseau et les relations d'antériorité entre tâches sont matérialisées par les nœuds alors que, dans la méthode CPM, les tâches sont sur les nœuds et les antériorités sont représentées par les arcs. Dans la suite de ce chapitre, les exemples seront traités uniquement par la méthode CPM. À cela deux raisons : cette méthode emploie une représentation graphique semblable à celle qu'utiliserait un non-spécialiste de façon pragmatique et elle évite d'avoir à créer des tâches fictives ; c'est aussi la méthode que les progiciels de planification de projet ont définitivement retenue. Notons que l'on emploie souvent le terme *PERT* pour désigner toute méthode de planification par réseau.

Une fois achevée la description générale du projet, et avant de réaliser l'ordonnancement initial, il est nécessaire de connaître pour chaque tâche sa nature exacte, d'évaluer les ressources nécessaires pour l'accomplir, et son délai de réalisation probable. Le coût de chaque tâche sera évalué comme la résultante de ces données.

Quand le graphe initial est tracé, on y trouve les tâches avec leurs dates de début et de fin, leurs durées et leurs enchaînements.

En particulier, on repère facilement celles qui constituent un chemin (il y en a au moins un) allant du début à la fin du projet et qui sont dites critiques. Ce terme implique que tout retard pris sur l'une des tâches critiques se répercute sur la durée totale du projet car elles ne disposent d'aucune marge.

Estimation de la durée des tâches

Souvent, le chef de projet se contente de demander au responsable de chaque tâche la durée moyenne qu'il prévoit compte tenu des ressources prévues, puis il prend cette valeur moyenne pour construire le graphe et rechercher la durée minimale du projet.

Si l'on veut connaître les risques de dépassement de la durée totale du projet et affiner les évaluations de durées, il est possible de raisonner de façon non déterministe, en considérant que la durée de chaque tâche est une variable aléatoire. On procède alors comme suit. On prend en compte trois estimations de durée pour chaque tâche :
– la durée la plus optimiste,
– la durée la plus probable,
– la durée la plus pessimiste.

Le résultat de la démarche aboutit à l'évaluation de la durée moyenne de tous les chemins du réseau avec la probabilité conjointe de réalisation. Toutefois, si certains logiciels offrent cette possibilité, ce n'est pas le cas général. Qui plus est, il peut être aussi intéressant de faire le raisonnement sur des données déterministes, quitte à renouveler le calcul pour diverses hypothèses de durée. La suite de ce chapitre traite exclusivement des durées déterministes.

26/4   La planification par la méthode CPM

Nous allons utiliser comme support pour notre exposé l'exemple d'un projet industriel : la société Bigmachine décide de réaliser une nouvelle machine qu'elle doit présenter au salon de la machine-outil en 2005 à Paris. Le projet est confié à un ingénieur chargé, en plus des études techniques, de coordonner le planning de réalisation. Il décide d'utiliser la méthode CPM pour accroître les chances de tenir les délais. La liste et l'enchaînement des différentes tâches sont donnés dans le tableau ci-dessous (fig. 26-2).

Figure 26-2 – *Tableau des tâches du projet Bigmachine*

Tâche	Description	Durées (jours)	Tâches antérieures
1	Réalisation du cahier des charges	20	-
2	Approvisionnement des pièces	15	1
3	Études mécaniques 1	25	1
4	Études de la motorisation	20	1
5	Assemblage de la maquette	10	2,4
6	Études mécaniques 2	70	3,5
7	Études mécaniques 3	30	3,5
8	Approvisionnement des matières	40	3,5
9	Usinage du bâti	20	7,8
10	Montage du bâti	20	9
11	Assemblage final	30	6,10
12	Réalisation des notices/brochures	15	6,10
13	Études de la programmation	25	6,10
14	Essais	10	11,12,13
15	Transport et installation	5	14

La planification de ce projet consiste à construire le graphe CPM, puis à calculer les dates au plus tôt et au plus tard de chaque tâche, de façon à déterminer les tâches critiques et à calculer la durée totale.

26/4.1   Tracé du réseau CPM

La figure 26-3 montre le graphe du projet Bigmachine. On voit que les tâches sont représentées par des cercles, ou nœuds, et que les flèches montrent les relations d'antériorité entre les tâches.

Le tracé du réseau doit être fait avec soin car il est la base de la méthode et explicite les relations d'antériorité. Il permet en particulier de s'assurer qu'il n'y a pas d'incompatibilités dans la succession des tâches (*boucles* qui révéleraient des erreurs dans l'identification des successeurs). En lui-même, le tracé du graphe clarifie donc pour le gestionnaire les données du problème à résoudre.

Figure 26-3 – *Réseau CPM du projet Bigmachine*

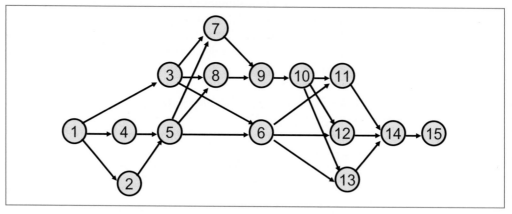

26/4.2   *Recherche du chemin critique et des marges*

Une succession de tâches qui s'enchaînent, telles que 1, 4, 5, 8, 6, 12, 14 et 15, est appelée un *chemin*. La durée minimale d'un chemin est la somme des durées de chacune des tâches.

Pour trouver le chemin critique, c'est-à-dire le chemin le plus long, nous devons prendre en compte les contraintes imposées par les antériorités techniques ou logiques. Pour chaque tâche, nous sommes donc amenés à calculer quatre dates :

- la date de début au plus tôt (DTO) : date la plus proche compatible avec les contraintes d'antériorité,
- la date de début au plus tard (DTA) : date la plus éloignée du début de la tâche qui n'allonge pas la durée totale du projet,
- la date de fin au plus tôt (FTO) : elle est égale à la DTO plus la durée de la tâche[1],
- la date de fin au plus tard (FTA) : date la plus tardive de fin de la tâche qui n'allonge pas le projet.

Calculer la durée du projet implique d'identifier le chemin le plus long. Il faut calculer les dates au plus tôt et les dates au plus tard de chacune des tâches : les tâches sans marge, c'est-à-dire dont les DTO sont égales aux DTA (et dont les FTO sont égales aux FTA), sont par définition *critiques*.

Pour calculer les dates au plus tôt, on part du début du graphe que nous posons par postulat *date 0* et l'on parcourt le réseau de tâche en tâche. La FTO d'une tâche est égale à sa DTO plus sa durée. Toutefois, quand une tâche a plusieurs prédécesseurs, sa DTO est égale à la FTO la plus tardive des FTO des prédécesseurs.

---

[1] Les progiciels de gestion de projet travaillent sur des calendriers qui sont généralement exprimés en jours. Dans ce cas, la FTO est égale à la DTO plus la durée –1. La DTA est égale à la FTA moins la durée +1.

Une fois évaluée la FTO du projet, donc de la (ou des) dernière(s) tâche(s), pour calculer les dates au plus tard, on part de la fin du projet en prenant pour FTA la FTO de la dernière tâche (ici la tâche 15, fin du projet). On soustrait de proche en proche la durée de chaque tâche à sa FTA pour trouver sa DTA. Dans cette étape, si une tâche a plusieurs successeurs, il faut prendre pour FTA la plus petite des DTA de tous ses successeurs immédiats.

Le tableau de la figure 26-4 présente le calcul des marges pour le projet Bigmachine. Il apparaît que le chemin critique est constitué des tâches 1, 4, 5, 8, 9, 10, 11, 14 et 15. Dans ces conditions, le projet doit durer 175 jours.

Figure 26-4 – *Dates et marges du projet Bigmachine*

	Libellés	Durées	DTO	FTO	FTA	DTA	Marges
1	Réalisation CdC	20	0	20	20	0	0
2	Approvt des pièces	15	20	35	40	25	5
3	Études mécaniques 1	25	20	45	50	25	5
4	Études motorisation	20	20	40	40	20	0
5	Assemblage maquette	10	40	50	50	40	0
6	Études mécaniques 2	70	50	120	130	60	10
7	Études mécaniques 3	30	50	80	90	60	10
8	Approvt des matières	40	50	90	90	50	0
9	Usinage du bâti	20	90	110	110	90	0
10	Montage du bâti	20	110	130	130	110	0
11	Assemblage final	30	130	160	160	130	0
12	Réalisation des notices	15	130	145	160	145	15
13	Études programmation	25	130	155	160	135	5
14	Essais	10	160	170	170	160	0
15	Transport-installation	5	170	175	175	170	0

Chemin critique

C'est le chemin qui relie les tâches ne disposant pas de marge (DTO = DTA). Un retard sur l'une quelconque de ces tâches affecte la durée totale du projet. Cette durée est la somme de la durée des tâches constituant le chemin critique. Notons qu'il peut exister plusieurs chemins critiques si plusieurs successions de tâches ont la même durée.

Différents types de marge

Dans le raisonnement ci-dessus, nous avons introduit un seul concept de *marge* (que l'on appelle aussi *battement*). En fait, pour une tâche donnée, deux types de marges existent : la marge totale et la marge libre.

La *marge totale* d'une tâche est le délai maximum que l'on peut ajouter à sa date de début (ou de fin) au plus tôt sans affecter la durée totale du projet. Ce concept est donc lié à l'existence d'un chemin non critique auquel cette tâche appartient.

La *marge libre* d'une tâche est le délai maximum que l'on peut ajouter à sa date de début (ou de fin) au plus tôt sans affecter la date de début au plus tôt de ses successeurs immédiats. De façon générale, pour une tâche, sa marge libre est toujours inférieure ou égale à sa marge totale.

Ces concepts sont essentiels puisque la bonne utilisation des marges représente la flexibilité dont dispose le chef du projet.

26/4.3   *Amélioration du projet et réduction du délai*

À ce stade, la durée et le coût global du projet résultent des choix d'allocation de ressources faits dans la phase initiale de conception par les divers intervenants. Il n'y a aucune raison que le délai et le coût obtenus dans la planification initiale correspondent à l'objectif.

C'est pourquoi il est souvent nécessaire de tenter d'améliorer la planification avant le lancement du projet. Cette étape consiste à envisager des réallocations de ressources, voire à ajouter des ressources supplémentaires, pour obtenir la réalisation du projet, soit dans un délai total plus court, soit à un coût moindre.

Échanges de ressources

Raccourcir la durée d'un projet implique d'agir en priorité sur la durée des tâches constituant le (ou les) chemin(s) critique(s).

La première approche consiste à procéder à un échange de ressources avec des tâches non critiques. Cela suppose qu'existent sur des chemins parallèles des tâches nécessitant les mêmes ressources (équipements interchangeables ou main-d'œuvre dans les mêmes qualifications ou corps de métiers).

Il est important de pouvoir trier les tâches par type de ressources pour faciliter cette analyse. Ce processus trouve sa limite lorsque les tâches non critiques, s'allongeant du fait du retrait de ressources, deviennent elles-mêmes critiques. Mais au total, on aura gagné sur le délai final à coût marginal nul.

Allocation supplémentaire de ressources

La deuxième solution consiste à affecter des ressources supplémentaires aux tâches critiques (heures supplémentaires, compléments d'effectifs, location ou achat de matériels, etc.).

Cette solution trouve sa limite dans la diminution éventuelle de productivité au-delà d'un certain seuil (par exemple, encombrement excessif sur un chantier de travaux publics). Par ailleurs, cette formule engendre toujours un coût supplémentaire.

Il faut alors s'assurer que le coût marginal induit est compensé par l'économie marginale réalisée du fait de la diminution de délai associée (*cash flow* additionnel résultant de l'introduction anticipée d'un nouveau produit sur le marché, diminution des pénalités encourues sur un chantier de bâtiment, etc.). Il se peut également que l'objectif de réduction de délai soit absolu (sous-entendu *quel que soit le coût*).

Restructuration du projet

La dernière solution consiste à remettre en cause certaines antériorités. Cela suppose de reprendre la démarche d'analyse avec certains services ou entreprises intervenantes pour s'assurer qu'ils ou elles n'ont pas pris des sécurités en imposant des antériorités injustifiées techniquement. Souvent, cela peut amener à revoir le découpage du projet, non pour des raisons techniques, mais purement à des fins de planification.

Exemple : prenons le cas d'un chantier du bâtiment où une tâche de *réalisation d'une chape en béton* (tâche B) ne peut commencer si l'ensemble des *fondations* n'est pas terminé (tâche A). À l'examen, si la taille du chantier le permet, il peut être concevable de découper le chantier en tronçons ou zones et de réaliser ces deux types de tâches de façon chevauchée. Ainsi la solution de départ (tâche B démarrant après la fin de tâche A en totalité) peut être remplacée par la solution nouvelle (tâches B1, B2 et B3 démarrant après les fins respectives de A1, A2 et A3). La figure 26-5 illustre cet aspect. C'est intéressant si, par exemple, A1 reste seul critique dans la nouvelle configuration alors qu'auparavant A l'était dans sa totalité.

Figure 26-5 – *Décomposition de tâches*

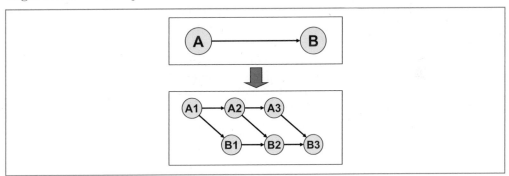

Dans l'exemple de Bigmachine, sur la base d'un démarrage du projet au 1er juin 2006 et du calendrier prévisionnel des jours ouvrés, le projet se termine le 22 février 2007. Or le salon ouvre le 9 février. Il y a donc lieu de gagner 10 jours ouvrables.

Dans cet exemple, à fin de simplification, aucune ressource en hommes ou matériels n'a été spécifiée sur le tableau descriptif des tâches. Cependant, si l'on regarde le planning de la figure 26-6 (plus explicite pour visualiser le déroulement parallèle de plusieurs chemins), il est clair que l'échange de ressources n'est pas une piste de raccourcissement de délai pour Bigmachine : les tâches parallèles ne concernent pas les mêmes services.

En revanche, il est possible de prévoir des heures supplémentaires en fabrication pour l'usinage et le montage du bâti, ainsi que pour l'assemblage final et les essais. Usinage et montage du bâti sont réalisés par des ouvriers qualifiés : les heures supplémentaires permettraient de réduire les durées de 15 % sous réserve d'un coût supplémentaire global de 16 800 €. Assemblage final et essais sont effectués par des monteurs : des heures supplémentaires permettraient d'économiser 10 % du délai à un coût additionnel cumulé de 25 000 €.

Figure 26-6 – *Planning initial du projet Bigmachine*[1]

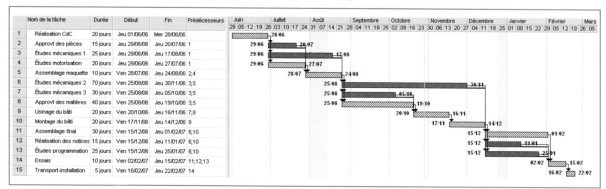

Par ailleurs, après réflexion, il apparaît que l'approvisionnement des matières pourrait être déclenché à la fin des études 1, sans attendre l'assemblage de la maquette. Pour « rentrer dans le délai » du 9 février au plus tard, il est impératif de tester d'abord la solution à coût marginal nul, soit la dernière possibilité.

La modification des données permet de gagner 5 jours au total, donc de terminer le 21 février 2005. Le nouveau chemin critique se compose des tâches 1, 3, 8, 9, 10, 11, 14 et 15. Les sept jours manquants doivent être trouvés dans l'allocation supplémentaire de ressources. Reprenons les propositions :

Tâches	Coût	Gain de délai
9	8 400	3 jours
10	8 400	3 jours
11	21 430	3 jours
14	3 570	1 jour

Le gain des 5 jours manquants doit être recherché sur les tâches 9 et 10 au coût théorique approché de 13 700 € (soit 16 800 x 5/6).

26/4.4   Représentation sous forme de diagramme de Gantt

Il peut arriver que les mêmes ressources limitées soient utilisées pour la réalisation de certaines tâches. La planification par réseau ne permet pas de visualiser la simultanéité des tâches. Par ailleurs, lorsqu'il s'agit, par exemple, d'un chantier du bâtiment, il n'est pas usuel pour les opérationnels de lire une planification sur un graphe de type réseau. C'est la raison pour laquelle on a coutume de présenter l'ordonnancement du projet sous la forme d'un diagramme de Gantt. La figure 26-6 illustre la planification du projet Bigmachine sous cette forme traditionnelle. Les tâches y ont été figurées calées au plus tôt. Les tâches critiques sont représentées

---

[1]   Ces graphiques proviennent du logiciel Microsoft Project.

hachurées. La figure 26-7 présente le planning modifié après réduction de durée de quatre tâches.

Figure 26-7 – *Planning modifié du projet Bigmachine*

	Nom de la tâche	Durée	Début	Fin	Prédécesseurs
1	Réalisation CdC	20 jours	Jeu 01/06/06	Mer 28/06/06	
2	Approvt des pièces	15 jours	Jeu 29/06/06	Jeu 20/07/06	1
3	Études mécaniques 1	25 jours	Jeu 29/06/06	Jeu 17/08/06	1
4	Études motorisation	20 jours	Jeu 29/06/06	Jeu 27/07/06	1
5	Assemblage maquette	10 jours	Ven 28/07/06	Jeu 24/08/06	2;4
6	Études mécaniques 2	70 jours	Ven 25/08/06	Jeu 30/11/06	3;5
7	Études mécaniques 3	30 jours	Ven 25/08/06	Jeu 05/10/06	3;5
8	Approvt des matières	40 jours	Ven 18/08/06	Jeu 12/10/06	3
9	Usinage du bâti	17 jours	Ven 13/10/06	Lun 06/11/06	7;8
10	Montage du bâti	17 jours	Mar 07/11/06	Mer 29/11/06	9
11	Assemblage final	30 jours	Ven 01/12/06	Jeu 18/01/07	6;10
12	Réalisation des notices	15 jours	Ven 01/12/06	Jeu 21/12/06	6;10
13	Études programmation	25 jours	Ven 01/12/06	Jeu 11/01/07	6;10
14	Essais	10 jours	Ven 19/01/07	Jeu 01/02/07	11;12;13
15	Transport-installation	5 jours	Ven 02/02/07	Jeu 08/02/07	14

26/4.5   Lissage de charge

Le profil de charge d'une ressource (effectifs dans une qualification par exemple) peut avoir la configuration de la figure 26-8. C'est généralement coûteux à cause des changements de niveaux (par exemple, incidence sur le transport des ouvriers sur chantier de travaux publics).

Si ces fluctuations correspondent à des tâches qui sont toutes critiques, l'absence de marge interdit tout glissement dans le temps, donc tout lissage des effectifs. En revanche, si certaines tâches non critiques subsistent, il est possible d'effectuer des *glissements* dans le temps de façon à lisser le profil de charge comme le montre la figure 26-8. Cette solution n'engendre pas d'économie de délai, mais elle permet de réduire le coût total.

Figure 26-8 – *Lissage de charge*

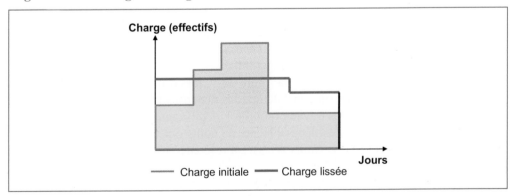

26/5   Le suivi et le contrôle du projet

Une fois le projet lancé, les incidents peuvent être nombreux et les écarts de durée et de coût sont inévitables. Le chef de projet est amené à faire des contrôles périodiques d'avancement et de dépenses de façon à remettre à jour le réseau si besoin. Un retard pris sur une tâche peut faire apparaître de nouvelles tâches critiques. Pour anticiper ces problèmes, on peut évaluer des probabilités de durée des tâches qui peuvent être prises en compte dans la planification.

Dans tous les cas, il reste indispensable de reprendre régulièrement la planification de la partie du projet restant à courir afin de l'optimiser comme un *nouveau* projet (sous réserve d'inclure les contraintes qui résultent de décisions antérieures).

Compte tenu des enjeux liés à un projet, le suivi et le contrôle de la réalisation des tâches doivent reposer sur des procédures strictes qui doivent être définies en début de projet conjointement au budget et à la planification prévisionnelle. C'est le cadre et l'objet des guides de procédures qui doivent intégrer les éléments suivants :
– les tâches et responsabilités respectives,
– les méthodes de contrôle des délais (périodicité et formes appropriées),
– les méthodes de suivi des coûts engagés,
– la périodicité et les formes des revues de projet de travail tout au long du déroulement.

En matière de délai, nous avons vu plus haut la façon de procéder pour réactualiser la planification du projet.

En matière de coût, trois informations sont nécessaires pour suivre le projet :
– le budget initial prévu par période : il s'agit de l'échéancier des dépenses de toutes natures directement déduites de la planification initiale,
– le montant effectivement dépensé,
– le montant qui aurait dû être dépensé étant donné le travail effectivement réalisé ou engagé ; c'est ce que l'on appelle la *valeur acquise* par le projet ; elle prend en compte les quantités réelles (approvisionnements, heures de main-d'œuvre) valorisées aux coûts standard initiaux.

On peut observer deux types d'écarts : un *retard de réalisation* provenant du dépassement de temps sur certaines opérations ou d'opérations non prévues qui s'avèrent nécessaires, un *dépassement de budget* provenant de coûts supérieurs aux coûts prévus dans le budget initial.

Comme le montre la figure 26-9, lors d'une revue de projet à une date donnée, dite *date actuelle*, on constate que les dépenses réalisées sont en deçà du budget à la suite d'un retard des travaux (courbe *Valeur acquise en date actuelle*).

De plus, des dépassements de coûts ont entraîné une augmentation par rapport au budget (courbe *Coûts réels*). La référence reste le budget initial prévu (courbe *Budget prévu*).

À partir de l'expérience acquise et de l'état constaté du projet, on peut faire une nouvelle projection de la suite de son déroulement en temps et en coûts, ce qui conduit à estimer le retard probable de fin de réalisation et à effectuer une révision du budget du projet. L'organigramme technique (WBS), avec valorisation de chacune des tâches, se révèle indispensable pour ce suivi. Le chef de projet doit ainsi gérer au mieux sa planification (maîtrise des délais, coordination des intervenants), tout en prenant en compte l'évaluation des coûts réels engagés (analyse des écarts sur coûts et délais).

Pour conclure, deux flux d'informations doivent coexister en gestion par projet : d'une part, un flux descendant comportant les consignes de planification et d'engagement de dépenses et, d'autre part, un flux ascendant essentiel pour le contrôle vers la cellule responsable du projet.

Figure 26-9 – *Suivi des écarts de réalisation*

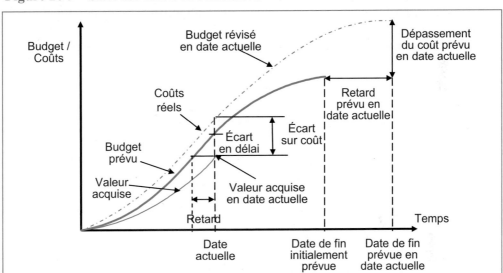

26/6 Une structure organisationnelle adaptée

Le découpage fonctionnel *vertical* qui régit habituellement les relations inter-services ne convient généralement pas à la gestion de projet ou est très insuffisant. Dans une telle structure, s'il existe un chef de projet, celui-ci n'a qu'un rôle de coordination sans pouvoir hiérarchique sur quiconque. Pour un projet de développement d'un nouveau produit où tous les services fonctionnels ou opérationnels interviennent (Planification, Études, Achats, Fabrication, Logistique), il n'y a pas de raison que chacun cherche de lui-même à optimiser la performance d'ensemble. La remarque est identique pour les grands projets dans des secteurs comme le Bâtiment ou les Travaux Publics où les intervenants sont des entités juridiques différentes.

Pour mieux maîtriser les délais et les coûts, les entreprises ont alors essayé de fonctionner selon une organisation de type *matricielle* structurée comme suit : des responsabilités verticales, les services ou les entreprises intervenantes et des responsabilités horizontales prises par des chefs de projets qui animent des structures de concertation constituées de représentants de chacune des responsabilités verticales. Mais très rapidement des problèmes liés à la double appartenance se sont posés : par exemple en période de surcharge de travail une personne doit-elle suivre son chef de projet ou son supérieur hiérarchique ? Devant les difficultés « d'obéir à deux chefs », les sociétés s'orientent maintenant vers des structures par projets composées d'intervenants sortis physiquement et institutionnellement de la division dans laquelle ils fonctionnent habituellement.

Cette *structure par projet* prend la forme d'une véritable *équipe-projet* placée sous la responsabilité d'un chef de projet aux pouvoirs étendus. Cette équipe comporte un représentant de tous les services concernés, auxquels peuvent se joindre, selon les phases et la nature des tâches à réaliser, des représentants des fournisseurs partenaires en charge de sous-ensembles que l'entreprise a décidé de sous-traiter (fig. 26-10).

Figure 26-10 – *Évolution des structures organisationnelles*

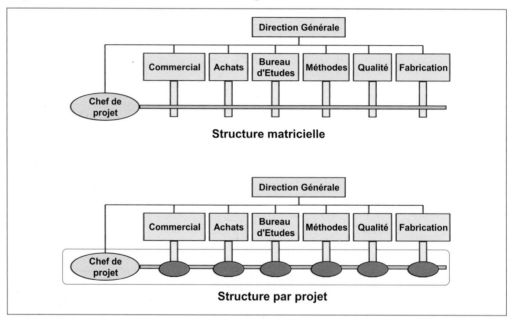

Ces personnes sont déléguées par leur propre service d'origine. Elles peuvent être amenées à faire appel périodiquement à lui pour telle étude approfondie. Cependant, elles sont décisionnaires, ont une disponibilité de plein temps sur le projet, et, à cette fin, sont détachées des activités routinières de leur fonction. Elles sont généralement regroupées sur un même lieu (dénommé « plateau » chez Renault) afin de simplifier, faciliter et accélérer les contacts. La Twingo a été le premier projet à être mené de cette façon[1].

Lorsque le projet se termine, les intervenants retournent dans leurs divisions respectives ou participent à de nouveaux projets. L'ensemble est coordonné par un chef de projet, responsable *in fine* du budget et du délai de développement, de l'ensemble des attributs du projet (dont le coût de revient final) et de l'animation de l'équipe vis-à-vis de la Direction générale.

[1] Le déroulement du projet Twingo est décrit dans l'ouvrage *L'auto qui n'existait pas* de Ch. Midler, InterEditions, 1993.

Chapitre 27

Conception et développement des nouveaux produits

Nous avons étudié dans les chapitres précédents les moyens et les méthodes qui peuvent être mis en œuvre par les entreprises industrielles ou de service pour utiliser le plus efficacement possible les ressources dont elles disposent. Ces méthodes – planification des opérations, Juste-à-temps, bonne utilisation des équipements, qualité totale, etc. – ont pour objectif la réduction des coûts de production.

Un gisement complémentaire d'amélioration des performances et de la compétitivité, qui apparaît aujourd'hui comme important du fait de la pression concurrentielle, concerne l'application des mêmes exigences de réduction de coût, de flexibilité et de réactivité au processus de *conception*, de *développement* et *d'industrialisation* des nouveaux produits.

27/1 L'origine des nouveaux produits

La conception des produits ne peut être isolée de l'approche choisie par l'entreprise en matière de politique d'innovation. De ce point de vue, il faut avoir une bonne compréhension du métier de base de l'entreprise et de ses implications techniques et commerciales, pour apprécier la façon dont elle mène son processus d'innovation. On doit ainsi distinguer les entreprises qui proposent des produits sur catalogue de celles qui travaillent sur cahier des charges de clients.

Fabrication sur catalogue

La vocation de l'entreprise consiste à offrir à ses clients une gamme de produits *standardisés sur catalogue, avec un nombre limité de variantes*. Les processus de conception ne sont pas en relation directe avec des besoins spécifiques exprimés par des clients individuels, mais résultent de choix de la Direction générale (variété des produits, politique de personnalisation, calendrier de renouvellement des lignes de produits, démarches marketing associées). Les marchés de produits de grande consommation (habillement, alimentaire, électroménager, automobile, autres biens d'équipement des ménages) en sont autant d'exemples.

La politique d'innovation implique alors des arbitrages entre rentabilité des futurs produits et attentes (supposées) des futurs clients. Le processus de conception est risqué car il est fondé sur des prévisions de réaction des clients face aux nouveaux produits. Certains produits réalisent les espoirs mis en eux, d'autres les dépassent (comme certains parfums qui trouvent des niches de marché inattendues) et, enfin, certains échouent complètement (comme on l'a vu dans un passé récent pour certains modèles de véhicules).

C'est pourquoi il est indispensable d'instituer un système d'*évaluation, de sélection et de définition des produits nouveaux*, par une démarche multicritère et une approche collective. En effet, les ressources de l'entreprise étant limitées, elle ne peut développer toutes les idées de nouveaux produits venant du marketing. Le plus souvent, la création d'un nouveau produit consiste plutôt à rechercher l'amélioration d'un produit existant. En cas de pure innovation, ce processus peut imposer l'utilisation de méthodes de créativité (*brainstorming*, synectique, analyses d'exploration matricielle, etc.).

Fabrication à la commande ou par affaire

Dans ce cas, l'entreprise réalise des produits ou des systèmes spécifiques à la demande d'un client. Elle n'a pas à proprement parler de catalogue de produits, mais sa vocation consiste à vendre des savoir-faire techniques fondés sur la maîtrise de technologies. Les produits ou solutions techniques vendus sont plutôt des applications de technologies maîtrisées et mises en œuvre, conjointement avec les clients, à partir d'un cahier des charges. Les fabricants d'équipements industriels ou les ensembliers des secteurs des automatismes industriels ou de l'électronique de défense relèvent de cette seconde catégorie. Dans ce cas, le risque de ne pas vendre le produit est absent.

La manière dont l'entreprise définit son métier va l'amener à orienter son processus d'innovation et de développement de façons différentes selon que la priorité est donnée au développement des technologies mises en œuvre ou à la conception des produits eux-mêmes.

Recherche et développement

L'entreprise peut avoir deux efforts parallèles à mener :
- La gestion et le développement de filières technologiques (éventuellement déconnectées d'un produit particulier) destinées à enrichir le savoir-faire de l'entreprise (fonction *recherche*) ; notons que certaines entreprises préfèrent acheter les technologies de base (brevets, licences) plutôt que d'investir dans des recherches sans applications immédiates.
- La conception et le développement de produits finis dans leurs configurations détaillées (fonction *développement*).

Les deux origines des nouveaux produits

On peut identifier deux approches qui conduisent à la création de nouveaux produits (fig. 27-1) :
– Soit l'entreprise pense en premier lieu *en termes de marchés-produits* et recherche des réponses à des besoins identifiables, plus ou moins aisément selon qu'ils sont explicites ou latents. On cherche alors les technologies nécessaires aux produits préalablement définis. Si on ne les maîtrise pas, on doit se préoccuper de les acquérir

auprès de fournisseurs ou de partenaires extérieurs. On peut dire que les nouveaux produits sont *tirés par le marché*. C'est le cas, par exemple, de la plupart des nouveaux produits alimentaires.

Figure 27-1 – *Les deux origines des nouveaux produits*

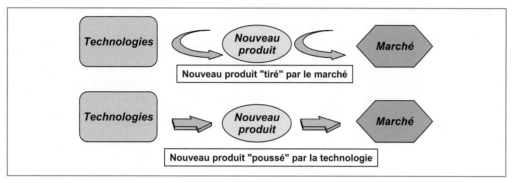

– Soit l'entreprise fonde sa stratégie sur la maîtrise de technologies. Dans ce cas, l'entreprise ne s'affirme pas comme spécialiste d'un secteur ou d'un marché, mais comme un *spécialiste de savoir-faire*. Ainsi, elle cherche à se doter d'un portefeuille technologique équilibré, comportant un corps de technologies de base et de technologies d'application, concernant les produits ou les processus. L'innovation peut être interne ou externe (par acquisition de technologies achetées ou acquises par fusion ou *joint-venture*). Il s'agit alors d'innovations technologiques qui vont donner naissance à des produits dans tous les marchés potentiels. On peut dire que les nouveaux produits sont *poussés par la technologie*. À titre d'illustration, on peut citer le cas des produits électroniques (CD, DVD, micro-ordinateurs…).

27/2   Les enjeux stratégiques

Pour les entreprises, les enjeux associés à la création de nouveaux produits sont considérables. En voici les raisons :

La constitution du coût de revient

Le coût de revient des produits dépend en premier lieu de la conception du produit lui-même ; c'est bien avant le début de la fabrication que les coûts d'achat et de production sont déterminés par les choix des fonctionnalités offertes aux clients, des matières et composants achetés et des procédés de fabrication. Cette prédétermination peut être illustrée par la figure 27-2, constat fait par un certain nombre d'entreprises industrielles de haute technologie.

Sur cette figure, on a représenté en abscisse les trois phases principales de développement d'un produit : conception, industrialisation et production (voir le détail de ces trois phases dans la section 3). L'axe vertical représente une échelle de coût exprimée en pourcentages.

La courbe supérieure illustre l'évolution de la part du coût de revient industriel *prévisionnel* global d'un produit, qui se trouve définitivement « figée » par les décisions prises pendant chaque phase du développement. Ainsi, on observe que 75 % du coût total futur d'un produit sont déterminés par les décisions techniques prises pendant la phase de conception. Ce pourcentage augmente jusqu'à 90 % si la mesure est faite en fin de phase d'industrialisation.

Figure 27-2 – *Incidences économiques des décisions selon le stade d'intervention*

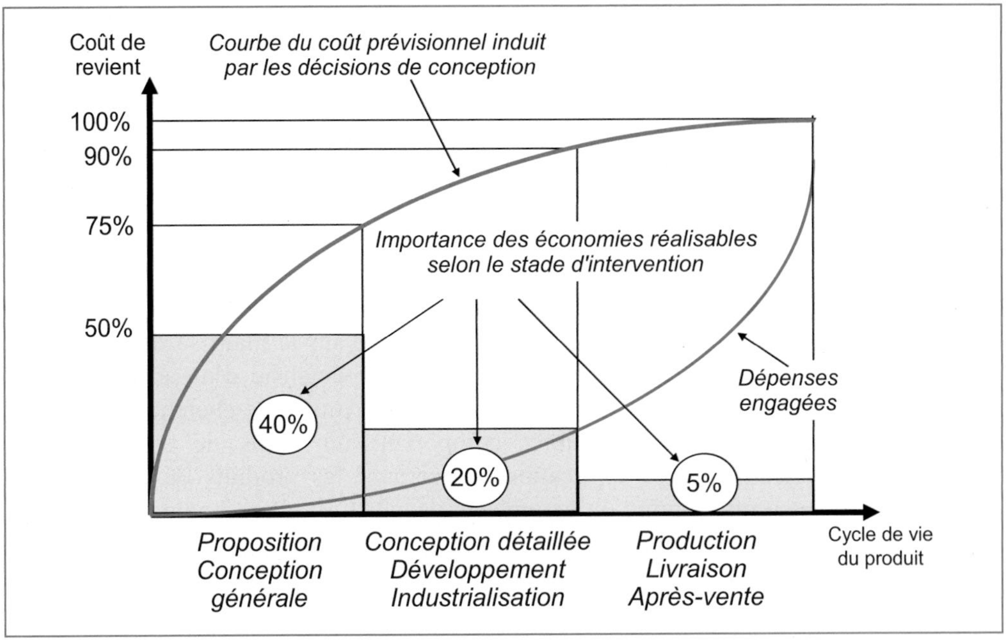

La courbe inférieure illustre l'évolution parallèle des dépenses *réellement engagées* par l'entreprise sur la même échelle de temps. Pendant les phases initiales du développement (où « tout se joue » sur le coût du produit à terme), l'entreprise dépense peu (moyens humains de haut niveau de compétence mais en nombre limité, systèmes d'information et de simulation, mais peu ou pas d'achats et pas encore d'investissements lourds de production).

Il y a donc un intérêt économique évident à se concentrer sur la recherche d'une optimisation du produit le plus en amont possible du processus, les potentialités de gains étant importantes et les coûts engagés faibles. Pour illustrer ce point, on a fait figurer trois pourcentages, donnant pour chaque phase principale, l'ordre de grandeur des gisements de compétitivité sur le produit.

Importance de délais courts de développement

Le développement des produits en un temps plus court permet l'accélération du taux de renouvellement des produits et donc une meilleure satisfaction des attentes de la clientèle. Par exemple, introduire sur le marché un nouveau produit 6 à 12 mois avant ses concurrents permet de prendre des parts de marché, et de créer une image de nouveauté en avance sur les compétiteurs. Le fait d'avoir des délais de développement plus longs que ceux de ses concurrents conduit à proposer ses produits sur le marché plus tard, ce qui a deux conséquences (fig. 27-3).

Figure 27-3 – *Courbes de vie de produit*

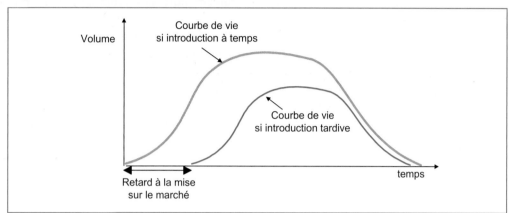

– D'une part, comme la date de fin de cycle de vie est déterminée par l'arrivée de nouveaux produits sur le marché, le fait de retarder leur date d'introduction ne change en rien la date de fin de vie ; la durée de vie totale sera donc plus courte.

– D'autre part, comme les concurrents ont le temps de prendre des parts de marchés sans rencontrer de résistance, les produits de l'entreprise se vendront moins bien du fait des positions acquises par les produits concurrents pendant leur début de vie et donc les volumes maximums atteints en phase de maturité seront plus faibles.

Il y aura donc une diminution des quantités totales vendues sur le cycle de vie du produit et donc le coût de revient des produits sera plus élevé (du fait d'un amortissement des frais de développement sur des quantités plus faibles).

Ces actions de réduction des délais peuvent donner des avantages compétitifs selon les situations concurrentielles :

– Si le marché ou le client individuel l'accepte, et sans modifier la date d'introduction d'un produit sur le marché, le délai supplémentaire pour la phase de conception peut être mis à profit pour optimiser le produit par l'étude d'un plus grand nombre de configurations techniques alternatives.

– L'aptitude d'une société à développer des produits optimisés dans des délais plus courts lui donne la possibilité de prendre une avance technologique sur son secteur et, éventuellement, d'imposer des standards. Cela peut imposer aux concurrents des technologies qu'ils ne maîtrisent pas bien.

– Par un raccourcissement des cycles de développement, l'entreprise se donne la possibilité d'accélérer la date d'introduction d'un produit nouveau sur le marché. Par rapport aux concurrents, l'entreprise peut, au terme d'un certain nombre de développements de produits successifs, être en avance d'une « génération technologique » et acquérir une position dominante sur le marché. Le secteur de l'automobile fournit plusieurs exemples de ce type (innovations en matière d'électronique et de niveaux d'équipements de sécurité ou de confort en particulier).

Les coûts de développement

Les coûts de développement sont dans une large mesure proportionnels aux temps de développement du fait de la part prépondérante de la « matière grise » dans le coût total. Les chefs d'entreprise doivent faire des arbitrages entre plusieurs solutions contradictoires (fig. 27-4) :

- soit prendre plus de temps pour développer ; le Bureau d'Études pourra créer des produits ayant de meilleures performances ; il pourra aussi optimiser le coût du produit mais les coûts de développement seront plus élevés,
- soit augmenter les ressources affectées à un projet et dépenser plus en développement ; cela permettra de créer des produits ayant de meilleures performances mais ces coûts se répercuteront sur les coûts de revient des produits.

Les coûts de développement des nouvelles technologies et des nouveaux produits croissent sans cesse. Créer un nouveau modèle de véhicule automobile coûte de l'ordre d'un milliard d'euros. Cela conduit beaucoup d'entreprises à s'orienter vers des stratégies d'alliances pour partager les coûts et les risques industriels.

Figure 27-4 – *Les éléments de la performance*

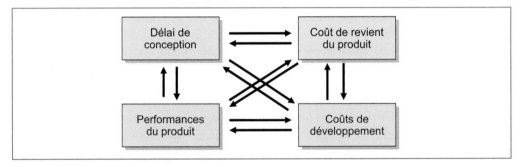

Le processus de conception des produits impose l'acquisition de nouvelles compétences individuelles et collectives ainsi que la maîtrise de nouveaux outils. Les fonctions concernées s'avèrent essentielles. Leurs efforts sont complémentaires des efforts accomplis en production. Ainsi, à partir du moment où, dans un secteur industriel, les concurrents ont déjà amélioré leurs performances de fabrication, la compétition change en partie de terrain. Le nouveau défi devient le suivant : être capable de piloter et de gérer des technologies avec efficacité et réactivité, et être en mesure d'introduire des innovations le plus rapidement possible en veillant à « développer bien du premier coup » des produits dont le coût de revient est bas et la qualité élevée.

27/3   Le processus de développement

La mise sur le marché d'un nouveau produit suppose de passer par plusieurs phases qui commencent avec l'idée du nouveau produit et s'achèvent à sa mise en fabrication, sa distribution et la mise en place d'un service après-vente.

27/3.1   *Description des phases de développement*

Les principales phases amenant à la mise sur le marché d'un nouveau produit sont les suivantes (fig. 27-5).

Figure 27-5 – *Phases de développement d'un nouveau produit*

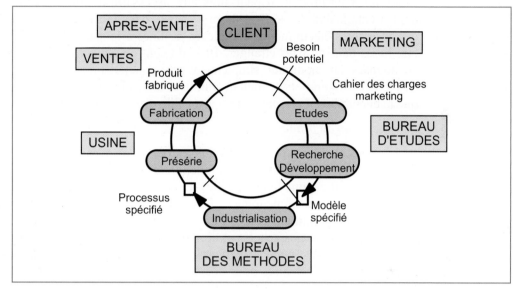

L'étude marketing

La première étape dans la conception d'un produit consiste à identifier les désirs des clients de la cible marketing et à recenser les technologies et composants existants ou qui existeront au moment où le produit sera lancé. C'est ce que l'on appelle le *marketing amont*.

Du point de vue des techniciens (Bureau d'Études, Services de Développement, Production), cette étape marketing est essentielle, car elle a pour objectif de bien identifier et traduire les besoins et attentes du client pour la conception technique du produit. Il s'agit de définir le produit au travers d'un certain nombre de fonctions, caractéristiques et attributs qui se traduisent dans :

1) le *Cahier des Charges Fonctionnel*, explicitant l'ensemble des fonctions à remplir par des spécifications précises et des performances attendues,

2) des estimations de volumes sur la durée de vie prévisible,

3) le *prix de vente objectif* qui permet de fixer un coût de revient industriel objectif, une fois déduite la marge attendue.

Il faut insister sur la nécessité, dans cette étape Marketing, de ne pas restreindre la marge de manœuvre des techniciens soit par la prise en compte de contraintes que le client n'aurait pas explicitement souhaitées, soit par des spécifications de performances supérieures au besoin réel. Cela conduirait à une « sur-qualité » que le client n'attend pas et qu'il n'est pas prêt à payer.

Cette démarche exige une méthode formelle d'identification des fonctions et de traduction de ces spécifications fonctionnelles en standards de qualité. Spécialistes du marketing et techniciens doivent progresser ensemble par ajustements progressifs.

Dans certains cas, le cahier des charges transmis par le client impose certaines spécifications coûteuses à réaliser, qui peuvent concerner des aspects ou attributs *secondaires* du produit. Il peut alors être nécessaire de lui suggérer des adaptations dont il bénéficiera sur le plan du prix. Ainsi, dans le cas d'une entreprise concevant des ensembles électroniques complexes destinés à la surveillance aérienne, et devant être livrés dans un pays étranger, 10 % du coût de revient d'un ensemble ont pu être économisés en modifiant simplement ses caractéristiques dimensionnelles, car la nouvelle configuration permettait d'utiliser une solution de transport standardisée, ce que le client n'avait pas perçu dans son cahier des charges initial.

La conception du produit

La conception détaillée du produit est de la responsabilité du Bureau d'Études. Celui-ci part du cahier des charges fonctionnel et le traduit en nomenclatures, plans de pièces et spécifications fonctionnelles. Pour vérifier que le produit correspond bien au cahier des charges fonctionnel, il réalise souvent un ou plusieurs *prototypes*. Parallèlement, on fait des études de coût de revient prévisionnel à partir des coûts des matières et composants achetés et d'estimations des coûts de fabrication. Souvent, les coûts prévisionnels étant supérieurs au coût objectif, les négociations avec le marketing sont nécessaires pour décider quelles fonctions doivent être abandonnées. La mise au point d'un nouveau produit peut ainsi nécessiter plusieurs allers-retours.

L'industrialisation

Lorsque le produit est spécifié, la liasse de plans et de spécifications est transmise au Bureau des Méthodes qui a en charge la définition du processus de fabrication. Il va décider sur quelles machines chaque pièce sera produite, s'il faut acquérir de nouveaux équipements, quels outillages il faut concevoir, etc. L'aboutissement de son travail est un ensemble de gammes de fabrication qui sont mises au point sur des *préséries*. Il arrive fréquemment que les pièces conçues par le Bureau d'Études soient difficiles à fabriquer ou que leur qualité soit difficile à assurer. Le Bureau des Méthodes doit alors demander des modifications de conception. À ce stade, il peut faire une estimation plus précise du coût de fabrication prévisionnel.

La fabrication

Lorsque le processus est spécifié, la fabrication peut commencer. On assiste alors à une montée en cadence progressive au fur et à mesure de la mise au point des modes opératoires, de l'expérience acquise par les opérateurs et de la résolution des multiples problèmes qui ne manquent pas d'apparaître sur une nouvelle fabrication. Cette montée en cadence peut prendre de quelques jours à plusieurs semaines ou plusieurs mois. Comme nous l'avons montré dans le chapitre 3, la fabrication suit une courbe d'apprentissage qui traduit l'expérience acquise. Progresser vite sur la courbe d'expérience devient un enjeu majeur du fait de la multiplication des lancements de nouveaux produits et de la réduction de leurs durées de vie.

La distribution et l'après-vente

Le lancement en fabrication doit être accompagné par le lancement commercial ainsi que par la mise en place de la distribution et de la maintenance après-vente. Il faut créer une documentation technique, former le réseau de réparateurs et mettre à sa disposition les pièces de rechange nécessaires.

27/3.2 La formalisation du processus

Tout projet de développement doit être organisé en phases, elles-mêmes décomposées en étapes plus détaillées, de façon à ce que le processus soit planifié et suivi efficacement par l'entité de pilotage (chef ou directeur de projet). Un développement de nouveau produit peut durer entre 1 an (nouvelle collection de prêt-à-porter en confection), 3 à 4 ans (nouveau véhicule automobile) et de 5 à 10 ans (grand projet d'équipement énergétique ou de défense).

Ces étapes doivent être séparées de façon formelle par des *revues de projet*, qui constituent autant de « jalons » permettant de valider les opérations d'une étape avant de passer à la suivante. Leur nombre et leur appellation dépendent beaucoup des entreprises, métiers et secteurs industriels concernés.

Les étapes du processus et les revues de projet jalonnant ce processus doivent faire l'objet d'une description précise dans le Manuel Qualité de l'entreprise. C'est un des éléments du système d'assurance-qualité exigé par la norme ISO 9001. On peut ainsi identifier les étapes successives présentées sur le tableau de la figure 27-6 avec leurs contenus respectifs. Il ne présente que les tâches essentielles. Précisons simplement que ce qui est dénommé « remontée d'expérience » dans la phase dite « de série » est primordial. Il s'agit, en effet, de faire remonter vers les concepteurs et l'équipe projet toutes les difficultés de fabrication, d'approvisionnement ou d'utilisation qui peuvent être rencontrées en interne ou chez le client. Celles-ci peuvent amener des ajustements différés malgré toutes les précautions prises dans les étapes de développement.

Les revues de projet constituent des moments essentiels de validation. Dans toutes les entreprises de pointe, on admet qu'elles constituent des passages obligés où il est possible de bloquer le processus d'ensemble si tous les éléments ne sont pas réunis pour garantir la sécurité et la fiabilité de l'ensemble du processus de développement.

27/3.3 L'accélération du processus de développement

Nous avons décrit le processus traditionnel que l'on peut qualifier de *séquentiel* donc générateur de délai global. Bien souvent, il suppose des retours en arrière pour négocier et mettre au point des solutions viables qui constituent un compromis entre les souhaits d'un stade et les possibilités du stade suivant.

Ce processus séquentiel est souvent trop long par rapport aux exigences du marché. Nous avons montré l'importance stratégique de délais de développement courts. C'est pourquoi, le processus traditionnel doit être révisé pour passer à un processus plus dynamique et plus rapide. Celui-ci consiste, comme pour réduire un cycle de fabrication, à effectuer un chevauchement entre les phases successives : un stade

648   Le management de la *supply chain*

commence à travailler sur le projet avant que le stade précédent ait finalisé son travail comme le montre la figure 27-6.

Figure 27-6 – *Tableau descriptif des phases d'un processus de développement d'un produit nouveau*

Phases	Opérations principales
Étude fonctionnelle préalable	Cahier des charges fonctionnel détaillé Évaluation du Coût Objectif Pré-étude de faisabilité technique (Conception générale du produit) Rédaction des spécifications techniques Coût de revient prévisionnel (ou devis)
	Revue de projet
Conception détaillée (produit)	Définition détaillée du produit (découpage par fonctions/sous-ensembles) (validation du coût objectif) Décisions « Faire ou faire faire » (montage des partenariats) Prototypage, essais et tests Qualification fonctionnelle détaillée (simulations, optimisation du produit)
	Revue de projet
Industrialisation (processus)	Choix des modes opératoires Choix des équipements de production Conception/réalisation des outillages Homologation finale du processus Sélection définitive des fournisseurs (mise au point avec les fournisseurs)
	Revue de projet
Présérie (facultatif)	Montée en cadence en production Répétition en conditions industrielles
	Revue de projet
Série	Démarrage de la production Production en conditions opérationnelles Après-vente (maintenance) Remontée d'expérience

Ainsi, on tend de plus en plus à mener certaines tâches parallèlement pour accélérer le processus propre à chaque étape (sans toutefois déroger au principe des revues de projet intermédiaires entre étapes elles-mêmes, sous la responsabilité du chef de projet ou du service Qualité). On parle à ce sujet d'« ingénierie simultanée », traduction de *concurrent engineering*, signifiant qu'on cherche à mener un processus où les opérations d'études et de développement s'organisent de façon chevauchée et non pas séquentielle (fig. 27-7).

Figure 27-7 – *Processus de développement chevauché*

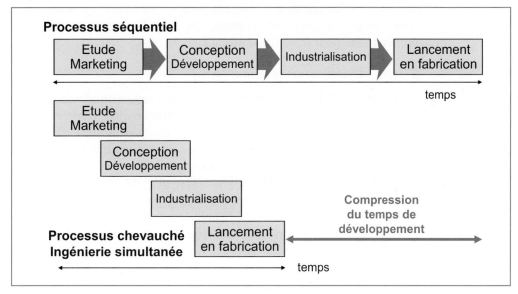

Cette organisation du développement suppose de briser les cloisonnements traditionnels entre les divers services de l'entreprise pour favoriser la coopération et parvenir rapidement à des solutions satisfaisantes pour toute l'entreprise. Cela se traduit par la mise en place d'une équipe projet constituée de responsables détachés à temps plein de leurs services d'origine et de nouveaux modes de fonctionnement fondés sur la gestion par projet.

La maîtrise des délais est, par ailleurs, facilitée par l'utilisation de méthodes de planification scrupuleusement utilisées, comme le *PERT* ou le *CPM*, et plus généralement les méthodes de gestion de projets, placées sous la responsabilité du chef de projet. Nous les décrirons dans le chapitre suivant.

27/4   Les méthodes de conception

Il est difficile de décrire les méthodes de conception technique du fait de leur diversité. Nous citerons cependant l'usage de la CAO qui permet de décrire virtuellement les produits et, également, de les tester fonctionnellement sans avoir à fabriquer de prototype. Elle a engendré des gains importants sur les coûts de développement.

Cette section sera consacrée à trois méthodes à vocation générale qui permettent de guider la recherche du meilleur compromis entre fonctionnalités et coût du produit. Elles partent des besoins du consommateur et tentent de trouver les solutions techniques qui vont permettre de les satisfaire au moindre coût.

La première, l'*Analyse de la Valeur*, est d'usage très général et peut être utilisée aussi bien lors de la phase de conception d'un nouveau produit que pour réduire le coût de revient de produits existants. Elle peut concerner le produit dans sa globalité comme un sous-ensemble voire une pièce particulière.

La deuxième, *Quality Function Deployment*, permet de passer de façon méthodique des attentes des clients aux moyens pour les satisfaire. La troisième, la *Conception à coût objectif*, a pour but, comme son nom l'indique, de respecter un coût cible prédéterminé pour le nouveau produit.

27/4.1   *L'analyse de la valeur (A.V.)*

L'analyse de la valeur se présente comme une méthode de réduction des coûts des produits. À la différence des approches précédemment retenues depuis Taylor, qui se focalisaient sur le coût des pièces qui les composent ainsi que sur les opérations de fabrication, l'A.V. s'intéresse aux *coûts des fonctions* que le produit doit satisfaire.

Développée en 1947 par L. D. Miles, acheteur chez General Electric, en vue de réduire le coût des composants achetés, elle fut rapidement adoptée par tous les fournisseurs de matériel militaire, puis par tous les grands groupes industriels. Son domaine d'utilisation s'élargit à la conception de nouveaux produits puis aux services. Elle est actuellement appliquée de façon courante dans un grand nombre d'entreprises. Initialement utilisée pour réduire les coûts des fonctions d'usage des produits existants, le champ d'application de cette méthode s'est élargi à la conception de nouveaux produits et à la prise en compte d'autres fonctions d'estime. L'analyse de la valeur repose sur trois notions : les fonctions, la valeur et le coût du produit (ou service).

Les fonctions

L'achat d'un produit est lié aux services que celui-ci va rendre et de la satisfaction que sa possession va procurer. Pour cela il faut qu'il corresponde à un besoin du consommateur et qu'il remplisse plusieurs fonctions. La première étape de l'A.V. va donc consister à identifier celles-ci.

Ces fonctions sont de natures diverses ; par exemple, pour un stylo : bien écrire, être facile à tenir dans la main ou avoir une esthétique agréable. L'une d'entre elles correspond à la fonction principale : un stylo est fait pour écrire et un briquet pour donner du feu. Les autres sont secondaires.

On peut également retenir une classification fondée sur l'utilisation du produit (on parlera dans ce cas de *fonction d'usage*) et sur les autres raisons qui peuvent motiver l'achat, comme l'esthétique ou la mode (on parlera alors de *fonction d'estime*).

La valeur

Pour remplir une fonction, on peut toujours trouver plusieurs solutions dont on sait déterminer le coût. Le coût obtenu le plus faible correspond à la valeur de cette fonction. En procédant ainsi pour chaque fonction et en les cumulant, on obtient la valeur du produit. La valeur est donc égale à la somme des coûts des solutions mises en place pour que le produit puisse remplir toutes ses fonctions. L'objectif de l'analyse de la valeur est de fournir la performance demandée au coût le plus faible possible. Une autre solution consisterait à augmenter la valeur en maintenant le coût mais, dans ce cas, les caractéristiques du produit risquent de dépasser le besoin du client.

Les coûts

Les coûts retenus concernent la totalité des opérations nécessaires à son approvisionnement (prix, transport, droits de douanes, etc.) s'il s'agit de produits achetés, ou à sa fabrication (conception, prototype, essais, outillages, présérie et industrialisation) en cas de production interne.

Les étapes d'une étude d'A.V.

L'étude d'A.V. exige un travail d'équipe. Celle-ci est constituée par les représentants des différents services intervenant dans la conception du produit (Bureau d'Études, Bureau des Méthodes, Achats, Production, Commercial). L'animation de ce groupe sera confiée à un spécialiste de l'analyse de la valeur.

Une telle étude nécessite sept phases :

1) Délimitation du champ : cette phase consiste à préciser les caractéristiques du produit à analyser : positionnement, prix de vente, quantités, coût de revient objectif, etc. Le groupe doit être capable, à la fin de cette étape, de juger de la rentabilité attendue de l'étude.

2) Recherche de l'information : le groupe rassemble toute la documentation nécessaire tant technique que commerciale ou économique concernant le produit, son marché, la concurrence, les fournisseurs, etc.

3) Analyse des fonctions et des coûts : on recherche les différentes fonctions à satisfaire et on les valorise. Tout d'abord, il faut définir les fonctions essentielles du produit, ensuite déterminer leurs coûts. Pour ce faire, on peut utiliser des *check-lists* de questions (fig. 27-8) pour passer en revue un très grand nombre de cas possibles.

Figure 27-8 – *Exemples de questions que l'on se pose dans une Analyse de la Valeur à propos d'une pièce*

- À quoi sert-elle ?
- Peut-elle être éliminée ?
- Contribue-t-elle à la valeur du produit ?
- Son coût est-il en proportion de son utilité ?
- Pourrait-on la remplacer par une pièce standard ?
- Est-elle surdimensionnée ?
- Peut-on réduire son poids ?
- Effectue-t-on des opérations d'usinage inutiles ?
- Les tolérances ne sont-elles pas trop étroites ?
- Ne demande-t-on pas de sur-qualité ?
- Peut-on utiliser un autre matériau ?
- Comment font les concurrents ?

On peut également raisonner intuitivement en observant le produit et ses composants ainsi que ses relations avec l'environnement. Une fonction se définit alors comme une relation entre le produit et son environnement d'utilisation : la main, l'œil, l'atmosphère, le papier, d'où les fonctions de préhension, d'esthétique, de séchage de l'encre. Si le produit est très technique, un cahier des charges fonctionnel a déjà été rédigé par le client. Le calcul des coûts doit s'effectuer par fonction et non par ensemble, sous-ensemble ou composé : on retiendra donc toutes les pièces qui permettent de réaliser celle-ci.

Ensuite, ces fonctions sont classées par ordre d'importance décroissante. À ce niveau de l'étude on s'aperçoit souvent que le classement des fonctions selon leur importance décroissante et le classement de celles-ci selon les coûts décroissants ne coïncident pas : on dépense trop sur des fonctions peu importantes et beaucoup sur des fonctions secondaires.

4) Recherche de solutions nouvelles : cette étape correspond à une intense période de créativité. Elle consiste, en effet, à trouver de nouvelles idées ou solutions correspondant aux fonctions précédemment définies. Là aussi, différentes méthodes sont possibles : *brainstorming* ou utilisation de listes pré-établies, pouvant contenir plusieurs milliers de questions.

5) Étude et évaluation : les nouvelles solutions font l'objet d'études plus approfondies et leurs coûts sont calculés.

6) Propositions : des propositions peuvent être faites en fonction des coûts mais aussi de l'opinion des commerciaux.

7) Décision : le groupe retient une solution et décide de sa mise en place.

27/4.2   Le Quality Function Deployment *(QFD)*

Plus récente que l'analyse de la valeur, la méthode QFD a fait son apparition au Japon dans le secteur de la construction navale dans les années 1984-86. Quelques années plus tard, elle apparaît aux États-Unis à la NASA où elle fait l'objet de publications.

Méthode de travail de groupe utilisée dans les phases de conception et fabrication de nouveaux produits, elle vise à permettre à des personnes de secteurs très différents, comme le Marketing, la Production, le Bureau d'Études ou encore le Design, d'analyser les attentes des clients et de proposer des réponses.

Le QFD se présente sous la forme de sept blocs que l'on appelle la *maison de la qualité* (fig. 27-9).

1) Les attentes du client (Quoi ?)

On indique dans chaque ligne ce que veut le client ou ce que l'on a compris de ses attentes. Dans le cas d'un produit très technique, cela correspond au cahier des charges. Par exemple, pour une portière de voiture, on pourra retenir la facilité de fermeture, la facilité d'ouverture, le maintien en position ouverte, l'étanchéité, l'isolation phonique, etc. Ces attentes peuvent être affectées d'une pondération qui traduit l'importance qu'attache le client à chacune de ces qualités.

2) Les éléments de l'offre de l'entreprise (Comment ?)

Dans chaque colonne on précise comment l'entreprise peut répondre à chaque attente du client, ou comment elle devrait le faire. Dans notre exemple, on noterait l'effort nécessaire pour fermer et pour ouvrir la portière, la résistance de la charnière, la mesure de l'étanchéité et de la transmission du bruit, etc.

Figure 27-9 – *La structure QFD*

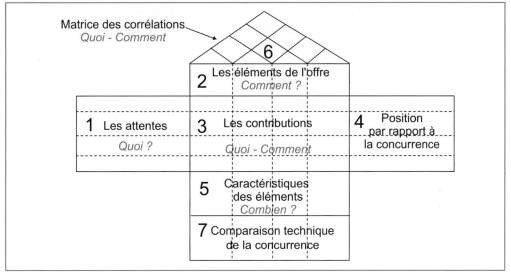

3) Les contributions

Dans la matrice centrale, on note les relations entre les attentes et les offres (ou les *Comment* avec les *Quoi*). On utilise pour ce faire des sigles normalisés : deux cercles concentriques pour une forte corrélation positive, un cercle pour une corrélation positive, un triangle pour une faible corrélation, une croix pour une corrélation négative et une double croix pour une forte corrélation négative. S'il y a au moins un cercle dans l'une des cases, cela signifie que l'entreprise a une réponse à proposer, sinon cela prouve qu'elle ne sait pas actuellement comment répondre à la demande du client. La matrice correspondant à notre exemple se présenterait, partiellement, comme suit (fig. 27-10) :

Figure 27-10 – *La matrice des contributions*

	Effort pour fermer	Effort pour ouvrir	Résistance de la charnière	Étanchéité	Transmission du bruit
Facilité de fermeture	O		X		
Facilité d'ouverture	O	O	X		
Maintien en position ouverte	X		O		
Étanchéité				O	
Isolation phonique					O

Précisons que, pour des produits complexes comme l'automobile, la matrice complète des relations atteint des dimensions très importantes (de l'ordre de 400 à 450 lignes) et que le QFD est un outil extrêmement lourd à utiliser dans ce contexte.

4) Positionnement par rapport à la concurrence

On positionne les concurrents (notés A, B, C...) et l'offre de l'entreprise (notée X) selon les performances obtenues pour chaque attente client, selon une notation de 1 (moins bien) à 5 (mieux) (fig. 27-11).

Figure 27-11 – *Comparaison des performances des concurrents*

Attentes des clients	Évaluation des concurrents				
	1	2	3	4	5
Facilité de fermeture		AX	B		C
Facilité d'ouverture			A	BX	C
Maintien en position ouverte		C	BX	A	
Étanchéité	B		C	A	X
Isolation phonique		AX	B	C	

5) La mesure des réponses de l'entreprise

Le bloc *Combien* contiendra les mesures scientifiques et techniques correspondant aux réponses ; par exemple, dans l'automobile, une attente de fermeture aisée de porte se traduira par un effort très faible mesuré en kg-m.

6) Les relations

Le « toit » du schéma concerne les aspects techniques et précise les *relations entre les différentes réponses*. Par exemple, Effort de fermeture et Étanchéité de la portière sont corrélés positivement (fig. 27-12).

Figure 27-12 – *Les relations entre les réponses*

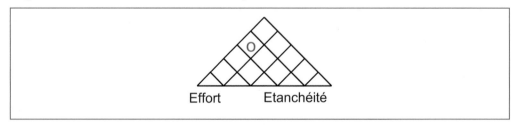

7) Comparaison technique des solutions des concurrents

On peut ajouter en bas du schéma une comparaison technique des performances de la concurrence pour chacune des réponses ou *Comment*. Celle-ci se présente sous une forme identique à celle des réponses de la concurrence aux attentes des clients (fig. 27-13).

Pour améliorer la performance et la rapidité de la méthode, on hiérarchise les différentes attentes par un système de cotation. Cela s'effectue avec le Marketing, le Commercial et la Direction générale. On se focalise alors sur les cinq attentes les plus importantes, qui représentent ce que l'on nomme la « percée qualité ». L'argumentation commerciale ultérieure sera fondée sur ces points et pratiquement uniquement sur ceux-ci.

Figure 27-13 – *Appréciation technique des concurrents*

Échelle	Effort pour fermer	Effort pour ouvrir	Résistance de la charnière	Étanchéité	Transmission du bruit
5		X	B		A
4	C		A	BX	BC
3		BC	X	A	
2	AB		C		X
1	X	A		C	

Une fois cette première matrice remplie, on passe aux phases de déploiement. Le *Comment* de celle-ci va devenir le *Quoi* de la matrice suivante, destinée, par exemple au Bureau d'Études. Celui-ci procédera de même que dans l'étape précédente et transmettra ses résultats aux Méthodes, qui définira également une matrice dont la résultante sera fournie à la Production (fig. 27-14).

Figure 27-14 – *La cascade des Comment-Quoi*

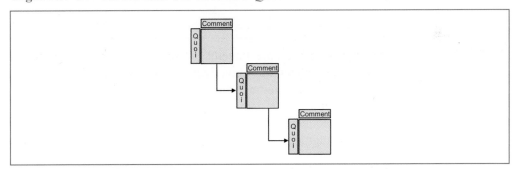

Le *Quality Function Deployment* est une méthode puissante mais lourde à utiliser si l'on veut systématiser la procédure et aller jusqu'au bout de la démarche. En revanche, si l'on s'éloigne de la norme et si on l'allège, elle devient très efficace.

La seconde phase de la méthode (le déploiement) se pratique de manière séquentielle. À l'heure du développement en parallèle et du *concurrent engineering*, cette approche peut surprendre. Il est vrai que, malgré son appellation de déploiement, tout se joue principalement lors de la constitution de la première matrice.

27/4.3 La Conception à Coût Objectif

La Conception à Coût Objectif appelée CCO (traduction du concept anglo-saxon de *Design-To-Cost*) est une démarche générale visant à piloter la conception des produits. L'idée consiste à fixer préalablement un coût cible ou coût « objectif », puis à procéder par simulation systématique de toutes solutions techniques, testées selon le critère principal du coût de revient induit de façon à retenir ou non telle solution.

On parle de coût « objectif » car il est évalué à partir d'un objectif de prix de vente et de marge brute puis éclaté selon les sous-ensembles du produit. Ce coût devient un impératif pour tous les intervenants y compris les fournisseurs, associés à la démarche. Il prend souvent valeur de contrat entre les services internes et avec les partenaires externes.

Le concept de coût évoqué ici est le coût de revient *prévisionnel* du produit, dans les conditions industrielles stabilisées, voire d'utilisation finale par le client. Pour permettre une prise de décision au niveau de chaque sous-ensemble, ou de chaque fonction du produit, le coût prévisionnel global doit être éclaté, selon l'éclatement fonctionnel de la nomenclature du produit ou du système global, en autant de coûts objectifs élémentaires (fig. 27-15).

Figure 27-15 – *Éclatement du coût objectif*

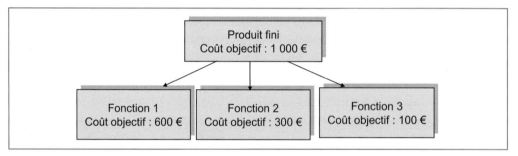

Cette approche présente l'avantage commercial de sécuriser le client. Elle offre l'avantage, au niveau du fonctionnement de l'entreprise, d'engager tous les intervenants dans un système formel de relations clients-fournisseurs.

Par le coût objectif, la démarche évite les dérapages et dépassements ultérieurs de budgets ; elle bloque les tentatives de dépassements de performances se traduisant à terme par une augmentation du coût sans augmentation relative de la valeur reconnue par le client.

L'inconvénient souvent cité porte sur le fait de ne pas motiver l'intervenant à rechercher une amélioration du produit *au-delà* du seuil défini lors de la fixation du coût objectif. Face à cet argument réaliste, il importe de trouver des facteurs de motivation pour s'assurer que tout progrès ultérieur est bien apporté en contribution au projet : par exemple, définition de plans de progrès formellement passés avec les fournisseurs incluant une rétrocession partielle de l'économie obtenue.

La fixation du coût objectif est un point crucial et délicat puisque la démarche est mise en œuvre dans les phases de *conception initiale*. Les marges d'erreurs peuvent être importantes. Cela étant, l'intérêt majeur consiste à décider du produit et du coût alors que *peu de dépenses réelles sont encore engagées* (cf. fig. 27-2).

Le processus débute nécessairement par une analyse fonctionnelle stricte du produit ou du système, en vue de l'optimiser (simplifier). Les méthodes classiques comme l'Analyse de la Valeur doivent être utilisées à cette fin. Il est nécessaire que le cahier des charges fonctionnel ait été préalablement bien défini pour être en phase avec les besoins du client, sans manque de fonctions attendues, mais sans sur-qualité.

Ensuite le coût objectif peut être évalué selon deux approches principales, comme le présente la figure 27-16.

L'approche qualifiée de « marketing » est assez simple puisqu'elle consiste à identifier un prix de marché pour en déduire une première valeur du coût global en fonction de la contribution recherchée. Cette information servira ensuite de référence pour équilibrer l'évaluation analytique.

Figure 27-16 – *Méthodes de détermination du coût objectif*

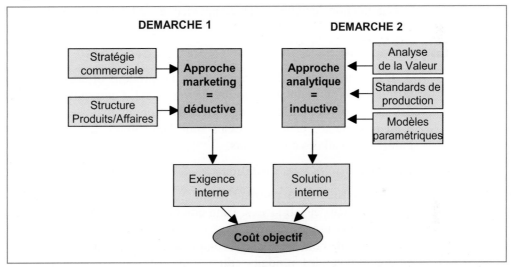

Cette dernière consiste à reconstituer les différents éléments de coûts (calqués sur la structure du produit ou du système) à partir de simulations réalisées par utilisation d'une *base de données* incluant des « standards de production » (données internes de production, aussi bien que coûts d'achats provenant de l'analyse des marchés fournisseurs).

Il n'y a pas de règles précises pour constituer des bases de données internes et externes de qualité. Elles dépendent :

– de la bonne structuration des nomenclatures des produits selon un découpage fonctionnel en correspondance exacte avec les technologies et le réseau des fournisseurs potentiels,

– de la qualité de l'historique disponible permettant des extrapolations (standard comme des taux horaires, des temps main-d'œuvre, des cadences machines réalistes, des coûts d'approvisionnement standard).

Cette méthode suppose, en complément, l'utilisation de progiciels très semblables aux logiciels d'élaboration de devis (exemple du logiciel PRICE utilisé par les *systémiers* en électronique, avionique et domaine spatial).

À ce niveau, la qualité de l'information comptable analytique et budgétaire est de toute première importance. Cette qualité s'analyse selon deux dimensions :

– *dans l'espace*, toutes les données utiles provenant des Achats (donc des fournisseurs), de la Production et de la Logistique doivent être réunies dans une base unique et cohérente ; en particulier, ces données doivent être accessibles par tout décideur (même si elles restent décentralisées dans des systèmes d'information propres à des fonctions différentes),

– *dans le temps*, ces standards et coûts élémentaires doivent être projetés sur un horizon lointain et fréquemment remis à jour.

La CCO a comme aboutissement logique l'optimisation économique du produit. Cela étant, dans la pire des hypothèses, elle permet d'abandonner le produit à temps, si sa faisabilité technico-économique n'est pas démontrée et ainsi d'éviter l'accumulation de coûts de développement et de lancement inutiles.

27/5 La conception et la structuration des produits

Dans une situation concurrentielle où les produits offerts doivent être nombreux et différenciés (au moins sous forme de variantes), l'entreprise est conduite à fabriquer des séries courtes, parfois au détriment de la productivité si la conception des produits n'est pas adaptée et les processus sont trop rigides. Les principes suivants doivent guider le travail des concepteurs.

La standardisation des composants

La standardisation consiste à diminuer le nombre de références au niveau des pièces achetées et fabriquées. Cela conduit parfois à utiliser des pièces surqualifiées pour certains usages, ce qui peut entraîner un coût légèrement supérieur. Mais ce supplément de coût est souvent compensé par les économies réalisées dans la gestion de l'ensemble des produits (diminution des points de stocks à gérer, séries de production plus longues).

La diminution du nombre de composants élémentaires

Le nombre de références à gérer, à acheter ou à fabriquer est un générateur de coût majeur. Diminuer le nombre de composants dans un produit fini entraîne une simplification du processus de fabrication, une diminution des en-cours et des stocks et des coûts administratifs plus faibles. Par exemple, une entreprise fabrique des compteurs électriques qui comprennent 350 pièces élémentaires alors que, dans les produits des concurrents les plus performants, on n'en compte que 150. Tous les efforts déployés en fabrication ne permettront jamais de compenser les coûts engendrés par la complexité du produit. Cette réduction du nombre de composants s'obtient par une plus grande intégration du produit, facilitée par l'achat de sous-ensembles complets auprès de certains fournisseurs. Ceux-ci deviennent ainsi des « intégrateurs » qui prennent en charge une part plus grande de la valeur ajoutée du produit. Certes, cette pratique exige des précautions dans la recherche de ces collaborations externes (contraintes de sécurité, de savoir-faire, de responsabilité juridique vis-à-vis du client final) mais, du point de vue économique, l'externalisation de fonctions complètes permet une économie par la spécialisation de ses fournisseurs et la diminution du nombre de références approvisionnées.

La conception d'une gamme de produits

Trop souvent, les bureaux d'études ont tendance à rechercher l'optimisation des produits pris séparément. Or la recherche d'un compromis efficace entre productivité et flexibilité passe par la conception coordonnée des familles de produits.

L'optimisation économique des produits peut, et doit, résulter d'une démarche de standardisation systématique. Trop souvent, le développement d'un produit nouveau se fait en ignorant les produits précédents. Les Bureaux d'Études ont tendance à tout réinventer. Cela conduit à des nomenclatures complexes et à la multiplication du nombre de composants différents.

Si l'on considère maintenant une famille de produits différents, il est important d'analyser globalement la structure de leurs nomenclatures et de rechercher une optimisation d'ensemble de la famille. Cette démarche s'appuie sur une approche modulaire des produits et une standardisation simultanée de leurs structures respectives.

La modularité

Une conception modulaire permet d'offrir une vaste gamme de produits à la clientèle par combinaison d'un nombre restreint de modules. La fabrication en est simplifiée. Ainsi tout produit fini peut être considéré comme l'addition d'un produit de base standard (même si sa composition le rend fictif et non stockable physiquement en l'état) et de composants complémentaires qui lui sont spécifiques. Dans ce cas, la diversité n'entraîne pas une augmentation proportionnelle du coût de revient.

Si l'on observe chez Renault, la gamme des Mégane, il apparaît que tous les modèles ont des parties communes constituant le sous-ensemble commun de leurs nomenclatures respectives (châssis, éléments de carrosserie ou de suspensions par exemple). Chaque modèle commercial se différencie des autres par des sous-ensembles, fonctions ou composants qui lui sont spécifiques et qui correspondent aux besoins particuliers de segments de marchés différents (certains équipements de confort, éléments de sécurité passive, divers accessoires, groupes de motorisation par exemple). Ainsi, il est possible de dire qu'un modèle spécifique peut être considéré comme l'addition d'un module de base commun, auquel s'ajoutent des modules spécifiques qui permettent d'obtenir une différenciation au niveau des produits finis. D'autres illustrations peuvent être trouvées dans les secteurs de l'électroménager, de la hi-fi, de la micro-informatique ou des biens d'équipements.

Cette approche a cependant ses limites. Par exemple, un constructeur automobile souhaitait un châssis unique pour tous les modèles à traction classique et 4x4. La transmission 4x4 exigeant un volume supplémentaire, cela a conduit à une réduction substantielle du volume du coffre pour tous les modèles.

Si les fonctions communes (standard) constituant le module de base sont en nombre important, le constructeur en tire un avantage en termes de productivité et de coût (par minimisation de la variété des références gérées et augmentation des quantités fabriquées). Par ailleurs, par le caractère commun de ces constituants, la prévision globale de besoins au niveau de la famille de modèles est plus fiable et il est donc possible de réduire les stocks et de mieux prévoir les approvisionnements.

Il reste alors à maîtriser le nombre des constituants spécifiques, mais, en la matière, c'est la nature exacte des attentes des clients qui impose le niveau de différenciation.

Pour généraliser cet exemple au cas de toute entreprise industrielle fabriquant des produits techniques à structure complexe, il faut considérer les développements de produits successifs étalés dans le temps. On comprend alors qu'il est essentiel pour les concepteurs d'aborder la définition de chaque nouveau modèle en cohérence avec ses prédécesseurs.

Cela implique de mettre en place une politique d'organes ou de fonctions, dont la durée de vie dépasse celle des produits finis, et dont les évolutions doivent être gérées soigneusement pour bénéficier en permanence des avantages de la standardisation. Un processus de normalisation interne est souvent mis en place pour gérer formellement cette question.

La différenciation retardée

Si l'on parvient à personnaliser les produits le plus en aval possible du processus de fabrication, il devient intéressant d'opter pour une organisation industrielle en deux étapes : le stade amont en charge de la fabrication de modules standard (avec la possibilité de production anticipée sur la base d'une planification prévisionnelle), et l'entité aval dont la vocation est de monter les produits finis dans un délai court (si possible à la commande) en suivant étroitement les besoins exacts des clients. On parle à ce propos de *différenciation retardée* des produits (fig. 27-17).

Figure 27-17 – *Principe de la différenciation retardée*

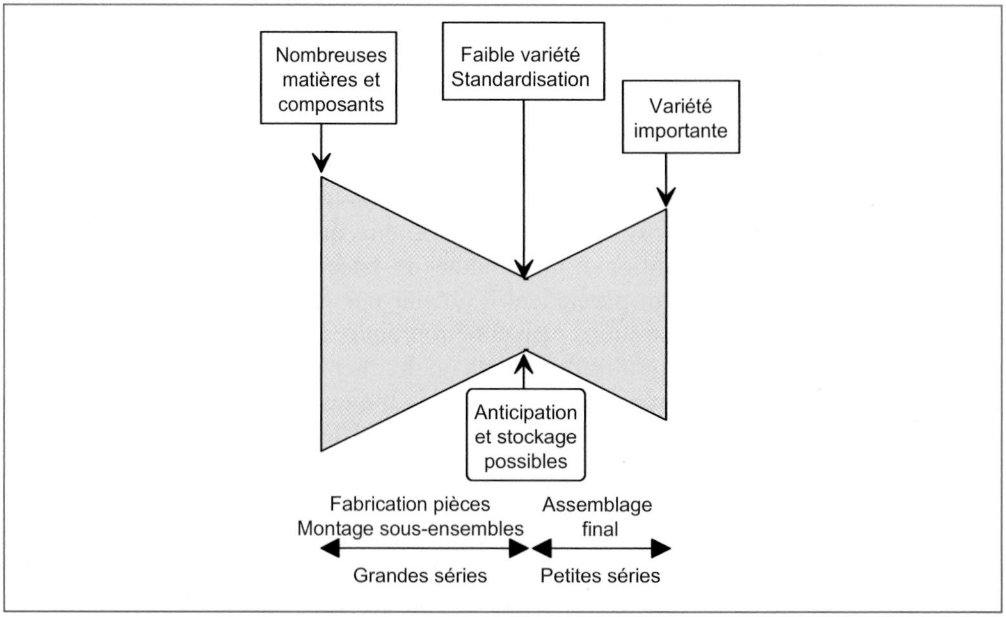

Cette structuration d'une gamme de produits permet de maintenir une bonne productivité et un risque faible, tout en offrant des produits nombreux répondant aux besoins de clientèles diversifiées. Les avantages sont évidents, puisqu'on minimise les erreurs de prévisions, la constitution hasardeuse de stocks d'anticipation et les surcoûts associés. Il faut, en revanche, que les fournisseurs soient associés à ce processus en offrant la même flexibilité que celle de l'entreprise cliente.

Un exemple célèbre est celui de Benetton qui fabrique des pull-overs en une multitude de couleurs. Comme les prévisions de vente sur chacune des couleurs sont très aléatoires mais que le volume global est, lui, facilement prévisible, le processus de production a été modifié : les pull-overs sont fabriqués en écru sur prévision. Lorsque les commandes des détaillants arrivent, la teinture des pull-overs est lancée.

27/6   La technologie de groupe et la structuration des processus

Le principe de la technologie de groupe est d'opérer des regroupements de pièces de telle sorte que l'on puisse mettre en place des groupes de machines dédiés à la fabrication de cet ensemble de pièces.

Pour atteindre ce résultat, il faut standardiser les processus de production et rendre semblables les gammes opératoires.

Sur quels critères opérer ces regroupements ?
– les caractéristiques physiques, morphologiques et dimensionnelles doivent être proches,
– les gammes de fabrication doivent être similaires,
– les matériels utilisés doivent être communs.

Il existe des outils informatiques pour aider à la constitution de ces groupes (Technologie de Groupe Assistée par Ordinateur). Il est alors possible de créer des lignes de machines ou de constituer des îlots de fabrication qui sont dédiés à la fabrication d'un groupe de pièces. Chaque chaîne ou chaque îlot est plus performant puisqu'il ne travaille que sur des pièces dont les caractéristiques sont proches.

27/7   La maîtrise et l'anticipation des risques industriels

Dans la phase de conception, on constate souvent que les concepteurs privilégient la performance technique (ce qui est leur mission de base), sans toujours prendre en considération un certain nombre de risques internes ou externes.

L'idée de base est d'imaginer, lors des choix de conception, certaines conséquences (économiques, commerciales ou de sécurité d'approvisionnement) qui résulteraient d'une approche purement technique des problèmes. Ces conséquences peuvent n'apparaître que beaucoup plus tard, même lors de l'utilisation par le client. À ce moment, le produit sera figé, rendant toute modification fondamentale impossible.

Les risques évoqués concernent toutes les fonctions de l'entreprise. Citons en quelques-uns à titre d'exemples :
– Certains risques techniques sont associés à la mise en œuvre ultérieure des processus de production : on parle de *manufacturabilité* des produits. Par exemple, certains choix de spécifications et de tolérances trop étroites peuvent créer des difficultés au réglage de machines, ou impliquer des modes opératoires manuels complexes, pour lesquels on ne pourra pas garantir la stabilité du niveau de qualité.

– D'autres risques concernent les conséquences sur le plan logistique de la variété des nomenclatures de produits ainsi créées (gestion des approvisionnements, gestion des stocks et pilotage d'un nombre important de fournisseurs différents).

– Les conséquences d'une mauvaise conception peuvent aussi concerner des difficultés dans le domaine des achats en relation avec les choix de composants (cette question justifie les démarches relatives à l'achat amont développées au chapitre 8). Certains choix techniques sont, en effet, susceptibles de créer des situations préjudiciables à l'optimisation des achats du point de vue de la compétitivité du produit et de la sécurité d'approvisionnement. À titre d'exemples :

- choix d'un composant électronique disponible chez un unique fournisseur développant une technologie récente et non stabilisée,
- choix d'un composant produit par un fournisseur dont la situation financière n'est pas assurée,
- non-respect d'une procédure d'homologation préalable de fournisseurs dans le cadre d'une politique d'achat,
- choix en phase de conception détaillée d'une filière technologique qui sera sans doute en fin de cycle de vie lors de la phase de fabrication ultérieure, etc. On pourrait parler d'*achetabilité* d'un produit.

Il est aussi très important de prendre en compte les aspects liés à la maintenance du produit en utilisation chez le client (problèmes d'accessibilité pour des opérations d'entretien, non-validation préalable de la disponibilité à terme des pièces de rechange, etc.). Toutes ces questions, essentielles, justifient le délai important qui doit être consacré aux étapes de conception.

Certaines peuvent trouver des réponses alternatives immédiates dès qu'on les a identifiées : changement définitif de fournisseur, conception d'un matériel en vue des opérations de maintenance, adaptation d'un processus de production pour fiabiliser les modes opératoires, par exemple. D'autres questions ne peuvent être résolues immédiatement mais les avoir identifiées d'avance permet de prévoir la mise en œuvre de dépannage ou de solutions relais.

Exemple : certains composants électroniques sont développés dans des technologies à durée de vie courte (3 à 4 ans). Dans l'hypothèse d'un système complexe intégrant ces composants sans alternative technique possible, et avec une durée de vie prévue de 7 à 10 ans (sans compter l'obligation de livraison de pièces de rechange pouvant prolonger ce délai dans le cadre de l'obligation décennale), les concepteurs savent par avance qu'ils devront prévoir des modifications de composants. Dans ces conditions, on organise à l'avance le choix de fournisseurs selon leur capacité à garantir la portabilité d'une solution technologique vers une génération suivante, ou l'on met en place deux conceptions parallèles préconçues de façon que le système puisse fonctionner dans deux configurations technologiques différentes. Toutes les modalités de passage d'une conception à une autre auront été organisées par anticipation pour faciliter les modalités de transfert.

Il est évident que l'existence d'une structure adaptée pour mener à bien le projet constitue le seul moyen efficace pour conduire ces réflexions, simulations et anticipations. Nous décrirons une telle structure le chapitre 29.

Chapitre 28

Développement durable : enjeux et solutions

Les problématiques du développement durable constituent les vrais enjeux de ce début du siècle et deviennent incontournables pour tous les dirigeants, et *en particulier les industriels et les managers de la fonction Supply Chain.*

Deux points de vue peuvent être évoqués face à cette question :

– le point de vue moral ou politique de tout citoyen confronté à des questions d'ordre essentiellement religieux, moral ou éthique, et souhaitant par exemple privilégier l'achat de produits éthiques ou d'origines certifiées caractérisant des pays en développement (ce n'est pas ici notre propos),

– celui de l'entreprise qui est amenée au respect de règles et principes de développement durable, car d'une façon ou d'une autre elle va y trouver des éléments favorisant son développement, tout en respectant un cadre de réglementations ou de recommandations nationales et internationales.

Nous ne sommes pas là simplement dans une « approche citoyenne », mais dans une approche « business » où l'entreprise va toujours chercher à atteindre les objectifs suivants : fidélisation des clients par renforcement de l'image de marque, possibilité de différenciation par rapport aux compétiteurs, anticipation et maîtrise de nouveaux risques auxquels la société et les « parties prenantes » sont devenues particulièrement sensibles.

Par « parties prenantes », on entend la société civile et l'environnement macro-économique (ONG, associations de consommateurs, gestionnaires de portefeuilles de valeurs mobilières, gouvernements), ainsi que les partenaires sociaux (syndicats, différentes catégories de personnels, actionnaires eux-mêmes), et enfin les clients. Cette pression va être encore progressivement renforcée par le rôle croissant des agences de notation spécialisées dans ces questions.

28/1 De nouvelles exigences sociales, sociétales et environnementales

En 1987, madame Gro Harlem Brundtland définissait ainsi pour la première fois le développement durable à New York lors de la *World Commission on Environment and Development* : « *… un mode de développement qui permette la satisfaction des* *besoins actuels sans compromettre la capacité des générations futures à satisfaire les leurs »*[1].

Du point de vue des entreprises, ce domaine correspond donc à un défi nouveau, à la fois national et global pour toutes les entreprises industrielles, de distribution et de services. Il est intégré dans l'ouvrage dans la mesure où l'on peut considérer que c'est un élargissement du concept de qualité qui va avoir une forte influence sur les décisions structurelles et opérationnelles de la *supply chain*.

28/1.1   Développement durable : définition et périmètre

Pour les entreprises, le développement durable est une incitation, voire une obligation sur certains aspects (cf. plus loin dans le texte), qui *consiste à intégrer à toutes les décisions (stratégiques ou opérationnelles) des préoccupations liées au respect de l'environnement et au respect d'obligations sociales et sociétales.*

Comme le montre la figure 28-1, le développement durable peut être envisagé selon trois axes.

Figure 28-1 – *Les trois dimensions du développement durable*

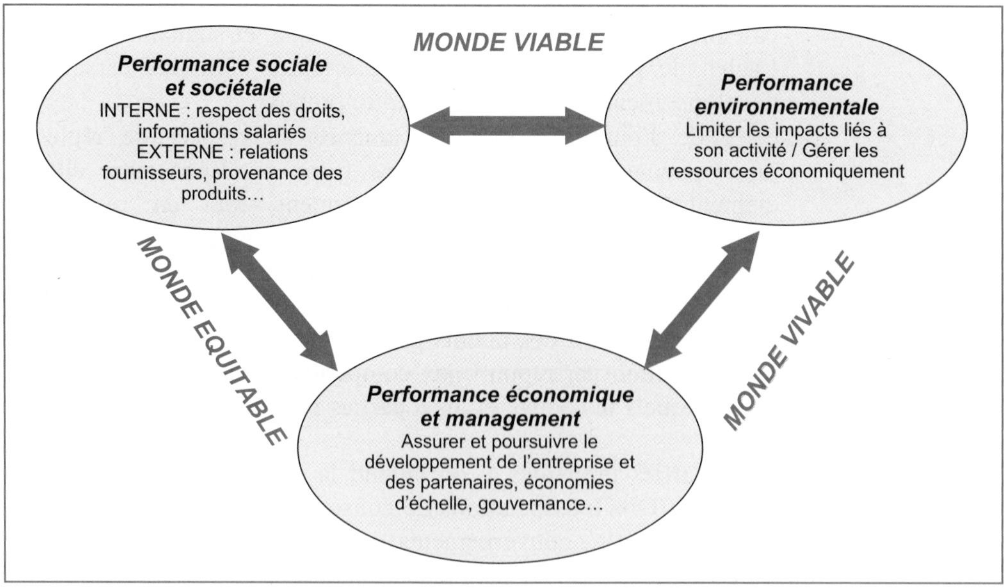

Performance sociale et sociétale

La performance *sociale* de l'entreprise concerne les points suivants : développement des compétences et politique de recrutement (national et international), politique de sécurité et de santé au travail, existence d'une mobilité interne et d'un système d'évaluation formel, et modalités du dialogue social.

---

[1] Déjà Antoine de Saint-Exupéry avait écrit : « Nous n'héritons pas la Terre de nos parents, nous l'empruntons à nos enfants ».

Elle est axée sur le respect des réglementations locales, l'établissement de relations loyales avec les fournisseurs dans des partenariats équilibrés, plus généralement sur une « éthique de business » incluant le respect de tous les engagements pris, et enfin sur l'implication de l'entreprise dans la vie locale.

Performance environnementale

Ce point concerne, d'une part, tout ce qui a trait au développement de produits écologiques par conception, incluant leur traçabilité tout au long de leur cycle de vie, et, d'autre part, le respect de l'environnement en ce qui concerne le fonctionnement des unités industrielles.

Performance économique

La performance économique vise d'abord la recherche de minimisation du coût global d'acquisition pour les clients. Mais il s'agit aussi de rechercher la plus grande satisfaction des clients, de garantir la transparence des comptes et des engagements, et plus largement de favoriser la croissance et le développement, entre autres par l'internationalisation de l'activité. Il s'agit, ni plus, ni moins, exprimé en d'autres termes, de ce qu'on appelle aussi la « création de valeur » *mais au profit de tous* !

28/1.2   *Contexte réglementaire international*

Un certain nombre de conventions internationales, de lois nationales et de normes ont été élaborées pour préciser les règles principales du développement durable. En voici une sélection.

Global Reporting Initiative (GRI)

Norme volontaire internationale qui propose des lignes directrices pour la réalisation de rapports sur le développement durable. Il s'agit d'une initiative internationale et multipartite lancée en 1997, soutenue par le Programme des Nations Unies pour l'Environnement (PNUE / UNEP), utilisée par 416 entreprises à travers le monde.

Global Compact (Pacte Mondial)

Accord volontaire international lancé par l'ONU (Kofi Annan) en 2000[1]. Il s'agit d'une charte signée par 1 450 organisations de par le monde, regroupant neuf principes éthiques et qui intègre les principes du développement durable dans la stratégie de l'entreprise, organisée autour de trois axes : droits de l'homme, droit du travail, environnement.

---

[1] C'est à cette occasion que Kofi Annan a affirmé que, de son point de vue, « … les gouvernements ne peuvent pas agir seuls. La société civile a un rôle clé à jouer, ainsi que les entreprises commerciales. Nous ne leur demandons pas de changer de métier, nous leur demandons de le faire différemment ». C'était officiellement confier aux entreprises un rôle central dans le déploiement des actions (sous-entendu : les gouvernements sont et resteront partiellement impuissants sur ces questions, notamment pour passer à un stade opérationnel).

Principes directeurs de l'OCDE

Accords volontaires internationaux et recommandations faites aux entreprises, ils fournissent des lignes directrices pour une gestion d'entreprise responsable, en incluant les aspects économiques, sociaux et environnementaux.

Conventions de l'Organisation Internationale du Travail (OIT / ILO)

Réglementation internationale qui régit les conditions de travail dans les 175 États membres.

SA 8000

Norme volontaire internationale qui spécifie les exigences en matière de responsabilité sociale de l'entreprise. Elle fournit des règles en matière de travail forcé, travail des enfants, hygiène et sécurité, liberté syndicale, discrimination, pratiques disciplinaires, temps de travail, rémunérations, système de management.

ISO 14001

Norme volontaire internationale qui fournit aux entreprises un référentiel d'organisation de leur système de gestion de l'environnement dans un esprit d'amélioration continue.

EMAS (Eco-Management and Audit Scheme)

Norme volontaire européenne qui spécifie les règles de *reporting* environnemental que les sociétés adhérentes doivent effectuer, identifie les sociétés qui vont au-delà des minimums légaux et qui améliorent de façon continue leur performance environnementale.

Loi NRE (France)

À ce jour, seul cadre législatif dans le monde occidental, elle contraint les entreprises à rendre compte de leurs pratiques sociales et environnementales. Cette loi s'impose pour toutes les entreprises cotées (Décret n°2002-221 du 20 février 2002 (JO n°44 du 21/02/02, page 3360).

AFNOR – norme SD 21000

Cette norme est le guide du développement durable pour les entreprises. Il a été réalisé dans le but d'élaborer des recommandations pour la prise en compte des enjeux de développement durable dans la stratégie et le management des entreprises (de toutes tailles), administrations, organisations diverses… pour le bien de tous.

28/2   Conception et traçabilité des produits

Ce point important porte sur les nouvelles obligations dans le domaine de la conception des produits, qui impose de prendre en compte certaines considérations : « éco-conception » des produits portant sur leur « recyclabilité », le choix de matières et composants (ainsi que de processus industriels) garantissant la minimisation des consommations d'énergies, ainsi que les économies d'emballages et de conditionnements.

Conception des produits et normes ISO 14000

À ce niveau, les principes du développement durable auront une forte influence sur les points suivants :
– protection de la santé humaine (par prise en compte de l'élimination des toxiques, matières ou composants défavorables du point de vue de la sécurité),
– minimisation de la consommation des ressources naturelles non renouvelables (en pensant aux aspects suivants : ré-utilisation des produits, recyclage en fin de vie, valorisation énergétique liée à leur fabrication).

Ces principes sont maintenant clairement exposés dans la famille des normes ISO 14000 et plus précisément les suivantes selon le périmètre couvert :
– la norme ISO 14040 v1999 et 14042 v2000 traitent spécifiquement du cycle de vie des produits, en mettant l'accent sur les exigences en matière environnementale,
– la norme ISO 14062 v2002 décrit précisément comment améliorer la performance environnementale des produits, en insistant sur les concepts et en décrivant les meilleures pratiques actuelles.

L'éco-conception impose ainsi la création de nouvelles connaissances par la recherche et implique un surcoût. Toutefois, l'environnement économique et social devient favorable (opinion dominante sur les marchés clients), et garantit que ce surcoût sera progressivement accepté par le client final.

En complément, ces évolutions vont impliquer d'agir sur les marchés amont des fournisseurs : ceux-ci devront suivre la même évolution ou se condamneront à disparaître à terme.

Traçabilité des produits

La traçabilité est définie comme *l'aptitude à retrouver l'historique, l'utilisation ou la localisation d'un article ou d'une activité, ou d'articles ou d'activités semblables, au moyen d'une identification enregistrée* (ISO 8402). Elle permet de suivre et donc de retrouver un produit ou un service depuis sa création (production) jusqu'à sa destruction (consommation ou destruction finale).

Son apparition, vers la fin des années 80, correspondait à la volonté d'entreprises de contrôler l'ensemble de leurs flux de produits transitant par différents partenaires (clients, fournisseurs, transporteurs et autres prestataires). L'affaire du sang contaminé, de la vache folle, puis les différents scandales alimentaires, ont plus récemment mis en avant l'impérieuse nécessité de se doter d'un système complet de traçabilité.

Tous les secteurs d'activités sont maintenant concernés et non plus uniquement les domaines particulièrement exposés comme l'alimentaire et la pharmacie. Pensons à l'automobile ou aux équipements électroniques et bureautiques.

Cinq grandes catégories de technologies peuvent ainsi être utilisées :
– les codes-barres linéaires,
– les codes 2D,

- les codes matriciels,
- les techniques d'identification par radio-fréquences (RFID),
- les autres technologies (cartes sans contact, puces, OCR, bandes magnétiques…).

En dehors des avantages liés à la sécurité, l'entreprise y trouve de nombreux avantages logistiques comme la forte diminution du nombre d'erreurs de saisie et de transmission d'informations, une plus grande rapidité dans les échanges, une connaissance plus fine des stocks et une meilleure maîtrise des différentes activités de l'entrepôt.

Aux standards internationaux, EAN, diffusé en France par Gencod-EAN France et utilisables dans plus de 94 pays)[1], le code-barres est actuellement la solution la plus répandue pour identifier les unités logistiques et permettre la saisie automatisée des informations. L'étiquette logistique EAN UCC (standard international d'identification et de traçabilité) supporte tout le système. Elle comprend un numéro séquentiel à 18 chiffres (SSCC ou *Serial Shipping Container Code*) permettant une identification unique de chaque colis. Toutes les informations nécessaires au bon fonctionnement de la chaîne logistique sont traduites en code EAN 128 sur cette étiquette, notamment :

- le numéro du colis, sa date de fabrication, le numéro de lot et sa date limite de consommation, pour la partie concernant le produit,
- le numéro de la commande pour la partie client,
- le client, son code postal, l'avis d'expédition et les informations liées au transporteur.

L'étiquette constitue ainsi un lien entre les flux d'informations transmises entre les différents partenaires internes ou externes via EDI et les flux physiques qui leur correspondent.

28/3 Protection de l'environnement et certification industrielle

Cette thématique relève des normes ISO 14001 V1996 et suivantes, caractérisant le Système de Management Environnemental (SME) de l'entreprise. Cette norme décrit les problématiques et solutions de gestion qui lui permette d'évaluer, puis de maîtriser, l'impact environnemental de ses activités, produits (cf. ci-dessus) et services.

Constituants de la norme ISO 14001

Selon cette norme, un SME doit comporter les six volets clés suivants :
- *politique environnementale* : déclaration d'intention avec énoncé des objectifs de performance,
- *planification* et système d'*analyse* de l'impact environnemental des activités (industrielles notamment),
- *mise en œuvre* : élaboration et application des mesures concrètes concourant à atteindre les objectifs énoncés au point 1,
- *système de contrôle et actions correctives* : mise en place d'indicateurs environnementaux avec énoncé des systèmes correctifs ou palliatifs mis en place,

---

[1] Pour plus d'informations sur cette organisation, voir le site suivant : www.eannet-France.org.

- *revues de direction* : examen périodique par la direction générale des progressions et diagnostic permanent destiné à valider que le système en place est stable, approprié et efficace,
- *amélioration continue* : principe de base commun à toute démarche qualité qui doit être la méthode de management adaptée à ce processus particulier.

Application aux unités industrielles

Cette démarche s'applique entre autres tout à fait au management des unités industrielles de l'entreprise avec (sur la base d'un exemple concret récent) un processus décomposé en étapes comme suit :
- analyse des activités de production, stockage et manutention, et identification des aspects environnementaux (gestion des ressources en eau, protection des sols, pollution éventuelle de l'air, traitement des déchets, économies d'énergie, maîtrise des risques de pollution liquide et incendies, lutte contre les nuisances sonores, mais aussi respect des réglementations spécifiques éventuelles locales),
- analyse du milieu avoisinant (sensibilité de l'environnement aérien, sensibilité vis-à-vis du bruit, du milieu aquatique, des paysages et des sols),
- détermination des impacts environnementaux significatifs avec cotation formelle des risques,
- bilan des risques et élaboration du programme environnemental (association des élus locaux et autres parties prenantes de l'environnement immédiat),
- mise en place du système décliné en interne (politique et information de toutes les catégories de personnels, formations, indicateurs, gestion des non-conformités, audits périodiques ou en temps réel),
- amélioration continue avec revue de direction du système en comité de direction.

28/4   Achats et développement durable

Pour bien réaliser à quel point la fonction Achats a un impact fort et, pour tout dire, sans doute moteur dans l'entreprise sur l'application des principes et règles du développement durable, concentrons-nous sur la figure 28-2 qui illustre le processus d'achat.

Étapes du processus achat

Rappelons, en référence au chapitre 8, les grandes étapes qui jalonnent un processus d'achat :
- tout d'abord, l'étape 1 : diagnostic du segment d'achat autour de l'analyse du besoin, des analyses risques-opportunités internes et externes, devant aboutir au choix d'une stratégie d'achat après positionnement dans la matrice de segmentation stratégique du portefeuille achat,
- ensuite, en parallèle ou en séquence, l'étape 2 : *sourcing* de nouveaux fournisseurs suivi de leur homologation, puis constitution et pilotage du panel fournisseurs,

– ensuite l'étape 3 : préparation et gestion de l'appel d'offres, suivi du processus de sélection du ou des fournisseurs, de la négociation éventuelle aboutissant au(x) contrat(s),

– enfin, l'étape 4 : suivi des contrats et mesure des performances des fournisseurs tout au long de la vie du projet et pendant la phase d'approvisionnement ou de réalisation.

Figure 28-2 – *Processus d'achat et développement durable*

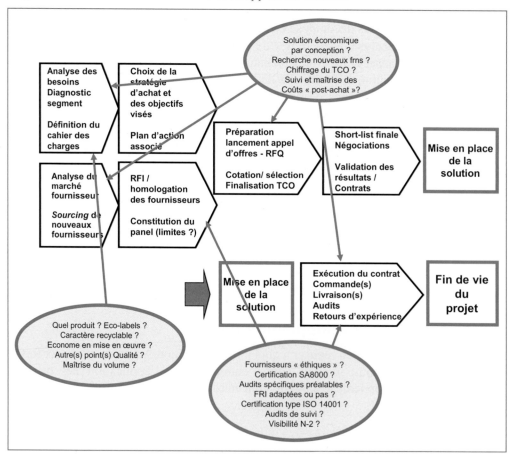

Intégration des processus Développement durable

L'étape 1 rejoint les préoccupations liées à la conception du produit vue ci-dessus : a-t-on intégré les préoccupations d'éco-conception et de traçabilité pour des produits et composants réalisés par des fournisseurs, notamment dans des zones ou pays « à risque » comme les *LCC (Low Cost Countries)* ? S'est-on préoccupé des points clés qualité ?

Pour l'étape 2, la problématique est focalisée sur les fournisseurs de façon évidente : s'assure-t-on bien et systématiquement d'homologuer des fournisseurs respectant leurs obligations environnementales, et leurs engagements dans les domaines sociaux ? Sont-ils homologués ISO de ce point de vue ? Sinon, procède-t-on à des audits appropriés en ayant défini une charte claire de développement durable devant être respectée ? Est-on certain qu'il n'y a pas de « cascades » de sous-traitances que l'on n'aurait pas anticipé et que l'on ne maîtriserait pas ?

Il faut, en effet, bien comprendre que demain – sinon déjà aujourd'hui – toute entreprise va être considérée comme totalement responsable de *toute sa chaîne d'approvisionnement en amont*, et cela au-delà du rang 1 de ses fournisseurs. Le marché y veillera, ainsi que les actionnaires ou les agences de notation spécialisées.

Dans l'étape 3, si l'homologation préalable a été bien menée, les questions éthiques sont dans l'ensemble résolues par approche préventive (dans l'esprit d'une démarche qualité).

Toutefois, on doit alors se concentrer encore et toujours sur la recherche du coût global d'acquisition minimum, et de la pérennité à moyen terme des solutions d'achats. On notera que ce qui paraît être un inconvénient peut devenir un avantage dans la mesure où les coûts fixes non récurrents du départ peuvent ainsi être amortis sur des volumes et des durées plus importants.

Enfin les contrats doivent matérialiser de façon claire et sans interprétation ni équivoque possible, les obligations juridiques *réciproques* ainsi créées. L'équilibre des collaborations et partenariats est une dimension essentielle du développement durable imposant équité et transparence.

Dans l'étape 4 (la phase « post-achat ») rien n'est gagné : il faut en permanence auditer le respect des obligations contractuelles signées chez tous les fournisseurs. On doit aussi se concentrer sur l'accompagnement des fournisseurs, notamment en matière de progression sur les démarches développement durable dans leurs propres entités industrielles. Parfois, cela doit aller jusqu'à prendre en charge localement des dispositifs de formation, de santé ou d'hébergement.

De nombreuses entreprises industrielles d'Europe de l'Ouest – dans la mesure de leurs implantations mondiales avec des fournisseurs dans toutes les zones plus ou moins défavorisées – sont déjà très avancées dans cette approche d'accompagnement.

28/5 Fonction Transports et environnement

La population actuelle du globe s'élève à 6,2 milliards d'êtres vivants. Elle a augmenté de 79 % en seulement 33 ans. Les démographes prévoient une population d'environ 10 milliards de personnes à l'horizon 2050. Il faudra donc nourrir, loger, éclairer, chauffer ces 4 milliards supplémentaires.

Or les économies développées ainsi que l'arrivée de pays émergents sur la scène économique génèrent une forte augmentation de la consommation énergétique et les ressources pétrolières ne sont pas inépuisables. Par ailleurs, l'impact de cette croissance a engendré des conséquences écologiques graves : pollution de l'air et de l'eau, désertification, déforestation, disparition de certaines espèces animales et végétales… De récentes catastrophes écologiques ont sensibilisé l'opinion mondiale à ce phénomène : Tchernobyl, Exxon Valdez…

D'où l'interrogation fondamentale : comment concilier progrès économique et social sans mettre en péril l'équilibre naturel de la planète en intégrant une préoccupation fondamentale de respect de l'environnement ? Le domaine de la *supply chain* et, en particulier, du transport de marchandises, est naturellement concerné par ce phénomène. Il participe en effet au développement de l'effet de serre et du réchauffement de la planète, consomme une part importante des ressources énergétiques, et provoque des accidents matériels, corporels et écologiques.

28/5.1   La pollution atmosphérique

Nous définirons d'abord l'effet de serre résultant de la pollution atmosphérique, puis nous étudierons comment les transports participent à son développement.

L'effet de serre

La mission interministérielle de l'effet de serre au ministère de l'écologie et du développement durable a très clairement défini ce phénomène : « *La température moyenne de notre planète résulte de l'équilibre entre le flux de rayonnement qui lui parvient du soleil et le flux de rayonnement infrarouge renvoyé vers l'espace* ».

La répartition de la température au niveau du sol dépend de la quantité de gaz à effet de serre (GES) présents dans l'atmosphère. Sans eux, la température moyenne serait de $-18°C$ et la terre serait inhabitable. Leur présence amène cette température à $15°C$. Les gaz responsables de l'effet de serre d'origine anthropique sont le gaz carbonique (CO_2), le méthane (CH_4), l'oxyde nitreux (N_2O), l'ozone troposphérique (O_3), les CFC et les HCFC, gaz de synthèse responsables de l'attaque de la couche d'ozone, ainsi que les substituts des CFC (HFC, PFC et SF_6). Les gaz à effet de serre sont très peu abondants dans la nature. Mais du fait de l'activité humaine, la concentration de ces gaz dans l'atmosphère s'est sensiblement modifiée : ainsi, la concentration en CO_2, principal GES, a augmenté de 30 % depuis l'ère préindustrielle. Les effets combinés de tous les GES équivalent aujourd'hui à une augmentation de 50 % de CO_2 depuis cette période. Le réchauffement de la planète qui en résulterait pourrait provoquer des désordres climatiques très préoccupants pour l'avenir des espèces : montée du niveau des eaux, inondations, crues, également sécheresses et bouleversements des équilibres entre les différents écosystèmes.

L'impact des transports

Les émissions de polluants dans l'air en France métropolitaine se présentaient comme suit sur plusieurs années, en milliers de tonnes. On notera tout d'abord que cette pollution a fortement chuté depuis 1990 (division par plus de trois pour le CO par exemple) à l'exception du CO_2 dont l'émission a peu varié ($-5,8$ %).

Le transport participe de manière importante à cette pollution : 6,8 % du SO_2, 52,6 % du NO_x, 25,3 % du COVNM, 33,4 % du CO et 40 % du CO_2. De plus, contrairement aux émissions des autres activités humaines, les quantités de CO_2 ont crû de 16,5 % depuis 1990. Les modes de transport polluent différemment l'atmosphère comme le montre le tableau suivant pour l'année 2002 (en milliers de tonnes).

	1990	1995	2000	2001	2002	2003
SO_2 (dioxyde de soufre)						
Émissions toutes activités	1 326	978	627	570	537	544
dont transports	155	128	24	34	37	37
NO_x (oxyde d'azote)						
Émissions toutes activités	1 897	1 704	1 431	1 395	1 352	1 289
dont transports	1 164	1 058	794	766	723	678
COVNM (composés organiques volatils non méthaniques)						
Émissions toutes activités	2 499	2 107	1 719	1 648	1 542	1 481
dont transports	1 095	852	534	482	425	374
CO (monoxyde de carbone)						
Émissions toutes activités	10 947	8 913	6 624	6261	5 954	5 633
dont transports	6 352	4 592	2 739	2 485	2 150	1 881
CO_2 (dioxyde de carbone ou gaz carbonique)						
Émissions toutes activités	361 000	351 000	362 000	354 000	344 000	340 000

Source : CITEPA série Coralie format SECTEN

La route se présente comme la première source d'émissions avec 66,7 % du SO_2, 89,8 % du NOx, 85,6 % du COVNM, 93,1 % du CO et 93,9 % du CO_2.

On constate, là encore, une forte baisse des émissions depuis 1995, à l'exception du CO_2 dont l'émission a crû de 6,3 % tous modes confondus, cette augmentation provenant principalement de la route (+10,2 %).

Cependant le transport routier concerne les voitures particulières ainsi que les poids lourds qui ont des impacts différents sur la pollution. En 2001, les voitures particulières ont été responsables de 49 % des émissions de SO_2 à 80 % de celles de CO sur route. Les poids lourds, quant à eux, ont généré 34 % des NO_x, 27 % du CO_2 et 33 % du SO_2.

	SO_2	NO_x	COVNM	CO	CO_2
Transport routier	24	649	364	2 001	130 000
Transport ferroviaire	0,2	9,3	1,1	2,5	1 000
Transport fluvial	1,3	25	45	141	2 000
Transport maritime	9,8	30	14	0,4	1 500
Transport aérien	1,3	10	1,3	4,6	4 100
Total	36	723	425	**2150**	**138 500**

La nature du carburant explique ces écarts : l'essence représente la part la plus élevée du monoxyde de carbone (84 %) et des composés organiques volatils non méthaniques (74 %), tandis que le gazole domine pour le gaz carbonique (68 %), le dioxyde de soufre (83 %) et les oxydes d'azotes (60 %).

Le transport routier de marchandises représente 27 % des émissions de CO_2 du transport routier total. Celui-ci est le principal émetteur pour l'ensemble des transports, tous modes confondus (94 %). Enfin les transports n'interviennent que pour 40 % pour la totalité des activités.

En multipliant ces trois pourcentages, on obtient la part du transport routier de marchandises dans les émissions de CO_2, soit 10,1 % : contrairement à une idée bien ancrée, les poids lourds ne sont pas la principale source de pollution atmosphérique.

28/5.2   Les accidents

En 2001, on a recensé 116 745 accidents corporels intervenus sur les routes françaises causant la mort de 7 720 personnes. 6 039 d'entre eux impliquaient un poids lourd et se traduisaient par le décès de 1 005 personnes, présentant ainsi un taux de gravité de 16,6 tués pour 100 accidents, 2,5 fois plus élevé que celui observé sur l'ensemble des accidents de la route. Les poids lourds (plus de 3,5 tonnes de charge utile) représentent 2 % du parc automobile et effectuent 6,3 % des kilomètres parcourus, mais sont impliqués dans 5,2 % des accidents corporels pour 13 % des tués.

Il faut cependant remarquer que le nombre d'accidents dans lesquels ils sont impliqués diminuent plus vite que l'ensemble des accidents corporels (– 11 % contre 6,8 %)[1].

Les autres modes de transport enregistrent un nombre beaucoup plus faible d'accidents :
- En 2002, la SNCF a recensé 543 accidents de chemin de fer ou de passage à niveau à l'origine de 104 décès et de 77 blessés graves.
- La même année, l'aviation commerciale française enregistrait 4 accidents corporels se traduisant par 5 décès.
- Le taux de mortalité (nombre de décès par milliards de voyageurs x kilomètres) a varié, en 2001, de 0,15 pour le transport ferroviaire (hors accidents de passage à niveau) à 0,16 pour l'aviation commerciale et 6,87 pour les voitures particulières.

28/5.3   Les nuisances sonores

Selon les enquêtes de l'INRETS, 12,3 % de la population française serait exposée dans la journée à un niveau de bruit d'au moins 65 décibels, considéré comme le seuil de gène ou de fatigue.

À titre de comparaison, voici quelques ordres de grandeur concernant des situations courantes : 40 dB(A) pour une rue calme le jour, 74 dB(A) pour une voiture légère en accélération à 7,5 mètres et 110 dB(A) pour un biréacteur au décollage à 300 mètres, le seuil de la douleur se situant à 120 dB(A).

Le bruit représente la première nuisance perçue par les Français dans leur vie quotidienne : la dernière enquête de l'Insee à ce sujet précise que 40 % des ménages

---

[1] Source : *La sécurité des poids lourds en 2001* - Etude sectorielle - Observatoire National Interministériel de la Sécurité Routière - La documentation française 2003.

déclarent être gênés par le bruit dont 55 % générés par le transport (ces chiffres s'élèvent respectivement à 61 % et 56 % pour Paris).

28/5.4   La consommation de carburant

Le transport est un des principaux consommateurs d'énergie ; avec 50,9 millions de tep[1], soit 31,4 % de la consommation, il se place largement devant l'industrie comme le précise le tableau suivant pour l'année 2002.

	Millions de tonnes équivalent pétrole
Sidérurgie	5,9
Industrie hors sidérurgie	31,8
Tertiaire et résidentiel	70,4
Agriculture	3,2
Transports hors soutes maritimes internationales	50,9
Total	162,2

Source : DAEI/SES

Le rythme de croissance de la consommation des transports reste cependant comparable à celui des autres secteurs, soit environ 5 % de 1997 à 2002, malgré un fort accroissement du trafic, en particulier routier de 16 % sur la même période.

Les différents modes contribuent différemment à la consommation globale d'énergie, le transport individuel se situant à la première place avec 45,9 % de l'ensemble, suivi par le transport routier de marchandises avec 31,3 %.

Mode de transport	Millions de TEP (en 2000)
Ferroviaire (SNCF)	1,97
Routiers de marchandises	16,93
Urbains et routiers de voyageurs	1,02
Navigation intérieure	0,06
Maritimes	2,92
Aériens	6,29
Oléoducs	0,09
Individuels	24,86
Ensemble	**54,14**

Sources : CPDP

Tous les modes ne sont pas égaux en rendement énergétique comme l'indique le graphique de la figure 28-3.

---

[1] Tonne équivalent Pétrole.

La voie navigable s'avère la plus efficace du point de vue énergétique (127,3 tonnes x km réalisées avec un kilo équivalent pétrole) devant le train complet (111,3). Le transport routier avec semi-remorque nécessite plus de deux fois plus d'équivalent pétrole que ses concurrents (57,6 t x km). Ces écarts expliquent bien les efforts réalisés pour inciter les industriels à utiliser le fer et la voie fluviale.

Figure 28-3 – *Comparaison des rendements énergétiques*

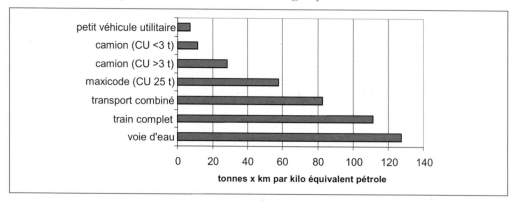

Chapitre 29

Structures et organisation

L'organisation de l'entreprise, les structures mises en place reflètent les choix stratégiques de celle-ci. L'existence ou non d'une fonction *supply chain* prouvera le niveau de prise de conscience de la société pour la gestion des flux, l'approche coût global, son approche qualité, mais surtout son délai de satisfaction de la demande client.

Aussi commencerons-nous par traiter dans ce chapitre les différentes fonctions concernées par ce domaine, qu'elles dépendent de la direction générale, de la direction industrielle ou des achats.

Ensuite nous présenterons plusieurs modes d'organisation possibles pour une fonction *supply chain* dans l'entreprise et leur place dans l'organigramme de la société, ainsi que le dilemme relatif aux décisions de centralisation possible.

Enfin nous exposerons les principaux métiers dans les domaines des achats, de la distribution et de la logistique.

29/1 Les structures et choix d'organigrammes

Les structures des entreprises varient fortement selon la taille, le type d'activité, l'histoire de la société et la personnalité des dirigeants.

Les choix diffèrent au niveau des structures, des liens hiérarchiques et des rattachements des différents services qui les composent. Il est en effet possible de rencontrer différents types d'organigrammes dont tous ne relèvent pas nécessairement d'explications rationnelles, mais s'appuient aussi sur des « rapports de force » ou des relations de pouvoir.

Par ailleurs, dans les groupes industriels organisés en centres de profits multiples, certaines fonctions industrielles peuvent être dupliquées et présentes au niveau de chaque *business unit* avec des missions opérationnelles, et d'autres concentrées (ou dupliquées) au niveau du groupe (niveau *corporate*) avec des missions plutôt fonctionnelles et/ou de coordination opérationnelle, comme le montre la figure 29-1.

Ainsi, sans vouloir constituer un « modèle de référence », dans l'esprit de ce chapitre, nous évoquerons plutôt les fonctions en termes d'« entités logiques », avec leur contenu « missions et métiers » généralement admis (quelles que soient les variantes observées dans la réalité des entreprises).

Figure 29-1 – *Existence de structure matricielle ou « croisée »*

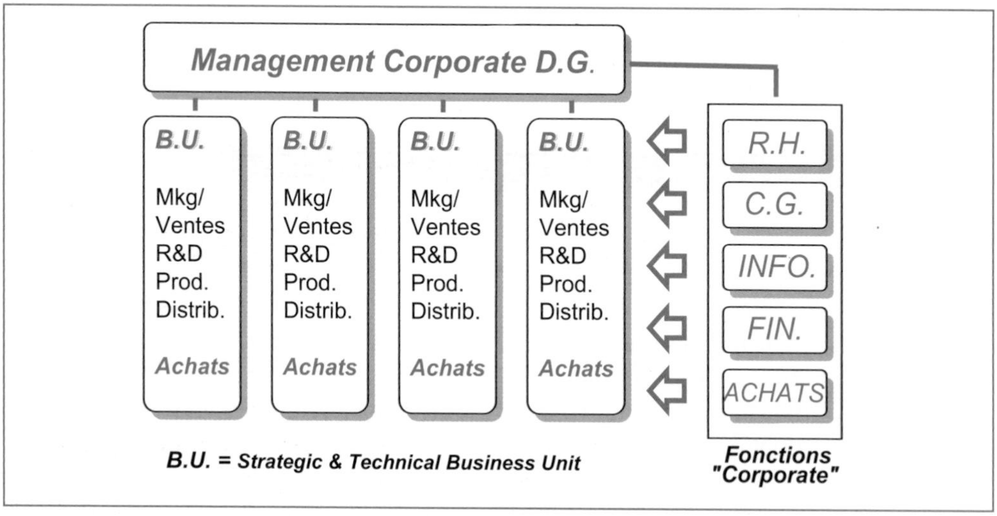

29/1.1   Fonctions rattachées à la Direction générale

Bureau d'Études / R&D / Direction Technique

Le Bureau d'Études (BE) traduit en termes industriels les caractéristiques des produits conçus par le marketing. Il réalise les plans et les dessins des articles, définit les éléments qui le composent, et la nature des matériaux à utiliser. Il estime le coût de revient prévisionnel à partir des éléments fournis en priorité par le Bureau des Méthodes et les Achats.

Parallèlement, le Bureau d'Études est en charge de gérer le portefeuille des technologies de l'entreprise. Indépendamment du développement spécifique d'un produit, il a en charge les innovations relatives à des sous-systèmes ou organes qui, à terme, seront intégrés dans des produits, mais qui font l'objet de développements propres sans lien direct avec une application immédiate.

Enfin, il se livre de façon régulière à une démarche de veille technologique sur les marchés-amont, en vue d'alimenter le processus d'innovation de l'entreprise.

Direction de la Qualité

Elle a des attributions qui dépassent largement la fonction de contrôle des produits. Elles englobent le management général du système d'assurance qualité depuis la conception du produit et des processus jusqu'à l'utilisation chez le client. Selon les exigences des normes ISO 9000, elle doit être indépendante de la Direction Industrielle et donc rattachée à la Direction générale.

Elle dispose de personnels détachés dans les services opérationnels pour contrôler la conformité des articles aux spécifications définies par le Bureau d'Études et les Méthodes. Ces opérations s'effectuent à tous les niveaux du processus, depuis la réception, sur les produits achetés, jusqu'à la sortie d'usine, sur les produits finis. Elle intervient même chez les fournisseurs en accord et cohérence avec les Achats.

Direction des Achats

Elle a en charge l'acquisition de tous les biens, services et prestations dont l'entreprise a besoin pour fonctionner. Son rôle a pris beaucoup d'importance du fait que, suite au durcissement de la concurrence, les entreprises ont tendance à se recentrer sur leur métier de base et à acheter ou externaliser les produits ou fonctions annexes, ainsi que nombre de prestations. De plus, on a vu que le montant des achats représente bien souvent de 50 % à 70 % du chiffre d'affaires de l'entreprise. La Direction des Achats définit la stratégie d'achat en relation avec le Bureau d'Études, sélectionne les meilleurs fournisseurs selon les segments d'achat, passe les commandes aux fournisseurs et gère par anticipation l'ensemble des risques liés aux approvisionnements.

Direction Industrielle

La Direction Industrielle coordonne l'activité de l'ensemble des services qui lui sont rattachés. Elle définit la stratégie industrielle de l'entreprise et décide des investissements. Elle suit les performances de ses services, et en particulier de la Fabrication. Elle met en œuvre des plans d'amélioration.

29/1.2 *Fonctions généralement rattachées à la Direction Industrielle*

Service des Méthodes

Le Service des Méthodes conçoit les processus et procédés de fabrication à utiliser, l'implantation des machines dans les ateliers et l'organisation du travail à chaque poste. Il détermine également les gammes de fabrication des produits (séquences des opérations à réaliser sur les différentes machines) et calcule les temps alloués à chacune d'entre elles. Il estime la quantité de matière à utiliser ainsi que la taille des séries économiques à lancer.

Par ailleurs, il joue le rôle important de prescripteur technique pour préparer toutes les décisions d'investissements en matériels, machines et équipements de production et/ou logistiques.

Service Planification, Ordonnancement, Lancement

Le service *Planification* a la responsabilité de traduire les prévisions de vente et le carnet de commandes en un plan de production. Il calcule donc les besoins en ensembles, sous-ensembles et pièces élémentaires, à moyen et court termes. Puis il estime les heures de ressources (main-d'œuvre, machines, etc.) nécessaires et ajuste la charge ainsi définie à la capacité de production. L'ensemble de ces calculs peut être réalisé par les modules « manufacturing » des progiciels de gestion intégrés.

Le service *Ordonnancement* planifie l'activité à court terme des ateliers. Il coordonne les moyens nécessaires à la réalisation du plan de production (personnel, matériel, matières et composants) et définit l'ordre de passage des différentes séries à fabriquer sur les différents centres opératoires et ateliers.

La cellule *Lancement* a en charge la préparation des documents nécessaires à la fabrication (bons de travaux, fiches suiveuses, bons de sortie des matières) ainsi que la réalisation matérielle des décisions prises par l'Ordonnancement. Il prend en charge le suivi des fabrications et le retour d'information vers la base d'informations commerciales.

Maintenance (ou Entretien)

La maintenance recouvre les activités d'entretien curatif ou préventif, de réparation des matériels ainsi que la gestion des pièces de rechange. Ce service a donc un rôle fondamental dans le taux de disponibilité des équipements. Les prérogatives de ce service s'étendent souvent à la gestion des fluides et de l'énergie ainsi qu'à l'entretien des locaux et aux travaux neufs. Il peut aussi être en charge de la maintenance des outillages.

Service Réception / Magasins

Ce service gère les entrées de matières et de composants dans l'entreprise. Il vérifie que les réceptions correspondent aux commandes qui ont été passées et entre les marchandises reçues dans le stock.

En relation avec la Qualité, il est ainsi concerné par les questions de contrôle quantitatif et qualitatif au niveau des flux industriels amont.

Service Manutentions / Logistique interne

Sa mission est d'assurer l'ensemble des manutentions dans l'entreprise (réception, approvisionnement des postes de travail, chargement des véhicules de livraison). Il gère aussi les stocks d'en-cours.

Service Magasin Produits finis / Expéditions / Transports

Il gère le magasin de produits finis, effectue la préparation des commandes (prélèvement dans le magasin, contrôle, emballage) et réalise, ou fait réaliser, la livraison aux clients, à l'aide d'un parc propre de véhicules ou par des transporteurs et prestataires logistiques.

Fabrication / Ateliers

Ce service réalise la fabrication des articles selon le planning défini par l'Ordonnancement. Il a en charge l'ensemble du personnel d'atelier, direct et indirect.

La figure 29-2 présente un organigramme type d'une entreprise traditionnelle. Naturellement, chaque entreprise doit adapter son organigramme à son propre mode de fonctionnement.

29/1.3 Fonctions « Materials Management », « logistique globale » ou « Supply Chain »

De plus en plus, dans de nombreux groupes industriels multinationaux et/ou multi-établissements, on cherche à réaliser « naturellement » certains compromis ou certaines « optimisations » de gestion ; celles-ci s'effectuent au travers de la création d'entités (fonctions) intégrant, par définition et position dans l'organigramme, une responsabilité globale (transversale) sur la gestion des flux des fournisseurs jusqu'aux clients finaux, ainsi que par la recherche d'un coût logistique global minimisé.

Pour simplifier, considérant que ces deux termes ont une origine historique décalée de 10 ans environ, les deux fonctions susnommées ont toutes deux ce même objectif. Généralement indépendantes d'une direction industrielle (ou rattachées directement à celle-ci), il s'agit de regrouper sous une même responsabilité la gestion des flux depuis les fournisseurs jusqu'aux clients sous trois angles :
- le pilotage de tous les cycles en vue de les raccourcir à tous niveaux,
- la recherche d'un coût global minimum,
- la maîtrise d'une qualité totale à tous les niveaux du processus.

Ce faisant, cette fonction devrait logiquement avoir un rattachement avec la direction générale. Elle est interlocutrice privilégiée du contrôle de gestion. De plus, elle doit être indépendante des fonctions liées à la technologie des produits ou des processus. Elle ne peut être directement en charge de la qualité, même si elle doit en répondre conjointement avec les spécialistes du domaine.

Elle joue alors le rôle de « tour de contrôle », voire d'arbitre, et doit pouvoir s'engager vis-à-vis de la direction générale sur la recherche permanente et la réalisation de progrès dans les domaines suscités. Cependant la logistique globale ou *supply chain* n'est pas nécessairement positionnée à ce niveau dans toutes les entreprises et les interrogations à son sujet s'avèrent encore nombreuses.

29/2   Position et structure interne de la fonction *Supply Chain*

La première question concerne la position de la fonction *Supply Chain* dans l'organigramme de l'entreprise. Plus précisément deux questions fondamentales se posent :
- La fonction *Supply Chain* doit-elle être directement rattachée à la direction générale comme une fonction majeure, ou doit-elle être intégrée dans chaque fonction où elle intervient pour partie (Achats, Production, Fonction Commerciale) ?
- Dans le cas d'entreprises constituées de plusieurs centres de profit, faut-il que la fonction *Supply Chain* soit centralisée au niveau du Groupe (holding), ou que chaque centre de profit dispose d'une fonction *Supply Chain* propre ?

Nous commencerons par le premier point se posant en tout état de cause dans le cas de la société « mono-entité ».

29/2.1   Position dans l'organigramme

Le chapitre 6 a montré que les entreprises ont des niveaux d'évolution différents dans leur approche *supply chain* selon leur degré de « maturité » :
- certaines ont une organisation fonctionnelle dominante,
- d'autres, plus tard dans leur progression, font le choix d'une organisation interne intégrée visant une « orientation client » prioritaire,
- d'autres enfin, ultérieurement encore, font le choix d'« élargir » leur *supply chain*, en y impliquant leurs fournisseurs en amont ainsi que leur réseau de distribution, toujours avec une orientation client, mais qui se veut toujours plus efficace, réactive et flexible.

Figure 29-2 – *Organigramme type d'une entreprise industrielle*

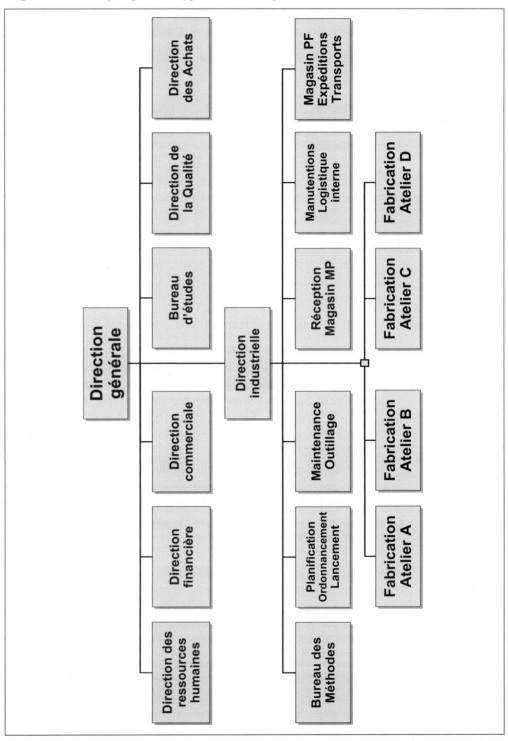

Organisation fonctionnelle dominante

Dans cette approche, comme le montre la figure 29-3, l'organigramme de la société préserve l'organisation de la société en « silos verticaux ».

La fonction *Supply Chain* n'existe pas en tant que telle, tous ses composants étant pris en charge par les grandes fonctions traditionnelles de l'entreprise. La boucle d'approvisionnement dépend d'un service Approvisionnement, rattaché aux Achats, ou plus logiquement indépendant, ou encore en relation avec la fonction planification industrielle pour ce qui concerne les achats directs dits de production[1]. La boucle de fabrication est sous responsabilité de la Production, et la boucle Distribution revient à la fonction Commerciale ou Ventes (depuis le magasin de produits finis jusqu'aux clients finals).

Figure 29-3 – *Organisation fonctionnelle dominante*

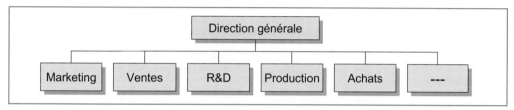

Pour favoriser le début d'une approche « globale » et transversale, on définit des modalités à l'interface de chaque fonction de *relations de type « clients-fournisseurs »*. Cela entraîne des réunions d'arbitrage périodiques. Du point de vue structurel :

– soit cela est mis en place sans qu'une structure fonctionnelle n'existe, mais selon un processus spontané avec contrôle de la direction générale,
– soit on met en place une structure dédiée de petite taille, rattachée à la direction générale, sans hiérarchie sur les principales fonctions, mais missionnée pour animer le processus d'arbitrage.

Les entreprises qui ont évolué dans les vingt dernières années vers un modèle global de « logistique industrielle » tout en restant fondamentalement organisées en fonctions verticales, notamment avec des démarches de planification multi-niveaux de type PIC, MRP, PDP fondées sur l'utilisation de progiciels de planification, ont mis en place un service Planification souvent rattaché à une direction industrielle. La fonction *Supply Chain* n'est donc pas au Comité de Direction, mais elle y est représentée par un *sponsor*, hiérarchique ou non.

---

[1] Pour les autres types d'achats (investissements, prestations diverses, achats de communication ou de marketing, achats de frais généraux divers), les approvisionnements sont souvent décentralisés vers les utilisateurs, notamment par utilisation de solutions *e-procurement* propres ou en solution externe ASP, leur permettant de piloter eux-mêmes le processus au plus près de leur besoin en fonction du budget alloué, de façon réactive et avec la traçabilité la meilleure.

Organisation intermédiaire

Un début d'intégration se fait jour avec l'apparition d'une fonction *distribution physique* regroupant la gestion des stocks de produits finis, des entrepôts, des transports vers les entrepôts et les clients ainsi que la préparation des commandes clients (fig. 29-4).

Celle-ci peut encore dépendre d'une des grandes fonctions de l'entreprise (généralement Ventes ou encore Production) ou siéger à côté d'elles. Dans ce dernier cas, elle peut également prendre sous sa responsabilité le traitement informatique des commandes.

Figure 29-4 – *Organisation intermédiaire*

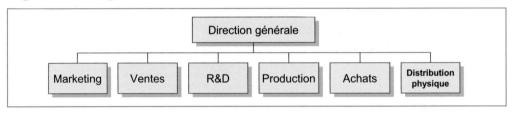

Organisation supply chain intégrée interne ou externe

Dans cette situation, il y a un saut de nature. La priorité n'est plus donnée aux arbitrages fonctionnels « locaux » (au sein de chaque fonction), à la recherche d'une optimisation d'ensemble, à tous les niveaux de la *supply chain* avec la vision transversale des critères de performances (coûts totaux, qualité, délais, flexibilité, réactivité). Rapidement, il apparait que cela ne peut se faire qu'en comptant sur la « spontanéité » des directions opérationnelles : on confie alors cette responsabilité globale à une direction *Supply Chain*, rattachée à la direction générale, *opérationnelle elle aussi et non plus simplement fonctionnelle*. La figure 29-5 illustre un organigramme de ce type.

Dans certaines entreprises, notamment parce que la direction générale souhaite à la fois contrôler directement ce domaine et manifester explicitement la dimension stratégique des décisions *supply chain*, le dirigeant de cette fonction est membre permanent du Comité de Direction Opérationnel et peut avoir le rang de Vice-président (comme c'est le cas chez Nestlé France).

Dans un tel contexte d'organigramme, les décisions sur les flux prises par la fonction à long, moyen et court termes « s'imposent » aux autres fonctions (qui auront auparavant bien sûr été associées à leur élaboration). Elles gardent en revanche une autonomie et des libertés d'arbitrage sur l'horizon court terme. Pour exemple, en matière de planification, PIC, PDP et MRP sont émis par la fonction *Supply Chain* : seules les questions d'ordonnancement détaillé à court terme restent sous la responsabilité de la direction de production. Les Achats n'ont plus les plans d'approvisionnement et les appels de livraison en responsabilité. Les réseaux de distribution sont planifiés de façon centrale par la direction *Supply Chain* selon une logique DRP : seuls le traitement des commandes clients et le processus de livraison à court terme sont confiés à la fonction commerciale.

Figure 29-5 – *Organisation Supply Chain intégrée*

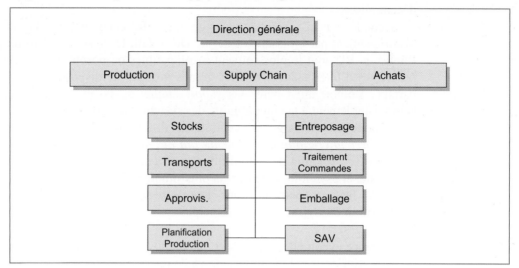

Une remarque additionnelle concernant la fonction Achats. Deux écoles s'affrontent, se traduisant par deux positions types dans l'organigramme :

– Soit on considère que la fonction Achats exerce une activité stratégique symétrique de celle du Marketing Vente (et non directement concernée par les décisions de flux, car intervenant en amont du fonctionnement opérationnel). De ce point de vue, elle est autonome et il peut être pertinent d'en faire une fonction indépendante et de la rattacher à la DG, sans dépendance de la *supply chain*. Beaucoup de grandes sociétés ont fait et maintiennent ce choix, notamment dans le domaine *high-tech*.

– Soit on considère, comme dans le modèle SCOR, que les Achats constituent l'amont de la *supply chain*, notamment au travers des activités de *sourcing* et de choix de fournisseurs qui intègrent toujours en partie des décisions interférant sur les flux et le coût global d'acquisition, et dans ce cas qu'ils doivent être partie prenante. Dans ces conditions, on les intègre dans la direction *Supply Chain*, sous la responsabilité directe de son dirigeant.

29/2.2   *Centralisation, décentralisation ou coordination*

Dans les sociétés constituées de plusieurs divisions, branches ou centres de profit, faut-il mettre en place une fonction *Supply Chain* centrale et donc très « dirigiste », ou faut-il plutôt tendre à garder l'autonomie des centres de profit ? Y a-t-il des solutions intermédiaires de coordination plus ou moins incitative ?

En première analyse, un centre de profit ou une *business unit* (BU) constitue souvent une « entreprise » dans l'entreprise avec sa politique produits, son marketing propre selon les spécificités de ses marchés et de ses clients, ainsi que ses technologies et son système industriel. De ce fait, sa fonction *Supply Chain* doit être *dédiée* et *dimensionnée selon les spécificités* commerciales de son propre marché. Donc la *supply chain* ne doit logiquement pas être une fonction Groupe, mais rester décentralisée.

Second constat : souvent les groupes de cette nature se sont développés historiquement par croissance externe. De ce fait, les systèmes d'information de leurs filiales ou BU sont le plus souvent incompatibles ou posent en tout cas de nombreux problèmes d'interfaçage. Tous les grands groupes ne disposent pas d'un ERP global partagé. Vouloir ainsi gérer les *supply chains* de façon centralisée et identique se heurte simplement à la compatibilité des systèmes d'information.

Si donc on envisage de centraliser, il faut que la formule retenue permette *d'améliorer la création de valeur du fait des synergies possibles de façon prouvée et significative* : sinon la décentralisation restera souvent l'approche la plus aisée, la plus pertinente, et psychologiquement la plus simple à faire fonctionner.

Quels facteurs peuvent donc favoriser des formules de centralisation ou de coordination ? Envisageons les principaux critères à prendre en compte illustrés dans la figure 29-6 :

–   existence éventuelle de *produits ou composants communs* aux différentes BU : rare au niveau des produits finis, cela va en revanche se présenter souvent pour certains sous-ensembles ou certains constituants achetés, permettant d'envisager des unités industrielles communes ou des achats globalisés avec des potentialités de baisse des coûts,

–   cas d'une logique géographique forte où certaines BU exercent leur activité vis-à-vis de *marchés clients nationaux identiques* dans des groupes à directions géographiques opérationnelles puissantes (exemple des sociétés de grandes consommations vendant prioritairement par les GMS) : cela pousse à rechercher des systèmes de distribution ou de stockage partagés pour être mieux amortis et permettant un service identique à des clients nationaux (par exemple des centrales d'achats),

–   éventualité que plusieurs BU (même en nombre limité) aient en commun des technologies produits ou process nécessitant *des savoir-faire et des compétences « pointues » et coûteuses* : alors plutôt que de les dupliquer, on envisagera d'investir au niveau du Groupe en les amortissant sur chacune des BU utilisatrices,

–   *professionnalisation des pratiques* : mettre en place au moins des formules de coordination permet souvent de garantir un alignement des pratiques « vers le haut », donc une meilleure performance à terme de l'ensemble : les achats fournissent de ce point de vue un terrain d'application que nous illustrerons plus loin,

–   *proximité des unités et réactivité* associée : souvent une fonction centrale aura une moindre réactivité vis-à-vis de sollicitations venant des entités clientes et une moindre compréhension des contraintes réelles au niveau opérationnel local : dans le cas des achats ou de la fabrication, cela s'observe particulièrement dans les étapes amont du processus de conception et de développement des nouveaux produits où un service Achats et un management industriel centraux réagissent moins vite et moins efficacement aux besoins de court terme du marketing de la *business unit*,

– *responsabilité et indépendance du patron de la business unit* : principe de base traditionnel, celui-ci doit être responsable de la totalité de son compte de résultat. Faire dépendre une partie – même limitée – de ses résultats de décisions prises au niveau du groupe n'est pas cohérent avec le principe d'autonomie d'un dirigeant de *business unit*. Il faut alors *a minima* qu'il ne s'agisse que de propositions face auxquelles le dirigeant reste libre de les appliquer ou pas. En termes clairs, il doit pouvoir les entériner et en reste seul responsable *in fine*.

Figure 29-6 – *Avantages et inconvénients de la centralisation de la* supply chain

Critères de décision	Avantages	Inconvénients
Produits ou composants en commun	Effet volume et baisse des coûts par mutualisation des besoins	Moindre adaptation à des besoins spécifiques
	Favorable aux démarches de standardisation	Lourdeur éventuelle des procédures
Regroupement géographique des clients	Homogénéité du service offert par client	Nécessité de stockages de regroupement
	Minimisation du coût de distribution	
Expertise de pointe	Mutualisation de l'expertise rare	Perte relative d'autonomie
	Amortissement du coût fixe	
Professionnalisation des pratiques	Alignement "par le haut" de la performance	
	Alimenter une "base de connaissances" partagée (intranet)	
Réactivité des unités opérationnelles		Adaptation aux besoins spécifiques "locaux"
Indépendance des centres de profits	Apport des compétences d'un centre de ressources (prestataire interne)	Respect de la responsabilité opérationnelle du dirigeant

Analysons les réponses organisationnelles qu'on trouve le plus souvent dans les organigrammes comme alternatives à une centralisation forte.

Formules de coordination Achats

Concernant les Achats, si certaines grandes entreprises font le choix de la centralisation, elles sont de plus en plus rares, et le plus souvent on trouve les structures et approches intermédiaires suivantes.

Centrale d'achat groupe d'utilisation « libre »

Cette solution consiste à mettre en place une centrale d'achat Groupe où sont référencés un certain nombre de produits ou prestations, avec un prix de référence (généralement déterminé sur la base d'un volume prévisionnel global). Mais les BU restent maîtres de passer par les contrats-cadres de la centrale ou pas pour leurs achats. De son côté, le service central Achats va néanmoins rechercher à ce qu'un maximum d'achats « locaux » soient effectués en référence aux contrats centraux de façon à profiter au maximum de l'effet de globalisation.

Comités transversaux et acheteurs leaders

La solution des acheteurs leaders combine la spécialisation d'une partie des ressources humaines Achats avec la désignation d'un leader dans une famille d'achats donnée.

Dans de nombreuses entreprises, notamment anglo-saxonnes dont l'anglais est la langue véhiculaire, on parle aussi de *commodity managers* pour désigner les acheteurs leaders. Ce même vocable est utilisé dans les sociétés où l'achat est fortement centralisé.

L'acheteur leader aura les fonctions suivantes :
- la mise en œuvre de la globalisation par la consolidation des besoins des différentes unités et la définition d'une stratégie commune à la famille d'achat,
- la valorisation de la connaissance des besoins et des marchés locaux par tous les acheteurs locaux au travers de comités Groupe constitués par famille d'achat ; une part de réactivité et de souplesse liée à la présence locale des acheteurs impliqués dans l'équipe,
- et enfin le support des acheteurs locaux, relais d'information à double sens pour le déploiement et l'application en local de la stratégie de la famille concernée.

Toutefois, ce type de structure reste lié à la définition, pour des familles d'achat stratégiques, d'une politique de Groupe qui, si elle n'est pas admise par le management des BU, ne règle pas les difficultés liées aux conflits d'intérêt pouvant exister entre cette stratégie et l'atteinte des objectifs locaux.

Gestion centralisée des panels fournisseurs

L'autre axe de centralisation consiste à observer les métiers constitutifs du métier d'acheteur, et à centraliser une partie de ces métiers, pour en garder une autre au niveau local.

Parmi les solutions possibles, pour une famille ou un segment d'achat, on peut décider de centraliser la constitution et la gestion du panel fournisseurs. Seront maintenus au niveau local la définition d'un besoin d'achat, l'appel d'offres pour ce besoin déterminé, ainsi que les étapes suivantes d'évaluation / cotation / sélection des offres, la négociation éventuelle sur la base d'une *short-list*, ainsi que la mise en place de la solution.

Dans ce contexte, la centralisation portera sur les points suivants :
- la veille et le *sourcing* systématique de nouveaux fournisseurs,
- l'homologation des fournisseurs et la constitution du panel,

- la collecte des performances des fournisseurs à partir des systèmes de suivi « locaux » en temps réel au fur et à mesure des réalisations,
- la définition de plans d'amélioration fournisseurs coordonnés pour l'ensemble du groupe ; et plus généralement, la définition et la conduite de la politique fournisseurs.

En revanche, on comprend qu'ici les acheteurs locaux restent totalement maîtres des actes d'achat en liaison directe avec un produit ou une prestation achetée par les *business units*. La seule obligation est de ne pas contracter avec des fournisseurs non qualifiés, hors du panel Groupe (à moins de les faire homologuer préalablement).

Formules de coordination ou de centralisation industrielle et logistique

La centralisation industrielle trouve ses limites dans la spécialisation des unités de production au niveau européen et même mondial (par exemple crèmes dans certaines usines, aérosols dans d'autres et shampoings dans des sites différents, pour une entreprise de cosmétologie). Dans ce cas, on définit une stratégie et un mode de gestion au niveau de chaque famille de produits.

Si les clients ou si les marques sont différentes, on peut même fonctionner avec des logistiques propres à chaque famille et entièrement autonome.

Le plus souvent, si les clients sont communs, le regroupement s'avère la solution la plus intéressante : un ou deux entrepôts reçoivent les produits des différentes usines du groupe et peuvent ensuite livrer les clients (cas des entreprises travaillant avec la grande distribution).

Lorsque les produits nécessitent des conditions particulières de fabrication et de distribution (frais, sous température), le circuit logistique ne peut être que spécifique (entrepôts frigorifiques, transport sous température).

Il en est de même lorsque les caractéristiques de la clientèle diffèrent fortement. Dans la grande distribution, les enseignes approvisionnent leur réseau de supérettes et de magasins de proximité via une organisation logistique différente de celle de leurs hypermarchés, à cause des trop grands écarts de quantités et de fréquences de livraisons. On pourrait également citer les ventes sur Internet des mêmes enseignes pour lesquelles la logistique devant obéir à des exigences de rapidité et de très faibles quantités s'effectue, là aussi, selon une organisation spécialisée.

29/3 Groupes transversaux formalisés

On peut rencontrer par ailleurs un certain nombre de structures transversales dédiées à la *supply chain*, caractéristiques des sociétés ayant opté pour une *organisation matricielle*.

29/3.1 Groupes d'homologation et de cotation fournisseurs

Premier exemple d'organisation transverse, ces groupes propres au *sourcing* sont animés par les acheteurs leaders ou les gestionnaires de panels fournisseurs. Leur mission est le plus souvent la suivante :

- suite au *sourcing* de nouveaux fournisseurs réalisé par les acheteurs en général seuls, définir l'ensemble des caractéristiques attendues des fournisseurs et lister ainsi les critères devant servir de base à l'homologation,
- procéder à la collecte d'informations, en particulier au travers de RFI (*Request for Information*) transmises aux fournisseurs, et si besoin entreprendre tous les audits et diagnostics nécessaires chez eux,
- procéder collectivement à la cotation et donc à l'homologation,
- suivre les performances fournisseurs en temps réel, et décider collectivement des plans de redressement ou des sorties du panel si nécessaire.

Cette démarche collective garantit que toutes les directions concernées sont co-responsables de la décision et qu'aucune contestation ne se fera jour ultérieurement.

Le même principe collectif pourra être repris comme processus de base pour ce qui concerne la sélection des fournisseurs postérieurement au lancement des appels d'offres. Ces groupes suivent un processus reproductible et, de ce fait, qualifiable au sens ISO du terme : à ce titre, on peut parler de groupes transversaux permanents. Plusieurs groupes peuvent co-exister selon la segmentation des marchés fournisseurs.

Les membres « de droit » d'un tel groupe d'homologation sont nécessairement les suivants :
- l'acheteur jouant le rôle d'animateur et de « pilote »,
- l'utilisateur, au sens de l'entité « client interne » (par exemple l'unité industrielle pour un achat d'équipement industriel),
- le qualiticien comme prescripteur permanent,
- tout autre prescripteur qui aura un rôle déterminant de son point de vue (par exemple le chef de produit Marketing pour des achats d'un constituant dont la qualité a un impact élevé sur l'image et la performance du produit fini, le service après-vente pour la qualification de fournisseurs de pièces de rechange, le service Méthodes pour l'achat d'une machine, etc.).

Ces groupes ne sont pas permanents, mais récurrents. Leur constitution est permanente. Dans l'organigramme, ils figurent en lien fonctionnel au sein de la direction des Achats centraux ou par division ou par BU (selon les choix de centralisation faits précédemment).

29/3.2 Groupes de conception et de développement des produits nouveaux

La conception et le développement des produits nouveaux nécessitent un mode d'organisation particulier originaire du monde des projets. Le principe consiste à créer une équipe constituée de représentants des différentes fonctions concernées par le nouveau produit (bureau d'études, production, achats, marketing…) et travaillant *ensemble* sur un même lieu physique, appelé plateau (fig. 29-7).

Figure 29-7 – *Groupes projets*

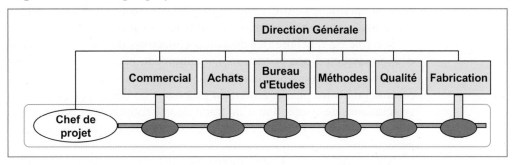

Nous ne développons pas plus avant ce sujet, celui-ci faisant l'objet d'un paragraphe détaillé dans le chapitre dédié au management de projet.

29/4 Les principaux métiers

Nous présentons ici quelques métiers représentatifs des achats et de la *supply chain*, sans vouloir faire œuvre d'exhaustivité.

29/4.1 Métiers Achats

Trois principaux métiers existent dans la fonction Achats, excluant celui d'approvisionneur et sans tenir compte des variantes hiérarchiques dans les grandes sociétés faisant intervenir un encadrement intermédiaire.

Acheteurs « métier » (senior ou junior)

L'acheteur métier est le spécialiste d'un marché fournisseur pour un segment d'achat donné. Il se situe donc dans une logique de segmentation du portefeuille achats. Son expertise marketing doit se doubler d'une grande maîtrise et de la connaissance des besoins d'achat. Il est souvent considéré comme un centre d'expertise pouvant être sollicité par les autres acheteurs.

Lorsque le gestionnaire de panel n'existe pas dans l'organigramme, l'acheteur métier remplit ce rôle de gestionnaire de la relation fournisseurs (GRF). Dans la même hypothèse, il est en charge du *sourcing* pour la recherche de nouveaux fournisseurs.

Il est en charge de la définition (seul ou en animateur de comité transversal) de la stratégie d'achat propre au segment concerné. Dans les cas appropriés, il est le gestionnaire d'appels d'offres Société devant aboutir à des contrats-cadres mis à la disposition de tous les autres acheteurs et utilisateurs. Dans les sociétés qui ont fait le choix d'une centralisation, cet acheteur métier joue le rôle d'acheteur leader ou de *commodity manager*.

Acheteurs-projet

L'acheteur-projet est intégré à une équipe projet (par exemple acheteur dédié dans un groupe de conception et de développement d'un nouveau produit, mais il peut s'agir de tout autre projet d'envergure ayant fait l'objet de la mise en place d'un groupe de pilotage formel sous la responsabilité d'un chef de projet). Cet acheteur reste hiérarchiquement dépendant des Achats, mais est détaché à temps plein dans le projet sous responsabilité métier du directeur de projet.

Son rôle est d'éclairer les décisions collectives du point de vue de « *l'achetabilité* » d'un produit ou d'une prestation. Dit autrement, pour un nouveau produit par exemple, il est en charge de l'optimisation de la « part achetée » du produit et joue un rôle essentiel dans les phases amont du processus de développement lorsque les décisions structurantes de conception d'un point de vue technique et économique sont prises. De plus, il doit veiller à la gestion prévisionnelle des risques d'achat liés au produit particulier.

S'il se trouve en « limite d'expertise technique ou de connaissance des marchés », il fait appel alors à l'acheteur métier vu ci-dessus.

Dans les grandes sociétés, il s'agit d'un métier à temps plein : un acheteur projet pouvant intervenir dans plusieurs projets à la fois, et passer en séquence de l'un à l'autre.

Acheteurs-amont / Marketeurs achat

Ce troisième métier d'acheteur est moins répandu et souvent réservé aux grandes sociétés pouvant amortir le coût associé.

L'acheteur amont est fondamentalement un technologue. Il est naturellement en relation avec le Bureau d'Études ou le Service R&D, souvent dans des dispositifs de binômes avec ces homologues ingénieurs. En termes de profil, il est un « clone » de ses collègues développeurs des services techniques, mais « regarde » les problèmes de technologies avec les yeux d'un acheteur, gestionnaire de risques.

Comparé au cas précédent, l'acheteur projet est « orienté produit », l'acheteur amont est « orienté solution technologique ».

Son travail consiste à faire de la veille technologique sur les marchés fournisseurs, et contribuer à qualifier par anticipation des solutions technologiques nouvelles, de telle façon qu'ensuite elles puissent être proposées en vue de les intégrer rapidement dans de futurs nouveaux produits par exemple.

La notion de « banque d'organes ou de fonctions nouvelles » qu'on observe dans le secteur automobile ou plus généralement *high-tech* répond à ce concept.

C'est donc une activité d'anticipation de moyen terme (quelques années), déconnectée de l'achat opérationnel du moment, sans que jamais ou rarement cela aboutisse à des contrats opérationnels. Il s'agit d'une activité se déroulant en parallèle aux autres activités achats et très liée au processus d'innovation. C'est à ce niveau que, préventivement, peut se gérer avec succès la recherche de standardisation des besoins futurs.

29/4.2   *Métiers de la planification industrielle*

Deux métiers concernent la planification de production avec des responsabilités assez comparables.

Responsable de la planification industrielle

Il assure l'interface entre la prise de commande et la mise en œuvre industrielle. Il définit les futurs plannings de production à partir des modules *manufacturing* du progiciel intégré de gestion de l'entreprise (ERP). Il définit le plan directeur de production en fonction des commandes fermes et des prévisions.

Responsable de la logistique industrielle

Il établit les programmes d'enregistrement des commandes en fonction du budget prévisionnel et des contraintes de fabrication, ainsi que les plannings de production en fonction des commandes clients. Il organise la production en flux tendus pour répondre à la demande du marché et diminuer les stocks. Il gère les besoins en emballages et la gestion des expéditions à partir de l'usine.

29/4.3   *Métiers de l'approvisionnement*

Le *Responsable approvisionnement* se charge de la collecte et de la mise en forme des informations clés liées aux différents composants nécessaires ainsi que de la saisie et de la maintenance de la base de données. Il gère l'approvisionnement proprement dit, depuis le calcul des besoins et la gestion du stock jusque et y compris les relations avec les fournisseurs de composants et les fabricants de produits finis (respect des délais, négociation et contrôle des prix, suivi logistique).

29/4.4   *Métiers de la distribution physique*

Directeur de la distribution physique

Il gère le (ou les) entrepôt(s), les stocks de produits finis, les transports vers les clients ainsi que le parc de matériel de manutention. Ses objectifs concernent le respect des délais, des coûts, la sécurité et la qualité de Service. Un responsable pour chacune des fonctions entreposage, transport et gestion des stocks, l'assiste dans sa fonction.

Responsable d'entrepôt

Il assure l'ensemble des opérations de réception, contrôle, mise en stock et stockage des marchandises ainsi que de préparation des commandes, contrôle et expéditions. Il gère des équipes de manutentionnaires et de préparateurs de commandes et est responsable de la maintenance du bâtiment et du matériel de stockage et des manutentions.

Responsable du service Transports

Il quantifie les besoins à sous-traiter, élabore les plans de transport des prestataires et négocie les tarifs avec les transporteurs. De plus il gère une équipe de conducteurs et de mécaniciens ainsi qu'un parc de véhicules en propre. Sa mission consiste à optimiser le planning des tournées avec les moyens matériels et humains des différents sites, tout en veillant à l'application de la réglementation sociale. Il définit avec la direction logistique les indicateurs et tableaux de bords à mettre en place dans son service ainsi que les objectifs de coûts et de niveau de service à atteindre.

Responsable Logistique export

Il assure, sous l'autorité du Directeur Export, la responsabilité des flux de produits du service Export. Il organise l'acheminement des marchandises depuis le dépôt jusqu'à nos chantiers, dans le respect des procédures et délais établis. Il supervise l'ensemble des dossiers d'Import/Export, ainsi que les opérations de transferts et de transits. Il effectue le suivi contractuel, administratif, documentaire et financier de l'ensemble de ces prestations. De ce fait, il est en relation permanente avec les transitaires, les banques et les douanes.

Chapitre 30

Mesure et pilotage des performances de la *supply chain*

Pourquoi mesurer les performances de la *supply chain* ?
– Pour avoir une vision objective des résultats atteints et de la façon dont ils l'ont été.
– Pour avoir des éléments de prévision et d'anticipation, et ainsi pouvoir prendre des mesures correctives.
– Enfin, d'un point de vue managérial, pour avoir une influence immédiate sur les comportements de l'ensemble des collaborateurs (si le système de mesure des performances individuelles est étroitement relié à celui de la *supply chain*).

En conséquence, quels que soient la complexité d'une *supply chain* et son niveau de maturité, il est nécessaire de concevoir et de piloter un système de mesure des performances pour deux raisons principales :
– faire un *reporting* périodique au management et à la direction générale,
– avoir un outil de management interne de tous les collaborateurs du domaine, ainsi que de tous ceux qui sont en interface fréquente avec la fonction.

30/1   Les éléments d'un modèle générique de performance

Qu'est-ce que la performance de toute fonction, en particulier d'une *supply chain* ?

En référence à la figure 30-1, comme pour toute fonction de l'entreprise selon une approche classique en contrôle de gestion[1], le modèle générique de performance d'une fonction comporte cinq dimensions :

– **Dimension 1** : elle concerne les critères de performances exprimés en termes de résultats opérationnels attendus par la direction générale. À ce niveau, nous sommes dans le registre de l'efficacité (*effectiveness*) ; par exemple, un taux de service au client ou un taux de conformité qualité est un objectif opérationnel. En achats, un coût d'achat ou d'acquisition est un critère de performances ayant statut de résultat.

– **Dimension 2** : elle a trait au modèle d'obtention de la performance. Ce point correspond aux variables d'action stratégiques utilisées et décisions opérationnelles

---

[1] Cette partie constitue un rappel de principes et méthodes de contrôle de gestion. Pour plus d'approfondissement, le lecteur est invité à se reporter à l'ouvrage de référence suivant : Mendoza C., Delmond M.-H., Giraud F., Löning H., «Tableaux de Bord et *Balanced Scorecards* », Groupe Revue Fiduciaire, 2002.

effectivement prises ; ce modèle repose, en particulier, sur le choix de tous les processus mis en œuvre à tous les niveaux de la *supply chain*. Conceptuellement, il doit y avoir nécessairement un lien de causalité entre les processus et les décisions influençant la *supply chain*, et les résultats constatés. Nous sommes dans le registre de l'efficience (*efficiency*).

Par exemple, dans le domaine Achats, le nombre de fournisseurs en panel, le nombre de réponses aux appels d'offres ou le nombre de fournisseurs en Juste-à-temps sont des variables d'action achats ; un niveau de stock de semi-finis conforme à un seuil prédéfini, ou un taux de composants standard dans la gamme de produits, ou un APS performant, sont des variables d'action *supply chain*.

– **Dimension 3** : elle concerne l'utilisation optimale des ressources mises en œuvre. Par « ressources », on entend moyens humains, matériels et financiers mobilisés par la *supply chain*. On entend aussi les systèmes d'information et de pilotage (ERP, APS, etc.) conçus et mis en place. À ce niveau, on peut parler d'efficience et de productivité. Par exemple, le nombre d'acheteurs associé au nombre de commandes passées par personne est un critère de productivité. Le coût unitaire de traitement d'une commande est aussi une variable de productivité.

– **Dimension 4** : elle est constituée de tous les référentiels de situation. Par ce terme, on signifie que différentes situations sont difficilement comparables entre elles (entre différentes entreprises par exemple, aussi bien que pour la même entreprise des contextes historiques, marchés, concurrentiels ou environnementaux différents).

– **Dimension 5** : elle fait référence à la nécessité d'avoir un référentiel de comparaison, et en particulier de fixer des objectifs « cible » de performances opérationnels qui soient réalistes et motivants. Il y a plusieurs référentiels « cibles » possibles : nous les analyserons plus loin dans ce chapitre.

Les trois premières dimensions, détaillées dans les sections suivantes, vont toujours devoir être exprimées sous forme quantifiée et donc mesurable. Cela donnera naissance à un outil de gestion constituant le système de mesure des performances.

Cette question revient à celle du choix des indicateurs qui vont ainsi être regroupés en plusieurs catégories :
– la première sera constituée des indicateurs de résultats en relation avec les objectifs opérationnels attendus,
– la deuxième sera constituée des indicateurs d'actions, en relation avec les décisions d'organisation, de planification ou de suppression des divers dysfonctionnements prises tout au long de la *supply chain*,
– la troisième sera constituée par les indicateurs de moyens et de productivité à tous les niveaux de la *supply chain*,
– la dernière enfin (non obligatoire) proposera des valeurs de références pour ces indicateurs (sur la base d'informations externes par exemple).

Globalement, le *reporting* à la direction générale s'appuiera essentiellement sur les indicateurs de résultats, alors que les autres serviront plutôt au management interne et au pilotage de la *supply chain* par ses responsables à tous niveaux du processus. On rappellera néanmoins que tout indicateur doit avoir les caractéristiques suivantes : pertinence par rapport à « l'objet mesuré » (qu'il s'agisse d'un objectif opérationnel ou d'une variable d'action), être quantifiable à partir du système d'information comptable ou extra-comptable de l'entreprise, être pérenne dans le temps, être incontestable par les utilisateurs, être suffisamment sensible pour illustrer des évolutions au « degré de finesse » voulu, et être choisi pour éviter tout biais d'interprétation.

Figure 30-1 – *Modèle générique de la performance Supply Chain*

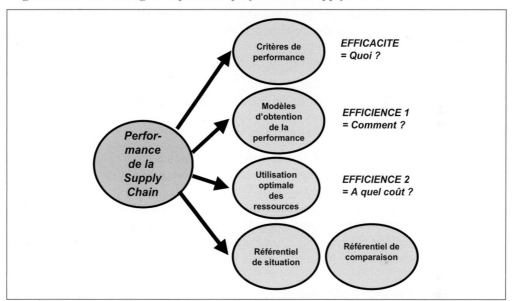

30/2 Les trois approches principales de la mesure des performances de la supply chain

Tout d'abord, il faut rappeler un principe fondamental : il ne peut exister de tableau de bord ou de système de mesure des performances standard et donc unique, qui serait ainsi plaqué sur toute situation d'entreprise. En effet, un tel système dépendra toujours de l'organisation *Supply Chain* choisie (cf. chap. 29), de la répartition des missions et responsabilités définies dans l'organigramme, et du niveau de maturité atteint (voir plus loin).

En particulier, l'existence ou non d'une direction *Supply Chain*, positionnée en responsabilité fonctionnelle ou opérationnelle, impliquera une architecture différente du système de performances et de *reporting*.

Toutefois, pour éclaircir les choix possibles, on peut proposer plusieurs approches, constituant autant de cadres de référence qu'on pourra adapter selon les situations.

Traditionnellement, les entreprises ont cherché à reconstituer la performance sur des bases principalement financières. Pour la *supply chain*, cette approche présente des défauts importants :

– les performances sont évaluées sur une base historique et ne permettent pas de se projeter sur l'avenir et les évaluations possibles,

– une telle évaluation ne met aucun accent sur des variables stratégiques non financières de la performance d'une *supply chain*, comme le service au client, la maîtrise de la qualité ou la flexibilité,

– enfin, cette vision ne prend pas en compte les notions différentes d'efficacité et d'efficience.

Aussi, nous proposons ci-dessous trois approches sélectionnées, qui ont été développées indépendamment, et qui répondent mieux (mais partiellement) à notre objet. Il s'agit des systèmes de mesure des performances suivants :

– les *Balanced Scorecards*,

– l'approche ABC (*Activity Based Costing*),

– le modèle SCOR du *Supply Chain Council*.

Nous ferons en fin de présentation une tentative de synthèse.

30/2.1   Les Balanced Scorecards

Les *Balanced Scorecards*[1] sont conçues pour fournir un système d'information global aux dirigeants et suivent un nombre limité d'indicateurs en relation directe avec les objectifs stratégiques de l'entreprise (fig. 30-2).

Au départ, cet outil n'a pas été conçu spécifiquement pour le suivi des performances d'une *supply chain*, mais il présente l'intérêt de suggérer une architecture adaptée. Ainsi quatre domaines en interrelation peuvent être mis sous contrôle et proposés dans la logique de cette approche (*liste non limitative d'indicateurs décrite ci-dessous*) :

Perspective financière :

– coût de fabrication,

– coût du stockage (tous niveaux),

– coût d'acquisition (achats).

Perspective clients :

– livraisons dans les délais,

– délai de traitement des commandes clients,

– taux de qualité des livraisons.

Processus internes :

– respect du programme de production,

– cycle de fabrication moyen,

– suivi des erreurs de prévision,

– taux de couverture des stocks (produits finis).

Innovation – Croissance :

– cycle de développement des nouveaux produits,

---

[1] Ce concept et les outils de pilotage correspondants ont été initialement développés dans un ouvrage dont l'article suivant reprend les enjeux et principes : Kaplan R. S. & Norton D. P., « The Balanced Scorecard – Measures that drive performance », *Harvard Business Review*, January-February 1992. En français, lire aussi : Kaplan R. S. & Norton D. P., *Le tableau de Bord Prospectif*, Les Éditions d'Organisation, 2001. On pourra lire aussi avec intérêt la référence suivante : Mendoza C. & Zrihen R., « Du balanced Scorecard au tableau de pilotage », *L'Expansion Management Review*, décembre 1999.

   – économies de conception générées par co-développement avec les fournisseurs,

   – nombre de nouveaux projets acceptés.

Figure 30-2 – *Le modèle Balanced Scorecard*

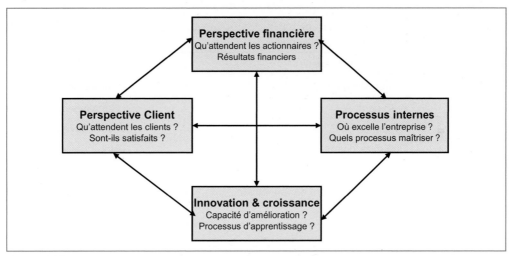

Du point de vue de l'efficacité, cette approche considère la *supply chain* essentiellement comme un centre de coût, ce qui en limite la vision. En revanche, la focalisation sur les processus et les systèmes d'innovation met bien l'accent sur l'efficience et les démarches d'amélioration.

30/2.2 L'approche ABC (Activity Based Costing)

Cette approche a été développée initialement pour donner une cohérence à certaines données comptables en les reliant entre elles autour du concept d'activité. La méthode consiste à éclater les activités de l'entreprise en tâches individuelles et coûts élémentaires, avec évaluation des ressources estimées pour chacune, puis à faire des regroupements selon des logiques de processus[1].

Ainsi le domaine couvert par la *supply chain*, par nature transversal, se prête bien à cette démarche. Par exemple, il est très pertinent d'évaluer un coût total de traitement d'un client (depuis la demande d'information initiale jusqu'à la phase post-livraison et après-vente).

Un autre exemple classique est celui de la détermination du coût total de la qualité de l'entreprise (comme l'a illustré le chapitre 21 repris ci-dessous, fig. 30-3).

Ainsi défini, en *supply chain*, le concept d'Activité correspond bien aux processus transversaux qui la caractérisent. De telles évaluations permettent de bien juger la productivité réelle du système. En revanche, il ne donne pas d'informations extra-comptables, ce que, *a contrario*, parvient à faire le modèle SCOR.

---

[1] Pour plus de détails sur la méthode ABC, lire les ouvrages de référence suivants : Mendoza C. & Bescos P., *La management de la performance : expériences et méthodologie*, Editions Comptables Malesherbes, 1994.

Figure 30-3 – *Coût total de la qualité en approche ABC*

Obtention de la qualité	Non-qualité
Prévention	Non-qualité externe
Formation	Coût de la garantie
Prototypes (mises au point)	Dépannages (SAV)
Études de processus	Réparations
Assurance-qualité	Remplacements
Auto-contrôles	Pénalités contractuelles
Systèmes SPC	Produits rebutés
Contrôles divers	Non-qualité interne
Contrôles de réception	Produits rebutés
Contrôles en-cours de fabrication	Réparations / retouches
Inspections finales	Pertes de rendement
Audits ponctuels	Modifications techniques
	Stocks de sécurité dédiés

30/2.3   Le modèle SCOR

Ce modèle de mesure de performances, unanimement reconnu, a été développé par des professionnels de la *supply chain*. Il est largement appliqué, et présente l'intérêt de constituer une sorte de « langage commun » parmi les professionnels. Il s'organise autour de 4 domaines de performances principaux déjà vus : PLAN, SOURCE, MAKE et DELIVER.

En opposition au modèle développé par les *balanced scorecards* orienté spécifiquement vers la direction générale, celui-ci met l'accent sur les besoins de pilotage de la *supply chain*. Il fournit un certain nombre d'indicateurs de performance combinant effectivement des éléments de performances orientés vers les résultats, et des éléments d'efficience orientés vers les coûts et la rotation des capitaux engagés.

De façon agrégée, le modèle SCOR s'organise autour de quatre dimensions :

Fiabilité des performances commerciales :
- respect des délais de livraison (niveau de la commande ou de la ligne de commande),
- taux de service (à la commande ou à la ligne de commande),
- taux de conformité qualité des livraisons (bien que cet objectif ne soit pas directement une performance de la *supply chain*).

Flexibilité / Réactivité :
- délai de réponse de la *supply chain* (cycles de prévision, de replanification, de production tous niveaux, d'approvisionnement),
- flexibilité de production (approvisionnements, capacité de production, variations de production et d'approvisionnement possibles pour suivre les attentes des clients),

– délais de traitement des litiges et retours clients,
– délais de réparation.

Coûts de la *supply chain* :

– coût total incluant de façon plus détaillée : coût du traitement des commandes clients, coût d'acquisition des matières, composants et prestations, coût des stocks tous niveaux, coût du système d'information et de planification,
– coût de traitement et de réparation des retours clients et litiges qualité.

Rotation des capitaux engagés :

– conditions de règlement fournisseurs (nombre de jours pratiqué en règlement) ,
– conditions de règlement clients (bien que cet objectif ne soit pas directement une performance de la *supply chain*, mais résulte d'une décision commerciale),
– stocks (exprimés en jours de couverture à tous niveaux : matières premières et composants, en-cours et semi-finis, produits finis),
– valeur ajoutée par employé.

Le tableau de bord ci-dessus est agrégé. Dans l'approche SCOR orientée « prise de décision », celui-ci peut (doit) être détaillé au niveau 2, correspondant à chacun des quatre domaines comme l'illustre le tableau de la figure 30-4[1].

30/3 Les différents niveaux de maturité de la *supply chain* et leurs conséquences

Parmi les approches présentées, le choix se fera le plus souvent autour du modèle SCOR aux niveaux 1 et 2, complété pour la direction générale par une *balanced scorecard* synthétique exprimée selon les objectifs stratégiques poursuivis. Les deux ne sont pas incompatibles, mais complémentaires.

Le terme « Niveau 1 » correspond aux macro-indicateurs présentés dans le paragraphe précédent. Le terme « Niveau 2 » correspond à leur déclinaison pour chacun de quatre grands domaines : SOURCE, MAKE, DELIVER et PLAN, comme dans le tableau 30-4. Ce niveau plus détaillé constitue une sorte d'effet « zoom », et se focalise sur chacune des grandes fonctions de la *supply chain* (Achats, Production, Distribution et Planification). Toutefois, toutes les approches évoquées précédemment traduisent la problématique de mesure de performances *supply chain* de façon « statique » et « neutre ».

Statique, car elles ne prennent pas en compte, ou mal, le fait qu'une entreprise évolue dans le temps et que son système de mesure de performances doit évoluer selon les stades de maturité qu'elle atteint.

Neutre, car elle ne prend pas en compte la structure de responsabilité particulière effectivement en place dans une entreprise liée à son organisation *supply chain* et à l'organigramme décidé par la direction générale.

---

[1] De façon pratique, il existe de nombreux indicateurs possibles, ou de variantes d'indicateurs « génériques » communément admis. Le propos de cet ouvrage n'est pas d'en faire une liste exhaustive. Il est conseillé au lecteur, si besoin, de se reporter à une bibliographie spécialisée pour approfondir ce point.

Figure 30-4 – *Coût Total de la Qualité en approche ABC*

Stratégie SC	SOURCE	MAKE	DELIVER	PLAN
Fiabilité commerciale	Taux de défauts sur livraisons	Coût des défectueux	Taux de défectueux livrés	Exactitude des prévisions Respect des dates de livraison Exactitude des données Taux de service réel
Flexibilité / réactivité	Respect des délais Réactivité des fournisseurs	Cycle de re-planification Temps changement de série Cycle de production moyen	Délai de livraison réel Cycle de trait. de commandes	Cycle total SC (tous niveaux) Cycle de re-planification
Maîtrise des coûts	Investissement en stocks MP Coût Total d'Acquisition (TCO)	Productivité moyenne Ratio des coûts indirects Frais de structure Coût de non-qualité Investissement en stocks	Coût du traitement des commandes Investissement en stocks PF	Coût total des stocks Coût de la planification Coût du système d'information Coût des surplus / invendus
Capitaux engagés	Rotation des stocks MP Conditions paiement fournisseurs	Rotation des stocks Taux de rendement global *Pay-back* moyen sur équipements	Rotation des stocks PF Conditions paiement clients	Retour sur investissement Taux de rendement global Évolution du BFR

30/3.1   La notion de matrice et de niveaux de maturité

Cette notion est apparue la première fois appliquée à la *supply chain* dans l'ouvrage de Charles Poirier[1]. L'auteur constate que les entreprises évoluent dans l'organisation *supply chain* en suivant certaines étapes dans leur pratique opérationnelle et leur organisation (fig. 30-5). Pour simplifier, la figure fait ressortir principalement trois niveaux de maturité progressifs (au-delà d'une situation de départ qualifiée d'empirique ou traditionnelle) :

– Le premier traduit une *organisation fonctionnelle*.

L'entreprise met alors l'accent sur l'optimisation des grandes fonctions séparément (service Clients, Production, Logistique et Achats). Dans ce cas, on vise la professionnalisation des fonctions en priorité, sachant qu'il est néanmoins nécessaire d'avoir des structures transversales légères pour assurer la gestion des interfaces. Les grandes fonctions sont alors dans un système de relations client-fournisseur (stade de maturité 2).

– Le deuxième stade est qualifié d'*approche d'entreprise intégrée*.

Les processus transversaux sont privilégiés, et le plus souvent on voit émerger au niveau de l'organigramme une direction *Supply Chain* rattachée naturellement à la direction générale avec une stratégie propre. Les indicateurs privilégiés sont ceux qui mettent en lumière les performances transversales (stade de maturité 3).

– Le dernier niveau qualifie l'*entreprise « en réseau » ou étendue*.

---

[1] Le lecteur se reportera à l'ouvrage suivant : Poirier C., *Advanced Supply Chain Management*, Éditions Berrett-Koehler Publishers, 1999.

Figure 30-5 – *Stades de maturité* supply chain

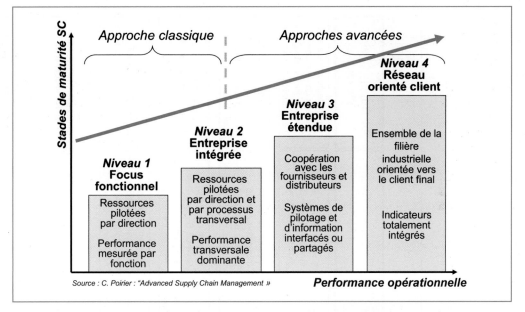

Source : C. Poirier : "Advanced Supply Chain Management »

Dans cette situation (stade de maturité 4), toujours aboutissement d'une évolution de l'entreprise ayant déjà bien maîtrisé le niveau 3, la Direction *Supply Chain* pilote l'ensemble de la chaîne intégrant les fournisseurs en amont et tout le réseau de distribution en aval. Cette intégration se traduit notamment par un partage des risques et des bénéfices entre les stades de la filière industrielle.

À ce niveau, les indicateurs devront traduire cette réalité en fournissant des informations intégrées et propres aux autres acteurs de la chaîne logistique (fournisseurs, distributeurs et prestataires logistiques). Prenant acte de cette nécessaire progression, on peut proposer un modèle de référence qui traduise ces différents stades de maturité en précisant quelles sont leurs caractéristiques : c'est l'objet des matrices de maturité. La figure 30-6 donne un exemple d'une telle matrice[1].

30/3.2   *Niveaux de maturité et mesure des performances*

Deux constats s'imposent :
- une entreprise située aux stades 3 ou 4 ne peut pas faire l'économie d'indicateurs propres à chaque fonction séparément (cf. niveau 2) : il va donc falloir combiner deux dimensions pour avoir une vision sous deux angles d'approche,
- d'un point de vue « dynamique », au fur et à mesure qu'une entreprise progresse en maturité, elle doit nécessairement faire évoluer son système de mesure de performances : un tableau de bord idéal et stable au fur et à mesure des années ne peut exister ni conceptuellement ni pratiquement.

---

[1] Cet exemple original de matrice de maturité est tiré d'une thèse professionnelle primée non publiée d'un dirigeant Supply Chain diplômé du Mastère HEC MII 2004 : Stéphane Chapiron, « Définition et pilotage du développement de la Supply Chain : une application des matrices de maturité », avril 2004.

Figure 30-6 – *Modèle de matrice de maturité* Supply Chain

	1. Logistique traditionnelle	2. Supply Chain fonctionnelle	3. Supply Chain intégrée	4. Supply Chain étendue
Vision / Stratégie	Absence de stratégie Supply Chain formalisée	Stratégies définies « en silos » au sein de chaque Division	Formalisation d'une stratégie Supply Chain globale en interne	La stratégie porte sur le partage des risques et des bénéfices au sein de la chaîne de valeur
Culture	Cultures locales focalisées sur la productivité et l'excellence technolog.	Prise en compte de relations clients / fournisseurs internes	Culture de collaboration transversale avec partage d'objectifs orientés vers client final	Culture de collaboration externe au sein d'un réseau d'acteurs de la chaîne de valeur
Organisation	Juxtaposition de départements indépendants, en « silos »	Meilleure intégration des métiers de planif. / exécution au sein d'une division des Opérations	Mise en place d'une Division Supply Chain avec des responsabilités globales	Imbrications fortes avec les acteurs clés de la chaîne étendue
Performance	Indicateurs locaux sur la qualité, les coûts et les marges	Mise en place d'indicateurs supportant la stratégie des Divisions	Mise en place d'un scorecard avec des indicateurs partagés et équilibrés («balanced»)	Mise en place d'indicateurs partagés avec les acteurs clés de la chaîne étendue
Processus	Processus très orientés sur l'exécution (procédures standard)	Mise en place de processus de planifications au niveau des différentes fonctions	Mise en place de processus transversaux (planification, exécution)	Mise en place de processus collaboratifs avec les clients & les fournisseurs
Systèmes	Applications spécifiques locales, beaucoup de traitements manuels	Mise en place progressive de progiciels métiers (MRPII, DRP …)	Mise en place d'outils globaux (ERP, APS, SCM)	Mise en place d'outils permettant d'optimiser la collaboration

Copyright : S.Chapiron, Mastère HEC Part Time MII2004

Processus transversaux et approche fonctionnelle

Un premier exemple pour illustrer ce point de la combinaison entre la mesure des processus transversaux et de l'approche fonctionnelle « verticale » peut être fourni avec l'exemple de l'ensemble d'indicateurs relatifs au processus de traitement des commandes[1]. Le tableau de la figure 30-7 illustre ce point en détails.

Processus transversaux, approche fonctionnelle et entreprise « étendue »

Un second exemple peut illustrer la prise en compte du concept d'entreprise étendue. Dans une telle situation, si l'on se focalise par exemple sur la performance économique de la *supply chain* globale, le seul critère pertinent est le *Coût Total d'Acquisition* (TCO : *Total Cost of Ownership*), défini comme le coût direct cumulé du produit « rendu utilisateur » à son point de consommation final.

Une interprétation élargie de ce concept intègre même le coût d'utilisation du produit tout au long de sa durée de vie. Ainsi, un équipement comme un bien d'investissement sera évalué avec inclusion des coûts de maintenance et d'après-vente (notamment du fait que la performance dans ces domaines implique effectivement la *supply chain* dans la réalisation de la prestation vis-à-vis du client final). Mais cela fait aussi apparaître que certains éléments de ce coût sont bien sous la responsabilité d'autres acteurs de la *supply chain* globale : en particulier les fournisseurs dont les coûts cumulés sont très importants comparés à la valeur ajoutée interne (cf. chap. 8).

Inclure ces coûts dans la performance interne de l'entreprise met bien l'accent sur la responsabilité partielle sur le résultat qu'elle assume néanmoins au travers des choix de fournisseurs et des plans de progrès et d'amélioration qu'elle engage avec eux.

Il ne faut donc pas craindre que certains indicateurs soient sous responsabilité « partagée » : cela signifie simplement qu'alors, spontanément, les managers qui les auront dans leur propre tableau de bord et système de mesure de performances individuel rechercheront naturellement à se rapprocher des autres acteurs concernés pour trouver des solutions opérationnelles communes. En clair sur notre exemple, les acheteurs et les logisticiens et qualiticiens du fournisseur.

30/4 Comment établir un référentiel de comparaison ?

Dans la section 1, nous évoquions les référentiels de comparaison. Ce point repose sur la fixation d'objectifs de performances « cibles ». De ce point de vue, plusieurs approches peuvent être pratiquées.

30/4.1 Comparaison sur base historique

Approche la plus fréquente – lorsque les objectifs à atteindre ne viennent pas de façon comminatoire de la direction générale pour des raisons purement financières dictées par les indices boursiers ou les attentes à court terme des actionnaires – elle consiste à exprimer un objectif par amélioration d'un résultat passé (souvent selon une

---

[1] Le tableau donné en exemple est directement inspiré d'un original figurant dans l'article suivant : Lapide L., *What About Measuring Supply Chain performance ?*, M.I.T., *ASCET*, vol. 2, 2000.

fréquence annuelle de réactualisation pour des raisons budgétaires). Exemples : « diminution de 5 % du délai de livraison des commandes », « faire passer le taux de service de 92 à 95 % des lignes de commandes », « diminuer le coût d'achat moyen de telle famille de composants de 3 % l'année prochaine », etc.

Figure 30-7 – *Architecture d'indicateurs multi-niveaux*

Service Client	Processus transversaux	Entreprise étendue
Nombre de commandes traitées	Erreurs de prévisions	Stocks totaux (tous niveaux)
Nombre de lignes de commandes saisies	Cycle de développement des nouveaux produits	Stocks par canaux de distribution
Quantités livrées	Cycle de planification moyen	Nombre de transactions par EDI
Taux de rupture	Nombres de changements de programmes	% ventes en CRM
Taux de retours clients	Coût total d'acquisition (TCO)	% approvisionnements en SRM
Nombre de litiges clients		% clients en prévisions "partagées"
Temps de traitement des commandes		% fournisseurs en prévisions "partagées"
Taux d'erreurs de saisies		Stocks fournisseurs
		% transactions e-business clients / fournisseurs
Fonction Achats	**Fonction Production**	**Fonction Logistique**
Stocks MP et composants	Taux de conformité en production	Rotation des stocks PF
Taux de rupture	Stocks en-cours et semi-finis	Couverture des stocks PF
Respect des délais fournisseurs	Respect des plans de production	Stocks dormants / morts
Qualité des réceptions / livraisons	Coûts de production	Exactitude des stocks
Coûts d'achats	Coûts des dysfonctionnements	Taux de livraison dans les délais
Coûts d'acquisition	Coûts de non-qualité	Nombre de lignes préparées / h
	TRG (Rendement Global)	Délai de livraison moyen
	Temps de changement de séries	Investissements en stock
	Taux de déchet ou de rebuts	Coût de l'entreposage
	Cycle de production moyen	Coût de distribution / livraison
	Productivité moyenne	Coût du transport
Finances	**Marketing**	**Autres (management)**
Cash-flow	Part(s) de marché	Taux de rotation du personnel
Rentabilité capitaux investis	Délai de mise sur le marché	Nombre de suggestions
BFR	Analyse(s) ABC des ventes	Heures de formation
Valeur ajoutée / employé		Écarts sur budgets fonctionnement
Erreurs de facturations		
Retards de paiement fournisseurs		

Le seul commentaire à faire porte sur l'existence de certains biais qui viendront fausser la comparaison si l'on ne prend pas garde à la réalité de la performance.

Sur l'exemple des coûts d'achats, une diminution de 3 % peut résulter de plusieurs causes :
– une meilleure mise en concurrence des fournisseurs par appel d'offres, doublée de négociations bien préparées, donc valeur ajoutée réelle de l'acheteur,
– une baisse du prix moyen constatée sur le marché fournisseur qui a été de 5 % (!), et dans ce cas l'acheteur a mal acheté,
– une augmentation du volume acheté suite à l'augmentation des ventes, qui a mécaniquement permis une telle baisse, sans que l'acheteur n'ait eu à s'impliquer lourdement,
– une évolution du taux de change qui, par un effet purement mécanique sur le prix d'achat, a pu permettre l'atteinte de l'objectif.

Ainsi, l'objectif opérationnel peut être effectivement atteint par l'entreprise, mais cela n'implique pas que le résultat soit dû à une amélioration des performances des acteurs au travers des variables d'action contrôlables dont ils disposent. À l'inverse, un acheteur de matières premières dites « spéculatives », qui atteint une augmentation de prix de 3 % pendant une période de pénurie où les cours et les indices ont effectivement augmenté de 6 %, réalise une performance remarquable. Et pourtant le compte de résultat aura enregistré la hausse et donc une augmentation du poste « matières premières » !

30/4.2   Benchmarking interne

Dans les groupes multi établissements ou multi *business units (BU)*, la direction *Supply Chain* peut chercher à « aligner » toutes les BU sur la « meilleure » d'entre elles. Les informations sont, en général, assez simples à collecter, d'autant plus qu'un ERP partagé peut exister au sein du groupe.

Il y a là aussi des limites à cet exercice : si les BU opèrent sur des marchés dont les mécanismes sont différents, les performances peuvent être totalement alignées (parce que, par exemple, les clients n'auraient pas les mêmes attentes, et que la structure concurrentielle ne serait pas la même).

Toutefois, cette approche est simple et présente un avantage : amener les dirigeants de BU à s'interroger et à rechercher « spontanément » des causes explicatives. En soi, pour la direction générale du groupe, ce résultat est un succès, surtout si elle demande à ces dirigeants un reporting périodique comparé en Comité de Direction Groupe les amenant à commenter et expliquer leur performance (bonne ou mauvaise) et aussi en confiant au Directeur *Supply Chain* et au Contrôle de Gestion la mission de faire vivre le système de mesure de performances et en veillant à ce que les résultats soient publiés à fréquence voulue (de ce point de vue, un intranet est un outil remarquable qui offre cette possibilité sur la base d'un temps réel ou presque).

30/4.3   Benchmarking externe

L'autre solution est la comparaison externe avec l'objectif de s'aligner sur les « meilleurs » (*Best-in-Class, Best Performers*). Cela peut se faire soit par consultation de dossiers synthétiques de revues professionnelles ou académiques, soit par consultation de sites spécialisés, soit par la participation à des clubs de *benchmarking*, soit enfin par démarche individuelle.

Les difficultés sont de deux ordres :

– trouver des bases de comparaisons sur des critères de performances permet de se donner des objectifs de progrès, mais n'indique pas comment telle société a pu atteindre un résultat – par quel processus (donc n'apporte pas d'informations sur les processus et les variables d'action utilisées),

– faire un *benchmarking* pertinent n'est pas nécessairement se comparer à des sociétés du même secteur (concurrentes), mais à des entreprises d'autres secteurs pour découvrir éventuellement d'autres niveaux de performances et d'autres façons de faire que soi, pour ensuite envisager l'intérêt de les transférer dans son propre contexte.

Faire du *benchmarking* suppose donc toujours d'accepter le partage d'informations, d'expériences et de solutions (à la frange de données purement confidentielles). C'est un jeu « donnant-donnant » qui ne peut pas fonctionner en général entre compétiteurs directs (sauf sur les résultats atteints – encore qu'il y ait parfois « habillage » partiel de la réalité). Qui plus est, cette démarche aboutirait alors à un alignement des pratiques, ce qui est antinomique avec l'idée de progrès et de différenciation stratégique[1].

30/5   Méthodologie de mise en œuvre

Lorsqu'on s'attaque à la définition et à la mise en place d'un système, il est nécessaire de le faire en suivant une séquence de phases à bien différencier formellement. La figure 30-8 les illustre sur un exemple focalisé volontairement sur le *sourcing* et les achats.

Cette figure appelle plusieurs commentaires :

– La détermination des objectifs de performances (I) doit dépendre des objectifs stratégiques, mais aussi et surtout du niveau de maturité où l'entreprise se trouve. Cela doit être décidé à partir d'un diagnostic de la *supply chain* fait sans concession : tant que des résultats permanents et stables n'ont pas été atteints au niveau N (au sens d'une qualification ISO des processus reproductibles et à résultat « garanti »), on ne peut passer au niveau supérieur.

– Le passage des objectifs opérationnels (I) au choix de variables d'action et processus (II) est le point le plus délicat ; c'est là que se concentre le professionnalisme des managers concepteurs du système.

---

[1] Pour approfondir sur les démarches et méthodologies de *benchmarking*, le lecteur peut se reporter à une bibliographie spécialisée. En particulier, lire l'ouvrage fondamental suivant : Camp R. C., *Le Benchmarking – pour atteindre l'excellence et dépasser vos concurrents*, Les Éditions d'Organisation, 1992. En complément, il existe des dossiers de benchmarking qui sortent régulièrement : parmi eux, on peut citer les travaux de Pittiglio, Rabin, Todd et McGrath (PRTM), dont la dernière publication inclut des informations sur 225 grandes sociétés dans le monde. Il existe aussi quelques organisations à vocation de centres d'études – AberdeenGroup ou ASCET (avec sites accessibles gracieusement ou sur abonnement).

Figure 30-8 – *Les étapes de définition du système de mesure de performances*

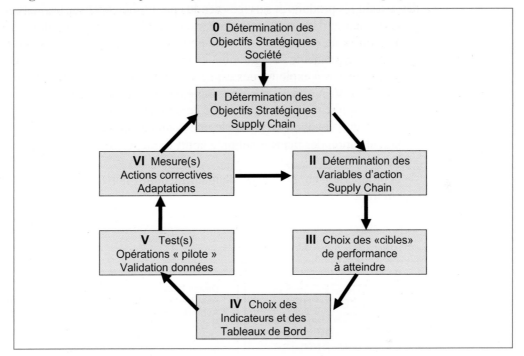

Comme le montre la figure 30-8, on voit que les variables d'action doivent être choisies pour représenter un compromis délicat : efficacité prouvée sur le résultat, et en nombre limité pour être suivies comme autant de plans d'actions élémentaires.

– Le choix des indicateurs est important. Il en faudra autant que d'objectifs à atteindre et de variables d'actions mises en œuvre (parfois plusieurs pour éviter des biais d'interprétation). Il faudra que les indicateurs soient incontestables, donc clairs et reconnus par tous les collaborateurs et acteurs externes. Il faudra qu'ils soient facilement calculables par utilisation des données comptables et extra-comptables disponibles dans le système d'information de la société. Il faudra enfin qu'ils soient orientés « action » et non pas simplement constat d'une performance passée.

Le passage des objectifs opérationnels aux variables d'action sélectionnées peut se faire de façon organisée en utilisant une méthodologie connue des contrôleurs de gestion : la méthode OVAR[1]. Son aboutissement logique est la définition du tableau de bord.

– À l'étape V, hormis le développement et la finalisation de l'outil, il y aura toujours un travail important d'explication et de perfectionnement de tous les collaborateurs *Supply Chain*, mais aussi de ceux qui sont à l'interface.

Il est important que le marketing assume toutes ses responsabilités propres dans l'efficacité de la *supply chain* de l'entreprise (en particulier : fiabilité des prévisions de

---

[1]   La signification des différentes lettres est la suivante : O = Objectifs, VA = Variables d'Action, et R = Responsables. Développée par une équipe de professeurs du Groupe HEC, cette méthode peut être analysée dans l'ouvrage : Fiol M. & Jordan H., *Renforcer la cohérence d'une équipe*, Dunod, 2004.

ventes, restitution exacte des besoins et attentes clients, soit l'ensemble des attributs définissant les produits et services vendus par la société et sur lesquels elle sera jugée).

Par ailleurs, il est tout aussi important que les chefs de produits marketing et les commerciaux ne « vendent » pas des performances que l'entreprise ne sait pas réaliser de façon permanente et garantie. *A contrario*, dans certains cas, peut-être ne cherchent-ils pas à exploiter des capacités de flexibilité ou de réactivité qui existent.

– L'étape VI n'appelle pas de commentaires particuliers.

C'est l'application classique d'une démarche de contrôle de gestion. Cependant, les dirigeants doivent avoir en parallèle une double vision :

– la réalisation des plans d'action à court terme, et dans ce cas l'horizon pertinent est l'année,
– la progression sur la matrice de maturité dont l'horizon de planification est de 3 ans environ.

Figure 30-9 – *Relation entre objectifs Société, Supply Chain et variables d'action (exemple des Achats)*

Bibliographie

Ouvrages généraux

Benassy J., *La gestion de production,* Hermès, 3ᵉ éd., 1998.

Bicheno J., *The Lean toolbox*, Picsie Books, 2ⁿᵈ ed., 2000.

Bosenberg D., Metzen H., *Le Lean management : alléger structures et coûts pour muscler l'organisation*, Les Éditions d'Organisation, 1994.

Brunet S., Gardin H., *Pratiques du reengineering*, ESF Éditeur, 1995.

Champy J., Hammer M., *Le reengineering*, Dunod, 2003.

Detœuf A., *Propos d'O. L. Barenton confiseur*, Les Éditions d'Organisation, 1982.

Drew J., McCallum B., Roggenhofer S., *Objectif Lean – Réussir l'entreprise au plus juste : enjeux techniques et culturels*, Les Éditions d'Organisation, 2004.

Dupont L., *La Gestion industrielle,* Hermès, 1998.

Ford H., *Propos d'hier pour aujourd'hui*, Masson, 1992.

Goldratt E., *Le but : un processus de progrès permanent*, AFNOR, 2002.

Goldratt E., *Critical Chain : La chaîne critique*, AFNOR, 2002.

Hayes R. H., Wheelwright S. C., *Restoring our Competitive Edge. Competing through Manufacturing*, John Wiley and Sons, 1984.

Henderson B. D., Larco J.e L*., Lean transformation*, Oaklea Press, 2000.

Liker, J. *Le Modèle Toyota : 14 Principes qui feront la réussite de votre entreprise*, Pearson Education, 2006

Molet H., *Comment maîtriser sa productivité industrielle ?,* Les Presses de l'École des Mines, 1998.

Monden Y., *Toyota management system*, Productivity Press, 1993.

Nakhla M. *L'essentiel du management industriel*, Dunod, 2006

Ohno T., *L'Esprit Toyota*, Masson, 1990.

Ohno T., Mito S., *Présent et avenir du toyotisme*, Masson, 2007.

Schonberger R., *Operations Management: Meeting Customers' Demands*, Acadelic Internet Publishers, 2006.

Skinner W., *Manufacturing. The Formidable Competitive Weapon*, John Wiley and Sons, 1985.

Strategor, *Stratégie, structure, décision, identité*, Dunod, 3ᵉ éd., 1997.

Tarondeau J.-C., *Produits et technologies : choix politiques de l'entreprise industrielle*, Dalloz Gestion, 1987.

Tarondeau J.-C., *Stratégie industrielle,* Vuibert, 2e éd., 1998.

Thomas J.L., *ERP et progiciels de gestion intégrés*, Dunod, 4ᵉ ed., 2005.

Waller D. L., *Operations management*, International Thomson Publishing, 1999.

Womack J., Jones D., Roos D., *Le système qui va changer le monde*, Dunod, 2ⁿᵈᵉ éd., 2003.

Womack J., Sperry M., Jones D*., Penser l'entreprise au plus juste,* Village Mondial, 1996, Trad. de : *Lean thinking*.

Womack J., *Système Lean*, Pearson Education, 2005

Gestion de production

Arnould P., Renaud J., *Flux de production, les outils d'amélioration*, AFNOR, 2003.

Blondel F., *Gestion de la production : comprendre les logiques de gestion industrielle pour agir*, Dunod, 4e éd. 2005.

Boyer R., Duran, J.-P., *L'Après-fordisme*, Syros, 1998.

Courtois A., Pillet M., Bonnefous-Martin C., *Gestion de production*, Les Éditions d'Organisation, 2006.

Davis M., Aquilano N., Chase R., *Fundamentals of Operations Management*, Irwin-McGraw-Hill, 4th ed., 2003.

Erschler J., Grabet B., *Gestion de production: Fonctions, techniques et outils*, Hermès Science publications, 2001.

Everaere Ch., *Management de la flexibilité*, Economica, 1997.

Galva R., Pachura E., *Nouvelle approche de la production : optimisation et maîtrise des processus de production par la méthode MIP (Maîtrise Intégrée des Processus)*, Maxima / Diff. PUF, 1996.

Giard V., *Gestion de la production et des flux*, Economica, 3e éd., 2003.

Gratacap A., Medas P., *Management de la production, concepts, méthodes, cas*, Dunod, 2001.

Grua H., *La production par les flux : configurer les processus industriels autour des besoins clients*, Dunod, 1999.

Heizer J., Render B., *Operations management*, Prentice-Hall, 7th ed., 2004.

Krajewski L., Ritzman L., *Operations Management: strategy and analysis*, Pearson Education, 4th ed., 1996.

Marris Ph., *Le management par les contraintes*, 2nde éd., Les Éditions d'Organisation, 1995.

Molet H., *Une nouvelle gestion industrielle*, Hermès, 1993.

Ritzman L.P., Krajewski L.J., *Management des opérations : principes et applications*, Pearson Education, 2004.

Russell R. S., Taylor B. W., *Operations Management*, Prentice-Hall, 3rd ed., 2000.

Vollmann T. E., Berry W. L., Whybark D. C., *Manufacturing Planning and Control for Supply Chain Management*, McGraw-Hill, 5th ed., 2005.

Waller D.L., *Operations Management : a supply chain approach*, International Thomson Business Press, 2nd ed, 2003.

Flux tendus, Juste-à-temps et Production au Plus Juste

Arnould P., Renaud J., *Le Juste-à-temps : Approches modernes, concepts et outils d'amélioration*, AFNOR, 2002.

Clot Y., Rocheix J.-Y. et Schwartz Y., *Les caprices du flux : les mutations technologiques du point de vue de ceux qui les vivent*, Éditions Matrice, 1990.

Colin R., *Produire Juste-à-Temps en petites séries*, Les Éditions d'Organisation, 1996.

Grua H., Segonzac, J.-M., *La Production par les flux, Configurer les processus industriels autour des besoins clients*, Dunod, 1999.

Lambersend F., *Organisation et génie de production, Organisation industrielle : concepts d'optimisation des flux industriels par stock zéro, délai zéro*, Ellipses, 1999.

Shingo S., *Le Système Shingo : les clés de l'amélioration de la production*, Les Éditions d'Organisation, 1996.

Womack J., Jones D., *Système Lean*, Village Mondial, 2005.

Achats, approvisionnements, partenariat

Association CESA ACHATS, *Fonction Achats : la communication au service de la performance*, Les Éditions d'Organisation, 1999.

Bruel O. & Petit F., *Fonction Achats : un modèle pour conduire le changement*, in HEC Paris, *L'Art du Management 3*, Les Échos – Dunod, Partie IV – Chap. 27 (pp.165-172), 2005.

Bruel O., *Management des Achats – Décisions stratégiques, structurelles et opérationnelles*, Economica, 2007.

Calvi R., *Le rôle des services Achats dans le développement des produits nouveaux : une approche organisationnelle*, Finance, Contrôle, Stratégie, Vol. 3, n° 2, pp 169-208, 2000.

Calvi R., *Projets de développement de produits : un nouvel enjeu pour la fonction Achats*, in Castagnos J-C & Retour D., *Le Management des Achats*, PUF, pp144-164, 2002.

Capraro M. & Baglin G., *L'entreprise étendue et le développement des fournisseurs*, Presses Universitaires de Lyon, 2002.

Comité 21, *Achats et Développement Durable – enjeux, méthodologies et initiatives*, AFNOR, 2005.

Garrette B., Dussauge P., *Les stratégies d'alliance*, Les Éditions d'Organisation, 1996.

Horvat Ch., *Les achats industriels à l'étranger*, Les Éditions d'Organisation, 2001.

Leclercq X., *Les contrats commerciaux Business-to-Business*, TOP Éditions, 1999.

Leenders M., Fearon H. E., Flynn A. E. & Johnson, *Purchasing & Supply Management,* Twelfth edition, McGraw-Hill Irwin, 2002.

Lysons K. & Farrington B., *Purchasing and Supply Chain Management*, The Cartered Institute of Purchasing & Supply, FT, Prentice Hall, 2006

Monczka R. M., Han Dfield R. B., Trent J.T., *Purchasing & Supply Chain Management*, SouthWestern College Publishing, 2nd ed., 2001.

Perrotin R., Loubère J.-M., *Nouvelles stratégies d'achat : sous-traitance, coopération, partenaraiat*, Les Éditions d'Organisation, 1999.

Perrotin R., *Le Marketing Achats : stratégies et tactiques*, Les Éditions d'Organisation, 3e éd., 2003.

Philippart M. & Verstraete C. & Wynen S., *Collaborative Sourcing – Strategic value creation through Collaborative Supplier Relationship management*, Collection e-Management, UCL Presses Universitaires de Louvain, 2005.

Schneiderjans M. J. & A. M.& D. G., *Outsourcing and Insourcing in an International Context*, M.E. Sharpe, Armonk, 2005

Varii auctores, *Guide des Achats et des Approvisionnements – Stratégie, Techniques, Procédures*, Les Référentiels DUNOD, mise à jour permanente..

Prévisions et gestion des stocks

Axsater S., *Inventory control*, Kluwer, 2000.

Bourbonnais R., Vallin Ph., *Comment optimiser les approvisionnements*, Economica, 2006.

Bourbonnais R., Usunier C., *Prévision des ventes – Théorie et pratique*, Economica, 3e éd., 2001.

Fournier P., Ménard, J.-P., *Gestion des approvisionnements et des stocks,* Gaëtan Morin, 2nde éd.,12004.

Hanke J. H., Reitsch A. G., *Business Forecasting*, Allyn and Bacon, 4e éd., 1992.

Lasnier G., *Gestion des approvisionnements et des stocks dans la chaîne logistique*, Hermes, 2004.

Leenders M. R., Nollet J., Fearon H. E., *La gestion des approvisionnements et des matières*, Gaëtan Morin, 1998.

Wheelwright S. C., Makridatis S., *Choix et valeur des méthodes de prévision*, Les Éditions d'Organisation, 1974.

Zermati P., *La pratique de la gestion des stocks*, Dunod, 7e éd., 2006.

Logistique, Supply Chain Management, Transports

Aurifeille J.-M., Colin J., Fabbe-Costes N., Pache G., Jaffeux C., *Management logistique : une approche transversale*, Litec, 1997.

Ballou R. H., *Business logistics management*, Prentice-Hall, 1999

Breuzard J.-P., Fromentin D., *Gestion pratique de la chaîne logistique*, Les Éditions Demo, 2004.

Chopra S., Meindl P., *Supply Chain Management – Strategy, Planning and Operation*, Prentice Hall, 3rd ed., 2006.

Christopher M. *Supply Chain Management : Créer des réseaux à forte valeur ajoutée*, Pearson Education, 2005

Cliquet G., Basset G., *Management de la distribution*, Dunod, 2003.

Cohen S., Roussel J., *Avantage Sypply Chain*, Les Éditions d'Organisation, 2005.

Coyle J. J., Bardi E. J., Langley C. J., *The management of business logistics*, 6th ed., West Publishing Company, 1996.

Descharreaux J.L., Suzet-Charbonnel P., *Le modèle Client-Savoirs : les deux moteurs de l'entreprise*, Dunod, 2000.

Dornier P.-P., Ernst R., Fender M., Kouvelis P., *Global Operations and Logistics, Texts and Cases*, John Wiley & Sons Inc., 1998.

Eymery P., *La Logistique de l'entreprise, Supply chain management,* Hermès, 1997.

Eymery P., *La stratégie logistique*, PUF, 2003, Que-sais-je ?

Fiore C., *Supply chain en action : stratégie, logistique, service clients*, Village Mondial, 2001.

Graumann-Yettou S., *Guide pratique du commerce international : exportation/importation*, Litec, 5e éd., 2002.

Laurentie J., Grégoire L., Terrier C., Barthelemy F., *Processus et méthodes logistiques : supply chain management*, AFNOR, 2e édi., 2006.

Legrand G., Martini H*., Management des opérations de commerce international*, Dunod, 3e éd., 1997.

Legrand G., Martini H., *Les techniques du commerce international*, Gualino Ed., 1998.

Long D., *International logistics : global supply chain management*, Kluwer, 2003.

Marchal A., *Logistique globale : Supply Chain Management*, Ellipses Marketing, 2006

Mathé H., Tixier D*., La logistique,* PUF, 4e éd., 1997.

Mocellin, F., *Gestion des entrepôts et plates-formes : assurez la performance de votre supply chain par la maîtrise des zones de stockage*, Dunod, 2004.

Mondon C., *Supply Chain Management en PMI : Le chaînon manquant*, AFBOR, 2005

Morcello E., Cousture M., *Les Stratégies d'implantations logistiques de la distribution*, Liaisons, 1999.

Paché G., Sauvage T., *La Logistique : Enjeux stratégiques*, Vuibert, 3e éd., 2004.

Pimor Y., *Logistique : Production, Distribution, Soutien*, Dunod, 4e éd., 2005.

Pimor Y., *Logistique : Techniques et mise en œuvre*, Dunod, 2003.

Poirier C., *La supply chain : optimiser la chaîne logistique et le réseau interentreprises*, Dunod, 2001.

Pons J., *Transport et logistique*, Hermès, 1997.

Roux M., *Entrepôts et magasins : Concevoir et améliorer une unité de stockage*, Les Éditions d'Organisation, 2003.

Roux M., Liu T., *Optimisez votre plate-forme logistique : Exercices corrigés, Calcul des dimensions, des temps, des coûts,* Les Éditions d'Organisation, 2007.
Samii A. K., *Stratégies logistiques, Fondements, méthodes, applications*, Dunod, 2000.
Samii A. K., *Stratégie logistique : Supply chain management*, Dunod, 3ᵉ éd., 2004.
Savy M., *Le transport des marchnadises*, Eyrolles, 2007.
Simchi-Levi D., Simchi-Levi E., Kaminski Ph., *Designing and managing the supply chain,* Irwin, 2nd ed., 2003.
Tayur S., Magazine M., Ganeshan R., *Quantitative models for supply chain management*, Kluwer, 1999.
Tixier D., Mathé H., Colin J., *La logistique d'entreprise*, Dunod, 1996.
Vallin Ph., *La Logistique – Modèles et méthodes du pilotage des flux,* Economica, 3ᵉ 2d., 2003.

Maîtrise des processus, maintenance, productivité

Bufferne J., *Le guide de la TPM*, Les Éditions d'Organisation, 2006.
Castellazzi F., Gangloff Y., Cogniel D., *Maintenance industrielle*, Casteilla, 2ᵉ éd., 2006.
Francaster J.-C., *Externalisation de la maintenance : stratégies, méthodes et contrats*, Dunod, 2001.
Frederic M., *Mettre en oeuvre une GMAO : maintenance industrielle, service après-vente, maintenance immobilière*, Dunod, 2003.
Lavina Y., Charoupis D., *Réussir l'automaintenance*, Les Éditions d'Organisation, 1996.
Levitt J., *Complete Guide to Preventive and Predictive Maintenance*, Industrial Press, 2002.
McCarthy D, Rich N., *Lean TPM – A Blueprint for Change*, Butterworth-Heinemann, 2004.
Nakajima S., *La Maintenance Productive Totale, mise en œuvre*, AFNOR, 1989.
Pillet M. *Appliquer la maîtrise statistique des processus (MSP/SPC),* Les Éditions d'Organisation, 2005.
Pimor Y., *TPM, La Maintenance Productive*, Masson, 2007.
Wireman T., *Benchmarking Best Practices in Maintenance Management*, Industrial Press, 2003.

Qualité totale et management de la qualité

Barwise P., *Simply better : winning and keeping customers by delivering what matters most*, HBS Press, 2004.
Bernard C. Y., *Le Management par la qualité totale*, AFNOR, 2000.
Bhote K. R. *World Class Quality : les 7 outils Shainin de la qualité*, Dunod, 2003.
Chardonnet A., Thibaudon D., *Le guide du PDCA de Deming*, Les Éditions d'Organisation, 2002.
Crosby Ph. B., *La qualité : c'est gratuit*, Economica, 1999.
Crosby Ph. B., *La qualité sans larmes*, Economica, 1986.
Duret D., Pillet M., *Qualité en production : de l'ISO 9000 aux outils de la qualité*, Les Éditions d'Organisation, 3ᵉ éd., 2005.
Eckes G., *Six Sigma en action,* Village Mondial, 2003.
Faucher S., *Système intégré de management : Qualité Sécurité Environnement*, AFNOR, 2006.
George M., Rowlands D., Kastle B., *Qu'est-ce que le Lean Six Sigma ?*, Maxima, 2006.
Gillet-Goinard F., *Bâtir un système intégré : Qualité / Sécurité / Environnement*, Les Éditions d'Organisation, 2006.
Gogue J.-M., *Management de la qualité*, Economica, 3ᵉ éd., 2001.

Hohmann C., *Audit combiné Qualité – Supply Chain : sécuriser les relations clients- fournisseur*, Les Éditions d'Organisation, 2004.
Hosotani K., *Les 20 lois de la qualité*, Dunod, 1994.
Huberac J.-P., *Guide des méthodes de la qualité*, Maxima, 1998.
Imai M., *Kaizen, la clé de la compétitivité japonaise*, Eyrolles, 1995.
Ishihara K, *Manuel pratique de gestion de la qualité*, AFNOR, 1988.
Ishikawa K., *La gestion de la qualité à la japonaise*, Dunod, 2007.
Jambart C., *L'Assurance Qualité – La nouvelle version 2000 des normes ISO 9001 en pratique*, Economica, 3e éd., 2001.
Juran J. M., *Quality Control Handbook*, McGraw-Hill, 1974, Traduction française : *Gestion de la qualité*, AFNOR, 1983.
Lamprecht J., *Démystifier Six Sigma : Comment améliorer vos processus*, AFNOR, 2003.
Matsuda K., Sperry M., Dommartin A. de, *Le Guide qualité de la gestion de la production : le pilotage industriel dans l'entreprise au plus juste*, Dunod / Institut Renault de la qualité et du management, 1998.
Pillet M., *Les plans d'expériences par la méthode Taguchi*, Les Éditions d'Organisation, 1997.
Pillet M., *Six Sigma – Comment l'appliquer*, Les Éditions d'Organisation, 2003.
Ross J. E., *Total quality management*, St. Lucie Press, 3rd ed., 1999.
Shingo S., *Le système Shingo*, Les Éditions d'Organisation, 1996.
Vandeville P., *Audit Qualité – Sécurité - Environnement*, AFNOR, 2003.

Organisation du travail et management des ressources humaines

De Coster M., Corne, A., Delhaye Ch., *Sociologie du travail et gestion des ressources humaines*, De Boeck Université, 1999.
Fukuda R., *Productivité : mode d'emploi*, Les Éditions d'Organisation, 1990.
Georges P.-M., *Gagnez en efficacité en équipe*, Les Éditions d'Organisation, 2004.
Greif M., *L'usine s'affiche : communication visuelle et management*, Les Éditions d'Organisation, 2nde éd., 1998.
Hohmann C., *Guide pratique des 5S : Pour les managers et les encadrants*, Les Éditions d'Organisation, 2005.
Osada T., *Les 5S : première pratique de la qualité totale*, Dunod, 1993.
Petit M., Klesta A., Picq T., Ormando H., Poirson Ph., *Management d'équipe : concepts et pratiques*, Dunod, 1999.

Conception des produits, stratégies d'alliance

Akao Y., *QFD - Prendre en compte les besoins du client dans la conception du produit*, AFNOR, 2000.
Aliouat B., *Les stratégies de coopération industrielle*, Economica, 1996.
Ballieu J., Boulet C., *L'analyse de la valeur*, AFNOR, 2002.
Bellut S., *Les processus de conception : ISO 9000 et performance,*, AFNOR, 2004.
Bellut S., *Maîtriser les coûts d'un projet,*, AFNOR, 2006.
Chauvet A., *Le Redesign to cost des produits*, Les Éditions d'Organisation, 1996.
Chauvet A., Laslandes G., *Le Redesign to cost des produits (Parce qu'on ne fait jamais bien du premier coup...)*, Les Éditions d'Organisation, 1996.
Crawford C., Merle, *New products management*, Irwin, 7th ed., 2003.

Cusumano M. A., Nobeoka K., *Le Management multi-projets, Optimiser le développement de produits*, Dunod, 1999.

Duchamp R., *Méthodes de conception de nouveaux produits*, Hermès, 1999.

Gauthier F., Giard V., *Pilotage économique des Projets de Conception et Développement de produits nouveaux*, Economica, 2003.

Jagou P., *Concurrent engineering : la maîtrise des coûts, des délais et de la qualité,* Hermès, 1993.

Jouineau C., *Conception à coût objectif*, AFNOR, 1995.

Maurino M., *La gestion des données techniques, technologie du concurrent engineering*, Masson, 1995.

Midler C., *L'auto qui n'existait pas*, InterÉditions, 1993.

Petitdemange C., *La maîtrise de la valeur : conception, développement, qualité et compétitivité d'un produit*, AFNOR, 1998.

Roucoules L., Yannou B., Eynard B., *Ingénierie de la conception et cycle de vie des produit*, Hermes, 2006.

Tassinari R., *Pratique de l'analyse fonctionnelle*, AFNOR, 3e éd, 2003.

Vigier M. G., *La pratique du QFD (Quality Function Deployment)*, Les Éditions d'Organisation, 1992.

Ulrich K.T., Eppinger S.D., *Product Design and Development*, Mc Graw Hill, 3rd ed., 2003.

Yannou B., *Intelligence et innovation en conception de produits et services*, L'Harmattan, 2006

Gestion des projets

Boutinet J.-P., *Anthropologie du projet*, PUF 1993

PMBOK : Project Management body of Knowledge (http://www.pmi.org)

Bridier M., Michaïlof S., *Guide pratique d'analyse de projets, évaluation et choix de projets d'investissement*, Economica, 1995.

Chapman C., Ward, *Project Risk Management: processes, techniques and insights*, Wiley, 1997.

Cleland D., Ireland L., *Project Management: Strategic design and implementation*, McGrawHill, 4th ed., 2002.

Courtot H., *La gestion des risques dans les projets*, Economica, 1998.

Corbel J.-C., *Management de projet : Fondamentaux-Méthodes-Outils*, 2nd éd., Les Éditions d'Organisation, 2005.

Dunaud M., *Maîtriser la qualité et les coûts des produits et des projets,* Masson, 2e éd., 1994.

ECOSIP, *Pilotages de projet et entreprises, Diversités et convergences*, Economica, 1993.

Fernez-Walch S., *Management de nouveaux projets, Panorama des outils et des pratiques,* AFNOR, 2000.

Frame D., *Le nouveau management de projet*, AFNOR, 1995.

Garel G., *Le management de projet*, Repères, 2004

Garel G., Giard V., Midler C., *Faire de la recherche en management de projet*, Vuibert, 2004.

Germain O., *De Nouvelles figures de projet en management*, EMS, 2006

Giard V., *Gestion de projets*, Economica, 1991.

Gido J., Clements J. P., *Successful Project Management*, Thomson, 2nd ed., 2003.

Hazebroucq J.-M., Badot O., *Le management de projet*, PUF, 1996.

Hougron T., *La Conduite de projets : Les 81 règles pour piloter vos projets avec succès*, Dunod, 2003.

Jolivet F., *Manager l'entreprise par projets : les métarègles du management par projet*, EMS, 2003.

Kerzner H., *Project Management*, Van Nostrand Reinhold, 8th ed., 2003.

Maylor H., *Project Management*, Financial Times/Pitman Publishing, 2nd ed., 1999.

Meredith J. R., Mantel S. J., *Project Management*, Wiley, 3rd ed., 1995.

Petitdemange C., Sillard Y., *Le management par projet : 80 démarches opérationnelles*, Ed. EFE / Diff. Litec, 1997.

Project Management Institute, *Management de projet – Un référentiel de connaissances*, AFNOR, 2000.

Raynal S., *Le management par projets : approche stratégique du changement*, Les Éditions d'Organisation, 3e éd., 2003.

Rosenau M. D*., Successful Project Management, A step by step approach with practical examples*, Wiley, 3rd ed., 1998.

Turner J. R., *The handbook of project-based management*, McGrawHill, 2nd ed., 1999.

Vallet G., *Techniques de suivi de projet*, Dunod, 2001

Vallet G., *Techniques de planification de projets*, Dunod, 2001

Vuillod M., Kesselman D., *La négociation de projet : des objectifs à la réalisation*, Technip, 2004.

Comptabilité industrielle, contrôle de gestion

Berliner C., Brimson J. (edited by), *Cost Management for Today's Advanced Manufacturing, The CAM-I Conceptual Design*, Harvard Business School Press, Boston, 1988.

Bescos P.-L., Mendoza C., *Le management de la performance*, Ed. Malesherbes, 1994.

Bouquin H., *Comptabilité de gestion*, Economica, 3e éd., 2004.

Brodier P.-L., *La Valeur Ajoutée Directe*, AFNOR, 2001.

Bus F., *La stratégie du meilleur prix de revient*, Les Éditions d'Organisation, 1995.

ECOSIP, *Gestion industrielle et mesure économique*, Economica, 1990.

Demeestère R., Lorino P., Mottis N., *Contrôle de gestion et pilotage de l'entreprise*, Dunod, 3e éd., 2006.

Fievez J., Zaya R., Kieffer J.-P., Bouquin H*., La Méthode UVA, Du contrôle de gestion à la maîtrise du profit, une approche nouvelle en gestion*, Dunod, 1999.

Fiol M. et Jordan H., *Renforcer la cohérence d'une équipe*, Dunod, 2004.

Gervais M., *Contrôle de gestion*, Economica, 8e éd., 2005.

Giraud F., Saulpic O., Naulleau G., Delmond M.-H., *Contrôle de gestion et pilotage de la performance*, Gualino, 2004.

Gormand C., *Maîtriser le coût d'un produit*, AFNOR, 2001.

Jaulent P., Quarès M.-A., *Pilotez vos performances*, AFNOR, 2006.

Jaulent P., Quarès M.-A., *Méthodes de gestion – Comment les intégrer*, Les Éditions d'Organisation, 2004.

Kaplan R. S., Norton, *Le tableau de bord prospectif. Pilotage stratégique : les 4 axes du succès*, Les Éditions d'Organisation, 1998, Trad. de : *The balanced scorecard*.

Löning H. et Malleret V. *et al*, *Le contrôle de gestion – organisation et mise en œuvre*, Dunod, 2003.

Mendoza C., Delmond M.-H., Giraud F., Löning H., *Tableaux de Bord et Balanced Scorecards*, Groupe Revue Fiduciaire, 2002.

Mévellec P., *Le calcul des coûts dans les organisations*, La Découverte, 1995.

Ravignon L., Malejac A., Le Bourgeois S., Joalland M., Bescos P.-L., *Gestion par activités. La méthode ABC/ABM. Piloter efficacement une PME*, Les Éditions d'Organisation / Nouvelles éditions fiduciaires, 1998.

Saada T., Simon C., Burlaud A., *Comptabilité analytique et contrôle de gestion*, Vuibert, 2e éd., 1998,
Savall H., Zardet V., *Maîtriser les coûts et les performances cachés*, 4ᵉ éd., Economica, 2003.
Shank J. K., Govindarajan, *La gestion stratégique des coûts*, Les Éditions d'Organisation, 1995.

Management des activités de service

Averous B., Averous D., *Mesurer et manager la qualité de service. La méthode CYQ*, INSEP, 2ⁿᵈᵉ éd., 2004.
Capiez A., *Yield management : optimisation du revenu dans les services*, Hermès, 2003.
Chambaretaud D., Sérieyx H. (Préf.), *Service rendu, service vendu*, Nathan, 1995.
Davis M.M., Heineke J., *Managing services : using technology to create value*, McGraw-Hill, 2003.
Dupont F., *Management des services*, Eska, 2000.
George M. L., *Lean Six Sigma pour les services*, Maxima, 2005.
Lamprecht J. L., *ISO 9000 et les services*, AFNOR, 1995.
Lovelock Ch., Lewis B., Vandermerwe S., *Services Marketing, A European perspective*, Prentice-Hall Europe, 1999.
Normann R., *Service management*, Wiley, 3ᵉ éd., 2000.
Van Looy B., Gemmel P., Van Dierdonck R., *Services Management: an integrated approach*, Financial Times/Pitman Publishing, 1998.
Vogler E., *Management stratégique des services : du diagnostic à la mise en œuvre d'une stratégie de services*, Dunod, 2004.

Glossaire français-anglais

A

Achats : Purchasing, Sourcing
Amélioration continue : Continuous improvement
Amortissement : Depreciation
Analyse de la valeur : Value analysis
Appel d'offres : Request for proposal
Appels de livraison : Blanket releases
Approvisionnement : Procurement, Supply
Après-vente : After-sales
Article : Item
Article fantôme : Phantom item
Assemblage à la commande : Assemble-to-order
Assemblage final : Final assembly
Assurance-qualité : Quality insurance
Atelier : Shop, Workshop
Atelier flexible : Flexible manufacturing system
Automatisation : Automation
Avantage concurrentiel : Competitive advantage
Avantages sociaux : Fringe benefits
Avis de modification : Change order

B

Barème de prix : Price schedule
Barycentre : Center of gravity
Besoin en fonds de roulement : Working capital
Besoins bruts : Gross requirements
Besoins nets : Net requirements
Bon de commande : Purchase order
Bon de sortie : Picking list
Bon de travail : Job ticket
Bordereau de livraison : Packing slip
Bordereau de réception : Receiving report
Bureau d'Études : Product engineering department
Bureau des Méthodes : Process engineering department

C

Cadence de production : Production rate
Calcul des besoins nets (CBN) :
    Material requirements planning (MRP)
Capacité : Capacity
Carnet de commandes : Order book
Carte de contrôle : Process Control Chart
Cas d'emploi : Where-used
Cause de rebut : Reject reason
Centre d'usinage : Machining center
Cercle de qualité : Quality circle
Chaîne d'assemblage : Assembly line
Chaîne de fabrication : Production line
Chaîne de valeur : Value chain
Changement de fabrication : Changeover
Charge de travail : Work load
Chargement à capacité finie : Finite capacity loading
Chargement à capacité infinie : Infinite capacity loading
Chargement au plus tard : Backward scheduling
Chargement au plus tôt : Forward scheduling
Chariot filoguidé : Automated guided vehicle
Chariot élévateur : Fork-lift truck
Chemin critique : Critical path
Chevauchement : Overlapping
Client : Customer
Code-barres : Bar code
Code de plus bas niveau : Low-level code
Commande : Order
Commande client : Customer order, Sales order
Commande en retard : Backorder
Commande groupée : Joint replenishment
Commande ouverte : Blanket order
Compétence : Skill
Composant : Component
Composé : Parent item
Conception : Design

Conception assistée par Ordinateur (CAO) :
  Computer aided design (CAD)
Concurrence : Competition
Conditionnement : Packaging
Connaissement : Bill of lading
Consommation : Consumption, Usage
Conteneur : Container
Contremaître : Foreman
Contrôle de conformité : Checking, Inspection
Contrôle de la qualité : Quality control
Courbe d'apprentissage : Learning curve
Coût de changement de série : Changeover cost
Coût de détention : Carrying cost, Holding cost
Coût de passation de commande : Ordering cost
Coût de possession : Carrying cost, Holding cost
Coût de réglage : Setup cost
Coût de stockage : Storage cost
Coût marginal : Incremental cost
Cycle de fabrication : Manufacturing lead time
Cycle de vie : Life cycle
Cycle total : Cumulative lead time

D

Date de besoin : Due date, Need date
Décalage : Offset
Déchets : Waste
Décision « Faire ou Faire-faire » : Make-or-buy decision
Déclaration de production : Production reporting
Délai de livraison : Delivery lead time
Délai du fournisseur : Vendor lead time
Demande : Demand
Demande d'achat : Purchase requisition
Demande dépendante : Dependent Demand
Détérioration : Spoilage
Devis : Quotation
Disponible à la vente (DAV) : Available-to-promise (ATP)
Dossier de fabrication : Shop packet
Durée d'écoulement : Flow time

E

Ecart : Deviation, Variance
Ecart absolu moyen (EAM) :
  Mean absolute deviation (MAD)
Ecart type : Standard deviation
Echantillonage : Sampling

Economie d'échelle : Economy of scale
Effectifs : Work force
Embauche : Hiring
En-cours : Work in process
Entrepôt : Warehouse
Entretien : Maintenance
Equilibrage de chaîne : Line balancing
Equipe : Shift
Equipe autonome : Autonomous work team
Erreur de prévision : Forecast error
Exactitude : Accuracy
Expédition : Shipping

F

Fabrication à la commande : Make-to-order
Fabrication assistée par Ordinateur (FAO) :
  Computer aided manufacturing (CAM)
Fabrication sur stock :
  Make-to-stock
Feuille d'instructions : Process sheet, Instruction sheet
Fiabilité : Reliability, Dependability
Fiche suiveuse : Shop traveler
File d'attente : Queue
Formation : Training
Four (de traitement) : Furnace
Fournisseur : Supplier, Vendor
Fractionnement (d'un lot) : Lot splitting
Frais d'exploitation : Operating expenses
Frais généraux : Overhead
Fraiseuse : Milling machine

G

Gamme de fabrication : Routing
Gaspillage : Waste
Gestion d'atelier : Shop Floor Control
Gestion de production : Production Control
Gestion des stocks : Inventory Control
Goulet d'étranglement : Bottleneck

H

Heures supplémentaires : Overtime
Horaires de travail : Working hours

I

Implantation : Layout
Indice de saisonnalité : Seasonal index
Industrialisation :
Manufacturing engineering, Industrial engineering
Ingénierie simultanée : Concurrent engineering
Installations : Facilities
Intérimaire : Temporary worker
Inventaire physique : Inventory counting

J

Jalonnement : Scheduling
Juste-à-temps : Just-In-Time

L

Lancement : Dispatching, Release
Licenciement : Lay-off, Firing
Lien de nomenclature : Product structure record
Lieu de stockage : Stockpoint
Lissage de charge : Load leveling
Lissage exponentiel : Exponential smoothing
Logistique : Logistics
Lot : Batch

M

Machine-outil : Machine tool
Machine-outil à contrôle numérique (MOCN) :
Numerical control machine tool
Macrogamme : Bill of resources
Magasin : Store, Warehouse
Main-d'œuvre : Labor, Work force
Maîtrise statistique des procédés :
Statistical Process Control (SPC)
Maîtrise totale de la qualité : Total Quality Control
Manquant : Shortage
Manutentions : Handling
Matières premières : Raw material
Marge (temps) : Slack
Méthodes : Process engineering
Mouvement de stock : Inventory transaction

N

Nomenclature : Bill of material (BOM)

Normalisation : Standardization

O

Ordonnancement : Scheduling
Ordre d'achat (OA) : Requisition order
Ordre de fabrication (OF) : Manufacturing order, Production Order, Work order
Ordre ferme : Firm planned order
Ordre lancé : Open order
Ordre suggéré : Planned order
Outil : Tool
Ouvrier polyvalent : Multi-skilled worker
Ouvrier professionnel : Skilled worker

P

Partenariat : Partnership
Passation de commande : Order placement
Perceuse : Drill
Pièce : Part
Pièces de rechange : Service parts, Spare parts
Plan (de pièces) : Drawing, Blueprint
Plan directeur de production (PDP) :
Master production schedule (MPS)
Plan industriel et commercial (PIC) :
Manufacturing and Sales Plan
Planification : Planning
Point de commande : Order point
Point de comptage : Count point
Point mort : Break-even point
Polyvalence : Versatility
Portefeuille de commandes : Order Book
Post-consommation : Backflush
Poste de charge : Work center
Poste de travail : Work station
Prélèvement (de stock) : Picking
Prévision : Forecast
Prix de cession interne : Transfer price
Produit fini : Finished product, Finished good
Profil de ressource : Resource profile
Programme : Plan, Schedule

Q

Qualification main-d'œuvre : Labor grade
Quantité en stock : On-hand balance

R

Rapport Charge/Capacité : Capacity utilization
Ratio de fluidité : Fluidity index
Rebut : Scrap, Waste
Réception : Receipt
Recherche opérationnelle : Operations research
Réclamations (des clients) : Customer complaints
Recomplètement pédiodique :
  Periodic replenishment
Rectifieuse : Grinding machine
Réglage : Setup, Tuning
Relance : Expediting
Remise sur quantité : Quantity discount
Rendement : Efficiency, Yield
Rotation des stocks : Inventory turnover
Rupture de stock : Shortage, Stockout

S

Saisie des commandes : Order entry
Saisonnalité : Seasonality
Séries chronologiques : Time series
Sortie (de stock) : Issue, Withdrawal
Soumission : Bid
Sous-ensemble : Subassembly
Sous-traitance : Subcontracting
Stock : Inventory, Stock
Stock de sécurité : Safety stock
Stock final : Ending inventory
Stock initial : Beginning inventory
Stock prévisionnel : Projected inventory
Suivi de fabrication : Production activity control
Surcharge : Overload
Système de prime : Bonus scheme
Système de rémunération : Pay scheme

T

Taille de lot : Lot size
Taux d'utilisation des machines : Utilization
Taux de demande : Demand rate
Technologie de groupe : Group technology
Temps alloué : Standard hours
Temps d'arrêt : Downtime
Temps d'attente : Queue time
Temps d'écoulement : Throughput time
Temps passé : Used hours
Temps productif : Running time

Tendance : Trend
Tour (machine-outil) : Lathe
Traitement de surface : Surface treatment
Traitement thermique : Heat treatment
Transporteur : Carrier

U

Usine : Factory, Plant
Usine spécialisée : Focused factory

V

Valeur actuelle : Present value
Valeur ajoutée : Value added
Valorisation des stocks : Inventory valuation
Variante : Option
Ventes : Sales

Z

Zéro défaut : Zero defect

Glossaire anglais-français

A

Accuracy : Exactitude
After-sales : Après-vente
Assemble-to-order :
　Assemblage à la commande
Assembly line : Chaîne d'assemblage
Automated guided vehicle : Chariot filoguidé
Automation : Automatisation
Autonomous work team : Equipe autonome
Available-to-promise (ATP) : Disponible à la vente
　(DAV)

B

Backflush : Post-consommation
Backlog : Carnet de commandes,
　Portefeuille de commandes
Backorder : Commande en retard
Backward scheduling : Chargement au plus tard
Bar code : Code-barres
Batch : Lot
Beginning inventory : Stock initial
Bid : Soumission
Bill of lading : Connaissement
Bill of material (BOM) : Nomenclature
Bill of resources : Macrogamme
Blanket order : Commande ouverte
Blanket releases : Appels de livraison
Blueprint : Plan (de pièces)
Bonus scheme : Système de prime
Bottleneck : Goulet d'étranglement
Break-even point : Point mort

C

Capacity : Capacité
Capacity utilization : Rapport Charge/Capacité
Carrier : Transporteur

Carrying cost : Coût de détention, coût de
　possession
Center of gravity : Barycentre, Centre de gravité
Change order : Avis de modification
Changeover : Changement de série
Checking : Contrôle de conformité
Competition : Concurrence
Competitive advantage : Avantage concurrentiel
Complaints : Réclamations (des clients)
Component : Composant
Computer aided design (CAD) : Conception
　assistée par Ordinateur (CAO)
Computer aided manufacturing (CAM) :
　Fabrication assistée par Ordinateur (FAO)
Concurrent engineering : Ingénierie simultanée
Consumption : Consommation
Container : Conteneur
Continuous improvement : Amélioration continue
Count point : Point de comptage
Critical path : Chemin critique
Cumulative lead time : Cycle total
Customer : Client
Customer order : Commande client

D

Delivery lead time : Délai de livraison
Demand : Demande
Demand rate : Taux de demande
Dependability : Fiabilité
Dependent Demand : Demande dépendante
Depreciation : Amortissement
Design : Conception
Deviation : Écart
Dispatching : Lancement
Downtime : Temps d'arrêt
Drawing : Plan (de pièces)
Drill : Perceuse
Due date : Date de besoin

E

Economy of scale : Economie d'échelle
Efficiency : Rendement
Ending inventory : Stock final
Expediting : Relance
Exponential smoothing : Lissage exponentiel

F

Facilities : Installations
Factory : Usine
Final assembly : Assemblage final
Finished product : Produit fini
Finite loading : Chargement à capacité finie
Firing : Licenciement
Firm planned order : Ordre ferme
Flexible Manufacturing System : Atelier flexible
Flow time : Durée d'écoulement
Fluidity index : Ratio de fluidité
Focused factory : Usine spécialisée
Forecast : Prévision
Forecast error : Erreur de prévision
Foreman : Contremaître
Fork-lift truck : Chariot élévateur
Forward scheduling : Chargement au plus tôt
Fringe benefits : Avantages sociaux
Furnace : Four (de traitement)

G

Grinding machine : Rectifieuse
Gross requirements : Besoins bruts
Group technology : Technologie de groupe

H

Handling : Manutentions
Heat treatment : Traitement thermique
Hiring : Embauche
Holding cost : Coût de détention, Coût de possession

I

Incremental cost : Coût marginal
Industrial engineering : Industrialisation
Infinite loading : Chargement à capacité infinie
Inspection : Contrôle de conformité
Instruction sheet : Feuille d'instructions

Inventory Control : Gestion des stocks
Inventory counting : Inventaire physique
Inventory transaction : Mouvement de stock
Inventory turnover : Rotation des stocks
Inventory valuation : Valorisation des stocks
Inventory : Stock
Issue : Sortie (de stock)
Item : Article

J

Job ticket : Bon de travail
Joint replenishment : Commande groupée
Just-In-Time : Juste-à-temps

L

Labor : Main-d'œuvre
Labor grade : Qualification main-d'œuvre
Lathe : Tour (machine-outil)
Lay-off : Licenciement
Layout : Implantation
Learning curve : Courbe d'apprentissage
Life cycle : Cycle de vie
Line balancing : Équilibrage de chaîne
Load leveling : Lissage de charge
Logistics : Logistique
Lot size : Taille de lot
Low-level code : Code de plus bas niveau

M

Machine tool : Machine-outil
Machining center : Centre d'usinage
Maintenance : Entretien, Maintenance
Make-or-buy decision : Décision « Faire ou Faire faire »
Make-to-order : Fabrication à la commande
Make-to-stock : Fabrication sur stock
Manufacturing and Sales Plan : Plan industriel et commercial (PIC)
Manufacturing engineering : Industrialisation
Manufacturing lead time : Cycle de fabrication
Manufacturing order : Ordre de fabrication (OF)
Master production schedule (MPS) : Plan directeur de production (PDP)

Material requirements planning (MRP) :
  Calcul des besoins nets (CBN)
Mean absolute deviation (MAD) :
  Écart absolu moyen (EAM)
Milling machine : Fraiseuse
Multi-skilled worker : Ouvrier polyvalent

N

Need date : Date de besoin
Net requirements : Besoins nets
Numerical control machine tool : Machine-outil à
  commande numérique (MOCN)

O

Offset : Décalage
On-hand balance : Quantité en stock
Open order : Ordre lancé
Operating expenses : Frais d'exploitation
Operations research : Recherche opérationnelle
Option : Variante
Order : Commande, Ordre
Order entry : Saisie des commandes
Order placement : Passation de commande
Order point : Point de commande
Overhead : Frais généraux
Overlapping : Chevauchement
Overload : Surcharge
Overtime : Heures supplémentaires

P

Packaging : Conditionnement
Packing slip : Bordereau de livraison
Parent item : Composé
Part : Pièce
Partnership : Partenariat
Pay scheme : Système de rémunération
Periodic replenishment :
  Recomplètement périodique
Phantom item : Article fantôme
Picking : Prélèvement (de stock)
Picking list : Liste à servir
Plan : Programme
Planned order : Ordre suggéré
Planning : Planification
Plant : Usine
Present value : Valeur actuelle

Price schedule : Barème de prix
Process control chart : Carte de contrôle
Process engineering : Méthodes
Process engineering department : Bureau des
  Méthodes
Process sheet : Feuille d'instructions
Procurement : Approvisionnement
Product engineering : Développement de produit
Product engineering department : Bureau d'Études
Product structure record : Lien de nomenclature
Production activity control : Suivi de fabrication
Production Control : Gestion de production
Production line : Chaîne de fabrication
Production rate : Cadence de production
Production reporting : Déclaration de production
Projected inventory : Stock prévisionnel
Purchase order : Bon de commande, Ordre d'achat
  (OA)
Purchase requisition : Demande d'achat
Purchasing : Achats

Q

Quality circle : Cercle de qualité
Quality control : Contrôle de la qualité
Quality insurance : Assurance-qualité
Quantity discount : Remise sur quantité
Queue : File d'attente
Queue time : Temps d'attente
Quotation : Devis

R

Raw material : Matières premières
Receipt : Réception
Receiving report : Bordereau de réception
Reject reason : Cause de rebut
Release : Lancement
Reliability : Fiabilité
Request for proposal : Appel d'offres
Resource profile : Profil de ressource
Routing : Gamme de fabrication
Running time : Temps productif

S

Safety stock : Stock de sécurité
Sales : Ventes
Sales order : Commande client

Sampling : Echantillonage
Schedule : Programme
Scheduling : Jalonnement, Ordonnancement
Scrap : Rebut
Seasonal index : Indice de saisonnalité
Seasonality : Saisonnalité
Service parts : Pièces de rechange
Setup : Réglage
Shift : Équipe
Shipping : Expédition
Shop : Atelier
Shop Floor Control : Gestion d'atelier
Shop packet : Dossier de fabrication
Shop traveler : Fiche suiveuse
Shortage : Manquant, Rupture de stock
Skill : Compétence
Skilled worker : Ouvrier professionnel
Slack : Marge (temps)
Sourcing : Achats
Spare parts : Pièces de rechange
Spoliage : Détérioration
Standard deviation : Écart type
Standard hours : Temps alloué
Standardization : Standardisation, Normalisation
Statistical Process Control (SPC) :
    Maîtrise statistique des procédés
Stockpoint : Lieu de stockage
Stockout : Rupture de stock
Storage costs : Coûts de stockage
Store : Magasin
Subassembly : Sous-ensemble
Subcontracting : Sous-traitance
Supplier : Fournisseur
Supply : Approvisionnement
Surface treatment : Traitement de surface

T

Temporary worker : Intérimaire
Throughput time : Temps d'écoulement
Time series : Séries chronologiques
Tool : Outil
Total Quality Control : Maîtrise totale de la qualité
Training : Formation

Transfer price : Prix de cession interne
Trend : Tendance
Tuning : Réglage, Mise au point

U

Usage : Consommation
Used hours : Temps passé
Utilization : Taux d'utilisation des machines

V

Value added : Valeur ajoutée
Value analysis : Analyse de la valeur
Value chain : Chaîne de valeur
Variance : Écart
Vendor : Fournisseur
Vendor lead time : Délai du fournisseur
Versatility : Polyvalence

W

Warehouse : Entrepôt, Magasin
Waste : Déchets, Gaspillage
Where-used : Cas d'emploi
Withdrawal : Sortie (de stock)
Work center : Poste de charge
Work force : Main-d'œuvre, effectifs
Work in process : En-cours
Work load : Charge de travail
Work order : Ordre de fabrication (OF)
Work station : Poste de travail
Working capital : Besoin en fonds de roulement
Working hours : Horaires de travail
Workshop : Atelier

Y

Yield : Rendement

Z

Zero defect : Zéro défaut

Index

Table des matières

Dans la même collection

AFTALION F., *La nouvelle finance et la gestion des portefeuilles*, 3e éd.

AFTALION F. et PONCET P., *Les techniques de mesure de performance.*

ALBOUY M., *Finance immobilière et gestion de patrimoine.*

ALBOUY M., *Décisions financières et création de valeur*, 2e éd.

ALBOUY M. et BONNET C., *OPA, OPE et LBO.*

ALIOUAT B., *Les stratégies de coopération industrielle.*

AMADIEU P. et BESSIÈRE V., *Analyse de l'information financière*, 2e éd.

AMENC N. *et alii*, *La gestion alternative.*

AMENC N. et LE SOURD V., *Théorie du portefeuille et analyse de sa performance*, 2e éd.

ARRÈGLE J.L., CAUVIN E., GHERTMAN M., GRAND B., ROUSSEAU P., *Les nouvelles approches de la gestion des organisations.*

ASSOCIATION FINANCE FUTURES, *Les marchés à terme d'instruments financiers.*

AUGROS J.C., *Finance : options et obligations convertibles*, 2e éd.

AUGROS J.C. et MORENO M., *Les dérivés financiers et d'assurance – Evaluation et techniques de gestion.*

BAGLIN G., BRUEL O., GARREAU A., GREIF M. et VAN DELFT Ch., *Management industriel et logistique*, 5e éd.

BANCEL F. et RICHARD A., *Les choix d'investissement.*

BARTOLI J.A. et LE MOIGNE J.L., *Organisation intelligente et système d'information stratégique.*

BASSO O., *L'intrapreneuriat.*

BÉCHU T., BERTRAND E. et NEBENZAHL J., *L'analyse technique*, 6e éd.

BÉCOUR J.C. et BOUQUIN H., *Audit opérationnel*, 3e éd.

BELLALAH M. et SIMON Y., *Options, contrats à terme et gestion des risques*, 2e éd.

BENOUN M. et HÉLIÈS-HASSID M.-L., *Distribution – Acteurs et stratégie*, 3e éd.

BENNANI K. et BERTRAND J.C., *Les obligations à taux variable.*

BERNARD Ph., JOULIA V., JULIEN-LAFERRIÈRE B. et TARDITS J., *Mesure et contrôle des risques de marché.*

BERTRAND P. et PRIGENT J.-L., *Gestion de portefeuille.*

BERTRAND-KERVERN F. *et alii*, *Gestion de patrimoine.*

BIDAULT F., *Le champ stratégique de l'entreprise.*

BLANCHET J., *Gestion du bénévolat.*

BOSSARD P., CHANCHEVRIER C. et LECLAIR P. (sous la direction de), *Ingénierie concourante.*

BOUINOT J., *La ville compétitive – Les clefs de la nouvelle gestion urbaine.*

BOULIER J.F. et DUPRÉ D., *Gestion financière des fonds de retraite*, 2e éd.

BOUQUIN H., *Comptabilité de gestion*, 5e éd.

BOURBONNAIS R. et USUNIER J.C., *Prévision des ventes – Théorie et pratique*, 4e éd.

BOURDIN J., *Les finances communales*, 4e éd.

BOURNOIS F. et LECLAIR P (sous la direction de), *Gestion des ressources humaines : regards croisés en l'honneur de Bernard Galambaud.*

BRABET J. (coordonné par), *Repenser la gestion des ressources humaines.*

BROIHANNE M.H., MERLI M. et ROGER P., *Finance comportementale.*

BRUEL O., *Management des achats.*

CABY J. et HIRIGOYEN G. (éd.), *La gestion des entreprises familiales.*

CAPET M., CAUSSE G. et MEUNIER J., *Diagnostic. Organisation. Planification d'entreprise*, 3e éd.

CAPOCCI D., *Introduction aux hedge funds*, 2e éd.

CASSON M., *L'entrepreneur.*

CEDDAHA F., *Fusions acquisitions*, 3e éd.

CHASSANG G., MOULLET M. et REITTER R., *Stratégie et esprit de finesse.*

CHAZOT Ch. et CLAUDE P., *Les SWAPS – Concepts et applications*, 2e éd.

CHEVALIER F., *Cercles de qualité et changement organisationnel.*

CHEVALIER M. et LANGLOIS D., *Private Equity et management des entreprises.*

CLARK E., MAROIS B., et CERNÈS J., *Le management des risques internationaux.*

CLERMONT-TONNERRE A. (de) et LÉVY M.A., *Les obligations à coupon zéro.*

COHEN E., *Analyse financière*, 6e éd.

COHENDET P., CRÉPLET F. et DUPOUËT O., *La gestion des connaissances par les communautés.*

COLASSE B., *Introduction à la comptabilité,* 11e éd.

COLASSE B. et CASTA J.F. (études coordonnées par), *Juste valeur.*

COLLIGNON E. et WISSLER M., *Qualité et compétitivité des entreprises*, 2e éd.

CORMIER D., *Comptabilité anglo-saxonne et internationale*, 2e éd.

CRANE D. *et alii, La finance sans frontière.*

DAGUET P. et PLANCHE J.M., *Les émissions d'actions et d'obligations.*

DAIGNE J.F., *Ré-ingénierie et reprise d'entreprise.*

DARMON R.Y., *Management des ressources humaines des forces de vente.*

DAVYDOFF D., *Les indices boursiers.*

DECAUDIN J.-M., *La communication marketing*, 3e éd.

DELANDE M., *Marchés à terme : incertitude, information, équilibre.*

DEMEY P., FRACHOT A. et RIBOULET G., *Introduction à la gestion actif-passif bancaire.*

DENIS H., *Stratégies d'entreprise et incertitudes environnementales.*

DERBAIX Ch. et BRÉE J., *Comportement du consommateur – Présentation de textes choisis.*

DERBAIX Ch. et GRÉGORY P., *Persuasion – La théorie de l'irrationalité restreinte.*

DESBORDES M., OHL F. et TRIBOU G., *Marketing du sport*, 3e éd.

DESBRIÈRES Ph., *Participation financière, stock-options et rachats d'entreprise par les salariés.*

DESMET P. et ZOLLINGER M., *Le prix.*

DORDAIN J.N. et SINGH N., *Finance quantitative.*

DUBOIS P.L. et JOLIBERT A., *Le marketing,* 4e éd.

DUBOIS P.L. et JOLIBERT A. (éd.), *Le marketing – Questions, exercices et cas.*

DUPUIS J.C. et LE BAS Ch. (éd.), *Le management responsable.*

DURAND R. (éd.), *Développement de l'organisation – Nouveaux re-gards.*

DUTRÉNIT J.M., *Gestion et évaluation des services sociaux.*

ECOSIP, *Cohérence, pertinence et évaluation.*

EIGLIER P., *Marketing et stratégie des services.*

EIGLIER P., *La logique services – Marketing et stratégies.*

ESQUIROL P. et LOPEZ P., *L'ordonnancement.*

EVERAERE Ch., *Management de la flexibilité.*

EVRARD Y. *et alii, Le management des entreprises artistiques et culturelles,* 2e éd.

FAVIER M. (éd.), *Le travail en groupe à l'âge des réseaux.*

FERRANDIER R. et KOEN V., *Marchés de capitaux et techniques financières,* 4e éd.

FERRARY M. et PESQUEUX Y., *Management de la connaissance.*

FLORY A. et LAFOREST D., *Les bases de données relationnelles,* 3e éd.

FONTAINE P., *Arbitrage et évaluation internationale des actifs financiers.*

FRIGGIT J., *Prix des logements, produits financiers immobiliers et gestion des risques.*

GABRIÉ H. et JACQUIER J.L., *La théorie moderne de l'entreprise.*

GAUTHIER G. et THIBAULT M. (sous la direction de), *L'analyse coûts – avantages – défis et controverses.*

GAUTIER F., *Pilotage économique des projets de conception et développement de produits nouveaux.*

GAVANOU J.F. et VALIN G., *Gouvernance sociale et fonds de pension.*

GENSSE P. et TOPSACALIAN P., *Ingénierie financière,* 3e éd.

GERVAIS M., *Contrôle de gestion,* 9e éd.

GERVAIS M., *Stratégie de l'entreprise,* 5e éd.

GHERTMAN M., *Stratégie de l'entreprise – Théories et actions.*

GIARD V., *Gestion de la production et des flux,* 3e éd.

GIARD V., *Statistique appliquée à la gestion,* 8e éd.

GIARD V., *Gestion de projet.*

GILBERT P., *L'instrumentation de gestion-La technologie de gestion, science humaine ?*

GOBRY P., *La Bourse aux indices.*

GOFFIN R., *Principes de finance moderne,* 5e éd.

GOUILLART F., *Stratégie pour une entreprise compétitive,* 2e éd.

GRANIER Th. et JAFFEUX C., *La titrisation,* 2e éd.

HAMON J., *Bourse et gestion de portefeuille,* 3e éd.

HATEM F., *Investissement international et politiques d'attractivité.*

HEC (Professeurs du Groupe), *L'école des managers de demain.*

HERMEL Ph. (sous la direction de), *Management européen et international.*

HERMET G. et JOLIBERT A., *La part de marché.*

HERVÉ P. et TAZÉ-BERNARD É., *La multigestion.*

HESS Ch., *Méthodes actuarielles de l'assurance vie.*

HOESLI M., *Investissement immobilier.*

HUYNH H.T., LAI V.S. et SOUMARÉ I., *Simulations stochastiques et applications en finance avec programmes Matlab.*

JABES J. (sous la direction de), *Gestion stratégique internationale.*

JACQUEMOT P., *La firme multinationale : une introduction économique.*

JOFFRE P. (sous la direction de), *L'exportation dans la turbulence mondiale.*

JOFFRE P. et al., *Le management stratégique par le projet.*

JOFFRE P. et KŒNIG G. (coordonné par), *L'euro-entreprise.*

JOFFRE P. et KŒNIG G., *Stratégie d'entreprise. Antimanuel.*

KALIKA M., *Structures d'entreprises.*

KAST R., *Rationalité et marchés financiers.*

KAST R. et LAPIED A., *Fondements microéconomiques de la théorie des marchés financiers.*

KAST R. et LAPIED A., *Analyse économique et financière des nouveaux risques.*

KEFI H. et KALIKA M., *Evaluation des systèmes d'information.*

KLEIN J. et MAROIS B., *Gestion financière multinationale.*

KŒNIG G. *et alii*, *De nouvelles théories pour gérer l'entreprise du XXIe siècle.*

LA BRUSLERIE H. (de), *Gestion obligataire*, tome 1 et tome 2, 2e éd.

LA BRUSLERIE H. (de) *et alii*, *Ethique, déontologie et gestion de l'entreprise.*

LA BRUSLERIE H. (de), *L'entreprise et le contrat : jeu et enjeux.*

LADWEIN R., *Le comportement du consommateur et de l'acheteur*, 2e éd.

LEBAN R., *Politique de l'emploi dans l'entreprise en termes de contrôle optimal.*

LEFEBVRE L.-A., LEFEBVRE E. et MOHNEN P., *La conduite des affaires dans l'économie du savoir.*

LEVASSEUR M. et QUINTART A., *Finance,* 3e éd.

LEVITT Th., *L'imagination au service du marketing.*

LILIEN G.L., *Analyse des décisions marketing.*

McCARTHY E.J. et PERREAULT W.D., Jr., *Le marketing. Une approche managériale,* 8e éd.

MANSFIELD E., *Economie appliquée à la gestion.*

MARIET F., *La télévision américaine,* 2e éd.

MARION A. (sous la direction de), *Le diagnostic d'entreprise.*

MARMUSE C., *Politique générale,* 2e éd.

MARQUET Y., *Les marchés d'options négociables sur contrats à terme.*

MARTEAU D. *et alii, La gestion du risque climatique.*

MARTEAU D., *Monnaie, banque et marchés financiers.*

MARTELLINI L. et PRIAULET P., *Produits de taux d'intérêt*, 2e éd.

MARTINET A.C. et REYNAUD E., *Stratégies d'entreprise et écologie.*

MAYRHOFER U., *Marketing international.*

MÉRIC J., PESQUEUX Y. et SOLÉ A., *La "société du risque" : analyse et critique.*

MICHEL D., SALLE R. et VALLA J.P., *Marketing industriel – Stratégies et mise en œuvre*, 2e éd.

MINGUET A., *Le nouveau statut européen de l'intermédiaire financier.*

MONTEBELLO M., *Stratégie de création de valeur pour le client.*

MONTEBELLO M., *Création d'entreprise : connaissances et analyses stratégiques.*

MONTMORILLON B. (de), *Les groupes industriels.*

MORVAN Y., *Fondements d'économie industrielle*, 2e éd.

MOURGUES N., *Financement et coût du capital de l'entreprise.*

NAVATTE P., *Finance d'entreprise et théorie des options.*

NOËL A. (sous la direction de), *Perspectives en management stratégique*, 4 tomes.

OCHS P., *Le marketing de l'offre.*

PEAUCELLE J.L., *Systèmes d'information – Le point de vue des gestionnaires.*

PÉRON M. (sous la direction de), *Transdisciplinarité – Fondement de la pensée managériale anglo-saxonne ?*

PESQUEUX Y., *Qualité et management – Une analyse critique.*

PHELIZON J.F., *Méthodes et modèles de la recherche opérationnelle.*

PHELIZON J.F., *Stratégies de croissance pour l'entreprise.*

PIERMAY M., LAZIMI A., HEREIL O., *Mathématiques financières*, 2e éd.

PRAS B. et BOUTIN A. (éd), *Les Euro-PMI.*

QUÉLIN B., *Les frontières de la firme.*

QUITTARD-PINON F., *Marchés des capitaux et théorie financière*, 3e éd.

QUITTARD-PINON F. et ROLANDO T., *La gestion du risque de taux d'intérêt.*

RAFFOURNIER B., *Les normes comptables internationales (IFRS)*, 4e éd.

RAIMBOURG Ph., *Les agences de rating.*

RICHARD J., BECOM SIMONS et associés, SECAFI ALPHA et associés, *Analyse financière et gestion des groupes.*

ROBERTS J., *Organisation de l'entreprise moderne, performance et croissance.*

RONCALLI T., *La gestion des risques financiers*, 2e éd.

ROURE F., *Stratégies financières sur le MATIF et le MONEP*, 2e éd.

ROY B., *Méthodologie multicritère d'aide à la décision.*

RUFFAT J., *Le pari du hors-marché.*

SAVALL H., *Enrichir le travail humain : l'évaluation économique.*

SAVALL H. et ZARDET V., *Maîtriser les coûts et les performances cachés,* 5e éd.

SENTIS P., *Introduction en bourse – Une approche internationale.*

SIMON H.A., *Administration et processus de décision.*

SIMON Y., LAUTIER D. et MOREL Ch., *Finance internationale,* 10e éd.

SPIESER Ph., *Information économique et marchés financiers.*

TEYSSONNIER F., KHEIRAT K. et SMETTE C., *Conseil et gestion de fortune.*

THIRIEZ H., *La modélisation du risque.*

TRÉSARRIEU J.P. (sous la direction de), *Réflexions sur la comptabilité – Hommage à Bertrand d'Illiers.*

VAN LOYE G., *Finance et théorie des organisations.*

VATTEVILLE E., *Mesure des ressources humaines et gestion de l'entreprise.*

VERNADAT F., *Techniques de modélisation en entreprise – Applications aux processus opérationnels.*

WOOT Ph. (de), *Les entreprises de haute technologie et l'Europe.*

WOOT Ph. (de) et DESCLÉE de MAREDSOUS X., *Le management stratégique des groupes industriels.*

ZAJDENWEBER D., *Économie et gestion de l'assurance.*

Imprimé en Italie par

LA TIPOGRAFICA VARESE
Società per Azioni
Italie
Achevé d'imprimer en Août 2010
ISBN : 978-2-7178-5342-1